1 MONTH OF
FREE
READING

at

www.ForgottenBooks.com

By purchasing this book you are eligible for one month membership to ForgottenBooks.com, giving you unlimited access to our entire collection of over 1,000,000 titles via our web site and mobile apps.

To claim your free month visit:

www.forgottenbooks.com/free1066681

ISBN 978-0-331-26039-7
PIBN 11066681

INDOGERMANISCHE FORSCHUNGEN

ZEITSCHRIFT

FÜR

INDOGERMANISCHE SPRACH- UND ALTERTUMSKUNDE

HERAUSGEGEBEN

VON

KARL BRUGMANN UND WILHELM STREITBERG

VIERTER BAND

MIT EINER TAFEL UND EINER KARTE

STRASSBURG

VERLAG VON KARL J. TRÜBNER

1894

AUGUST LESKIEN

ZUM 4. JULI 1894

DEM TAGE SEINES

25 JÄHRIGEN PROFESSOR-JUBILÄUMS

VON

SEINEN SCHÜLERN UND FREUNDEN.

Inhalt.

Hypologie der Sprachen, eine neue Aufgabe der Linguistik.

Soll die allgemeine Sprachwissenschaft die Frage: woher
die Verschiedenheiten des menschlichen Sprachbaues, beantworten, so ist das Nächste, was sie thun wird und in der
That längst zu thun unternommen hat, dies: sie wählt die
auffälligsten Bautypen — Baustile —, analysiert, charakterisiert
sie, erklärt nach dem Satze Idem per idem, was jede wahr-
genommene Eigentümlichkeit bedeute, übersetzt also die Spracherscheinungen zurück ins Psychologische, fasst darnach die
Geistesart der Rassen und Völker in Gesamtbilder und prüft
diese Bilder an der Hand der Völkerkunde und Geschichte
auf ihre Richtigkeit. Diese Methode würde die vollste Gewähr
der Sicherheit in sich tragen, müsste sie nicht mit so und so
vielen störenden Mächten rechnen, die sich oft jeder Beobachtung, meist der genauen Abwägung entziehen. Keiner hat sie
scharf- und tiefsinniger ausgenutzt, als Byrne (Principles of
the Structure of Language). Meiner Meinung nach aber hatte
er jener störenden Faktoren zu wenig Acht, setzte in seinen
Gleichungen die $x = O$, hantierte wohl auch manchmal mit
zu dehnbaren Begriffen. Alle diese Gefahren lagen gerade
einem solchen Denker nahe. Ich habe in meiner 'Sprachwissenschaft' gehofft, sie vermeiden zu können, indem ich mehr aus
dem Groben arbeitete, mich an das Handgreiflichste hielt: auf
Seiten der Sprachen an einige ihrer hervorspringendsten
physiognomischen Züge, — auf Seiten der Völker und Rassen
an die breitesten Massen und an die, welche vermutlich am
längsten unter sich gleichbleibenden Lebensbedingungen gestanden, folglich am tiefsten gewisse einseitige Geistes- und
Gemütsanlagen ausgebildet haben. Es war immer nur ein Versuch; ich glaube aber noch heute, dass ich eher nicht weit

genug als zu weit gegangen bin. Dass im einzelnen noch vieles
nachzutragen war, wusste ich von Hause aus; aus dem einen
Kapitel hätte ein starkes Buch werden können, aber nimmer-
mehr ein erschöpfendes, wie es Byrne zu liefern gedachte.

War wirklich der betretene Weg der einzig gangbare?
Und wenn er es nicht ist: giebt es keinen anderen, der ebenso
sicher, vielleicht noch sicherer ist?

Die Mächte, durch die die Sprachen gestaltet werden,
sind ihrer Herkunft nach zweierlei: einheimische und fremde.
Unter den einheimischen verstehe ich alle die und nur die, die
innerhalb der Sprachgenossenschaft — des Volkes — selbst
wurzeln. Ich weiss, man mag hier wieder unterscheiden zwischen der vererbten Anlage und jener Erziehung, bei der der
heimische Boden selbst den Lehrmeister gespielt hat. Aber
wie selten lässt sich das trennen.

Beachtung verdient die Sache immerhin; denn Völker-
wanderungen sind in der Geschichte der Menschheit häufig.
Hier hätten wir also einen störenden Faktor, der noch dazu
in den meisten Fällen unkontrollierbar, vorgeschichtlicher Herkunft sein wird. Seinen Einfluss aber mag ich nicht hoch ver-
anschlagen. Denn bei Völkern und Sprachen scheint sich der
Abstand zwischen den vererbt überkommenen Anlagen und den
neuen Lebensaufgaben, wo anders diese jenen erreichbar sind,
in nicht zu langer Zeit auszugleichen. Um beide, um Volk
und Sprache, müsste es schlimm stehen, wenn sie nicht ver-
borgene Kräfte in sich trügen, die nur der Anregung harren,
um aus ihrer Ruhe zu erwachen. Bei beiden aber können auch
wohl ausgebildete Kräfte einschlafen, wenn ihnen lange die
Gelegenheit zur Übung gefehlt hat. Wir kennen Sprachfamilien
von sehr gleichmässigem Typus und wiederum solche von er-
staunlicher Mannichfaltigkeit der Bauformen, und in beiden
Fällen glauben wir den Grund zu ahnen. Der Einheitlichkeit
oder Verschiedenheit des Sprachbaues geht auf ethnologisch-
historischer Seite die wesentliche Gleichheit oder Ungleichheit
der Lebensbedingungen parallel. Die alten Sprachen sind hier
nicht immer die besten Zeuginnen; und jene Forschung, die
nach den Ursprachen hinbohrt, schafft hier nicht eben das
brauchbarste Material zu Tage: sie mag versuchen, sich aus
der Ursprache ein Bild des Urvolkes zu rekonstruieren, aber sie
würde sich einfach im Kreise drehen, wenn sie nun wieder

aus dem Urvolke die Ursprache erklären wollte. Dagegen thut sie recht, wenn sie nach der Ursprache die Rassenanlage ermisst, die sich in den einzelnen Völkern in verschiedenen Richtungen und doch im Grunde durch dieselben treibenden und ziehenden Kräfte weiter entfaltet hat. Doch mag auch dies eine Einschränkung erfahren; vielleicht sind die gemeinsamen Merkmale der Familie nur da bedeutsam, wo sie sich lebendig erhalten haben. Wenn das Lateinische bis auf dürftige Reste die Vokalabstufungen, seine Töchter die Kasusendungen eingebüsst, das Neupersische und in seltsam verschiedenen Weisen die slavischen Sprachen das alte Akzentsystem umgewandelt haben, wenn auf indochinesischem Gebiete Poly- und Monosyllabismus, Isolation, Agglutination und Flexion und die verschiedensten Formen des Satzbaues entwickelt worden sind: so wissen wir, in diesen Punkten hat sich die Sprach- und Rasseart als beugsam erwiesen. Wir mögen dann weiter fragen, wodurch die Beugung geschehen sei; und wenn uns die Geschichte die Antwort darauf schuldig bleibt, wenn sie nicht erraten lässt, wieviel der neuen Heimat, wieviel dem störenden oder fördernden Einflusse der Nachbarvölker zuzuschreiben sei, so haben wir wenigstens einen negativen Gewinn.

Seit sich, zumal dank Hugo Schuchardt und Lucian Adam, unsre Wissenschaft auch jener neugeborenen Blendlingssprachen erbarmt, können wir auch für unsere Zwecke die Sprachmischungen verwerten. Am wenigsten freilich jene ungestalten Erzeugnisse des internationalen Geschäftsverkehrs, in denen, dass ich mich so ausdrücke, kein Volk sich geistig ein- und ausgelebt hat. Ganze Gruppen von Sprachen, die mir in dieser Hinsicht verdächtig erscheinen, die der Melanesier, der Goldküste von Afrika und andere, muss ich also von der Induktion ausscheiden. Wir wissen aber auch, das war der Anfang mancher der Sprachen, die heute zu den besten zählen. Da wurde der Bastard per subsequens matrimonium legitimiert, und in und mit dem neuen Volke erwuchs eine neue Sprache. Und da haben wir somit wieder das, worauf es uns ankommt: freie, auf heimischem Boden erwachsene Gebilde.

Sonach ist unser Induktionsmaterial doch reicher und verlässlicher, als es auf den ersten Blick schien. Die Sprachen der Kulturvölker in ihrer nach allen Richtungen hin entfalteten Kraft sind aber weniger bequeme Untersuchungsobjekte, als jene der niederen, einseitig erzogenen und beanlagten Rassen. — Soviel zur ersten Orientierung.

Sehe ich von jenen fremden störenden Einflüssen, solange sie noch fremd und störend sind, und von den Sprachen, bei denen ich solche Einflüsse argwöhnen muss, ab, so darf ich von den übrigen Sprachen sagen: Sie sind freie organische Gebilde, und weil und insoweit sie dies sind, stehen alle ihre Teile zueinander in notwendigem Zusammenhange. Dies ist a priori einleuchtend, kann nicht anders sein; und doch ist damit sehr viel behauptet. Derselben Geistesanlage, denselben geschichtlichen Bedingungen entstammt alles, was eine Sprache ist und hat: ihr Lautwesen sowohl wie die Art ihrer Wort- und Formenbildung, wie ihr Satzbau und der nationale Stil, die Grammatik wie der Wortschatz.

Man darf dies als These hinstellen und der allgemeinen Zustimmung gewiss sein. Es leuchtet auch ein, dass gewisse Züge in der Physiognomie der Sprachen, zumal lexikalische, stilistische und syntaktische, besonders charakteristisch sind. Geht man aber weiter, will man es der Zigeunerin nachmachen, die aus den Zügen der Handfläche den ganzen Menschen deutet, oder einem Cuvier, dessen Geist aus dem einzelnen Knochen das ganze Tier aufbaute, — misst man die Theorie an den Thatsachen: so scheint es bald, als hätte man nur die traurige Wahl, sich sofort für insolvent zu erklären oder mit Kunstmitteln Wechselreiterei zu treiben, bis der Bankerott von selbst ausbricht.

Einem notwendigen, die Gewähr der Richtigkeit in sich tragenden Gedanken darf man aber nicht darum entsagen, weil der erste Versuch, ihn zu verwirklichen, fehlschlug. Es gilt, ihn in eine kontrollierbare Form zu kleiden, und besser kontrollierbar ist keine als die statistische. Hier wünschte ich die Arbeit anfangen zu sehen. Sprach ich vorhin von Fällen, wo Sprachen einer und derselben Familie ein sehr verschiedenes Gepräge angenommen haben: so sind mir nun jene anderen Fälle interessant, wo Sprachen verschiedenen Stammes wahlverwandte Züge aufweisen. So konnte ich in meiner 'Sprachwissenschaft' mit den semitischen Sprachen im Punkte der Syntax die malaischen vergleichen, — ich hätte auch manche Übereinstimmung in der Wort- und Formenbildung erwähnen können. Dass stammverschiedene Nachbarvölker oft im Laut-

wesen Gemeinsames haben, ist wohl öfter und auch von mir
beobachtet worden und mag erklärlich sein. Ganz mystisch
aber mutet es an, dass in China und auf der transgangetischen
Halbinsel drei sonst mehrsilbige und agglutinierende Sprach-
stämme, der indochinesische, der kolarische und der malaische,
einsilbig-isolierende Angehörige haben, — und wie grundver-
schiedenen Geistes sind von den indochinesischen Sprachen
das Chinesische, das Barmanische und das Siamesische mit
seiner Sippe, das seinerseits dem stammfremden Annamitischen
so gleicht, als wäre derselbe Bauplan hier in Baustein, dort
in Sandquadern ausgeführt worden.

Kaum minder verblüffend aber ist eine andere Wahr-
nehmung, wenn nämlich zwei physiognomische Züge, die an-
scheinend schlechterdings nichts mit einander zu thun haben,
gepaart an den verschiedensten Punkten der Sprachenwelt
wiederkehren. Ich gebe das schlagendste Beispiel dieser Art,
das ich kenne. Das Baskische in Europa, das Tibetische in
Asien, das Grönländische und seine Verwandten in Amerika
und die Sprachen der schwarzen Eingeborenen Australiens
stehen einander im grammatischen Baue fern genug. Gemeinsam aber sind den drei erstgenannten zwei sonst seltene Züge:
erstens haben sie statt des Subjekts- und Objektskasus einen
casus activus-instrumentalis und einen neutro-passivus, so dass
— nach unseren Begriffen — das Objekt eines aktiven Verbums
und das Subjekt eines Verbum neutrum einerseits und das
Subjekt und das Werkzeug eines aktiven Verbums andererseits
je in demselben Kasus erscheinen. Zweitens unterscheiden sie
scharf zwischen den beiden Arten des adnominalen Attributs,
indem sie den Genitiv voran-, das Adjektivum nachtreten lassen.
Statistisch ausgedrückt: A fällt in $^3/_4$ der Fälle mit B, — B
vielleicht in $^3/_5$ oder $^1/_2$ der Fälle mit A zusammen; das Zusammentreffen ist nicht notwendig, aber doch zu häufig, als
dass man es lediglich auf Zufall schieben möchte. Man meint,
zweien sympathischen Nerven auf der Spur zu sein, die nicht
ganz regelmässig zusammenarbeiten, und wüsste nun gern Ort
und Art ihrer Verbindung und den Grund, warum diese manchmal gestört ist.

Auf solche gelegentliche Störungen müssen wir nun wohl
überall gefasst sein, gewiss aber auch auf eine Menge Formeln,
die besagen: die Erscheinung A trifft mit so und so grosser

Wahrscheinlichkeit mit *B, C, D* usw. zusammen, selten mit *E*, nie mit *F*. Und dies ist die Statistik, die ich zunächst verlange. Es fragt sich: Ist sie schon jetzt erreichbar? und was würde mit ihr erreicht?

Dass sie mit unsern jetzigen Mitteln herzustellen wäre, darf ich unbedenklich versichern. Den Plan zu entwerfen, sollte nicht allzuschwer fallen; und die litterarischen Hülfsmittel sind in reichem Masse vorhanden, man hat nur die Mühe der Auswahl. Die Sprachenkunde erobert eine Provinz nach der anderen, bezeichnet ihre Herrschaft durch immer tüchtigere Lehrbücher. Und allerdings, auf breitester Basis müsste das Gebäude errichtet werden; jeder wichtigere Typus müsste zur Geltung kommen, und für jede Sprache müsste ein wohl legitimierter Vertreter Rede und Antwort stehen. Mit schematisch-mechanischen Auszügen aus beliebigen — manchmal recht missliebigen — Grammatiken wäre hier wenig gedient. Aber eben, es müsste eine möglichst grosse Zahl der verschiedensten Sprachen zu Worte kommen, mehr als ein Einzelner wahrhaft zu beherrschen vermag. Die Arbeit verlangt eine Kommission, und die Kommission verlangt ein bis ins Einzelnste ausgearbeitetes Programm, und dies Programm verlangt mehr selbstentsagenden Gehorsam, als man von der Mehrzahl der Gelehrten erwarten darf. Doch solche Schwierigkeiten sind zu überwinden.

Unter dem Programme aber denke ich mir eine Art Fragebogen, der kategorienweise alle grammatischen Möglichkeiten erschöpft, so dass jede Frage mit einem Ja oder Nein beantwortet ist. Eine solche Fragestellung ist schwierig für den Fragesteller selbst, manchmal auch für den Beantworter; aber Unmögliches wird keinem der Beiden zugemutet.

Rein mechanisch ist der zweite Akt, die Statistik der Konjunkturen, von der ich vorhin eine flüchtige Probe gegeben habe. Durch sie würden wir in untadelig exakter Weise zur Erkenntnis wahrhaft typisch entscheidender Züge gelangen. Was wir längst ahnen konnten, was ich selbst in meinem Buche an vereinzelten Beispielen zu zeigen versucht: jene vorherrschenden Tendenzen, die sich in den verschiedensten Seiten des Sprachlebens äussern, die würden nun so recht eigentlich auf ihren Gehalt und Wert geaicht — ziffermässig, als wären es Gemässe oder Gewichte. Jetzt wäre der

Boden für eine recht wertvolle Wahrscheinlichkeitsrechnung gewonnen: aus einem Dutzend bekannter Eigenschaften einer Sprache müsste man mit Sicherheit auf hundert andere Züge schliessen können; die typischen Züge, die herrschenden Tendenzen lägen klar vor Augen.

Klar, aber auch roh, so lange wir nur von einem Zusammentreffen, nicht von einem Zusammenhange reden dürfen. Diesen zu ermitteln ist die dritte, höchste Aufgabe. Und hier wird sich die Sprachwissenschaft wiederum an die Völkerkunde und Geschichte anlehnen, von ihnen aus- und ihnen zustreben, — ein Tunnelbau, der von beiden Bergseiten zugleich unternommen wird. Von der einen Seite wird erklärt: Dies ist die Eigenart der Sprache, folglich dies die Eigenart des nationalen Geistes. Von der anderen Seite her wird geschlussfolgert: Dies sind die ständigen Lebensbedingungen, dies die geschichtlichen Vorerlebnisse, dies die Gewohnheiten und Kulturleistungen des Volkes, also muss seine Geistesart so und so beschaffen sein. Hier werden die Spitzhauen von drüben hörbar, man habe sich denn buchstäblich verbohrt. Da mag nun ein zweites mal jene Subjektivität der Denker zur Geltung kommen, die man so gern der allgemeinen Sprachwissenschaft und ihren Vertretern zum Vorwurfe macht. Aber wie weit ist sie zurückgeschoben, wie weit reicht das objektivste, was man verlangen kann, das zahlenmässig festgestellte. Geriete das Werk nur soweit, nur bis zu einer unanfechtbaren Statistik, so hätte die allgemeine Sprachwissenschaft nicht länger die sprachgeschichtliche Forschung um ihren festen Baugrund zu beneiden. Und gelänge die Arbeit weiter, dann könnte der Anfang des zwanzigsten Jahrhunderts verwirklicht sehen, was der Anfang des neunzehnten umsonst herauszugrübeln versuchte: eine wahrhaft allgemeine Grammatik, ganz philosophisch und doch ganz induktiv.

Berlin.   Georg von der Gabelentz[1].

---

1) Dieser Aufsatz war gesetzt und sollte zur Korrektur an den Verfasser geschickt werden, als die erschütternde Nachricht von dessen Hinscheiden eintraf. Dr. Hans Georg Conon von der Gabelentz, Akademiker und Professor an der Universität zu Berlin, starb am 10. Dezember 1893.   Die Redaktion.

Relative Sprachchronologie.

Mit diesen Zeilen möchte ich auf die Bedeutung aufmerksam machen, welche die Bestimmung der relativen Chronologie der einzelnen Spracherscheinungen für die geschichtliche Erkenntnis der Sprachen beanspruchen darf.

Diese Bedeutung lässt sich in mehrfacher Richtung kund thun. Am geringsten schlage ich es an, dass wir, soweit es sich um den Wiederaufbau einer vorlitterarischen Sprache, wie der urgermanischen oder der urindogermanischen handelt, zweifellos alle Augenblicke Anachronismen begehen, um so mehr, je weiter wir uns zeitlich von der überlieferten Sprache entfernen. Diese Anachronismen können zweierlei Art sein: Wir setzen zwei Wortformen für einen bestimmten vorlitterarischen Zeitraum neben einander an, deren eine vielleicht bedeutend älter ist als die andre; oder wir begehen diesen Fehler in demselben Worte, indem wir eine Form ansetzen, welche die Wirkung zweier Lautveränderungen (oder Analogiebildungen) aufweist, deren eine vielleicht erst eingetreten ist, nachdem das Wort durch eine dritte Neubildung bereits eine andre Gestalt erhalten hatte, d. h. es handelt sich um drei verschiedene Neuerungen, die sich in der Zeitfolge a b c vollzogen haben, und wir setzen das Wort in einer Form an, welche im Falle a und c die Neuerung aufweist, im Falle b aber nicht.

Wichtiger ist die Erkenntnis der relativen Zeitfolge der einzelnen Spracherscheinungen nach einer andern Richtung hin. Je exakt auch die sprachvergleichende Methode geworden ist, immer mehr zeigt sich, dass wir selbst da, wo wir bisher den Thatbestand erkannt zu haben glaubten, mit unsern Mitteln über einen gewissen Grad von Wahrscheinlichkeit nicht hinauskommen können. Mittels Bestimmung der Chronologie lässt sich mancherlei beweisen, was bisher Hypothese war. Auch ist es möglich bestimmte Erscheinungen nunmehr richtiger zu fassen und sie in denjenigen Zusammenhang zu bringen, in den sie gehören.

Über die Art des Verwandtschaftsverhältnisses der einander nahe stehenden Sprachen ist man bisher noch zu keiner sicheren Anschauung gelangt. Wenn sich von einer

Reihe von Erscheinungen im Leben einer Sprache nachweisen lässt, dass sie älter ist als eine Reihe andrer Erscheinungen, so gewinnen wir einen gesicherten Anhaltspunkt für eine methodische Untersuchung des Verwandtschaftsverhältnisses dieser Sprache mit einer andern, in so fern, als für die Vergleichung die jüngeren Erscheinungen vorläufig ausscheiden [1]).

---

1) Dieser Satz darf nicht missverstanden werden. Wenn z. B. Solmsen KZ. XXIX 348 und BB. XVII 329 ff. nachgewiesen hat, dass im Griech. sowohl der Schwund von s zwischen Vokalen als auch der des auslautenden t (wenigstens nach n) in Pausa — trotz Brugmann Grundr. I § 611 — älter ist als die von mir Berl. philol. Wochenschrift VII (1887) 502 Fussnote als gemeineuropäisch angenommene Kürzung der langen Vokale vor i, u, η, η, l, r — so, nicht j, u, m, n, l, r — + Konsonant, und wenn Brugmann Grdr. II S. 450 Fussnote (vgl. auch Streitberg Zur germ. Sprachgesch. 64) gezeigt hat, dass auch der Abfall von $-d$ (wenigstens nach r), und Grdr. I § 611 wahrscheinlich gemacht hat, dass der Lautwandel $-ns-$ zu $-nn-$ gleichfalls älter ist — doch vgl. Verf. a. a. O. —, so ist damit nicht das Geringste gegen meine Ansicht gesagt (vgl. auch Streitberg a. a. O. 65). Warum kann nicht ein griechischer Lautwandel älter sein als ein gemeinindogermanischer, so gut wie verschiedene anglofriesische, ja westsächsische Lautveränderungen nachweislich älter sind als gemeingermanische (s. unten S. 30 f.)? Meine Ansicht ist es, dass die Übereinstimmung aller europäischen Sprachen in diesem Punkte schwerlich auf Zufall beruhen kann. Ich meine, wenigstens das erste Stadium jenes lautlichen Vorganges muss in eine Zeit fallen, wo die indogermanischen Stämme Europas alle noch in sprachlichem Austausch mit einander standen, d. h. in eine indogermanische Zeit, in eine Zeit, wo es nur indogermanische Mundarten, aber noch keine einander unvermittelt gegenüberstehende idg. Sprachen gab. Zu jener Zeit, die eben nicht mehr die urindogermanische war, hat es natürlich bereits verschiedene Mundarten gegeben, möglichenfalls sogar schon eine fest abgegrenzte griechische, italische, keltische Mundart. Eine Eigentümlichkeit — schwerlich die einzige (vgl. $-nn-$ aus $-ns-$, Brugmann Grdr. I, § 611) — des griechischen Stammes der Indogermanen war es damals, statt des stimmlosen s zwischen Vokalen einen einfachen Hauch und kein t und d im Auslaut zu sprechen.

Eine besondere europäische Gruppe braucht es darum innerhalb der idg. Sprache nicht gegeben zu haben. Die Kürzung brauchte sich ja nicht über das ganze idg. Sprachgebiet auszudehnen. Auch wenn die Arier damals etwa schon von den Europäern räumlich getrennt waren, würde eine gemeineuropäische Mundart des Idg., ein europ. Volksstamm, nur durch eine ganze Reihe von sprachlichen Übereinstimmungen erwiesen werden.

Umgekehrt darf man im allgemeinen die Erscheinungen, welche von zwei oder mehreren einander nahe stehenden Mundarten geteilt werden, für älter halten als solche, die sich nur in einer von diesen Mundarten finden [1]).

1) Dieser Gesichtspunkt eröffnet uns ein weites Gebiet von unentbehrlichen Kombinationen, die sich wohl wahrscheinlich machen, aber nirgends strikt beweisen lassen. Altererbtes und neueres Sprachgut vorlitterarischer Zeiten scheiden wir auf Grund unsrer Anschauung über das Verwandtschaftsverhältnis der Sprachen. Es wird niemand einfallen zu bezweifeln, dass die germanische Lautverschiebung der Tenues älter ist als die althochdeutsche. Obgleich sich der Beweis nur mittels der Fremdwörter, der ältesten Eigennamen und sprachgeschichtlicher Kombinationen führen lässt, zweifelt doch niemand daran, einfach deshalb, weil die erste Lautverschiebung von allen germanischen Sprachen geteilt wird, die andre aber eine allein hochdeutsche Neuerung ist. Was allen germanischen Sprachen gemeinsam ist, pflegen wir als urgermanisch anzusehen und als älter als jedwede Sonderbildung. Mit solchen Schlüssen müssen wir aber sehr vorsichtig sein:

Einmal sind die Begriffe urgermanisch oder urindogermanisch nur eine Abstraktion. Es hat innerhalb einer jeden solchen Ursprache zu allen Zeiten mundartliche Besonderheiten gegeben. Ich glaube nicht, dass wir je die postulierte urindogermanische Sprache wieder in ihren Hauptzügen werden aufbauen können. Wir werden uns mit der mundartlich stark differenzierten gemeinindogermanischen Sprache begnügen und für diese Sprache einen weiten Zeitraum gelten lassen müssen. Als uridg. gilt z. B. die Kontraktion von *oe* zu *ō* (*u̯l̥qoes* zu *u̯l̥qōs*). Aber in eine gemeinidg. Zeit hinein reicht noch die europäische Kürzung der langen Vokale (S. 9 Anm.). Wir können gar nicht wissen, ob nicht erst in dieser Zeit eine Reihe von Sprachneuerungen eintrat, die wir jetzt als uridg. bezeichnen. Ich sehe nicht einmal ein, weshalb an sich nicht, wenn dem nicht besondere Gründe entgegenständen, z. B. die 'ur-' oder 'voridg.' Kontraktion von *oe* zu *ō* erst damals Platz gegriffen haben könnte.

Dann wissen wir nicht, wie weit gemeinsame Entwicklung zweier Sprachen demselben Boden entsprungen ist. Selbst wenn zwei Sprachen so nahe zusammengehören, dass wir sagen können, es sind nur zwei Mundarten ein und derselben Sprache, so beweist doch nicht jede Übereinstimmung die ursprüngliche Identität, sondern denn das höhere Alter der betreffenden Erscheinung für diese wie für jene Mundart gegenüber Neuerungen, in denen beide Mundarten von einander abweichen. Wir haben ohne weitere keinen Maßstab zu entscheiden, welche Übereinstimmung, welche altes Erbgut ist. Immerhin werden wir, wo Mundarten handelt, nur sehr selten fehlgehen, wenn gemeinsamen Neuerungen gegenüber einer andern

Vor allem aber bedürfen wir einer Chronologie möglichst
aller Spracherscheinungen, weil wir nur auf diesem Wege dem
Ideal einer wirklichen Geschichte einer Sprache näher kommen.
Die allgemein übliche Anordnung des Stoffes in einer Grammatik
nach Lautlehre, Wortbildungslehre und Syntax, und innerhalb der
Lautlehre nach Vokalismus und Konsonantismus, nach den einzelnen Vokalen usw. ist eine rein systematische, welche das
Wesen der Sache nicht trifft. Denn Sprache ist nicht ein
toter, anatomisch zu zergliedernder Körper, sondern lebt und
will darum als Handlung dargestellt sein. Zwar kann eine
Grammatik alten Schlages als Lehrbuch und als Nachschlage-
buch gewiss nicht entbehrt werden; das bedarf keiner Worte.
Eine systematische Grammatik und ein Wörterbuch werden
immer die Grundlage für alle weiteren Forschungen bilden.
Aber neben einer jeden Grammatik sollte eine wirkliche Geschichte der Sprache geschrieben werden[1]), welche die Sprach-
veränderungen in dem Zusammenhange darstellt, in dem sie
sich in Wirklichkeit vollzogen haben. Dieses Ziel muss die
Forschung uns noch näher rücken, als es bisher geschehen ist.
Man sollte unter Zugrundelegung eines bestimmten, gegebenen
Zustandes die weitere Entwicklung einer Sprache chronologisch
verfolgen, sollte ganz ohne Rücksicht auf die Art der Sprach-

---

Sprache samt und sonders der Ursprache der beiden Mundarten
zuweisen. Provisorisch müssen wir sogar so verfahren, wenn wir
überhaupt einen Boden unter unsern Füssen haben wollen.

Wie weit Vorsicht geboten ist, dafür ein Beispiel. Unter den
hunderten von Fällen, in denen die altfriesischen mit den ags. Mundarten übereinstimmen, befindet sich der Lautwandel von æ zu e. Hätten
wir aus alter Zeit gar keine mittel- und nordenglischen Denkmäler
und wären in unsern ältesten westsächs. Texten nicht zufällig einige
æ überliefert, so würden wir von einem æ ebenso wenig etwas auf
englischem wie auf friesischem Boden wissen, und wir würden nicht
Anstand nehmen den Lautwandel von æ zu e ebenso für uranglofrie-
sisch anzusehen wie z. B. den Umlaut. Ich bin sogar geneigt den Kern
dieses Lautwandels ungeachtet des ags. æ insofern für uranglo-
friesisch zu halten, als es mir wahrscheinlich vorkommt, dass der
erste physiologische Anstoss zu der Entlabialisierung bereits geschah, als die Angelsachsen noch Nachbarn der Friesen waren. Beweisen kann ich diese ganze subjektive Ansicht nicht. Ein mathe-
matisch sicherer Beweis der relativen Chronologie ihrer Sprachneuerungen ist allein ein und derselben Mundart abzugewinnen.

1) Noreens Altisl. u. anorw. Gramm. hält in der Lautlehre die
Mitte zwischen beiden.

erscheinung eine rein geschichtliche Anordnung des Stoffes versuchen. Jede Geschichtswissenschaft strebt danach, nicht nur ihren Stoff zu erforschen, sondern auch die gewonnenen Thatsachen so darzustellen, wie sie sich in Wirklichkeit einmal abgespielt haben. Als ein höchstes Ziel sollte die Sprachgeschichtsforschung vor Augen haben: das Bild, wie es Wenker (vornehmlich in lautlicher Hinsicht) für den gegenwärtigen Standpunkt eines bestimmten — des deutschen — Sprachgebietes räumlich zu fixieren versucht, zeitlich zu beleben. Der Wenker'sche Sprachatlas will den heutigen Sprachzustand gewissermaassen photographisch abbilden. Wie sich gegenüber der Welt der Ereignisse das einen Moment darstellende Bild eines Ereignisses zur geschichtlichen Darstellung verhält — ich erinnere an Lessings Laokoon —, so verhält sich für die Sprachgeschichte das von Wenker entworfene Bild (wenn wir es uns über die Lautgeschichte hinaus zu einem Gemälde des gesamten Sprachzustandes vergrössert denken) zu der Darstellung des Sprachlebens, wie sie mir vorschwebt.

Die Chronologie, wenn auch nur die relative, ist das Gerippe des Körpers einer wahrhaftigen Geschichte einer Sprache.

Es fehlt bisher für die vorlitterarischen Perioden fast gänzlich noch an Vorarbeiten zu einer chronologischen Darstellung im Grossen[1]), wenn sich auch die Versuche mehren, die eine und die andre Sprachveränderung in chronologische Beziehung zu einander zu setzen. Alle solche einzelnen Bausteine zusammenzufügen zu einem grossen mächtigen Bau, das ist eine der Aufgaben, welche noch ihrer Lösung harrt.

Es versteht sich von selbst, dass eine solche Arbeit nicht auf einmal gethan werden kann. Es ist auch nicht einmal wahrscheinlich, dass sämtliche Sprachneuerungen sich in die mir vorschwebende grosse chronologische Tabelle einordnen lassen. Es wird wohl immer ein Rest übrig bleiben, der sich nicht chronologisch bestimmen lässt. Aber ich glaube doch, dass es wenigstens für die litterarisch überlieferten Zeiträume möglich ist, das gesamte Sprachgut einigermaassen chronologisch zu ordnen.

---

1) Vgl. besonders Pogatscher Zur Lautlehre der griech., lat. und roman. Lehnworte, Strassburg 1888.

Die Methode, vermöge welcher wir eine relative Chronologie gewinnen, ist für den jüngeren Zeitraum, aus dem wir eine zusammenhängende schriftliche oder gedruckte Überlieferung haben, zum Teil eine andre als für die weiten vorlitterarischen Zeiträume. Nur zum Teil: Was die Folge der Sprachdenkmäler unmittelbar ergiebt, das ist eine Geschichte der geschriebenen, nicht der gesprochenen Sprache. Auch da, wo von einer schriftlichen Gemeinsprache keine Rede sein kann, ist die Geschichte der Orthographie die notwendige Vorarbeit zu einer Chronologie der Lautveränderungen [1]), wie die Geschichte der schriftlichen Tradition auch für die Erkenntnis der nicht lautlichen Neubildungen, der Syntax, des Stils und Wortschatzes der gesprochenen Volkssprache in Abzug zu bringen ist.

Im übrigen aber ist die Methode die gleiche, ob die zu erforschende Sprachperiode durch Denkmäler belegt ist oder nicht. Ja diese Methode giebt sogar die wichtigsten Anhaltspunkte für die Ausscheidung dessen, was auf Rechnung der Orthographie kommt. Ich brauche nur an den Umlaut im Niederdeutschen zu erinnern, der aus sprachgeschichtlichen Gründen in allen Phasen bereits zur Zeit des Heliand bestanden haben muss, obgleich er Jahrhunderte hindurch in der Schreibung nicht zum Ausdruck kommt [2]).

Wie nach dieser Richtung meiner Meinung nach zu verfahren sei, will ich, zugleich einzelnes für eine absolute Chronologie beibringend, an der vorlitterarischen Lautgeschichte der anglo-friesischen Sprache, im besondern der westsächsischen Mundart zu zeigen versuchen, indem ich die wegen der Völkermischung [3]) an durchgreifenden Lautveränderungen so reiche Zeit des 1. Jhs. v. Chr. und der ersten 6 Jahrhunderte n. Chr.

---

1) Vgl. Kauffmann Germ. XXXVII 243 ff.

2) Herr Prof. Sievers machte mich darauf aufmerksam, dass der mündlich überlieferte epische Wortschatz der germ. Allitterationspoesie in Oberdeutschland, abweichend vom prosaischen Wortschatz, derselbe gewesen sein könne wie in Niedersachsen und England, und dass deshalb die Gründe nicht stichhaltig sind, welche Kögel in Pauls Grundriss II 1, 176 ff. für den niederdeutschen Ursprung des Hildebrandsliedes anführt.

3) Nicht wegen des veränderten Himmels und Luftdrucks, wegen der 'gänzlich anderen Boden- und Lebensverhältnisse', wie Kauffmann Gesch. der schwäb. Sprache, S. XI, will.

vor Augen habe. Ich gehe von der urgermanischen Zeit aus
— ich könnte auch den umgekehrten Weg einschlagen. Ich
benutze nur solches Material, welches über den Verdacht einer
Analogiebildung erhaben ist. Schwerer als sonst bei lautgeschicht-
lichen Untersuchungen würde sich hier der Fehler rächen, eine
Form für lautlich ererbt auszugeben, die es nicht zu sein braucht.
E i n Rechenfehler könnte ein Stockwerk des aufzuführenden
Gebäudes zum Einsturz bringen.

Alle derartigen Untersuchungen wie die folgenden können
nur bedingt richtige Formulierungen liefern, weil wir über die
mundartlichen Besonderheiten im einzelnen zu mangelhaft
unterrichtet sind und daher den Fehler zu verallgemeinern
nicht ganz vermeiden können. Ist z. B. ein gemeinwestgerm.
Lautwandel wie der von ē zu ā erst im Laufe von Jahrhunderten auf dem ganzen Gebiete durchgedrungen, hier früher
als dort[1]), so kann das gleiche auch bei einem anglofries.,
einem westsächs. Lautwandel der Fall sein. Die Schwächung
der ahd. Endsilbenvokale zu ə (geschrieben e, md. i), die wir
doch als g e m e i n deutsch bezeichnen, ist schon im 10. Jahrhundert zu erkennen; aber noch heute sprechen die Walser
südlich vom Monte Rosa *hano* Hahn, *spellon* reden, *snidan*
schneiden, *slussil* Schlüssel. Je kleiner das Sprachgebiet, um
so geringer wird natürlich zumeist der geographische Zeit-
unterschied sein. Aber wir müssen im Auge behalten, dass
auch innerhalb einer kleineren Mundart wie der westsächsischen
die festzustellende relative Zeitfolge der Sprachneuerungen
möglicherweise in dem einen oder andern Falle nicht für das
gesamte Gebiet der Mundart zu Recht besteht.

--- --- ---

Lange offene Vokale schreibe ich *ā, ō, ē*, lange geschl. *ō, ê, î* u. dgl.

Zfdph. XXII 251 f. habe ich an der Hand der ältesten
germ. Eigennamen gezeigt, dass *e* vor *ẹ* + *g, k, x* bereits
in vorchristlicher Zeit zu *i* geworden war, es vor *n* oder *m* +
Konsonant bezw. vor Doppelnasal (wenigstens auf dem Gebiet,
für welches wir Zeugnisse haben) erst im 1. Jahrhundert n. Chr.
geworden ist. Beide Stufen dieses Lautwandels setzt die anglofriesische Ersatzdehnung für den vor stimmlosem Reibelaut

--- --- ---

1) Vgl. unten S. 20 f. und PBrB. XI 2—29.

geschwundenen Nasal voraus. Es heisst anglofries. (ags.) *fîf* 5 aus got. *fimf* aus **femfe* aus idg. **pénqe*, ebenso *sîd* 'der Weg' aus got. *sinþs* aus **senþaz* aus idg. **séntos*. Diese Ersatzdehnung teilen alle germ. Sprachen, soweit es sich um den Reibelaut *x (h)* handelt. Germ. *į* erscheint in got. *þeihs* aus **þiŋxaz* aus **þeŋxaz* aus idg. **ténqos* (lat. *tempus*) oder in got. *þeiha* aus **þiŋxô* aus **þeŋxô* aus idg. **ténqô* (lit. *tenkù*). Es war also gemeingermanisch

A.

1) *e* vor *ŋ* + *g, k, x* zu *i* geworden, bevor

2) die kurzen Vokale + *ŋ* vor *x* zu Nasalvokalen gedehnt worden waren.

Anglofriesisch war

1) *e* vor jedem Nasal + Kons. bezw. vor Doppelnasal zu *i* geworden, bevor

2) die kurzen Vokale + Nasal vor jedem stimmlosen Reibelaut zu Nasalvokalen gedehnt worden waren.

Die Ersatzdehnung ist vor *x* gemeingermanisch; vor *s* anglofriesisch, nordisch und niederdeutsch (ags. frs. *gôs* 'Gans', anord *gôs*, ndd. *gôs*, aber hd. *gans*); vor *f* anglofriesisch, nordisch [1]) und niederdeutsch (ags. frs. ndd. *fîf* 5, aber ahd. *fimf*); vor *þ* anglofriesisch und wenigstens zum Teil auch niederdeutsch (ags. afrs. *ôder* 'der andere', andd. *ôthar, âthar* und *ander*, hd. *ander*, anord. *annar*). Wir dürfen hiernach das folgende Bild entwerfen: Zuerst an der deutschen Nordseeküste fing man an einen Nasal vor stimmlosem Reibelaut unter Nasalierung und Ersatzdehnung des vorhergehenden Vokals schwinden zu lassen. Dieser Vorgang setzte ein bei *x*. Während er sich über die Grenzen der anglofriesischen Mundart hinaus ausbreitete, hatten die Ingwiaiwen (Anglofriesen) bereits begonnen auch vor *s* und *f* den Nasal schwinden zu lassen. Als diese zweite Stufe des Lautwandels bis nach Skadinavien vordrang, hatten bereits alle germ. Stämme jene erste Stufe angenommen, und die Anglofriesen hatten mittlerweile den Lautwandel auch auf *þ* ausgedehnt. Der Verkehr und der sprachliche Austausch des ingwiaiwischen Stammes mit den Nord-

---

1) Noreen Aisld. u. anorw. Gramm.² S. 238, 2.

germanen war so weit gelockert, dass diese dritte Stufe nicht
mehr über die ingw. Stammesgrenze hinaus nach dem Norden
vordrang. Wohl aber bestand der engere Zusammenhang zwischen Angeln, Jüten, Friesen und Sachsen fort, so dass innerhalb dieser Mundartengruppe die Nasalierung und Ersatzdehnung nicht nur vor *s* und *f*, sondern auch vor *þ* allgemein
geteilt wurde. Die Angelsachsen zogen dann nach Britannien
hinüber, und Wörter wie *sîd* 'Weg', *ôdar* 'der andre' im
Heliand, sowie das gemeindeutsch gewordene Wort *Süden*
bekunden, dass damals auch die in den heutigen niederdeutschen Mundarten verloren gegangene letzte Stufe des Lautwandels in Niedersachsen Eingang gefunden hatte.

Ich will auf diesen Entwurf kein Gewicht legen, meine
aber, wenn wir den Lautwandel vor *x*, weil er hier gemeingermanisch ist, im Urags. für älter halten als vor den übrigen
Reibelauten[1]), so müssen wir mit demselben Recht den Lautwandel vor *s* und *f*, der nordisch und niederdeutsch ist, für
älter halten als vor *þ*, weil er vor *þ* von den Nordgermanen nicht, von den Niederdeutschen nur zum Teil angenommen worden ist.

Für altes *e* erscheint *i* als gedehnter Nasalvokal: germ.
a erscheint im Anglofries., wie zum Teil auch im Nordischen[2]),
als *ô*. So heisst es *brôhte* (= got. ahd. *brâhta*), *gôs* (= hd.
gans), *sôfte* (= hd. *sanft*), *ôder* (= hd. *ander*). Man setzt
brąxta — ich sehe hier von dem Endvokal ab — als urgermanisch an, und damit wäre gesagt, dass das anglofrs. *ô*
auch in den andern Fällen aus *ą* entstanden ist. An sich
ist das nicht notwendig. Urgerm. *brawxta* konnte sehr wohl
bereits anglofrs. zu *browxta* geworden sein, als das *w* gemeingerm. unter Ersatzdehnung schwand. Ich habe oben (S. 14 f.)
ja den Lautwandel von *e* vor Nasal zu *i* als älter angesetzt
als die Ersatzdehnung und sollte mit gleichem Rechte den
anglofries. Lautwandel von *a* vor Nasal zu *o*, wie er in *lond*
'Land', *noma* 'Name' vorliegt, als älter ansetzen. Eine zwingende Notwendigkeit zu dieser Annahme liegt weder hier noch
dort vor. Es braucht nicht *aw* (*an*, *am*) durch *ow* hindurch

---

1) Vgl. Sievers Ags. Gramm.[3] § 66 f. und 186, 1.
2) Noreen a. a. O. § 73, 2.

zu ǫ geworden sein und nicht eⱬ (en, em) durch iⱬ hindurch
zu į, sondern aⱬ und eⱬ können zu ǫ̨ und ę̨ und daraus erst
zu ǫ und į geworden sein. In letzterem Falle, der an sich
ja weniger wahrscheinlich ist, würde man die Nasalvokale
von dem Lautwandel von eⱬ zu iⱬ und von aⱬ zu oⱬ trennen.
Dazu liegt beim į nicht die mindeste Veranlassung vor, und
die Zeitfolge A ist wegen der absoluten Datierung des Lautwandels von eⱬ zu iⱬ wohl über jeden Zweifel erhaben. Das
anglofrs. ô aus ǫ kann aber nicht — wenigstens zeitlich nicht —
mit dem Übergange des a vor Nasalen zu o in Zusammenhang
gebracht werden[1]). Einmal ist dieser Übergang nur bedingt
gemeinanglofriesisch zu nennen. Die ältesten ags. Schreibungen
wie *land*, *nama* werden durch neuengl. *land*, *name* gestützt
(südenglisch a, nordengl. o) und im Altfries. steht ostfrs. *lônd*,
noma westfrs. *lánd*, *nama* gegenüber. Dann ist a vor Nasalen
nicht zu œ (zu e) umgelautet worden, wie jenes ô (aus ǫ) zu
œ́ (zu é), sondern zu œ[2]). Dort heisst es ags. *œ́htan* (zu *éhtan*)
aus *ôᵪtjan aus *aⱬᵪtian und *gœ̂s* (zu *gés*) aus *gôsi aus *gansiz,
hier aber *frœmman*, *fremman* aus *framjan, und *mœnn*, *menn*
aus *manniz. Dort ist ô, hier noch das alte a umgelautet
worden. Der Lautwandel von a vor Nasalen zu o, den Pogatscher[3]) in das 7. Jahrhundert n. Chr. setzt, muss also von
dem Lautwandel von a + Nas. vor stimmloser Spirans zu ǫ
getrennt werden und wird vielmehr zu dem anglofrs. Lautwandel on zu un, en zu in[4]) gehören. Zeitlich liegt der
Umlaut dazwischen, den Pogatscher[5]) gleichfalls in das 7.
Jahrhundert setzt, und, wie wir sehen werden, noch manch
andrer Lautwandel.
Wir haben die folgende Zeitfolge gefunden:

---

1) Vgl. Siebs Zur Gesch. der engl.-fries. Sprache I 74 und
Pogatscher Zur Lautlehre d. gr., lat. u. roman. Lehnworte im Aengl.,
S. 105—111.
2) Vgl. Sievers Ags. Gramm. § 89, 2 und für das Afrs. meine
Ausführungen PBrB. XVII 329 f. Wegen ebd. XIV 241 bemerke ich,
dass afrs. *achta* kurzes, aus ē gekürztes a hat.
3) A. a. O. S. 109.
4) Sievers § 69. 70; Pogatscher S. 81 ff. und 101 ff.
5) A. a. O. S. 134: 'Etwa gegen 600 wird der i-Umlaut eben
erst vorbereitet, um 650 dürfte er in voller Wirkung sein und vielleicht
bereits gewisse Endstadien erreicht haben, um 700 ist seine Kraft
erloschen'.

B.

1) Vor Chr. Geb., wahrscheinlich im 1. Jahrhundert
v. Chr. war *e* vor *w* + *g, k, x* gemeingerm. zu *i* geworden [**pewxo* zu **piwxó*], bevor

2) *w* vor *x* unter nasa-
lierender Ersatzdehnung gemeingerm. schwand [**piwxo*
zu **p̨xo, *fawxó* zu **f̨xó*].
Alsdann schwand

2) im 1. Jahrhundert n.
Chr. *e* vor Nasal + Kons. überhaupt gemeingerm. zu *i* geworden war [**femfe* zu *fimf, *senþaz*
zu **sinþaz*]. Alsdann schwand

3) im Anglofries. Nasal vor *s* und *f* [**gansiz* zu **g̨siz,*
*fimf zu **f̨f, *samftó* zu **s̨ftó*], ein Lautwandel, an dem auch
das Nord. und Ndd. teilnahm, und

4) vor *þ* [**sinþaz* zu **s̨þ, *tanþiz* zu **t̨þiz*], ein Lautwandel, der im Ndd. zum Teil Boden fand.

5) Der anglofries. (zum Teil auch nord. und ndd.)
Lautwandel von *ą* zu *ǫ* kann möglicherweise schon zur Zeit 3)
oder 4) begonnen haben. Vollendet wurde er jedenfalls erst
nach 4) [**f̨xo* zu **fǫxo, *gąsiz* zu **gǫsiz, *sąftó* zu **sǫftó,*
*tąþiz zu **tǫþiz*]. Später fällt

6) der anglofries. Umlaut wenigstens der langen Vokale
[**gǫsi* zu **gǽsi, *tǫþi* zu **tǽþi*], während die kurzen Vokale
möglichenfalls schon früher umgelautet worden sein können
[**manni* zu **mænni*]. Der Umlaut ist eine gemeingerm.
Erscheinung [1]), in Deutschland von der Nordseeküste aus allmählich südwärts vordringend. Jünger als der anglofries. Umlaut ist

7) der nordengl., nordfries. und ostfries. Lautwandel von *a* vor Nasalen zu *o* [*mann* zu *monn*], den Pogatscher in das 7. Jahrhundert n. Chr. setzt.

Das Aufgehen der Nasalierung wäre nach 5), also als 6—7)
anzusetzen; es fand in nicht betonter Silbe noch vor Beginn
unsrer Zeitrechnung statt (s. S. 23 Anm.), also vor 6).

Offenbar ungefähr, wenn nicht genau gleichzeitig mit
dem Lautwandel von *ą* zu *ǫ* ist der von *an, am* zu *on, om*
anzusetzen, wie er z. B. in ahd. *mano* 'Mond' zu ags. afrs.
móna vorliegt, und den bis zu einem gewissen Grade auch

---

1) Vgl. für das Got. Goldschmidt Zur Kritik der altgerm. Elemente im Spanischen (Bonner Diss. 1887) S. 12 und Schröder ZfdA.
XXXV 172 f.

das Nordische teilt [1]). Auch hier ist der Umlaut *œ́* (zu *é*), z. B. ags. *cwœ́n* (zu *cwén*) ʻFrauʼ aus **kŭóni* aus **kŭáni* aus **kŭéniz* (got. *qḗns*). Der für urgerm.-idg. *ē* (got. *ē*) stehende Vokal *a* ist an Stelle des anglofrs. *ṓ* zweifellos vorauszusetzen [2]).

Es ist die Frage, ob dieses *a* das deutsche und nordische *a* ist, das sonst gemeinanglofriesisch zu *œ́* geworden ist, oder ob germ. *ē* vor Nasalen durch *a* hindurch zu *ṓ* geworden ist, und das anglofries. *œ́* unmittelbar das germ. *ē* fortsetzt. Ich habe früher die letztere, an sich weniger wahrscheinliche Ansicht verfochten [3]). Die Unzulänglichkeit meiner Gründe ist bereits von andern dargethan worden [4]). Allerdings dürfen wir ags. *strǽt* = afrs. *strḗte* aus lat. *strāta*, ags. *nǽp* aus lat. *nāpus*, afrs. *pēl* aus lat. *palus*, westsächs. *ċiese* aus **ċéasi* aus **ċǽsi* [5]) aus lat. *cāseus* nicht entnehmen, dass dieses *œ́* auf *a* zurückgeht, sondern nur, dass *œ́* derjenige unter den anglofrs. Vokalen war, der dem lat. *a* am nächsten lag, also näher als das aus idg. *a* entstandene germ. *ṓ* (in got. *Rúmṓneis* aus lat. *Rōmáni*, s. unten S. 21 f.), was nicht zu verwundern wäre, weil dieses *ṓ* schon im 1. Jahrhundert v. Chr. bestand (s. unten S. 22). Auch wenn *œ́* wirklich auf wgerm. *a* beruht, könnte doch zur Zeit, als diese Lehnwörter aufgenommen wurden, entweder noch das germ. oder schon das jüngere ags. *œ́* gesprochen worden sein und bei der Entlehnung Lautsubstitution obwalten. Aber die unmittelbare Zurückführung des anglofrs.

---

1) Noreen a. a. O. § 73, 2.

2) Trotz meiner unberechtigten Skepsis PBrB. XI 16 Anm. 2; vgl. auch Siebs ebd. 227, berichtigt Zur Gesch. der engl.-fries. Sprache I 191.

3) PBrB. XI 12 ff. Vgl. auch Siebs Zur Gesch. d. engl.-fries. Sprache I 192 und Franck Anz. f. deutsches Alt. XVII 196 Anm.

4) Vgl. Kluge Engl. Studien IX 312; Pogatscher Zur Lautlehre d. gr., lat. u. rom. Lehnworte im Aengl., S. 109 und 119; Holz Urgerm. geschl. *ē̆*, S. 1 f.; Sievers PBrB. XVI 238 f.; vgl. auch Verf. Ndd. Jh. XIII 10 f. Wenn Kauffmann Litbl. f. germ. u. rom. Phil. XVIII 444 sich auf Siebs PBrB. XI 227, dafür beruft, dass ʻdie ältesten Quellen der frs. Spracheʼ noch *a* zeigen, so bemerke ich, dass jenes angeblich urfries. *a* sich nur in den fries. Eigennamen in Werdener Urkunden findet, und dass solche Namensformen zumeist der Werdener Mundart zuzuweisen sind.

5) S. unten S. 25 sowie Ndd. Jb. XIII 10 f. und Sievers Ags. Gramm.² § 75 f.

æ auf germ. *ē* ist mehr als unwahrscheinlich. Wir **haben**
ja *a* in Beispielen wie **kuani* und dazu noch vor *w* und *g*[1]),
und dieses *a* ist, wenn, wie kaum zu bezweifeln, der anglofrs.
Lautwandel von *an* zu *ôn* dem von *ą* zu *ǫ* gleichzeitig ist,
sehr alt, ja vorchristlich (S. 23), und da sollte dieses *a* nicht
dasselbe sein, wie das deutsche und nordische *a*? Da sollte
germ. *ē* im Anglofrs. nur vor *n*, *m*, *w* und *g* zu *a* geworden
sein? Zudem lässt sich das nord. und deutsche *a* nur unter
der Voraussetzung geographisch vereinigen, dass es gemeinwestgerm., also auch uranglofries. gewesen ist, und dieser
Wahrscheinlichkeit steht andrerseits nur die schwerwiegende
lautphysiologische Unwahrscheinlichkeit eines kombinatorischen
Lautwandels von *ē* grade und nur vor *n*, *m*, *w* und *g* zu *a*
gegenüber, während der Annahme der von einem anglofrs.
Lautwandel von wgerm. *a* zu *æ* unberührt gebliebenen Erhaltung des *a* vor *w* und *g* — *an* war damals längst zu
ôn geworden — keinerlei Schwierigkeiten im Wege stehen,
und der postulierte Lautwandel von *a* zu *æ* eine Stütze hat
an der Wandlung des kurzen *a* zu *æ*. Wir dürfen also sagen:

C.

1) Germ. *ē* war im Anglofries. zu *a* geworden [**kuēniz*
zu **kuaniz*], ein gemeinwestgerm. und nordischer Vorgang, bevor

2) dieses *a* vor Nasalen anglofriesisch zu *ô* wurde
[**kuaniz* zu **kuôniz*], wie bedingt auch im Nordischen.

3) Nord. und westgerm. *a* kann im Anglofrs. erst zu
æ geworden sein [lat. *caseus* zu **kæsi*], nachdem der Lautwandel 2) wenigstens schon begonnen hatte, weil jenes *a* an
dem Lautwandel 3) nicht teilgenommen hat.

1) und 3) liegen jedenfalls zeitlich ziemlich weit von
einander entfernt, da die Lautbewegung hier und dort in entgegengesetzter Richtung geschieht. Von dem Lautwandel 1)
habe ich PBBeitr. XI 18 ff. nachgewiesen, dass er von Süd-
deutschland aus erst allmählich nach Franken und Norddeutsch-
land vorgedrungen ist: Die oberdeutschen Stämme hatten dies
a nach Ausweis der Eigennamen auf *marius* mindestens
schon zu Anfang des 3. Jahrhunderts (216 Γαιοβόμαρος), aller

---

1) Kluge Anglia Anz. V 82 und Sievers Ags. Gramm.² § 57, 2a;
ähnlich im Afries.

Wahrscheinlichkeit nach aber bereits im 2. Jahrhundert n. Chr.
Im Nord. erscheint *a* zuerst auf der Thorsbjærger Spange
(*mariz*), die Wimmer dem ersten Viertel des 5. Jahrhunderts
zuwies, und die Montelius, dem sich Noreen [1]) anschliesst, in
das 3. Jahrhundert, und zwar eher in die erste als in die
zweite Hälfte desselben setzen will. Die allgemeine Wahrscheinlichkeit spricht dafür, dass bereits die Markomannen in
Böhmen (vgl. *Maroboduus*) und die Semnen in der Mark
Brandenburg *a* sprachen, und dass dieser Lautwandel von der
unteren Elbe oder von Schleswig-Holstein oder Dänemark aus
sich ausgebreitet hat und spätestens im 3. Jahrhundert n. Chr.
Gemeingut der erminischen (oberdeutschen und thüringischen),
ingwiaiwischen (anglofriesischen) und nordgermanischen Stämme
geworden ist [2]).

Dass dieser Lautwandel bei den Deutschen nicht vor dem
1. Jahrhundert v. Chr. begonnen haben kann, lässt sich auf
andre Weise zeigen.

Als man anfing das germ. *e* als *a* auszusprechen, kann
das alte idg. *a* nicht mehr bestanden haben, weil beide Laute
sonst zusammengefallen wären. Wenigstens der Beginn des
Lautwandels von idg. *a* zu germ. *o* muss älter sein als die
Vollendung des Lautwandels von *e* zu *a*.

Für den Lautwandel von idg. *a* zu germ. *o* haben wir
einen absoluten chronologischen Anhaltspunkt. Zwar den
Lehnwörtern kelt. *braka* zu germ. *brok* 'Hose', *Danuvius*
zu got. *Dōnawi* [3]), ahd. *Tuonouwa*, *Rōmāni* zu got. *Rūmōneis*,
darf man nicht entnehmen, dass *a* erst in nachchristlicher Zeit
zu *o* geworden sei [4]). Wenn zur Zeit des Ariovist der Laut *a*
im Germ. nicht mehr bestand, so musste man für das *a* in
Fremdwörtern den nächststehenden Laut einsetzen [5]). Aber wenig-

---

1) Anorw. u. aisl. Gramm.[2] § 5.
2) Als lat. *strāta* und *cāseus* — wohl im 1. Jh. n. Chr. — entlehnt wurden (wgerm. *strāt* und *kāsi) muss das lat. *a* wenigstens
dem wgerm. *a* aus germ. *e* näher gestanden haben als dem germ. *ō*
aus idg. *a*. Als *Graecus* und *mĕ(n)sa* — wohl noch im 1. Jh. n. Chr.
— entlehnt wurden (got. *Krēks* und *mēs*), sprachen die süddeutschen
Westgermanen jedenfalls schon *ā*.
3) Vgl. Müllenhoff Zfda. XX 26 ff. = Arch. f. slav. Phil. I 290 ff. —
Deutsche Altertumskunde II 362 ff.
4) Vgl. Möller KZ. XXIV 508.
5) *Rōmāni* = *Rūmōneis* zeigt, dass im 1. Jh. v. Chr. ein enges

stens für die nachmals fränkische Mundart ergiebt Caesars *silva Bacenis*[1]) (ahd. *Buochunna*) die Mitte des 1. Jahrhunderts v. Chr. als terminus a quo und, wenn nebenbetontes *a* gleichzeitig zu *o* wurde, Tacitus' *Idisiaviso*[2]) das Jahr 16 n. Chr. als terminus ad quem. Und weiterhin lehrt wgerm. **strat* und **kasi* aus lat. *strata* und *caseus*, dass wohl im 1. Jahrhundert n. Chr. das idg. *a* am Rhein und an der Donau als *o* gesprochen wurde. Wir haben bestimmte Gründe anzunehmen, dass in der gotischen und anglofries. Mundart damals dieser Lautwandel längst vollendet war[3]).

(geschlossenes) *o* im Germ. nicht bestand, das germ. *a* diesem Laute sogar näher stand als das weite (offene) *ō* aus idg. *ō*.

1) Bell. Gall. VI 10.

2) Ann. II 16. Die *Triboci*, *-es* haben einen gallischen Namen; vgl. Glück Die bei C. J. Caesar vorkommenden kelt. Namen, S. 158 ff. Auch τὸ Μηλίβοκον ὄρος bei Ptol. ist nach Zeuss Die Deutschen und die Nachbarstämme, S. 11, 'in keltischer Benennung' auf uns gekommen.

3) Es ergiebt sich dies aus der folgenden Betrachtung:

Zur Zeit, als germ. **ɥordō* 'die Wörter' zu got. *waúrda*, wgerm. und urnord. **ɥordu* gekürzt wurde, müssen noch die (im Got. nicht gekürzten) auslautenden langen Nasalvokale bestanden haben, also z. B. got. **dagē* 'der Tage' (zu *dagē*), wgerm. **xanǭ* 'Hahn' (anglofrs. *hona*, deutsch *hano*); denn sonst wären ja diese Endvokale auch gekürzt worden. Damals war der Lautwandel idg *a* zu germ. *o*, wenigstens in nebenbetonter Silbe bereits vollzogen gewesen; denn das *-ō* von **ɥordō* ist ein idg. *-ā*. Die Aufgabe der Nasalierung — bez. wenn man statt derselben Überlänge, geschleifte Betonung annimmt, die Kürzung zu einfacher Länge — hat natürlich früher stattgefunden als die anglofries. (und nord., zum Teil auch ndd.) Verkürzung des *ō* zu *a* [wgerm. **xanǭ* zu anglfrs. *hona*]. Wir erhalten also die Zeitfolge:

1) idg. *a* wurde zu germ. *ō*: **ɥordā* zu **ɥordō*.

2) **ɥordō* wurde zu got. *waúrda*, wgerm. vornord. **ɥordu*.

(2 oder) 3) **xanǭ* wurde zu **xanō*.

(3 bez.) 4) **xanō* wurde zu anglofrs. *hona*.

Der Lautwandel 2) hat im Got. spätestens um Chr. Geb. stattgefunden; denn Tacitus Ann. II 62 erzählt zum J. 19 n. Chr. von einem Goten *Catualda*; vgl. auch Σιλίγγαι Ptol. II 11, 18. 19, *Venedae* Plin. IV 97, Οὐενέδαι Ptol. III 5. 19. 20. 21 und die oft genannten *Basternae*, gegenüber wgerm. *-ones*.

Der Lautwandel 4) muss im Anglofries. gleichfalls — wenigstens in einem Teile des Sprachgebietes — spätestens um Chr. Geb. stattgefunden haben; denn Tac. nennt Ann. II 11 einen *Chariovalda*, 16 n. Chr. Anführer der batavischen Kohorte im römischen Heere,

Der Lautwandel von germ. *ē* zu wgerm. nord. *a* fällt
für das Anglofriesische sicher spätestens in's 1. Jahrhundert
v. Chr., ist also wohl von dem ingwiaiwischen Volksstamme
ausgegangen; denn er ist älter als der Lautwandel von *an*,
ą zu *ōn*, *ǫ*, und auch dieser hat vor Beginn unsrer Zeitrechnung stattgefunden [1]).

der, da die entsprechenden wgerm. Personennamen sonst auf -*o* endigen (vgl. den Bataver *Blesio*, *Burgionis* filius ClRh. 70, den Canninefaten *Brinno* Tac. Hist. IV 15. 16, den Sugambrer Μέλων Strabon
VI 291. 292, die Sweben *Vangio* und *Sido* Tac. Ann. XII 29. 30. Hist.
III 5. 21 und die Völkernamen auf -*ones*), nur ein Friese gewesen
sein kann.

Hiernach ist der Lautwandel von idg. *ā* zu *ō* (wenigstens in
nicht hauptbetonter Silbe) für das Gotische spätestens in die Mitte
des 1. Jhs. v. Chr. zu setzen, für das Anglofriesische wohl nicht un-
erheblich früher.

waúrd aus **yorda* muss im Got. spätestens zur Zeit von 2)
das -*a* verloren haben, im Anglofries. spätestens zur Zeit von 4).
Lat. *mę̄sa* (geschrieben *mensa*) müssten also die Goten mindestens
schon zur Zeit Caesars als Lehnwort angenommen haben (got. *mēs*),
läge es nicht näher zu glauben, dass die Goten das Wort als Neutrum von den Westgermanen entlehnt haben, unter denen wenigstens
die nachmals deutschen Stämme **yorda* erst in nachchristlicher Zeit
als *yord* ausgesprochen haben.

Man sieht, dass die Nordgermanen, die noch in den ersten
nachchristlichen Jahrhunderten auf den Runeninschriften Formen
wie **worda* (got. *waúrd*) und **wordō* (got. *waúrda*) bewahrt haben,
die gemeingerm. Lautveränderungen erheblich später vollzogen
haben als die Goten und gar die Anglofriesen.

Noch eins:

1) Zur selben Zeit, als wgerm. **xanǭ* zu **xanō*, oder um ein
got. Beispiel zu nennen, als **dagę̄* zu got. *dagē* wurde, musste auch
der Akk. Sg. **gebą̄* got. zu *gibā* werden. Wir müssen ein langes *a*
ansetzen (idg. Endung **-ām*), um so mehr als auch ahd. *geba*, altags.
g(i)efæ ursprüngliches -*ā* fordern. Die Annahme einer Analogiebildung nach dem Nom. Sg. (vgl. Brugmann Grundriss II 547 f.),
von der im Westgerm. ja keine Rede sein kann (vgl. ags. Nom.
giefu, Acc. *giefæ*) ist für das Gotische im Hinblick auf die lang-
silbigen *j*-Stämme (Nom. *bandi*, Akk. *bandja*) ausgeschlossen. Urgerm. **gebą̄* müssen wir entnehmen, dass der Lautwandel von idg.
ā zu germ. *ō* sich nicht auf den Nasalvokal *ą̄* erstreckte — got. *þō*
bestand also noch als **þān* und nicht schon als **þą̄*, wenn es nicht,
was im Hinblick auf anord. und anglofrs. *þā* (freilich auch aus **þa*
aus **þō* erklärbar) wahrscheinlicher ist, sein *ō* von dem Nom. *sō* entlehnt hat. Urgerm. **gebą̄* ist im Ags. nicht zu **gebǭ* zu **gebō* zu
*g(i)efa geworden, hiess also schon **gebā*, als *ą̄* zu *ǭ* wurde (oben

Daraus folgt, dass auch B, 2—4) in die vorchristliche
Zeit fällt, der Lautwandel von *e* vor Nasal + Kons. zu *i*
also in der anglofrs. Mundart nicht erst im 1. Jahrhundert
n. Chr. (s. S. 14 unten) gewirkt haben kann.

Wir haben bisher das folgende Zeitbild gewonnen:

D.

1. bez. 2. Jahrhundert v. Chr.

1—4) = B. | 1—4, I) Idg. *a* wurde zu germ. *o* (vielleicht
schon vor dem 1. Jahrhundert).

1—4, II) *ē* wurde zu westgerm. und nord. *a*.

5) Anglofries. *ą* wurde zu *ǭ*, und *a* wurde vor Nasal zu *o*.

Nach Chr. Geburt.

6) = B. | 6—7) *a* wurde anglofrs. zu *ǣ*.

7) = B. |

Als 6—7) wäre auch der ags. (nicht fries.) Lautwandel
von germ. *ai* zu *ā* anzusetzen; denn in *stān* 'Stein', *gān*
'gehn' ist *a* vor Nasal nicht zu *o* geworden. Da es auch
nicht zu *ǣ* geworden ist, so fällt der Wandel von *ai* zu *ā*
auch später als der von wgerm. *a* zu anglofrs. *ǣ*.

B, 5), was nach Ausweis der Pluralendung des Praesens (anglofrs.
-*aþ* aus *-ōþ* aus *-ǭþ* aus *ąþ* aus *-anþ*) auch in nicht hauptbetonter
Silbe der Fall war. Letzterer Lautwandel ist also auch der vorchristlichen Zeit zuzuweisen und somit erst recht der nach C ältere
Lautwandel von germ. *ē* zu *ā*.

Übrigens lässt sich die S. 22 in der Fussnote gegebene Zeitfolge nunmehr dahin erweitern:

1) Idg. -*m* wurde zu -*n* [idg. *gebām* zu
gebān, *ųordom* zu *ųordan*].

1—3) Idg. *o* wurde zu
germ. *a* [*ųordom* zu
ųordą].

2) Vokal + -*n* wurde zum Nasalvokal [*gebān* zu *gebą*, wgerm. *xanōn*, *xanǭ*,
ųordan zu *ųordą*].

3) Idg. *ā* wurde zu *ō* [*ųordā* zu *ųordō*;
gebą und *xanǭ* blieb erhalten].

3—4, I) *ųordą* wurde
zu *ųorda*.

4) Unbetonte lange Endvokale wurden verkürzt [*ųordō* zu got. *waúrda*, wgerm.
urnord. *ųordu*].

3—4, II) *ųorda* wurde
gotisch zu *waúrd*.

4) oder 5) Nebenbetonter auslautender Nasalvokal gab seine Nasalierung auf [*gebą* zu got. *giba*, wgerm. *xanǭ* zu *xanō*].

5) oder 6) Die auslautenden langen Vokale des Got. wurden verkürzt [*gebā* zu *geba*, *xanō* zu anglofrs. *hona*, deutsch *hano*]
und *ą* anglofrs. zu *ǭ* (= oben B, 5).

1—4) geschah im Got., 1—6) im Anglofries. vor Beginn unsrer
Zeitrechnung, 3—6) wahrscheinlich im 1. Jh. v. Chr.

Mit dem Lautwandel von *a* zu *ǽ* scheint der anglofries. Lautwandel von *a* zu *œ* (z. B. got. *brak* 'er brach' zu ags. *brœc*, afrs. *brek*) [1]) zusammenzugehören. Dass dieser älter ist als der Umlaut, geht daraus hervor, dass *e* der Umlaut von *œ* ist [2]), aber *œ* der Umlaut von *a* [3]).

Dass der Lautwandel von *a* zu *ǽ* älter ist als der Umlaut lässt sich auf anderm Wege zeigen: es liegt die west-sächsische Diphthongierung nach Palatalen dazwischen [4]). Diphthongiert worden sind ausschliesslich die palatalen Vokale *œ*, *ǽ* und *e*, z. B. got. *gaf* zu *geaf*, got. *gēbum* zu *gēafon*, got. *giban* zu *giefan*. Nicht diphthongiert werden diejenigen ags. *œ*, *ǽ*, *e*, und *é*, welche aus germ. *a* [5]), *ai* [6]), *o* [7]) und *ō* [7]) umgelautet sind. Folglich haben zur Zeit der Diphthongierung einerseits schon ags. *œ* und *ǽ* für germ. *a* und wgerm.-nord. *a* bestanden, andrerseits können damals weder germ. *ai* noch *o* und *ō* zu ags. *ǽ*, *e* und *é* umgelautet gewesen sein. Das bedeutet für germ. *ai*, dass es damals überhaupt noch nicht Umlaut erlitten haben kann, sei es, dass es zur Zeit noch *ai* oder schon als ags. *ā* gesprochen wurde [8]). Auch wgerm. *a* kann damals noch nicht zu *ǽ* umgelautet worden sein. Denn steht sonst dem ags. *ǽ* als umgelauteter Vokal das gleiche *ǽ* zur Seite [9]) so wäre, falls die Diphthongierung später als der Umlaut fiele, nach Palatalen *ēa* für das umgelautete wie für das nicht umgelautete *ǽ* zu erwarten; statt dessen steht neben *gēafon* 'wir gaben' mit Umlaut *ciese* 'Käse'; nicht *kǽsi*, sondern *kēasi* (aus *kǽsi* aus *kasi*) ist also umgelautet worden [8]). Aber auch die kurzen Vokale

---

1) Sievers Ags. Gramm.[2] § 49 f.

2) Ebd. § 89, 1.

3) Ebd. § 89 Anm. 1 und 2.

4) Auch Brate PBrB. X 24 f. und 29 setzt die Diphthongierung vor die Zeit des Umlauts.

5) Hierher *gœdeling*, *tōgœdere* (Sievers § 50 Anm. 2 und § 75 Anm. 1), desgleichen vor Nasal (vgl. oben S. 17) *cœmes*, *cœmban*, *cœmpa*, *cœnnan*, *Cœnt*, *-gœnya*, *scœnc*, *scœncean* (alle diese Wörter auch mit *e* statt mit *œ* geschrieben).

6) Hierher *gǽst*, *gǽd*, *gǽlsa*, *gǽst*, *-d* 'geh(s)t', *cǽg*.

7) Statt dieses *e* und *é* ist nordenglisch und altags. überhaupt noch *œ* und *ǽ* erhalten.

8) Vgl. Ndd. Jh. XIII 10 f.

9) Sievers Ags. Gramm.[2] § 91.

hatten noch keinen Umlaut, als die Westsachsen anfingen
ihr œ nach Palatalen diphthongisch auszusprechen. Denn der
Umlaut des œ ist e, der des a aber œ[1]); œ ist zu ea, e zu
ie diphthongiert worden. Hätte man damals schon die umgelauteten Vokale e und œ gesprochen, so wäre *gest aus
*gœst aus germ. *gastiz im Westsächs. zwar auch zu giest ge-
worden, aber gœdeling aus andd. gaduling und cœmban aus
*kambjan hätten zu *geadeling und *ceamban diphthongiert
werden müssen. Die Westsachsen haben also, als die Diphthongierung begann, *gœsti, *gaduling und *kambjan gesagt und,
als der Umlaut begann, *geasti, *gaduling und *kambjan,
woraus dann giest, gœdeling und cœmban werden musste[2]).
Also:

E.
nach Chr. Geburt.

1) Wgerm.-nord. a war im Anglofries. bereits zu æ[3]),
germ. a in geschlossner Silbe[4]) zu œ geworden [*kasi zu *kœsi,
*gasti zu *gœsti], als

2) die Vokale œ, æ und e nach Palatalen im Westsächs.
zu ea, éa und ie diphthongiert wurden [*gœsti zu *geasti,
*kæsi zu *kéasi, *geban zu gieban]. Erst nachdem dies ge-
schehen, begann

3) der gemeingerm. Umlaut im Westsächs. [*geasti zu
*giesti zu giest, *kéasi zu *kiesi zu ciese]. Wir dürfen nach
Analogie der Geschichte des Umlauts im Hochdeutschen annehmen, dass auch im Anglofriesischen der Umlaut beim kurzen
a (und œ) begann und o, u, ai, au, iu zuletzt ergriff. Als

4) würde nach II, 7) der nordengl., nordfries. und
ostfries. Lautwandel von a vor Nasalen zu o [mann zu
monn] folgen, von dem sich allerdings oben (S. 17) nur beweisen liess, dass er später als der Umlaut von kurzem a stattgefunden hat. Die Möglichkeit bleibt offen, dass die langen
Vokale und Diphthonge erst später umgelautet worden sind.

1) Vgl. S. 25 Anm. 2 und 3.
2) Vgl. Sievers PBrB. IX 206 f. und Brate ebd. X 24 f.
3) Ausser in den Ags. Gramm.[2] § 57a und Anm. 3 genannten
Fällen, wozu Kluge Anglia Anz. V 83 und Sievers Beitr. IX 206 f.
zu vergleichen ist.
4) Ausser in den Ags. Gramm.[2] § 10 genannten Fällen.

Als 2—4) wäre der ags. (nicht fries.) Lautwandel von germ. *ai* zu *á* anzusetzen.

Auch die anglofries. Brechung vor *r* und *h* hat vor dem Umlaut gewirkt. Zunächst etwas über die Vorgeschichte der Brechung vor *r*.

Diese Brechung ist sowohl vor germ. *r* als auch vor dem aus *z* im Nord. und Wgerm. entstandenen *r* eingetreten; vgl. ags. *leornian* 'lernen' aus *liznōįan*. Die Brechung mag also zwar früher begonnen haben als der Übergang von *z* zu *r*, vollendet war sie jedenfalls später. Dem Lautwandel von *z* zu *r* geht zeitlich der wgerm. Schwund des auslautenden *z* voraus; denn sonst wäre dieses -*z* jedenfalls wie im Nordischen auch zu -*r* geworden. Der Abfall des -*z* geschah wegen der inschriftlich belegten Dative *Aflims*, *Vatvims* wohl auch bei den Anglofriesen erst in nachchristlicher Zeit, und da der germ. Dat. Plur. auf -*m* endet, muss damals schon der Übergang des auslautenden idg. *m* zu *n*, den wir aus got. *ina*, *þana* folgern, wenigstens in nicht betonter Silbe vollendet gewesen sein. Also:

F.

1) Auslautendes idg. *m* war wenigstens in nicht betonter Silbe schon **gemeingerm.** zu *n* geworden (nach S. 23 f. Anm. in **vorchristlicher Zeit**), als

in nachchristlicher Zeit

2) ausl. germ. *z* im **Westgerm.** schwand. Später wurde

3) sonstiges *z* **wgerm. und nord.** zu *r* [*liznōįan* zu *lirnōįan*]. Dieser Lautwandel war im Anglofries. früher vollendet als

4) die **anglo**fries. Brechung vor *r* [*lirnōįan* zu ags. *leornian*].

Dass zur Zeit der Brechung bereits *œ* statt *a* gesprochen wurde (E, 1), liegt auf der Hand. Denn nur die palatalen Vokale erleiden Brechung; die Gesellschaft des *e* und *i* erfordert *œ* und nicht *a*[1]).

Dass die Brechung vor *h*, *r* und *l* wenigstens im Westsächs. älter ist als der Umlaut, lässt sich leicht zeigen. Gesetzt, die Grundformen von westsächs. *hliehhan* 'lachen', *ierming* 'elender', *wielm* 'Wallung' und *hierde* 'Hirt', nämlich

---

1) Anders Brate PBrB. X 27 f.

got. *hlahjan*, *arming, *walmi* und *hirdi* wären in dieser
Form — oder vielmehr mit *œ* statt *a* — vom Umlaut betroffen
worden, so wäre daraus *hlehhan, *erming, *welmi* und *hirdi*
geworden und dann mit Brechung *hleohhan, *eorming, *weolm*
und *hiorde*. Vielmehr sind die gebrochenen Formen *earming,
*hleahjan, *wealmi, *hiordi* zu *ierming, hliehhan, wielm* und
hierde umgelautet worden. Hieraus folgt nicht nur, dass der
Umlaut der kurzen (gebrochenen) Diphthonge, sondern auch
dass der von kurzem *œ* zu *e* jünger ist als die Brechung.

Der Umlaut würde also in F als 5) folgen, die Brechung
in E als 2).

Ist die Brechung auch älter als die Diphthongierung nach
Palatalen (E, 2)? Nach Sievers (Ags. Gramm.² § 78 und 75
Anm. 3) ja. Denn "wo die Diphthongierung von *e* durch Palatal mit Brechung concurriert, geht die letztere vor; es heisst
aber z. B. *ceorfan* spalten, *ceorl* Mann, *georn* begierig, *sceor-
fan* schlürfen, nicht *cierfan* etc." Vor *l* steht ebenfalls *eo*
in *sceolh* 'schielend'. Aber liegt nicht der umgekehrte Schluss
näher? Da *e* zu *ie* diphthongiert wird, so können wir an sich
nicht wissen, ob ein *ceorban* (mit Brechung) durch die Diphthongierung zu *cierban* oder *ciorban* geworden oder ob *ceorban*
geblieben wäre — mir würde *cierfan* statt des theoretisch
zu fordernden *cieorfan* am wahrscheinlichsten vorkommen.
Da *e* zu *eo* gebrochen wird, hätte ein *cierban* (mit Diphthongierung) eigentlich zu *cieorban* gebrochen werden müssen, wonach wiederum alle drei Formen als möglich zuzugeben wären
— mir würde in diesem Falle *ciorfan* oder *ceorfan* am wahrscheinlichsten vorkommen. Eine sichere Entscheidung ist hiernach nicht möglich. Wohl aber spricht die Analogie andrer
Fälle dafür, dass die Diphthongierung älter ist als die Brechung.
eo ist zu *ie* umgelautet worden und dieses jüngere *ie* "geht"
dem älteren *eo* "vor". Beispiele wie *geolo* 'gelb', *ceorian*
'klagen' zeigen, dass wo die Diphthongierung mit dem sogen.
u- und *o*-Umlaut konkurriert, der letztere vorgeht. Dass dieser
Umlaut jünger ist als die Diphthongierung, die ja selbst früher
als der *i*-Umlaut stattgefunden hat (S. 25 f.), kann keinem
Zweifel unterliegen; weisen doch z. B. die Epinaler Glossen
"vom *u*-Umlaut erst einzelne Spuren auf"[1]. Jenes *eo* ist derselbe Diphthong wie das aus *e* gebrochene *eo*. Ist das mit

1) Sievers Ags. Gramm.² § 78.

*gielo konkurrierende geolo die jüngere Form, so muss auch die Brechung in ceorfan jünger sein als die Diphthongierung in *cierban. Wir dürfen also E und F dahin erweitern:

G.

1) = E, 1). | 1—2, I) = F, 1).
       1—2, II) = F, 2).
2) = E, 2).   1—2, III) = F, 3).
3) Die Brechung im Westsächsischen.
4) = E, 3).
5) = E, 4).

Jünger als die Brechung ist die Metathesis. Germ. gras 'Gras' musste nach E, 1) zu *græs werden. Wäre die Metathesis früher eingetreten als die Diphthongierung oder die Brechung, so hätte gærs zu *gears diphthongiert oder gebrochen werden müssen. Es heisst aber gærs, ebenso wie es berstan, bærst, derscan, dærsc und nicht *beorstan, *bearst heisst.

Dass die Metathesis auch jünger als der Umlaut ist, kann man bærnan 'verbrennen' nicht entnehmen. Denn bei umgekehrter Zeitfolge würde brannjan über *barnjan auch zu bærnan umgelautet worden sein. Aber die Metathesis ist sogar jünger als der Lautwandel E, 4). Denn 'er brannte' (intrans.) heisst born (barn), und das o kann nur der Grundform *bronn (aus *brann) entstammen[1]. Die Metathesis würde also E als 5), G als 6) folgen.

Ich schliesse mit der wgerm. (auch nord. und got.) Synkope[2]. Beispielen wie anglofries. fœt (zu fét) 'Füsse', tœd

---

1) Welche Bewandtnis es mit den Infinitiven iernan aus *rinnan und beornan aus *brinnan hat, ist nicht klar.

2) Ich darf schon hier aussprechen: Synkopiert worden sind nach langer Silbe nur diejenigen kurzen Vokale, die im Idg. nicht betont waren. Der idg. Udátta blieb als Nebenton, und nebenbetontes e wurde nicht, wie unbetontes, zu i. Hierher gehört die 2., 3. Sg. und 2. Pl. auf -is, -iþ, die schon wegen des s, þ (nicht z, d) auf idg. *-ési, *-éti zurückweist, hierher der Akk. Sg. ahd. fater = got. fadar (mit unbet. ar aus er), hierher der Gen. Sg. ahd. wolfes und hanen (vgl. Zfdph. XXII 250), während das i des Dat. (Lok.) henin ebenso wie das i der 2. 3. Sg. und 2. Pl. auf -is, -iþ aus e umgelautet worden ist infolge des abgefallenen idg. -i.

Unabhängig (?) von dieser Synkope nach langer Silbe hat es

(zu *téd*) 'Zähne', *mœnn* (*menn*) 'Männer' — ebenso lautet der
cinem alten Lokativ auf -*i* entsprechende Dat. Sg. — entnehmen
wir bekanntlich, dass der Umlaut in diesen Wörtern bereits zu
einer Zeit eingetreten ist, als die wgerm. Synkopierung — sie
mag früher begonnen haben — noch nicht vollendet war. Denn
andernfalls würden diese Wörter keine umgelauteten Vokale zeigen. Im Hochdeutschen hat die umgekehrte Zeitfolge bestanden.

Mit der Synkope betreten wir historischen Boden. Wir
wissen, dass dieselbe nicht früher als zur Zeit der Völkerwanderung Platz gegriffen hat. Nicht synkopiertes -*u* ist im Ags.
sogar noch ausnahmsweise belegt[1]): in Glossen *aetgaru* Ep. 440
= *aetgaru* Erf. = *œtgaeru* Cp. 922 'framea' (Sweet, O. E. T.,
S. 64 f.) aus der gemeinsamen Vorlage, die um 600 anzusetzen
ist, und *œtgęro* (hs. *œtgęro* Cp. 839 'falarica' Sweet, S. 63);
auf Runeninschriften (wohl gegen Ende) des 7. Jhs. *wolpu* und
flodu (Sweet 124, 3 und 127, 4). Die Synkope ist also zu der
Zeit, als unsre Überlieferung beginnt, eben erst vollzogen gewesen.

Das Ergebnis dieser Untersuchung (ausschliesslich der
S. 24 Anm. gegebenen Zeitfolge, wonach unten 1—7, I) älter
ist als 1—4, I)) fasse ich in folgender Tabelle zusammen:

Vor Chr. Geb.

1) *e* vor *n* + *g*, *k*, *x* wurde zu *i*, wahrscheinlich im 2. Jh. v. Chr. (= B, 2). Gemeingermanisch.	1—4, I) Idg. *ā* wurde zu *ō* wohl schon vor dem 1. Jh. vor Chr. Gemeingerm.	1—7, I) Auslautendes indog. *m* war wenigstens in nicht betonter Silbe schon gemeingermanisch zu *n* geworden, als
2) *n* schwand vor *x* (=B, 2). Gemeingermanisch.	2) *e* wurde vor Nasal+Kons. zu *i* (=B, 2). Gemeinger.	
3) *n*, *m* schwand vor *s* und *f* (= B, 3). Anglofrs., nord. u. ndd.	1—4, II) *ē* wurde spätestens im 1. Jahrh. v. Chr. zu *ä* [*kŭĕniz* zu *kŭāniz*].	
4) *n* schwand vor *þ* (= B, 4). Anglofries. und zum Teil ndd.	Westgerman. und nordisch.	
5) *ą* wurde zu *ǭ*, *ān* zu *ōn* (= B, 5) und C, 2). Anglofriesisch und zum Teil nord. und ndd.		

eine andre, ältere Synkope gegeben, der *Amsivarii* (vgl. PBrB.
XVII 330 Anm.), ags. *betsta* (got. *batista*), *hæfde*, *lifde*, *sægde* zum
Opfer gefallen sind; vgl. Möller PBrB. VII 475.

1) Worauf Sievers PBrB. IX 244 aufmerksam macht.

Nach Chr. Geb.

Erheblich später als 1—4, II), also schwerlich vor dem 2. Jahrh. nach Chr. war

6) Wgerm. und nord. *á* anglofries. zu *œ* (lat. *cáseus* zu *kǽsí*) und — wohl gleichzeitig — germ. *a* in geschl. Silbe anglofries. zu *œ* geworden [*gastis* zu *gœsti*, *hlah(h)jan* zu *hlœh(h)jan*, *armingaz* zu *œrming*, *walmiz* zu *wœlmi*, *gras* zu *grœs*], und zwar bevor

7) die westsächs. Diphthongierung nach Palatalen vollendet war [*kǽsí* zu *kéasí*, *gœsti* zu *geasti*, *kerban* zu *kierban*]. Diese war früher vollendet als

8) die anglofries. Brechung vor *r* [*kierban* zu *ceorban* (zu *ceorfan*), *lirnōjan* zu *leornian*]. Die Brechung vor *h*, *r* und *l* [*hlœh(h)jan* zu *hleah(h)jan*, *œrming* zu *earming*, *wœlmi* zu *wealmi*, *hirdí* zu *hiordí*] war im Westsächsischen vollendet, als

9) *œ* und die kurzen Diphthonge im Anglofries. umgelautet wurden [*geasti* zu *giesti*, *hleah(h)jan* zu *hliehhan*, *earming* zu *ierming*, *wealmi* zu *wielmi*, *hiordí* zu *hierdí*]. Der Umlaut ist eine gemeingerm. Erscheinung, in Deutschland von der Nordseeküste her vordringend. Zuerst ist das kurze *a* und *œ* umgelautet worden, zuletzt *ō*, *û*, *ai*, *au* und *iu* [*manni* zu *mœnni*, *fōti* zu *fœti*, *gōsi* zu *gœsi*, *tōpi* zu *tœpi*, *kyōni* zu *kyœni*, *kéasí* zu *kíesí*]. Der ags. Umlaut fällt nach Pogatscher in's 7. Jahrh.

10) Der nordengl., nordfrs. und ostfrs. Lautwandel von *a* vor Nasalen zu *o* [*mann* zu *monn*, *brann* zu *bronn*], den Pogatscher gleichfalls in das 7. Jahrh. setzt, ist jünger als der Umlaut des kurzen *a* und älter als

11) die anglofries. Metathesis [*grœs* zu *gœrs*, *bronn* zu *born*].

1—7, II) auslautendes *z* westgerman. schwand [*fōtiz* zu *fōti*, *gōsiz* zu *gōsi*, *tōpiz* zu *tōpi*, *kyōniz* zu *kyōni*, *gastiz* zu *giesti*, *kásíz* (aus lat. *cáseus*) zu *kéasí*, *armingaz* zu *œrming*, *walmiz* zu *wœlmi*, *hirdíz* zu *hirdi*, *manniz* zu *manni*]. Später erst wurde

1—7, III) sonstiges *z* zu westgerman. und nord. *r* [*liznōjan* zu *lirnōjan*]. Dieser Lautwandel war im Anglofrs. früher vollendet als

9) *œ* und die kurzen Diphthonge im Anglofries. umgelautet wurden ...

10—11) Der Umlaut auch der langen Vokale muss bereits eingetreten sein, bevor die gemeingerm. Synkope nach langem Vokal im Anglofries. vollendet gewesen ist [*giesti* zu *giesí*, *fœti* zu *fǽt*, *gœsi* zu *gǽs*, *tœpi* zu *tǽd*, *kyœni* zu *cwǽn*]. Die Synkope ist im Ags. erst im Laufe des 7. Jhs. zum Abschluss gekommen.

7—11) der Lautwandel von germ. *ai* zu ags. (nicht fries.) *á* (vermutlich erst auf brittischem Boden, also nach 400) vollendet war [*stain* zu *stán*].

Leipzig, im Juli 1885. Halle, im September 1893.

Otto Bremer.

Examples of sporadic and partial phonetic change in English.

In his strictures upon the dogma of the invariability of
phonetic change in language, published a few years ago (Transactions of the American Philological Association for 1886,
p. 1 ff.), Professor F. B. Tarbell referred briefly by way of
illustration to the sporadic shortening of a long ō to a real
short ŏ which is not uncommon in the New England States
of the American Union. The illustration seemed to me a successful and important one; and I have thought that it might
be worth while to call attention again to it, and to add a few
other facts of a like character, bearing on the same dogma.

I do not know that any one has ever taken the trouble
to make a monograph upon the shortening of the ō here referred to, defining its limits of locality, and the extent of the
group of words in which it shows itself; so far as has been
made to appear, it is found only in New England and in regions where it may be plausibly viewed as brought from
thence; and the proportion of the words containing ō which
it infects is certainly a very small one. I speak of it here
only as it exists in my own native and unchastened pronunciation and has come under my personal observation. The
product of the change is a genuine short ŏ, entirely different
from the so-called 'short o' of not, pond, and the like; it is
related to ō nearly as the e of met is related to that of they;
it lacks the ŭ-vanish which is a part of our ō, and is of
slightly opener position. The sound is not found anywhere
else in the language in accented syllables. It is oftenest heard,
if I am not mistaken, in the words none, whole, home; and
it distinguishes none from known, and whole from hole, not
less plainly than met is distinguished from mate, or bit from
beet. Other examples (still in my own native utterance) are
stŏne and smŏke, both common; fŏlks, the same; further,
cŏat, thrŏat, tŏad, clŏak, probably less usual. There seems
to be considerable difference among different localities, if not
even among different individuals, in regard to the list of words

to which the abbreviation extends. I (who say naturally *nŏne* and *stŏne*) well remember dropping in, many years ago, at an osteological lecture in New York by an eminent surgeon of New England birth, and being startled by the constantly recurring pronunciation *bŏne*, unknown to me till then; it was to my apprehension a conspicuous novelty, as if the lecturer had talked of *bran* instead of *brain*, or of *hit* instead of *heat*. *Hŏpe* is another example which I often hear, and never without an impulse to correct it. *Bŏat*, to which Professor Tarbell refers, is not familiar to me; and *mŏst*, one of his leading examples, is equally unknown.

Of course, nothing can be more natural and normal than the abbreviation of a long vowel in a close monosyllable. But the markedly dialectic character of this particular abbreviation is indicated, not only by its narrowly restricted local range of occurrence, but also by its introduction of a new sound into the spoken alphabet. And its purely sporadic character is not less striking. He who, in obedience to the tendency, says *smŏke* has not the smallest inclination (I speak out of my own consciousness) to go on and say *jŏke*, *yŏke*, *brŏke*, or the like; and the pronouncer of *stŏne* is (as was pointed out above) surprised by *bŏne*. It seems impossible to assign any reason why these few particular words should in any one's utterance become abbreviated, and not others, or the rest, of the words belonging to the same classes. Nor, I presume, can any one augur the future history of the dialectic change thus initiated. But, at any rate, while it lasts in its present condition, it separates, on no discoverable phonetic grounds, the words formerly pronounced with *o* into two classes, one with *ō* and one with *ŏ*.

Another somewhat similar case is that of the shortening of the real long *u* as represented by *oo* (in *fool*, *room*, *boot*, etc.) into the corresponding short sound, *u* (as in *book*, *foot*, etc.). This differs from the shortening treated above in introducing no new sound, and in having prevailed through the whole body of English-speakers, in whose mouths it has acceptedly and permanently changed a good share of the words spelt with *oo* from the *u*-sound to the *u*-sound. Their distinction seems to depend in part upon the following consonant: thus, all *-ook* has become *-ŭk*, while all *-oom* and *-oor* remain *-ŭm*

and -ŭr. Of the -oot words, only *foot* has in universal prac-
tice assumed the ŭ-sound; but many (I among them, in my
natural pronunciation) say also *rŭt* and *sŭt* (*root*, *soot*), without feeling the slightest desire to extend the abbreviation
to *boot*, *hoot*, *shoot*, and so on. Another isolated exception
is *sŭn* (*soon*), which, though common, is not approved by the
most authoritative usage: with those who so pronounce, the
word is perfectly capable of maintaining itself alone against
the analogy of all the others of its class, and shows no tendency to infect them with its abbreviation. And similar cases
are *rŭf* and *hŭp* (*roof*, *hoop*), in the reported utterance of
many speakers. The ŭ-sound is perhaps spreading; but, if
so, it is by a slow and halting process, a word or two at
a time.

Yet another change, of even wider scope, is the conversion, in many words and classes of words, of the so-called
'short o' (as in *on*, *not*, etc.; it stands at a very small re-
move from a real short *a*) into a broader sound, that of *or*
and *for* and the like (very nearly a corresponding short to
the long *au* or *aw*, of *laud*, *bawl*, etc.): we may conveniently
distinguish the two here as o and ô. This conversion has
long been, and still is, a spreading infection in the pronunciation of English, prevalent on both sides of the Atlantic,
but in different degrees. Even in England (if I am not mistaken) the ô-sound has become accepted in a large class of
words before *r*, e. g. *ôr*, *bôrn*, *hôrse*, etc., and also in more
exceptional cases like *ôften*, *sôft* — how much further is hard
to determine, in the reigning variety of utterance and untrust-
worthiness of authorities. In the United States the infection
appears to be more advanced, and its effects are accepted in
higher ranks of the users of the language: an example is the
group of words in -*ong* (as *song*, *strong*), pronounced in England with o, but here almost universally with ô. My own
native pronunciation is of course the American; but in it the
ô-sound has perfectly definite limits of occurrence, any devia-
tion in the one direction or the other being at once noted as
strange. And I recognize the change to ô as increasingly
prevalent, by hearing it about me more and more in words
which ought, to my sense, to be pronounced with o: examples
are *ôffice*, *wôsh* (*wash*), etc. Here also, as among the *oo*-

words, there are isolated instances of one altered word in a class: the most conspicuous, doubtless, are *dôg*, alone among all the *-og*-words (as *log*, *hog*, *frog*), and *gôd*, alone among all the *-od*-words (as *rod*, *shod*, *trod*); both (*dôg*, *gôd*) belong to my own natural pronunciation; and I can hear witness to their wholly isolated character, and to the strong feeling of rejection of any such analogues as would be *hôg*, *rôd*, and the like.

It might not be difficult to find other examples among the processes of vowel-alteration that are now actually in progress in English — for example, in the flattening of the real *a* of *father* to the 'short *a*' of *flat*; or in the reduction of the compound *yu* of *mute* etc. to a pure *û*, in *rule*, *flute*, *tube* (as variously more or less current): but these are sufficient to show that in this living language, at any rate (for other languages let others speak), vowel-mutations are not at present effecting themselves with an all-involving sweep, but partially and by gradual extension; that there may be and is a hard and fast line drawn in the usage of an individual, and hence of a body of individuals or a community, between words that have yielded to a certain phonetic tendency and others that have not, fixity thus failing to imply consistency; that, in a class of phonetically similar words, one or a few may change without carrying the rest with them: in short, that phonetic change is not invariable here, but honey-combed with inconsistencies and anomalies, while yet doubtless the leading tendencies are working themselves out to ultimate uniformity.

To give like illustrations out of the domain of consonant change is by no means easy, as the consonants are much more stable than the vowels, and current alterations in the educated pronunciation of them in English are only scantily and doubtfully traceable. Such a movement is perhaps to be recognized in the conversion of *x* (= *ks*) between vowels (through *kz?*) into *gz*, which appears to be now going on, with great local and individual differences, and with a pitiable uncertainty and inconsistency on the part of so-called authorities who undertake to describe it, in the various parts of the English-speaking world. But I am unable to speak of it with any of that kind of authority to which I limit myself in this paper, because my natural pronunciation is everywhere and always *ks*, and whatever *gz* I have is acquired by a secondary and artificial process. One may point, however, to such isolated and unexplained exceptions as the sonantizing of a sibilant between the first and second syllables of *dissolve* and *disaster*, against the analogies of *dissect, dissent, dissuade,* etc.; and also between those of *possess* (usual, and approved, but not universal), against the analogy of *assess* etc. Considerations that should explain them are not apparent, though the general tendency of which they are isolated effects is found everywhere in language.

New Haven, Ct. W. D. Whitney.

Die Verwandtschaftsverhältnisse der Indogermanen.

Die moderne Sprachwissenschaft hat ihre grössten Erfolge erreicht, als sie sich von dem Nebelbild der Ursprache zu modernen Dialekten wandte, ihre Ansichten von dem Leben der Sprache am vorhandenen bildete und die gewonnenen Ideen auf die älteren und ältesten Stadien der Sprache übertrug. Während man früher am liebsten von der Entstehungszeit der Sprache überhaupt ausging und aus dem Lallen der ersten Menschen die indogermanische Ursprache herzuleiten suchte, weiss man jetzt, dass diese nichts weniger als die Ursprache selbst ist, sondern die genauste Ähnlichkeit mit unserm modernen Dialekten besitzt. Es wird sich nicht bestreiten lassen, dass auch auf jedem andern Gebiet als dem reinlautlichen, dieses Schreiten vom Bekannten zum Unbekannten von Vorteil sein muss, und ich will daher versuchen, die seit einiger Zeit ruhende Frage von den Verwandtschaftsverhältnissen der indogermanischen Sprachen unter diesem und andern Gesichtspunkten wieder aufzunehmen.

Bekanntlich stehen sich zwei Theorien, die "Stammbaum- und die Wellentheorie" noch heute gegenüber, deren Wesen ich nicht näher auseinanderzusetzen brauche. Soviel darüber auch geschrieben ist, so wird man, je mehr man sich mit ihnen beschäftigt, keiner Ansicht voll zustimmen können. Betrachtet man Joh. Schmidts Theorie, so scheint sie viele Vorzüge

vor der andern zu haben: sie erklärt vieles, doch nicht alles. Es
bleibt immer, trotz allem, die Thatsache bestehn, dass wir jedes
der grossen Sprachgebiete als ein abgeschlossenes Ganze vor uns
haben, dass wir höchst selten fliessende Übergänge, sondern
auch im kleinen abgeschlossene Dialekte finden. Nur muss
man sich von dem Gedanken frei machen, dass einzelne gleiche
Lautübergänge das Charakteristikum der Verwandtschaft sein
müssen. Die Entwicklung jedes Dialektes ist abhängig von
der Artikulationsbasis der Zunge, vom musikalischen und exspiratorischen Akzent, von der Silbentrennung und allen diesen
allgemeinen Faktoren, die die Sprache völlig durchdringen,
die sich aber für die ältere Zeit leider unsrer Erkenntnis fast
völlig entziehen. Andrerseits erklärt die Stammbaumtheorie
nicht, woher die vielfachen Übereinstimmungen herrühren, die
je zwei geographisch benachbarte Völker zeigen. Ich glaube,
der erste grosse Fehler liegt bei der ganzen Untersuchung darin,
dass man zu abstrakt verfahren ist, dass man mit den historischen Momenten nicht genügend gerechnet hat, und ich glaube
mit Zuversicht behaupten zu können, dass die ganze Frage mit
der Urheimat und der Ausbreitung der Stämme im engsten Zusammenhang steht.

Es ist schon verschiedentlich darauf hingewiesen, dass
das Schmidtsche Verwandtschaftssystem mit einer Herkunft des
Urvolkes aus Asien schwerlich zu vereinigen ist, und dieser
Einwand bleibt trotz der Bemerkungen Schmidts im Ausland
voll zu Recht bestehen.

Es wäre aber natürlich falsch, wollten wir Schmidts
System darum abweisen, weil der Verfasser eine Ansicht von
der Urheimat hat, die schwerlich richtig ist und heute von
den wenigsten Forschern geteilt wird. Auch wenn wir die
Heimat nach Europa verlegen, so ist seine Hypothese nur unter
einer Bedingung richtig, einer Bedingung, die sicherlich nicht
vorhanden war.

Schmidt nimmt an, dass in dem Urvolke bereits dialektische Differenzen vorhanden waren, die aber stets eine kon-
tinuierliche Reihe bildeten und sich vielfach über mehrere Völker
erstreckten. Bei der weiteren Ausbreitung des Urvolkes sind
Zwischenglieder unterdrückt, ihre Sprache ist untergegangen,
und es berührten sich dann Dialektgebiete, die zwar einige
Ähnlichkeiten mit einander hatten, im grossen und ganzen

aber stark differenziert waren. Diese ganze Erklärung ist nur
unter der Voraussetzung möglich, dass sich das indogermanische
Volk von einem Gebiete aus über andre leere Strecken
ausbreitete, so zu sagen also ganz Europa allmählich anfüllte. So
liegen aber die Verhältnisse nicht, dass Europa vor der Ankunft
der Indogermanen wüst und leer gewesen wäre, sondern seit
unvordenklichen Zeiten, schon vor der Eiszeit, in der ersten
Steinzeit hat hier eine zahlreiche Bevölkerung gesessen.   Und
wenn sich auch das Fortbestehen dieser Menschen nicht sicher
erweisen lässt, so lehrt die Anthropologie, dass die heutige
europäische Bevölkerung durchaus nicht ebenso einer Rasse
angehört wie sie einer Sprachfamilie in der Hauptsache zuge-
teilt werden muss. Sicher ist, dass viele Länder, in denen jetzt
indogermanische Sprachen herrschen, schon vor dem Eindringen
der Indogermanen bewohnt waren, und dass die einheimische
Bevölkerung nicht verdrängt, nicht mit Stumpf und Stiel aus-
gerottet ist, sondern vom Sieger nur unterworfen wurde, und
als zahlreiche Sklavenbevölkerung, z. T. auch unabhängig
weiter existiert hat, ja höchst wahrscheinlich die Hauptmasse
der Bevölkerung ausmachte. Denn wir dürfen uns diese Eroberer, diese Eindringlinge nicht allzu zahlreich vorstellen.
Gegenüber einer erobernden Kriegerschar auch von mässiger
Grösse war die einheimische Bevölkerung wehrlos.

Wir haben, um diese Vorgänge zu illustrieren, eine vorzügliche Parallele an der germanischen Völkerwanderung. Immer
neue Scharen dringen aus dem Norden vor und unterwerfen
die südlichen Länder, und es ist doch nur besonderen Zufällen,
besonderen historischen Momenten zu danken, dass die Sprache
der Eroberer nicht die Sprache des Landes wurde, dass heute
in Italien, Spanien und Frankreich romanisch und nicht germanisch gesprochen wird. Es ist höchst wahrscheinlich die
höhere Sesshaftigkeit der Eingeborenen gewesen, die in dieser
Zeit den Sieg des nördlichen Idioms verhindert hat.   In
älterer Zeit war das anders. Zwar sind die West- und Ostgoten, die Vandalen und Franken nicht allzu zahlreich gewesen
und doch war es nur die Macht des römischen Kaiserreiches,
die ihre Staaten zerstörte. In jener Urzeit aber, in die wir
die Wanderzüge der Indogermanen verlegen müssen, bestand
eine solche Gewalt nicht, und daher blieben die Staaten erhalten. — Dazu kommt noch ein anderer Grund. Es steht fest,

dass der Mensch nicht in jedem Klima gleich gut existieren und fortbestehen kann. Die Fortpflanzung der Engländer in Indien ist auf die Dauer unmöglich, und diese klimatischen Einwirkungen machen sich auch bei geringeren Unterschieden bemerkbar. Die aus dem Norden kommenden Indogermanen waren in Italien und Griechenland, in Kleinasien und Indien ungünstiger gestellt als die akklimatisierten Ureinwohner, und an Zahl an und für sich geringer, mussten sie in Folge des Klimas zurückgehen. Die Folgen des südlichen Klimas konnten aber durch die Bodenbeschaffenheit ausgeglichen werden. Und es ist daher, glaube ich, kein Zufall, dass wir die Ursitze der einzelnen Volksgruppen so vielfach im Gebirge finden. Die Urheimat der Griechen weist nach Nordgriechenland, nach Epirus. Hier war so zu sagen ihr Konsolidationspunkt. Nachdem sie in raschem Zuge nach Süden vorgedrungen waren, mögen sie wohl viel weiter das Land unterworfen haben, aber das Klima rächte sich, und nur in einem Bergland erhielt sich Stamm, Sprache, Sitte usw. Gewiss auch nicht rein. Denn auch hier sassen Urbewohner. Die notwendig eintretende Rassenmischung stärkte das Volk zu weiterem Vordringen. — In Italien liegt die Sache ganz ähnlich, die ältesten Pfahldörfer finden wir in den südlichen Alpenthälern. Von hier rückten die Italiker allerdings in die Poebene vor, bald aber verlieren wir ihre Spur wieder, und erst im Apennin konsolidiert sich das Volk, um weiter Latium zu besiedeln, und von da aus die Welt zu erobern.

Auf die ganz ähnlichen Verhältnisse bei den Indern, die lange Zeit im Kabulpass, in Kašmir gesessen haben, brauche ich nur mit wenigen Worten zu verweisen. Man denke an das Bergvolk der Perser.

Die meisten Völker also, die nach Süden vorgedrungen sind, haben eine Station, einen Halt gemacht, um sich zu konsolidieren. Es ist unzweifelhaft, dass ausser den uns bekannten Stämmen auch viele andere indogermanische Horden denselben Weg eingeschlagen haben, aber sie und ihre Sprache sind wegen ungünstiger Bedingungen zu Grunde gegangen. Was geschah aber, wenn eine Völkermischung eintrat und ein neues Volk eine indogermanische Sprache lernte? Nun dafür haben wir die besten Beispiele und die besten Analogieen in modernen Sprachen. Deutschland ist in viele Dialekte gespalten, und so hat sich allmählich die Notwendigkeit einer Ge-

meinsprache herausgestellt. Ist diese aber einheitlich? Mit
nichten, denn jeder spricht zwar gemeinsprachliche Formen,
im grossen und ganzen aber mit einzeldialektischer Lautgebung.
Wie leicht erkennt doch der Geübte einen Süddeutschen, einen
Schwaben, einen Baier, einen Westfalen, einen Ostpreussen an
seiner Aussprache. Es sind auch nicht einzelne Laute, die
uns in die Ohren fallen und den Dialekt ausmachen, sondern
die ganze Art der Aussprache, die wesentlich durch die Artikulationsbasis, den musikalischen und exspiratorischen Akzent,
die Silbentrennung und andre Faktoren bedingt ist. Ich verweise auf die Bemerkungen in Sievers Phonetik. Die meisten
Laute eines Dialekts stehen in bestimmter Verbindung, und Sievers stellt daher die notwendige Forderung auf, nicht einzelne Vokale, sondern das ganze Vokalsystem verschiedener Dialekte
miteinander zu vergleichen. Lernt nun ein Franzose Deutsch, so
wird er zunächst nicht nur den ganzen Habitus seiner Sprache
übertragen, sondern er wird auch für viele Laute, die er nicht
besitzt, seine eigenen Laute substituieren, die ihm am nächsten
verwandt erscheinen. So spricht er für die tonlose Lenis des Oberdeutschen seinen tönenden Laut, für die Fortis *k* sein *k*. Und
was von dem einzelnen gilt, gilt auch von einer Menge. Das beste
Beispiel bieten hier die romanischen Sprachen. Wir haben jetzt
das Spanische, das Französische, das Italische usw., die sich aus
dem Lateinischen entwickelt haben. Der Schluss ist aber unbe-
rechtigt, dass die jetzt romanisch sprechenden Völker jemals eine
sprachliche Einheit gebildet haben. So viel Dialekte es hier
vor der Einführung der neuen Sprache gegeben hat, so viel
Dialekte muss es auch nachher gegeben haben. Der Spanier
konnte eben nur ein Spanisch-Romanisch sprechen, und der
Kelte ein Keltisch-Romanisch usw. Waren die Differenzen in
der Aussprache auch ursprünglich nicht sehr gross, war auch
auf dem ganzen Gebiet das gegenseitige Verständnis wegen
der Einheit des Formenschatzes vorhanden, so musste die Entwicklung sich nach ganz verschiedenen Seiten vollziehen. Auf
die neue Sprache wirkte die lautliche Entwicklung der alten.
Denn die lautliche Entwicklung vollzieht sich nicht nach gewissen Zufälligkeiten, sondern wieder auf der Grundlage der
ganzen Sprachart und Artikulation. Der Akzent usw. der
alten Sprache musste auf die neue seine Wirkung ausüben,
und musste die Formen immer weiter umgestalten.

Genau so, wie das Entstehen der romanischen Sprachgruppe denke ich mir das Entstehen der indogermanischen Dialekte, und so wird auch der verschieden schnelle Wandel der einzelnen Dialekte verständlich. Ist es doch im höchsten Grade auffallend. wie die Lautwandlungen eingetreten sind. Man vergleiche doch einmal das Keltische des 11. und 12. Jahrhunderts mit dem Slavischen derselben Zeit. Warum hier die starke Bewahrung des alten, dort die stärkere Umwandlung?

Die finnischen Sprachen haben sich seit zweitausend Jahren so wenig verändert, dass man jetzt noch die urgermanischen Lehnwörter in ihrer alten Form vorfindet. Ferner liest man, wie die türkischen Dialekte so wenig differenziert sind, dass sich die entferntesten Glieder noch heute verständigen können, und in Deutschland kann nicht einmal ein Niederdeutscher einen Oberdeutschen verstehen. Das ist doch alles höchst wunderbar; und bis heute noch nicht erklärt. Und doch liegt die Erklärung nicht . allzuweit. Es unterliegt keinem Zweifel, dass das Keltische am meisten und am frühesten sich verändert hat. Der Grund ist klar. Auf keinem Gebiete sind so wenig Indogermanen vorhanden gewesen wie hier. Wir können an den schweizer Pfahlbauten das allmähliche Vordringen der Kelten beobachten, und selbst zu Caesars Zeit war Gallien noch nicht ganz keltisch. Die einleitenden Worte des bellum gallicum sind von grundlegender Bedeutung für unsre Frage.

Gallia est omnis divisa in partes tres, quarum unam incolunt Belgae, aliam Aquitani, tertiam qui ipsorum lingua Celtae, nostra Galli appellantur. Hi omnes lingua, institutis, legibus inter se differunt. Nicht nur die Sprache ist verschieden, sondern auch Gesetze und Einrichtungen, und zwar gehen die Dialektgrenzen mit diesen parallel. Das findet sich auch anderswo. Auf einen ähnlichen Vorgang bei den Letten hat Meringer auf einem in der Wiener Philologenversammlung 1893 gehaltenen Vortrag aufmerksam gemacht.

Hier haben also die stärksten Sprachsubstitutionen stattgefunden und daher auch die grössten Veränderungen.

Der Raum verbietet mir auf weitere Einzelheiten einzugehen. Ich verweise für die italischen Dialekte noch auf Nissen Italische Landeskunde Kap. XI, wo gezeigt wird, dass

die modernen Dialekte da erwachsen sind, wo die alten Volks-
stämme der Ligurer (ligurische Dialekte), Veneter, Tuscer
usw. sassen. Es ist das ganz natürlich, es kann ja gar nicht
anders sein. — Die Kelten mussten demnach ihre Sprache am
meisten verändern, ebenso wie das heutige Englisch so stark
durch die Sprachmischung verwandelt ist.

Wie steht es nun mit den germanischen Dialekten? Wir
haben heutzutage vor allem zwei grosse Dialektgebiete, das
oberdeutsche mit der zweiten Lautverschiebung gegenüber allen
andern Gruppen. Es steht fest, dass die Oberdeutschen sich
von den Niederdeutschen nicht nur durch die Sprache, sondern auch institutis et legibus, durch ihren ganzen Charakter
und ihre Körperbeschaffenheit unterscheiden.

Wir wissen sicher, dass auf oberdeutschem Boden ur-
sprünglich nicht germanische Stämme sassen, der Sprache nach
Kelten, dem körperlichen Habitus nach jedenfalls noch andrer
Herkunft. Das Land ist von eindringenden Germanenstämmen
unterworfen. Von dem eigentlichen germanischen Typus ist
indessen wenig übrig geblieben. Wie weit sassen denn die
Kelten? Die Flussnamen Main, Lahn, Sieg, Ruhr, Embscher,
Lippe sind nach Müllenhoff DA. II 207 ff. keltischen Ursprungs.
Wahrscheinlich bildete aber der Gebirgszug vom Teutoburger
Wald bis zum Fichtelgebirge die ursprüngliche Grenze zwischen
Germanen und Kelten. Und wenn auch nicht ganz genau, im
grossen und ganzen fällt damit die Grenze zwischen Niederdeutsch und mitteldeutsch zusammen. Und so kann der Gedanke nicht fern liegen, dass die oberdeutsche Lautverschiebung
nicht auf einer regelrechten Weiterentwicklung des alten Dialektes, sondern eher auf einer Art Substitution, einer Veränderung beruht, die dadurch hervorgerufen wurde, dass keltische Stämme die germanische Sprache angenommen haben.

Dies ist zwar nur eine Vermutung, die aber vielleicht
besser begründet ist, als die Einwirkung der klimatischen Verhältnisse.

Sehr willkommen war es mir, nach Niederschrift dieser
Bemerkungen das Vorwort zu Bremers Deutschen Phonetik
lesen zu können, in dem er den Satz zu begründen sucht, dass
die lautlichen Veränderungen, die ein und dasselbe Individuum
vollzieht, zurücktreten gegen diejenigen, welche die jüngere
Generation vollzieht. Dieser Gedanke leuchtet mir völlig ein,

und er stimmt auch vortrefflich zu dem oben entwickelten.
Wenn man bedenkt, dass die dienende Klasse stets die unterworfene, also die fremdsprachliche ist und dass die Kinder,
wie ganz selbstverständlich, von diesen die Sprache lernen, so
ergiebt sich ein Ausblick, der die Sache noch besser erklärt.
Meine These lautet also: Die grossen Dialektgruppen der indogermanischen Sprache erklären sich in der Hauptsache aus
dem Übertragen der Sprache der indogermanischen
Eroberer auf die fremdsprachige unterworfene Bevölkerung, und dem Einfluss dieser Sprache auf die Kinder.

Die Einzelheiten für diese Behauptung kann ich erst
später beibringen.

In diesem Sinne aufgefasst, ist das Bild eines Stamm-
baumes auf die Verwandtschaftsverhältnisse nicht anzuwenden,
man könnte eher ein chemisches Bild gebrauchen.

Wenn man eine Säure über verschiedene neben einander
gelagerte Chemikalien ausgiesst, so wird diese auf jede anders
wirken und im allgemeinen so viel verschiedene Produkte
hervorbringen als Stoffe vorhanden sind.

Bei dieser Annahme ist nun auch die nähere Verwandtschaft, in der benachbarte Sprachzweige miteinander stehen,
wohl zu begründen. Was Joh. Schmidt dafür anführt, ist allerdings nur wenig, und trifft nicht das Wesen des Dialektes.
Einzelne Lautveränderungen können darauf beruhen, dass die
beiden unterworfenen Völker nach der gleichen Richtung
strebten, oder dem Lautwandel des Eroberers indifferent gegen-
überstanden. Hier sind so viele Möglichkeiten auszudenken,
dass es nicht nötig ist, weiter darauf einzugehen. Ich will
vielmehr einen andern Punkt betrachten, der uns vielleicht
etwas weiter führt.

In einzelnen Fällen ist es natürlich schwer zu sagen, ob
ein in zwei Sprachengruppen sich findender Lautwandel, wie
der des Wandels der media aspirata in tenuis aspirata im
Griechischen und Lateinischen in geschichtlichem Zusammenhang
steht oder nicht. Brugmann in seinem bekannten Aufsatz
Techmers Zeitschr. steht diesen Fragen sehr skeptisch gegenüber, und doch kann ich mit seinen Bemerkungen die Sache
nicht für abgethan halten.

Neben dem Lautwandel, der einer Dialektgruppe gemeinsam und, wie wir annehmen, in der Urzeit des Dialektes

vollzogen ist. stehen auch Lautwandlungen. die, obwohl
sicher einzeldialektisch. doch allen historischen Abteilungen
gemeinsam sind. So ist das griech. *s* am Anfang noch überall
vorhanden: überall schwindet es aber, es ist ein moriturum.
An dem *i*-Umlaut des *a* nehmen alle germanischen Dialekte
teil. und doch ist er einzelsprachlich. Ebenso steht es mit verschiedenen Auslautgesetzen. Hier den historischen Zusammenhang verkennen zu wollen. geht nicht an. Er ist vorhanden,
und muss erklärt werden.

Offenbar beruhen derartige gemeinsame Lautübergänge
auf Ursachen. die schon in der Urzeit vorhanden waren, —
der germanische *i*-Umlaut auf der Mouillierung der Konsonanten. — die aber erst in einzeldialektischer Zeit zur vollen
Wirkung gekommen sind. Überträgt man das. was wir in der
historischen Zeit sehen. auf die Urzeit, so lassen sich manche
Eigentümlichkeiten erklären.

Man hat nicht unbedingt das Recht. die Spaltung der
k-Laute schon für gemeinindogermanisch anzusehen. die Zischlaute können in der Satem-Gruppe erst später entwickelt
sein, wenn auch die Ansätze dazu schon früher vorhanden
waren. Ist das hier nicht ganz sicher. so können wir es von
der Palatalisierung der Velarlaute mit Bestimmtheit behaupten.
Erst auf griechischem und indischem Boden wurde *qe* zu τε und
ca. aber vielleicht müssen wir idg. *q'e* ansetzen. An diesem Lautwandel nehmen auch zwei weitere benachbarte Dialekte teil.
slavisch und armenisch. und wir erhalten gegenüber den
Centum- und Satem-Sprachen eine andere Dialektscheidung:
Slavisch. Arisch. Armenisch. Griechisch.

Sehr instruktiv ist die Behandlung des *s*. Wir finden
dreifache Veränderung. *s* wird zu *š*, oder zu *z* oder zu *h*. Jeder
dieser Wandlungen ist auf mehreren geographisch benachbarten
Gebieten vorhanden. *s* wird nach *i. u. r. k* zu *š* im Arischen.
Im Slavischen gilt. wie mir zuerst Herr Professor Leskien
mitteilte und wie ich genau nachgeprüft habe, ganz dasselbe
Gesetz. In dem benachbarten Litauischen findet sich davon
keine Spur. Armenisch. Griechisch und Keltisch gehen in der
Wandlung des *s* zu *h* Hand in Hand. Italisch und Germanisch
wandeln *s* zu *z*. *s* schwindet im Armenischen. Griechischen. Italischen und Keltischen. während es in den übrigen Sprachen
erhalten bleibt. Vom Indischen bis zum Germanischen erstreckt

sich der Wandel von *o* zu *a*, vom Iranischen bis zum Keltischen der Übergang der Mediae aspiratae in Mediae oder Spiranten, im Gegensatz zum Griechischen und Italischen. In diesem Sinne lässt sich das germano-kelto-italische Akzentgesetz auf eine gemeinsame Ursache zurückführen, sei es, dass überall einheimische Völker vorhanden waren, die die erste Silbe betonten, und deren Betonungsgesetze verallgemeinert wurden, sei es, dass sich schon in der gemeinsamen Zeit ein Nebenton auf der ersten Silbe entwickelt hatte, der zum Hauptton wurde.

Das Schmidtsche Verwandtschaftssystem wird hierdurch noch mehr gestützt. Es kann kaum einem Zweifel unterliegen, dass im grossen und ganzen die heutige Ordnung der Völker die alte ist. Nur die Armenier und Albanesen sind schwierig unterzubringen. Für jene, die sicher einst in Europa sassen und weit gewandert sind, ergiebt sich die Verwandtschaft mit den Satem-Sprachen, aber auch mit dem Griechischen auf Grund der Behandlung des *s*, *i* und *qe*. Aber wenn wir sie erst nach Europa verschoben haben, so ist auch eine Vereinigung mit den Germanen auf Grund der Lautverschiebung nicht ausgeschlossen. Ihre jetzige Entfernung kann gar nicht in betracht kommen, da wir wissen, dass germanische Völkerschaften nach Spanien und Afrika gelangt sind.

Ich breche hier vorläufig ab, hoffe aber, später ausführlicher auf diese Ansichten zurückkommen zu können.

Leipzig, 6. September 1893.   H. Hirt.

Einiges über Palatalisierung (Palatalisation) und Entpalatalisierung (Dispalatalisation).

Die unten mitgeteilten Erklärungen entwickelte ich schon längst, etwa seit 12—13 Jahren, in meinen Kollegien, anfangs in Kasan und dann in Dorpat[1]), habe aber bis jetzt keine

---

[1] Vgl. u. a. Kruszewskis "Prinzipien der Sprachentwickelung": "Ich stütze mich dabei auf die Vermutung Baudouin de Courtenays, welcher sie in seinen Vorlesungen noch im J. 1880 aussprach und

Veranlassung genommen, mich darüber auch im Druck auszusprechen. So ist es wohl möglich, dass diese Erklärungen
für manchen Leser nichts neues mehr bieten werden. Trotzdem habe ich mich entschlossen, sie in aller Kürze hier zu
geben.

--- --

I.

Slavische c (ts), ʒ (dz), s aus den unter dem Einflusse
vorangehender Vokale palatalisierten k, g, h (ch).

Um das Erscheinen eines c oder ʒ (dz) [resp. z] in den
slavischen *lice (Antlitz), *klicati (rufen), *otьci (Vater), *dvizati
(bewegen), *sezati (reichen) usw. zu erklären, greift man gewöhnlich zu dem dienstfertigen j und leitet solche Wörter ganz
einfach aus *likjo, *klikjati, *otьkjь, *dvigjati, *sęgjati . . .
Dazu aber giebt uns keine Logik Recht. Denn erstens entstanden aus kj, gj, hj (ki, gi, hi) im Slavischen č, ž, š, und
zweitens findet man in der slavischen Morphologie keinen Anlass, in den genannten Formen ein j (i) anzunehmen. Poteb-
njas Vermutung, man solle zur Erklärung des Unterschiedes
zwischen č, ž und c, ʒ (dz) [beide aus kj, gj] doppeltes j annehmen [1], halte ich für vollkommen misslungen.

Versuchen wir mit Hülfe von den der unmittelbaren Beobachtung zugänglichen Thatsachen die Vergangenheit zu beleuchten.

Bekanntlich unterscheiden sich in der jetzigen deutschen
Aussprache in den Verbindungen einerseits ach, ag, ak, an-

- -

zu begründen versuchte. Er meint nämlich, dass die spätere Palatalisation (der 2. Periode) von Hinterlingualen (k, g, x) im Slavischen,
welche mit der Zeit zur Entwickelung von ts-Lauten (ts, dz oder
z, s) führte, im Gegensatz zu den ts, ž, š aus der Palatalisation der
1. Periode, teilweise ihren Ursprung der Einwirkung vorhergehender palataler Vokale, aber nur bei der Betonung auf der folgenden
Silbe, verdankt (lik litse, drigati po-dvizati sę u.a.). Vgl. einerseits deutsche ich- und ach-Laute, anderseits das Vernersche Gesetz in der germanischen "Lautverschiebung"." (Internationale Zeitschrift für allgemeine Sprachwissenschaft von F. Techmer. III. Leipzig 1886, S. 182). — Vgl. auch Kruszewskis (Крушевскій) "Očerk
nauki o jazykě" (Очеркъ науки о языкѣ). Kasan 1883, S. 104—105,
Fussnote.

1) Vgl. u. a. "Über einige Erscheinungsarten des slavischen
Palatalismus" (Archiv für slavische Philologie von Jagić. III. 1879.
S. 361 und sonst).

dererseits *ich, ig ik* u. ä., nicht nur die Vokale, sondern, im Zusammenhange damit, auch die folgenden Konsonanten.

In der gemeingrossrussischen Aussprache lautet das *k* der Wörter *stařík* (старякъ, Greis) *staříká* (старяка), *pečník* (печникъ, Töpfer) *pečníká* (печника) usw. etwas anders, als das *k* der Wörter *rybák* (рыбакъ, Fischer) *rybaká*, *kabák* (кабакъ, Schenke) *kabaká* usw. Es ist zwar, so zu sagen, ein im Keime begriffener, ein minimaler Unterschied, seine Existenz aber lässt sich keineswegs leugnen. Sonst hört man in einigen Teilen des grossrussischen Sprachgebietes *staříká, pečníká,* mit einem deutlich palatalen *k*.

In dem Wjatkaschen Dialekt, wie auch in einigen anderen grossrussischen Dialekten, spricht man: *ɦozdjká, trójká* . . ., *tólká, kufářká, górká* . . ., *péč'ká, dóč'ká* . . ., den gemeinrussischen *ɦäzájka* (хозяйка, Wirtin), *trójka* (тройка Dreigespann), *tólka* (только, nur), *kuɦárka* (кухарка, Köchin), *górka* (горька, bittere), *péčka* (печка,, Ofen), *dóčka* (дочка, Töchterlein) . . . . . entsprechend.

Eine ganz analoge Erscheinung bietet uns das 'Schopsche' Gebiet auf der Balkanhalbinsel, wo wir *majťa* (majha, Mutter), *devojťa* (девојha, Mädchen) u. ä. anst. *majka, devojka*[1]) usw. finden.

In allen diesen Fällen wurden hinterlinguale ('gutturale') Konsonanten unter dem Einflusse vorangehender Palatalen palatalisiert und als palatalisierte weiter degeneriert.

Auf diese und viele andere Beobachtungen gestützt, führe ich den ersten Antrieb zur Veränderung von *k, g* in *c, z* in den anfangs genannten gemeinsamslavischen Formen *licé, dvizáti* . . . . auf die Einwirkung der palatalen, *i*-artigen Verengung der Mundhöhle bei den vorangehenden Sonanten. Als solche Sonanten müssen angesehen werden: *i, i̯, n̥* (d. h. ein silbebildendes *n* mit einer gleichzeitigen extremen Verengung der Mundhöhle zwischen der mittleren Zunge und dem Gaumen) oder genauer *i̯n̥, r̥i, l̥i.*

Von einer ähnlichen Einwirkung des konsonantischen *i* (in den Diphthongen *ei, oi, ai*) kann keine Rede sein, da sich

---

1) Vgl. M. V. Veselinović, Granični Dijalekat medju Srbima i Bugarima. Zona dž i č (М. В. Веселиновић, Граничи Дијалекат меѓу Србима и Бугарима. Зона џ и ч). Belgrad 1890, S. 13—16.

damals die Diphthonge *ei*, *oi*, *ai* schon gewiss in lange Vokale *ī* und *ē* vereinfacht haben, wie auch sonst überhaupt alle geschlossenen Silben beseitigt wurden.

Warum aber blieben die parallelen Formen, wie *līkъ* (Bild), *klikati* (rufen), *drigati* usw. von dieser Einwirkung vorangehender palataler Sonanten verschont?

Die Ursache dieser Unterscheidung sehe ich in der verschiedenartigen Verteilung der Wortakzentuation. Analog dem die germanische Lautverschiebung komplizierenden 'Vernerschen Gesetz', formuliere ich meine Erklärung so: Wenn der Akzent auf der folgenden Silbe ruhte, dann wirkte der palatale Sonant auf den folgenden hinterlingualen Konsonanten dermassen, dass er ihm eine individuelle Palatalität verlieh; in entgegengesetztem Falle war diese Wirkung zu schwach, um in dem betreffenden Konsonanten eine stetige, unabhängige, individuelle Palatalität zu entwickeln.

Offenbar begünstigte die Zugehörigkeit des hinterlingualen Konsonanten zu einer und derselben Silbe mit dem hauptbetonten Sonanten des Wortes die Stärkung der in ihm, unter dem Einflusse vorangehender Sonanten, keimenden Palatalität.

Selbstverständlich kann in den eine morphologisch monotone Akzentuation bietenden slavischen Sprachgebieten (im Slovakischen, Czechischen, Serbischen, Polnischen, Kaschubischen) von einer Bewahrung alter Betonungsverhältnisse keine Rede sein. Aber selbst da, wo die morphologisch bewegliche Akzentuation ihre volle Anwendung findet (wie z. B. im Russischen), haben die Wirkungen der 'Analogie' und des Strebens nach der morphologischen Ausgleichung die ursprünglichen Verhältnisse sehr oft verwischt und viele meine Vermutung scheinbar entkräftenden Neubildungen geschaffen. So haben wir im Grossrussischen neben den die ursprünglichen Betonungsverhältnisse wiederholenden

scát' (ссать, pissen [aus *sъcátі* aus **sъkátі*], *-klicát'* (восклицать, ausrufen), *-ńicát'* (проницать, durchdringen, durchsehen), *-ŕicát'* (порицать, tadeln), *blistát'* (блистать, glänzen) [aus **blistátі* aus **bliskátі*], *-dŕizát'* (подвизать, anregen), *bŕacát'* (бряцать, klingeln, klirren), *-sazát'* (осязать, betasten), *-t'azát'* (состязаться, disputieren), *-d'erzát'* (дерзать, sich erdreisten), *t'erzát'* (терзать, zerreissen), *zercd-* (созерцать, beschauen, зерцало, Spiegel), *lícó* (лицо, Antlitz, Gesicht), *vincó* (винцо, Weinchen) [aus *cinъkó*], *kolcó* (кольцо, Ring), *slovcó* (словцо, Wort), *d'erevcó* (деревцо, Bäumchen), *otcá* (отца, des Vaters) [aus *otъká*], *kupcá* (купца, des Kaufmanns), *borcá* (борца, des Kämpfen), *lžecá* (лжеца, des Lügners), *ovcá* (овца, Schaf) [aus *ovъká*], *st'ezá* (стеза, Pfad), *ñelźá* (нельзя, man kann nicht) usw. usw.

auch Wörter, wie einerseits *sérdce* (сердце, Herz), *sólnce* (солнце, Sonne), *stárca* (старца, des Greises), *ĥlébca* (хлѣбца, des Brodes), *ptíca* (птица, Vogel), *d'evíca* (дѣвица, Jungfrau), *bolñíca* (больница, Krankenhaus), *górñica* (горница, Zimmer) usw., andererseits aber *staŕiká* (старика, des Greises), *pečñiká* (печника, des Töpfers), -*klikát'* (окликать, rufen), -*ñikát'* (проникать, eindringen), -*ṕagát'* (запрягать, anspannen), -*śagát'* (присягать, schwören) usw. usw.

Im Anschluss an das Vorangehende stelle ich mir die historische Reihenfolge verschiedener Degenerationsarten slavischer hinterlingualer Konsonanten, *k*, *g*, *ĥ* (*ch*), folgendermassen vor [wobei ich mit *G* die hinterlinguale Qualität im allgemeinen bezeichne]: .

In der 'vorslavischen', aber schon durch das Vorkommen eines — entweder aus *s* entwickelten, oder entlehnten — *ĥ*(*ch*)-artigen Konsonanten modifizierten Periode existierten dreifache hierhergehörigen Verbindungen:

1. G (*k*, *g*, *ĥ*) mit einem darauffolgenden palatalen Phoneme (Laute), — ganz einerlei, ob dieses silbebildend, *i* (*ī*, *ĭ*), *e* (*ē*, *ĕ*, *ej*, *en*, *er*, *el*), *ṛi*, *ḷi*, *ṇi*, *ṃi*, [*ṛṛ*, *ḷil*, *ṇṇ*, *ṃṃ*], oder nichtsilbebildendes (konsonantisches) *i̯* war, — folglich Verbindungen: Gi, Ge, $G\underset{ṛ}{i}$, $G\underset{i̯}{} \ldots$;

2. G mit dem darauffolgenden Diphthonge *oi̯* (aus idg. *oi̯*, *ai̯*), also $Goi̯$;

3. G mit einem vorangehenden *i*, d. h. iG (*īG*, *ĭG*, *ei̯G*, *oi̯G*, *ṇG*, *ṛG*, *ḷG*).

Zuerst unterlag das G der 1. Gruppe von Verbindungen einer kombinatorischen palatalen Affektion und wurde G_{i}, während das G der Gruppen 2 und 3 von einer solchen Affektion noch verschont blieb, und zwar der Gruppe 2, weil das G sich mit einem nichtpalatalen Sonanten, *o* (im Diphthonge *oi̯*), unmittelbar berührte, der Gruppe 3 dagegen, weil

zu jener Zeit die Wirkung vorangehender palataler Sonanten
noch nicht genügend stark war.

Und dieses war die erste Periode der Palatali-
sation hinterlingualer ('gutturaler') Konsonanten
des slavischen Sprachgebietes oder, genauer gesagt, des
Sprachgebietes, welches als linguistischer
Vorgänger (Vorfahr) des jetzigen slavischen
Sprachgebietes betrachtet werden muss.

Diese kombinatorische palatale Affektion, G_i, führte allmählich, in einer Reihe von Generationen, auf dem Wege einer
spontanen Degeneration kombinatorisch affizierter Phoneme, zur
Entstehung vorderlingualer spirantischer Konsonanten, $\acute{c}$, $\acute{z}$, $\acute{s}$.

Während sich nun diese historische Veränderung allmählich vollzog, entwickelte sich aus dem Diphthonge oi ($\^{o}i$,
ai) ein langer einfacher Vokal $\^{e}$, respektive i, was sich auf
dem slavischen Boden unter den allgemeinen Begriff
der Beseitigung aller geschlossenen Silben subsumieren lässt.

Auf diese Weise entstanden neue Verbindungen von
hinterlingualen Konsonanten mit dem folgenden palatalen Sonanten; und in diesen nenentstandenen Verbindungen machte
sich die assimilierende Wirkung des folgenden palatalen Vokals
und die kombinatorische Affektion des hinterlingualen Konsonanten von neuem geltend.

Gleichzeitig aber fing auch die extreme palatale Verengung bei dem vorangehenden Sonanten (i, r_i, l_i, y_i ...) auf
das folgende G zu wirken und es palatal zu affizieren, obgleich nur unter der obenerwähnten Bedingung der Akzentuation.

In einem Teile des slavischen Sprachgebietes ergriff
dieser Assimilationsprozess zu derselben Zeit auch slavische
Verbindungen kr_i, gr_i, kre, gre (aus dem vorslavischen kyi
$kyei$, gyi $gyei$, $kyoi$ $kyai$, $gyoi$ $gyai$), was zur nachträglichen
Entwickelung von cr_i, zr_i, cre, zre führte: $cret$-$\check{z}$ (Blume),
$zr\check{e}zd\acute{a}$ (Stern) u. ä.

Das war also die zweite Periode der slavischen
Palatalisation, welche in einer Reihe von Generationen zur
Entwickelung von c, z (dz), s aus den palatalisierten k_i, g_i,
h_i führte.

Eine dritte Periode der Palatalisation hat eben
in den letzten Zeiten (d. h. in den letzten Jahrhunderten) be-

gonnen, wo sich wieder teilweise sekundäre Verbindungen eines hinterlingualen Konsonanten mit einem palatalen Sonanten entwickelten, teilweise aber ein vorangehender palataler Konsonant eine solche Wirkung auszuüben begann.

Zu dieser letzten Kategorie gehören die oben erwähnten Fälle z. B. aus der Wjatkaschen Mundart des grossrussischen Sprachgebiets (*trójkå*, *dóć'kå* . . .), aus der Schopschen Zone der Balkanhalbinsel (*måjt'a* . . .). . . Die erste Kategorie aber, die Kategorie sekundärer Verbindungen eines hinterlingualen Konsonanten mit einem palatalen Sonanten, umfasst vor allem die Fälle, wo entweder ein palataler Vokal sich phonetisch aus einem früheren nichtpalatalen Laute entwickelte, oder wo auf dem Wege einer morphologischen Assimilation ('Analogie') die Palatalität als ein psychisch bedingter Bestandteil des hinterlingualen Konsonanten auftrat.

Hier sind also zu nennen:

1. *i* für das frühere *y* (ы) [in verschiedenen Teilen des slavischen Sprachgebietes]; *i* für das frühere *e, o* (im Kleinrussischen); *e* aus *ŭ* im Polnischen und sonst); *el* aus *ḷ* (im Polnischen) usw.

2. Russische Dative und Locative Sing. in der Art von *ruḱé* (рукѣ, Hand), *noǵé* (ногѣ, Fuss), *snoh'é* (снохѣ, Schwiegertochter) . . . . . ., anstatt der früheren *ruċé, noźé, snośé* . . . .;

russische Adjectiva possessiva (meistenteils als Nomina propria fungierend) *sùḱin* (сукинъ, der Hündin), *sobåḱin* (собакинъ, des Hundes), *Toptýǵin* (Топтыгинъ, Name), *Bloh'in* ((Блохинъ, Name) . . ., anstatt der früheren *sùċin, sobåċin, Toptýżin, Blośin* . . .;

russische volkstümliche Präsentia *peḱóš* (bäckst), *peḱót* (bäckt) . . ., *st'eřeǵóš* (bewachst), *st'eřeǵót* (bewacht) . . . . . für die 'normalen' *peċóš peċót* . . . (печешь печетъ), *st'eřeżóš st'eřeżót* . . . (стережешь стережетъ) . . . .

3. Die slovenischen Genitive S., Nominative Pl. usw. in der Art von *roke* (Hand), *noge* (Fuss), *muhe* (Fliege) . . . . . gehören auch dorthin, wo die beiden soeben erwähnten Abteilungen 1 und 2; denn, obgleich in ihnen die Endung *e* (phonetisch aus *ę*) auf dem Wege der morphologischen Ausgleichung die Stelle des früheren *i* (phonetisch aus *y*) vertritt, so ändert das doch an dem Einflusse auf die vorangehenden hinterlingualen

Konsonanten gar nichts: das *i* (aus dem früheren *y*) würde in den diese Erscheinung darbietenden slovenischen Dialekten ebenso wie *e* palatalisierend wirken.

Schliesslich gehören hierher die Verbindungen *ke*, *ge*, *he* in den neuerdings in die betreffenden Teile des slavischen Sprachgebietes entlehnten Wörtern.

Auch diese letzte Palatalisation, die Palatalisation der dritten Periode, hat schon teilweise zu einer starken vorder-lingualen Degeneration der palatal affizierten hinterlingualen Konsonanten geführt. Ich brauche nur kaschubische *cij* (aus *kij*, Stock), *żibei* (*dzibei*) (aus *gibki*, biegsam) ...., oder partiell-slovenische (in Ober-Krain, Kärnthen, Tolmein, Kirchheim, Karst ...) *ćisu* (aus *kisl*, sauer), *ćetne* (aus *ketne*, Ketten), *róće* (aus *roke*, der Hand) ..., *nóje* (aus *noge*, des Fusses) ..., *muśe* (aus *muhe*, der Fliege) ... zu nennen. Die grossrussischen *paut'ina* (паутина, Spinngewebe), *t'ist'* anstatt *kist'* (кисть, Pinsel), *d'ira* anstatt *gira* (гиря, Gewicht), *áńd'el* anstatt *ángel* (ангелъ, Engel) ..., die [oben erwähnten] Schopschen *majt'a*, *derojt'a* .... gehören auch hierher.

Eine **vierte**, noch im Werden begriffene, **Periode der Palatalisation** bietet, meiner Meinung nach, der Unterschied des *k* in den grossrussischen *starika*, *pečńika* ... einerseits und *rybaka*, *kabaka* ... anderseits, worauf ich gleich im Anfange hingewiesen habe.

Meine Hypothese von der Entstehung des *c*, *ʒ* in *otьcь*, *klicáti*, *drizáti* .... und von den verschiedenen Perioden der slavischen Palatalisation macht eine einfache, jeder gezwungenen Spitzfindigkeit bare Erklärung des historisch-phonetischen Verhältnisses möglich, welches wir, inbetreff von *k* *ć* *c*, *g* *ż* *ʒ* (oder *z*) in *klik- kliće- klić-a-* (rufen, Ruf), *otьć-e* (Vok.) *otьćьsk-* (Adjekt.) *otьc-* (Vater), *drig-a- driż-e- driʒ-d-* (bewegen) u. ä., oder in den slavischen Suffixen *-k-* (*-ьk-*, *-ik-* ...) | *-c-* (*-ьc-* ...) u. ä. bemerken.

Die später entwickelte psychisch bedingte Alternation *c*|*ć*, *ʒ* (*z*)|*ż* hatte die Forscher auf den falschen Gedanken geführt, es seien *ć*, *ż* aus *c*, *ʒ* entstanden. Unterdessen entsteht ein slavisches *ć* oder *ż* **phonetisch** nie aus einem *c* oder *ʒ* (*z*). Wohl konnte sich ein *ż* aus dem *z*, genauer aus dem *zi* (*zj*), entwickeln, aber nur in dem

Falle, wenn dieses *z* nicht ein aus dem *g* (= idg. g_2, $g_2{}^h$) kombinatorisch, auf dem Wege der Palatalisation, entwickeltes, sondern ein dem idg. g_1 (*ǵ*) oder $g_1{}^h$ (*ǵ^h*) spontan entsprechendes *z* ist.

II.

Urindogermanische Alternation *e||o*.

Bekanntlich finden wir in allen idg. Sprachen eine Alternation, welche in der Gestalt *e||o* schon der idg. Periode der Sprachentwickelung zugeschrieben werden muss. (Gr. λέγ-ω | λόγ-ος, lat. *teg-o* | *tog-a*, germ. *vig-* | *vag-*, slav. *vez-* | *voz-*, *ber-* | *bor* . . . .).

Trotzdem, dass der Grund dieser Spaltung bis jetzt noch nicht entdeckt worden ist, ist man doch wohl allgemein darüber einig, dass diese beiden lautlich verschiedenen Vokale etymologisch identisch sind, d. h. auf eine gemeinsame historische Quelle zurückgeführt werden müssen. Diese Quelle war entweder ein dritter, mit beiden "heterogener", oder ein einem dieser zwei ähnlicher Vokal.

Der Versuch, diese beiden Vokale, *e* und *o*, von einem älteren *a* abzuleiten, erwies sich schon längst als nicht stichhaltig. Es bleibt also nur die Annahme übrig, dass entweder *e* aus einem *o*-artigen Vokale, oder umgekehrt *o* aus einem *e*-artigen Vokale sich entwickelt hatte.

Gegen die erste Annahme, es sei *e* aus *o* historisch entstanden, spricht vor allem der Umstand, dass man neben der Alternation *o||e* auch ein mit *e* gar nicht alternierendes *o* hat, welches also unter ganz denselben Bedingungen sich unverändert erhielt und sich in *e* gar nicht verwandelte. Es bleibt also nur die Annahme übrig, dass in diesem Falle der *e*-artige Vokal ursprünglich ist, der *o*-artige aber sich aus ihm sekundär entwickelt hatte. Es hat also dabei eine Dispalatalisation (Entpalatalisierung), d. h. eine Verwandlung der Annäherung der mittleren Zunge an den Gaumen in ihre beiderseitige Entfernung, begleitet von einer äquivalenten Annäherung der Lippen, stattgefunden. Die Ursache dieser Veränderung ist bis jetzt noch nicht ermittelt worden. Und es wird wohl nie gelingen, sich ein klares Bild darüber zu machen, da die Verhältnisse zu stark verwickelt worden sind.

Alle mir bekannten Versuche halte ich für ungenügend. Insbesondere ist dabei an einen Einfluss der Betonung, welcher von einigen Gelehrten vermutet wurde, gar nicht zu denken, und zwar deswegen, weil man sonst, in den uns historisch zugänglichen Perioden des Sprachlebens von einem solchen Einflusse der Betonung gar nichts weiss.

Über das der Beobachtung unzugängliche dürfen wir keine Vermutungen aussprechen, die nicht auf die Erforschung des der Beobachtung zugänglichen basiert sind. Es sollen immer nur Rückschlüsse von dem Bekannten auf das Unbekannte und nicht umgekehrt gemacht werden.

In den uns bekannten Perioden der Sprachgeschichte bemerken wir nirgends eine Veränderung des *o* in *e* oder des *e* in *o* od. ähnl. unter dem Einflusse der Betonungsverhältnisse. Und es ist auch vom anthropophonischen (lautphysiologischen und akustischen) Standpunkte aus selbstverständlich, denn *e* und *o* unterscheiden sich untereinander prinzipiell nicht durch eine verschiedene Thätigkeit der Stimmbänder und eine verschiedene Grundtonhöhe, sondern durch ein verschiedene Form der Mundhöhle und eine verschiedene Klangfarbe. Sie unterscheiden sich in keiner Hinsicht quantitativ, sondern nur qualitativ.

Man könnte sich zwar auf das Südgrossrussische berufen, wo, nach der üblichen Lehre, ein betontes, d. h. ein iktiertes [aus den älteren *e̍* und *i* entwickeltes] *e* in *o* verwandelt worden sei. Es ist aber leider eine unwissenschaftliche Formulierung des Vorganges. Wir finden zwar jetzt im Südgrossrussischen wirklich das *o* anstatt *e* nur in betonten Silben, aber dieses ganz einfach deswegen, weil in diesem Sprachgebiete das *o* in einer unbetonten Silbe überhaupt ganz unmöglich ist. Aber schon in dem nördlichen Teile des grossrussischen Sprachgebietes, in den sogenannten '*ó*-kajuščije govory', finden wir *o* aus *e̍* nicht nur in betonten, sondern auch in unbetonten Silben, d. h. z. B. nicht nur *ńós* (нёсъ, er trug), *ćvól* (цвѣлъ, er blühte)...., sondern auch *ńoslá* (нёсла, sie trug). *ćvolá* (цвѣла, sie blühte) ....

Ja noch mehr. In einigen dieser grossrussischen *o*-Dialekte wurde auch ein auf das alte *e̍* (ѣ) zurückgehendes *e* zu *o*, aber gerade einzig und allein in unbetonten Silben, während die Betonung eine grössere Widerstandsfähigkeit

dem Vokale verlieh und ihn vor einem solchen Übergange
schützte. So z. B. *b'olók* (бѣлокъ, Eiweiss), *ńomój* (нѣмой,
Stummer), *zvozdá* (звѣзда, Stern), *vodró* (ведро, Eimer) . . .,
aber *b'élyj* (бѣлый, weisser), *ńém* (нѣмъ, stumm), *zvézdy*
(звѣзды, Sterne), *védra* (ведра, die Eimer) . . . .

Was aber war der eigentliche Grund der Verwandlung
von *e* zu *o* in den beiden Perioden des Sprachlebens: erstens
in der gemeingrossrussischen Periode, wo ein *é* (aus *ě* und *i*)
in *ó* überging und sich als solches in der nördlichen Zone
des grossrussischen Sprachgebietes ohne Unterschied der Betonung erhielt, während es in der südlichen Zone in unbetonten
Silben unmöglich wurde; zweitens in der ausschliesslich nord-
grossrussischen Periode, wo sich wieder ein noch erhaltenes *e*
[aus älterem *ě* (ѣ)] in unbetonten Silben in *o* verwandelte?

Der einzige Anlass zu einer solchen Verwandlung lag
hier und dort ausschliesslich in der 'Härte' oder Nicht-Pala-
talität des auf *e* folgenden Konsonanten. Vor einem 'weichen'
oder palatalen Konsonanten blieb *e* unverändert, sei es in einer
betonten, sei es in einer unbetonten Silbe.

Wie in der zweiten Periode die Betonung dem Vokal *e*
eine Widerstandsfähigkeit gegen eine solche Verwandlung in
o verlieh, so spielte in der ersten Periode die Länge des *é*
eine solche Schutzrolle: ein langes *é* blieb *e*, und nur ein kurzes
ě verwandelte sich in *o*.

Wie ist das Wesen einer solchen Umwandlung physiologisch aufzufassen? Kurz ausgedrückt, war es ein sprachgeschichtlicher Vorgang, zu welchem der erste Antrieb von einem
kombinatorischen Lautwandel gegeben wurde. Der folgende
nichtpalatale Konsonant wirkte auf den vorangehenden Sonanten assimilierend, d. h. entpalatalisierend, und der betreffende Sonant, in unserem Falle der Vokal *e*, unterlag schliesslich einer Entpalatalisierung (Dispalatalisation). Das bedeutet,
dass die dem Vokale *e* eigene Annäherung der mittleren Zunge
an den Gaumen ausblieb und durch eine gleichgradige Annäherung der Lippen [in Begleitung von einer sich reflektorisch
einstellenden Annäherung der hinteren Zunge an den hinteren
Gaumen] ersetzt wurde.

Ähnliche historisch-phonetische Prozesse fanden in verschiedenen Sprachgebieten und zu verschiedenen Zeiten statt.
So z. B.: die polnischen *o* aus *e*, *a* (Äquivalent eines langen

õ) aus *e* unter der Einwirkung folgender nichtpalataler vorderlingualer Konsonanten (genus proximum — Nichtpalatalität,
differentia specifica — vorderlinguale Artikulation); *a* aus *e*
(= *e*) im Bulgarischen; *or* aus *er* (= *rĭ*) im Grossrussischen;
or aus *er* im Lateinischen und Slavischen; *ul* aus *il* in verschiedenen Sprachen, usw. usw.

Alles das sind Folgen einer Entpalatalisierung der Sonanten unter dem Einflusse von nichtpalatalen Konsonanten mit
verschiedenen näheren Bestimmungen.

Diese aus der Beobachtung einer Menge von Thatsachen
gewonnene Auffassung möchte ich auf die urindogermanische
Periode übertragen und das Alternationsverhältniss *e* ‖ *o* in
ebensolcher Weise erklären: **e ist mir der Urvokal, aus
welchem sich o auf dem Wege der Entpalatalisierung entwickelt hatte. Diese Entpalatalisierung wurde durch die auf e folgenden nichtpalatalen Konsonanten bedingt.**

Ob alle nichtpalatale Konsonanten eine solche Wirkung
auf das vorangehende *e* ausübten, oder ob nur eine gewisse
Klasse derselben, z. B. vorderlinguale, labiale od. ähnl., mag
dahingestellt bleiben. Und überhaupt kann ich vorderhand
nur diese ganz allgemeine und vage Vermutung aussprechen,
da ich leider bis jetzt keine Zeit finden konnte, sie mit einer
detaillierten Untersuchung bezüglicher Thatsachen zu begründen.
Ich möchte aber u. a. auf folgendes hinweisen:

Vok. -*e* (auslautend), während in anderen Kasus, vor En-
dungskonsonanten, -*o*- (-*o-s*, -*o-m*, -*o-ns* . . . .);

Imperat. -*e* (auslautend) ‖-*e*- vor Personalendungen -*si*,
-*ti*, -*te* . . . ‖-*o*- vor Personalendungen -*m*-, -*r*- . . .;

*genes-es (lat. *generis*), **kleyes-es* (slav. *slovese*) . . . .,
aber **genos* (genus), **kleyos* (slovo) . . . . . .;

slavische Pronomina

sebe	*sobo-* (*soboja*, **soboi* = *sobě*),
tebe	*tobo-* (*toboja*, **toboi* = *tobě*),
mene	*mьno-* aus **mono-*; usw.

Bei einer genauen Untersuchung dieser Frage müsste
man vor allem die Möglichkeit der Formübertragung und der
morphologischen Assimilation ('Analogie') im weitesten Sinne
des Wortes in Erwägung ziehen.

Durch eine genaue Betrachtung der phonetischen Verhältnisse einzelner idg. Sprachen erhalten wir vor allem vier Arten (Kategorien) von Alternationen ('Ablauten'), deren Ursprung in dem gemeinsamen indogermanischen Zustande gesucht werden muss:

1. **Qualitativ** bedingte Alternation $e \| o$ und andere auf dieselbe zurückzuführenden:

$$ei \| oi, \quad eu \| ou,$$
$$eL \| oL \; [er \| or, \; el \| ol],$$
$$eN \| oN \; [en \| on, \; em \| om, \; e\eta \| o\eta],$$
$$e \| o \; [ea \| oa, \; e\vartheta \| o\vartheta] \; \ldots \ldots$$

2. **Quantitativ**, durch die Wirkung der exspiratorischen Akzentuation (Betonung) bedingte Alternationen $\overset{e}{\underset{o}{\mid}} \; 0$ (Null), $o \| 0$, $a \| 0$ und andere auf sie zurückgehenden:

$$\overset{ei}{\underset{oi}{\mid}} \, i, \; \overset{eu}{\underset{ou}{\mid}} \, u, \; \overset{eL}{\underset{oL}{\mid}} L_i \begin{bmatrix} er \\ or \end{bmatrix} r_i, \begin{bmatrix} el \\ ol \end{bmatrix} l_i \Big], \; \overset{eN}{\underset{oN}{\mid}} N_i \begin{bmatrix} en \\ on \end{bmatrix} n_i, \begin{bmatrix} em \\ om \end{bmatrix} m_i \ldots \Big],$$
$$oL \| L \; (or \| r, \; ol \| l), \quad oN \| N \; (o\eta \| \eta, \; om \| m \ldots).$$

Der Unterschied von r, l, n, m .... und r_i, l_i, n_i, m_i ... [je nach dem Ursprunge, entweder aus or, ol, on, om ...., oder aus er, el, en, em ...] hat sich in den meisten idg. Sprachgebieten vollkommen verwischt, und auch das Altindische hat von ihm keine Spur erhalten; die slavischen und baltischen Korrespondenzen (Entsprechungen) aber bezeugen diesen alten idg. Unterschied mit unabweisbarer Entschiedenheit.

3. Auf dem Unterschiede von **kurzen und langen Sonanten**, $\breve{u}$, $\breve{i}$, r, l, n, m ... $\| \bar{u}$, $\bar{i}$, $\bar{r}$, $\bar{l}$, $\bar{n}$, $\bar{m}$ ..., beruhende Alternationen, von denen sich die Längen, teilweise wenigstens, auf eine Art Ersatzdehnung zurückführen lassen.

4. **Heterosyllabische und tautosyllabische** Verbindungen, mit anderen Worten **offene und geschlossene Silben**: -o-u- $\|$ -ou-, -e-u- $\|$ -eu-, -o-i- $\|$ -oi-, -e-i- $\|$ -ei-, -o-r- $\|$ -or-, -o-l- $\|$ -ol-, -e-r- $\|$ -er-, -e-l- $\|$ -el-, -o-n- $\|$ -on-, -e-n- $\|$ -e-n- ...., -o-s- (-e-s-) $\|$ -os- (-es-) .... usw. usw.

Damit hängen auch die Alternationen -u- $\|$ -u-u-, -i- $\|$ -i-i-, -r- $\|$ -r-r-, -l- $\|$ -l-l-, -n- $\|$ -n-n-, -m- $\|$ -m-m- .... u. ä. zusammen.

Dorpat, im Mai 1893.

J. Baudouin de Courtenay.

Metathesis im Indogermanischen.

In einem Vortrag auf der Wiener Philologenversammlung (1893) hat W. Streitberg die Entstehung der gedehnten
Vokale im Indogermanischen behandelt. Wie weit Streitbergs
Ausführungen in den Einzelheiten Beifall verdienen, soll hier
nicht näher untersucht werden. Die neueren Arbeiten über
das idg. Vokalsystem zeigen, dass seit längerer Zeit die Forscher zu einer ähnlichen Hypothese hingedrängt werden, und
so muss man dem, denke ich, unbekümmert um selbstgefällige
Skepsis mit ihrer altjüngferlichen Unfruchtbarkeit, Dank wissen,
der versucht, die nötigen Konsequenzen zu ziehen. Freilich
bleibt manches im Dunkeln und es ist begreiflicherweise nicht
ganz leicht, die Dehnungshypothese in wünschenswerter Weise
zu stützen. Abgesehen von den allgemeinen Schwierigkeiten,
die stets der Fixierung ursprachlicher Prozesse entgegenstehen,
trifft es sich für die Betrachtung der gedehnten Vokale un-
glücklich, dass offenbar verschiedene Lautprozesse nachträglich zur Umgestaltung der Silben mit langem Vokal beigetragen haben.

Bekannt und in letzter Zeit mehrfach behandelt ist die in
den Einzelsprachen eingetretene Verkürzung des langen Vokals
vor Sonorlaut (i, u, r, l, m, n), die sogenannte Kürzung der
Langdiphthonge, die ein idg. *yentos* zu urlat. *rēntos*, urgerm.
wēndoz, got. *winds* werden liess; bekannt ist auch der schon
idg. unter gewissen Bedingungen eingetretene Ausfall des zweiten Komponenten in der Verbindung von Langvokal mit *i, u, n*:
idg. *dieus* zu *dies*, *sroumṇ* 'Stromstadt' zu *srōma* usw. Man
darf von einer schon idg. vorhandenen, in den Einzelsprachen
fortwirkenden Abneigung gegen die 'überlangen' Silben sprechen, von dem allerdings nur langsam wirkenden Bestreben
den Normaltypus der idg. Silbe durchzuführen der aus zwei
Moren besteht, d. h. hinter der den Silbenakzent tragenden
Mora nur noch eine weitere duldet, die durch einen Vokal
oder durch einen Konsonanten ausgefüllt sein kann: offene
Silben mit einfachem langen Vokal, geschlossene Silben mit
kurzem Vokal.

Ich vermute, dass es im Idg. noch einen anderen Weg gab die 'überlangen' Silben zu beseitigen, den man aber bisher nicht recht erkannt hat: den der Metathese.

In älterer Zeit machte man von der Annahme von Metathesen namentlich in der Nachbarschaft von r, l ausgedehnten Gebrauch, so Johannes Schmidt in seinem 1871 und 1875 erschienenen Buch 'Zur Geschichte des idg. Vokalismus' (s. Register s. v. 'Metathese'). Seitdem jedoch sind die Metathesen bei sprachwissenschaftlicher Erklärung bedenklich in Misskredit gekommen. Eine grosse Menge des Materials, das zum Beweise idg. Metathesen zu dienen pflegte, suchte Brugmann anderswo unterzubringen. Der Aufsatz über das 'verbale Suffix a im Idg.' (MU. I 1 ff.) suchte nachzuweisen, dass die Typen *ia*, *bhsa*, *ra*, *pra* — nach der damaligen Bezeichnung — nicht als einheitliche Gebilde zu betrachten seien, sondern als Verbindungen der Wurzeln *ai-*, *bhas-*, *ar-*, *par-* in Tiefstufenform mit einem suffixalen Element a. Wenn man schärfer zusieht, wird man freilich bemerken, dass das Rätsel, das diese Formen boten, nicht gelöst, sondern nur aus der Lautlehre in die Suffixlehre abgeschoben war. Einen gänzlich unmotivierten Lautwandel war man glücklich losgeworden, hatte aber dafür ein gänzlich unmotiviertes Suffix mehr gewonnen. Dass seiner Zeit der jungen Lautforschung durch die entschlossene Wegräumung eines solchen Hindernisses die Bahn geebnet wurde, war für die Entwickelung der Wissenschaft wohl ein Vorteil; nichts desto weniger blieb das Problem vorhanden. Ich möchte es jetzt aus der Suffixlehre wieder in die Lautlehre zurückschieben. Denn während die Schwierigkeit bei einer lautlichen Erklärung die alte geblieben ist, hat sie sich bei der suffixalen verdreifacht. Statt eines einzigen unmotivierten Suffixes a hat man, seit wir mit dem bunten Vokalismus des Idg. zu rechnen haben, die drei a, *e*, *o* anzusetzen; das ist ein Bisschen viel für den, der sich fragt, was in aller Welt diese drei in sonst offenbar gleichartigen Bildungen auftretenden Suffixe zu thun hatten[1]). Man vergleiche jetzt Brugmanns Grundriss II § 578 ff.

---

1) Es giebt Leute, die noch immer glauben, sie hätten etwas gesagt, wenn sie für das, was ich hier 'unmotiviertes Suffix' nenne, den wohlklingenden Namen 'Wurzeldeterminativ' verwenden. Ihnen ist nicht zu helfen.

Es kommt hinzu, dass es sich nicht lediglich um verbale Bildungen handelt, in denen das 'verbale Suffix *a*' auftritt, sondern auch um eine Reihe nominaler, die man leicht in dem zitierten Aufsatz Brugmanns übersehen kann. Nun ist ja nicht zu leugnen, dass ein Teil dieser Bildungen auf Grund des Verbums geschaffen sein kann, z. B. aind. *yaman-* nach *yáti* 'er geht'; gr. γνῶcιc, γνωτός nach γιγνώcκω, μνῆcιc nach μιμνήcκω — sei es nun einzelsprachlich oder bereits indogermanisch. Bei andern ist dieser Erklärungsversuch aber schlechterdings unbrauchbar. Auch wenn man noch annehmen wollte, das πτῶσις πτῶμα zu einem verlorenen *πιπτώcκω gebildet sei, so lässt sich für so alte Bildungen wie idg. *i̯ēro-, i̯ērā-, i̯ōrā-* 'Jahreszeit' kein Muster finden, um es als Analogiebildung nach *i̯ēti* oder *i̯ōti* 'er geht' zu erklären. (Vgl. auch ai. *kṣára-s* 'von ätzendem Geschmack', gr. Ξηρός 'trocken', ψηρός ψωρός 'krätzig' zu den Wurzeln *ghs-, bhs-*.)

Und was will man gar mit einer Form wie gr. πλῆθος anfangen?

Im Griechischen kann sie nicht entstanden sein, wo -θεc- längst kein lebendiges Suffix mehr war. Nach μέγεθος neben μέγαc hätte man auch zu πλήρης höchstens ein *πλήρεθος bilden können, wie später πληρότης (vgl. μικρότης). Als Substantivbildung zu πλήθω ist es auch nicht zu erklären; denn erstens bildet -εc- im Griechischen keine Verbalsubstantive und zweitens ist πλῆθος auch der Bedeutung nach kein solches. Offenbar ist πλῆθος von μέγεθος nicht zu trennen, und beide sind gemeinschaftlich zu erklären.

Das zweite ε in μέγεθος vertritt nun offenbar einen reduzierten Vokal (ə, e) wie das in γενετήρ, γένεθλον usw., vgl. ion. μέγαθος. Wir dürfen vermuten, dass einst neben uridg. *mégedhos* ein *péledhos* stand. In derselben Weise ist noch gr. cτῆθος 'das Emporstehende: Brust, Ballen, Hacken, Sandbank' gebildet. Warum *mégedhos* nicht zu *mēgdhos* wurde, wie Streitbergs Hypothese voraussetzen muss, ist eine schwierige Frage für sich: vermutlich haben wir es mit einer Kompromissbildung zu thun, die verschieden betonte Flexionsformen zustande brachten. Jedenfalls würde man — nach Streitbergs Ausführungen — zunächst *peldhos* zu erwarten haben, und daraus muss *pledhos* durch Metathese entstanden sein.

Was gegen Brugmann gilt, gilt mutatis mutandis auch gegen Kretschmer KZ. XXXI 395 ff., der auf ein *pela͞dhos zurückgeben möchte und sich S. 410 mit der verschiedenen Färbung der Vokale abzufinden sucht. Andere führen den Typus πλῆθος, μνήμων usw. zwar auf eine Urform *peledhos, *menemón zurück, sprechen aber von Kontraktion des ele, ene, ere zu lē, nē, rē. Dass unter 'Kontraktion' hier etwas anderes verstanden ist, als man gemeiniglich darunter zu verstehen pflegt, nämlich nicht bloss die Zusammenziehung zweier benachbarter Vokale, leuchtet ein; indessen würde ja auf den Namen nichts ankommen, wenn die damit verbundene Vorstellung das Richtige träfe. Eine direkte Zusammenziehung von ele zu lē, ere zu rē, ene zu nē ist aber nur so zu denken, dass der erste Vokal an Akzentstärke und Klangdauer allmählich mehr und mehr eingebüsst habe zu Gunsten des zweiten bevorzugten: eine sehr unwahrscheinliche Annahme, wenn man bedenkt, dass die sogenannten 'unkontrahierten' Formen direkt darauf hinweisen, dass der zweite Vokal der gemurmelte (Schwa) war, der erste aber starken Akzent trug. Aus allgemeinen phonetischen Gründen darf also, wenn man einmal die Notwendigkeit einer rein lautlichen Erklärung zugiebt, der doppelte Prozess ele̜ usw. zu ĕl, ĕl zu lē die grössere Wahrscheinlichkeit beanspruchen.

"Unter welchen lautlichen Verhältnissen, fragt Brugmann in seinem Aufsatz über das Suffix a (S. 59 f.), trat aber nun die Metathesis überhaupt ein? Wenn wir es mit einem rein lautlichen Prozess zu thun haben, warum ergriff die Lautneigung grade unsere Wurzeln, wie z. B. per- (pel-) 'füllen' und liess eine Menge anderer ganz gleichartiger Wurzeln unverändert?" Die erste Frage ist zum Teil beantwortet, insofern die Metathese an die Länge des Silbenvokals gebunden ist. Was die zweite anlangt, so hat Brugmann in der That scharf und richtig hervorgehoben, dass wir gar kein Recht haben, Formen wie ra und pra anders aufzufassen als ia und bhsa. Für Brugmann folgte daraus, dass die Typen ra und pra nicht auf Metathesis beruhen könnten; denn dass ia und bhsa nicht darauf beruhten, galt ihm von vornherein für ausgemacht. Über den Typus bhsa bemerkt er (S. 11): "Dass die hierher gehörigen Formen durch Metathesis entstanden seien, darf darum nicht angenommen werden, weil eine solche Metathesis

von Geräuschlauten sonst nicht vorkommt". Die Warnungstafel
braucht uns heute nicht mehr abzuschrecken. Eine Beobachtung
des eigenen Sprechens lehrt täglich und stündlich, dass Metathesen auch von Geräuschlauten in der Sprache eine sehr viel
grössere Rolle spielen — bei dem sogenannten Versprechen —,
als man gemeiniglich annimmt. Es genügt etwa an die bekannte Metathese von *k* und *t* in *die katze tritt die
kreppe trumm* zu erinnern. Es ist durchaus anzunehmen,
dass solche okkasionelle Metathesen, die sich überall da leicht
einstellen, wo scharfe Artikulation an ungünstiger Akzent-
stelle verlangt wird, bei ungestörter Sprachentwickelung ab
und an auch usuell wurden; es wäre recht wünschenswert,
dass das Material zusammengesucht würde. Da nach allem,
was wir wissen, Wortformen wie *pŏt/men-, *ghĕs/ro-, u̯ĕn/to-,
sróu̯/ma-* für den Indogermanen etwas Unbequemes gehabt
haben müssen und die Typen *ptŏmen-* (πτῶμα), *ghsēro-* (ai.
kšara-s gr. ξηρός) im Vergleich dazu eine Erleichterung bedeuteten, so lässt sich a priori gegen die Annahme einer
Metathese nichts einwenden.

Ich möchte also meine Hypothese so formulieren: "Überlange Silben mit langem Vokal, wurden bereits idg. dadurch
vereinfacht, dass der silbenschliessende Konsonant vor den
Vokal trat, für den Fall, dass nicht durch diese Metathese
ein sonst im Idg. unerhörter (unsprechbarer) Silbenanlaut entstand." Also *pĕl* zu *ple., mĕn* zu *mnē., ghĕs* zu *ghse̦*, *pŏt*
zu *ptŏ* usw.; aber *di̯eu̯s* blieb begreiflicherweise *di̯eu̯s* und
wurde nicht *di̯u̯es*; *u̯ĕn/to-* wurde nicht *u̯nĕto-*. Der Versuch
einer Metathese musste in solchen Fällen eigenartiger Konsonantenverbindungen bereits im Keime erstickt werden. Hier
traten dann später andere Vereinfachungen ein.

Für die Metathese in vokalisch anlautenden Silben möchte
ich abg. *kamy* in seinem Verhältnis zu lit. *akmü* geltend machen,
nämlich als ein idg. *kamo(n)* oder *komo(n)* entstanden aus
akmo(n) oder *okmo(n)*. Bechtel, Göttinger Nachrichten 1888
S. 402 nimmt eine abstufende Flexion an, "da die Annahme
einer Metathese auf Schwierigkeiten stösst": *çŏmó, çamonos,
açmnē*. Aber die Wurzel war doch wohl *ak-* 'scharf, spitz',
obwohl das Verhältnis des *k*-Lautes im Vergleich zu den
andern Angehörigen dieser Wurzel nicht klar ist. Bechtel selbst
zieht ai. *aśman-* 'Stein' ohne weiteres hinzu, das sich zunächst

mit lit. *aszmů* vergleicht. Ferner gr. ἄκμων. Die Parallele mit idg. *nomṇ*, in seiner mannichfachen Abstufung, so einleuchtend sie zunächst scheint, trifft also nicht zu, sofern die Annahme richtig ist, dass wir es hier mit einer Wurzel *nem-* zu thun haben, sei es nun dieselbe, die 'zuteilen' bedeutet, oder eine andere. Läge aber eine Wurzel *ḱā* oder *ḱām* zu grunde, so bliebe die von Bechtel angesetzte Instrumentalform *aҫmnē* mit ihrem Vorschlagsvokal dunkel; denn sie wird dadurch um nichts heller, dass auch im gr. ὄνομα der erste Vokal, sofern man ihn als 'prothetischen Vokal' aufzufassen pflegt, dunkel ist. Es ist ausserdem immerhin noch nicht ausgemacht, ob nicht Fick Recht hat, ὄνομα zu einer Wurzel *on-* zu ziehen und mit lat. *onus* zu verbinden: 'Name' als das 'Aufgeladene', ἐπίθετον, vielleicht zunächst im Sinne von 'Übername'. (Fick möchte auch ὄνειδος heranziehen.) Got. *namô* liesse sich direkt dem gr. ὄνομα gleichsetzen, wenn man eine Akzentverschiebung annimmt. Vor dem Hauptakzent schwand der kurze Vokal der Anlautsilbe, wie bei den Perfektbildungen die kurze Reduplikationssilbe schwinden musste und wie wohl der Verlust des Augmentes den Untergang des Imperfekt-Aorist-Tempus herbeigeführt hat. Lat. *nōmen* aber würde eventuell dasselbe Problem bieten wie abg. *kamy*.

Wie nun auch ὄνομα usw. zu etymologisieren seien, mir scheint die Parallele *kamy* : ἄκμων = μνήων : ('Αγα-)μεμνών aus *-μεμνων einigermassen schlagend (vgl. auch·τλήμων : τελαμών) und die Annahme einer idg. Metathese das einfachste Mittel zur Erklärung von *kamy*, μνήμων, τλήμων.

Was man für *kamy* Recht sein lässt, wird man ferner auch für κῶνος 'Spitzstein, Kegel', lat. *cōs (cōti-)* 'Wetzstein' billig sein lassen, von denen man wahrhaftig nicht begreift, wie sie zu dem Verbalsuffix *a* gekommen sein sollen. Germanisch *hamara-*, wenn anders es zu Wurzel *ak-* gehört, könnte sich aus einer Flexion, die zwischen *hōmar-* und *hōmra-* ohne Mittelvokal schwankte, ganz gut erklären. *hōmra-* wäre lautgesetzlich *hamra-* geworden, in genauem Parallelismus zu ähnlichen Verkürzungen langer ō-Laute vor Sonorlauten derselben Silbe (Streitberg Z. germ. Sprachg. S. 91 ff.).

Ich bin nicht in der Lage, meine Hypothese, nach der also auch ein ai. *yaman-* in letzter Linie auf idg. *ēimen-*, *ōimen-* germ. *jēra-* auf *ēiro-* zurückzuführen wäre, hier noch

eingehender zu begründen. Wie weit der Wechsel von gr. ορ
und ρω, ολ und λω, germ. *ar-* und *rō*, *al* und *lō* usw. hierher
gehört, wird man erst entscheiden können, wenn Osthoffs
langversprochenes Buch über Liquida und Nasalis sonans vorliegt (vgl. MU. V S. III ff.). Die negativen Instanzen, die sich
gegen die hier vertretene Hypothese beibringen lassen, sehe
ich recht gut. Es möge genügen, vorderhand einerseits
auf den Systemzwang hinzuweisen, unter dem Silben wie *ĕd-*
(im Paradigma der Wurzel *ed-* 'essen') bestehen bleiben
konnten, zweitens die Frage aufzuwerfen, ob die Metathese
auch Silben mit geschleiftem Akzent traf oder auf solche mit
gestossenem beschränkt war. Das letztere wäre recht wohl
möglich; bei dem Mangel an sicheren Kriterien für die Akzentqualität fehlt das Material zur Entscheidung. Überlange Fle-
xionssilben dürfen uns am wenigsten beirren. Dass *pătĕr* (die
regelrechte Form vor Vokal) auch in Pausa und vor Konsonant galt, nicht ein *pătrē*, ist wegen der Stammform *pater-*
begreiflich. Ebenso weshalb die Kasusendungen *ōị, ōd, ōm,
ōs* usw., *aị, ad, as* usw. der *o-* und *a-*Deklination bestehen
blieben, zumal da hier die Metathese vielfach (z. B. im
Paradigma *ekụos ekụa*) direkt unmöglich war.

Im Übrigen gilt von der befürworteten Hypothese das,
was von allen derartigen Hypothesen gilt: an ihren Früchten
sollt ihr sie erkennen. Ich möchte sie einfach unbefangener
Prüfung empfehlen. Abgesehen von dem sofort einleuchtenden
Vorteil, dass sich die Verba mit dem sog. Suffix *a* nun einfach
in die Klasse *asti* oder *dadhati* einreihen lassen, möchte ich
in aller Kürze auf zwei Probleme der Stammbildungslehre
hinweisen, die sie ebenfalls vielleicht der Lösung näher bringt.
Erstens das seltsame Ablautsverhältnis *ịe : ị* im thematischen
Optativ gewinnt an Durchsichtigkeit, wenn wir annehmen dürfen,
dass *ịe* aus *eị* entstanden ist, *sịem* also auf ein *sēịm* mit
Dehnvokal (etwa für *sēịmị*?) zurückzuführen sei. Zweitens
lässt sich der vielumstrittene Perfekttypus, den lat. *sēdi* repräsentiert, nun auf einfache Weise erklären.

Es ist bekannt, dass im Veda bei einer ganzen Reihe
von Wurzeln, seltener im Griechischen statt des kurzen Re-
duplikationsvokals ein langer auftritt. Wir dürfen darin eine
sekundäre Dehnung sehen. Wenn sich auch vorläufig ihre
Entstehung nicht mit völliger Sicherheit verstehen lässt, so

lässt sich doch im Anschluss an die Streitbergschen Ausführungen vermuten, dass sie mit dem Ausfall des Vokals der Wurzelsilbe in den schwachen Formen (Plural usw.) zusammenhängt. Man müsste dann allerdings eine ursprüngliche Betonung der Reduplikationssilbe annehmen, sei es dass ein starker Nebenton vorhanden war, sei es dass bei den langen Worten ein Schwanken der Betonung und ein Akzentwechsel vorliegt, ähnlich dem in unserem *Scháffhausen* und *Schaffhāusen*. Über das in Sprachen mit vorwiegend musikalischem Akzent ganz gewöhnliche, aber auch in solchen mit exspiraratorischem Akzent, z. B. im Neuhochdeutschen, längst beobachtete Gesetz des Akzentrückens aus rhythmischen Gründen vergleiche man jetzt Minor Nhd. Metrik S. 64 ff. Ganz unbetont kann die Reduplikationssilbe schon des Vollstufenvokalismus wegen ursprünglich nicht gewesen sein, und bei der indischen Betonung bleibt andrerseits die Schwundstufenformation der Endungen *ma* (doch wohl aus *mṇ*), -*ur* auffallend. So wäre also ein vedisches *tatána*, *tatnimá* so zu erklären, dass ein idg. *tétṇəmṇ*, entstanden aus *tétenəmṇ* [1]), in der Zeit vor der Metathesis zunächst die Neubildung *tétone* nach sich zog, während andrerseits auch nach *tetone* ein Pluralis *tetnəmṇ* entstehen konnte. *tétnəmṇ* wurde zu (*t*)*ténəmṇ* vereinfacht durch die Metathesis, entsprechend *sèsdəmṇ* zu (*s*)*sédəmṇ* = lat. *sédimus*.

Dass der neugebildete Pluralis *tetnəmṇ* sich im Indischen und Griechischen grossen Beifalls erfreute und Ausbreitung fand, erklärt sich daraus, dass bei einer ganzen Reihe von Wurzeln die Dehnung nicht eintreten konnte, nämlich bei allen mit Sonorlaut nebst Geräuschlaut als Wurzelschluss, weil hier kein Silbenverlust eintrat, sondern der Sonorlaut die Funktion der Silbenträgers übernahm. So fordert unsere Hypothese einen ursprünglich scharfen Gegensatz der Verba mit einfacher und der mit doppelter Konsonanz (Sonorlant und Geräuschlaut) als Wurzelschluss. Im Vedischen ist davon nichts mehr zu spüren. Sehr gut aber verträgt sich diese Forderung mit der Sachlage im Germanischen. Alle Theorieen über das Perfekt mit langem *ē* lassen den charakteristischen Unterschied von got.

---

[1] Es kommt mir lediglich auf die Entstehung der beiden ersten Silben an, die übrigen lasse ich daher in der späteren Gestalt.

nēmum, setum und *risum, gutum, bundum* allzusehr aus den
Augen. Das *ē*-Perfekt soll sich im Germanischen durch Analogie ausgebreitet haben. Dass es nicht in die Klasse *reisa,
giuta, binda* eindrang, ist leicht begreiflich, aber weshalb es
überhaupt an Boden gewann, desto schwerer. Für die auf
Geräuschlaut ausgehenden Wurzeln pflegt man mit verdrängten
Urformen wie **stum *stans* als den lautgesetzlichen Repräsen-
tanten der schwachen Formen zu operieren. Das mag angehen.
Aber wie kam man bei der Wurzel auf Liquida oder Nasal
zur Bevorzugung einer Analogiebildung got. *nemum*? Denn
wenn *numans*, wie allgemein und mit gutem Grunde angenommen wird, eine lautgesetzliche schwache Form ist, so
muss man nach den bisherigen Anschauungen doch konse-
quenterweise auch ein lautgesetzliches **numum* voraussetzen,
und es bleibt unbegreiflich, wie diese Form trotz des drei-
fachen Schutzes, den die Assoziationsgruppen *risum : risans,
gutum, gutans, bundum : bundans* boten, verdrängt werden
konnte. Das Rätsel löst sich, wenn wir annehmen, dass es
idg. zwar ein *nēmǝmm̥, sedǝmm̥* (aus **nenmǝmm̥, *sēsdǝmm̥*),
aber höchstens sporadisch die Analogiebildungen **rerisemm̥,
nenǝmǝmm̥ gegeben habe. Die kurze Reduplikationssilbe fiel
im Germanischen lautgesetzlich ab [1]. Got. *munum, skulum* sind
wie *witum* offenbar von vornherein ohne Reduplikation gebildet.

Göttingen, 19. Nov. 1893.   V i c t o r   M i c h e l s.

On the so-called root-determinatives in the Indo-European languages.

The twelfth volume of the American Journal of Philology contains in its opening pages (1—29) an article of mine
entitled 'On adaptation of suffixes in congeneric classes of
substantives'. On p. 28 I alluded to the possibilities of assimilation and adaptation among congeneric verbs, and I wish
now to extend my observations upon this subject, and bring
them to bear upon the question of the so-called root-determin-

---

1) Über *lailōt, saisō* bei anderer Gelegenheit.

atives. There is not, and there cannot be any difference in principle between the attractiveness of semasiologically kindred verbs, and semasiologically kindred nouns. But the circumstances which appear here show that the world of action and condition is not so plastic and fruitful in linguistic expression and versatility as the world of things and their qualities. I do not undertake to account for this psychologically, but I am in the position to state without fear of contradiction that the stately mass, e. g. of the verbs of motion, or the verbs of cognition will nowhere exhibit so great a degree of assimilativeness as the substantival categories of parts of the body, animals, or colors. Of course this may be sheer accident. Moreover, in some measure at least, the reason is to be sought after in the fact that in the I. E. languages the lexically significant part of the verb is for the most part fenced in by two or more suffixes, preëmpted for general modifications of the ultimate radical meaning, while in the majority of nouns there is but one. In other words, and more plainly, if we cut off the personal inflections from the verbs, and the case-endings from the nouns, we are left in the majority of cases with a suffixed verbal form, and a suffixed nominal form. But with this marked difference: the verbal suffix is needed ardently for the purpose of expressing more or less indispensable relations: voice, tense, and mood, while the nominal suffix usually appears in historical times without the embarrassment of any too salient significance, until it is adapted. Now, adaptation in noun-categories in any one direction is never so grasping and insistent as not to leave any given suffix essentially free to move in other directions also. For instance, ·néu — nu is a present suffix, ié — i an optative suffix from earliest to latest times in I. E. speech. But the suffix ṛ(t) in words like ἧπαρ 'liver', φρέαρ 'well', πεῖραρ 'end' never exhibits any function so exacting and exclusive as to render it unavailable for adaptation, and, accordingly, it is adapted in a considerable measure to designations of parts of the body.

Occasionally even a verbal suffix finds itself, owing to a glutted market, unabsorbed by any very pressing usefulness, ready and willing to be infused with new meaning, irradiated by a new light. So, e. g. the verbal suffix -ιάω designates in a considerable number of instances 'to suffer from a certain disease': ὁδοντιάω, λαρυγγιάω, cπληνιάω, χειριάω, λιθιάω, ἀφριάω, μολυβδιάω, χονδριάω; the suffix -ιάζω has adapted itself in a dozen verbs or so to the designation of religious acts and celebrations: βακχιάζω, εὑιάζω, ὀργιάζω, θεcμοφοριάζω, ἀcκωλιάζω, ἰcθμιάζω, θαλιάζω, θυcιάζω, cυμποcιάζω, ἁγιάζω, μυcτηριάζω, etc. [1]).

In Latin the inchoative value of the verbs in *-ēsco* is due to the accidentally inherent continuous character of a few verbs of the class: *adolesco, senesco, cresco*. One does not grow up, wax great or old in an instant, and this particular quality of gradualness presented itself to the Romans as a handy way of infusing with new life the suffix, which leads a very restricted and non-salient existence, not very important even as a present suffix, in every I. E. language. And yet this very same suffix clearly exhibits in proethnic times another adaptive advance along a line which could not from the very nature of the circumstances become very productive. No one to my knowledge has as yet observed that this suffix controls the oldest I. E. words for 'asking, wishing, searching':

IE.	$pr(\hat{k})$-ské-ti 'ask'		i(s)-ské-ti 'search, wish'	un-ské-ti 'wish'.
Sk..	prchắti		ichắti	vắñchati
Zd.	peresaiti		isaiti	—
Ohg.	forscōn		eiscōn	wunscean.
Lat.	posco	Umbr.	eiscurent 'peposcerint'	—
Lith.	—		j-ë́szkóti	—

Is this accidental, one may ask, and the answer is a categorical no. Precisely the assumption that the suffix in these words was felt adaptively to be significant accounts for another little riddle in connection with them. They all exhibit an unusually marked tendency to transfer the present suffix to other verbal formations, and to nouns also. In other words, in as much as the suffix had been infused with a lexical meaning (originally foreign to its character) there was no longer any propriety in restricting it to any particular formation: it became a part of the root, a root-determinative in the truest sense of the word. Hence the perfects *paprchimá* in Sk. and *peposcimus* in Latin are in all probability the representatives of an I. E. *pepr(k)skmmá*, and still more signif-

---

1) Cf. M. Bréal Mémoires de la société de linguistique, VII 20.

icant is the appearance of the suffix *sk* in the abstract nouns
of all three verbs:

I. E.	*pṛ(k)ska* 'question'	*i(s)ska* 'wish'	*uṇska* 'wish'
Sk.	*pṛchá*	*ichá*	*váñchá.*
Ohg.	*forsca*	*eisca*	*wunsc.*
Obg.	—	*iska*	—

Hence Nhg. *forsch-en, heisch-en,* and *wünsch-en* are
established as roots, as free and productive as any other.
The only point that in all probability will forever remain
unknown is, which of the three roots furnished the starting
point for the adaptation, i. e., in which of the three roots the
sk was infused first with lexical meaning, so as to render it
the fit exponent of the sense of the entire class.

Strikingly similar has been the fate of the present suffix
-to. In general it is nondescript. But it has not failed to
adapt itself to one clearly marked category. A number of verbs
designating the acts of 'binding, twisting, bending, braiding,
folding', and the like exhibit the suffix: the number is too
large to be accidental:

1. Lat. *plecto*; Ohg. *flihtu, flëhtan*; Obg. *plesti* for **plekt-ti*
(or *plet-ti,* see the next). Nominal formations: Ohg. *flahta*
'flechte'; πλεκτή 'rope'.

2. Goth. *falþan* 'falten'; Obg. *plet-etъ.* Nominal: Goth.
manag-falþs; Sk. *puṭa-* (**pḷta-*) 'fold, cornucopia'.

3. Lat. *pecto*; Ohg. *fihtu*[1]); πεκτέω (πέκτω Poll. 7. 165.
Hes.). Nominal: *pecten.*

4. Lat. *necto* = I. E. **negh-tō, *neǵdhō.* The latter
was easily felt to be *neǵdh-ō,* and since there were thus the
two roots *negh* and *neǵdh* a root *nedh* was abstracted, perhaps as a third form by what might be called subtractive
analogy, the converse of cumulative analogy[2]). This root
nedh in Sk. *naddhá-* 'bound', Ohg. *nista* 'fasten'[3]).

5) Gotb. *ga-wida,* Perf. *ga-waþ* Ohg. *witu* 'bind'. With
infixed nasal Goth. *winda*; Ohg. *wintu* 'wind'. Cf. Sk. *vi-tá-s*
'enfolded'.

---

1) Vgl. Brugmann Grundriss II 1039, Note. 2.

2) That is, just as *negh* and *nedh* might yield *neǵdh,* so *negh*
and *neǵdh* yielded *nedh.*

3) The latter with the suffix *-to* a second time, accentuating
anew the class-significance inherent in *flihtu, flhtu, witu* etc.

6. Sk. *veṣṭāte* 'enfold oneself'; Lith. *výstau* 'to fold a child into its bedding'.

7. Perhaps Lat. *flecto*; cf. for the meaning Obg. *krętają* 'flecto'.

Here again the *t* has started upon the road towards true determinative character by adaptation, as is attested by the spread of the suffix over all sorts of non-present forms. We may ask merely in addition whether this process was not aided in some measure by one or two I. E. roots with inherent *t* : *u̯ert* 'to turn' (cf. Sk. *vartana*, Obg. *vréteno* 'spindle') and *kert* or *qert* 'twist, braid' in Sk. *kr-ṇá-t-ti* 'spin', *crt-áti* 'tie'; κάρταλος 'basket' etc.[1]). It is quite possible that the adaptation of the suffix -*to* to this use started with either or both of these[2]).

In general, however, the formative elements of verbs are engaged in a life of at least respectable usefulness, and the processes of assimilation and adaptation must restrict themselves to the radical kernel. Obviously, now, the field is limited and the materials are not pliable. Nhg. *heischen* (Ohg. *eiscōn*) owes its *h* to its congener *ḥeissen*. This case throws a strong light on the so-called determinatives, since from the point of view of the vulgate analysis *ss* and *sch* in the two words are entitled to the name precisely as much as, e. g. *dh* and *bh* in the two Sk. roots *śudh* and *śubh*, and we are led to the positing of a primary root *hei* — sheer nonsense! Our suggestion, l. c. p. 29, that dialectic English *kĕtch* (for

---

1) Cf. Per Persson Zur Lehre von der Wurzelerweiterung und Wurzelvariation p. 29 ff.

2) Once more, I believe the verbal element *t* has started upon an adaptive advance. I ask why do German *tasten* (English *taste*) and *kosten* end alike? The former was borrowed from the Romance, Italian *tastare*, French *tâter* at about 1200 A. D. Late Latin *taxare* 'to touch vigorously' approaches most nearly to *tastare* but the *t* remains unexplained. Diez has assumed an ideal *taxitāre* as the start-form for *tastare*. Kluge in the fourth edition of his etymological lexicon follows him. But we can dispense with that construction: *tastare* is a product of *taxare* and its intensely congeneric pendant Lat. *gustare*. From these on the one hand French *goûter* and *tâter*; and, since *tastare* upon entering the Germanic domain met the offspring of I. E. *gustō, we find there *tasten* (*taste*) and *kosten*. And now there remains only for some one to find a cause not utterly mechanical for the extension of the I. E. root *ǵeus* to *ǵust*.

catch) is due to its congener *fĕtch* illustrates the limitations: an entire class of verbs in-*ĕtch* (root-determinative!) with the generic value 'to bring to the agent' is precluded by the formally unassimilable character of the verbs involved. I have been for many years conscious of an irrepressible desire to assimilate the two congeneric verbs *quench* and *squelch* in both directions by forming *squench* and **quelch*, and recently my attention was drawn to a passage in Page's negro dialect stories 'In ole Virgina', p. 53 (New-York 1887): '*She le' me squench my thirst kissin' her hand*'[1]), and I should not for my part be shocked at meeting somewhere a tentative **quelch*. All that may be expected in general from verbal roots is the assimilation of two or three, rarely more, congeneric forms in cases when the phonetic structure is favorable. But the importance of this effect is in an inverse ratio to its scope, and it bears heavily upon the question of the determinatives. We take it for granted, of course, that the earlier periods of I. E. speech were no more exempt from these processes than the latest.

Let us now draw one or two illustrations from an older period of I. E. speech: The root *bhi* has in the Veda a pendant *bhyas* of unquestioned meaning and impenetrable obscurity of origin, when treated from the point of view of the vulgate theory. Whitney, Roots, p. 115 compares rather desperately the stem *bhiyas-*, but this is restricted to the inf. *bhiyáse*, and the aor. part. *bhiyásana-*. In both cases the element *as* is felt to be an integral part of the endings-*áse*, and -*ásana-*, employed with sufficient frequency in connection with all sorts of roots, and in no way calculated to establish any particular association with *bhi* any more than with another root. Besides, *bhyas* is not *bhiyas*. The root *bhyas* is a tentative formation: in the RV. one finite form, *abhyasëtham*; in the SV. one, *bhyásat*; in the AV. two nouns *ud-bhyas-á-*, and *sva-bhyas-á-*. The congeneric root *tras* 'tremble' (τρέω) is quite common, and in the RV. two of the three passages containing *tras* exhibit also *bhi*: RV. VIII 49. 11, *nir atrasan támişicir abhaişuḥ*; VI 14. 4, *yásya trásanti śávasaḥ saçdkşi śatráivo bhiyá*. See also AV. V. 21.2, 5; ÇB. III 1. 2. 17, *sá bib-*

---

1) 'She let me quench my thirst kissing her hand'.

hyati trasati; and Mahābh. III 3080, *bhayat trasyasi*. I believe I can fairly feel how the two congeneric ideas of 'fear
and trembling', 'furcht und zittern' (note the phrases!) were
blended into the one tentative *bhyas*.

The root *tvakṣ* is apparently restricted to the Aryan
languages: Ved. *tvākṣas* = Zd. *ƥvahṣanh* 'strength'; Ved.
tvākṣīyas and Zd. *ƥvahṣišta* 'stronger, strongest'. There is
on the other hand an I. E. root *teks*, Ved. *takṣ* which is universally explained as being in some manner or other connected
with *tvakṣ*. And AV. XII 3. 33, *tvaṣṭre 'va rūpáṁ súkṛtaṁ
sčidhitya* 'your form is well-made as if by a carpenter with
his axe', when compared with RV. I. 130. 4, *tákṣe 'va vṛk-
ṣám . . . ní vṛścasi* 'like a carpenter you hew down the
tree' (cf. also RV. VII 32. 29) proves that the Hindus felt the
correlation between the two roots. The grammarians and ety-
mologists also frequently explain the root *tvakṣ* by *takṣ*, and
alliterative phrases like *tvākṣa tatákṣa*, RV. I 52. 7 (cf. V
31. 4), in themselves of little significance, strengthen the
conviction that there is some formal relation between the two
roots. Grassmann defines *tvakṣ* in a singularly happy manner
as 'originally identical with *takṣ*, but emphasizing especially
the notion of strength'. I assume that *tvakṣ* has arisen secondarily upon the basis of *takṣ* under the influence of some root
which added to the idea of 'working' a shade of the congeneric idea 'to be strong'. The I. E. root *ueks* 'wax', Aryan
vakṣ suggests itself as a plausible source of the modification;
I can imagine also the root *tev, tu* 'to be strong' (Sk. *távīti,
tuvi-kūrmí*; Zd. *fra-tavaṭ*; Goth. *ƥiva*). But this is fairly
certain: the connection is due to assimilation of some sort;
mechanical analysis leads nowhere at all, there is no advan-
tage in a root-determinative *akṣ* or in prefixes *t* and *tu*.

I shall indicate briefly one more root of this kind: Vedic
tsar with its singular *anlaut* and perfective value 'to sneak
up to with malicious intent, beschleichen' is in all probability
the root *sar* with strong dash of the root *tar*. In ÇB. I 6.
3. 28, *bhratṛvyam upatsarya vajreṇa hanti* 'stealing up to
his rival he slays him with the thunderbolt' we can, I believe, feel the root *sar*, overlaid by a crust of *tar*, e. g. in
RV. II 11. 19, *táranto víśca spṛ́dhaḥ* 'overcoming all ene-
mies'.

The two nouns, I. E. *rsén* and *ursén* 'male animal', accompanied by their pendants *rsn-bhó* and *ursn-bhó* cannot be well imagined without some moment of common formal history. The roots *ers* and *uers* 'to flow' invite a similar conclusion. In a liturgical formula in Lātyāyana's Çrāuta-sūtra III 5. 15 (cf. AV. IX 1. 9) this relation is felt anew: *apó ye śakvara ṛṣabhā ye svarājas tē arṣantu tē varṣantu* 'may the mighty, lusty, all-powerful waters flow and stream'. Let us now consider all the possible meanings of this correspondence:

1. There was a root *er* signifying motion, and another root *uers* 'flow'. The root *er* doubtless had occasion to specialize its general meaning 'go' in the direction of 'flow', and may then have fallen under the influence of *uers*, to such an extent as so adopt its *s* in deference to its congeneric character, aided by the partial formal similarity.

2. Conversely, the assimilation might have operated from a root *ers* to a root *uer*.

3. *uers* may be a modification of *ers* due to the fact that various I. E. words for 'water' began with *u* : *uór* or *uer* (Sk. *vár, vári*); *uódr*, *ud-nós* (Goth. *vato*, ὕδωρ, Sk. *ud-ná-s*), etc.

4. *uers* may have arisen by prefixing to *ers* some morphologically or etymologically independent element *u*.

5. Both *ers* and *uers* may have arisen from more primitive root *er* and *uer* by the addition of a morphologically or etymologically independent element *s*. The structure of each was without reference to the other. Their obvious association in speech is secondary, alliterative, paronomastic.

The last of these possibilities represents the vulgate view, and is to my thinking the least probable. Persson, in the excellent treatise quoted above (p. 84 ff.), treats the two roots without the least suspicion that they may in the course of their lives have spun threads across from one to the other. *uers* in his view is from a root *uer* with the determinative *s*; the root *uer* appears in Sk. *vár* 'water', etc. But no primary verbal root *uer* 'to flow' is found anywhere in the I. E. languages, and Sk. *vár* etc. may be derived from a variety of other roots, if, indeed, it stands in need of derivation at all. At any rate, until more certain knowledge comes, we may regard it as absolutely essential to progress in this line of inquiry that neither of these roots shall be treated without reference to the other.

On p. 193 (nr. 26) Persson treats the root *stemb(h)* 'fix, establish' according to the time-honored plan: he divides the root into *st-embh*, supporting this division by comparison with the roots *st-ib(h)* and *st-ubh*. But there is no mention in the entire work of the most obvious parallelism of all, namely, with the root *skembh* which has exactly the same meanings. The following table speaks for itself:

	Verbal Formations.		Nominal Formations.
Pres. Ind.	*skabhnáti* : *stabhnáti*	*skabha*	: *stabha*
„	*skabhnóti* : *stabhnóti*	*skambhá*	: *stambhá*
Pres. Imp.	*skabháná* : *stubháná*	*skambhaka* : *stambhaka*	
Pres. Ind.	*skabhayáti* : *stabhayáti*	*skambhana* : *stambhana*	
Perf. Pass. Part.	*skabhitá* : *stabhitá*	*skambhin* : *stambhin*	

Avestan *skemba* = Sk. *skambhá*, *scimbaiŏiþ* = *skambhayati* (cf. Bartholomae, Studien zur indogermanischen Sprachgeschichte II 104); and *stembana* = *stambhana* secure a common Aryan basis for the two roots; Lith. *stamba* 'stem' renders *stembh* proethnic, but the European representatives of *skembh* are none too certain: cf. Vaniček Lateinische Sprache², p. 310; Fick⁴, p. 310. One point is glaringly obvious, the root *stembh* cannot unfold its entire history without contributing to the history of *skembh*, and vice versa. I shall not repeat here all the possibilities of contact between the two roots, but simply suggest as follows: *skembh* betrays no etymological divisibility; perhaps *skembh* came in proethnic times under the influence of its congener, the root *st(h)a* 'stand', so as to be modified to *st(h)embh*. At any rate, if we are to operate with root-determinatives, *sk* and *st* have here the clearest title to the name, and they are at the beginning, and not at the end. In truth, whichever way we divide these roots the hyphen in the middle is misleading, indicating a process which has in all probability not taken place in fact.

Persson ib. pp. 41, 98, 229 derives the root *ued* in Sk. *vadati*, αὐδάω, etc. into *u-ed*, i. e. the root *u* 'speak' and determinative *-ed*. Aside from the exceeding doubtfulness of the etymology, why not also divide *ueq* in ἔπος, *vácas* in the same way, and there is a root-determinative *-eq*. Yet there is no mention of this root in the entire book. But let us compare — and why should we not? — with ꭣeq the I. E. root seq, and the entire matter is again lifted out of the domain of the hyphen analysis. These two roots jostle one another, and but for comparative grammar ἔννεπε in ᾿Ανδρα μοι ἔννεπε Μοῦσα would doubtless to-day be triumphantly regarded as *ἔν ϝεπε. But Ebel KZ. II 47; Kuhn und Schleichers Beiträge II 165, showed that ἔννεπε = Arch. Lat. insece, and there is precisely the same degree of inherent probability of a formal relation between ꭣeq and seq as between ꭣeq and ꭣed. Neither connection, however, seems to make for agglutinative analysis: the root u in the latter pair is as much in the air as the root eq in the former. Congeneric assimilation seems to have been at work in some way in this ancient triad of roots, in which ꭣeq holds a middle position, pointing with initial to ꭣed and its final to seq (ꭣed $>$ ꭣeq $<$ seq).

Persson, loc. cit. p. 199, treats I. E. pezd, Lat. pēdo, podex, βδέω, New-Slovenic pezdéti as if from an original root pes 'blow' and a root-determinative d. The root pes he finds in Mhg. visen, ON. físa 'pēdere' aside from other much less likely combinations such as with Sk. paṃsu 'dust'. I doubt whether the words in question are derived from a root meaning 'blow', since this leaves out πέος = Sk. pásas, Lat. pēnis; cf. also πόσθη and Ags. fæselt 'penis'. Notwithstanding the difference in meaning the two categories are broadly congeneric, and the idea of 'blow' does not suit. But further, I do not believe in any discussion of *pezdō 'pēdo' which does not consider at the same time the sematic equivalent, I. E. *perdō, πέρδεται, Sk. pardatē (Dhātup.), Ohg. fîrzan, etc. And notice further the parallelism as far as the 'root-determinative' is concerned of χέζω, κέχοδα, χόδανος, Sk. hádati, Zd. zadaṅh 'podex', and, again, ON. skíta, Ags. scítan, Ohg. scīzan which with Lith. skédu point again to an I. E. root ending in in d. Sit venia verbo, the Aryan fore-fathers were notoriously keen about these functions, manifold as they are and uncommonly concentrated locally, and their congeneric character was accentuated in some of these words by the adaptation of the intrinsically chaste, voiced alveolar stop d to matters pertaining to the podex. Cf. also Sk. bhasdd, and perhaps as an op-

posite to *pezdo, *perdo an I. E. *skerdo, Sk. *chard* 'vomit';
cf. Obg. *skaredъ* 'nauseating'.

I shall indicate here briefly one other group without entering into details. A large number of I. E. roots for 'sound'
end in *n*:

1. *dhṵen:* Sk. *dhvánati*; ON. *dynja*, Ags. *dynnan* (Engl.
din); Mhg. *dünen.*

2. *dhren:* ON. *drynja* 'roar'; Goth. *drunjus* 'sound';
Θρῆνος 'dirge'; Sk. (Dhātup.) *dhraṇati.*

3. *sten:* Sk. *stánati*; στένω, στόνος; ON. *stynja.*

4. *ten:* Ved. *tanyati* 'thunder'; Lat. *tonare tonitru*, and
the German derivatives.

5. *sṵen:* Sk. *svánati*; Zd. *hvanaṅt*; Lat. *sonere, sonáre.*

6. *ĝhṵen:* Obg. *zvъnéti* 'sound'; *zvonъ* 'sound'. This
root appears to be a direct modification, in deference to sound-
roots, of I. E. *ĝheṵ* 'call', Obg. *zovą* (cf. Ved. *hávate).*

7. *quen:* Perhaps also the Sk. root *kvaṇ* 'sound' with
its completer rhyming upon *dhvan* and *svan* belongs to this
group; it may thus be connected indirectly with καναζω 'sound';
Lat. *canit*; Erse *canaid.* The *ṇ* may be Prākritic. Note the special suffixal relation between καναχή 'clash' and στοναχή groan[1]).

The congeneric character of this group is indicated
vividly to-day in Nhg. *dröhnen, stöhnen* and *tönen* (the latter
secondarily from the loan-word *ton* (τόνος).

---

1) As far as I can judge at present sound-roots seem to be
most sensitive to congeneric influence, almost rivaling the more
prominent sematic noun-categories like animals, seasons etc. The
roots *ṵed, reṵd, ghréd* (Goth. *grétan*) *gheld* (Ohg. *gelzōn), bhléd*
(Ohg. *blázan*) exhibit an adaptive *d* in one or the other case; cf. also
χρόμαδος and κέλαδος; χελῑδών, Lat. *hirundo*, and ἀηδών. A considerable list of sound-words in *k* has been assembled by Persson
l. c. pp. 12 ff., and a smaller one in *m* p. 69. By the side of the
root *sṵen* itself is the root *sṵer* 'sound', a variation between *n*
and *r* which somehow reminds us of the same in that most prominent of all words for season *sṵen* — *sṵer* 'sun, light' (Sk. *súar*;
Zd. *hṵeñg, hvare;* Goth. *sun-na*). Sound and light! The especial
adaptiveness of the sound-category is therefore perhaps not far
removed psychologically from that of light, times, and seasons. We
need not expect that the relation was ever felt more than in a
half-conscious fashion, or that our sympathy with it (nachempfin-
dung) is likely ever to become very clear in our more schematic
latter day thought.

Without self-mystification one can not doubt that the similarity of these roots is founded in some degree upon their congeneric quality. And note what becomes of the theory of determinatives in the light of such a group. The 'determinatives' are all at the beginning, in other words the ancient theory resolves itself pretty much into thin air. There is no doubt that here and there a purely inflectional element fastens itself upon the root, but even there we ought to inquire for reasons in detail case by case, just as in the matter of the root-triad $pr_i\hat{k})sk$, $i(s)k$, and $u\hat{p}sk$, above. To illustrate it by just one more case, peculiarly prominent in these discussions, $kleus$ from $kleu$, with 'determinative' s. Why should a morphological s have fastened itself so persistently upon this root? I doubt it, and prefer to point out that final s is elsewhere prominent in words and things for hearing: I. E. ous 'ear'; Goth. $haus$-jan; ἀκού(c)ω (?), etc. As due do assimilation with such words we can really understand the s of $kleus$. I do not see but what the most constant and persistent factor in the development of the root-form is its total environment in speech rather than its own meager little self in any kind of individualized observation. Throw a bucket of sweet water into the ocean and the brine will permeate it sooner or later. The sematically significant part of the word is even more sensitive than its morphological parts, since it lives necessarily in an ocean of homonymy and synonymy. If we watch the more silent operations of our own mind, those of the flimsier, more fanciful, semi-symbolic kind are in reality fully at work by the side of the logical and clear-cut discriminations. The etymology of a word is, historically speaking, not only the primeval element from which the word started, but everything else which the speaker has thought into the word, as soon as this thought gains formal expression. Take e. g. the word $bhasdd$ 'podex' mentioned above, it has been assumed that it contains the root $bhas$ 'blow' which is quite likely[1]). But further we have shown above that the d is in all probability significant, being as it were the 'leitmotiv' of the class, and

---

1) But it is also possible that the word began originally with a p (cf. $p\bar{o}dex$) and was assimilated secondarily to root $bhas$, or $bh\acute{q}sas$ 'podex'.

finally, I feel certain that the Hindu had in mind the root
sad 'sit' on uttering the word, and only a shade less
certain that the root *sad* played some part in its formal
configuration. The more this sort of study weans itself
from mechanical analysis in favor of sympathetic philological and psychological watchfulness of the intimate blend-
ing of the individual word with all that lies about it
the better will be the results. The initial sounds of roots
may be assimilated, and the result apparently is determinatives at the end (*heischen* aud *heissen*); assimilation of
root-vowels yields vocalic series; and assimilation at the end
yields initial determinatives [1]).

Limitations of space forbid further discussion and illustration. I reserve for myself the pleasing privilege of revert-
ing shortly to the same subject in fuller presentation and with
additional points of view.

Johns Hopkins University,
Baltimore, June 1893.   Maurice Bloomfield.

---

1. Der Präsenstypus λιμπάνω, 2. ind. *pṛthivî*.

Der Präsenstypus λιμπάνω.

Die griechischen Präsentia mit inlautendem Nasal und suffixalem -αv- werden allgemein mit den nasalinfigierenden Präsentien der verwandten Sprachen zusammengestellt, indem man
sie teils als Vorstufen dieser Bildung oder als griechische
Kontamination zweier Bildungen oder als schon grundsprach-

---

[1]) Even the interchange between surds and sonants at the
end of I. E. roots is not always a purely physiological phenomenon.
The root *kчeit* in Sk. *śvêtá-* 'white', etc. seems to have a parallel
kчeid in Goth. *heits* 'white', etc. So E. Leumann Etymologisches
Wörterbuch der Sanskrit-Sprache, p. XIII. But see my article on
'Adaptation' (quoted at the beginning), p. 16, note 2, where it is
suggested that *heits* owes its *t* to the anlogy of its opposite *swarts*
'black'.

liche Unterabteilung der infigierenden Klasse ansieht[1]). In der That legt die Vergleichung von λιμπάνω mit lat. *linquo* und ind. *riṇakti* eine solche Vereinigung nahe. Sie wird aber durch die Geschichte der Bildung im Griechischen keineswegs begünstigt.

In der nachhomerischen Gräzität wird ein solches Präsens häufig oder gelegentlich fast zu jedem beliebigen zweiten Aorist gebildet, dessen Wurzel auf kurzen Vokal + Explosivlaut ausgeht: ἀδεῖν — ἀνδάνω, λαβεῖν — λαμβάνω, λαθεῖν — λανθάνω, λαχεῖν — λαγχάνω, κλαγεῖν — κλαγγάνω, μαθεῖν — μανθάνω, χαδεῖν — χανδάνω, θιγεῖν — θιγγάνω, λιπεῖν — λιμπάνω, ἐρυγεῖν — ἐρυγγάνω, κυθεῖν — κυνθάνω, πυθέϲθαι — πυνθάνομαι, τυχεῖν — τυγχάνω, φυγεῖν — φυγγάνω; selbst δαγκάνω zu δακεῖν, vielleicht auch πανθάνω zu παθεῖν ist nicht unerhört[2]). Nur die Verba ἰδεῖν δρακεῖν λακεῖν sind diesem Lose ganz entgangen. Die Bildung ist nicht etwa speziell attisch-ionisch; Pindar z. B. kennt λανθάνω und aus Alkaios' πεφύγγων schliesst man mit Recht auf ein lesbisches Präsens φυγγάνω.

In der homerischen Sprache ist jedoch, wie G. Meyer bemerkt und wie die Indizes zu Homer im Einzelnen darthun, diese Präsensform noch lange nicht so ausgebreitet; hier heisst das Präsens zu λιπεῖν nur λείπω, zu λαβεῖν nur λάζομαι, zu φυγεῖν nur φεύγω, zu ἐρυγεῖν nur ἐρεύγομαι usw. Fest ist unsere Bildung nur bei den vier Verben τυχεῖν — τυγχάνω — ἀδεῖν — ἀνδάνω, λαχεῖν — λαγχάνω, χαδεῖν — χανδάνω. Sporadisch erscheint sie bei zwei weitern. Zu πυθέϲθαι lautet das Präsens zwar gewöhnlich (16 mal) πεύθομαι, aber zweimal in der Odyssee πυνθάνομαι, das in der attischen Prosa einzige Form geworden ist; zu λαθεῖν 33 mal λήθω, nur viermal (dreimal in der Odyssee) λανθάνω[3]). Die Bildung beginnt also bereits um sich zu greifen. Zu μαθεῖν ist bei Homer kein

---

1) Vgl. u. a. Bopp Vergl. Gramm. I² 221; Joh. Schmidt Idg. Vokalismus I 32; G. Meyer Die mit Nasalen gebildeten Präs.-Stämme 89 ff.; Curtius Verbum I² 252 ff.; Brugmann Grundriss II 998; Bartholomae Studien zur idg. Sprachgeschichte II 82. 97; Osthoff in Streitbergs Anzeiger I 83; Pedersen Idg. Forschungen II 288.

2) Die Belege bei G. Meyer a. a. O. und Griech. Gramm.² § 505.

3) Forner einmal ἐκ .. ληθάνει η 221, kausativ als Präsens zu (ἐκ)ελαθεῖν.

Präsens belegt, und das Verbum θιγεῖν kennt er nicht. Etwas anderer Art ist πιμπλάνεται I 679, da es später nicht mehr auftritt, eher der Rest als der Anfang einer Bildung; Brugmanns Erklärung (Grundr. II 989) scheint auch mir die nächstliegende[1]).

Mit jenen vier altbezeugten Präsentien τυγχάνω ἁνδάνω λαγχάνω χανδάνω steht es nun so, dass, falls man sie nicht als verschiedene Bildungen auseinander reisst, zwei von ihnen notwendig Analogiebildungen sein müssen. Sind die beiden ersten mit Nasalinfix gebildet, so können λαγχάνω und χανδάνω nicht alt sein, da ein Nasalinfix nicht wohl zu wurzelhaftem Nasal (λέλογχα, χείσομαι) treten kann. Es verschlägt dabei nichts, ob man die Wurzel χενδ- auf χεδ- (got. *gitan*) zurückführt oder nicht. Denn für das Griechische ist, nach Ausweis des Aorists χαδεῖν, seit alter Zeit χενδ- wurzelhaft. So fasst denn z. B. Brugmann, Grundr. II § 631, λαγχάνω und χανδάνω als sekundäre Anbildungen. Natürlich gestattet aber die Überlieferung auch den umgekehrten Weg der Erklärung; man kann ebensowohl in diesen Verben vielmehr die M u s t e r sehn zunächst für ἁνδάνω und τυγχάνω. Hiefür spricht in der That mehreres.

Häufiger als die bisher besprochene Bildung sind bei Homer Präsentia mit -αν- ohne infigierten Nasal, bald als einzige Form: ἁμαρτάνω zu ἁμαρτεῖν ἥμβροτε; οἰδάνω Kausativum zu οἰδέω; ἁπεχθάνομαι Präsens zu dem durch die Komposition mit ἁπό aoristisch gewordenen ἁπ-ηχθόμην, das eigentlich Imperfektum zu ἔχθομαι ist; bald als häufige Nebenform einer andern Bildung wie ἱζάνω neben ἵζω, ἱσχάνω (und ἱσχανάω) neben ἴσχω, bald mehr vereinzelt, wie ἐρῡκάνω (und ἐρῡκανάω) neben gewöhnlichem ἐρῡκω, ἁλυσκάνω neben ἁλύσκω, κῡδάνω einmal im Sinne von κυδαίνω, einmal in dem von κυδιάω; dazu das obige kausative ληθάνω, um von dem unsicheren κευθάνω und von μελάνει neben μελαίνεται zu schweigen. Auch nach Homer ist die Bildung noch produktiv. Gelingt es also, den Typus λιμπάνω ohne Annahme einer weiteren Kontamination mit der letztgenannten Klasse zu vereinigen, so muss eine solche Erklärung als die wahrscheinlichere gelten.

1) Das obenda genannte πιμπράνω beruht wohl auf einem Versehen.

Formen auf -άνω treffen wir in der älteren Gräzität
bald als eine Art Verlegenheitsbildung zu Aoristen, zu denen
schwer ein Präsens zu bilden war, z. B. ἁμαρτάνω zu ἁμαρτεῖν,
ὀλισθάνω zu ὀλισθεῖν, bald als Nebenform zu thematischen
Präsentien mit langer Stammsilbe, wobei nur ausnahmsweise
die Veranlassung klar liegt wie bei ἀπεχθάνομαι neben ἔχθομαι.
Dass die Länge der Stammsilbe wesentlich war, schliesst man
mit Recht aus δάκνω zu δακεῖν, das nach kurzer Silbe blosses
-ν- aufweist. Ursprünglich ist freilich auch diese Form
nicht[1]), aber wohl älter als die meisten hier besprochenen.
Die Vergleichung von ind. *dáśati* (Perf. *dadáśa*) mit griech.
δακεῖν führt zu dem Schluss, dass *dáśati* ein sekundäres Ao-
rist-Präsens ist, dass also diese Wurzel vermutlich grundsprach-
lich kein Präsens bildete. Das Griechische schuf sich in vorhistorischer Zeit ein Präsens δάκνω nach Mustern wie καμεῖν —
κάμνω; auch für die übrigen Formen wie δήξομαι δῆγμα bildet
der Aorist δακεῖν die Grundlage[2]).

Zu χαδεῖν haben wir nach lat. *pre-hendo* und dem Fut.
χείσομαι als altes Präsens *χένδω anzusetzen. Die auswärtige
Verwandtschaft von λαχεῖν λέλογχα ist zu unsicher, als dass
der Wurzelvokal sich genau bestimmen liesse; entweder *λέγχω
oder *λάγχω. Da ein Unterschied zwischen Präsens und Aorist wie -ενδ- : -αδ-, -αγχ- : -αχ- sich sonst nirgends fand, erhielt dann etwa ersteres zur deutlicheren Charakterisierung
die Endung -άνω : *χενδάνω, λαγχάνω oder *λεγχάνω, vgl. oben
ἰσχάνω ἰζάνω usw. Gehörte der Vokalismus von λαχεῖν λέλογχα
der *ā*-Reihe an, so ist λαγχάνω — λαχεῖν damit erklärt und musste
*χενδάνω sich fast notwendig angliedern. Ist aber älteres *λεγ-
χάνω anzusetzen, so haben sich *χενδάνω *λεγχάνω an den
Vokalismus der Aoriste χαδεῖν λαχεῖν angeglichen, wie man
ja ähnliches bei τάμνω τέμνω : ταμεῖν τεμεῖν annehmen muss;
vgl. auch die schwankende Überlieferung des Perfekts κέχονδα
κέχανδα. Der Nasal dieser Formen darf also als wurzelhaft
angesehen werden und hat nichts mit der indogermanischen
Präsensbildung durch Nasalinfigierung zu schaffen oder hängt
wenigstens nur äusserst lose und gleichsam zufällig mit ihr

---

1) s. Pedersen Idg. Forsch. II 295.
2) s. de Saussure Syst. prim. 152; Pedersen a. a. O. gegen
Froehde BB. XVI 194.

zusammen, wenn man die griechische Wurzel χενδ- aus einem nasalierten Präsensstamm hervorgehen lässt.

Die Annahme, dass λαγχάνω und χανδάνω (unterstützt von μανθάνω?) den Ausgangspunkt dieser Präsentien bilden, würde an Sicherheit gewinnen durch den Nachweis, dass die Verba, die sich zuerst angeschlossen haben, τυχεῖν und ἀδεῖν, Ursache hatten, sich ein neues Präsens zu bilden. In der That lässt sich einiges anführen. Ein Präsens τεύχω besteht, aber — wie es immer zu erklären sein mag — mit ganz anderer Bedeutung als τυχεῖν. Ein regelmässiges Präsens *ἥδω würde nach dem Bedeutungswandel, den das Verhältnis von Aktiv und Medium im Griechischen erfuhren hat, leicht als Kausativum zu ἥδομαι gefühlt werden; darum hat sich das intransitive ἀδεῖν eine andere Präsensbildung gewählt.

Somit scheint mir λιμπάνω von lat. *linquō* absolut zu trennen, auch nicht mit singulären Gebilden wie av. *merenčainti* zusammenzustellen [1]). Nasalinfigierung als Präsensbildung hat sich im Griechischen nicht erhalten [2]), sondern neu herausgebildet. Wo altes Nasalinfix bewahrt ist, ist es wurzelhaft geworden und die Mehrzahl der Verba in die *j*-Klasse übergetreten (s. Brugmann Grundr. II § 631).

Nach H. Pedersen (a. a. O. S. 289) wären auch die Verba auf -νυμι als 'Ersatzklasse' der nasalinfigierenden zu betrachten. Soll das nur heissen, dass einige der letztern unter jenen sich befinden, so ist das natürlich nicht zu bestreiten; vgl. ζεύγνυμι — ind. *yunákti* lat. *iungō*. Ein direkter Zusammenhang darf aber daraus kaum erschlossen werden. Denn im Griechischen hat sich schon in homerischer Zeit das Präsens auf -νῦμι zu der gewöhnlichen Bildung derjenigen Verba entwickelt, deren Wurzeln für das griechische Sprachgefühl auf γ ausgehn, und die ihren Aorist sigmatisch bilden; vgl. homer. ἄγνυμι ἔεργνυμι ζεύγνυμι οἴγνυμι ὀμόργνυμι ὀρέγνυμι πήγνυμι ῥήγνυμι, nachhomer. μείγνυμι πλήγνυμαι φράγνυμι, spät φώγνυμι πλέγνυμι. Man kann also ζεύγνυσι nur in dem Sinn als Ersatz von idg. *junékti* bezeichnen, wie λείπει als Ersatz von *linék̑ti* [3]);

---

1) Bartholomae Studien zur idg. Sprachgeschichte II S. 82. 97.
2) Ausser vielleicht in dem vereinzelten κυνέω.
3) Mit *kᵛ gᵛ gᵛh* möchte ich vorschlagen, die labiovelare Reihe zu bezeichnen, welche mit velarem Mundverschluss Lippenrundung

d. h. die Verba haben sich beliebigen andern Präsensbildungen
angeschlossen, die mit der ursprünglichen in keiner Berührung
stehen.

Bei der Frage nach dem Ursprung der griechischen
Präsentia auf -άνω, die trotz den verschiedenen neueren Erörterungen keineswegs klar gelöst ist, muss also der Typus
λιμπάνω ganz bei Seite bleiben. Die in unserer Zeit mehrfach
beliebte Methode, gewissermassen durch einfache Addition der
Bildungen, die die älteren indogermanischen Sprachen dar-
bieten, die grundsprachliche Formengebung zu gewinnen, führt
meiner Ansicht nach öfter irre als die ältere, die der Grundsprache einfachere, einheitlichere Formenbildung zutraute.
Gegenwärtig ergäbe sich für die Grundsprache fast ein kompli-
zierteres Bild als das irgend einer Einzelsprache. Da nun
aber erfahrungsgemäss das Regelmässige sich am leichtesten
erhält, das Unregelmässige, Vereinzelte im ganzen am häufigsten untergeht, oft ohne irgend eine Spur zu hinterlassen,
muss für uns die Grundsprache notwendig sich als regel-
mässiger darstellen als irgend eine lebende Sprache, falls
unsere Methode sich als richtig ausweisen soll [1]. Man steht,
so scheint mir, den Formen unserer ältesten Sprachquellen mit
zu viel Ehrfurcht gegenüber. Man unterschätzt die Veränderungen, die in der Zeit zwischen der grundsprachlichen Periode
und der historischen Sprachüberlieferung vor sich gegangen
sind. Diese beträgt aber, vielleicht einige Bestandteile der
altindischen Tradition ausgenommen, gewiss überall, auch im

---

oder -verengung verbunden zu haben scheint. Dass sie auch in
der Zungenartikulation von der gewöhnlichen velaren (nicht labialisierten) Reihe abwich, wie meist angenommen wird, lässt sich
nicht erweisen und ist nach der Entwicklung im Ostindogermani-
schen unwahrscheinlich; ebenso wenig glaublich scheint mir, dass
die palatale Reihe schon grundsprachliche Zischlaute darstelle.

1) Gegenüber manchen der uridg. unregelmässigen Flexions-
paradigmen, die man in neuerer Zeit gefunden zu haben glaubt,
dürfte Skepsis wohl am Platze sein; z. B. die lateinische Flexion
von *pecus* : *pecudēs pecuda* dürfte kaum ein neutrales Suffix des
Nom. Akk. Sg. (*pecu-d*) enthüllen, wie Joh. Schmidt Plur. der
Neutra S. 53, annimmt, sondern weit eher einem sinnverwandten
quetrupus : *quetrupudes* *quetrupuda* nachgebildet sein, wie nach
Ausweis von umbr. *peturpurs-* das lat. *quadrupēs quadrupedēs*
in nicht sehr früher Vergangenheit gelautet haben wird.

Griechischen eher mehr als ein Jahrtausend, und das bedingt
gewaltige Sprachwandlungen. · Es sind daher auch scheinbar alte Formen mit weit mehr Misstrauen zu betrachten,
zumal ja unabhängige Parallelentwicklung in verschiedenen
Sprachen häufig konstatiert ist. So lässt sich, wie ich glaube,
z. B. mit grosser Wahrscheinlichkeit annehmen, dass der sog.
starke thematische Aorist mit schwacher Wurzelgestalt im
Griechischen und Indischen nicht altererbt ist — ausser dem
einen Verbum *évidom dvidam ἔϝιδον —, sondern sich erst
sekundär herausgebildet hat. Im Indischen eine anerkannte
Wucherbildung [1]), rekrutiert er sich im Griechischen [2]) grösstenteils aus dem alten unthematischen Wurzelaorist (βαλεῖν — ἔβλητο,
πτέϲθαι — ἔπτατο, λιπεῖν, δρακεῖν u. ähnl.), kleinerenteils aus dem
zurücktretenden reduplizierten Aorist mit thematischem Vokal
(ἐϲπέϲθαι — ϲπέϲθαι, τετάρπετο — ταρπώμεθα u. a., wohl auch ϲχεῖν
für *ἐϲχεῖν) [3]). Das zwingt auch die Frage betreffs der sog.
Aoristpräsentia von neuem aufzunehmen, deren Ursprünglichkeit
früher sehr bezweifelt worden ist [4]), die sich aber im Lauf der
Jahre, ohne dass wesentlich Neues hinzugekommen wäre, ein
unbestrittenes Heimatsrecht im indogermanischen Urverbum
ersessen zu haben scheinen.

I n d. *p r t h i v í.*

Ind. *pṛthivî* 'Erde' ist das regelrechte Femininum zu
pṛthú-, da der vokalische Auslaut der Wurzel vor Konsonanten zu Tage treten muss, vgl. Partiz. *prathita-*, Aor. ved.
apratiṣṭha. Dem gegenüber erscheint *pṛthví* als eine — sehr
verständliche — Neubildung nach den andern Adjektiven auf
-u- -ví. Das Schwa gehört der Klasse an, die im Griechischen

---

1) Whitney Ind. Gramm. § 847.
2) wo sich der ursprünglich wurzelbetonte thematische Aorist
beimengt: γενέϲθαι ἐλεῖν etc.
3) Zu letzterer Klasse, die aufs engste mit dem Perfektum
zusammenhängt, ist auch ἔϲιδον zu zählen, das sich regelrecht zu
dem einzigen alten unreduplizierten Perfekt ϝοῖδα stellt. Der Akzent
des Imperativs — vgl. πίε (neben πίθι) λίπε gegenüber ἰδέ, redu-
pliziert εἰπέ — trennt noch die ursprünglich athematischen von den
alten thematischen Aoristen.
4) z. B. von de Saussure Syst. prim. 9.

als α erscheint, vgl. die Namen Πλάταια Πλαταιαί[1]). Hier
möchte ich nur darauf aufmerksam machen, dass das hohe
Alter der Form noch dadurch gesichert wird, dass sie im
äussersten indogermanischen Westen wieder auftritt. Die Insel-
kelten nennen die gegenüberliegende (aremorische) Küste des
Festlandes lat. *Letavia* akymr. *Litau* nkymr. *Llydaw* mittelir.
Letha[2]), was offenbar eigentlich nur 'breites Land, Festland'
bedeutet und genau zu ind. *pṛthivī́* stimmt: idg. *p* geschwunden,
ḹ als *li le*, Schwa als *ā*. Dagegen zeigen ags. *folde* as. *folda*
'Erde, Land'[3]) veränderte Endung, wie überhaupt die Behandlung des wurzelauslautenden Schwa im Germanischen noch
ganz im Unklaren liegt.

Freiburg i. B.   Rudolf Thurneysen.

Zwei sprachgeschichtliche Skizzen.

1. Skr. *dāra* — griech. δάμαρ.

Skr. *dāra* 'die Ehefrau' ist, in der Regel als Mask. Plur.
und Sing., von den Gṛhya- und Dharmasūtren an in der Litteratur belegt[4]). Das Wort entspricht dem griech. ἡ δάμαρ, -ρτος
'Ehefrau', das ursprünglich wohl Neutr. gewesen ist; ebenso
wie griech. κόπρος : skr. *śákṛt*, griech. γῦρός : skr. *garūt*
einander entsprechen[5]). Demnach würde die Wz. skr. *dámi*
vor dem betonten Suffix -*rá* im Indischen als *da-*, nicht *dam-*

---

1) Das Fem. πλατεῖα zeigt die gewöhnliche Femininbildung
der Adjektiva.

2) Belege geben Windisch bei Ersch und Gruber 'Keltische
Sprachen' S. 143; Zimmer Kelt. Stud. II 175 f. Durch Vermengung
wurde der Name auch für *Latium* verwendet.

3) s. Kluge s. v. 'Feld'.

4) S. die Petersburger Wörterbücher s. 2. *dāra* und Delbrück
Die Indogermanischen Verwandtschaftsnamen (in den Abh. d. philol.-
hist. Kl. d. K. Sächs. Ges. d. Wiss. XI. Bd., N. V), S. 415. In *ādārasṛt*
TBr. 3, 7, 5, 12 (= AV. 1, 20, 1) giebt der Komm. *dāra* mit *patnī*
wieder, anders das PW. (vgl. 1 *dāra* u. N. 1 s. v.) und das NPW.;
in *udaradārá* m. AV. 11, 3, 42, 'eine best. Unterleibskrankheit' PW.,
ist *dāra* keinesfalls so zu erklären.

5) ZDMG. XL 355 ff.

erscheinen, *ṃ* wäre, wenigstens vor *r*, zu *a* geworden. Die
Bedeutung des Wortes, das im Sanskrit Plur. oder Sing. Mask.
ist und dessen griechische Form auf ein älteres Neutr. hinweist, kann ursprünglich nicht 'Ehefrau' gewesen sein. Wir
denken wohl an unser Wort 'Frauenzimmer'; die Benennung
der Ehefrau wird von der des Hausstandes ausgegangen sein.
Eine parallele Bedeutungsentwickelung zeigt skr. *gṛhá*, das
auch gern im Plur. Mask. gebraucht wird: 'Haus — Familie —
Hausfrau, Gattin'; s. die PWW. Von da aus verstehen wir
auch 2. *dáraka* M. 'Knabe, Sohn', *dárakau* M. Du. 'Knabe
und Mädchen'; es kommt von einem *dáras* M. Pl.* 'die Familie, die Kinder' her, — vgl. *nása*, *násika*. Die Auffassung,
dass die Frau das Heim ist, finden wir im Rigveda wie in
der klassischen Sanskrit-Litteratur ausgesprochen. *jāyéd ástam
maghavant séd u yónis tád it tvā yuktá hárayo vahantu*[1]
'die Frau ist das Heim, o Maghavan, sie ist auch der Schooss[1]),
dorthin mögen dich die angespannten Falben fahren; so oft wir
immer Sôma pressen, soll Agni als Bote zu dir laufen', RV.
3, 53, 4. U. in feinerer Wendung, den verfeinerten Verhältnissen entsprechend, sagt, mit den Bedeutungen von *grha*
spielend, ein späterer Spruch: *na gṛham gṛham ity āhur
gṛhiṇī gṛham ucyate | gṛham hi gṛhiṇīhīnam araṇyasadṛçam
matam* ||[2]); was sich etwa so wiedergeben lässt: 'Nicht das
Haus nennt man Haus, Die Hausfrau heisst Haus: Ohne Hausfrau das Haus Sieht wie Wildniss aus'[3]).

---

1) *yónis*, ebenso wie die Stätte des heiligen Opferwerkes
yónis heisst; ein ähnliches Wortspiel s. 9, 101, 14. Vgl. zum Verse
Ludwig Der Rigveda, N. 1003, 4 u. Bd. V. Die Auffassung von
Pischel Geldners Vedischen Studien II 52 trifft schwerlich das Rechte.
In V. 1—3 des Liedes wird Indra zum Opfer geladen; der 4. V. versichert ihm, er dürfe ruhig nach Hause zur Frau, Agni werde ihn
schon rechtzeitig zu der Opferstätte, dem andern *yónis*, abholen;
V. 5 wiederholt die Aufforderung, er möge zur Frau gehen, dann
aber auch wieder zum Opfer des Verehrers kommen, — hier wie
dort habe er zu thun, hier wie dort könne er einkehren; in V. 6
hat Indra dann den Sôma getrunken, und mag wieder zur Frau
zurückkehren.

2) Böhtlingk Indische Sprüche[2] II 3220; vgl. den Spruch 4576,
auf welchen Böhtlingk dort verweist.

3) Mit anderer Wendung des Begriffes könnte lat. *fēmina* wie
fāmilia, *fāmulus*, zu skr. 1. *dháman* gehören, wenn für *dháman*,
von der Bedeutung 'Machtbereich' (neben 'Gesetz'), weiter 'Haus,

Da δάμαρ — *dára* auf beiden Sprachgebieten 'Ehefrau' bedeutet, möchte ich annehmen, dass derselbe Begriff, wohl neben dem des 'Hausstandes', in der arischen Urzeit an dem Worte gehaftet habe. *pátni* — πότνια war der alte Ehrentitel der Ehefrau [1]).

Das Arische kennt zwei Bedeutungselemente, welche im Skr. als *dámi* erscheinen würden, 1. 'in seine Gewalt bekommen', vgl. unser *zähmen*; 2. 'bauen' vgl. *zimmern*. Dass skr. 1. *damá* 'Haus', vgl. griech. δόμος lat. *domus domi domo* zu 1. *dámi* gehört und zunächst den Machtbereich des *pater familias* bezeichnet [2]), ist im Petersburger WB. ausgesprochen; dazu lat. *dominus*, wie skr. *dámúnas* zu lat. *domu-*. Zu 2. *dámi* stellt sich u. a. griech. δέμας, δέμω. δάμαρ — *dára* würde sich besser an 1. *dámi* 'zwingen, in seiner Gewalt haben', *damá* — *domus* anschliessen; doch lässt die Analogie von *gṛhá*, das urspr. wohl 'Einhegung' (zu *gürten)* bedeutet, also den Raum der Wohnung gemeint hat [3]), auch die andere Etymologie als möglich erscheinen.

2. Skr. *jámátar, jará* — griech. γαμβρός, γαμέω; skr. *jaráyati*.

Die arischen Bezeichnungen des Eidams sind bei Delbrück Die indogermanischen Verwandtschaftsnamen S. 536 zusammengestellt. Delbrück hält es für wahrscheinlich, dass skr. *jámatar*, av. *zamátar*, griech. γαμβρός, lat. *gener*, alb. δander (δenδer), lit. *žéntas*, asl. *zętь* zusammengehören [4]); ein Nachweis sei nicht zu liefern, es könne daher, bis die Wissenschaft weiter gekommen sei, eine Angabe der ursprünglichen Bedeutung des Wortes nicht gewagt werden; wenn seine Annahme richtig sei, so wäre anzunehmen, dass ein Wort für Eidam

Familie', ausgegangen werden darf; die *feminae* fallen in besonderem Sinne in den Machtbereich des *pater familias*; zu *femina* vgl. auch *svasar, snushá* GGA. 1890, Nr. 23, S. 912[1].

1) Vgl. m. Beiträge z. K. d. vorhistor. Entwickelung unseres Sprachstammes, Giessen 1888, S. 7; GGA. 1890, Nr. 23, S. 910 f. Delbrück Idg. Verwandtschaftsnamen, S. 409. 421. 436. 540.

2) Vgl. dazu, was Delbrück a. a. O., S. 446 über skr. *pitár* sagt.

3) ZDMG. XL 655.

4) Vgl. dazu arm. *aner*, Delbrück S. 518, bei Bugge Indogerm. Forsch. I 444.

in der Urzeit vorhanden war. Zu skr. *jámatar* gehört *vija-
matar*, nur RV. 1, 109, 2 neben *syalá*, dem 'Bruder der Frau'[1]),
also wohl vom Standpunkt des *jámatar* aus genommen, 'der
andere Eidam', etwa 'Gegeneidam', der Mann der Schwester
der Frau oder Braut[2]), wie der Vater der einen Ehehälfte
den der andern wohl 'Gegenschwäher' heisst. Die Ausbildung
der Form skr. *jámatar*, av. *zámatar* (yt. 10, 116) wird sich
vielleicht niemals im Einzelnen erkennen lassen. Mit dem
Suffix *-tar* würden wir etwa **jamitar* oder **jmatar* erwarten,
vgl. *dhmatar, damitar*[3]). Das Verwandtschaftssuffix könnte
sekundär sein, etwa wie in skr. av. *naptar* neben dem älteren *napat*, lat. *nepôt-*, oder im lat. *u.ror* nach *soror* (ZDMG.
XXXX 665[1]). Die Benennung des Vaters und des Bruders

---

1) Delbrück S. 517.

2) Im 1. V. des Hymnus RV. I 109 sieht sich der Dichter, da
er Geld braucht, unter den Verwandten und Stammesgenossen
(*jñāsá utá vā sajātān*) um, doch findet er bei ihnen keine Hülfe
(*prámatis*); so setzt er seine Hoffnung auf Indra und Agni. Diesem
Verse geht der zweite im wesentlichen parallel: 'Man sagt ja, dass
ihr reichlicher gebt als der Gegeneidam oder gar der Frauenbruder'
(*áśravam hi bhúridávattarā vām vijāmátur utá vághā syālát*). Die
Verwandten und Stammesgenossen wollen nicht aushelfen; es fällt
ihnen ebensowenig ein, dem Dichter zu schenken, wie der Gegeneidam oder gar der Frauenbruder daran denkt, dem Schwager ein
Geschenk zu machen. Aber Indra und Agni, so hat sich der Dichter
sagen lassen, sind weniger knauserig, und so sucht er bei ihnen
Beistand, und geht sie mit Lied und Soma an. *vi-* drückt nicht
selten den Begriff des 'anderen' aus; *virūpa, vivrata* heisst, wer ein
'anderes' *rūpá* oder *vratá* hat. So wird *vijāmi*, das RV. 10, 69, 12.
wie sonst *jāmí*, neben *ájāmi* steht, etwa 'verschwägert' bedeuten, —
jāmáyaḥ sárdhantaḥ würden in den Zusammenhang des Liedes, welches den Agni der betr. Familie feiert, nicht hineinpassen; *vijávan*
3, 1, 23 neben *tánaya (sūnú)* könnte den 'andern', etwa den un-
ebenbürtigen Sohn bezeichnen, vgl. unser 'Kind und Kegel' (anders
in Pischel Geldners Ved. Stud. I 170); *vijáman* giebt das Petersburger Wörterbuch mit 'verwandt so v. a. entsprechend, korre-
spondierend (z. B. Glieder wie die Arme, Füsse) wieder. *vimátar*,
die Stiefmutter, ist die 'andere' Mutter, der *vimátṛja*, der 'Stiefsohn
(einer Mutter)' NPW., stammt von einer 'andern' Mutter, vgl. *vái-
mátra, váimátrĕya*. Danach ist Fischels Darlegung, a. a. O. II 77 ff.,
zu berichtigen.

3) Vgl. skr. *má-na* 'Haus' = av. *d(e)māna, nmāna*, s. GGA.
1890, Nr. 23, S. 911; dahin gehört auch *mána* RV. 1, 39, 1 "Da
ihr schon von ferne [die flammenden Geschosse] schleudert, wie

der Ehefrau und Mutter ist erst verhältnismässig spät zum
'Verwandtschaftswort' geworden (s. Delbrück a. a. O. 482 f.
501. 536 f.); die Vermutung liegt nahe, dass auch der terminus für den Eidam nicht gar alt ist. Die griechische und
lateinische Bezeichnung des Eidams zeigt ein -ro-Suffix; auf
osteuropäischem Boden finden wir ein Dentalsuffix, wie im
ostarischen Worte. Ein *jámitar hätte in Anlehnung an jami,
'leiblich verschwistert' bes. von der Schwester, 'angehörig,
eigen', zu *jámitar werden können; wie jami in nachvedischer
Zeit besonders von der Schwiegertochter gesagt wird (s. das
PW.), augenscheinlich unter dem Einfluss von jámatar. Das
auffallende a der zweiten Silbe[1]) mögen die Verwandtschafts-
wörter bhrátar, yátar, mátar, in Verbindung mit Formen wie
skr. mandhatár[2]) oder av. yaozhdátar (yt. 10, 92), verursacht
haben; das já- der ersten Silbe wurde vielleicht früh als identisch mit já- 'Geschlecht' empfunden[3]). Bei solchen Bezeichnungen wie der des Eidams ist ja nicht allein mit der gewöhnlichen Analogiebildung, sondern auch mit scherzendem
Wortspiel zu rechnen; dadurch wird der Versuch, die Entstehung der schwierigen Form jámatar zu begreifen, noch unsicherer. Ob sich die Ostarier bei der Umbildung des Wortes
über das -matar Gedanken gemacht haben, etwa in der Art
Yáskas Nir. 6, 9 oder was immer für welche, lässt sich nicht
sagen. Der lateinisch-griechischen -ro-Form entspricht im
Sanskrit jará 'Freier, Buhle'[4]); die arische Wz. skr. jámi

---

man die Flamme ins Haus (des Feindes) wirft, — wer ist es, den
ihr meint?", vgl. I 172, 2. Es ist nicht uninteressant, mit dieser Auffassung bes. die Bergaignes La Syntaxe des Comparaisons Védiques (Mélanges Renier), S. 84[1], zu vergleichen.

1) Zu skr. jívátu vgl., ausser skr. jívati, jívd, das av. jyátu;
so auch Fick WB. I[4] 198.

2) S. dazu Fick WB. I[4] 283; zu den avestischen Formen vgl.
Roth Über Yaçna XXXI S. 21 f. und Bartholomae BB. XIII 80; vgl.
lat. mandare.

3) Vgl. Nir. VI 9. jámátar, av. zámátar "aus zá 'Stamm' und
mátar 'Begründer'?", so auch noch die neue Auflage des Vergleichenden Wörterbuchs, Fick I[4] 215.

4) Diese Zusammenstellung ist auch schon von Ernst Leumann KZ. XXXII 307 veröffentlicht worden; die Begründung verstehe ich nicht. A. Bezzenberger erklärt skr. járá aus *járá: lat.
gener, zu skr. jñáti, jámi, jámátar, gr. γνωτός, lit. żéntas, lett. znóts,
BB. XVII 223; vgl. dazu K. F. Johansson XVIII 39.

würde also mit dem betonten Suffix -ro- im Sanskrit als *ja-rá-*, griech. als γαμ(β)ρό-, lat. als *genero-* für **gemero-* erscheinen. Ob das lat. *n* für *m* regelrecht ist, oder auf dem Einfluss der Gruppe *genui, genus, gens* (vgl. oben skr. *jámatar*) beruht [1]), mögen Andere bestimmen; schon die altindische Entwickelung weist auf volksetymologische Anlehnung hin [2]). γαμέω bedeutet 'heiraten', Od. 1, 36 wohl 'freien' so v. a. 'buhlen'; γαμβρός ist bei Homer der 'Tochtermann', aber auch der 'Schwestermann' (vgl. Delbrück a. a. O. 522 f.), und äol. heisst so der 'Bräutigam'. Wie der Vater, resp. der Bruder der mater familias in deren Hause einst wahrscheinlich keine besondere Bezeichnung hatte, sondern der 'Gütige', der 'Gönner' genannt wurde, und *avus* erst bei den europäischen Ariern die spezielle Bedeutung erhielt, sich zum 'Verwandtschaftswort' ausbildete (s. Delbrück a. a. O.); so wird der Eidam im Brauthause zunächst mit dem allgemeineren Ausdruck 'Freier' bezeichnet worden sein, der dann in den Formen, die in skr. regelrecht *jámitar* und *jará* lauten würden, sozusagen den terminus technicus für den 'Schwiegersohn' abgegeben hätte. In einigen Ableitungen von dem Bedeutungselemente *jámi*, so in skr. *jará* und griech. γαμέω, ist der alte Begriff des 'Freiens' erhalten oder zu dem des 'Buhlens' hin gewandt.

Es läge gar nahe, zur Wz. skr. *jámi* auch das av. *nizámayëinti* yt. 17, 59 zu stellen, vgl. Geldner Drei Yasht S. 123, vgl. Bechtel Lautlehre 380. Doch lesen nach der neuen Ausgabe die meisten und die besten Handschriften *nijámayëinti*. Dagegen könnte *jámaria*, nur an der schwierigen Stelle RV. 4, 3, 9 belegt, dahin gehören, etwa 'sie strotzt von der Milch des Freiers' oder 'der Freier'; vgl. Ludwig Nr. 330 und Bd. IV, Bergaigne, Rel. Véd. II 398[1], und den Festgruss an Rudolph Roth S. 123 ff.

Zu *jará* gehört *jarayáti* RV. 6, 12, 5 (Grassmann WB.), wie *janīyáti* 'ein Weib wünschen' zu *jáni*; wohl s. v. a. 'einen Freier wünschen': etwa 'da er (Agni) von den Opfern zum

---

1) Vgl. Brugmann Grundriss I 220. 430. Stolz in Iwan v. Müllers Handbuch d. klass. Altertums-Wiss. II[2] 286. 872. Georg Curtius Grundzüge[5] 547.

2) Vgl. zu lit. *žéntas* BB. XVII 223. XVIII 258.

Freier begehrt wird, wie der Vater der Morgenröte (der Sonnengott) deren Freier ist' oder 'da er mit Opfern zum Freier der Morgenröte begehrt wird, wie deren Vater ihr Freier ist'. Agni heisst *adhvarásya járáh* 10, 7, 5. Doch würde ich die zweite Übersetzung vorziehen. Agni wird auch sonst mit dem Freier der Ushas, unter dem wohl der Sonnengott zu verstehen ist[1]), verglichen (*uṣó ná járáh* 1, 69, 1. 5. 7, 10, 1); und in unserm Liede, ṚV. 6, 12, vgl. V. 1—3, scheint die Vergleichung mit dem Sonnengott eine grössere Rolle zu spielen. Der Sonnengott heisst Erzeuger der Morgenröte 2, 23, 2[2]). *jaráyanti* (P.-P. *jaráyantī*; l. *jarayánti?* vgl. dazu Delbrück Das ai. Verbum S. 209), von der Ushas, 1, 124, 10, ist wohl die Morgenröte, die nach dem Freier oder dem Buhlen begehrt; vgl. bes. V. 7. 1, 179, 1 ist, gleichfalls am Ende des Pāda, *jarayánti* z. l., wie das Metrum und der Zusammenhang deutlich zeigen; die Verderbnis begreift sich leicht, das selten vorkommende Wort steht zwischen *uṣásah* und *jarimā*. Auch in 7, 75, 5 liesse sich *jaráyantī* so auffassen; ebenso in 1, 48, 5, wo *ṛ́janam padvát*, dem die *pakṣiṇah* gegenüberstehen, zu *īyatē* gehören würde[3]), vgl. zu der Stelle 10, 127, 5. *jaráyanti* 1, 92, 10, auch von der Ushas, ist Kausale von 1. *jar* 'altern'. Wir werden für die altindische Sprache ein Wort *jaráyáti* resp. *jaráyati* (s. o.) 'einen Freier begehren' ansetzen dürfen, das wohl besonders von der Ushas gebraucht wurde; 1, 179, 1 könnte auf sie angespielt sein. Da das Wort — sei es dass es im Aussterben begriffen war, sei es dass das Denominativum nicht recht durchdrang — in den Liedern des Rigveda selten ist, so wurde *jarayánti* nicht mehr verstanden und mit dem Kausale von *jar* 'altern' zusammengeworfen.

Giessen, den 4. Juli 1893. P. v. Bradke.

---

1) Vgl. Bergaigne Rel. Véd. II 2 f. 14 ff. Pischel Geldner, Ved. Stud. I 31.

2) Vgl. Bartholomae BB. XV 185; vgl. Bergaigne a. a. O.

3) Die Ushas kommt zu denen, welche Füsse (und keine Flügel haben); die Beflügelten heisst sie zu sich empor kommen.

Etymologisches Allerlei.

1. Ai. *sáta-* 'Gefäss' lat. *matula* 'Geschirr für Flüssigkeiten'.

Ai. *sáta-* M. N. 'ein best. Gefäss, Schale, Schüssel' kann aus idg. **smto-* entstanden sein; dann wäre lat. *matula* 'ein Geschirr für Flüssigkeiten, Wasch-, Nachtgeschirr', von dem wieder lat. *matella* 'Geschirr, Topf für Flüssigkeiten, Nachttopf', *matellio* M. 'Nachtgeschirr' abgeleitet sind, ein Deminutivum zu dem ai. Worte. Dabei ist gleichgültig, ob man in lat. *mat-* ursprünglich hochstufiges *smat-* oder mit Bartholomae BB. XVII 91 ff., Osthoff MU. Vorw. S. VI tiefstufiges *smət-* sehen will.

2. Ahd. *nezzila* 'Nessel' griech. ἀδίκη 'Nessel'.

Als urgerm. Bezeichnung für nhd. 'Nessel' (ahd. *nezzila* mhd. *nezzel* ags. *netele* und ahd. *nazza* isl. *nǫtr*, Kluge Et. Wb. unter 'Nessel') ist **nati-lō* und **natuz* zu erschliessen. Die darnach für das Idg. vorauszusetzende Wurzelform *nad- (nod-)* liegt in Tiefstufengestalt vor in griech. ἀδ-ί-κη aus ṇd-i-ka, das, in seiner Endung an andere Pflanzennamen wie griech. ἑλίκη lat. *salix* ahd. *salaha* erinnernd, augenscheinlich eine mit Suffix *-ko-* (oder *-qo-?*) gebildete Sekundärableitung, etwa ein Deminutivum (Brugmann Grundr. II 236 f. 247 f.) von einem ursprünglichen *i*-Stamm idg. **nod-i- (nad-i-) -ṇdi-* ist, auf den auch das mit dem andern idg. Deminutivsuffix *-lo-* (germ. *-i-lo-* Kluge Stammb. § 56, Brugmann Grundr. II 186, 196 f.) versehene germ. **nati-lō* hinweist. Vgl. auch ir. *nenaid* und *nent-óc* 'Nessel', die Thurneysen bei P. v. Bradke Üb. Meth. u. Ergeb. der ar. Altertumswissenschaft S. 245 auf **nenat-* oder **ninat-* zurückführt.

3. Mhd. *(schaber-)nac* ai. *aghá-* 'böse'.

Deutsch *nac* in mhd. *nacheit* 'Bosheit, Hinterlist', mhd. *schaber-nac schaver-nac*, nhd. *schabernack*, über dessen erstes Glied Froehde gehandelt hat (BB. XVII 309), wird als Adjektivum 'boshaft', als Substantivum 'Bosheit' bedeutet haben. Als urgerm. Form ist **naga-*, als idg. **nogho-* anzusetzen. Damit stand im Ablaut mit schwächster Gestalt der Wurzel ein idg. *ṇgho-, das im Ai. vorliegt in aghá- 'schlimm, gefährlich', Subst. aghám N. 'Übel, Gefahr, Schaden', agha-kṛt 'Schaden stiftend', aghāyati 'sündigen' (= mhd. nhd. necken 'peinigen, quälen', das von ecken, necken 'zum Appetit reizen' mit Lexer Grimms Wörterbuch VII 514 zu trennen ist), Zend aǧa- 'quälend, böse' N. 'Übel' (Fick Wb.⁴ 161).

Übrigens liesse sich germ. *naga- auch auf idg. *nokó- zurückführen, neben dem eine zweite Form mit auslautender Media *nogo- denkbar wäre. In diesem Falle könnte die schwächste Gestalt der Wurzel *ṇg- in griech. ἄγος 'Schuld, Sünde' ἐναγής ἀναγής vorliegen. Ai. agas 'Ärgernis, Anstoss', anagas 'schuldlos', die man gewöhnlich mit griech. ἄγος verbindet (Benfey Wurzelwörterb. I 149c. N. 116, Fick Wb.³ I 266 II 13 ⁴349, Curtius Grundz.⁵ 170) müssten dann ursprüngliches n̄g- im Stamm enthalten. Collitz' früheres Bedenken gegen die Zusammenstellung von ἄγος und agas BB. III 218 ist jetzt durch die Aufstellung einer dritten k-Reihe gehoben.

4. Ahd. zumpo 'Penis' av. dumem 'Schwanz'.

In seinen Studien zur idg. Sprachgeschichte II 101 führt Bartholomae av. dum-em 'Schwanz' (pehl. neup. u. bal. dumb) auf urar. *d(h)umb(h)mam zurück. Setzt man *dumb(h)mam voraus, so lässt sich dies vergleichen mit einer im Deutschen verbreiteten Bezeichnung des Penis: ahd. zumpo 'membrum virile, priapus' (Graff V 668), mhd. zumpf(e) zumpfelin (vgl. auch Schmeller II 1126, Frisch II 485).

5. Got. ei ai. yad griech. ὅ(τι).

In dem got. ei, das bekanntlich als selbständige Konjunktion 'dass, damit' bedeutet, in Verbindung mit Pronominen und Adverbien aber Relativsätze einleitet, sieht man gewöhnlich eine Ableitung des Pronominalstamms ei- i- in ai. id-am, lat. is, got. is und vergleicht es in seiner Verwendung mit andern Partikeln wie griech. ἰ in οὖτος-ι, abak. i̯ in yathā i̯, ai. im in ya im, sa im, i in air. int-i, umbr. ei in pers-ei. Vgl. aus neuester Zeit nur Feist Grundr. d. got. Etym. 28, Johansson BB. XVI 328. Brugmann Grundr. II 772, Prellwitz Et. Wb. 125. Dabei wäre zwar auffallend und sprachlich bemerkenswert, dass in der got. Verbindung sa-ei das

Verhältnis der beiden Bestandteile nicht ganz dasselbe wäre
wie z. B. im Ved. *ya im* oder im Umbr. *pers-ei*; aber unmöglich wäre deshalb doch nicht, dass ein Demonstrativpronomen
mit einer deiktischen Partikel, eine Zusammensetzung also,
die mit griech. οὗτοϲ-ί auf gleicher Linie stünde, im Germ.
Relativum geworden wäre. Das zeigt ja schon der relative
Gebrauch einiger Demonstrativa in andern germ. Dialekten
und die nahe Berührung relativer und demonstrativer Pronomina und Adverbia nicht nur in den einzelnen Sprachzweigen
des Idg., sondern schon im Uridg. selbst (Brugmann Grundr.
II 771). Aber gerade beim Gotischen fällt ins Gewicht, dass
der zweite Bestandteil der als Relativum dienenden Verbindung auch als selbständige relative, d. h. unterordnende Konjunktion vorkommt und eine Erklärung der Formen *saei ikei*
doch auch das einfache *ei* mit berücksichtigen muss, um vollständig zu sein. Da die bisherige Auffassung diese Forderung
nicht erfüllt, liegt es nahe, einen andern Weg der Erklärung
einzuschlagen, bei dem beide Teile zu ihrem Rechte kommen.
Zu dem Zweck gehen wir aus von der Konjunktion *ei*. Dieses
ei lässt sich nach dem, was besonders Streitberg PBrB. XIV
195 ausgeführt hat über den Ablaut *io : i*, als ablautschwache
Nebenform auffassen zu ai. *yad* 'dass, wann, wenn', das in
ganz gleicher Weise gebraucht wird wie unser *ei*. Auch
griech. ὅτι ist heranzuziehen, soweit es aus *jod-τι* entstanden
ist (G. Meyer Gr. G.² 195, Brugmann Gr. Gr.² 223. 232, Wackernagel Rhein. Mus. XLVIII 299 ff.). Es kommt damit
nur eine Etymologie wieder zu Ehren, die Paul schon PBrB.
VI 218 ausgesprochen hatte, aber bei dem damaligen Stand
der Erkenntnis noch nicht überzeugend begründen konnte.

Die idg. Konjunktion **yod, *id* (in der man nach wie
vor das adverbial gebrauchte Neutrum des Relativums und ein
genaues Seitenstück zu lat. vor- und nachklass. *quod* mit seinen romanischen Nachkommen franz. *que*, it. *che* usw. sehen
kann, liegt auch in den Verbindungen *saei ikei* vor. Wir
haben hier im Gotischen ganz dieselbe Erscheinung, wie sie
schon längst aus anderen germ. Dialekten alter und neuer
Zeit, z. B. dem Dänischen, Schwedischen und Friesischen bekannt ist, dass nämlich ein Adverbium mit oder ohne Demonstrativum die Stelle eines Relativums versieht (vgl. Siebs Pauls
Grundr. I 775, Johansson BB. XVI 128). So wird auch in

der hiesigen pfälzischen Mundart das Pronomen relativum durch
das Adverbium *wo* ersetzt, und zwar im Nom. und Akkus. in
jedem Fall, mit oder ohne Demonstrativ im Nom. oder Akkusativ; im Dativ ist das Pronomen dem. entbehrlich (der Genit.
kommt nie in der Mundart vor), wenn das Substantivum, von
dem der Relativsatz abhängt, selber im Dativ steht; sonst
muss man den Dativ des Demonstrativums *der* noch einmal
ausdrücklich dem Adverbium *wo* vorsetzen. Man sagt also
mit andern Worten: *də bū wó* und *də bū (den) wó* für 'puer'
und 'puerum qui', *də bū wó* oder *də bō den wó* für 'puer'
und 'puerum quem'; dagegen im Dativ *dəm bū wó* für 'puero
cui', und *də bū dem wó* für 'puer (puerum) cui'. Den besten
Vergleich zu den Verhältnissen des Gotischen liefert aber das
Altnordische mit seiner als Relativum gebrauchten Konjunktion *at* (Noreen Altn. Gr. I² § 402 mit Anm. 1) deshalb, weil
dieses *at*, das man mit Paul a. a. O. und Johansson a. a. O.
aus germ. **jata* herzuleiten und mit ai. *yada* zu verbinden
hat, abgesehen von der Verschiedenheit des Ablauts und der
Verschiedenheit des Auslauts, mit got. *ei* geradezu identisch ist.

6. Griech. τρίβω deutsch '*streichen*'.

Griech. τρίβω 'reiben', das man in älterer Zeit mit lat.
tero zu vergleichen pflegte (Curtius Grundz.⁵ 222, G. Meyer
BB. I 83, Persson Wurzelerw. 16. 104. 162), stellen in neuerer
Zeit Fick BB. VI 95 VII 7 Wb.⁴ 448, Bechtel BB. X 286,
Hauptprobl. 109 A, Prellwitz Et. Wb., Thurneysen KZ. XXX
352) zu got. *þriskan* ahd. *drescan* 'dreschen', indem sie als
Grundform meist **trésgō *tr̥zgó* ansetzen. Wenn man auch
im Hinblick auf die frühere Sitte, die Getreidekörner durch
Tiere aus den Ähren ausstampfen zu lassen, diese Zusammenstellung nach der Seite der Bedeutung gelten lassen kann, so
ist doch die lautliche Gleichheit wegen der Unsicherheit des
Vorkommens und der Entwicklung des '*z*-Sonans' nicht über
jeden Zweifel erhaben, zumal da sich gerade für das griechische Wort leicht eine andere Anknüpfung findet. τρίβω
kann nämlich als einfache Fortsetzung eines idg. **(s)trīgō* auch
germ. *strikan* (ags. *strican*, ahd. *strihhan*, mhd. *strīchen*) und
abg. *strigą* 'scheren' entsprechen. Die Bedeutung ist ja bei
diesen Wörtern im Grunde dieselbe, besonders wenn man sich
vorstellt, dass das 'Scheren' in alter Zeit nicht mit einer heu-

tigen zweiarmigen Schere, sondern mit einem einfachen mes-
serähnlichen Werkzeug besorgt wurde. Aus dem Lateinischen
ist sicher *striga* 'Strich', *strix* 'Streif' (entsprechend dem verwandten griech. cτρίξ 'Furche'), *strigilis* 'Striegel', Perf. *trīvi*
(aus *trīgvi*), *intertrigo* F. 'eine wundgeriebene Stelle' und
das eine nasalierte Präsens *stringo*, das die Bedeutung 'streifen, streichen' hat (Frochde BB. VI 184, Petr BB. XVIII 184 f.)
verwandt. Lat. *tergēre* 'abwischen', das man mit Osthoff MU.
IV 1 ff. auch hierherziehen könnte, setzt man vielleicht besser
griech. cτεργίc 'Schabeisen' gleich, das Petr a. a. O. doch
mit gleich geringer Berechtigung sowohl zu lat. *strigilis* als
zu griech. cτελγίc stellte.

   7. D. 'schlecht, schlicht' griech. λιccόc lat. *līma* 'Feile'.

   Für germ. *slehta*- 'schlecht, schlicht' muss als ursprüngliche Bedeutung 'glatt, geglättet' angesetzt werden. Das fordert die älteste Überlieferung der einzelnen Dialekte. So dient
ahd. *sleht* zur Übersetzung von lat. lēvis, stratus, planus, daneben auch zur Übertragung des lat. lenis, simplex, purus
(Graff VI 786 ff.): vgl. mit *slehtero ebeni* 'levi aequore', *slehta
(wega)* 'planos'. Von den einzelnen Ableitungen des Wortes
giebt ahd. *slehtī* lat. aequor, *slihtan* lat. polire limare, *gaslih-
tan* ebenfalls lat. polire und implanare wieder.   Auch wird
sleht geradezu als Gegensatz von *rûh* 'rauh' angeführt; so
heisst es mit Bezug auf Esau und Jakob: *rûh ist min bruo-
der, ich bin sleht und linde* D III 73, und ähnliches steht D
III 71.   Ebenso bedeutet got. *slaihts* in *slaihtamma wiga*
Luc. 3, 5 'eben, gerade'; Wulfila gibt damit griech. λεῖoc wieder. An. *sléttr* übersetzen Cleasby-Vigfusson mit 'plain, flat,
even, smooth'; darum sagt man auch aisl. *sléttr skinn*, *slétt
land, sléttr sjór* 'a smooth sea'.
   Nach allem dem kann man germ. *slehta*- zunächst verbinden mit griech. λιccόc 'glatt'. Curtius leitet zwar λιccόc
aus *λιτjoc her und vergleicht lat. *glitus* 'glatt', lit. *glitùs*
'glatt, klebrig' (Grundz.[5] 367). Aber nach dem heutigen Stande
unseres Wissens ist nicht nur (vgl. Weise BB. VI 116 ff.) die
Gleichsetzung von anlautendem griech. λ- und lat. *gl-* unstatthaft, sondern es ist auch die Zurückführung von cc auf τj
bedenklich (vgl. Brugmann Gr. Gr.[2] 58 f. und die dort ver-
zeichnete Litteratur). Neben λιccόc liegen im Griechischen die

gleichbedeutenden Adjektiva λίcποc (att. λίcφοc) und λίc mit den Formen λιτί und λῖτα vor. Von diesen könnte auch λίcποc aus *sliqsqos entstanden (Brugmann Gr. Gr.² 71) und mit Suffix -sqo- versehen sein (Brugmann Grundr. II 258 f.). λίc und Zubehör liesse sich mit unserer Sippe nur unter der Annahme vereinigen, dass λιτί allein lautgesetzlich aus *sliq-i entstanden, der Akk. λῖτα und der Nom. λίc aber erst vom Dativ aus geschaffen wäre. Ebenso könnten ja auch att. θής θῆτα usw. ihr τ von θητί θῆτες empfangen haben; dieses θητί θῆτες könnte man dann auf einen idg. Stamm *dhē-q- beziehen, auf den nicht nur lat. fa-c-io, sondern auch griech. θῆccα aus *θῆκja weist. Doch vergl. Wackernagel KZ. XXX 129.

Aus dem Lateinischen lässt sich lima 'Feile', limare 'feilen' herbeiziehen, die (nach Stolz Lat. Gramm.² 309, Brugmann Grundr. I 373) für *slic-ma *slic-māre stehen können. Die Bedeutung würde zu dieser Zusammenstellung auch ganz gut passen. limare heisst sogar geradezu 'abglätten'; darum werden die durch die beiden Wortsippen bezeichneten Begriffe auch oft nebeneinander gestellt, wie limare politius und lima polire zeigen.

8. Griech. ἀθερίζω deutsch 'gern'.

Hom. ἀθερίζω 'verachten, verschmähen' kann, wie κακίζω ἀγλαΐζομαι κουρίζω αἱρετίζω u. a. Verba zeigen (v. d. Pfordten Z. Gesch. d. griech. Demon. 100 ff.), von einem untergegangenen Nomen *ἄθεροc abgeleitet sein; dabei ist ganz gleichgültig, ob dieses *ἄθεροc die aktive Bedeutung 'verachtend' oder die passive Bedeutung 'verachtet' besass. In dem einen Falle würde sich ἀθερίζω mit Bildungen wie ἑταιρίζω 'Gefährte sein' neben ἑταῖροc, κουρίζω 'jung sein' neben κοῦροc, προμαχίζω 'Vorkämpfer sein' neben πρόμαχοc, μηδίζω 'ein Meder sein oder sein wollen' neben Μῆδοc zusammenstellen lassen, im andern Falle mit Ableitungen wie ἐρατίζω 'für begehrlich halten, begehren' neben ἐρατόc 'begehrlich', αἱρετίζω 'wählen' neben αἱρετόc 'ausgewählt', ἀθροΐζω 'versammeln' neben ἀθρόοc 'versammelt', ἀνδραποδίζω 'zum Sklaven machen' von ἀνδράποδον 'Sklave'.

Betrachtet man nun das α von ἄθεροc als 'alpha privativum', so dass unser Nomen genau genommen hiesse 'nicht begehrend, -achtend' oder 'nicht begehrt, -geachtet', so kommt

man auf einen Stamm *θερο-, der als Substantivum etwa 'Begier', als Adjektivum 'begehrt' oder 'begierig' bedeutet haben
konnte. Für dieses *θερο- lässt sich Anknüpfung im Germanischen finden und zwar nach zwei verschiedenen Seiten hin, je nachdem man über gewisse dabei in Betracht kommende lautgesetzliche Beziehungen urteilt. Es handelt sich in dieser Frage
nämlich darum, wie man sich die einzelnen *k*-Reihen im Germanischen und Griechischen vertreten denkt.

Gebt griech. θ als Fortsetzung eines alten *k*-Lautes nur
auf idg. *gh qh* zurück, nicht auch auf idg. *gh kh*, wie Bezzen-
berges z. B. in seiner tabellarischen Übersicht annimmt (BB.
XVI 259), und wird andrerseits idg. *gh* im Germ. *g*, so lässt
sich die germ. Wurzel *ger-* 'begehren' in ahd. mhd. *ger* 'begehrend', ahd. mhd. *gern* ags. *georn* 'eifrig' an. *gjarn* 'begierig' got. *(faihu-) gairns* 'habsüchtig' zum Vergleich heranziehen. Nun hat aber v. Sabler KZ. XXXI 284 behauptet, freilich nur auf Grund der einen Zusammenstellung got. *wiljan*
= griech. θέλω, idg. *gh* verwandle sich im Germ. in *w*. Hätte
er wirklich recht, was noch sehr zweifelhaft erscheint, so
müsste man an Stelle von germ. *ger-* vielmehr germ. *wer-*
'wert sein, wert halten' in got. *wairþs* 'wert' ags. *weorþ* ahd.
werd für verwandt erklären. Oder man müsste, um auch bei
von Sablers Annahme germ. *ger-* nicht von griech. *θερο-*
trennen zu müssen, sich Bezzenbergers oben erwähnter Ansicht
anschliessen, dass griech. θ auch idg. *gh* fortsetzen könne.
Dann läge eine idg. Wurzel *gher-*, nicht *gher-* vor.

9. Deutsch *Kot* griech. δεῖσα 'Kot'.

Griech. δεῖσα 'Kot' hat Johansson KZ. XXX 423A 3
aus δϝεντϳα oder δεϝεντϳα herleiten und mit griech. δεύω 'be-
netzen' verbinden wollen. Doch empfiehlt es sich eher, schon
der grössern Bedeutungsgleichheit wegen, das griechische Wort
mit den germ. Bezeichnungen für Kot (ahd. *quât, chôt* Graff IV
365 mhd. *quât kât kôt* N.) zusammenzustellen. Nimmt man
nach dem Vorgange W. Schulzes KZ. XXVII 420 ff. (vgl.
auch Bartholomae BB. XVII 130 f.) an, es habe im Idg. eine
Wurzel *gêi-* (*gwei-*?) gegeben, so kann von dieser Wurzel das
to- Partizipium in doppelter Gestalt vorhanden gewesen sein,
als *gêi-tós* und *gê-tos*. Die substantivierte Neutralform von
gêtôs, idg. *gêtóm*, liegt in germ. *kwedóm* 'Kot' vor (Kluge

Stammb. § 74, Brugmann Grundr. II 445). Von der zweiten
to-Bildung *géitos* dagegen, in der das *ĕ* vor *i̯* + Kons. im Griech.
gekürzt werden musste, wurde mit dem Suffix -*ĭ*- -*i̯ĕ*- ein Ab-
straktum *géi-t-i̯ĕ*- abgeleitet, das sich zu *gḗi-tós* verhält wie
lat. *pauperies barbaries* zu *pauper barbarus* (Brugmann
Grundr. II 319). Aus *δειτι̯α δειτηc — oder wie die Formen
sonst anzusetzen sind — ging zuletzt δεîca δειcηc hervor.

10. Griech. κόπιc 'Schwätzer' ai. *capalá*- 'schwankend,
leichtsinnig'.

Griech. κόπιc 'Windbeutel, Schwätzer' (Eurip.), κοπίζω
'windbeuteln, lügen' (Hesych) wird kaum zu κόπτω 'hauen' gehören, zu dem es Curtius Grundz.⁵ 153 und Prellwitz Et. Wb.
unter κόπτω stellen. Der Bedeutungsübergang wäre, wie schon
Curtius bemerkt hat, doch etwas auffällig. Dagegen passt
ai. *capalá*- 'sich hin- und herbewegend, schwankend, leicht-
fertig, unbesonnen', als Subst. M. 'Quecksilber', F. 'Zunge'.
Freilich ist letzteres, das Femininum, nach dem Petersb. Wb.
erst in der Çabdacandrikâ im Çabdakalpadruma belegt.

11. Griech. ληδεîν 'träg sein' abg. *lěnъ* 'faul' got. *lats* 'träg'
lat. *lassus* air. *lesc* 'faul'.

Die germ. Wurzelform *lēt- lat-* in got. *lētan* 'lassen' ahd.
lāzan ags. *lǣtan* an. *lāta* und in got. *lats* 'träge' ahd. *laz*
ags. *læt* an. *latr*, zu der man bisher aus den übrigen idg.
Sprachen nur lat. *lassus* 'träge' aus *lad-tos* stellte (Fick
Wb.³ I, 218 III 263 ⁴540, Vaniček Gr.-lat. Wb. 834, Lat. Wb.
1874 S. 143, Kluge Et. Wb. unter 'lass' und 'lassen') hat auch
sonst noch verschiedene Verwandte. Einmal gehört dahin
griech. ληδεîν 'träg, müde sein', das Hesych in den Glossen
ληδεîν · κοπιâν κεκμηκέναι und ληδήcac · κεκμηκώc, κοπιάcαc
überliefert. Salmasius wollte zwar diese Überlieferung in
ἀηδεîν und ἀηδήcac ändern, und M. Schmidt in seiner Hesych-
ausgabe billigt seinen Vorschlag; aber zu einer solchen Änderung ist um so weniger Grund vorhanden, als sie gegen die
durch die Überlieferung gewahrte alphabetische Reihenfolge
verstösst. Sodann ist abg. *lěnъ* 'faul' hierherzustellen, das
demnach aus *lěd-nъ* herzuleiten ist (Leskien Handbuch² 49
doch vgl. Mklosich Et. Wb.). Eine weitere verwandtschaftliche
Beziehung aus dem Keltischen, air. *lesc* 'träge', auf die schon

Brugmann Grundr. I 378 und Feist Grundz. d. g. Etym. S. 69
aufmerksam gemacht haben und die sich ziemlich genau an
an. *lǫskr* anschliesst, ist deswegen zu beachten, weil sie für die
Bestimmung des ursprünglichen Ablauts unserer Wurzel wichtig
ist. Bis jetzt hielt man *lĕd-* in got. *lĕtan* für die Hochstufe,
lad- in got. *lats* und in lat. *lassus* für die Tiefstufe; so z. B.
Kluge Et. Wb. unter 'lass'. Da nun aber das air. *lesc* auf eine
idg. Wurzelform *led-* weist, die doch wohl auch ursprünglich
und nicht durch eine Entgleisung entstanden sein wird, muss,
um die Bartholomaeschen Bezeichnungen anzuwenden, *lĕd-* in
letan gr. ληδεῖν und abg. *lěnъ* die Dehnstufe, *led-* in air. *lesc*
die gewöhnliche Hochstufe mit *e*, germ. *lat* in got. *lats* dagegen die Nebenform der Hochstufe mit ursprünglichem *o*-Vokal,
also idg. **lod-* darstellen; nur lat. *lassus* enthält idg. **ləd-*
und weist die tiefstufige Form der Wurzel auf. Wir haben
also den Ablaut *lĕd-* : *led- lod-* : *ləd-*.

12. Gr. εἰπεῖν lat. *praeco* ahd. *jehan* und *eihhan* 'sagen'.

Der durch lesb. εἴπην altatt. εἰπέν für gr. εἰπεῖν sicherge-
stellte ει-Diphthong wird heutzutage ziemlich allgemein nach dem
Vorgang Brugmanns KZ. XXV. 306, Gr. Gr.[2] S. 157 und jetzt
Grundr. II S. 902. 942. 943 durch die Annahme erklärt, in
dem nach ai. *ávocam* zunächst für das griech. vorauszusetzenden **Ϝεῦπον* aus ** ϥe-ϥq-om* sei εὐπ- durch Dissimilation
in εἰπ- übergegangen. Vgl. Wackernagel KZ. XXVIII 148. XXIX
151 f., Meillet mém. d. l. soc. d. ling. VII 60, de Saussure
ebd. VII 78, Thurneysen KZ. XXX 492, Bechtel Hauptprobl.
S. 111 und wohl auch Fick BB. XVI 281. XVIII 139. Nur G.
Meyer verhält sich etwas ablehnend Gr. Gr.[2] S. 463. Seitdem
aber Kögel PBrB. XVI 512 got. *afaikan* 'negare' mit ahd.
eihhan eihhôn 'vindicare' *gaeichhôn* 'addicere' zusammengestellt und im Gegensatz zu einer von Bezzenberger ZZ.
V 229 f., Gött. Gel. Anz. 1875 S. 1343 f. und Osthoff PBrB.
XIII. 395 f. vorgetragenen Etymologie für das Germ. eine
Wurzel *aik-* 'sagen' wahrscheinlich gemacht hat, könnte man
versucht sein, dem gr. εἰπεῖν auch von anderer Seite her beizukommen. Führt man nämlich dieses germ. *aik-* auf eine
idg. Wurzel *eig- oig-* zurück, so kann in gr. εἰπ- die bei der
bekannten Doppelheit des Wurzelauslauts für das idg. leicht
vorauszusetzende Nebenform der Wurzel *eig-*, nämlich *eiq-*, vor-

liegen. Das Paradigma von gr. εἶπον wäre also durch eine
Vermischung von Formen der Wurzeln ‌ueq- und eiq- entstanden.

Mit der erwähnten Wurzel idg. *eiq- oiq- (eig- oig-)* germ.
aik- lässt sich übrigens in der Weise Perssons Wurzelerweiterung
S. 218 ff. 227 ff. und Pedersens Idg. Forsch. II 325 auch
ahd. *jehan* 'sagen' vereinigen, wenn man als ursprüngliche
Wurzelform zweisilbiges *eieq- (eieg)-* voraussetzt, das je nach
der Betonung einmal *eiq- (eig-)* aus *ei(e)q-*, das andere mal
ieq-, aus *(e)ieq-*, ergab. Auch lat. *praeco* 'Herold', das Corssen
Ausspr. I² 316 (vgl. auch Savelsberg KZ. XXI 148) aus *prae-
coco* hergeleitet hat und das Pott BB. VIII 90 weniger gut mit
lat. *cieo citare* zusammenbringen möchte, darf man hierherziehen, wenn man es entweder aus *prai-ieq-ō prae-iicó* oder
aus *prai-iq-ō prae-ic-ō* entstanden sein lässt. Setzte man aber
nach dem Vorgange Pedersens Idg. Forsch. II 318 ff. als idg.
Wurzelform gar *eineq- (eineg-)* an, so könnte man auch lat.
inquam inquit als zu der vorliegenden Sippe gehörig betrachten. Überhaupt könnte ja *inquit* sich zu εἰπεῖν verhalten
wie *-linquit* zu λείπειν.

13. ai. *mahilá* für 'Frau, Weib' got. *mawilo* 'Mädchen'.

Es scheint noch nicht darauf hingewiesen worden zu
sein, dass got. *mawilo* 'Mädchen' ags. *méowle* an. *meyla* seine
ganz genaue Entsprechung hat in ind. *mahilá* 'Frau, Weib',
neben dem auch *mahilá* F., *mahela* F. vorkommen.

14. ai. *rakṣ-* 'hüten' lit. *sérgmi* 'hüten'.

Man ist versucht, wenn man die bedeutungsgleichen
Sippen von ai. *rakṣ* 'hüten' (*rakṣati* 'behüten', *rakṣa-*, *rak-
ṣaka-* und *rakṣana-* 'Hüter') und von balt. *serg-sarg-* (lit.
sérgmi sérgiu 'hüten', *sarga* 'Wache', *sargús* 'wachsam'
preuss. *but-sargs* 'Haushalt', *absergisnan* Akk. 'Schutz') neben
einander sieht, zwischen beiden einen alten etymologischen
Zusammenhang zu vermuten. Ein solcher Zusammenhang liesse
sich unter folgenden Annahmen denken:

1) Wenn das *a* in ai. *rakṣa-* idg. *e* oder *o* wiedergiebt,
rakṣa- also etwa idg. *reg-so-* fortsetzt (Collitz BB. XVIII 205. 220),
so liegt, da balt. *serg-* einfach auf idg. *serg-* zurückgeht, in

diesen Wörtern dieselbe Wurzeldoppelheit (*s*)*reg-* und *serg-* vor,
wie sie auch sonst häufig ist, z. B. bei ahd. *berstan* und
brestan, ahd. *skrevōn* und lit. *kerpù* (Persson Wurzelerweiterung
S. 97 ff., wo sich aber die meisten Beispiele auch anders
deuten lassen).

2) Wenn ai. *ra-* in *rakṣ-* etwa im Sinne Bartholomaes
BB. XVII 105 ff. oder Osthoff's MU. V Vorw. V idg. *rə* wieder-
gäbe, so hätten wir für unsere Wortgruppe den Ablaut *(s)reg-*
serg- anzusetzen. Es wäre dann die Entwicklung *sreg-* zu
rəg- lautgeschichtlich deshalb merkwürdig, weil sie zeigte,
dass die idg. Doppelformen mit oder ohne *s* — mindestens
teilweise — erst nach der Entstehung der Tiefstufe, oder
genau genommen nach der Entwicklung der sonantischen
Liquida aufgekommen wären. Fick verbindet übrigens in
seinem Wb.[4] 562 mit lit. *sérgmi* nicht gerade sehr überzeugend
gr. ἑρχατάω 'sperre ein, hege ein' und Prellwitz schliesst sich
ihm in seinem Etym. Wb. an. Das würde nach dem unter
1) erwähnten aber die Verwandtschaft mit ai. *rakṣ-* nicht
ausschliessen; nur müsste man dann als idg. Wurzelformen
sergh- und *sregh-* ansetzen. Lat. *servare*, das Bezzenberger
mit Recht mit lit. *sergéti* verglichen hat (BB. XII 162, anders,
aber kaum richtig Collitz BB. XVIII 210 und J. Darmesteter
M. soc. d. ling. II 309 ff.), steht dem ja nicht entgegen.

Früher hatte Fick in seinem Wb.[3] II 672 f. noch abg.
strażь 'Hüter', *straża* 'Hut', *strégą* 'bewachen' mit lit. *sérgmi*
zusammengestellt. Wenn auch die abg. Formen für sich allein
betrachtet als Ableitungen einer mit *sreg-* ablautenden idg.
Wurzelform *srōg- srēg-* aufgefasst werden könnten, so macht
doch das offenbar zu diesen abg. Wörtern gehörige russ. *stórożь*
'Wächter' eine solche Auffassung unmöglich, da es allein auf
eine slav. Wurzel *sterg- storg-* weist. Höchstens könnte man
nach dem Muster der Fick-Prellwitzschen Zusammenstellung
lit. *sérgmi* = gr. ἑρχατάω diese slav. Wörter, abg. *strażь*
straża strégą und russ. *stórożь* vergleichen mit gr. cτορχάζω
'einpferchen, (das Vich) in die Hütte treiben'.

15. gr. νότος deutsch '*Süden*'.

Germ. *sunþ-* '*Süden*' in ahd. *sundwint sundarwint* mhd.
sunder nhd. *sundgau* ags. *sûd* as. *sûth*, das Schrader Han-
delsgesch. u. Warenk. 42 A, Sprachvergl.[3] 369 A 'ganz dunkel'

nennt, ist aus germ. *sŋp*- und aus idg. *sŋt*- entstanden. Dieses
sŋt- ist tiefstufige Nebenform zu einem hochstufigen *snot*-, das
iu gr. νότος 'Süden, Südwind' vorliegt. Ob dieses idg. *snot-
sŋt*- ursprünglich die Gegend oder nur den Wind, der aus
dieser Gegend kam, bezeichnete, kann dabei gleichgültig sein.
Nehmen wir aber das Letztere an, so dürfen wir vermuten,
wie auch schon G. Meyer KZ. XXII 488 gethan hat, die eigentliche Bedeutung der Wurzel sei 'feucht' gewesen, und es liesse
sich unser Wort dann mit der germ. Sippe für 'nass' vergleichen, gerade so wie Schrader a. a. O. abg. *jugŋ* 'Süden'
mit ὑγρός zusammenstellt. Nur ginge das germ. *nata*- 'nass'
auf die idg. Nebenform mit stimmhaftem, nicht stimmlosem
Verschlusslaut, auf idg. *nod*-, zurück. νότος ist unter den Umständen auch nicht von νοτίς νοτερός zu trennen, wie Bury
will BB. XVIII 295. Übrigens hat, wie ich nachträglich sehe,
gr. νότος und germ. *sunp*- schon Savelsberg KZ. XVI 58 zusammengestellt, freilich nur aufs Geratewohl und ohne eine
Begründung.

16. Deutsch 'Strang' ai. *raśmi*- 'Strang'.

Die germ. Wörter für 'Strang' (ahd. *strang* mhd. *stranc*
ags. *streng* engl. *string* an. *strengr*), die man gewöhnlich zu
gr. στραγγάλη 'Strick' lat. *stringere* 'straff anziehen' zieht
(Curtius Grdz.⁵ 380 f., Kluge Et.Wb. Petr BB. XVIII 284), während
Kluge Et. Wb. auch noch eine Substantivierung des Adjektivs
'*streng*' darin meint sehen zu können, können auch über urgerm.
*strangi- aus **srongi*- auf idg. **sronc*- zurückgehen. Dann
fände sich für sie eine unmittelbare Anknüpfung im Ai. und
im Keltischen. Im Ai. giebt es eine Reihe von Wörtern, die
alle 'Strick, Strang, Zügel, Riemen' bedeuten und *raś*- als Wurzel
enthalten: *raśmi*- 'Strang, Riemen, Leitseil', *raśand* F. 'Strick,
Riemen, Zügel', *raśmán*- M. gleichbedeutend mit *raśmi*-. Natürlich geht dieses *raś*- auf idg. *rnc*- zurück und stellt die
s-lose Nebenform zu dem in den germ. Wörtern vorhandenen
idg. *sronc*- vor. Aus dem Keltischen aber ist hierherzuziehen
ir. *sreang* 'Strang'.

17. gr. στύπος 'Stengel' deutsch '*Stoppel*'.

Nhd. (niederd.) *stoppel*, mhd. *stupfel*, ahd. *stupfila* ist
Deminutivum eines germ. **stuppō*, das selbst aus idg. **stup-na*

entstanden ist (Bezzenberger Gött. Gel. Anz. 1876 S. 1374,
Osthoff PBrB. VIII 299, Kauffmann PBrB. XII 511, Kluge PBrB.
IX 157 ff., Pauls Grdr. I 336). Im Griechischen entspricht
genau τό ϲτύποϲ 'Stock, Stengel, Stiel'.

18. Lat. *sentis* 'Dornstrauch' ai. *atasá-* 'Gestrüpp'.

Lat. *sentis* 'Dornstrauch' lässt sich auf idg. **sn̥tis* zurückführen. Nimmt man als Hochstufe der darin enthaltenen
schwachen Wurzelform **sn̥t-* ein idg. *snet- snot-* an, so könnte
dieses wieder eine *s*-lose Form *net- not-* neben sich haben.
Die Tiefstufe zu diesem idg. *net- not-*, idg. *n̥t-*, kann also *at-*
in ai. *atasá-* 'Gebüsch, Gestrüpp', also eigentlich 'Dorngestrüpp,
Dorngebüsch' vorliegen. Aus dem Griech. ist mit Schrader
KZ. XXX 462 f. αἶμ-αϲια heranzuziehen.

19. gr. φαλλόϲ 'penis' ai. *phala* 'Pflugschar'.

Gr. φαλλόϲ 'penis' wird gewöhnlich auf eine mit *bh*-
anlautende Wurzel zurückgeführt und mit Wörtern wie lit.
bulis 'Hinterbacken' lat. *follis* 'Blasebalg' nhd. *bulle* 'Tier
mit einem φάλλοϲ' verglichen. Vgl. Bezzenberger BB. XIX 248
W. Schulze KZ. XXIX 263, Johansson PBrB. XV 225 ff., Persson
Wurzelerw. 16. 27. 36. 200 A. 2, Idg. Forsch. II 24, Prellwitz
Et. Wb. Nun könnte aber gr. φ auch Fortsetzung eines idg. *ph*
sein, wie Hoffmann noch neulich (BB. XVIII 154 ff.) näher ausgeführt hat. Dann liesse sich vergleichen ai. *phála* M. N.
'Pflugschar' *phála* N. 'Pflugschar, Pfeilspitze, Klinge'. In der
ältesten Zeit bestand ja die Pflugschar aus einem grossen
dornartigen Stück Holz oder Metall. Die diesen Wörtern zu
Grunde liegende Wurzel *phel-* bedeutete wohl ursprünglich
'spalten' und liegt mit dem Wurzeldeterminativ *t* auch in der
weitverbreiteten Sippe *sphelt* vor, die 'spalten' bedeutet.
(Persson Wurzelerw. 33.)

20. Ahd. *dûhjan* 'premere' (ags. *dŷn*).

Im Ahd. findet sich in vielen Belegen ein Verbum *dûhjan*
in der Bedeutung 'drücken, zusammendrücken, niederdrücken'.
Vgl. bei Graff V 117 f.: *dûhjan* 'premere, confercire', *gidûhjan*
'comprimere', *zesamene gedûhit* 'compactus', *nidardûhjan*
'prosternere', *fardûhjan* 'opprimere, exprimere, subigere'. Mhd.
lautet es *diuhen*, nhd. in Dialekten z. B. dem bairischen,

dasen (Schmeller II 494 Grimm II 1037) und auch hier bezeichnet es immer ein 'Drücken'. Trotz der mhd. Schreibung *tuhen* muss das Wort entsprechend der ags. Form auf urgerm. *þuh-* zurückgehen, weil bei Isidor, bei dem der anlautenden Spirant stets als *dh* erscheint (Braune Ahd. Gr.[1] S. 132 § 167 A 4), *chidhuhit* überliefert ist. Dies germ. *þuh-* kann aus idg. *tuk-* oder *tukh-* entstanden sein, und je nachdem wir uns für die eine oder die andere Möglichkeit entscheiden, können wir verschiedene aussergermanische Wörter und Wortfamilien zum Vergleich heranziehen. Nehmen wir idg. *tuk-* als ursprüngliche Wurzel unseres germ. Verbums an, so kann bei dem bekannten Schwanken zwischen auslautender Media und Tennis gr. ἀτύζω 'erschrecken' aus *ἀ-tug-jò (mit ἀ aus hochstufigem gr. ἐν- oder ai. *sam-*) verwandt sein mit allem, was man schon dazu gestellt hat: ai. *tuñjáti* 'schlagen, stossen, verletzen' pass. 'aufgebracht sein' (Sonne KZ. XII 297), lit. *túžiu* 'ängstigen, bange machen' (Froehde BB. X 301). Geht aber germ. *þuh-* auf idg. *tuqh-* zurück, so lässt sich gr. στύφω 'zusammenziehen (comprimere), dicht machen' vergleichen. und στυφρός ist dann genau ahd. 'zesamene gedāhet'. Sollte übrigens ahd. *dāhjan* vielleicht urgerm. *þunh-* voraussetzen, so wäre an gr. στέμβω 'erschüttere' got. *stigqa* 'stosse' lat *stinguo* (v. Sabler KZ. XXXI 282), vielleicht auch an abg. *tǫga* 'afflictio, anxietas' anzuknüpfen., Zweifelhaft ist, ob nhd. 'Tücke' mhd. *duck* (und *tuck*), die Froehde BB. X 300 zu lit. *daužiù* 'schlagen, stossen' gezogen hat, nicht vielleicht auch zu unserm *dāhjan* gehören. Sonst vgl. Kluge Et. Wb.[5] 422a.

21. ahd. *cholbo* 'Kolben' air. *gulpan* 'aculeum'.

Dass für germ. *kulben-* 'Kolben' als eigentliche Bedeutung 'Stock mit dickem Ende' vorauszusetzen sei, wie Kluge Et. Wb. unter Kolben meint, ist. in der Allgemeinheit ausgesprochen, wohl nicht richtig. Denn es findet sich eine Reihe von Hinweisen darauf, dass *kulben-* auch 'einen Stock mit s p i t z e m Ende' bezeichnete. Einmal giebt Kluge ja selbst für isl. *kólfr* die Bedeutung 'Wurfspeer, Pfeil' an, die nach den Belegen, die Grimm D. Wb. V 1602 verzeichnet, auch im Alt- und Neuschwedischen anzutreffen ist. Sodann kommen mindestens ebenso wichtige Zeugnisse aus dem Deutschen in Betracht. So ist ahd. *cholbo* (Graff IV 393) nicht nur Über-

setzung von lat. 'clava', sondern es gibt auch .lat. 'contus'
wieder und zwar in recht alten Quellen, und für das spätere
Deutsche stellen verschiedene Belege, die Grimm a. a. O. 1602 c
verzeichnet, diese Doppelheit der Bedeutung des Wortes auch
sicher, so dass schon Grimm selbst (a. a. o. 1604 h) die Frage
aufwerfen konnte, 'ob auch Kolben vorkommen konnten ohne
das kolbige Ende, das ihnen den Namen gab'. Bejahen wir
diese Frage, so dürfen wir Kolben in der Bedeutung 'Kolben
mit spitzem Ende' mit einigen keltischen Wörtern vergleichen,
die Schuchardt Gröbers Zs. IV 125 zusammenstellt: air. *gulpan*
'aculeum' akymr. *gilbin* 'acumine' (Stokes Kuhns u. Schleichers Beitr. IV 407), *gilb* 'foratorium'.

Heidelberg.   L u d w i g   S ü t t e r l i n.

Mist und die Wurzel *migh.*

—

Schon Ettmüller, und vielleicht ein Anderer vor ihm, hat
ae. *mist* 'Nebel' mit ae. *miʒan* 'harnen' zusammengebracht.
und in neuerer Zeit sind Kluge (PBrB. IX 195, Etym. Wtb.),
Franck (Etym. Wdb.) u. a. ihm darin gefolgt. Man geht dabei
aus von einer Wurzel *migh*, welche neben 'harnen' auch 'sich
ergiessen, tröpfeln' bedeute und eine stattliche Schar von Ableitungen besitze. Wenn auch die zuerstgenannte Annahme
nicht mit Sicherheit verwerflich ist, so geht man doch in dem
Falle von einer falschen Bedeutung aus, wie ich im Folgenden
zu begründen hoffe. Die Wurzel *migh*, wie man sie uns vorstellt, hat einen viel zu ausgedehnten Abhängigkeitskreis, und
wir werden versuchen ihr einen Teil des Gebietes zu entziehen. Zum Schluss kommen wir auf das Nomen *mist* 'Nebel' und sein Verhältnis zu *mist* 'Dünger' zurück.

Es sind zwei grundsätzlich verschiedene, sich weder lautlich noch begrifflich deckende Wurzeln zusammengewürfelt worden: es gab eine Wurzel *migh* und eine Wurzel *migh*. Wenn
auch die lautliche Gestalt des Wortes ὀμίχλη 'Wolke' (Homer) uns bestechen könnte es zu griech. ὀμιχεῖν 'harnen' zu
ziehen, so lassen sich gegen diese Verwandtschaft aus dem
Avestischen, Armenischen und Baltischen, z. T. auch aus an-

dern Sprachgruppen, gültige Beschwerden erheben. Wir wollen zunächst sehen wie es stehe mit der Wurzel *miǵh*, und fangen an mit den Belegen aus den lautlich durchsichtigsten Sprachen.

1. Avestisch: **maęzaiti* 'harnt, düngt', *maęza-* Ntr., *maęsman* Ntr. 'Harn'. Av. *z,* resp. *s* vor *m* = idg. *ǵh.*

2. Armenisch: *mizem* 'harne', *mêz* (Gen. *mizi mizoy*) 'Harn'. Arm. *z* = idg. *ǵh.*

3. Baltisch: lit. *męžiù, mįszti* 'harne', *mįžalaĩ* M. Plur. 'Harn', und mit verwandten Bedeutungen: *mìžia mìžė, mìžius, mìžnius, mįžĕklis;* lett. *mizt* 'harnen', iterativ *mèznât, mizals* 'Urin'; und auch: lit. *mẽžiu, mẽszti* 'dünge', *mẽžinys* 'Misthaufen', *mẽžlai* Plur. 'Dünger' (alle bei Donaleitis; *ė* statt *ei*?), und *mẽziu, mẽszti, mẽžinys, mẽszlai* (Kurschat), mit noch andern Ableitungen. Lit. *ž* = lett. *z* = idg. *ǵh.*

4. Altindisch: *mĕhati* 'harnt', Partiz. *mīḍha-,* als Subst. (Ntr.?) *mīḍka-* 'Kot', *mĕha-s* 'Harn', und mit verwandten Bedeutungen: *mĕhana-s, *mĕhin* Adj., *mĕḍhra-* Ntr. M., *mẽṇḍhra-s, mīḍhvás̃* Adj. 'gut befruchtend'[1]), wohl auch *mĕhána* Adv. 'reichlich' (vgl. mndl. *pisselinghe* 'in Strömen'). Die Entscheidung giebt hier das *ḍh* (aus *ǵh-t*) einiger Formen, die Bedeutung anderer. *h* könnte an sich teilweise idg. *gh* sein.

5. Griechisch: ὀμιχεῖν (ὀμίχειν) 'harnen', ὄμιχμα 'Harn', μοιχός 'Ehebrecher', mit vielen Ableitungen, wie μοιχᾶν, μοιχεύειν, μοιχάς u. ä. (daher lat. *moechus, moechári* etc.). Gr. χ kann idg. *ǵh* sein.

6. Lateinisch: *mingĕre* 'harnen' (neben *mẽjĕre* Brugmann Grundr. I § 510), wozu *mictus* usw. Lat. *g* ist zweideutig.

7. Slavisch. Hierher wohl slov. *mzĕti, mzi* 'sprudeln', *mezine* 'Morast' (Miklosich). Auffällig ist serb. *mìžam, mìžati* 'harne', wozu *mijež* 'Harn', von Miklosich Etym. Wtb. wohl richtig aus **mĕz-jь* erklärt. In der 1. Sing. Präs. war das *ž* einmal lautgesetzlich: altb. **mižǫ* (aus **miz-jǫ*), Inf. **mizĕti;* von da her könnte es verallgemeinert sein, wozu auch *mijež* beigetragen haben mag. Wegen des *a* in der Endung vgl. serb. *visjati,* altb. *visĕti;* serb. *vidjati (vidjeti),* altb. *vidĕti.*

---

1) Wenn dieses nicht wie das gleichlautende Wort für 'spendend' zu *mīḍhá-m,* gr. μισθό-ς gehört.

8. Germanisch (der Bedeutung nach): aisl. an. *miga*, ae. *miʒan*, mndl. mndd. *migen*, nwfries. *mige* st. Vb. 'harnen', ae. *micʒa, micʒe* swMF., *miʒoʊ* stM. 'Harn', mndl. mndd. *mige* 'Harn', und auch got. *maihstus*, aus *mihstus (*mikstus*, *miĝh-s-tu-s)*, ahd. mndd. *mist*, mndl. *mest, mist* M. 'Kot, Dünger', (woher ahd. *mistunnea, mistina* F. 'Misthaufen'), sowie ae. *miox meox* Ntr., mndi. (fläm.), mndd. *mes* 'Kot, Dünger', sateri. wanger. *miux*, nwfries. *mjox* (woher ae. *mixen* F., mndl. *messine* 'Misthaufen', Kiliaen *messingh, messie* 'fimetum'). Zur Bedeutung vgl. das avestische Vb., die lit. Wörter und skr. *miḍha-* (aus *miĝh-to-*) 'Kot'. Germ. *g* kann = idg. *ĝh* sein.

Sämtliche angeführte Wörter erlauben, resp. fordern **also** den Ansatz *miĝh*. Das im Rgveda zweimal belegte *niméghana-* Adj. 'sich übergiessend, sich berauschend' liegt lautlich wie begrifflich fern. Zu der Wz. *miĝh* gehören als Hauptrepräsentanten ein Verbum mit der Wurzelsilbe *miĝh*, Präs. *minĝh-* mit der Bedeutung 'harnen' und die Nomina *meiĝh-o-* 'Harn' und *migh-to-* 'Kot'.

Jetzt die Wurzel *migh*. Hier können wir das Altindische an die Spitze stellen und ist uns auch das Slavische ein treuer Verbündeter.

1. Altindisch: *méghá-s* 'Wolke', *máigha-* Adj. 'von der Wolke stammend'. Zweifelhaft der Form wegen ist *mih* 'Nebel, Dunst, wässriger Niederschlag'; der Bedeutung wegen möchte ich es hierherstellen. *mihira-s* M. 'Wolke' ist Lehnwort (Brugmann Grundriss II 1430). Aind. *gh* = idg. *gh*; *h* unentschieden.

2. Avestisch: *maęgha* 'Wolke'. Av. *gh* = idg. *gh*.

3. Armenisch: *mēg* (Gen. *migi*) 'Nebel'. Arm. *g* = idg. *gh*.

4. Griechisch: ὀμίχλη (Homer) 'Wolke, Nebel' att. ὀμίχλη (Brugmann a. a. O. I 472), also ohne Labialisierung, wie z. B. λέχος 'Bett' zu *legh* (abulg. *lęgą* 'lege mich', *ložе* 'Lager'). Das χ könnte auch *ĝh* sein, die Bedeutung jedoch erheischt *gh*.

5. Albanesisch: *mjégulε* 'Nebel'. Alb. *g* = idg. *gh*.

6. Baltisch: lit. *miglà, miglià, myglà, myglė* 'Nebel', *migliúja* 'es nebelt', *mygliútas, myglétas* 'nebelig'; lett. *migla* 'Nebel', *miglát* 'nebeln'. Balt. *g* = idg. *gh*.

7. Slavisch: altb. *mъgla*, nbulg. *mъgla*, serb. *magla*, slov. *megla*, klruss. *mhla (imla)* 'Nebel', grossr. **mgla**

'Nebel, trockner Rauch', poln. *mgla*, polab. *màgla*, obsorb.
mhla, čech. *mhla (mlha)* 'Nebel', ferner serb. *maglen* 'neblig',
grossr. (dial.) *mga* 'Staubregen, Schneegestöber, kalter feuch-
ter Nebel', *mglit* 'es nebelt', weissr. *myhlica* 'Nebel', poln.
mglić się 'nebelig sein', *migoc* 'Tauwetter', obsorb. *mihel*
'Nebel', *miholić* 'nieseln', čech. *mha* 'Nebel', *mhleti mhliti*
'nebelig werden, schwach regnen', *meholiti* 'nieseln', *mhlodéj*
'Betrüger, Obskurant', usw.; mit *ż* aus *g* vor folgendem *i, é, j*:
grossr. *mżit'* 'staubregnen, nebeln', *mżica mżička = mga*,
klruss. *mżity, mżaty (imżaty)* 'fein regnen', *mża* 'düsteres
Wetter' (slov. *miżavo vréme*), poln. *mżeć* 'fein rieseln' (vom
Regen), obersorb. *miżolić = miholić* (das *ż* von einem andern
Worte, wie aus dem folgenden *o* hervorgeht), čech. *mżiti
mżeti* 'Nebel fallen, schwach regnen', *mże* M. 'Siefern'.

8. Germanisch (der Bedeutung nach): ndl. *miggelen*
'staubregnen'.

Die Hauptableitungen der Wurzel *migh* sind nach dem
Obigen die Nomina **meigh-o-s* 'Wolke' und **mĭgh-là, *migh-lo-s*
'Wolke, Nebel'. Die Verba sind hier jünger, wie ihre geringe
Verbreitung beweist. Dass der Begriff des Feuchten, Nässigen
ursprünglich nicht im Vordergrund zu stehen brauchte, geht
hervor aus dem Arischen und dem Griechischen, aus letzterem
indem Homer N 336 von einer 'Staubwolke', κονίης . . ὀμίχλην,
spricht. Vgl. slav. **tumanъ*, im Russ. 'Nebel', im Poln. 'Staubwolke'. Die Bedeutung 'siefern, staubregnen', welche namentlich dem slav. Vb. **mъżiti* zukommt, ist sekundär. So zeigt es
sich, dass nicht nur die Lautform, sondern auch der Sinn der
beiden Wurzeln verschieden ist, so dass nicht etwa die eine
aus der andern hervorgegangen sein kann.

Können wir jetzt, nachdem wir für Wz. *miĝh* die Bedeutung 'harnen' vindiziert haben, auch den Sinn der Wz.
miĝh feststellen? Ich glaube, ja, und ziehe eine Reihe von
baltoslavischen Wörtern heran, welche die Bedeutung 'die
Augen schliessen, winken, schlafen' haben. Als gemeinschaftliche Urbedeutung vermute ich 'dunkel sein, im Dunkeln sein',
aus welcher sich sowohl die Bedeutung 'Wolke, Nebel' als
'die (der) Dunkle', wie diejenige 'die Augen schliessen' erklären lässt. Eine Parallele wird sich auch ergeben. Bloss die
prägnantesten Formen seien hier aufgeführt; für die übrigen

s. Miklosich a. a. O., wo allerdings auch manches nicht hier-
hergehörige mitgenommen ist.

1. Baltisch: lit. *-mingù*, *-mĩkti*, z. B. *užmingù* 'schlafe
völlig ein', *įmigis* M. 'tiefer Schlaf', *mẽgas* 'Schlaf', *mẽgù*
(*mẽgmi*), *mẽgóti* 'schlafen', *maigūnas* 'Schlafbank'; lett. *mẽgu*
'Schlaf', Vb. *aizmigt*. Die Bedeutung 'schlafen, schläfrig sein'
hat sich aus der älteren, im Slavischen vorherrschenden, 'die
Augen schliessen', entwickelt.

2. Slavisch: altb. *mьgnǫti*, *mьžati* 'blinzeln', *sьmѣžiti* (*oči*),
iterativ *mizati*, *mьgnovenije*, *okomigъ* 'Augenblick', nbulg.
smьgna Vb., *v mig*, *smѣža oči* Vb., serb. *magnuti* 'winken,
nicken', *namigivati*, *namigujem* 'zuwinken', slov. *megnoti*,
megetati 'blinzeln', *zamignoti* 'einschlafen', *migljenka* 'Flitter',
mižkut 'Fledermaus' (entweder weil sie am Tage schläft, im
Dunkeln fliegt, oder vom Flattern), klruss. *myhaty*, *myhnuty*
'blinzeln, flimmern' grossr. *migdt'*, *mignut'*, *migivat'*, *mgnut'*
'blinzeln, zuwinken', *mža* 'Schläfrigkeit, Schlummer', *mžat'*,
mžit' 'schlummern', *mig*, *mgnovén'e* 'Wink, Augenblick', weissr.
mžic' 'blinzeln', poln. *mgnąć* 'zucken', *migać* 'mit den Augen
winken, schimmern', *mig*, *migot* M. 'Flimmer', *mžeć* 'die
Augen schliessen, schlummern', *mžyć* 'träumen, schlummern',
mžyk 'Blindekuhspiel', polab. *mḑgojė* 'blinzelt', čech. *pomžíti*
'die Augen halb zumachen', *okamžení* 'Augenblick', *mihati*
'blinzeln, winken, flimmern', *mihot* M., *mihota* F. 'Flimmern',
mžik, *mžítek* 'Versteckspiel', *mžik* 'Augenblick', usw.

An sich wäre die Annahme nicht geboten, dass diese
Wörter ebenfalls zur Wz. *migh* gehörten, denn baltoslav. *g*
kann auch = idg. *g* sein; eine schlagende Parallele jedoch
macht dieselbe wahrscheinlich. Ich meine die Wz. *merq*,
welche nach Ausweis von aind. *marká-s* 'Verfinsterung (der
Sonne)' ursprünglich gleichfalls 'dunkel sein' heisst und im
Baltoslavischen ziemlich alle Bedeutungen mitaufweist, welche
wir bei der Wz. *migh* vorgefunden haben. Einiges sei
herausgegriffen.

1. Baltisch: lit. *mérkiu*, *mérkti* 'schliesse die Augen,
winke', *primérkti akìs* 'die Augen etwas schliessen zum
kurzen Schlaf', *mirkczioju* 'blinzle', *mirklỹs* 'Blinzler', *mirksaũ*
'sitze mit halb offenen Augen da', *mirksnis* 'Blick, Wink',
užmarka MF. 'wer mit halbgeschlossenen Augen etwas ansieht'; lett. *acumirklis* 'Augenblick'.

2. **Slavisch**: alth. *mrъknąti*, *mrъcati* 'dunkel werden', *mrakъ* 'Dunkelheit', serb. *mrk* 'schwarz', slov. *pomračnik*, *mrakulj* 'Fledermaus', klruss. *pomerk* 'Dunkelheit', *merčyt* 'es fällt Staubregen', *morok* 'dunkler Nebel', *mreč* 'Nebel', *zmrôk* 'Dämmerung', grossr. *morók* 'Dunkelheit, feiner Betrug', *moróćit'* 'betrügen', *meréščitъa* 'flimmern, dunkeln', obersorb. *mročel* 'Wolke', Vb. *mročić'*. čech. *mrk* 'Augenblinzeln, Wink', *pomraček* 'kleine, trübe Wolke', *pomrknu* 'werde dunkel', *pomrdkati* 'sich wölken', *pomrktati* 'leuchten', *soumrak* 'Dämmerung', *mrkati*, *mrknouti* 'blinzeln, nicken, schlummern', *mrkd se*, *mrkne* 'es wird dunkel', slovak. *mrk* 'Wolke'.

3. **Altindisch**: *markd-s* 'Verfinsterung (der Sonne)'.

Durch diese Übereinstimmung gewinnt unsere Annahme, dass die Wörter für 'blinzeln' usw. mit denen für 'Wolke' usw. zu vereinigen seien, an Wahrscheinlichkeit. Also: *migh* = 'harnen'; *migh* = 'dunkel sein'.

Kehren wir jetzt zurück zu gemeingerm. **mista-* 'Nebel' (an. aisl. *mistr* Ntr. 'trübes Wetter, neblichte Luft', ae. *mist* M., mndl. mndd. *mist* M. 'Nebel, Staubregen', ae. *mistian*, usw. Weder vom lautlichen, noch vom begrifflichen Standpunkte ist gegen die Ableitung des Wortes aus der Wz. *migh* viel einzuwenden; nur ist nach dem oben Erörterten **mihstu-* 'Dünger' fernzuhalten. Über das neuentstandene *st*-Suffix s. Kluge, PBrB. IX, 195 f. *st* für *hst* ist im Anord. und Ae. möglich, wie aus an. *lǫstr* 'Fehler' zu got. *lahan*, ae. *fȳst* zu gr. πύξ, *ъcaestm* (C. Past.) zu *weaxan*, *daerste* 'Hefe', nach Kluge wohl zu an. *dregg* 'Hefe' hervorgeht. In ae. *mist* müsste dann das *h* fortgefallen sein, bevor die Brechung des *i* eingetreten war, was möglich ist. Auch begrifflich passt die Etymologie recht gut. Dennoch möchte ich eine andere Möglichkeit in Betracht gezogen haben, nl. die Ableitung aus der Wz. *mis*, also **misto-* aus **mis-to*. Jenes *mis* begegnet in ndl. (fläm.) *mijzelen*, *mizelen* 'staubregnen', *misregen* 'stiller Regen', Kiliaen *mieselen* (wegen des *ie* vgl. die von demselben angeführte Form *miest*, d. h. **mist*, junge Dehnung für *mist*) = *misten*, Plantijn *mieselen* 'plouviner', ndd. *mis* oder *misig wêr* 'feuchtes, nebliges, trübes Wetter', *miseln* 'fein regnen', *miseken* dass. (Koolman), aofrs. *mese* (=**misa* 'Harn'), ndl. *miezerig weer* 'regnichtes Wetter' (mit Anklang an frz. *misère*). Man könnte an-

knüpfen an skr. *méṣati* 'besprengen, befeuchten', das im Dhâtupâṭha genannt wird und Bestätigung erlangt durch skr. *mêṣá-s*
'Widder' (eigentlich 'der Befruchter', vgl. wegen der Bedeutung
skr. *médhra-s 'Widder', gr. μοιχός). Ist diese Gleichung
richtig, so wäre wirklich *mis-ta-s 'der Gesprengte, Ergossene,
Feuchte' woraus sich, umgekehrt als bei der Sippe von *migh*,
die Bedeutung 'Staubregen, Nebel, dunkler Flor' entwickelt
hätte. Dass die ndl. ndd. Wörter kein *h* verloren haben, geht
hervor aus dem *z* im Ndl.: *hs* wird *ss*, resp. scharfes *s*, z. B.
wiesen 'wuchsen'. Auch aofrs. *mese* (wegen des *e* s. v.
Helten Aofrs. Gr. § 10, α) kann kein *h* eingebüsst haben
(ebenda § 148, β).

Noch eine auffällige Form harrt der Besprechung, nl.
ae. *meox*, nofrs. *miux*, mofrs. *mjox* 'Dünger, resp. Harn'.
Zwar heisst es got. *maihstus*, hd. *mist*, ndl. ndd. *mist*, aber
daneben begegnet im Mndl. Mndd. eine Form ohne t, während
im Altenglischen und Friesischen nur letztere bekannt ist.
Einen Fingerzeig für die Erklärung der *t*-losen Form gewährt
ihr Geschlecht, welches auch die so schon wenig glaubliche
Annahme einer Apokope des *t* abweist. Ae. *meox* ist sächlich
(*dæt meox* Toller s. v.), daher wohl eine -*s*-Bildung wie got.
ahs, weihs, fahs, ae. *feax*, also *meox* aus **mihs-*, **migh-s-*.
Wegen des -*s* von mndl. *mes* (aus *mess, *mihs) vgl. ahd.
lëfs 'Lippe'. Got. *maihstus* (hd. *mist*) könnte dann eine
Mischform sein aus jenem **mihs-* und einer *t*-Bildung, wie sie
im aind. *mídha-* vorliegt, nur mit Suffix -*tu-*, statt -*to-*, also
**mihtu-*. Auffällig ist in **mihs-* nur das kurze *i*, wofür man *i*
(aus *ej*) erwartet.

Leiden.   J. II. Kern.

Arisches und Armenisches.

---

1) Arm. *akn* Auge.

In meiner armen. Etymologie habe ich die Wörter *akn*
Auge und *ačk* Augen, obwohl sie etymologisch zusammengehören, von einander getrennt; mit Unrecht, da sie sich auch
grammatisch zu einem Paradigma vereinigen. Dies Paradigma
ist nach den vier Evangelien das folgende:

Singular:	Plural:
Nom. *akn* Mt. 5, 29; 6, 22; 18, 9; 20, 15; Mc. 9, 46; Luc. 11, 34;	Nom. *ačk* Mt. 9, 30; 20, 23; Mc. 8, 18; 14, 40; Luc. 2, 30; 4, 20; 18, 41; 24, 16; Joh. 9, 10;
Akk. unbestimmt *akn* Mt. 24, 44, 50; Mc. 15, 43; Luc. 7, 19;	Akk. unbest. *ačs* Mt. 9, 29; 19, 9; 20, 34; Mc. 8, 23; 9, 46; 12, 11; Joh. 7, 24;
Akk. bestimmt *z akn*;	Akk. best. *z ačs* Mt. 13, 15; 17, 8; Luc. 6, 20; 16, 23; 18, 13; Joh. 6, 5; 9, 11, 14, 17, 32; 11, 41; 12, 40; 17, 1;
Gen. | *akan* Mt. 5, 38; 7, 3, 4; Dat. / Luc. 6, 41;	Gen. | *ačač* Mt. 13, 16; Mc. 8, Dat. / 25; Joh. 9, 6, 15;
Abl. *y akanē* Mt. 7, 4; Luc. 6, 42;	Abl. *y ačač*;
Instr. *akamb* Mc. 9, 46;	Instr. *ačauk* Mt. 13, 15; Joh. 12, 40;

d. b. der Stamm *akn* wird nur im Singular, der Stamm *ač-* nur im Plural gebraucht. Und wie in den Evangelien, so ist es im Altarmenischen überhaupt: der Stamm *ač-* findet sich nie im Singular, der Stamm *ak-n* nie im Plural, und die von den Wörterbüchern angeführten Pluralformen *akunk, akanç* kommen, wie die Wörterbücher ausdrücklich sagen, nicht bei guten, d. h. alten Autoren vor. Allerdings findet sich auch ein altarmenischer Plur. *akank*, aber in der Bedeutung Edelsteine, und ein Pl. *akunk*, aber in der Bedeutung Quellen (z. B. Faustus v. Byzanz, Vened. 1832, S. 272, Z. 9 v. u.), gehört also nicht unmittelbar zu *akn* Auge.

Diese ursprüngliche Flexion des Wortes *akn* macht einen altertümlichen Eindruck und erinnert, was den Wechsel von *k* und *č* betrifft, an ksl. *oko* neben Gen. *očese*, Pl. *očesa*, Gen. *očesŭ*, Du. *oči*, Gen. *očiyu, očima*, was den Wechsel des nasalierten und des nasallosen Stammes betrifft, an skr. *akṣṇás, akṣábhis* neben *ákṣi*, Du. *akṣí, akṣyós, akṣíbhyam*; *asthnás, asthábhis* neben *ásthi* usw. Als indogermanische Flexion des Wortes für 'Auge' ist nach Joh. Schmidt Pluralb. p. 406 anzusetzen: Nom. Sg. *óki*, Nom. Du. *okī*, Gen. Sg. *oknós* usw. und aus dieser lässt sich die armenische Deklination zwar nicht unmittelbar aber auf naheliegendem Umwege wohl erklären,

so dass arm. *akan* auf idg. *oknós*, arm. *a¢-k* auf idg. *okí*
zurückgeführt werden kann. Jedenfalls ist der arm. Plural
a¢k usw. der Nachfolger nicht eines idg. Plurals, sondern des
idg. Duals *okí* usw.

In anderer Weise als Joh. Schmidt hat Bartholomae den
Wechsel von *n*-Stämmen mit andern Stämmen desselben Paradigmas in BB. XV 25 ff. aufgefasst. Ob er nun Recht hat
oder nicht [1]), auch von seinem Standpunkte aus lässt sich die
Flexion von *akn* leicht erklären: der Dativ Sing. *akan* ist der
armenische Fortsetzer des indogermanischen Lokativs *okén*,
der Nom. Pl. *a¢k* der Fortsetzer des idg. Nom. Du. *okí*, die
übrigen Formen sind Neubildungen nach diesen beiden.

Das indogerm. Paradigma *óki*, *oknós* usw. konnte Joh.
Schmidt auf skr. *ákši*, *akšnás*, got. *augins*, arm. *akn*, ksl.
okno und gr. προcώπαcι (Pluralb. S. 108 und 398) stützen,
wenn auch diese Stützen nicht alle so frisch und fest sind,
wie zu wünschen wäre [2]). Dagegen lässt sich die Flexion von
skr. *ásthi*, *asthnás* usw. nicht als indogermanisch erweisen, da
die verwandten Sprachen keine Spur eines *n*-Stammes zeigen [3]),
und man wird also in diesem wie in den ähnlichen Fällen annehmen müssen, dass die indische Flexion erst auf indischem
Boden entstanden ist. Jedenfalls ist die entsprechende Annahme: nasale Stammerweiterung ursprünglich nasalloser Stämme
auf armenischem Boden für drei armenische Stämme geltend
zu machen, für welche das historische Armenisch kein weiteres
Muster, dem sie hätten folgen können, als *akn* Auge bietet.
Es sind die Stämme *jeŗn* Hand (gr. χείρ), *otn* Fuss (idg.
pod), *duŗn* Thür (gr. θύρα usw.), deren älteste Flexion ich
hier — ohne Belege — folgen lasse:

Singular: Plural:
1) *jeŗn* Hand:

Nom. *jeŗn*	*jeŗk*
Akk. unbest. *jeŗn*	*jeŗs*
„ best. *z jeŗn*	*z jeŗs*

---

1) Vgl. dagegen Pedersen KZ. XXXII 264.

2) Über skr. *akši* = av. *aši* = idg. *okši* vgl. mein Vokalsystem
S. 168 und Collitz BB. XVIII 226.

3) Bis auf gr. όctακός Krebs (KZ. XXXII 390), das aber nicht
schwer in die Wagschale fällt. Zur Litteratur vgl. BB. XVIII 23.

Singular:
Gen. Dat. *jeṛin*
Abl. *i jeṛanē*
Instr. *jeṛamb*

Plural:
jeṛaç
i jeṛaç
jeṛauk.

2) *otn* Fuss:

Nom. *otn*		*otk*
Akk. unbest. *otn*		*ots*
„ best. *z otn*		*z ots*
Gen. Dat. *otin*		*otiç*
Abl. *y otanē*		*y otiç*
Instr. *otamb*		*otivk.*

3) *duṛn* Thür:

Nom. *duṛn*

Akk. unbest. *duṛn*
„ best. *z duṛn*
Gen. Dat. *dran*
Abl. *i dranē*

Instr. *dramb*

durk (θύρα Luc. 11, 7 neben *drunk* πύλαι Mt. 16, 18)

durs
z durs (θύραν Mt. 6, 6)
draç
i draç (ἀπὸ τῆς θύρας Mt. 28. 2)

drauk Joh. 20, 19.

Dass die Nasalierung hier eine junge ist, zeigen auch Komposita wie *jeṛ-a-kert* (zu *jeṛn*), *dr-a-kiç* (aus *duṛ-a-kiç* zu *duṛn*) usw., während *akn* in Kompositis nur nasaliert (als *akn-* oder *akan-*) erscheint. Zu beachten ist, dass die Plurale *jerk* und *otk* ihrer Bedeutung nach — ebenso wie *ačk* — auf ursprüngliche Duale[1] zurückgehen können. In diesen wird wie im Slavischen (*oči*, *očima*) und Sanskrit (*akṣi*, *akṣibhyam*) der Nominativ als Stamm fungiert haben, so dass der Nasal hier nicht erscheinen konnte. Dabei blieb es, als später den ehemaligen Dualformen die Pluralendungen angefügt wurden. Der Annahme, dass auch *durk* auf einen älteren Dual (= die beiden Thürflügel) zurückgeht, steht nichts im Wege, vgl. skr. *dvârau* Thor.

---

1) Auch im Avest. wird *aši* Auge nur im Dual (Akk. *aši*, Instr. *ašibya*, sonst nur noch im Komp. *xšvašaši-* sechsäugig) gebraucht, im Sing. und Plur. erscheint dafür *dōiϑra-* (von *dî* sehen).

2) Av. *uši*.

Das von Fierlinger KZ. XXVII 335 ins Leben gerufene
av. *uši* 'Ohr' fristet, obwohl Geldner KZ. XXX 517 ihm den
Garaus zu machen versucht hat, noch heute bei Sprachver-
gleichern und Iranisten [1]) sein unberechtigtes Dasein. Es dürfte
aber nun endlich einmal an der Zeit sein, mit diesem Phan-
tom aufzuräumen. Für 'Ohr' der guten Wesen hat das Avesta
das Wort *gaoša* = ap. *gauša*, np. *goš*, für 'Ohr' der ahri-
manischen Geschöpfe das Wort *karena* = skr. *kárṇa*, ein drittes Wort für 'Ohr' ist sonst im Iranischen nicht bekannt.
Hätte av. *uši* diese Bedeutung gehabt, so dürften wir erwarten, dass die Tradition etwas davon wüsste, was aber nicht
der Fall ist. Sie übersetzt das Wort vielmehr durch phl. *hoš* Verstand, Einsicht, Sinn (vgl. ys. 9, 28) und diese Bedeutung passt
an allen Stellen des Avesta, wie man aus alten, neuen und
der neuesten Übersetzung des Avesta (von Darmesteter) ersehen
kann. Vgl. vsp. 15, 1: *ava paδô ava zastě ava uši dârayaδ-
δwem*: haltet die Füsse, haltet die Hände, haltet den Verstand
an (zum Thun guter Werke); ys. 9, 28: *geurvaya hę pâδaçę
zâvare, pairišę uši verenûiδi, skeñdem šę manô kerenûiδi*:
nimm seinen Füssen die Kraft, verwirre seinen Verstand,
zerrütte seinen Geist; ys. 43, 15: *daxšaţ ušyâi tušnâ maitiš
vahišta*: 'da lernte der Aufmerksame das Beste zu verstehen',
Geldner KZ. XXX 321, 334; 'que l'intelligence du champion
du bien ait un signe de reconnaissance', Darmesteter; unsicher!;
ys. 62, 4: gieb, o Feuer, *mastîm spanô xšviwrem hizvâm
(urunę uši), xratûm pascaęta masitem* usw.: Weisheit, Heilig-
keit, Beredsamkeit (für die Seele Verstand), alsdann Einsicht
usw.; die Wörter *urunę uši* fallen aus dem Metrum, sind also
eingeschoben; yt. 1, 27: *pairi uši varayaδwem, hâm gava
nidarezayaδwem, hâm zanva zembayaδwem*: verwirret ihren
Verstand, lähmet ihre Hände, macht kraftlos ihre Knie; yt. 1, 31
= yt. 22, 38: *uši (xratûm, hizvãm) ahurahe mazdâo yaza-
maidę dareδrai (mareδrai, fravâkâi) mâϑrahę speñtahę*: wir
verehren das Gedächtnis (die Einsicht, die Zunge) des Ahura
Mazda zum Behalten (Studieren, Verkündigen) des heiligen Wor-

---

1) Vgl. Horn Grundriss der neupersischen Etymologie, Strassburg 1893, Nr. 1111.

tes; yt. 11, 2: *aši uši karena gava dvareθra zafare*: Augen,
Verstand, Ohren, Hände, Füsse, Mund (der Bösen); yt. 14, 56:
uši pairidarayeiñti, daēma hō pairi urvaēsayeiñti: verwirren
den Verstand, lähmen die Sehkraft?, 'ils ont l'intelligence
paralysée, la vue égarée' (Darmesteter).

Das Wort war auch im Persischen vorhanden, aus dem
es in alter (arsacidischer) Zeit ins Armenische entlehnt wurde
als *uš*, Gen. *uši* = Gedächtnis, Erinnerung, Verstand, Sinn,
ein im Altarmenischen häufiges Wort, das auch in *ap-uš* be-
stürzt, thöricht, *šamb-uš* thöricht, verrückt, *Anuš* (*berd* = Schloss
der) Vergessenheit vorliegt. Im Mittel- und Neupersischen
wurde daraus *hoš* [1]) (*huš*): Einsicht, Klugheit, Verstand, Geist,
zu dem np. *hošyar*, *hušyar* klug, bei Sinnen (= av. *ušidāra*),
hušvar verständig, *hošmand* einsichtig, klug etc. gehören.

Somit gab es ein *uši* 'Ohr' weder im Zend noch im
Persischen noch überhaupt im Iranischen, und somit lässt sich
auch av. *uši* nicht zur Erklärung von av. *aši* in der Weise,
wie es Joh. Schmidt Pluralbild. S. 389 thut, verwerten.

3) Skr. *ah*.

Skr. *ah* sagen, sprechen, nur im Perf. (*attha*, *āha*, *aha-*
thus, *ahatus*, *ahús*, im Veda nur *āha* und *ahús*) gebräuchlich,
ist von Osthoff Perf. 174—175 zu arm. *asem*. lat. *ajo*, gr. *ἦ*
gestellt worden und wird auch jetzt noch auf Grund dieser
Zusammenstellungen von Fick Wörterbuch I 4. Aufl. S. 163 auf
idg. *aĝh* (*azha-* bei Fick) zurückgeführt, während Bezzenberger dazu bemerkt, dass skr. *attha* eher auf ein idg. *adh*
als auf *aĝh* (*azh*) weise. Auch ich habe seit einigen Jahren skr.
ah auf idg. *adh* zurückgeführt [2]) und zwar auf Grund von zwei
av. Wörtern, die im Zand-Pahlavi Glossary S. 9 erhalten sind.
Hier findet sich Zeile 9 das Wort zd. *paityaδa*, das durch
phl. *pasaxv-gōbešn* = Antwort-rede und av. *paitiasto-vačao*,
das durch phl. *patirešn-gōbešn* = Annahme-rede übersetzt
wird. Aber *paitiasto-vačao* ist doch ein Kompositum der Art
wie das ebenda Z. 6 angeführte *uxδō-vačao*, und wie dieses
'Worte-redend' bedeutet, so werden wir jenes, wenn wir uns

---

1) Formell vgl. phl. *hoš* Morgenröte = av. *ušanh-*.
2) So jetzt auch J. Leumann im Etym. Wörterb. der Sanskrit-
Sprache S. 28—29 auf meine Anregung.

sonst der Pehlevitübersetzung anschliessen, durch 'die Worte annehmend oder befolgend' übersetzen müssen. Nun ist freilich *paitiasta-* etymologisch mehrdeutig und es ist keineswegs sicher, dass es zu *paityaδa* gehören muss. Ich glaube jetzt vielmehr, dass es zu av. *paityastar-* ys. 35, 9 = Empfänger, *paityasti-* ys. 53, 3, vsp. 15, 2, *paitiasti-* Afr. 1, 14 = Annahme, Empfang, Gehorsam (vgl. Baunack Studien I S. 356—357) zu stellen ist, mit denen es lautlich übereinstimmt und zu denen es nach der Pehlevitübersetzung gehört. So bleibt nur *paityaδa* 'Antwort' oder, wie das Glossary übersetzt, 'antwortend' als Stütze für skr. *ah = adh* übrig. Denn zd. *aiδi* yt. 8, 48, das Geldner KZ. XXX 323, Anm. 3 zu skr. *ah* (als 3. p. aor. pass., dem *vaći* von ys. 43, 13 entsprechend) stellt, ist nicht sicher genug.

4) Av. *aša*.

Unter den Namen für die Körperteile findet sich im Zand-Pahlavi-Glossary S. 10, Z. 6 zwischen den Wörtern für Brust und Achselhöhle (*kašaibya* für *kašaẹibya*, d. i. Dat. Du. von *kaša*) das Wort *ašayao*, ein Gen. Du. von einem Nom. Du. Masc. *aša* oder Fem. *ašẹ*, das nach der beigegebenen Erklärung den Teil zwischen Schulter und Brust bezeichnet. Da sowohl die Achselhöhle (av. *kaša*) wie die Schulter (av. *supti*) nicht in betracht kommen, so scheint mir nur die Achsel übrig zu bleiben und der Dual av. *aša* oder *ašẹ* also die beiden Achseln zu bedeuten. Das Wort gehört dann zu d. *Achsel*, ahd. *ahsala* usw., lat. *axilla, ala* (aus *axla*), das vielleicht mit d. *Achse*, skr. *akša*, gr. ἄξων, lat. *axis* usw. zusammenhängt. Dazu stimmt, dass das *š* von av. *ašayao* auf idg. *ks* weist.

5) Av. *vīkaya*.

Fr. Müller hat in der WZKM. V 263 die persischen und armenischen Wörter für 'Zeuge' besprochen und die Schwierigkeiten, die ihrer Zusammenstellung entgegenstehen, hervorgehoben. Die Verhältnisse sind nur noch verwickelter als Fr. Müller gemeint hat. Führt man die Wörter auf ein av. ap. **vīkasa-* zurück, so sollte man im Pehlevi *vkas* (d. i. *vikas*) erwarten (vgl. phl. *rnas* = np. *gunah* aus **vinasa*), es findet sich aber *gukas* (oder *gūkas, gōkas*), West Glossary and Index S. 280, Shikand-Gumanik-Vijar S. 247 usw., das, wenn es eine alte

Form wäre, zu *vikāsa nicht gehören könnte. Dagegen sollte *vikāsa im Neupersischen zu gugah (vgl. gunāh = *vināsa) werden, statt dessen findet sich guvāh oder guva, das zu päz. guvāh Minokh. Gl. 95, guvai 'testimony' Shik.-Gum.-Vij. 247 und phl. guvak-īh 'testimony' Gloss. and Ind. S. 273 gehört. So treten schon im Pehlevi die nicht zu vereinigenden gūkas oder gōkas und guvak nebeneinander. Mit diesen beiden lässt sich arm. vkay Zeuge (als pers. Lehnwort) nicht zusammenstellen, auch nicht mit zd. *vikasa, dem im Armenischen nur vkas oder vkah entsprechen würde. Arm. vkay, wenn es aus dem Persischen entlehnt ist, setzt ein altpers. vikāya- voraus, das im Av. vikāya- lauten müsste und wirklich im Zand-Pahlavi-Glossary vorliegt. Hier liest man S. 22, Z. 5: vaikayō (Nom. Sing.) = phl. gōkas und S. 43, Z. 13: vikaiẹhẹ (Gen. Sing.) = phl. gōkas, wodurch ein Zendstamm vikaya- mit der Bedeutung 'Zeuge' gesichert ist, der sich mit armen. vkay 'Zeuge' vollkommen deckt. Als idg. Grundform könnte vikoy-o- angesetzt (Wurzel koi, ćei, ći) und av. vī-ći-ra- 'der die Entscheidung hat' verglichen werden.

6) Päz. azg.

Im Shikand-Gumanik-Vijar S. 236 (aus Kap. 1, 12 des Textes) findet sich das Wort phl. päz. azg = Zweig. Ist die Lesart richtig, so gehört es zu gr. ὄσχος und wenn Bartholomae ZDMG. XLVI 305 Recht hätte, auch zu skr. ádga- Stengel. Wäre es aber verlesen für azd (die Pehlevischrift unterscheidet d und g nicht), so wäre es = gr. ὄζος, arm. ost, got. asts.

7) Arm. matani.

Die Wörter für Ring = Fingerring werden begreiflicher Weise häufig von Wörtern, die Finger bedeuten, abgeleitet. So z. B. gr. δακτύλιος von δάκτυλος, np. angustarī, angustarīn von angust. Das gleiche war der Fall im Armenischen: matani Ring (δακτύλιος Luc. 15, 22), Siegelring, Siegel ist durch Suffix-i von matn Finger hergeleitet.

8) Np. Iran.

Der heutige Name des persischen Reiches, Iran, d. i. irān, der bei Firdusi noch ērān lautet, wird meines Wissens

allgemein mit zd. *airyana* 'arisch' identifiziert. Vgl. früher
Justi Handbuch der Zendsprache s. v. *airyana*, Spiegel Era-
nische Altertumskunde I S. 211, Altpers. Keilinschriften S. 207
und jetzt noch Darmesteter Le Zend-Avesta (Paris 1892) II
S. 6, Anmerkung. Dagegen lässt sich einwenden, dass av.
airyana im Neupersischen *erān*, *irān* lauten müsste. Aber
davon abgesehen scheint mir eine andere Erklärung näher zu
liegen und den Vorzug vor dieser zu verdienen, zumal sie
auch den Lauten vollkommen gerecht wird. Auf den ältesten
Sasaniden-Inschriften nennt sich Ardašīr I (226—241): *malkan
malka Airan* = βαcιλεὐc βαcιλέων 'Αριανῶν (Haug Essay on
Pahlavī S. 4) und sein Sohn Šāpūr I (241—272): *malkan
malka Airān u Anērān* oder (in 'Chaldaeo-Pahlavī') *malktn
malka Aryan u Anaryan* d. i. der Könige-König von Erān
und Anērān (Haug Essay on Pahlavi S. 46 und 47). Übersetzt man diese Titel mit Beibehaltung der Wortstellung in
das Altpersische, so ergiebt sich: *xšāyaϑiyanām xšāyaϑiya
Ariyānām utā *Anariyānām* d. h. der Könige-König der Arier
und Nicht-arier, woraus erhellt, dass *Iran* = *erān* = phl. *erān*
und *aryan* auf den altpers. Gen. Pl. *Ariyānām* zurückgeht
und ursprünglich sowohl die Arier wie das Land der Arier [1])
bedeutet. Vgl. ap. *Māda* der Meder und Medien, *Pārsa* der
Perser und Persien, arm. *Pars-k* die Perser und Persien usw.
Dass somit *Iran* von Haus aus ein Gen. Pl. ist, darf nicht
Wunder nehmen, sondern ist ganz in Ordnung, da die mittel-
und neupersische Pluralendung *-an* überhaupt aus der altpers.
Endung des Gen. Pl. *-ānam* entstanden ist. Vgl. auch np. *man*
'ich' = ap. *mana* meiner usw.

Den Ausdruck Arier und Nichtarier haben die Armenier
zweimal, zu verschiedenen Zeiten, entlehnt, einmal als die
Perser noch *Ariya* und *Anariya* sprachen, als *Ari-k ev Anari-k*
(Nom. Pl. [2])) und später zur Sasanidenzeit, als *Ērān* und *Anērān*
gesprochen wurde, als *Eran ev Aneran*, wie bei Elisäus für
Eran ev Taneran zu lesen ist.

Strassburg.   H. Hübschmann.

---

1) Arier (*ariya*) ist aber im Altpersischen dem Sinne nach =
Iranier.

2) Im Gen. *Areaç ev Anareaç*. Daher z. B. arm. *Dprapet Areaç*
(Kanzler der Arier) für phl. *Ērān dipīrpat* (Kanzler von Eran) =
Reichskanzler.

Arica V [1]).

18. *t* im Nom. Sing. Neutr. von Adjektiven.

Vgl. J. Schmidt Pluralbildungen 178 ff.; Johansson Beiträge zur griech. Sprachkunde 107 ff.; Brugmann Grundriss II 559 und die hier angeführte Litteratur.

Im Altindischen ist das Auftreten des *t* durch das Auslautsgesetz auf die Stelle hinter Sonanten beschränkt. [Die von J. Schmidt für ai. *anaḍvân, anaḍvâham* usw. vorgeschlagene Erklärung, die neben *ánas* einen urindischen Nom.-Akk. *ánart voraussetzt, woraus *ánaṭ geworden wäre, halte ich für recht zweifelhaft; vgl. übrigens IF. III 179.] Ob dagegen ein ai. Nom. Sing. Neutr. wie *dpak, pratydk* eine Urform mit auslautendem *k* oder *kt* wiedergiebt, ist vom indischen Standpunkt aus nicht zu entscheiden. Die überaus bedenklichen Konstruktionen zu Yt. 19. 42 — av. *nya, afraktacim* (mit *kt*!) — wird, wie zu hoffen steht, ihr Urheber Geldner (3 Yasht 26 f.) heute selbst nicht mehr verteidigen wollen; s. auch Horn Nominalflexion 15 (Diss. Halle) [2]).

In seiner Darstellung der ʻaltérânischen Wortbildung' verzeichnet Spiegel vgl. Grammatik 172 ein primäres Suffix ʻ*eḍ*', wozu bemerkt wird: "(Es) sind die damit gebildeten Wörter nichts weniger als klar, darum kann es nur als eine Vermutung hingestellt werden, die nicht aller Wahrscheinlichkeit entbehrt, dass *eḍ* eine Entartung aus *añt, aḍ* sei. Folgendes sind die mir bekannten Beispiele: *aghrâreḍ* [3]), *aogeḍ, takhmâreḍ, paitiaogeḍ* [4]), *parageḍ* oder *peregeḍ* [5]), *fraoreḍ, berezyaogeḍ, vîzareḍ* [6]), *zaoyâreḍ, hakereḍ, hâgeḍ* [7]), *hvâreḍ*. Die Wörter auf *geḍ* bringt die Tradition mit Ausnahme von *parageḍ* mit der Wurzel *gam* in Verbindung; es ist wohl eher =

---

1) Vgl. IF. I 178 ff., 486 ff., II 260 ff., III 100 ff.
2) NA. hat *afrakatacim* und *nyâidâurum*.
3) Zu lesen *ughr°*.
4) Lies *paityao°*.
5) Die richtige Lösung ist *parag°*; s. die Neuausgabe zu V. 8. 13.
6) Lies *vazâr°*.
7) S. unten S. 122.

skr. *gha* zu fassen". Ich weiss nicht, **ob diese Vermutung** und Erklärung irgendwo Beifall gefunden hat. **Ich meines**teils kann jedenfalls nicht zustimmen; **insbesondere sehe ich** gar nicht ein, warum denn av. *hakerep* von dem **gleichbedeu**tenden ai. *sakṛt* getrennt werden soll. Hier und in *fraorep* (Ar. Forsch. II 50), sowie in den Beispielen 1, 3, **8, 9, 12** — die sämtlich Yt. 13. 23 belegt sind, und zwar in **Nom. Plur.** auf °*retō* — handelt es sich um die gewöhnliche **avestische** Svarabhakti hinter *r*. Bei den übrigen Wörtern **geht dem** überlieferten — nicht etwa als Stammauslaut **konstruierten** — Ausgang *ep* ein *g* voraus. Was ist die Grundlage **des avesti**schen -*gep*?

Die Entscheidung dieser Frage giebt av. *yaogep* **an die** Hand, Y. 44. 4, das ist eine unthematische 3. **Sg. Prät. Akt.**, welcher im Indischen *a-yōk aus *a-jaukt entsprechen **würde.** Ohne Voreingenommenheit betrachtet — entgegen Ar. **Forsch.** II 16 und Gāthā's 44 — lehrt uns die Form, **dass arisches** auslautendes -*kt* im Avesta durch -*gep* vertreten wird, **offenbar** mit dem selben svarabhaktischen *e*, das sich auch **im Inlaut** zwischen *g* und Dentalis eingestellt hat: *cagedō*, *dugeda*.

1. *paragep* wird mit dem Ablativ verbunden **und be**deutet ‘mit Ausnahme von, ausser'. Es gehört **aufs engste** zusammen mit *parō.kevidem* Yt. 10. 102, *parō.kevidem* Ys. 17. 12 — wo Geldner gegen die besten Handschriften °*vid*° in den Text gesetzt hat —, *para.kaviṣtema* Yt. 12. 7 — so F 1, Pt 1, Ei; Neuausgabe *parak*° —, *parō.kataṛstemem* Y. 57. 13; vgl. dazu Verf. BB. XV 8 f.¹); ferner mit den aind. Wörtern *parākē*, *parācīnam* usw.; wegen der Quantitätsdifferenz verweise ich auf IF. II 266. Av. *paragep* ist Nom.-Akk. Sing. des Neutrums mit *t*; im Veda lautet er *parák*. Die gemeinsame Grundform ist mit *parākt anzusetzen.

2. *hagep* findet sich in *armaitiš.hagep* und *ašiš.hagep*, wo *š.h* wie oft an Stelle von *š* geschrieben ist; s. Verf. Handbuch § 149; Jackson Grammar I 212; Caland KZ. XXXII 589 f.²).

---

1) S. auch IF. I 487; ferner Geldner Metrik 57. *parō.kataṛstema* steht für °*taṛstatema*- (Verf. Handbuch 31 f.).

2) Calands orthographische Regel (S. 589, No. 8) hat beträchtlich mehr Ausnahmen, als in der Note 2 angeführt sind; s. IF. III 63. Wegen *nišaṇharatu* verweise ich auf *haṇhaurušō* Yt. 13. 104.

Zur Bedeutung der Wörter, die Y. 58. 1 ganz deutlich als
Nom.-Akk. Sing. Neutr. auf *hyaþ nemē huciþrem* bezogen werden müssen, vgl. *yim hacaitę aśiś rawuhi* Yt. 10. 66, *armaitî
hacimnō* Y. 43. 10 usw. Sie gehören also zu § 192 2) meines
Handbuchs. Die arische Grundform ist *śakt.

3. Zu V. 8. 100 bietet die Neuausgabe *berezyaogeþ vacō
rāzayąn*. Auch hier ist *ber°* Akk. Sing. Ntr., ein Beiwort des
folgenden *vacō*. Die Stelle ist zu übersetzen: "Zunächst (einmal) laufe er ein Hathra weit. Dann soll er weiter laufen.
Wenn ihm hierauf irgend ein Mensch entgegen (kommt), soll
er Halt machen, um den lauten Ruf ergehen zu lassen";
s. dazu BB. XV 244. *aogeþ* gehört natürlich zu *aojî, aojźa,
aogeda-* usw. Arische Grundform ist *aukt (Pausaform).

4. *paityaogeþ* Y. 46. 8 ist als Adverb gebraucht, im
selben Sinn wie ai. *pratyâk*, s. PW. IV 999. Hier ist *aogeþ*
zu ai. *ôhati* zu stellen; vgl. das Absolutivum *samôham* RV. 4.
17. 13, das wohl als Instr. Sing. zu nehmen ist (s. Hirt KZ.
I 13 ff.). Im Anschluss an die Gathastelle *paityaogeþ ta*[1]) *ahmāi
jasōiþ dvaēśawhā tanvēm a* 'zurück sollen sie[1]) sich ihm mit
Feindschaft gegen seine eigne Person wenden' hat man in
jüngeren Zeiten das Kompositum *paityaogeþ.þbaēśahya-* 'auf
den Urheber sich zurückwendende Feindschaft, Feindschafts-
vergeltung' gebildet.

kt und *pt* sind die einzigen Tenuesverbindungen, die im
Arischen im Auslaut möglich waren; denn *t* vor *t* war schon
in der Ursprache verändert worden. Dass für *-kt -geþ* erscheint,
ist gewiss auffällig[2]); aber an der Thatsache ist nicht zu
rütteln. Für auslautendes *-pt* giebt es keinen Beleg.

26. Zu meinem Aspiratengesetz.

Die Beispielsammlung des in meinen AF. I 3 ff. begründeten Aspiratengesetzes — s. auch AF. III 22, KZ. XXVII 206
und Grundriss der ir. Philol., Vorgesch. § 52 f. — zeigt an einer
Stelle eine Lücke. Brugmann Grundriss I 359 weist darauf

---

1) sc. *śyaoþanā* 'die Thaten, Unternehmungen'; vgl. Geidner
BB. XIV 8, 21; Caland Syntax der Pron. 36.

2) Mit *þ* kann natürlich auch die tönende Spirans gemeint
sein wie in *þþiśtō* usw.

hin: ʻʻBeispiele für *dh* + *s* scheinen zu fehlen''. Ich bin jetzt
in der Lage diese Lücke auszufüllen [1]).

1. Dem jungavestischen *aẹsmō* ʻBrennholz' stehen in
den neuern Dialekten Wörter mit *zm* gegenüber: Phlv. *hēzm*,
np. *hēzum*, g. *izmah* (ZDMG. XXXVI 62), PD. m. *ēzma* usw.
(vgl. Horn Grundriss 249). Wenn wir, was doch das Nächst-
gelegene ist, nach einer gemeinsamen uriranischen Grundlage
suchen, so dürfen wir sie jedenfalls nicht mit *s* ansetzen;
denn urir. *s* vor *m* wird nicht verändert, vgl. Phlv., np. *asman*
ʻHimmel': ap., av. *asmằ*, ai. *áśma*. Dagegen steht nichts im
Wege, von einem Wort mit *z* auszugehen, da im jüngeren
Avesta uriran. *z* vor *m* lautgesetzlich als *s* zu erscheinen hat
(Verf. Handbuch § 167), während es sonst unverändert bleibt,
vgl. np. *razm* ʻKampf': Av. *arezem*, ai. *r̥jiṣás* (Geldner 3
Yasht 74; Horn a. a. O. 136).

Wir werden somit auf ein uriranisches **aizma-* geführt,
welches gegenüber dem gleichbedeutenden ai. *idhmá-* auf ar.
*aidzhma-, mit *dzh* aus *dh* + *s* zurückgeht. ·Das Verhältnis
der beiden Wörter vergleicht sich, abgesehen vom Ablaut, dem
von gr. ὀδμή zu ὀσμή; vgl. Verf. AF. II 86, Brugmann Grundriss II 163.

[Woher J. Darmesteter Études ir. I 94, 110 sein npers.
hīšm ʻbois' hat, weiss ich nicht; in den mir zugänglichen
Wörterbüchern ist ein solches Wort nicht verzeichnet; vgl.
Horn a. a. O. 207 Note 3.]

2. Von den Bergen, die im 19. Yasht aufgezählt werden,
führt einer den Namen *aẹzaḫa-*. Justi Handbuch 6 bemerkt
dazu: ʻVgl. skr. *ēj-*, also von vulkanischen Erschütterungen
benannt? Np. *ēžak* heisst ʻscintilla ignis'. Das verglichene neupers. Wort — es hat auch bei Fick Aufnahme gefunden; s. Wörterbuch I⁴ 346, wo es mit gr. αἴγλη zusammengestellt wird —
ist von sehr fragwürdiger Existenz; zudem stimmt weder *ž*
zu *z* noch *k* zu *ḫ*. Vielleicht aber trifft Justis Bedeutung doch
das Richtige. Wenn man *aẹza-* mit *aẹsma-* zusammenbringt,
so würde es aus ar. **aidzha-* (s. an. *eisa* ʻglühende Asche', dessen
s gleichen Ursprungs ist; Schmidt Pluralbildungen 379) abzuleiten und das ganze Wort — als aus ar. **aidzha-kha-* hervor-

---

1) Neubildungen, die der Regel widersprechen, sind av. *raosẹ*
zu ai. *ródhati* (vgl. IF. II 281) und *dasva* zu ai. *dádhāti*.

gegangen — als 'Feuerquell', 'Feuerloch' oder dgl. (s. ai. 2 *kha-*)
zu deuten sein. Dasselbe *ha-* wird auch im nächstfolgenden
Bergnamen *maẹnaha-* stecken; dessen oft genug wiederholte
Gleichstellung mit dem indischen Namen *mĕnaka-* scheitert
eben an dem *x*, das dem ai. *kh* doch nicht identifiziert
werden kann. Geigers "Sanskritwort *mĕnakha*" (ostir. Kultur
131) ist apokryph.

20. Reste des sigmatischen Aorists im Neupers.

Die herkömmliche Anschauung über den Ursprung des
sogenannten Präteritalstamms im Neupersischen findet sich bei
Salemann-Shukovski Pers. Grammatik 50, wo gesagt wird: "Der
Präteritalstamm (ist) gleich der 3. Sg. Praeteriti. Diese wird
auch Infinitivus apocopatus genannt und entsteht äusserlich
durch Abwerfung des *-an* der Infinitivendung *-dan* oder *-tan*;
im Grunde ist es die (um *-*ah* gekürzte, aber) ältere Form
des Part. Prät." [1].

Dass das *to*-Partizip bei 'der modernen Präteritalbildung
eine hervorragende Rolle spielt, ist ja unbestreitbar; für nicht
richtig aber halte ich es, darin deren einzige Quelle zu erkennen. Neben *barad* 'er trägt' steht das Präteritum *burd*,
neben *mirad* 'er stirbt' steht *murd*. Der Beweis, dass *burd*,
murd gerade dem altind. Part. Perf. Pass. *bhṛtás*, *mṛtás* entspricht und nur diesem, kann jedenfalls mit Hilfe der Lautlehre nicht erbracht werden. Die Lautlehre weist auf altiran.
bṛt + x, *mṛt* + x. Über den Wert des x kann sie uns
keine Auskunft geben. Nachdem der Wortakzent wie allgemein auf die vorletzte Silbe gerückt war, ging der Sonant
der letzten, gleichviel welcher es war, verloren, und auch ein
etwa dahinter stehender Konsonant teilte noch dessen Schicksal.

Bekanntlich zeigen im Neupersischen das Präsens und
das Präteritum durchaus die gleichen Endungen "mit Ausnahme der 3. Sing. Diese geht im Präsens auf *-ad* aus, während sie im Präteritum dem reinen Stamm entspricht" (Salemann-Shukovski a. a. O. 57). Präsens: *mir-am, mir-i, mir-ad*

---

1) Ganz neuerdings auch Geiger IF. III 113, der es als "eine
zweifellose Thatsache" bezeichnet, "dass die 3. Pers. des Prät. identisch ist mit dem alten Partizip auf *ta-*". Freilich ist dort nur vom
Afghanischen die Rede.

'ich sterbe, du st., er st.'; aber Präteritum *murd-am, murd-i,
murd* 'ich starb, du st., er st.'. Dass *murdam, murdi* auf
einer Zusammensetzung beruhen, also av. *mereto ahmi, *m° ahi-*,
ai. *mṛtó asmi, *m° asi* entsprechen, darf für ausgemacht gelten. Bei gleicher Bildung würde die 3. Sing. *murdast* zu
lauten haben. Nun lassen sich ja allerdings für die Weglassung der Kopula gerade bei der 3. Person mancherlei Analogien beibringen, auch aus nichtiranischen Sprachen. Man
sollte aber doch nicht ausser Acht lassen, dass das np. *murd*
'er starb' nach den Lautgesetzen ebensogut wie das Part. Perf.
Pass. mit *ta-* (aind. *mṛtas*) auch die 3. Sing. Med. des einfachen Aorists (aind. *a-mṛta*) vertreten kann, welche Formen
notwendig in *murd* zusammenfielen. Und ich wüsste nicht,
warum es verwehrt sein sollte, np. *mirad* 'er stirbt' und
murd 'er starb' auf die nämlichen Grundlagen zurückzuführen,
die die gleichbedeutenden altarischen Wörter av. *miryeite*[1])
und ai. *a-mṛta* voraussetzen.

Wenn wir die NRa. 44 bezeugte altpersische 3. Sing. Aor.
Med. *paragmata* ins Neupersische übertragen, so erhalten wir
paramad. In der That findet sich np. *amad* 'er ging, kam'.
Auch das hat man aus dem Part. Perf. Pass. abgeleitet, und
zwar unter Verweis auf die gleichlautenden altpersischen Stellen
Bh. 2. 32, 38, 43, 52, 58; 3. 64, wo man *hamišiya ha(n)gmata
paraita patiš . . . hamaranam cartanaiy* liest und das zweite
Wort als Vertreter eines arischen *saṃgmatas* 'arrivés' nimmt;
s. Spiegel Vergl. Grammatik 97; J. Darmesteter Études iran.
II 202, 224 [wo auch die beliebte, aber falsche Deutung des
Stadtnamens *Hagmatana-* als 'Versammlungsort' wieder vor-
getragen wird; s. Verf. BB. XIII 70, Bezold Assyriol. Bibliothek
II XIII]. Zur Erklärung der Form meint Darmesteter: "La

---

1) So die Neuausgabe zu V. 3. 33, 7. 37. Vgl. *piryeite* V. 4. 17,
kiryeiti Yt. 10. 109, *kiryeinte* V. 3. 9. In all diesen Fällen ist *iry*
(d. i. *irii*) an Stelle von *erey* (*erey*) geschrieben, man vergleiche die
Varianten *mereyeite* usw. Entsprechend schrieb man *urv(uruu)* an
Stelle von *erev* : *nuruyō* (mit *u* statt *uu = v* wegen des folgenden *y*);
vgl. Verf. BB X 271 f., wozu noch Leumann KZ. XXXII 303 ff. —
Av. *ciryō* 'tüchtig', Aog. 84, das schon Geiger z. St. mit np. *cēr*
zusammengestellt hat, ist wohl ein Fehler für *cairyō*, das mit *upa-
rō.kairyō* zusammenhängen mag. Horns Etymologie im Grundriss 101 ist schwerlich richtig.

racine ayant suhi l'inversion", also *gma-* für *gam-*! Nach dem
Indischen und Avestischen (*hengata*) liesse sich doch *ha(n)gata*
erwarten; s. auch bal. *atka* bei Geiger Etym. des Balutši 10.
Das angenommene *gmata* wäre mit av. *dares-ata-*, *yaz-ata-*,
azg-ata-, ap. *(h)ufras-ata-*, *(h)ubar-ata-*, ai. *yaj-atá-*, *bhar-atd-*
usw. zusammenzustellen (Froehde BB. III 303; Brugmann Grundriss II 203; Verf. BB. X 272 f.)[1]); es scheint aber, dass solchen
Bildungen von Haus aus die Bedeutung des Part. Fut. Pass.
anhaftete, und diese ist an den zitierten Stellen nicht zu
brauchen[2]). Die Zeichen *h^ng^am^at^a* sind sehr verschiedendeutig;
die hergebrachte Lesung ist weder nötig noch richtig. Ich
lese vielmehr *ha(n)gma(n)ta* oder auch *ha(n)gama(n)ta*, d. i.
der Nom. Plur. eines *nt*-Partizips (vgl. ai. *gmánta*), und zwar
nach der *a*-Deklination flektiert (vgl. av. *zbayantai*, *saošyan-*
taēibyō und Phlv. *zivandak* usw.). Es ist also zu übersetzen:
"Die Aufrührer, sich vereinigend, sind ausgezogen, gegen . . .

---

1) S. auch *surunvata-* bei Geidner, s. Yasht 68, vgl. folg. Note.

2) Ich benutze die Gelegenheit, auf die avestischen Part. Fut.
Pass. auf *nta-* aufmerksam zu machen, die zwar schon Justi im
Handbuch (308) kennt, Spiegel aber (in der vgl. Gramm.) und Jackson nicht erwähnen †). Es sind: *haošyanta-* Vp. 9. 2, *aiwi.vaēdayanta-*
Vp. 9. 2, *fräyaēzyanta-* Vp. 16. 0 u. ö., *amerehšyanta-* Yt. 19. 94 (mit
ahumerehš zusammenzustellen). Überall ist der Präsensstamm leicht
zu erkennen. [*yaēzya-* ist eine reduplizierte Bildung mit *i* zu *yazaitē*,
wie *yaēšyantīm* Y. 9. 11.] Man vergleiche dazu ai. *paśyata-* 'viden-
dus' und *haryata-* 'cupiendus', welche im Zusammenhalt mit av.
surunvata- 'audiendus' (s. oben) darauf schliessen lassen, dass die
anta-Formen aus solchen auf *ata-* hervorgegangen sind, und zwar
unter dem Einfluss des *nt*-Partizips. Ich verweise dabei auf meine
Bemerkung zu lat. *piandus*, Studien II 96; lit. *pa-vydētinas*: lat.
in-videndus = ai. *paśyata-*: av. **pasyanta-*; s. übrigens jetzt auch
Brugmann Grundriss II 1424 ff.

†) Mit dem, was Spiegel a. a. O. 168 unter *anta-* aufführt, ist
nicht viel anzufangen. *paiti.draešayantaca* Yt. 22. 11 steht aller
Wahrscheinlichkeit nach für **antata-ca*, d i. Instr. Sing. eines
Abstrakts auf *tā-*. *yimō.kerentem*, aus dem ein Suffix *anta-* doch
unmöglich herauszuschälen ist, gehört zu einem Wurzelstamm
kṛt-, 'schneidend' dessen Flexion unter dem Einfluss des nasalierten Präsens ai. *kṛntáti-*, av. *kerentaiti* stand [vgl. Verf. KZ.
XXXIX 506, Schmidt Pluralbildungen 393 f.] oder auch zu einem
Partizipialthema *kṛnta-*; vgl. Verf. Vorgeschichte § 209. 5 und ai.
vikṛntánām. Die andern drei Wörter sind Eigennamen. Statt
parśantahe Yt. 13. 123 liest die Neuausgabe übrigens *parkint°*.

eine Schlacht zu liefern". Die Ergänzung eines 'und' — in Spiegels Übersetzung — wird so überflüssig, und ebenso erledigt sich damit Geldners Bemerkung KZ. XXX 322 Note[1]).

Nun kann man sich ja freilich zu Gunsten der alten Fassung auf den Infinitiv berufen. Man wird sich aber doch nicht darüber täuschen dürfen, dass die Erschliessung eines altpersischen *a-gmatanaiy auf Grund des Phlv. matan, np. a-madan nur eine Konstruktion auf dem Papier ist[2]). Der Infinitiv ist eben äusserlich gleich der 3. Sing. Prät. + an; alle sonstigen Verschiedenheiten wurden überall ausgeglichen, wobei bald der alte Infinitiv — kardan 'machen' (vgl. ap. cartanaiy): kard — bald das Präteritum — murd 'er starb' (vgl. ai. amṛta, mṛtds) : murdan[3]) — den Sieg davontrug[4]). Der letztere Fall ist der häufigere. Np. amadam, amadi 'ich ging, du gingst' usw. können natürlich die Existenz eines altpers. *agmata(h) amiy, ahy auch nicht darthun; ihre Bildung war die notwendige Folge der Gleichstellung von amad mit murd usw., worin Aorist und Part. Perf. Pass. zusammen getroffen waren (s. oben).

Das neupers. amad 'er ging' gilt mir als Beweis dafür, dass uns im neupersischen Präteritum auch solche finite Formen aufgehoben sind, die mit dem Part. Perf. Pass. lautlich keine näheren Berührungen haben. Von dieser Erkenntnis ausgehend

1) Gegenüber dem ebenda aufgestellten Satz: "Die Aoristformen von gam- sind im Avesta nur aktivisch", verweise ich auf jamaêtē Ys. 44. 15, KZ. XXXIX 286, 316.

2) Die Aufgabe der präfixlosen Formen war jedenfalls wesentlich durch die Verbindung mit dem Präsens āyad begünstigt, wo das ā aus dem Perfekt stammt (Verf. IF. III 63). Der Herleitung von Phlv. mat, matan aus dem Semitischen hat, soviel ich sehe, ausser de Harlez Manuel de la langue Pehl. 280, niemand mehr das Wort geredet; s. dazu West-Haug Arda Viraf, Glossary 210.

3) Dass murdan sein u nicht, wie Darmesteter a. a. O. I 99 meint: "sous l'influence de la consonne labiale daus la syllabe fermée" bekommen hat, kann mard 'Mann': ap. martiya- zeigen.

4) Der Dialekt von Gilan hat gerade umgekehrt: kudan (neben kardan), kud und mardan, mard. — F. Müllers Einwendungen gegen die Zusammenstellung von np. kardan mit np. cartanaiy — WZ. IV 310 — verstehe ich nicht ganz. k und c standen bei der Wurzel doch von Alters her im währenden Wechsel; vgl. ai. ákar gegenüber gav. cōreþ 'er machte'. Im Infinitiv ist c normal, k aus dem PPP. übertragen — und umgekehrt. S. BB. XV 12 f., 227. Was ists denn mit ē, ō in rēḫtan, dōḫtan usw. woher das ē, ō? S. S. 130 N.

kann man zu einer befriedigenden Erklärung der Präteritalstämme auf -*ašt* neben präsentischen auf -*ar* gelangen; vgl.
deren Aufzählung bei Vullers Inst. ling. Pers.² 147 f.

1. Die hergebrachte Erklärung des np. *daštan* 'halten'
(Phlv. *daštan*, bal. *dašta*) und der gleichartigen Formen geht
von einer (altpers.) Grundform mit *rt* (**dartanaiy*) aus und
postuliert den Übergang des *r* in *š*. So Vullers a. a. O. 47 § 62 a.
Ferner Spiegel, der vgl. Grammatik 73 schreibt: "*r* erhält
sich im Altpers. vor *t*, vgl. *kartam, abartam*. Man kann
freilich vorschlagen, *karatam, ubaratam* zu lesen, was die
Schrift erlaubt, allein das ist mir nicht wahrscheinlich, wenigstens nicht in allen Fällen, daher — (?) — kommt es denn,
dass man im Neupersischen *r* in *š* verwandelt, wenn man *t*
beibehält, oder *t* in *d* verwandelt, wenn *r* bleiben soll[1]), diese
Veränderung des *r* in *š* in *t* scheint mir ganz naturgemäss
zu sein. Man vgl. im Neup. *daštan* von *dhar-*, *anbaštan* oder
anbardan von *bar-*[2]), und viele andre". Endlich Hübschmann,
der in seiner Anzeige von Geigers Etymologie des Baluči,
ZDMG. XLIV 556 zu No. 75 bemerkt: "*darag* 'halten', PP.
dašta: np. *daram*, PP. *dašta* ist LW., da der Übergang von
rt in *št* (in einigen wenigen Fällen) nur mittel- und neupersisch ist, vgl. Phl. *vitart* = np. *gudašt* . . . Das Baluči hat
verschiedene PP. auf -*artas* -*arta* und nur dies eine *dašta*
für **darta*".[3]) Es muss jedenfalls befremden, dass das Auftreten von *št* anstatt *rt*, nach Spiegel in 'vielen', nach Hübschmann in 'einigen wenigen Fällen' vorkömmlich, in der That
auf die Präteritalstämme einiger *r*-Wurzeln beschränkt ist,
und zwar nur solcher, die in der Wurzelsilbe den Vokal *a*
zeigen. In allen andern Fällen ist *rt* durch np. *rd* vertreten: *sard* 'kalt', *gardam* 'ich werde', *burdan* 'tragen' usw. Mir
scheint, dass diese Thatsache uns geradezu zwingt, eine andre
Erklärung jener Formen wie np. *daštan* aufzusuchen.

Vielleicht war J. Darmesteter von derselben Erwägung
geleitet, als er a. a. O. 83 f., 208 f. für np. *daštan* eine Grund-

---

1) Wann und wo ist dann das der Fall?
2) S. dagegen Horn Grundriss 26.
3) In Geigers Lautlehre des Baluči 29 f. finde ich über das
š in lat. *dašta* keinen Vermerk, obwohl er es nach S. 48 für ein
ächt bal. Wort ansieht.

form *darštan aufstellte. In dem š darin sieht er ein 'déter-
minatif', und er findet dies auch im Präsens dāram 'ich
halte', das er auf *daršam zurückführt. Aber altir. rš wird
im Neup. š, nicht r, wie np. (Phlv.) kašvar : av. karšvare,
np. kaštdan : av. karešenti u. a. m. darthun. *daršam wäre
also np. *dašam und zwar mit kurzem Vokal in der Wurzelsilbe [1]).

An der Vokalquantität leidet auch J. Darmesteters Erklärung von daštan Schiffbruch [2]). Ich finde in dašt den regelmässigen Vertreter eines altiranischen *daršta, d. i. die 3. Sing.
des s-Aorists, die Medialform zu der im Avesta bezeugten
3. Sing. Akt. darešt, dōrešt (Verf. KZ. XXIX 289, 319). Die
Übertragung des Dehnvokals, der ja eigentlich nur der 1. 2. 3.
Sing. Akt. zukommt, ins Medium ist durchaus nichts Unerhörtes;

---

1) Wollen wir das neupers. dāram ins Altpersische umsetzen,
so erhalten wir einfach ein *dārāmiy. A. a. O. I 100 bemerkt Darmesteter durchaus zutreffend: "L' a bref d'un grand nombre de racines
a subi un allongement: lac, courir paraît dans toute la conjugaison
avec ā: tākhtan, tāzad . . . Mais il s'agit dans tous ces cas d'un
fait de morphologie non de phonétique". Im Folgenden wird dann
die Ansicht ausgesprochen, es seien diese Formen "empruntées à
l'ancienne formation dite causale qui allonge la voyelle radicale".
Ich wundere mich, dass Darmesteter diese Erklärung nicht auch
auf np. dāram (und Genossen) angewendet hat, wo sie um so näher
lag, als im Altpersischen dārayāmiy wirklich bezeugt ist, und zwar
genau in der nämlichen Bedeutung wie dāram, nicht etwa in kau-
sativer. Es ist richtig, dass im Neupersischen eine ganze Anzahl von
Verben aus kurzvokalischen Wurzeln langes ā zeigen. Das ist aber
doch nichts spezifisch neupersisches oder neuiranisches. Dem von Darmesteter angeführten tābad 'er wärmt' steht auch schon im Avesta
tāpaite (V. 9. 41) gegenüber, während auf dem Pamir tabam, pavam
'ich wärme' gesprochen wird, mit kurzem a wie im ai. tápati. Andere Beispiele aus alter und neuer Zeit finden sich bei Verf. IF.
III 1 ff. und Vorgeschichte § 125 (im Grundriss der iran. Philol.), wo
ich das Weitere darüber nachzulesen bitte.

2) Von Vullers Beispielen für Ersatzdehnung beim Ausfall
eines r, a. a. O. 47, § 62b ist kein einziges beweisend. In farāmōšad
'er vergisst' beruht die Länge des Wurzelvokals keineswegs auf
Ersatzdehnung, sondern ō ist durch das Part. Perf. Pass. farāmušt,
mit u aus r, hervorgerufen, welches die Überführung des Präsens
in die Geleise der u-Wurzeln zur Folge hatte; vgl. šustan : šōyad,
justan : jōyad. Der Vorgang vollzog sich im Mitteliranischen, als
der Wechsel zwischen präsentischem ō und partizipial-präteritalem
u noch häufiger war.

vgl. Whitney Grammar² § 887a. **Der lautgesetzliche Zusammenfall der 3. Sing. Prät. Med. mit dem Part.
Perf. Pass.** in einer ganzen Reihe von Wurzeln
hatte zur Folge, dass bei den übrigen, wo die
beiden Formen lautlich geschieden waren, jede
derselben als "Präteritalstamm" Verwendung
finden konnte, bis eine davon aufgegeben ward.
Ich halte es nicht für überflüssig, besonders darauf hinzuweisen, dass die angenommene Quelle, der sigmatische Aorist,
gerade für *dašt*, welches der einzige Präteritalstamm der besprochenen Art ist, der sich auch ausserhalb des Pahlavi und
Neupersischen findet (s. oben S. 129), im Altiranischen wirklich nachweisen lässt. Bei dem häufigen Gebrauch des Verbums *daštan* halte ich es wohl für möglich, dass np. *anbaštan*,
gudaštan usw. erst nach dem Muster von *daštan* gebildet
worden sind ¹).

2. Ausser in den besprochenen Formen auf *-ašt* erkenne
ich noch einen sigmatischen Aoriststamm in np. *bašad* 'er soll
sein, wird sein' usw. Die frühere, Ét. ir. von Darmesteter
I 209 übernommene Erklärung setzt *bašad* gleich aind. *bha-
višyáti*. Darmesteter verweist dabei für die 'Kontraktion' von
ayi zu *a* auf *aškār* 'klar', das allerdings auf ein altiran.
ayiškaram — vgl. ai. *aviš*, gav. *aviš* — zurückführt. Aber
hier haben wir *ayi*, mit langem *a*-Vokal ²). Ich setze als
iranische Grundform für das np. *bašad* *bayišati* an, 3. Sg.
des Konjunktivs aus dem *iš*-Aorist. *iš*-Aoriste kommen im Iranischen auch sonst vor, wenn schon selten, während ich für
das *išja*-Futur überhaupt keinen Beleg kenne.

Münster (Westf.), 30. Juli 1893.

Christian Bartholomae.

---

1) Np. *kaštan* 'säen' und das Präsens *karam* gehören zu ai.
kiráti, dagegen *kištan* zu *kŗṣáti*; unrichtig Horn a. a. O. 185. [So
jetzt auch Geiger Etymologie des Afghanischen 11 f. Korr.-Note.] —
Np. *gaštan* 'drehen' mit ai. *vártatē* zu verbinden, wie Horn a. a. O. 198
will, geht nicht an. In *gardam — gaštan* haben sich zwei verschiedene
Wurzeln zusammengefunden; vgl. av. *nivaštakō.srvahǫ* Yt. 14. 23
bei Verf. IF. II 264, wozu jetzt noch Darmesteter Zend Avesta II 567.

2) Vgl. Darmesteter Ét. ir. I 109. Die hier gegebene Etymologie von np. *paidā* 'offenbar' ist falsch; s. Horn Grundriss 78, wo
Weiteres. Vgl. noch np. *šāh*: ap. *hšāyapiya*.

Der Typus φέρω — φορέω im Arischen.

Unter den sogenannten Iterativis der slavischen Sprachen
sind besonders beachtenswert gewisse einfache in der Wurzelsilbe ein *o* enthaltende Verba, welche zu einfachen Verben
mit *e* in einem deutlich gefühlten gegensätzlichen Verhältnis
stehen. So gehören (in altkirchenslavischer Form geschrieben)
zusammen die Paare:

> *redǫ vesti — voditi* führen
> *vezǫ vesti —· voziti* fahren
> *ženǫ gnati — goniti* jagen
> *nesǫ nesti — nositi* tragen.

Dazu *šьd* in *šьlъ* neben *choditi* gehen.

Dass diesen Paaren nach Form und Bedeutung griechische
wie φέρω — φορέω, ϲτρέφω — ϲτροφέω, πέτομαι — ποτέομαι
entsprechen, scheint mir einleuchtend, und ist von Brugmann
Grundriss II 1141 ff. hinreichend hervorgehoben. Durchaus zutreffend führt er aus, dass die *o*-Verba der genannten Form seit der
Urzeit zwei Bedeutungen enthalten haben müssten, nämlich die
kausative, und eine Funktion, die man als intensive iterative
oder frequentative bezeichnen möge, die aber oft nicht fassbar
hervortrete und sicher oft auch in der Zeit, aus der uns das
betreffende Verbum überliefert sei, schon abgestorben gewesen
sei. Nur ein Punkt scheint Brugmann entgangen zu sein, auf
den ich hier die Aufmerksamkeit lenken möchte: In den arischen Sprachen haftet in der Regel die sogenannte iterative
Bedeutung an den Formen mit kurzem wurzelhaftem *a*, die
kausative an den Formen mit langem wurzelhaftem *a*. Dem
griechischen ποτέομαι entspricht also im Sanskrit *patdyati*,
nicht *pátdyati*, z. B. im Rigveda *váyo yé bhūtvī́ patáyanti
naktábhiḥ*, welche in Vögel verwandelt die Nächte über umher-
fliegen 7, 104, 18, *prá vátā vánti patáyanti vidyútaḥ* die Winde
wehen, die Blitze fliegen 5, 83, 4 und sonst, womit man vergleiche: ὼϲ δ' ὅτε νυκτερίδεϲ μυχῷ ἄντρου θεϲπεϲίοιο τρίζουϲαι
ποτέονται Odyssee 24, 7, οἱ δὲ κεραυνοὶ ἴκταρ ἅμα βροντῇ τε
καὶ ἀϲτραπῇ εὖ ποτέοντο Hesiod Theogonie 690. Dagegen
kausativ ist *út patayati pakṣíṇaḥ* sie macht die Vögel auf-
fliegen 1, 48, 5. Das Nähere über diese Verba findet man in
meinem altindischen Verbum S. 211 und bei Whitney Gr.

§ 1041 ff. In meinem altindischen Verbum habe ich behauptet: "Diejenigen Verba, bei denen der Wurzelvokal einfach bleibt, z. B. *patdyati rucdyate* haben in der Regel nicht kausativen Sinn, dagegen diejenigen, bei denen das *a* verlängert und das *i* oder *u* gesteigert ist, wie *sadáyati vēdáyati rocáyati* haben gewöhnlich kausativen Sinn". Noch bestimmter drückt sich Whitney aus, der gewiss jede Stelle geprüft hat. Er sagt: "No forms whithout strengthening have a causative value made in the older language".

Ebenso steht es im Avesta (man sehe das Material bei Wilhelm De verbis denominativis linguae bactricae Jena 1878 Progr. S. 12, Spiegel Vergl. Gramm. der altérânischen Sprachen S. 218 ff., Bartholomae Handbuch S. 122). Ich führe an [1]: *vaęnemnem ahmaþ para daęva patayen* sichtbar strichen ehemals die Teufel herum yt. 19, 80; *yōi apatayen* welche herumliefen y. 9, 15. (Auffällig ist die Kürze in *uspatayęni* ich will hinausjagen yt. 19, 44); *kahmāi azem upawhacayęni* wem soll ich anhängen? yt. 5, 8 (yt. 5, 18. 105 und yt. 9, 26 hat Geldner langes *a*. Wo das Justische Zitat yt. 24, 47 bei Geldner zu finden ist, weiss ich nicht); *yōi frayatayęnti* welche vorwärts streben y. 57, 29; *yaþ frayatayaþ* wohin er gestrebt hatte yt. 5, 65 (über vd 22, 19 vgl. Geldner KZ. XXV 390 Anm.). Über *sad* (çad bei Justi) möchte ich nicht urteilen. Man sehe darüber Geldner KZ. XXVII 242, der an einigen Stellen trotz Kürze des Vokals kausative Bedeutung annimmt. *Tacaya* (*takaia*), was Bartholomae angiebt, habe ich nicht gefunden. Jedenfalls darf man behaupten, dass es sich im Avesta in der Mehrzahl der Fälle so verhält, wie im Veda. Im Altpersischen haben die beiden kurzvokaligen Formen *þadaya* und *viyatarayāma* nicht-kausative Bedeutung.

Irre ich nicht, so hat die hervorgehobene Thatsache nicht nur für die Syntax einige Bedeutung, was ich im zweiten Teil meiner vergleichenden Syntax auszuführen beabsichtige, sondern auch für die Laut- und Formenlehre, insofern die angeführten Formen in der Frage über das Verhältnis des arischen *a* zum indogermanischen *o* eine Rolle spielen können.

B. Delbrück.

---

[1] Die Übersetzungen sind, wo es möglich war, mit Geldners Worten gegeben.

Über sskr. *adbhyás*, *adbhís*.

Diese eigentümlichen Kasusformen des Wortes *áp-* 'Wasser'
sind zwar bemerkt worden, aber eine annehmbare Erklärung
derselben ist meines Wissens nicht zu Tage gefördert. Die
indische Grammatik, z. B. Pāṇ. VII 4, 48. Vop. III 87. 163.
164. 168, hat nur deskriptive Regeln. Von den neueren Grammatikern hat nur Whitney § 151 e. 393 eine phonetische Erklärung versucht, indem er sagt, dass *saṁ́ṣṛ́dbhis* und *adbhís*,
adbhyás "look like cases of dissimilation". Aber eine solche
Erklärung scheitert schon daran, dass — was übrigens Whitney
selbst hervorhebt — die Verbindung *bbh* nicht eben selten ist:
kakúbbhyām, *triṣṭubbhís*; *kakubbhaṇḍá-*, *anuṣṭúb bhi* usw.
Brugmann KZ. XXIV 70 f. sagt: "Das *d* kann nur so erklärt
werden, dass die Sprache, um die unerträgliche Lautgruppe
pbh zu meiden, in der Not zu der beliebteren Gruppe *dbh*,
also zu dem *d* der Dentalstämme griff". Ich bin weit davon
entfernt, eine solche Anlehnung an sich für unwahrscheinlich
zu halten, wozu man vielleicht geneigt sein könnte, in anbetracht des Umstandes, dass solche Formen zu mangeln scheinen, nach deren Analogie im übrigen die Formen *adbhís*,
adbhyás proportionell gebildet sein könnten — solche An-
lehnungen ohne vollständige Proportion sind gewiss häufiger
als man meistens annimmt; nur ist zu bemerken, dass in solchen Fällen Bedeutungsähnlichkeiten (oder -gegensätze)
wenigstens sehr häufig vorliegen (vgl. Brugmann Grdr. Indices
unter Angleichung). Gleichwohl ist im vorliegenden Fall eine
solche Erklärung mir höchst unwahrscheinlich. Brugmann hat
sie demnach selbst aufgegeben und Grdr. I § 327 Anm. 2 S. 267
eine von Osthoff Perf. 600 f. erdachte Deutung der fraglichen
Formen als wahrscheinlich bezeichnet. Diese geht darauf hinaus, dass nach **napsu* (aus **naptsu*) : *nádbhis*, *nádbhyas* (aus
*nabdbhis, **nabdbhyas*[1]); zu *napat-*, *napt-*, vgl. l. *nepōt-*,
nept-is usw.) zu *apsu* (aus *ap-su*) neue Formen *adbhís*,
adbhyás geschaffen worden seien. Diese Erklärung war
schon früher angebahnt von Weber Ind. St. XIII 109, vgl.

---

1) S. Benfey Vedica u. verw. 53. Wackernagel KZ. XXV 290.
Osthoff a. a. O.

Bartholomae Hdb. 75 Anm. 2, indem *adbhyás* von *ap-* auf gleiche Stufe mit *nádbhyas* von *nap-* gestellt ward.

Gegen diese Erklärung kann füglich nicht eingewendet werden, dass ein **napsu* im Indischen nicht belegt ist; denn es hat ja doch vorhanden sein können, vgl. av. *nafšu* (vgl. Osthoff a. a. O. und MU. II 2 f. Anm. Wackernagel und Bartholomae a. aa. OO.). Aber dennoch ist diese Erklärung nicht eben wahrscheinlich. Zunächst scheint *napāt-, napt-* im Indischen nicht sehr häufig gebraucht gewesen zu sein. Dazu kommt, dass die einzigen Formen der beiden Paradigmata, die sich ähnlich sahen und die Motoren zu der vermeintlichen Analogiebildung gewesen wären, **napsu* und *apsu* waren. Wenn überdies die beiden Wörter sehr verschiedenen Begriffssphären angehören und deshalb wenig Anlass boten auf einander einzuwirken, so wird niemand umhin können, den Osthoffschen Erklärungsversuch von *adbhís, adbhyás* für unwahrscheinlich zu erklären. Als unnötig, mithin auch unstatthaft wird er aber zu gelten haben, wenn sich das *d* der genannten Formen etymologisch erklären lässt, das heisst, wenn andre mit *áp-* verwandte Wörter dasselbe *d* aufweisen.

Die Formen des Paradigmas *áp-* im Sanskrit sind zunächst Plur.: Nom.-Akk. *apas* und *apás* (sogar promiscue), *adbhís, adbhyás, apám, apsú;* daneben vom Sing. nur im RV. Instr. *apá* und gen. *apás* (s. BR. s. v. Whitney § 393); im Avestischen: Sing. Nom. *afš,* Akk. *apəm,* Instr. *apa(-ca),* Abl. *apaṭ* und *apaṭ(-ca,* vom *-a*-St.), Gen. *apō, apas(-ca), apō,* Loc. *a'py-a.* — Du.: *apa, ape* (Gah. 4. 5, *-a* Dekl.). — Pl.: Nom. *apō, apas(-ca),* Akk. *apō, apas(-ca), apō,* Dat. *a'wyō,* Gen. *apąm* (s. Jackson Av. Gr. § 286). Hieraus ergeben sich zunächst die Stämme *ap-* und *ap-,* die wohl, in anbetracht der zugehörigen Wurzelformen in andren Sprachen, als ursprüngl. *óp-, op-* anzusetzen sind. Diese Stammformen sind z. B. mit *pṓd-, pod-* (πωδ-, ποδ-), *ụōq-, ụoq-* (l. *vōc-,* s. *vāc-,* ꜰοπ-, l. *con-vōc-are* usw.) zu vergleichen, falls man nämlich Anlass hat anzunehmen, dass auch Formen mit *ě*-Vokalen vorkommen, worüber unten. Auch eine Wurzelform *əp-* lässt sich nachweisen.

Es bezeugen idg. *ŏ* zunächst Ἰν-ωπός, Ἀc-ωπόc [1] Fluss-

---

1) Diese und andre Namen wie Εὐρ-ώπη, Μετ-ώπη, Σιν-ώπη

namcn, die wohl ōp- 'Wasser' als zweites Kompositionsglied enthalten. Das erstere enthält als erstes Glied ein Element, das mit ἰνάω, ἰνέω, ἰνόω 'ausleeren, ausgiessen usw., s. *iš̌-na-ti* 'in rasche Bewegung setzen, schnellen, schwingen; ausspritzen (von Flüssigkeiten) usw.' (vgl. Meister KZ. XXXII 136 ff.) verwandt ist. Von welcher ursprünglichen Art dies ἰν- gewesen ist, lässt sich nicht mehr feststellen, vielleicht etwa 'Schnellwasser, Giess-wasser'. 'Ac- in dem zweiten Namen kann zu ἄcιc 'Schlamm' gehören, wie dies auch zu deuten ist (vgl. Fröhde BB. VII 85. Verfasser IF. II 58. Hoffmann BB. XVIII 290 f.) [1]. Vielleicht gehört auch Ὠρ-ωπός hierher. Eine Ablautsform ōp- wird auch indirekt durch die lit. Form *upé*, worüber sogleich, bezeugt. Ausser s. av. *ap-*, vgl. av. *an-ap-* 'ohne Wasser', *nyāpa-, pa¹tyāpa-, vīāpa-* ist wohl auch s. *Āptya-* (*Trita-*), wozu wohl in der einen oder andern Weise av. *Āpωya-* (*praētaona-*) zu stellen ist (vgl. Pischel Ved. St. I 186. Bartholomae AF. I 8 f. IF. I 180 ff. Bergaigne Rél. véd. II 326 ff. Macdonell JRAS. n. s. XXV 1893, S. 419 ff. und daselbst zit. Litt.; frühere Behandlungen bei Kägi Rigv. 167 f.) [2].

Die Wurzelform op- zunächst wohl im ar. *ap-* [3] sowie s. *apya-, ápa-vant-* 'wässerig', so in ὀπός 'Saft', ὀπόεις, Ὀπόεις, Ὀποῦς eig. 'wässerig' [4]; op- oder əp- in apr. *ape* 'Fluss', *apus* 'Quelle, Brunnen'. Lit. *upé* 'Fluss', *paupўs* 'Flussgegend' (s. Leskien Die Bildung der Nom. im Lit. 155 =

Ἐπ-ώπη, Ἐπ-ωπεύς, Ἐπ-ωπίς sind behandelt worden von J. Baunack Stud. Nicol. 23, Stud. I 68 f. Übrigens siehe zur Sippe ōp- Fick ⁸I 16. 270. 489. II 301. 517. 710. ⁴I 15. 173. 372. Horn Grdr. d. neupers. Etym. 1 u. a.

1) Mehrere z. T. sehr dunkle Wörter und Namen sind zu einem keineswegs sicher gedeutetem Element ἀ(σ)σ- von J. Baunack Stud. Nicol. 25 ff. gezogen.

2) Ob mhd. *uover*, nhd. *ufer* hierher gehört, ist sehr zweifelhaft. Es gehört sehr wahrscheinlich zu ἄπειρος, ἤπειρος (Lottner KZ. VII 180. Froehde KZ. XXII 256. Schulze Quaest. ep. 148 N. 4 u. a.). Ob dies aber mit ōp- etwas zu thun hat, ist sehr fraglich, s. z. B. Prellwitz Et. Wb. 115.

3) Ein ap. *api-*, wie es allgemein angenommen worden ist (vgl. zuletzt F. Müller WZ. I 221 f.) ist wohl nicht vorhanden, s. Bartholomae BB. XIV 244.

4) Ob l. op- z. B. in op-s, opia, op-ī-mus hierher gehört, lasse ich dahingestellt (vgl. z. B. Persson Wurzelerw. 232 f.).

Abb. d. phil.-hist. Klasse d. kön. sächs. Ges. d. Wiss. 1891, 305) ist aus *ăpé* durch Einwirkung von daneben einmal vorhandenen Formen mit kurzen Vokalen entstanden; vgl. (nicht völlig analoge) Fälle wie gr. dial. πόc statt πώc (πούc) nach ποδ-, ὄψ nach ὄπ- statt *ὤψ oder den umgekehrten Vorgang in einigen der von J. Schmidt KZ. XXV 20 f. Pluralb. 365. Kretschmer KZ. XXXI 295. 410 f. erwähnten Fällen, sowie beispielsweise δείκνūμι (Ausgleichung von *δεικ-νευ-μι und δεικ-νύ-μεν, vgl. Brugmann Gr. Gr.² § 116 S. 155. Grdr. II § 643 S. 1010 f. usw.) [1]). Man könnte daran denken, d. *ebbe* (s. Kluge s. v.) und aisl. *efja* 'Moor, Schlamm' usw. zu *ŏp- 'Wasser' zu ziehen; jedenfalls sind für die Entstehung der Spezialbedeutungen 'Rückwasser' oder 'zurückgebliebenes Wasser' Bildungen vom idg. Präpos. *apo (*apio- usw.) mit wirksam gewesen. Dies fordert eine eingehende Untersuchung, die hier nicht geführt werden kann.

In *əp-* ziehe ich (vgl. BR. s. vv. Mahlow L. v. 79. Danielsson Gramm. Anm. I 20. Kretschmer KZ. XXXI 385) s. *dvīpa-* 'Insel, Sandbank im Flusse', *antarīpa-* 'Insel', *pratīpa-* 'widrig, entgegenkommend, entgegenfliegend; entgegensetzt, verkehrt' (vgl. 'gegen den Strom'), wohl *nīpa-* wenigstens in der Bedeutung 'tiefliegend', *anūpa-* 'am Wasser gelegen, wasserreich; Gestade, Ufer'[2]); dagegen nicht *samīpa-* 'nahe; Nähe', das zu *ap-* 'erreichen' gehört. Die langen Vokale *ī* und *ū* sind durch Kontraktion von vokalischem *i* und *u* mit *ə* (-*iə*-, -*uə*-) entstanden[3]). Weiter gehören hierher die Benennungen für Peloponnesus Ἀπία, Ἀπίc (γῆ), Μεccāπία, Μεccάπιοι, das lokr. Μεccάπιοι Thuk. III 101, Μεccάπιον ὄρος in Boeotien und Thrakien, lak. Μεccαπέαι (s. Pape-Benseler s. vv.). Diese Namen sind entweder griechisch oder nach einem gleichlautenden und begriffsidentischen, wohl

---

1) Lett. *uppe* 'Fluss' ist vielleicht durch Kombination des kurzen Vokals mit der Qualität und Akzentart (gestossen = lit. schleifend) der urspr. Form *ŏp- entstanden.

2) Vgl. av. *nyåpa-, paityāpa-, vīāpa-* mit Vollvokalismus.

3) Ich werde in weiterem Zusammenhang zeigen, dass idg. *iə, uə* schon idg. zu *ī* und *ū* geworden sind und zwar mit zweigipfligem Akzent; dagegen *iə,* und *uə* (wie *əi* und *əu*) sind bis in die Einzelsprachen bewahrt. — Im vorliegenden Fall wenigstens könnte *ī* (aber nicht *ū*) arisch sein, in welchem Fall es aus arischem *ii* entstanden wäre.

altillyrischen *åp-* 'Wasser' gebildet; vgl. den illyrischen Flussnamen Ἄψος, l. *Apsus.* Von Μεϲϲάπιοι usw. sind nicht *Ápulus,*
Ap-ulia (*App-*) zu trennen. Das in mehreren dieser Wörter
erscheinende lange *a* ist entweder in Verbindung mit der
eventuellen Entlehnung entstanden, oder, soweit es in den betreffenden Sprachen als ursprünglich anzusehen ist, kann es
durch Ausgleichung zwischen Formen mit *ŏ* und *a* (*ə*) erzeugt
worden sein (übrigens vgl. Pott EF.[1] II 43. Curtius Et.[5] 469.
Fröhde KZ. XXII 256. Bugge KZ. XIX 403 f. Corssen II 170)[1].
Rein italische zu *əp-* 'Wasser' gehörende Wörter sind wohl
ap-ium 'Sellerie, Sumpfeppich', vgl. den Stadtnamen *Ap-iolae.*
Der makedonische Flussname *Ap-ilas* bei Plin. H. N. IV 10, 34
kann echt "makedonisch" sein und zur selben Wortsippe gehören, obwohl nicht zu entscheiden ist, welche Wurzelstufe
vorliegt[2]). Vgl. hiezu noch ἄπιον 'Birne' usw.

Nach dieser Durchmusterung des hauptsächlichen etymologischen, die Wurzel *ŏp-* ohne Erweiterung enthaltenden
Materials haben wir den Formen *adbhis, adbhyás* näher zu
treten, um zu sehen, ob nicht das *d* etymologisch begründet ist.

Zwar scheint av. *aᵘwyó* dem etymologischen Charakter
von *d* zu widersprechen; denn es ist aus idg. **obbhies,* ar. oder
eran. **abbhyas* oder **abhyas* durch Konsonantenverkürzung
entstanden (vgl. Bartholomae Hdb. 53. 75. Jackson Av. Gr. I
57. 84. Brugmann Grdr. I § 328 S. 267; dagegen ohne Grund
Osthoff Perf. 601). Aber es ist deutlich, dass dies direkt aus
ŏp- gebildet ist ohne die Erweiterung mit *d,* die in *adbhis,*
adbhyás auftritt.

Eine Erweiterung mit *-d-* sollte Formen ergeben wie
ŏp(e)d-, əp(e)d- (ev. *ĕp(e)d-,* worüber unten). *əp(e)d-* vermute
ich m griech. Flussnamen Ἀπιδών in Arkadien (Steph. Byz.
s. Ἀπία)[3]); ἀπιδ- ist m. E. aus ἀπεδ- entstanden und erklärt

---

1) Ob ἐξ ἀπίηϲ γαίηϲ A 270. Γ 49. η 25. π 18 aus *ŏp-* 'Wasser'
(vgl. Curtius Et. [5]469 u. a.) oder von ἀπό abgeleitet ist (Buttmann
Lexil.[4] I 63; Pott EF.[2] I 446 u. a.), lasse ich dahin gestellt.

2) Dass übrigens *ŏp-* mit idg. *ĕq-, aq-* (l. *aqua,* g. *ahva* usw.)
wie mehrmals angenommen ist (zuletzt Edgren Skand. Arch. I 391 f.)
zusammenhängt, ist sehr unwahrscheinlich (ein Vermittlungsversuch
von Fick[4] I 173).

3) Vgl. übrigens Ἀπιεύϲ, Ἀπιδόνεϲ, Ἀπιδονῆεϲ, Ἀπιδανή bei Pape-
Benseler s. vv.

sich wie ϲκίδνημι, πίτνημι, κίρνημι usw. (vgl. Kretschmer KZ.
XXXI 375 und daselbst zit. Litt., wozu noch die unmögliche
Vermutung von J. Baunack Stud. I 248 N. 1). Eine thematische
Stammform, übrigens identisch mit 'Aπιδών und ebenso Flussname, ist 'Aπιδανόϲ in Thessalien (vgl. Curtius Et.⁵ 469). Die
ionische Form 'Hπιδανόϲ (Herod. VII 193) kann ursprünglich
unter dem Zwang des Metrums entstanden sein (andre Fälle
bei Schulze Quaest. ep. 146 ff.), kann aber erklärt werden wie
in Aπία usw. oben. Sowohl 'Aπιδών wie 'Aπιδανόϲ bedeuteten
eigentlich 'der Fluss', wie so überaus gewöhnlich ist, dass
See- und Flussnamen aus Appellativen für 'See' und 'Fluss'
erwachsen sind.

L. *amnis* kann für **ap-n-i-* stehen. Es kann aber ebensowohl aus **ab-n-i-* entstanden sein. Man hat (z. B. Brugmann
Grdr. I 376) dies aus **abh-n-i-* erklärt und z. mit air. *abann*
'Fluss', s. *abhrá-* 'trübes Wetter, Gewölk; Luftraum, Staub',
ἀφρόϲ 'Schaum' usw. zusammengestellt. Diese Wörter können
doch nicht (mit av. *awra-* 'Wolke' usw.)[1]) von *ámbhas* 'Wasser', wohl auch lat. *imber* aus **m̥bhro-*, air. *imrim* 'Sturm',
osk. *Anafriss* 'Imbribus' (vgl. Bugge KZ. II 386. De Saussure
Mém. 277 f. Buck Vok. d. osk. Spr. 138. Bronisch Osk. *i-* und
e-Vok. 131) einerseits, und von s. *nábhas*, νέφοϲ, νεφέλη,
l. *nebula* usw. andrerseits getrennt werden. Vorauszusetzen ist
ein Element *enebh-*, dass sich in *embh-* : *nebh-* gespalten hat[2]).
S. hierüber besonders Benfey Einige Derivate d. idg. Vb. *anbh*
= *nabh* 1 ff. Wilhelm BB. XII 105 ff., wo übrigens viel unzu-
sammengehöriges vereinigt worden ist[3]).

---

1) Dagegen trenne ich hiervon das dazu von G. Meyer EW. 21.
ASt. III 36. 81 (etwas zweifelnd) gestellte alb. *avuł* 'Dunst', das
auch sonst lautliche Schwierigkeiten macht. Vielleicht mit *aɥel-* in
ἄελλα usw. verwandt.

2) Hiervon trenne ich s. *a-m-bu-* 'Wasser', gr. ὄ-μ-β-ροϲ 'Regen',
die möglicherweise als nasalierte Formen von ὄp- 'Wasser' anzusehen sind. — Eine andre Sanskritwurzel *ambh-* 'gewaltig sein'
u. dgl. habe ich behandelt IF. III 239 ff.

3) Ich kann mir nicht versagen, in aller Kürze und ohne die
sonst unerlässliche Motivierung auf die dort behandelten Wörter
einzugehen. Die hauptsächlichsten semasiologischen Einheiten, die
auseinander gehalten werden müssen, aber in den genannten Arbeiten und hie und da sonst mehr oder minder durcheinander geworfen werden, sind folgende: 1. idg. *(s)nebh-* 'reissen, bersten
(machen)'. Hierzu ziehe ich s. *nabh-* 'spalten, bersten' in *nabhatē*,

Ist demnach nicht l. *amnis*, air. *abann* aus **abh-n-i-* usw.
entstanden, das letztere aber nicht aus **ap-n-* herleitbar, aber
die beiden Wörter nicht zu trennen, so kann nur eine Grundform **ab-n-i-* usw. zum Ziel führen. Diese kann nicht aus
**ap-n-i-* entstanden sein. Aber dennoch ist Zusammenhang mit
ŏp- 'Wasser' möglich zu begründen. Wenn wir statt der zwei-

---

nabhnāti, nabhyatē in Dhātup. (vgl. Nāigh. II 19. Nir. X 5), wohl
auch, nach Benfey a. a. O. 12 f., *nábhantām* RV. X 133, 1 ff. = SV.
II 9, 1, 14, 1—3 = Ath. V. XX 95, 2. RV. VIII 39, 1 ff. Vgl. Tāitt. S.
III 2, 11, 3, *nabhasva* Ath. V. VII 18, 1 (vgl. Henry Le livre VII
de l'Ath. V 7. 59), *prá nabhatām* ib. v. 2, *ún nambhaya* Tāitt. S. II
4, 8, 2 (= III 5, 5, 2). II 4, 10, 3, *nabhayati* Ait. Br. VI 24 (anders
vgl. Weber Vājasau. Samh. spec. II 96 f. ZDMG. IV 297. Ind. St.
I 326 N. Ludwig Rigveda II 266. III 76. Wilhelm BB. XII 105).
Hierher kann man auch *nabhanú-* m., *nabhanū* f., 'Fluss' (*nadī*
Nāigh. I 13) RV. IV 19, 7. V 59, 7, vielleicht besser 'Quelle', urspr.
'Quellsprung', ziehen. Ebensowohl aber kann es zur folgenden
Sippe gehören. Die s. Wurzel *nabh-* 'bersten, reissen' sehe ich auch
in ags. *nafo-gár* 'Bohrer', aisl. *nafarr* (weitere Verw. s. Kluge⁵ u.
Naber, vgl. Fick ⁴I 97), vielleicht auch in air. *snob* 'suber, liber'.
wohl eig. 'das Berstende' (anders Stokes KSB. VIII 338), womit
Lidén Språkv. sällsk. förh. 1891—94, 68 f. isl. *næfr* zusammenstellt.
— 2. *enebh-*, woraus *embh-* : *nebh-* mit einer Allgemeinbedeutung
'feucht, Wasser, Dunst, Nebel' und daraus entwickelt 'dunkel',
wozu die im Text genannten Wörter. Hierzu wohl av. *napta-*
'feucht', Neubildung st. **nawda-* aus **nebh-to-*. Wir brauchen demnach nicht mit Horn KZ. XXXII 584. Grdr. d. neup. Et. 232, vgl.
Bartholomae Hdb. § 98 Anm. 1. von einer Wz. *naph-* auszugehen,
es sei denn, dass man *napta-* mit np. *neft* usw. zu 1. ziehen sollte
und die dort angeführte Wz. als *(s)neph-* : *(s)nebh-* ansetzen wollte
oder vollends es zu einer ev. Wz. *nep-* führen möchte. Die Wurzel
mit infigiertem Nasal in np. *nem* 'feucht, Feuchtigkeit', phlv. *namb*,
nam (s. Justi Bundeh. 250), l. *ni-m-bus* 'Wolke, Platzregen' kann
durch Kontamination von den neben einander liegenden Wurzelformen *embh-* und *nebh-* entstanden sein (vgl. l. *na-n-c-iscor* aus
enk-, *ənk-* und *nek-*). — 3. *eneph-* : *enebh-*, woraus *emph-*, *embh-*:
neph-, *nebh-*, deren Allgemeinbedeutung nicht festzustellen ist, in
ὀμφαλός, l. *umbilicus* einerseits, und av. *nāfah-* 'Geschlecht', *nāfya-*
'Verwandtschaft', np. *nāf*, *nāfe* 'Nabel' mit urspr. *ph* und s. *nābhi-*,
nābhila-, ahd. *nabalo*, aisl. *nafle* (und andre dazu bei Fick ³I 127. 649.
II 393. 593. 743. III 160. ⁴I 97. 273. 276. 505. Kluge u. *Nabe, Nabel*
usw.). — 4. ev. *(e)nep-* 'feucht sein', s. unten im Text. — 5. l. *nūbes*,
nūbs, *nūbilus* gehören entweder zu cymr. *nudd* 'Nebel' (Thurneysen KZ. XXX 488), in dem Fall wohl auch ir. *snúad* 'river, brook',
oder mit *nūbo* usw., wohl auch νύ-μ-φα, zu einem *neubh-* (anders
J. Schmidt Plb. 145 N.).

silbigen Form * əped-* in 'Απιδών, 'Απιδ-ανός eine einsilbige Form *əpd-* voraussetzen, muss diese schon idg. zu *əbd-* geworden sein. Ich erkläre demnach sowohl *amnis* wie *abann* aus *abdni-* resp. *abd(o)n-,* und die beiden Wörter sind demnach mit den genannten griechischen Flussnamen fast identisch.

Man könnte vermuten, dass *abd-* unter allen Umständen in den keltischen Sprachen zu *ab(b)-* geworden sei. Dann erklärte sich ohne weiteres der keltische Stamm *ab-* z. B. in 'Αβος Ptol. 2, 3, 4 (der jetzige brittische Fluss Ouse), *Ap(p)ula* (jetzt der Fluss Appel) aus *Ab(u)la, Ab-usina* (der Fluss *Abens*), air. *oub,* Gen. *aba, abae* usw. Indessen scheint mir eine andre Erklärung den Vorzug zu verdienen. Es gab deutlich eine allgemein keltische Flexion Nom. *abdō* und *abdōn,* die übrigen Kasus mit den Stämmen (*abdon-*) und *abdn-,* beispielsweise Gen. *abdnos.* Daraus wurde *abnos* und *ab-* (statt *abd-*) wurde verallgemeinert im Nom. *abō, abōn.* Aus der ersten Form entstand urir. *abū,* das sich zum *-u*-Stamm air. *oub* verallgemeinerte[1]). Die casus obliqui ergaben air. *abann* f. 'Fluss', akymr. *abon,* welsh. *afon* 'Fluss', korn. *avon, auon,* bret. *avon, auonn* (vgl. gael. *abhuinn amhainn,* manx *awin*), der jetzige Flussname *Avon,* dessen ältere latinisierte Form *Abōna* war (vgl. Zeuss-Ebel 773).

Der kürzere *-n*-Stamm kommt zum Vorschein in *Abnoba* 'der Schwarzwald', über dessen Bildung übrigens s. Zeuss-Ebel 789; Zitate bei Holder AS. s. vv. Auch bei air. *aibeis* F. 'See' (Belege [bei Stokes BB. XIX 40) dürfte man diese Stammform zu vermuten wagen, obwohl die Bildung dunkel ist. Stokes a. a. O. vermutet ein *abhent-ti-,* und vergleicht übrigens kymr. *affwys.*

Noch eine Vermutung wird in diesem Zusammenhang gestattet sein, nämlich dass der Flussname *Addua* (*Adua*), jetzt *Adda,* den reinen Stamm *abd-* mit Assimilation enthält.

Nun meine ich auch, im Sanskrit eine Form mit *d* gefunden zu haben. Wie s. *varṣa-* 'Jahr' aus *varṣa-* 'Regen' ent-

---

1) Dies erscheint auch sonst in einer grossen Menge germanischer Flussnamen auf allgemeingerm. *-apa,* hochdeutsch *-af(f)a* und mehrere wechselnde Formen (bes. *-pe*), die aus dem Keltischen ganz oder teilweise entlehnt sind (J. Glück Fleckeis. Jahrb. 1866, 600 f. Müllenhoff DA. II 227 ff. Stolz Die Urbevölkerung Tirols 64. 111. Much PBrB. XVII 63).

wickelt ist, oder wie sich got. *wintrus* usw. als 'Wasserzeit',
auch in der Bed. 'Jahr' zu l. *unda*, lit. *vandü* 'Wasser' usw.
verhält (vgl. Lidén PBrB. XV 522), so hat man auch s. *abda-*
'Jahr' in Beziehung zu *áp-*, d. h. zu der mit *d* erweiterten
Form *obd-* zu bringen. Es bedeutet ja auch, nach den indischen Lexikographen, 'Wolke' und BR. s. v. (vgl. Curtius Et.[5]
469) wird es aus *ap-* 'Wasser' *+da-* 'gebend' erklärt[1]). Eine
solche Herleitung passt freilich zu der nur bei den ind. Lexikographen bezeugten Bedeutung 'Wolke', während die Bedeutung
'Jahr' die älteste ist, die doch wohl nicht aus 'Wolke' so
leicht herzuleiten ist, während sowohl 'Wolke' wie 'Jahr' nach
den angeführten Analogien aus einer Bedeutung 'Wasser, Feuchtigkeit' usw. entwickelt sein können. Jedenfalls scheint es mir
angemessener, s. *abda-* mit dem schon gewonnenen Stamm
ap(e)d- zusammenzubringen.

Aus diesem s. *abd-* erkläre ich nun die Formen *adbhis*
adbhyas nämlich aus *abdbhis*, *abdbhyas* wie *nádbhis* aus
nabdbhis.

Nun befremdet es freilich, dass im Indischen die aus
áp- lautgesetzlich entwickelten Formen *abbhis*, *abbhyas* durch
die *-d-*Formen verdrängt worden sind. Ich bin nicht imstande,
andres als unsichere Vermutungen vorzutragen. Es hat wahrscheinlich zwei (durchflektierte) Paradigmata gegeben, eins
áp- ohne Erweiterung, eins mit der *-d-*Erweiterung. Mehrere
Formen der beiden Paradigmata wurden wahrscheinlich gleich,
wenigstens vom Sing. *áp* und Lok. Plur. *apsú* (von *ap-sú* und
apt-sú). Daher eine Verschmelzung der beiden Paradigmata,
und so ein allmählicher Rückgang der Formen mit *-d-*. Dieser
Rückgang muss auf der Mehrzahl der Formen ohne *-d-* beruhen.
Nur in den *-bh-*Kasus sind die *-d-*Formen bewahrt und zwar
im Indischen auf Kosten der Formen ohne *-d-*. So lange man
die äusseren und psychologischen Faktoren nicht bestimmen
kann, pflegt man zu sagen, dass es auf Zufall beruhe, obwohl
man theoretisch und im allgemeinen das Vorhandensein solcher
Faktoren anerkennen muss. Die Erhaltung, nicht die
Schöpfung, der genannten Formen kann man zur Not
der von Osthoff a. a. O. herangezogenen Analogie zuschreiben,

---

1) Das Wort wird auch *avda-* geschrieben und Uṇ. IV 100 zu
avati gestellt.

insonderheit wenn es sich nachweisen liesse, dass die Form
sam-srdbhís auf einem Dentalstamm beruhte und mitwirkend
gewesen war. Es kann aber gar wohl einen Stamm **srpét-*
**srpt-* (oder sogar mit Erweiterung -*d*) neben **srp-* gegeben
haben (vgl. Brugmann Grdr. II § 123 S. 365 ff.). Aber auch
hier kommt man über die Möglichkeit nicht hinaus. Wenn
ich nur noch eine Möglichkeit, die Erhaltung der -*d*-Formen
zu erklären, erwähne, so verkenne ich nicht den problemati-
schen Charakter dieses Vorschlags.

Es kann jetzt nicht mehr ausgemacht werden, aus welchen ursprünglichen Elementen der Mythus vom indischen
Apam napat 'Enkel des Wasser' (s. Bergaigne Rel. véd. II
17 ff. 36 ff.)[1]) erwachsen ist. Vielleicht wird sich einmal eine
Vermutung bestätigen lassen, dass auch volksetymologische,
auf ursprünglicher Homonymie beruhende Umwandlungen der
ursprünglichen myth. Vorstellungen stattgefunden haben. In
anbetracht der nahen Bezeichnung von *Apām napát* zum
Wasser, könnte man vermuten, dass in *napát* auch eine ursprüngliche Bedeutung von 'Wasser' oder dgl. vorhanden gewesen sei, in welchem Falle *Apām napat* eine der überaus
häufigen tautologischen Verbindungen wäre. Indessen starb
die Bedeutung 'Wasser' aus, und die Bedeutung 'Enkel' hat die
Legende (z. T. volksetymologisch) umgestaltet. So ist es z. B.
sicher der Fall gewesen bei *Trita-* (*Āptya-*)[2]), wo *Trita-*
ursprünglich nichts mit der Ordinalzahl zu thun gehabt hat
(sondern eben eine ursprüngliche Bedeutung 'See, Meer' gehabt
hat, s. z. B. Fick[4] I 63. 229), aber später unzweideutig als 'der
Dritte' aufgefasst worden ist, was sicher viele Umgestaltungen
in der Legende veranlasst hat (vgl. Macdonell JRAS. n. s. XXV
1893, 477 ff.). Diese Vermutung könnte vielleicht eine Stütze
bekommen in der Glosse Νάπας ἡ κρήνη ἐπὶ τῶν ὁρῶν τῆς
Περσίδος ἱστορεῖται, ἡ φέρουσα τὰ ἄφοδα[3]) (s. hierzu De Lagarde Ges. Abh. 219. Wilhelm BB. XII 104), wo das persische

---

1) Übrigens vgl. Windischmann Zor. St. 177 ff. Spiegel KSB.
IV 454. v. Bradke Dyāus Asura 82. Gruppe Die griech. Kulte
und Mythen 89. Hillebrandt Ved. Myth. I 365 ff. Macdonell JRAS.
n. s. XXV 1893, 473 ff.

2) Eben dies ist eine tautologische Zusammenstellung derart
wie *Apām napát.*

3) τὰ ἄφοδα ist natürlich in τὸ νάφθα zu ändern, s. M. Schmidt.

napāt, av. *napāţ* in der erloschenen Bedeutung
:' sein konnte. Lat. *Nept-ūnus* weist in die-
), sowie möglicherweise das griechische νέποδες
. Es kann ursprünglich etwa 'Wassertiere' be-
)bwohl es der Form nach sicher volksetymolo-
lelt worden ist. Es kann eine ursprüngliche Kasus-
:.) des verschollenen *νεπωτ- oder eine Sekundär-
ι in der ursprünglichen traditionellen Verbin-
haben; jedenfalls ist es volksetymologisch um-
ιasiologischer Hinsicht nach einem einmal vor-
ιτ- 'Enkel' — das scheint die auf Auffrischung
·endung in der späteren Litteratur zu beweisen
formaler und semasiologischer Hinsicht nach
: möglicherweise gleich ἀ-ποδες); s. Curtius Et.[5]
·er [2]202, vgl. einerseits J. Baunack Stud. I 272 ff.,
ιoff Perf. 599 f., nach welchem freilich der Ein-
t τ durch Entgleisung wenigstens als erleichtert
len kann; dagegen würde eine dem s. *nápātas*,
durch Entgleisung entstandenem δ entsprechende
m offenbar *νέπωδες geheissen haben.
obigen Vermutungen einigermassen begründet
ünnte ja auch av. *napta-* 'feucht' hierher ge-
ιti Hdb. 166. Pott EF.[2] II 2, 2, S. 1015—22.
[I 371)[2]).
n idg. *nepōt-* 'Wasser' gegeben — des Raumes
ι mich hier auf die obigen nur kurz hingewor-
ιnen Vermutungen besckränken — so kann Instr.
'lur. *n̥bdbhís, *n̥bdbhiés gelautet haben, was
ιyds wäre. Diese Formen können dann den
adbhyds vom -d-Paradigma *abd-*, neben *abbhis*,
Paradigma *áp-*, zum Sieg verholfen haben.
noch einmal auf die -d-Erweiteruug δp(e)d-,
ckzukommen, so ist das -d- wahrscheinlich von

rzu Pott EF.[2] II 2, 2, S. 1015—1022. — Grassmann
:bindet es mit idg. *nebh-* in νέφος usw. Vgl. noch
or. St. 186. Spiegel KZ. XIII 372.
·igens auch *napāt* 'Enkel' hierher zieht (vgl. Del-
25. Leumann Festgr. a. Böhtlingk 77. v. Bradke
und sowohl av. *nāfah-*, *nāfya-* usw., s. *nābhi* wie
usw. vergleicht.

derselben Art wie das im idg. Wort für S a l z vorhandene:
**sal-d*, g. *salt*, lit. *saldùs* 'süss', abg. *sladúkŭ* 'süss' neben
-*d*-losen Formen in ἅλ-ς, ἅλ-α-ςιν, abg. *sla-n-ŭ*, air. *salann*
'Salz', kymr. *halun*, l. *sal-e*, abg. *soli*, lett. *sals* (aus **sal-i*)[1]),
s. J. Schmidt Pluralb. 182 ff. 253, vgl. Brugmann Grdr. I § 369
S. 283. § 506 S. 373. II § 93 S. 265. § 160 S. 455. § 690
S. 1047. § 884 S. 1251 und über das Element -*d*- noch Verf.
Beitr. z. gr. Sprachk. 152.

Anhangsweise möchte ich noch zwei Wörter in den Bereich dieser Untersuchung ziehen. Zunächst den Stadtnamen
Ἄβδ-ηρα[2]) nach Steph. Byz. Meineke 5 'πόλεις δύο. 1. ἡ μὲν
Θρᾴκης, 2. ἡ δὲ δευτέρα πόλις τῆς Ἰβηρίας πρὸς τοῖς Γαδείροις'.
Wenn man bedenkt, dass das thrakische Ἄβδηρα an der Mündung des Nestos in einem sehr seichten und wässerigen Terrain
lag (vgl. Kiepert Lehrb. d. alt. Geogr. 323), liegt der Gedanke
nahe, dass wir es mit einer Ableitung des Stammes *ŏp(e·)d-*
·b-d- 'Wasser' zu thun haben, sei es, dass das Wort griechisch
oder, was wahrscheinlicher ist, etwa (makedonisch oder) thrakisch-phrygisch ist; vgl. Ὀποῦς, l. *Apiolae*[3]).

Wichtiger wäre es, wenn das germ. Wort für A b e n d
mit einiger Wahrscheinlichkeit zur hier behandelten Wortsippe
gezogen werden könnte. Um die Bedeutungsentwickelung zu
erklären, giebt es eher zu viel Möglichkeiten. Man kann den
Abend als die T h a u z e i t, die Zeit, wo sich die F e u c h t i g k e i t
e i n s t e l l t, fassen, oder vielleicht lieber die Zeit, wo der N e b e l
e n t s t e h t oder es d u n k e l w i r d[4]); vgl. oben die Bedeutungs-

---

1) Zu arm. *al* vgl. bes. Bugge KZ. XXXII 81 f.

2) Die hier vorgetragene Vermutung lässt sich wohl wenigstens ebensogut hören wie die von Grasberger Gr. Ortsn. 233 f.
vertretene Erklärung (zu phönikischem *Abba* = 'silva', vgl. Kiepert 324).

3) Zum Namen vgl. noch z. B. Αἰγαί (vgl. αἶγες· τὰ κύματα),
jetzt bulg. *Vodená* von *Voda* 'Wasser' u. A. M.

4) Die Benennungen für *abend* können mehrfachen Ursprung
haben: z. B. g. *andanahti* eig. 'Vornacht'; *sagqs*, l. *occasus* 'Sinken,
Fall', vgl. s. *dóṣa-* (vgl. δύω) usw. Nach dem dunkel beispielsweise
air. *deime* 'Abend' zu *deim* 'schwarz, dunkel' (vgl. Stokes BB.
XIX 65) von idg. *dheme-* (vgl. θεμερός 'düster', ahd. *timber* 'dunkel')
neben *teim* 'dunkel, schwarz' von *teme-* (vgl. s. *tamas*). Auch für
alb. *mbrëmë* 'Abend' möchte eine Zusammenstellung mit *ambhas*
—*nabhas* (ags. *nifol* usw.) oder gar mit ὄμβρος vor der Zusammenstellung von G. Meyer EW. 266. Alb. St. III 31 den Vorzug geben.
Grundform **(a)mb(h)r̥-mo-* (vgl. alb. *mbǝ* = ἀμφί).

entwickelungen, die in νεφέλη, d. *Nebel* (vgl. daz
nifl in *nifl-heimr* usw.) und ags. *nifol* 'dunkel' us
treten. Jede der hier angedeuteten Möglichkeiten
Kluge s. v. in früheren Auflagen referierten und al
vorzuziehen. Ein Zusammenhang mit s. *apitva-* (näi
RV. VIII 43 von Grassmann und Böhtlingk angenoi
deutung 'Abend'), die Kluge⁵ s. v. vorschlägt ui
als möglich angesehen habe (Beitr. z. gr. Sprachl
weder lautlich noch semasiologisch zu begründe:
dung von *a-pi-tva-* usw. s. Zubatý Sitz.-ber. d. kön.
d. Wiss. 1892 Ausz. S. 6 ff.). Von *apitva-* ist nicht
Bedeutung sicher gestellt (vgl. ausser Zubatý a.
Geldner Ved. St. II 155 ff., wessen Etymologie vo
usw. S. 179, vgl. Stud. z. Av. 1 52. 162. Bartholoi
206 N. 2, wohl nicht zu halten ist).

In formaler Hinsicht können wir A b e n d ʑ
handelten Sippe stellen, wenn wir neben *ǒp-* auch
stadium *ěp-* annehmen. So gehen mhd. *ábent* (*d*
abant, as. *áband*, ags. *ǽfen*, *éfen* (zum Verlust d
dentals s. Brugmann Grdr. II § 59 S. 99), me., ne. ei
vgl. Erdmann Språkvetenskapliga sällskapets f
1882—85, S. 139) auf **ěp-nt-* (resp. **ěp-on-t-*, **ěp-e*
Dagegen scheint eben dem an. *aptann*, *œptann*, ɛ
Noreen Aisl. Gr.² 93), ags. *œften-tíd* die parallele I
idg. *ěbd-* (oder *əbd-*) zu grunde gelegt werden ʑ
Es wäre dieselbe Doppelheit, die wir oben gefu
und die übrigens an sich nichts auffallendes hat.

Upsala.   Karl Ferdinand Johar

---

1) Etwa **ěbdono-*, **ěbdeno-*. Aber auch, wenn (
gische Anschluss an *ěp-*, *ǒp-* 'Wasser' richtig oder wen:
scheinlich sein sollte, ist doch die Erklärung der in b
menden Formen sehr schwierig. Man könnte in die
vielleicht am besten auskommen, wenn man Stamn
*ěptno- zu **ěpno-* — d. *ábent* annimmt, wobei doch der ʰ
als sekundär und rätselhaft aussieht, und **ěptono-*, **ěpte*
usw. (vgl. Noreen Urg. judlära 108); oder man könn
bewegliches *t* denken: **ěp(e)nt-* : **ěp-t-ono-* wie ich Beitr
154 vorschlug. Aber keine Erklärung ist evident; .
die im Text angedeutete wenigstens nicht unmögli
anderen.

Persische Miszellen.

1) Mihrnarsē und Ādharnarsē.

West führt in seiner Übersetzung des *Bundeheš*[1]) folgende Stelle an: "*by Spenddâd were Vohûman, Âtarô-tarsah, Mitrô-tarsah and others begotten .....*". Da sich nun sowohl der *Spenddâd* (*Spanddâdh*, bei Sebēos *Spandiat*, bei Moses von Kahankatoukh im 10. Jhrh. *Aspandēat*) des *Bundeheš* als auch dessen Sohn *Vohûman* im *Šâhnâmeh* unter den Namen اسفندیار und بهمن wiederfinden, liegt es nahe, auch die beiden andern im persischen Epos zu suchen. In der That überliefert uns Firdausī (ed. Vullers-Landauer S. 1547, V. 891—92, ibid. p. 1698, V. 3470 ff.), dass *Isfandijâr* 4 Söhne gehabt habe, nämlich بهمن, مهرنوش, آذرافروز und نوش‌آذر. Was zunächst *Mitrô-tarsah* bei West betrifft, so schlagen wir vor, an Stelle des zweiten *t* ein *n* zu setzen[2]), wodurch wir dann an Stelle von *Mitrô-tarsah Mitrô-narsah* erhalten. Dieses '*Mitrô-narsah*' ist aber die "forme savante" (vgl. Darmesteter Études Iraniennes I S. 92, Anm. 1) des vornehmen mittelpersischen Eigennamens *Mihrnarsē*[3]), *Mihrnerseh* bei den Armeniern Elisäus und Lazar Pharbezi. Nun entsteht aber dadurch eine Schwierigkeit, dass die Silbe نوش im Namen مهرنوش auf dem Wege lautlicher Wandlung sich nicht auf ein mittelpersisches *narsē* oder *narsah* zurückführen lässt; denn np. *š* kann wohl auf ein älteres *rš* zurückgehen, nicht aber auf *rs*, welches erhalten bleibt (vgl. Darmesteter Études Ir. I S. 83—84). Wohl aber

---

1) Pahlavi Texts I S. 137, im 5. Bnd. der "Sacred Books of the East".

2) Das pehl. *t* für *n* konnte durch Ligatur mit dem vorhergehenden *ō* entstanden sein. Ein Durchgang der Formen durch das arabisch-persische Alphabet, wo eine Verwechslung von ز und ژ leicht möglich ist, lässt sich doch kaum annehmen, obwohl der *Bundeheš* ja erst in arabischer Zeit verfasst ist.

3) Vgl. hierüber: Nöldeke *Ṭabarī* S. 109; Hoffmann Auszüge aus syr. Akten pers. Märtyrer; ZDMG. XLIII S. 410. Bei der Schreibung des Namens *Mihrnarsē* folge ich Nöldeke Aufsätze zur pers. Gesch. S. 105—107.

lassen sich m. E. die beiden Formen *noš* und *narsah* mit einander in Einklang bringen, wenn wir graphische Gesichtspunkte zu Hülfe nehmen.

West gibt nämlich (a. a. O. XXXI 3 u. 6 S. 130, Anm. 10;
ibid. S. 131, Anm. 4) für den Namen *Narsih* (auch '*Narsae*' und
'*Narêi*') unter andern auch die Variante *Nôsih* an, ebenso
wie er für seine Lesart *Nêsr-gyavan* die Schreibungen *Narst-
gyavan* und *Nôsih-viyavanik* gibt. Dieses *Nôsih* nun, welches
man auch *Nôšeh* lesen kann[1]), ist nichts weiter als eine, durch
die Vieldeutigkeit der Pehlewischrift hervorgerufene, falsche
Lesung für *Narseh*, von welchem *Nôšeh* gar nicht weit ab-
liegt, wenn man sich beide Formen in Pehlewicharakteren
denkt.

Ganz analog wird es sich mit *Ātarô-tarsah* in Wests
Übersetzung, wofür demgemäss *Ātarô-narsah* zu emendieren
wäre, verhalten haben. Dass *Ātarô-narsah* (*Ādharnarsê* ein
Sāsānidenkönig, reg. 310, vgl. Nöldeke Aufs. z. pers. Gesch.
S. 97, *Atrnerseh* bei den Armeniern[2])) ebenfalls ein vornehmer
persischer und georgischer Eigenname war, geht aus dem Verzeichnis bei Nöldeke *Tabarî* S. 51, Anm. 2 hervor. Firdausî
hat آذرنوش* in نوشآذر umgekehrt, wie er dies bei Eigennamen auch sonst thut (vgl. Nöldecke *Tabarî* S. 464, Anm. 2).

Zu Gunsten unserer Annahme lässt sich vielleicht noch
anführen, dass die Tradition den Ursprung des bekannten
Sāsānidenministers *Mihrnarsê* auf *Bahman*, den Sohn des
Spandijadh (*Isfandijar*) zurückführte[3]). Es wäre ja an sich
nicht unwahrscheinlich, dass die Namen der sagenhaften Helden mit Vorliebe gerade in solchen Adelsgeschlechtern, welche
sich der Verwandtschaft mit ersteren rühmten, wiederkehrten.

-----

1) Mein Freund Dr. Paul Horn hatte die Gefälligkeit, auf
meine Bitte hin mir brieflich (am 2. Dez. 1892) seine Bemerkungen
über die hier in betracht kommenden Pehlewivarianten mitzuteilen.
Da ich nun glaube, wesentlich durch seine Ausführungen im Verständnis der oben behandelten Schreibungen gefördert zu sein,
fühle ich mich verpflichtet, dies hier hervorzuheben.

2) Langlois' Vorschlag (Coll. II 228, Anm.) für *Amirnerseh*
(*Lazar Pharp*. ed. Ven. 1873 S. 159) *Atrnerseh* zu lesen, ist an-
sprechend. Vgl. auch Patkanow матеріалы для армянскаго словаря
II S. 42.

3) Vgl. Langlois Coll. II S. 185, Anm. 2 u. Nöldeke *Tabarî* S. 109.

2) Die Gandarewasage im Šâhnâmeh.

Spiegel hat in seinen "Arischen Studien" (I S. 122 ff.)
die Ansicht ausgesprochen, dass sich im *Šahnameh* und späteren persischen Quellen Überreste der vom Avesta (*Yašt* V 38;
XV 28; XIX 41) berichteten *Gandarewasage* erhalten hätten;
und zwar meint er, diese Sage fände sich wieder S. 1668,
V. 3045—3050 der Vullers-Landauerschen Ausgabe. Obwohl
nun Spiegel in seinem spätern Werke: "Die arische Periode
und ihre Zustände" S. 276 (vgl. ibid. S. 215) in fünf, den obenerwähnten unmittelbar vorhergehenden Versen Firdausis eine
Spur vom Kampfe *Keresaspas* gegen *Gandarewa* wieder-
zuerkennen glaubt [1]. hoffen wir doch, im folgenden begründen
zu können, dass Spiegel mit seiner früher ausgesprochenen
Ansicht das Richtige getroffen hatte.

In Spiegels "Einleitung in die traditionellen Schriften der
Parsen" II S. 339 V. 142 ff. ist eine Reihe von Versen aus einem
der neupersischen *Rivâyats* angeführt, welche eine ausführliche
Beschreibung von Keresâspas Kampf gegen den Dêw *Gandarab*
enthält und stellenweise fast wörtlich zu den Versen Firdausis stimmt [2]); doch ist die Darstellung bei Firdausi knapper
gehalten. Da nun die Erzählung über den Gandarewakampf
in diesem späten Erzeugnis der Parsenlitteratur in denjenigen
Einzelheiten, worin sie von dem Bericht des *Pehlewirivayat* [3])
sowie demjenigen des von Spiegel a. a. O. angeführten neupersischen prosaischen Rivâyatbruchstücks abweicht, durchaus
dem Bericht des *Šahnameh* nahekommt, werden wir hier direkten oder indirekten Einfluss des Letztern annehmen können.

In allen drei, hier in betracht kommenden, Bruchstücken
der Rivâyats tritt als Besieger des *Gandarewa Geršasp*, der
Keresaspa des Avesta, auf, während *Mînôkhired* [4]) und *Šahnameh* übereinstimmend *Sâm* als Vollführer dieser Heldenthat

---

1) Früher meinte Spiegel in dieser Episode eine Erinnerung
an den Kampf *Keresâspas* gegen die Schlange *Sruvara* zu sehen.
Denn auch im Avesta folgt auf die Tötung des *Sruvara* unmittelbar die des *Gandarewa*.

2) Vgl. die Verse 3047—48 bei Firdausi und Spiegel V. 147—48.

3) Vgl. die Übersetzung dieses Stückes von West (Pahlavi
Texts II S. 374, im 18. Bande der Sacred Books of the East).

4) Ed. West c. 27, 49; S. 32.

nennen. Auch hier ist es Spiegels Verdienst, nachgewiesen zu
haben, dass "der *Sam* der späteren Periode niemand anders
als der Keresāspa des Zendavesta ist". Nach dem *Šahnāmeh*
ist *Sam* ein Enkel des *Gerśasp*, zufolge einer von Vullers
(S. 103, Anm. 5) als eingeschoben bezeichneten Stelle der Cal-
cuttaer Ausgabe ein Sohn des Letztern.

In anbetracht dieser Gründe, welche m. E. einen Nachhall
der Gañdarewasage bei Firdausī durchaus wahrscheinlich machen,
wollen wir noch einen Schritt weiter gehen, in der Hoffnung,
dadurch Spiegels in den "Arischen Studien" ausgesprochene
Meinung über allen Zweifel zu stellen.

Der erste von den hier in betracht kommenden Versen
Firdausīs (3045) lautet:

$$\text{دگر سهمگین دیو بد بدگمان}$$

'zweitens war noch ein schrecklicher, schlimmgesinnter Dämon'—;

die Pariser Ausgabe bietet für سهمگین 'schrecklich' اندرو 'darin,
dort', was hier aber keinen befriedigenden Sinn gibt. Da sich
aber für اندرو mit Hinzufügung nur eines Striches کندرو emendieren lässt, möchten wir die Lesart Mohls in dieser Form
zur Annahme empfehlen und die Stelle wäre demnach zu lesen:

$$\text{دگر کندرو دیو بد بی گمان}$$

'zweitens war (es) der Dēw Gandaraw ohne Zweifel'. —

Wir meinen, dass auch hier die Pariser Ausgabe den
Vorzug verdient, wie bei dem ganz analogen Fall, welchen
Geiger in seiner Abhandlung über das *Yātkar -i Zarīrān* Anm. 5
angeführt hat.

Nicht unwahrscheinlich erscheint es mir, dass noch an
einer andren Stelle des *Šahnāmeh* vom *Gañdarewa* die Rede
ist, und zwar denke ich dabei an den کندرو, welcher *Šahnāmeh*
(ed. Vull.) S. 55, V. 405 als eine Art Haushofmeister des *Ṣohak*
erscheint. Auch hier glaube ich, dass Spiegels ursprüngliche
Ansicht (vgl. Kommentar über das Avesta II S. 618) durchaus
den Vorzug verdient, wonach die von Firdausī gegebene Erklärung[1]) des Namens کندرو nichts weiter als eine volksetymologische Anlehnung[2]) an das gleichlautende, sonst auch

---

1) *Šahnāmeh* ed. Vullers S. 55, V. 405.
2) Solche Volksetymologien sind im *Šahnāmeh* nicht selten;

denen Sagenkreisen auch in verschiedener Gestalt sei
wertung fand.

3) Arvand.

Im *Šahnámeh* (ed. Vullers S. 1670, V. 3082 ff.) v
der Vater des Königs *Luhrasp* اٜرٮٮد genannt, wofür
Lexicis die auch in Vullers' Wörterbuch angeführte V
ارونٮد geboten wird. Im *Bundehes* liest West (im 5.
Sacred Books) den Namen von *Luhrasps* (*Lóharásp*, =
Aurvataspa) Vater *Aúzáv* (*Bund.* XXXI 28), erklärt a
gleich diese Lesart für 'doubtful'. Bei *Tabari* liest l
(Übers. S. 2) *Ogt*[1]), bei Hamza heisst der Vater L
اوحان.

Ob all diesen Namen ein und dieselbe Form urspr
zu grunde gelegen hat, welche dann durch falsche I
der Pehlewi- und neupersisch-arabischen Zeichen die vo
den Lesungen ergeben hätte, kann hier nicht entschied
den, da die Angaben der verschiedenen genealogischer
auch in andern Einzelheiten von einander abweicher
möchte ich für das als Eigenname ungewöhnliche ﺩ
Texte des *Šahnámeh* die Form ارٮنٮد zur Annahme em
welche als persischer und armenischer Eigenname bel
vgl. Horn ZDMG. XLIV S. 660; Fick System d. griech.
gebung S. CXV.

In dem vorliegenden Fall ist die Form ارٮنٮد
wohl als eine Verkürzung aus *Arvandasp* zu betrachten,
Name nach Stein *Zoroastrian Deities on Indo-S
coins*[2]) in "some genealogical lists" als Bezeichnu

---

vgl. ausser den ZDMG. XLV S. 621, Anm. 1 angeführten r
des Namens ٮوشٮٮك Fird. S. 20, V. 45, welcher ja behan
avest. *Haošyaṅha* ist.

1) In pers. Wörterbüchern findet sich auch die Form
Vgl. Spiegel ZDMG. XLV S. 195.

2) Oriental and Babylonian Record 1887, S. 158.

Viśtaspas Grossvater, also Firdausīs اروند‎* *Arvand* (für ارونذ‎?)
erscheint.

4) Nachtrag zur iranischen Schützensage.

Zu meinen ZDMG. XLV S. 621 ff. über die iranische
Schützensage mitgeteilten Bemerkungen sei noch folgendes
hinzugefügt. Auch unter den persischen Arsaciden scheint die
Tradition bestanden zu haben, dass das Geschlecht der Parther-
dynastie von *Āriš*, dem Schützen, abstammte. Hierfür spricht
m. E. die Stelle bei Nöldeke-Ṭabarī (S. 279), an welcher *Chos-
rau Parwēz* dem *Bahrām Čōbīn* dessen Untreue vorwirft;
"dabei kam die Rede auch auf *Āriš*, den Ahnen *Bahrāms*,
dessen Gehorsam gegen seinen eignen Ahnen *Manōčihr Parwēz*
ihm vorwurfsvoll entgegenhielt". Nun gehörte *Bahrām Čōbīn*
dem vornehmen Geschlechte der *Mihrān* an, welches von
arsacidischer Abkunft war (Nöldeke-Ṭabarī S. 139, Anm. 3
und S. 439).

Auch das persische Epos *Wīs ō Rāmīn* (ed. Lees Cal-
cutta 1865, S. 280, Z. 5 v. u.) gedenkt des Pfeiles, welchen
der Bogenschütze *Āriš* "von *Sarī* bis *Merw* schnellte"[1]).

Moskau.   R. von Stackelberg.

Do the sounds of the new guttural series (or the non-labialized velars) suffer dentalization in Greek?

In the history of the I. E. guttural series in general and
especially as regards their development in Greek, there still
exist many unsolved problems. The assumption of the existence
of three distinct guttural series in the parent tongue, briefly
suggested by Osthoff MU. V 63, independently advocated by
Bezzenberger BB. XVI 234 f., and since accepted by many,
has, no doubt, simplified matters to a certain extent, but
naturally many difficulties remain, unaffected by this theory.
I wish in this paper to discuss a single point, but one which
has a most important bearing on mooted questions of a general

---

1) Vgl. *Wīs ō Rāmīn* S. 186, Z. 1 v. u.; Spiegel Arische Periode
S. 280 und ZDMG. XLV S. 191—192.

nature, such as that relating to the phonetic character of the
I. E. sounds we call "palatals", or the alleged historical
connection between the Sanskrit "palatalization" and the
Greek "dentalization', and which has also been made to play
a role in the treatment of certain problems of Greek dialectology
(e. g. π of Βοeοt. πέτταρες etc., κ of Thess. κινες). It has been
confidently assumed by Bezzenberger l. c. p. 248, that not only
the velars with labial affection, but also the sounds of the
new series (= Brugmann's non-labialized velars) may appear
in Greek as dentals. This has been accepted as proven by
Bechtel "Hauptprobleme der indogerm. Lautlehre", and made
the basis of the most far-reaching combinations. It is first
introduced like Βοeοt. πέτταρες, Thess. δεκαπέμπε etc., as an
important factor in the explanation of the forms in which we
find a labial in place of the usual dental (p. 359 "Belehrung
darüber verschafft die Betrachtung der Palatale, die zur *k*-Reihe
gehören"). It is further employed (p. 365) to bring to naught
Brugmann's argument against the historical connection between
Greek and Sanskrit palatalization, and moreover the positive
arguments which Bechtel brings forward in favor of this
historical connection, as well as for the pronunciation of the
"palatals" in Indo-European as sibilants, are wholly dependent
on the assumption that dentalization was not restricted to the
genuine velars.

But this assumption is false. In the first place the
material on which it is based is not of a character to inspire
confidence. Of Bechtels "entscheidenden Etymologien" the greater part are either in themselves improbable, or at least too
uncertain to be used in establishing a phonetic law not otherwise known, while some of the forms are as certain examples
of dental for original I. E. velar as can be found. So the
forms θέρος, θερμός (skt. *háras*, *ghárma-s*) with Lat. *formu-s*,
Germanic *warma- 'warm' have always stood as examples of
initial velar with labialization, but on account of O. Ir. *goraim*
'to warm' Bezzenberger classes them under the new *k*-series.
To do this he is obliged to deny the connection of the
Germanic forms, the *w* of which is a sure indication of the
velar. He should properly have denied the connection of Lat.
formus as well, for the *f* is just as fatal to his theory as
the *w* of *warma-*. A justification of the *f* is indeed attempted

by a reference to Bersu Die Gutturalen p. 131, **but of all**
the forms there enumerated as showing *f* not derived **from a**
labialized velar, *fundo* is the only one occurring in **the literary**
language and to be regarded as genuine Latin, **and in this**
the *f* has been explained by me (Amer. **Journ. of Phil.** XI
p. 215), to the satisfaction of others beside **myself, as due to**
the vowel *u* which followed the original **palatal. Surely then we**
must adhere to the velar initial and, if **any part of the usual**
comparison must be sacrificed, it should be the Celtic forms.
But I doubt if the Celtic material at our disposal is sufficient
to show that this is necessary. I. E. *g* is indeed represented
by *b* in Irish as well as in the Britannic branch, and, since
in general the sonant aspirate is not distinguished from the
simple sonant in its Celtic development, we should expect *b*
for *gh*. But taking the facts as they are, we are led to inquire
if in case of the velars the treatment of sonants and sonant
aspirates may not have been different. Bezzenberger gives
benim 'strike' as the equivalent of θείνω, skt. *hánmi* etc., but
gonim 'wound, slay' has an equal if not a better right to be
joined to these words. Further compare Irish *esc-ung* 'eel'
(*esc* 'swamp') = Lat. *angui-s*, Skt. *áhi-s* 'serpent' with Irish
imb 'butter' = Lat. *unguen*, Skt. *añji-s* 'salve' The first
has I. E. *gh*, the second *g*. For other forms showing *g* apparently for I. E. *gh*, cf. Brugmann Grundriss I § 438 b (where
imb belongs under § 437, cf. Nachträge).

To return to Greek, there is no certain case in which a
guttural of the *k*-series appears as a dental, but plenty of
instances in which it appears as a guttural, as κέλης, κέλευθος
etc., for the explanation of which Bechtel (p. 367) resorts to
the supposition of purely phonic analogy. These are the forms
upon which Brugmann based his opinion that dentals do
not appear as representatives of velars without labialization.
Bechtel (p. 365) argues that even if this were so, the κ would
not be intelligible. He cannot understand why, at a time
when labialized gutturals fell under the influence of following
palatal vowels, the unlabialized gutturals should have with-
stood the influence. "Der labiale Nachklang beför-
dert die Palatalisierung nicht; er hemmt sie
nur nicht". This assumption, taken for granted as incontestable throughout Bechtel's arguments, is the crucial point

upon which I join issue. The oft mentioned O. B. *cvisti*
'bloom' $<$ *kvisti* (Czechish *kvisti*) is indeed analogous only
as showing that μ need not prevent palatalization, but a form
within the Greek affords incontestable proof that the μ is a
necessary condition to the development of the dentals. The
form θήρ, formerly used as an example of velar initial, is, as
the westslavic forms certify, derived from an L E. *ĝhu̯er-*,
cf. my Notes, Amer. Journ. of Phil. XI p. 211 f.; Leskien Die
Bildung der Nomina im Litanischen p. 235, also Bechtel, p. 364,
where the doubt as to the initial is unnecessary. Now, since
the I. E. palatals appear in Greek as κ, γ, χ, but not as
labials or dentals, t h e   c a u s e   o f   t h e   d e n t a l   in θήρ can
o n l y   be the μ w h i c h   f o l l o w e d   t h e   p a l a t a l.   T h e
μ i s   j u s t   a s   n e c e s s a r y   t o   t h e   d e v e l o p m e n t   of the
de n tal a s   t o   t h a t   o f   t h e   l a b i a l   in ἵπποc. And just as
we   have a labial from Ur-Greek $\hat{k}\mu$ or $k^\mu =$ I. E. q, but not
from $k =$ I. E. k or $\hat{k}$, so before light vowels we have a
de n tal from Ur-Greek $\hat{k}\mu$ or $k^\mu =$ I. E. q, but not from k or $\hat{k}$.

This conclusion has been reached on purely historical
grounds. The facts drive us to it and we must accept it, even
though it should seem almost a paradox from a physiological
standpoint. But it is interesting to note that from this side
attention has been called to the peculiarity of the Greek development to dentals as distinguished from the palatalization so
commonly observed. I quote the following from the instructive
article of Lenz "Zur Physiologie und Geschichte der Palatalen",
KZ. XXIX p. 1 f. "So lange ich diesen Wandel *k* zu *t* nicht
aus der Gegenwart irgendwo als regelmässigen gefunden habe,
wage ich über jene griechischen Beispiele nichts weiteres zu
sagen. Es müssen irgend welche besonderen Eigentümlichkeiten vorgelegen haben". The fact that
the μ element was a factor in the change shows us the
special peculiarity which on general grounds the phonetist
supposes to have existed. I may also add that Prof. Sievers,
to whom I applied for information on this point, stated that,
while the precise nature of the process might be doubtful, no
valid objection could be made to the assumption that k^μ was
subjected to an influence, palatalizing or otherwise, exerted
by the following vowel, from which the simple k was free.

And what are the consequences of the conclusion reached?

the consideration of the gutturals of the new series
ιο bearing on the question of the dialectic appear-
)ials before light vowels as compared with more
.ls [1]), and, secondly, that Bechtel's whole line of

ɔ question remains a difficult one. The frequency of
with labial before light vowels in the dialects of the
p (Boeotian, Thessalian and Asiatic Aeolic; Bechtel's at-
ng the "South Achaean" group into line is insufficiently
γ the solitary Cyprian πείcει against Arcadian ἀπυτειέτω,
ἐcδέλλοντες, ζέλλειν, Ζέρεθρα) is emphasized by Bechtel,
seems to grow more striking. Baunacks examination
eta inscription has replaced the old reading ποταποτιcάτω
:άτω, and perhaps the epigraphical finds of the last two
ιich no reports are accessible to me at present, have
e number of such forms. Then too there are individual
hich the usual explanation by analogy seems impossible,
εφειρακόν[τες = Att. τεθηρακότες, which, though a case
'hу, not gh, is equally patent, cf. Hoffmann, G. G. A. 1889,

yet, on the other hand, the occurrence of forms with
eems to offer an insuperable objection to the otherwise
thesis, that in the three dialects in question labialization
·respective of the character of the following vowel, just
ı-Umbrian or in the Britannic branch of the Celtic.
n one case we seem to have direct evidence that the
.e to analogy, not to phonetic law. The fact, namely,
ιe dialects in which ἀππειcάτου and ποταποπιcάτω occur,
γ the dental in τιμά and its derivatives, which contain
ɔt, would be inexplicable if it were a question of purely
ıvelopment, but it is easy to see how the verb τείω,
ould fall under the influence of ποινά, while τῑμά, owing
rely different development in meaning (I. E. $\sqrt{qei}$ meant
h good or with evil)"), was unaffected by it.
ιessalian the subject is still further complicated by the
of an unchanged κ in κίc, κινέc, κίcκε, διέκι. Nothing is
supposing with Brugmann Gr. Gramm² p. 54—5, a
change of t^u to k^u, analogous to that of M. H. G. twen-
. G. quängen. For the question why we do not find
levelopment for example in τίμια would still remain.
ιave to explain seems rather to be the loss of the ʏ-
ich, as we have seem, is as necessary to the process of
ι as to labialization. The supposition that this ʏ-element
enclisis, as suggested by Bechtel, l. c. p. 354—5, in ex-
f the Doric particle -κα in ὅκα, πήποκα etc. and of Ionic
etc., would also, if made plausible, offer the simplest
the Thessalian forms. We should see in Thessalian a

argument may be turned against himself. He argues (p. 366
and p. 370) that, if the dentalization were a specifically Greek
process, it must have affected the Greek gutturals which

generalization of the κ which arose in the enclitic indefinite pronoun as opposed to the generalization of the τ of the accented
interrogative in the other dialects. The same explanation would
apply to the -κι, -κις of πολλάκι, πολλάκις and kindred forms, if, with
Wackernagel and J. Schmidt (Pluralbildungen p. 352), we see in this
the equivalent of the Sanskrit -cid. Brugmann Grundriss II p. 508
note, rejects this identification on the ground thad -cid would appear
as -τι in every dialect except Thessalian. But, since even in Thessalian the κ is an isolated phenomenon, we have no proof that it
is due to a strictly local process *). Again, it is usual to identify the
enclitic particle γέ with Old Bulgarian že, e. g. δς-γε = O. Bulg. iže
'who' (relative). But O. Bulg. že is also used by itself with exactly
the force of the Greek δέ, and Brugmann Gr. Gramm.² p. 225, pro-
poses the identification of these two forms. The supposition of the
loss of the y-element in enclisis would enable us to maintain both
etymologies, that of -γε with že and of δέ with že.

I have desired to call attention to these further advantages
of the hypothesis mentioned, but at the same time am unable to
blind myself to the serious obstacles to accepting it. In the first
place, what shall we do with τέ = Lat. que = Skt. ca, all enclitics
and pointing to I. E. enclisis? Why should we not expect the loss
of the y-element here as much as in δκα which, according to Bechtel
and many others, contains the same word, only in the sense of a
generalizing particle? One might indeed identify τέ with Lith. tè
'and', but the time-honored comparison with Skt. -ca, will not yield
so easily. But more serious than the contradiction of any one word
will seem, perhaps, the difficulty in principle of supposing a phonetic development in enclisis different from that of an unaccented
syllable in one and the same word. Why, for example, should the
-κα of δκα be regarded differently from the second syllable of
πέντε? This point has already been raised by Torp Beiträge zur
Lehre von d. geschlechtlosen Pronomen p. 10, as an objection to
Wackernagels explanation of the non-appearance of y in the personal pronoun Skt. tè = Gr. τοί. And yet, if there are strong in-
dications of a special phonetic development in enclisis, it will not
be impossible to find a justification of it, and a point to which
Prof. Gustav Karsten of Indiana University called my attention is

*) Korrekturnote. Solmsen in his article Zur Vertretung der
Gutturale im Griechischen, KZ. XXXIII 294 f., which reached me
long after this paper had left my hands, also protests against seeking
the explanation of the κ in merely dialectic conditions, and clinches
the argument by reference to the newly discovered Aeolian δκαι.]

to I. E. palatals (i. e. κ, γ, χ = *k̑*, *g̑*, *g̑h*), and that,
is not the case, the process must be referred back
d when κ, γ, χ did not exist, in other words to the
)ean period, and, further, that the I. E. sounds in
)uld not have been palatal mutes, but rather sibi-
if we recognize the *y*-element as a necessary con-
the development of dentals, we understand why
remained unchanged, and there is no necessity of
ie process in the I. E. period or of supposing that
)alatals were anything more than *k'*, *g'*, *gh'*.
iermore, the fact that the Greek process affects
;, while the Aryan palatalization affects both velars
)unds of the new-series, shows the impossibility of
any historical connection between the two processes.
ersity of Chicago, Jan. 1893.

Carl D. Buck.

Gr. ἀcύλλωτοc, λωτίc.

lritten Hymnus des Kallimachos V. 212 f. heisst es
lespielinnen der jungen Artemis:

πρῶται θοὰ τόξα καὶ ἀμφ' ὤμοιϲι φαρέτραϲ
)όκουϲ ἐφόρηϲαν· ἀϲύλλωτοι δέ φιν ὤμοι
:ιτεροὶ καὶ γυμνὸϲ ἀεί παρεφαίνετο μαζόϲ.

Wort, mit dem ich mich hier zu beschäftigen ge-
rd in den Handschriften auch mit einfachem λ ge-
(ἀϲύλωτοι), aber die Schreibung mit doppeltem λ
ller Sicherheit als die Lesart des Archetypus unserer
'ten angesehen werden. Ich verweise hierfür auf die
ammlung in Schneiders Callimachea (mit den Nach-
i Nigra in Riv. di Filol. XXI 56) und auf die Aus-
Vilamowitz-Moellendorffs, der nach den in seinem

---

consideration. Enclitics are more completely without
:ent in popular sense of Hauptton) than unaccented
les. For the latter, though always without word-accent,
certain conditions receive a sentence-accent, while the
ver do.

Vorwort entwickelten Grundsätzen ἀcύλλωτοι ohne Variante
als die überlieferte Lesung giebt.

Wie nun dem absonderlichen Worte beizukommen sei,
darüber sind sehr verschiedene Ansichten geäussert worden.
Von den älteren Philologen wurde das ἀcύλωτοι der Vulgata-
lesart in ziemlich unklarer Weise zu cῦλον, cυλᾶν, bzw. einer
angeblichen Nebenform dieses Verbums *cυλοῦν, oder ἄcυλος in
Beziehung gesetzt. Als Bedeutung wurde angenommen 'inviola-
biles, illaesi' — z. B. infolge der Bewehrung mit dem Köcher
(vgl. Spanhemii Observ.) — oder 'nudi'. Diese letztere Erklärung, die zunächst der angenommenen Etymologie schnur-
stracks zu widersprechen scheint, wurde durch sehr wunder-
liche Interpretationskünste gewonnen. Nach Spanheim sollte
ἀcύλωτοι, so gefasst, eigentlich bedeuten 'exuviis ferarum
destituti', d. h. von den Tierhäuten, worin die Jagdnymphen
sonst gekleidet waren, entblösst; Tierhäute wären ja nämlich
die klassische Heroen- und Waidmannstracht. Nach Ernesti
heisst ἀcύλωτοι oder, wie er eventuell lesen möchte, ἀcύλητοι
'nicht (weiter) zu entblössen', d. h. '(schon) nackt': 'qui spo-
liari non possunt, h. e. quibus vestis non potest detrahi: deinde,
in quibus vestis non est'. Noch Aulin De eloc. Call. quaest.
(Upsaliae 1856) 39, n. 78 versucht die Vulgata zu verteidigen,
indem er ἀcύλωτος : ἄcυλος mit ἀπεδίλωτος (Kallim. H. VI 124):
ἀπέδιλος vergleicht; ob aber das Wort mit α 'intensivum'
oder 'privativum' gebildet sei und folglich 'plane nudus' oder
'integer' bedeute, lässt er dahingestellt sein. Sonst hat man
in neuerer Zeit wohl allgemein die Stelle als korrupt betrachtet,
und sie ist denn auch mit zahlreichen Konjekturen bedacht
worden. Ernestis ἀcύλητοι wurde schon oben erwähnt. Toup
Emendat. in Suid. et Hes. II 283 schrieb ἀτύλλωτοι (mit
unerklärlicher Gemination des λ) zu τύλος (τύλη) 'Schwiele' :
'non callosi', d. h. 'humeri oneris immunes'. Blomfield, der
doch in seinem Texte die Vulgata beibehielt, wollte das Toup-
sche ἀτύλλωτοι — falls es damit seine Richtigkeit habe —
lieber als mit dem α 'intensivum' zusammengesetzt fassen und
'callosi' deuten, ein Einfall der mit Recht dem beissenden
Spotte M. Haupts anheimgefallen ist. Der letztere schlug selbst
vor ἀcύζωcτοι, oder mit geringerer Änderung ἀcύζωτοι zu
lesen (Opp. II 146). Hiergegen wendete Meineke in seiner
Ausgabe der Hymnen (S. 172) ein, dass cυζώννυμι sonst nicht

in der hier erforderlichen Bedeutung vorkomme. Was die ursprüngliche Lesung gewesen sei, will er nicht entscheiden; doch vermutet er, dass der Dichter entweder ἀκώλυτοι ('nullo vestium vinculo impediti') oder ἀείλυτοι ('sine tegumentis') geschrieben habe. Für das erstere hat sich neulich Bredau De Callim. verborum inventore (Breslau 1892) S. 52 entschieden. Bergk, der ebenfalls Haupts Konjektur verwarf, schlug seinerseits εὔζωστοι vor: 'humeros expeditos poeta dixit vocabulo εὔζωστος non proprie usus' (Opusc. philol. Bergk. II 186). Schneider schrieb in seiner Ausgabe ἀcαύλωτοι 'unverweichlicht' ('non emolliti'), d. h. 'nackt'[1]). Endlich ist noch die Konjektur zu erwähnen, die ganz neuerdings Fr. v. Jan in seiner Abhandlung 'De Callimacho Homeri interprete' (Strassb. 1893), S. 64 f. vorgetragen hat: ἀθύλωτοι. Das Wort soll nach v. Jan von dem in θύλακος, θυλάς, θυλλίς 'Sack, Ranzen' zu grunde liegenden Stamme gebildet sein und ('von der Tasche' d. h.) 'vom Köcher frei' bedeuten, wofür er sich auf Hes. θυλλίς· θύλακος. γωρυτός [Bogenfutteral]. ἔλυτρον beruft. Mit der ausdrücklichen Angabe, dass die Jagdgenossinnen der Artemis den Köcher nicht auf der rechten (sondern auf der linken) Schulter trugen, hätte der Dichter in der ihm eigentümlichen, versteckten Weise gegen irgend Jemand polemisiert, der die Sache umgekehrt dargestellt hatte, oder auch eine in den Alexandrinischen Gelehrtenkreisen erörterte Streitfrage endgültig entscheiden wollen. Dem angegebenen Zwecke gemäss wäre der Satz ἀθύλωτοι δέ φιν ὦμοι δεξιτεροί als parenthetisch eingeschobene Nebenbemerkung aufzufassen. — Gegen diesen gewiss scharfsinnig erdachten Vorschlag können doch, wie mir scheint, verschiedene Bedenken erhoben werden. Schon die Bildung des Wortes ἀθύλωτος ist einigermassen auffallend, da ein Stamm θυλο- (θυλᾱ-) nicht unmittelbar vorliegt[2]). Auch die Bedeutung ist recht weit hergeholt. Es befremdet ferner, dass Kallimachos hier einer Version entgegengetreten sein sollte, die, wie v. Jan selbst zugiebt, den überwiegenden Theil wenigstens der monumentalen Überlieferung für sich hat. Endlich finde ich, dass durch

---

1) Vgl. Ungers in Schneiders adn. cr. angeführte Konj. ἀθήλυτοι.

2) θυλάς und θυλλίς haben wohl einfach als Kurzformen zu θύλακος zu gelten.

v. Jans Änderung des Textes und der Interpunktion der Zusammenhang der ganzen Stelle gestört wird: "Die zuerst
schnellende Bögen und um die Schultern pfeilbergende Köcher
trugen (von der Pfeiltasche unbeschwert war jedoch ihre
rechte Schulter), und unbedeckt zeigte sich stets (daneben)
die Brust hervor". Offenbar entbehrt hier der letzte Satz des
rechten Bezuges: man fragt sich, welche Brust, die rechte
oder linke, gemeint sei[1]). Ohne Zweifel müssen wir also bei
der alten Auffassung bleiben. Der Dichter hat es schon von
ἀcύλλωτοι κτλ. an mit der Tracht zu thun und kann nichts
anderes haben sagen wollen, als dass die rechte Schulter vom
Chiton in der Weise unbedeckt gelassen war, dass auch die
rechte Brust zum Vorschein kam. Es ist ja dies der bekannte
Amazonenanzug, die weibliche Exomis, welche z. B. auch die
Elischen Jungfrauen beim Wettlauf trugen und die von Pausanias V 16, 3 so beschrieben wird: Χιτὼν ὀλίγον ὑπὲρ γόνα-
τος καθήκει[2]), τὸν ὦμον ἄχρι τοῦ cτήθουc φαίνουcι τὸν
δεξιόν.

Was der Sinn im V. 213 erfordert, ist also völlig klar.
Es fragt sich nur, ob ἀcύλλωτοι entsprechend erklärt werden
kann, oder emendiert werden muss. Wie mir scheint, ist die
Schwierigkeit auf dem ersteren Wege zu lösen. Ich glaube
nämlich, dass ἀ-cύλ-λω-τος zum gr. λω- 'verweben, verknüpfen'
gehört und daher eigentlich 'nicht zusammengewoben,
-geknüpft' bedeutet. Der genannte Verbalstamm ist vorher
aus folgenden Wörtern bekannt:

1) λῶμα 'Vorstoss, Besatz, Borte' des Kleides. In der
Litteratur zuerst aus Septuag. belegt; s. den Thes. Das Demin.
λωμάτιον mit nicht völlig aufgeklärter Bedeutung in der Auth.
Pal. XI 210 (Lukillios). Vgl. Et. M. 570, 53; Hes. λῶμα· ῥαφή.
κλωcμόc. ἢ εἰc τὸ κατώτερον τοῦ ἱματίου .... λῶμα; παραλώ-
ματα· τὰ ἔξωθεν τῶν ὡρῶν [μακρῶν?] (c)κεπαcμάτων.

2) λωιcμόν· χῶμα. ἢ κλωcμένον Hes. Es ist offenbar
mit Stephanus und Salmasius λῶμα zu lesen[3]).

---

1) Wollte man auch jenen Satz zur Parenthese schlagen, so
käme doch nichts rechtes heraus ('die rechte Schulter war vom
Köcher frei — und die Brust derselben Seite entblösst').

2) Vgl. V. 11 f. unseres Hymnus. — Über den Amazonentypus
der Artemis s. Schreiber in Roschers Lex. d. Myth. I 603.

3) In κλωcμένον ist die Reduplikation nach vulgärgriechischer

3) λῶϲτοι· ἐ(ρ)ραμμένοι. φίλοι Hes. Die Glosse ist aus
λωϲτοί (oder λωιϲτοί?)· ἐρραμμένοι und λῶιϲτοι· φίλοι kontaminiert (s. M. Schmidt ed. min.). Dazu εὔλωϲτοι (Hdschr.
εὔλαϲτοι)· εὐυφεῖϲ Hes.

Ausserhalb des Griechischen sind vielleicht verwandt lat.
lōdix[1]) 'gewebte Decke, Bettdecke' und *lōrum* (im Spätlatein
auch = 'Borte', Marqnardt Privatl. d. Röm. 528), das schon
von Bezzenberger in seinen Beitr. V 315 mit εὔλωϲτοι, λῦμα
verglichen worden ist.   Bekanntlich gilt aber *lorum* als die
lateinische Entsprechung von gr. εὔληρον, αὔληρον 'Riemen,
Strick, Zügel'[2]). Die griechische Grundform der Wurzel wäre
demnach *ϝλω-, *ϝλη-.   Es bieten sich auch andere Möglichkeiten dar, aber da sie mir noch unsicherer vorkommen, ver-
lohnt es sich nicht darauf einzugehen.

Das Verhältnis nun zwischen dem soeben angeführten
λωϲτóϲ und dem in ἀϲúλλωτοϲ vorauszusetzenden *λωτóϲ kann
in zwiefacher Weise aufgefasst werden, je nachdem man das
ι der Glosse λωιϲμóν (welches in der Buchstabenfolge der
Hesychiosstelle eine gewisse Stütze hat) als ursprünglich gelten
lässt oder nicht.   Im ersteren Falle verhält sich λωϲτóϲ zu
*λωτóϲ wie ϲωϲτóϲ (ϲωϲτέοϲ) zu ἄ-ϲωτοϲ (ϲωτέοϲ Hes.), wo
freilich auch der Stamm ϲαο- konkurriert.   Und der Stamm
*λωιδ- liegt neben λω- wie *ϲωιδ- : ϲω-, *χρωιδ- (χρῴζω) :
χρω-, *πλωιδ- (πλῴζω) : πλω- (πλώω, πλωτóϲ)[3]).   Im zweiten

___

Weise abgefallen, wie z. B. auch in der Glosse κράϲπεδα· τὰ ἐν τῷ
ἄκρῳ τοῦ ἱματίου κλωϲμένα ῥά(μ)ματα κτλ.
    1) Vgl. z. B. ῥαπτd 'gestoppte oder gestickte Decken' (Breitenb.)
Xen. Hell. IV 1, 30. — Dass zu Martials Zeiten die Veronesischen *lodices*
besonders berühmt waren (Epigr. XIV 152), ist natürlich kein Beweis
dafür, dass das Wort fremden (gallischen?) Ursprungs sei.   Wäre
Ficks (vgl. Wbch. II³ 224) Zusammenstellung des Wortes mit gr.
λᾶδοϲ (Alkm. 97 Bgk.), λήδιον (Meisterhans Gr. d. att. Inschr. 50)
richtig, so hätte man selbstverständlich die Normalform der gemeinsamen Wurzel mit dem Vok. *ā* anzusetzen.
    2) Es soll auch von der Gewandung (ἐπὶ ἱματίου, -ων) ge-
braucht worden sein — eine Angabe, die in den Iliasscholien B zu
Ψ 481 auf Herodianos (Lentz II 465, 24), in den Townleyana dagegen
auf (Neoptolemos) Παριανóϲ zurückgeführt wird.   Vgl. Lobeck
Rhem. 117, n. 17.
    3) Es gilt mir nicht als ausgemacht, dass in diesen Formen
auf -ιδ- ein Konsonant (ϲ, ϝ) vor dem Suffixe ausgefallen sei.   Vgl.
aber Solmsen KZ. XXIX 100 f., Schulze Quaest. ep. 397 f. (ϲῴζω).

Falle wäre λωcμόν, λωcτός : *λωτός wie γνωcτός : γνωτός u. ä.
zu beurteilen, und wir hätten darin ein neues Beispiel des
'beweglichen Passivsigma' (vgl. Solmsen KZ. XXIX 90 f.).

　　So viel von der Etymologie und der Form. Was die
Bedeutung betrifft, sehen wir, dass λῶμα usw. mit Bezeichnungen des Nähens, Spinnens, Webens gedeutet werden. Wie
bekannt sind schon von Alters her diese Begriffe einander
nahe verwandt (vgl. Schrader Sprachvergl. u. Urgesch.² 473 ff.)
und fliessen im sprachlichen Ausdruck oft in einander über¹).
Es ist auch sehr natürlich, dass so wenig gebrauchte Wort-
stämme wie unser λω- eine mehr schwankende und verallgemeinerte Bedeutung zeigen. Jedenfalls darf *cυλλω- als ein
Synonym von cυρράπτειν und eine nicht ungeeignete Bezeichnung für den Schulterverschluss des Chitons gelten — es möge
nun dieser Verschluss durch Zusammennähung oder Spangen-
nestelung des Vorder- und Rückenblattes (πτέρυγες, plagae)
hergestellt sein²). Nun ist allerdings ἀςύλλωτος hier nicht
vom Schulterstück des Kleides, sondern von der Schulter selbst
ausgesagt, sodass wir demselben die prägnante Bedeutung
'infolge fehlender Zusammenheftung unbedeckt'³),
'nicht eingeheftet (-geknüpft)' beilegen müssten. Ich glaube
aber nicht, dass dies eine zu kühne Annahme sei, denn eine
ähnliche Verschiebung des Sinnes oder, wenn man will, Ver-
tauschung des Objektes scheint auch bei anderen zu demselben Bedeutungskreise gehörenden Wörtern vorzukommen.
So sagt z. B. Nonnos Dion. VII 152 von dem Einnähen des
Dionysos in Zeus' Schenkel: μηρῷ δὲ cυνέρραφεν. Und
in Euripides Bakchen werden von demselben Vorgang Ausdrücke gebraucht, wie V. 243 ἐν μηρῷ ἐρράφθαι (ἐρράφη)

---

　　1) So scheint z. B. auch κλώθειν in den oben angeführten
Glossen in einem weiteren Sinne gebraucht zu sein. Vgl. ἀςύγκλωστος,
ῥάμμ' ἐπέκλωςας Hermipp. (Meineke Fgm. Com. Gr. II 401, 9 = Kock
Com. Att. Fgm. I 238, 48), wo ῥάμμα doch wohl 'Naht, Saum' bedeutet. — Soph. Fgm. 406 N. πέπλους τε νῆςαι λινογενεῖς τ' ἐπενδύτας.

　　2) Vgl. z. B. Plut. Kleom. 37 (Verwandelung des Chiton in
ἐξωμίς): ἐνδυςάμενος τὸν χιτῶνα καὶ τὴν ῥαφὴν ἐκ τοῦ δεξιοῦ παραλυςά-
μενος ὤμου. Luk. Am. 44 τὴν ἱερὰν χλαμύδα ταῖς ἐπωμίοις περόναις
cυρράψας. — An unserer Stelle ist wohl zunächst an Nestelung zu
denken.

　　3) Vgl. den vollständigen Ausdruck bei Ovid F. I 408 altera
dissuto pectus aperta sinu.

164   O. A. Danielsson,

Διός, V. 97 κατὰ μηρῷ δὲ καλύψας χρυςέαιςιν cυνερείδει
περόναις. Überhaupt gehen Zusammensetzungen mit cυν- von
dem Begriffe des Zusammenschliessens leicht in denjenigen
des (völligen) Einschliessens über: z. B. cυνδεῖν[1], cυγκλῄειν
(ἐυγκεκλημένα πέπλοις Eur. Hec. 487 'ganz eingehüllt'), cυνά-
πτειν (ὃς ἐμὲ βρόχοιςι — ἔυνάψει Eur. Ba. 545; οὐδέ cου cυνῆψε
χεῖρε (-α Hdschr.) δεςμίοιςιν ἐν βρόχοις[2]) ebendas. 615, vgl. χέρας
δεςμοῖς cυνερειςθέντες Eur. I. T. 456). Gewissermassen analog
scheint mir auch die Prägnanz des Ausdruckes in Chairemons
Fgm. 14 N.: ἔκειτο δ' ἡ μὲν λευκὸν εἰς ςεληνόφως | φαίνουςα
μαςτὸν λελυμένης ἐπωμίδος, | τῆς δ' αὖ χορεία λαγόνα τὴν
ἀριςτερὰν | ἔλυςε[3]). Aus dem Lateinischen erinnere ich an
das bekannte *exfafillato bracchio* Plaut. Mil. Glor. 1180
(Buecheler Umbr. 132); die eigentliche Bedeutung von *fafilla-*
(*fabilla-*) ist jedoch nicht hinlänglich klar[4]). Noch näher
kommt wohl das spätlateinische *exfibulare ilia zonis* Prudent.
Psychomach. 633. Nur von Ferne verwandt sind dagegen Ausdrücke wie *praetextus* (st. *praetextatus*) *senatus* Prop. V (IV)
1, 11, *totus et argento contextus, totus et auro* Tib. I 2, 69,
wo Epitheta der Kleidung auf die Person selbst übergeführt
sind, eine auch in den modernen Sprachen nicht ungewöhnliche Erscheinung ('goldgeschmiedet', 'aufgeknöpft' usw.).

Ist also ἀςύλλωτος in dieser Weise zu verstehen, so
möchte ich nun die weitere Vermutung hinzufügen, dass auch
das rätselhafte λωτις in dem bekannten Amphiktyonengesetz
CIA. II 545 (= CIG. I 1688, Cauer Del.[2] 204), Z. 26[5]) von

---

1) Eur. Andr. 832 ist ohne Zweifel mit Kirchhoff und Dindorf
die Lesart der besten Hdschr. (Marc., Par. A.) cύνδηςαι πέπλους der
von Nauck beibehaltenen Vulgata c. πέπλοις ('knüpfe dich — ein')
vorzuziehen.

2) E. Bruhns Bemerkung in seiner Ausgabe des Stückes: 'die
gefesselten Hände liegen zusammengefügt (cυνημμέναι) in den βρόχοι',
dürfte nicht das Richtige treffen. Die Änderung der hdschr. Lesart
χεῖρα zu χεῖρε (Nauck) ist m. E. überflüssig.

3) 'Ego ἔδειξε praetulerim' Nauck. Aber weder im Worte selbst
noch in der höchstens nur für moderne Leser anstössigen Tauto-
logie λελυμένης — ἔλυςε liegt ein genügender Grund zur Beanstan-
dung der Lesart vor.

4) Vermutungen über die Etymologie bei v. Planta Gramm.
d. osk.-umbr. Dial. I 460 f.

5) Αωτις. ἁ λωτις τᾶς ἀμφ — — — — [ςτατῆρες] | Αἰγιναῖοι· τὸ δ'
ἀμπέχονον πεντήκοντα καὶ ἑκατὸν ςτατῆρ[ες Αἰγιναῖοι — — — κτλ.

ehen demselben Stamme abgeleitet sei. Die vor kurzem von
Kretschmer KZ. XXX 578 f. versuchte Erklärung, nach welcher das Wort zu λη- 'wollen' gehören und 'Wille, Beschluss'
(ἀ λῶτιc τᾶc ʼΑμφ- — 'der Beschluss des Amphiktionen-') heissen
sollte, kann meines Erachtens schwerlich befriedigen. Denn
von allem anderen abgesehen[1]) ist die Lücke der betreffenden
Zeile bei weitem zu klein, um alles das fassen zu können,
was nach Kretschmers Deutung darin ergänzt werden müsste[2]):
nämlich erstens ʼΑμφ]ικτιόνων oder -ονικᾶc, sodann der Name
der speziellen Behörde oder Körperschaft (-αc?), die Bezeichnung des gewerteten Gegenstandes und die Münznominale
⟨cτατῆρεc). Anerkanntermaassen ist im folgenden von der Be-
kleidung und Ausschmückung irgend eines Kultbildes die Rede,
und sieht man sich den Zusammenhang etwas näher an, so
kann man kaum umhin mit Ahrens (Dial. Dor. 491) und
Köhler anzunehmen, dass schon der mit λωτιc τᾶc ἀμφ- be-
ginnende Satz eine darauf bezügliche Bestimmung enthalten
hat. Folglich muss, so können wir weiter schliessen, λωτιc
entweder das Kultbild selbst oder einen Teil seiner Ausstattung
bezeichnen. Unter jener Voraussetzung könnte man möglicherweise daran denken λωτίc als 'Bild ·aus Lotos-(Celtis-)holz' zu
fassen; dieser Holzschlag wurde nämlich u. a. auch zur An-
fertigung von Xoana verwendet (Paus. VIII 17, 2, Theophr.
H. Pl. V 3, 7, Blümner Technol. u. Terminol. d. Gewerbe u.
Künste II 256). Indessen ist es wenig wahrscheinlich, dass
ein so kostbar ausgestattetes und, nach allem zu schliessen, so
grosses Bild ein Xoanon gewesen wäre. Dazu kommt, dass die
Fortsetzung Z. 27: τὸ δʼ ἀμπέχονον κτλ. 'der Mantel (Über-
wurf, Shawl) aber', eher für die zweite Alternative spricht.
Nun ist es ja ganz undenkbar, dass das Unterkleid (der

---

1) Z. B. der Frage, warum der Inhalt gerade dieses Paragraphen als 'Beschluss der Amphiktyonen' (was übrigens sonst
δότμα τῶν ʼΑ— ων o. ä. heisst) hervorgehoben sein sollte.

2) Der Zeilenumfang der nicht cτοιχηδόν geordneten Inschrift
lässt sich aus mehreren Zeilen, wo die vollständige Ergänzung so
gut wie sicher ist (11, 12, 15, 19, 39), mit ziemlicher Genauigkeit bestimmen und scheint danach im Durchschnitt ungefähr 90 Buchstaben betragen zu haben. Da in Z. 26 der erhaltene Teil (mit Ein-
rechnung des Doppelpunktes) 50 Buchstaben umfasst, kann also
die Lücke auf rund 40 Buchstaben veranschlagt werden.

Chiton) in dem Anzuge eines sonst sehr verschwenderisch be-
dachten Idols gefehlt haben sollte[1]), und war hier auch ein
solches Kleidungsstück in Aussicht genommen, so müssen wir
naturgemäss voraussetzen, dass dasselbe vor dem Mantel aufgeführt gewesen sei. Ich denke mir also, dass λωτίς eben
den Chiton, oder sagen wir allgemeiner das Untergewand bezeichnet. Allerdings wird bei dieser Deutung des Wortes das
unmittelbar vorausgehende Paragraphenlemma λωτίς zu eng,
insofern dann darin nur eine Einzelheit aus dem Paragraphen
herausgegriffen, nicht sein Gesamtinhalt angedeutet ist; aber
in einem Schriftstücke von so wenig gewandter Form wie das
vorliegende kann eine derartige Unbeholfenheit nicht sonderlich
befremden, und das Hauptgewand ist ja jedenfalls ein sehr
wichtiges Stück.

ά λωτίς[2]) wäre demnach ein Gewandname von derselben
Form wie ἀπληγίς, διπληγίς, ἁπλοῖς, διπλοῖς (= χιτώνιον δι-
πλοῦν), ἐπωμίς, ἐξωμίς (= χιτὼν ἑτερομάσχαλος), ξυστίς (ξύστις;
zu ξυστός?), ἐφαπτίς, ἐφεστρίς, βατραχίς, πορφυρίς, φοινικίς
u. a. m. An Herleitung von λωτός 'Lotusblume', so dass die
etymologische Bedeutung 'geblümtes Kleid' (ἀνθινὴ ἐσθής, στολή)
wäre, ist schwerlich zu denken. Besser scheint mir die Erklärung aus λωτός 'verwoben': also 'Kleid mit angewobenem
und angenähtem (bezw. gesticktem) Besatz und Schmuck'[3]).

In diesem Zusammenhange möge es mir gestattet sein
auch die Frage aufzuwerfen, ob das in Rede stehende Idol
wirklich, wie nach Ahrens angenommen wird, eine Statue des
Heros Amphiktyon gewesen ist. Einiges scheint mir dagegen
zu sprechen. Zunächst die Ergänzung in Z. 26, die durch
diese Annahme benötigt wird: ά λωτίς τᾶς Ἀμφι[κτίονος εἰκόνος?]
(Ahrens). Bei solchem Sinn und Zusammenhang sollte man aber
erwarten entweder einfach ά λ. τοῦ Ἀμφικτίονος oder auch mit

---

1) Über die oft ausserordentlich reichhaltige Garderobe der
Kultbilder (bes. der weiblichen Gottheiten) vgl. Hermann Gottesd.
Altert. 94, Martha Les Sacerdoces Athéniens 47 f. (CIA. II 751 ff.,
Bechtel Inschr. des ion. Dial. 220).

2) Was auch die Bedeutung des Wortes gewesen sein mag,
ist Oxytonierung desselben weitaus das Wahrscheinlichste.

3) λύμματα, παράβολα, παρυφαί, ἐξάστεις usw.; CIG. Graec. Sept.
I 2421 = SGDI. I 714 ῥάμματα, was ja nicht als 'Flicknähte' verstanden werden darf.

appositioneller Wortstellung ἁ λ. τᾶc εἰκόνοc τᾶc 'Αμφικτίονοc, und überdies ein anderes Wort für das Kultbild (ἄγαλμα, ἕδοc). In sachlicher Hinsicht ist die, soviel man sehen kann, ganz unvermittelte Ausweichung von Delphi nach Anthela, der Kultstätte des Amphiktyon, recht sonderbar. Irre ich nicht, so ist auch die Ausstattung für ein Herosbild gar zu überschwänglich. Nun giebt es ja eine Delphische Gottheit, deren Erwähnung in dieser Urkunde geradezu vermisst wird, und für welche die Ausrüstung mit Schild, Helm und Speer ebensogut, das ἀμπέχονον und die cτεφάνη (Diadem) [1]) sogar besser passt, wie für ein männliches Götterwesen: nämlich die Athena Προναία (Πρόνοια). Diese Göttin nahm bekanntlich in Delphi und innerhalb des amphiktyonischen Götterkreises eine sehr bedeutende Stellung ein (s. Preller-Robert Gr. Myth. I 195). Bei Aischines g. Ktes. § 108 ff. wird sie wiederholentlich der Trias Apollon, Artemis, Leto zur Seite gestellt. Ihr Tempel scheint nach dem Apollonheiligtum der angesehenste von Delphi gewesen zu sein; und wie ich glaube, war eben dieser κάλλιcτοc καὶ μέγιcτοc νεώc der Pronaia (Pronoia, Dem. 25, 34) in Z. 35 unserer Inschrift genannt: τὸν ναὸν τοῦ 'Απόλλωνοc τὸ Πυθίο καὶ τὰν αὐλὰν καὶ τὸν τᾶc 'Α — — —. Das nur von Clarac bezeugte (τὸν τᾶc) 'Αρταμι — — darf getrost, wie mehrere seiner angeblichen Lesungen (vgl. Boeckhs adnot. zur Inschr.), als reine Konjektur betrachtet werden; und von einem selbstständigen Kultus der delphisch-amphiktyonischen Artemis ist wohl sonst nichts bekannt (vgl. Preller-Robert I 233, 298). — Dass ferner gerade der 'κόcμοc' der Athena Pronaia mit besonderer Fürsorge gepflegt wurde, geht hinlänglich aus zwei delphischen Dekreten (Le Bas 841 = Dittenberger Syll. 189, 843) hervor, in welchen die Wartung und Herstellung dieses κόcμοc von den Hieromnemonen mit der Verleihung gewisser Vorrechte belohnt wird [2]). Wäre λωτίc der doch gewiss prachtvoll verzierte Peplos dieser Göttin, so würde sich die Heraushebung dieses Wortes in der Paragraphenüberschrift bestens erklären. Dass die Ägis fehlt, verschlägt nur wenig,

---

1) S. Boeckh z. St. Es versteht sich, dass das Bild nicht gleichzeitig die cτεφάνη und den Helm anhaben konnte.

2) ἐπιμελωμένωι (resp. -μένοιc) καὶ καταcκευάζοντι (-[όν]τοι[c]) τὸν κόcμον τᾶι 'Αθάναι τᾶι Προναίαι.

ı einerseits ist dieselbe kein streng unumgängliches Re-
ıt, andererseits könnte sie in einer der Lücken Erwähnung
nden haben — falls sie nicht gar in der λωτίc oder dem
ıχονον mit einbegriffen sein sollte, was bei der grossen
ƺestaltigkeit dieses Attributes nicht undenkbar erscheint.
ısowenig wird jener Gedanke durch Z. 32 [τ]οῦ βοὸc τιμὰ
ἥρωοc unmöglich gemacht. Die Identität dieses Heros mit
in Z. 26 gemeinten Kultgegenstande steht ja gar nicht
und vielleicht bezieht sich Z. 32 nicht auf den Epony-
Amphiktyon, sondern auf irgend einen anderen Heros, bei-
sweise etwa den um Delphi ja sehr verdienten Phylakos,
nächsten Nachbar der Pronaia (Paus. X 8, 7, Herodot.
ˈ 39) [1]).

Die einzige, aber dafür um so ernstlichere Schwierigkeit
im Namen τᾶc Ἀμφ[ικτιονικᾶc, oder -ονίδοc[2]) Ἀθαναίαc];
ler ähnlich müsste wohl nämlich in Z. 26 ergänzt werden[3]).
e Wortstellung hat in unserer Inschrift nur schwache
logieen (τῶγ κοινῶν χρημάτων 7, τᾶc ἱερᾶc γᾶc 21, τοῦ
ːατίου, Βυcίου μηνόc 45, 46), und vor allem ist ja die
ınnung ʻAmphiktyonische Göttinʼ für die Pronaia gänzlich
ılegt. Gewiss liessen sich für Beides verschiedene Ausreden
ın, aber eine irgend genügende Rechtfertigung vermag
nicht zu geben und muss es also vorläufig bei der blossen
ːgung dieser kleinen Interpretationsfrage bewenden lassen.

Upsala.   O. A. Danielsson.

---

1) Boeckh nahm τοῦ ἥρωοc als Apposition zu τοῦ βοὸc und
ἥρωc als gleichbedeutend mit βοὸc ἡγεμών (Xen. Hell. VI 4, 29).
2) Vgl. die Demeter Ἀμφικτυονίc in Anthela (Herodot VII 200).
3) Der Athenaname Ἀμφείρα (vermutlich zu εἰρη, vgl. Athena
ῑυλία, Βουλαία, Ἀγοραία) würde vielleicht an sich für die Am-
ːyonengöttin recht gut passen, aber derselbe kommt nur bei
ɔphron (Al. 1163) vor.

Über einige mythische Beinamen und Namen der Griechen.

1. Erinys καμψίπους.

In den Sieben des Äschylus spricht der Chor unmittelbar vor der Katastrophe die Befürchtung aus, dass "die Erinys, die einst der Vater herbeirief" (Str. 1, Vs. 710)[1] doch noch zu ihrem Ziele kommen werde; schon manches Jahr ist ins Land gegangen, seit der Vater seine grimmen Flüche wider die Söhne schleuderte (St. 4. 5., 751. 770 ff.)

νῦν δὲ τρέω
μὴ τελέςῃ καμψίπους 'Ερινύς.

Gleich darauf trifft die Nachricht von dem Wechselmorde ein. Was heisst hier καμψίπους 'Ερινύς?

Der Scholiast erklärt: a) ἡ κάμπτουςα τῶν κολαζομένων τοὺς πόδας. b) οἱονεὶ ἡ ςυμποδίζουςα καὶ μὴ ἐῶςα φυγεῖν. Die zweite Deutung hat man mit Recht unbeachtet gelassen. Die erste ist in die Kommentare und Lexika übergegangen; man liest da folgende Bedeutungsentwickelung: "den Fuss biegend oder einknickend, Einen zum Niederstürzen und Kniebeugen zwingend, zu Boden streckend oder demütigend". Man pflegt sich auf die Analogie von καμπεςίγουνος zu berufen, vgl. Hesych. II S. 403 Schm. καμπεςίγουνος· ἡ 'Ερινύς, ἀπὸ τοῦ κάμπτειν τὰ γόνατα τῶν ἁμαρτανόντων, und es ist sehr wahrscheinlich, dass auch die antike Erklärung unserer Äschylusstelle durch diese Parallele bestimmt wurde; hinter dem Scholion, wie hinter Hesych wird Didymos stehn. Aber erstens ist das Wort aus dem Zusammenhang herausgerissen und Didymos trifft in solchen Dingen so oft daneben, dass man sich ohne Kontrolle auf seine Deutung nicht unbedingt verlassen kann; an sich liegt es doch sicher näher, dass -γουνος auf dasselbe Subjekt geht, wie καμπεςι-[2]. Zweitens ist -πους nicht = -γουνος; man 'beugt' das Knie, aber nicht den Fuss. Mit

---

1) Zitiert wird nach der Berliner Ausgabe von Wecklein.

2) Ich möchte bei dem Worte an das Knielaufschema erinnern, mit dem in altertümlichen Bildwerken Eris Erinyen Harpyien und verwandte Wesen dargestellt werden. Eine ähnliche Bildung bei Lykophr. 653 ἁρπυιογούνων . . . ἀηδόνων.

oz [1]) die Unklarheit, deren sich die
)reten dieser Stelle schuldig gemacht
wenn sie mit der Volkskunde Fühlung
. sie, so meint er, die richtige Er-
1aben. Es ist nämlich, wie Gaidoz mit
eiteten und aus erster Hand geschöpf-
veist, eine zu allen Zeiten und bei den
1 auftauchende Vorstellung, dass böse
verdrehte Glieder haben. Die Erinys
3 mit den verdrehten Füssen (*les pieds*
1s mit vieler Zuversicht vertretene Re-
1tschen Zeitschriften verwandter Rich-
breitet wurde.

var dem Namen, wie seiner Thätigkeit
1n -us, über die Gaidoz seinen Spott
1 aber doch nach Kräften bemüht, den
cungen der durch Gaidoz vertretenen
olgen. In diesem Falle kann er nicht
roteske Vorstellung passt nicht in den
1g und verstösst gegen den vornehmen
es; vor allem aber kann sie durch das
Wort entschieden nicht ausgedrückt
1 gar nicht 'verdrehen'.

er die ältere Erklärung ähnlich dach-
n schnell zu ihrer Panazee, der Kon-
1 für καμψίπουϲ unter geschickter Be-
:benheit in der Responsion τάδ' ἀγκίπουϲ
t liegt aber paläographisch weit ab und
ertigende Neubildung. Die überlieferte
verständlich werden, der sich in die
; der ältern Attiker eingelebt hat; Vf.
:u sein, der die im nachfolgenden be-
-icht, wenn er auch eben nicht in der
bestimmten Zeugen berufen zu können.
lke ist seit der religiösen Reformation
: die Gerechtigkeit der Weltregierung
höchsten 'Ausdruck fanden diese Vor-
1tungen des Solon und des Äschylus.

VI Nr. 8. S. 172 ff., wo er einige verwandte
-rsuche zurückweist.

Wer eine Schuld auf sich lädt, verfällt der göttlichen Strafe: davon ist man überzeugt. Wie kommt es aber, dass so manche Übelthat so lange ungerochen bleibt? Man antwortete: die strafende Gottheit fasst den Übelthäter auf alle Fälle; aber sie hat oft Gründe, an ihm zunächst vorbei zu gehen, ihn immer sicherer werden zu lassen, um ihn dann in der Sünden Blüte um so tiefer zu stürzen oder seine Nachkommen für ihn büssen zu lassen[1]). Das Bild vom Vorübergehen des Unheils gebraucht Äschylus selbst kurz vorher, V. 753 τὰ δ' ὀλοὰ πενομένους παρέρχεται; ähnlich Solon 13, 29 ff. Bgk. εἰ δὲ φύγωσιν | αὐτοὶ μηδὲ θεῶν μοῖρ' ἐπιοῦσα κίχῃ, | ἤλυθε πάντως αὖτις· ἀναίτιοι ἔργα τίνουσιν ἢ παῖδες κτλ. Nun ist so ziemlich das einzige sichere und klare mit καμψι- zusammengesetzte Adjektiv, das wir in lebendiger Dichtersprache nachweisen können[2]), das Wort καμψιδίαυλος. S. Telestes bei Athen. XIV S. 657 A (fr. 4 Bgk.):

> ἐρέθιζε μάγαδιν
> πενταρράβδῳ χορδᾶν ἀρθμῷ
> χέρα καμψιδίαυλον ἀναστρωφῶν τάχος.

Es handelt sich um das Hin- und Zurückgleiten der Hände des Spielers. Das Bild ist, wie in zahlreichen verwandten Ausdrücken, die zum Teil als termini technici dienen[3]), von der Rennbahn entlehnt; man hat zu übersetzen: "die im Doppellauf umbiegende Hand". Ähnlich wird man das Äschyleische καμψίπους verstehen müssen. Es ist lange her, seit die Erinys vom Vater angerufen wurde; sie ist scheinbar an den Brüdern vorübergegangen: aber jetzt wird sie zurückkommen und die Schuldigen hinwegraffen. Die Verse sind also zu übersetzen: "Doch jetzt fürcht ich, dass die Erinys die Flüche vollstrecke, ihren Fuss wendend".

2. Apollon Αὐρεύς.

Im "Schulmeister" des Herondas beklagt sich eine Proletarierfrau vor dem Lehrer im Schulzimmer über ihren ungeratenen Sprössling. Er kann nichts und lernt nichts; obgleich

---

1) Eine Zusammenstellung der Belege u. a. bei Nägelsbach, nachhom. Theologie VI 14 S. 344 ff. Vgl. jetzt auch die Abschnitte über die Tragiker in Rohdes Psyche II.

2) Das bei Passow angeführte δακτυλοκαμψόδυνος steht an einer kritisch unsichern Stelle; s. Dübner zur Anth. Plan. app. (XVI) 18.

3) Vgl. Vf. Commentat. Ribbeck. S. 19.

sie schon manchen Monat das teure Schulgeld ausgegeben hat,
bringt er beim Lesen keinen Buchstaben heraus,

ἐπεὰν δὲ δὴ καὶ ῥῆσιν οἶα παιδίσκον
ἢ 'γὼ μιν εἰπεῖν ἢ ὁ πατὴρ ἀνώγωμεν,
γέρων ἀνὴρ ὡσίν τε κώμμασιν κάμνων
ἐνταῦθ' ὅκως νιν ἐκ τετρημένης ἠθεῖ·
"Ἄπολλον — Ἀγρεῦ" — τοῦτο φημὶ χἠ μάμμη,
τάλης, ἐρεῖ σοι, κἠστὶ γραμμάτων χήρη,
κὠ προστυχὼν Φρύξ.

Wenn er ein Sprüchelchen aufsagen soll, wie ein kleines
Kind, dann "geht es strophenweise, als seiht' ers durch" — und
nun macht die Alte den Vortrag ihres hoffnungsvollen Sprösslings
nach [1]). Die Worte Ἄπολλον Ἀγρεῦ sind also der Anfang der

ῥῆσις. Der Herondas-Papyrus überliefert: ΑΠΟΛΛѠΝ ΑῪΡΕΥ,
das Γ wahrscheinlich vom ersten Schreiber, aber das Υ nicht
durchgestrichen.

Ich habe in meiner Ausgabe des Dichters im allgemeinen
das Prinzip vertreten, dass die Textlesarten des Papyrus vor
den Korrekturen den Vorzug verdienen. In diesem Falle habe
ich, wie alle früheren Herausgeber, die Korrektur aufgenommen,
da ich die Stelle gefunden zu haben glaubte, die Herondas
zitieren lässt, Äsch. fr. 200 S. 67 N.[2]: ἀγρεὺς δ' Ἀπόλλων ὀρθὸν
ἰθύνοι βέλος[2]). Ich habe auf die Parallele zu viel Gewicht
gelegt: weder der Kasus stimmt, noch die Wortstellung, noch
kann der Vers des Äschylus der Anfang einer ῥῆσις sein, wie
er hier nötig ist. Wir haben völlig freie Hand. Daher scheint
es mir sehr erwägenswert, ob nicht doch mit R. Meister die Text-
Lesart beizubehalten ist. Die Korrektur im Papyrus will offenbar selbst nichts sein, als ein Vorschlag, ein Einfall; den Buchstaben des Textes zu ändern oder zu tilgen, wie an manchen
Stellen, wo über die Verderbnis kein Zweifel sein kann, hat
der Schreiber nicht gewagt. Wirklich fügt sich, wenn man
den Dingen auf den Grund geht, seine billige Konjektur gar
nicht recht in den Zusammenhang. Die Mutter steht mit ihrem
Jungen im Schulzimmer; an der Wand prangen Statuen der

---

1) Nach meiner Erklärung Unters. z. H. S. 61 ff., die von
Meister u. a. angenommen ist.

2) In einer Götteranrufung wird man die Form ἰθύνω beizubehalten haben.

Musen; die V. 52 erwähnte εἰκάς ist Apollo dem Musengotte geweiht. Nur als Schützer von Kunst und Wissenschaft, als Walter über die γραμμάτων παιδείη, auf die sie ihre Hoffnung gesetzt hatte, wird die Alte den Gott verehren. Wie soll sie dazu kommen, ihren Taugenichts einen Vers sprechen zu lassen, der den Gott als Jäger feiert? Damit würde sie dem Schlingel nur ein böses Beispiel empfehlen, worauf er sich für seine argen Neigungen berufen könnte; sie klagt ja bald darauf (V. 51) selbst darüber, dass er, statt sich nützlich zu beschäftigen, draussen im Walde herumlungert[1]) — man denkt, um Wildfallen und Vogelschlingen zu legen.

Was bedeutet nun Ἄπολλον Αὐρεῦ? Meister bemerkt: "Ἀπόλλων Αὐρεύς ('morgendlich leuchtend') ist zu vergleichen mit dem kretischen Ἀπόλλων Ἔναυρος (Hes. u. a.) und zu erklären durch idg. aus- 'aufleuchten', ausro-s 'morgendlich', gr. ἄγχ-αυρος, αὔριον, αὐριβάτας (Hes.) u. a." Ich kenne nur die Hesychartikel:

Ἔναυρος· ὁ Ἀπόλλων
ἐναύρω· πρωΐ. Κρῆτες.

Daraus folgt nicht, dass der Beiname just kretisch wäre. Die Vorstellung von dem *Apollo matutinus*, wie schon M. Schmidt treffend übersetzt hat, ist auch sonst nachweisbar. Eine Apollostatue in Delphi trug einen Hahn auf der Hand; Plutarch de Pyth. orac. 12 p. 400 C (38 Paton) meint ganz richtig, dass ὁ τὸν ἀλεκτρυόνα ποιήσας ἐπὶ τῆς χειρὸς τοῦ Ἀπόλλωνος ἑωθινὴν ὑπεδήλωσεν ὥραν καὶ καιρὸν ἐπιούσης ἀνατολῆς. Nach Apollonios von Rhodos B 668 ff. erschien Apollon einst den Argonauten,

ἦμος δ᾽ οὔτ᾽ ἄρ πω φάος ἄμβροτον, οὔτ᾽ ἔτι λίην
ὀρφναίη πέλεται, λεπτὸν δ᾽ ἐπιδέδρομε νυκτὶ
φέγγος, ὅτ᾽ ἀμφιλύκην μιν ἀνεγρόμενοι καλέουσιν.

Auf Rat des Orpheus (686 ff.) richten sie an dem Orte der Epiphanie einen Altar auf,

εὐαγέως ἱερῷ ἀνὰ διπλόα μηρία βωμῷ
καῖον, ἐπικλείοντες Ἐώϊον Ἀπόλλωνα.

---

1) καθ᾽ ὕλην will Meister durch 'im Schlamm' übersetzen und Stadtmüller schrieb ἰλύν; das Bild vom Reusenfischer würde dadurch gut weitergeführt; vgl. aber meine Übersetzung S. 68.

Es ist eine ätiologische Legende, die den Beinamen Ἐῷιος
und die Sitte, den Gott morgens beim Aufstehn mit Gebet zu
begrüssen, erklären soll, vgl. Herodor. fr. 48 (Schol. Apoll.
II 64). Schon bei Preller-Robert I S. 247 wird mit dem Ἐῷιος
gut der Ἔναυρος bei Hesych in Zusammenhang gebracht;
Αὐρεύς ist wohl als eine Art Koseform dazu aufzufassen.
Gerade unter der ἐπικλήσεις des Apoll findet sich manche ähnliche, vgl. Apollo Ἀγυιεύς, Διδυμεύς, Κοπεύς, Ὀρχιεύς, Πυθαεύς,
ferner Asklepios Κοτυλεύς, Dionysos Ἐλελεύς, Φιγαλεύς, Zeus
Δωδωνεύς, Ἐλιεύς (zu Εὐ-ελίδης?), Εὐβουλεύς, Herakles Ἐπι-
βολεύς, Μηκιστεύς, Πευκεύς, Σκαπανεύς, Poseidon Ἀμοιβεύς,
Κυναιθεύς, Προμανθεύς [1]).

Die römische Religion liefert weitere sachliche Parallelen.
Mit dem griechischen Ἐῷιος, Ἔναυρος, Αὐρεύς verbindet sich
schon dem Wortsinne nach das lateinische *Pater matutinus*
und *Mater matuta*. Vor allem aber stimmt das, was wir von
der Bedeutung des *Pater matutinus* wissen, zu der Legende
bei Apollonios. Horaz hat sich aus der Stadt aufs Land ge-
flüchtet; hier begrüsst er dann den schönen Morgen:

>*Matutine pater*, seu Iane libentius audis,
> *unde homines operum primos* vitaeque *labores*
> instituunt (sic dis placitum), tu carminis esto
> principium.

Also mit einem Gebet an den *Pater matutinus* fingen die
Römer ihr Tagewerk an. Im gleichen Sinne werden die Griechen ihren Apollo Ἐῷος oder Αὐρεύς angerufen haben [2]).

Und nun begreifen wir, warum der Bursche just das
Verslein hersagen soll. Es ist ja "der Musengott, der in der
Frühe waltet", der ihm seine Studien segnen und ihn zum
Fleiss bekehren kann. Ob ihm die frommen Worte gerade
deshalb nicht recht über die Lippen wollen?   (F. f.)

Tübingen.   O. Crusius.

---

1) Die Belegstellen bei G. Wentzel Ἐπικλήσεις (Gött. 1890) a. E.
2) Mit einem ähnlichen Morgengebet schloss wohl das Ἐνύπνιον
des Herondas, s. meine Unters. z. H. S. 159 und meine Ausgabe S. 60.

Zu den Regeln der kyprischen Silbenschrift.

Über die Wahl des Silbenzeichens für inlautende
Konsonanten vor Konsonanten.

Zur Bezeichnung des ersten Konsonanten einer inlautenden Konsonantengruppe dienen im kyprischen Syllabar die
Silbenzeichen, die den betreffenden Konsonanten entweder mit
dem der Gruppe vorangehenden oder mit dem ihr nachfolgenden Vokal enthalten, z. B. wird einerseits ἀρχός durch die
Silbenzeichen *a · ra · ko · se ·*, andrerseits Κύπρος durch die
Zeichen *ku · po · ro · se ·* ausgedrückt. Die Umstände, von
denen die Wahl des einen oder des andern Silbenzeichens abhängt, wurden von Deecke und Siegismund in Curtius' Studien
VII 227 folgendermassen bestimmt: "Bei Verbindung von Muta
mit nachfolgender Liquida richtet sich die Wahl des Silbenzeichens für die Muta nach dem auf die Liquida folgenden
Vokal — ganz rationell, da der vokalische Klang die Liquida
durchdringt; sonst richtet sich bei Konsonantenverbindungen
im Innern eines Wortes für den ersten Konsonanten das Silbenzeichen nach dem vorhergehenden Vokal". Ganz ähnlich for-
mulierte Ahrens Philol. XXXV 4 f. (= Kl. Schr. I 186) die
Regel: "Jede inlautende Muta samt ϝ vor einer Liquida erhält
dasjenige Silbenzeichen, das den nachfolgenden Vokal enthält:
in allen anderen Fällen erhält ein inlautender Konsonant, dem
ein anderer folgt, das Silbenzeichen mit dem vorhergehenden
Vokal". Damit stimmt im wesentlichen die Fassung von Deecke
in der Sammlung der griechischen Dialektinschriften I 10 überein: "Im Inlaut erhält der erste von zwei Konsonanten, der ohne
Vokal gesprochen werden soll, den Vokal der vorhergehenden
Silbe, ausgenommen Muta, μ und ϝ vor nachfolgender Liquida
oder ν, wo der erste Konsonant den Vokal des zweiten erhält,
offenbar weil der vokalische Laut die ihm vorhergehende Liquida oder Nasalis durchdringt"; und endlich die Fassung von
O. Hoffmann Gr. Dial. I 37: "Der erste Konsonant nimmt den
Vokal des zweiten an, wenn der zweite Konsonant eine Liquida
ist; den Vokal des vorhergehenden Konsonanten oder, wenn

ein Vokal vorhergeht, diesen Vokal, wenn der zweite Konsonant keine Liquida ist". Die Erklärung, die in diesen Fassungen der Regel vorliegt, findet also in der Natur der Liquida, die den zweiten Teil der Konsonantengruppe bildet, den Grund für die Wahl des Silbenzeichens mit dem der Gruppe folgenden Vokal; Deecke-Siegismund und Deecke sagen geradezu, die Setzung des betreffenden Silbenzeichens sei insofern begründet, als die Liquida von dem ihr folgenden vokalischen Laut durchdrungen werde; es sei also ein Vorklingen des der Liquida folgenden Vokals ähnlich wie bei der Epenthese anzunehmen, und Κύπρος werde deshalb *ku · po · ro · se ·* geschrieben, weil ein schwacher Klang des o-Vokals vor dem ρ gehört worden sei. Schon früher ist gegen eine derartige Annahme von M. Schmidt Inschrift von Idalion S. 77 f. eingewendet worden, dass nach ihr der Vokal -o- des Silbenzeichens *po ·* in *ku · po · ro · se ·* = Κύπρος anders zu beurteilen sein würde als in Schreibungen wie *po · to · li · se ·* = πτόλις. Jetzt ist es nicht mehr nötig ausführlicher sie zu widerlegen, da sie beseitigt ist durch die neuerdings bekannt gewordene Thatsache, dass auch bei der inlautenden Gruppe Muta + Muta für die erste Muta das Silbenzeichen mit dem der Gruppe folgenden Vokal gesetzt wird.

Die richtige Erklärung der behandelten Schreibweise hat bereits Moriz Schmidt Die Inschrift von Idalion und das kyprische Syllabar S. 61 mit den Worten ausgesprochen: "Die jedesmalige Wahl des Zeichens für den ersten Konsonanten hing von dem Vokal der Silbe ab, zu der der Konsonant gehörte"; die Richtigkeit aber dieses Prinzips im einzelnen nachzuweisen, hat er nicht unternommen. Ahrens, der die Regel in der Weise der Strassburger, wie oben angeführt ist, formuliert hatte, fand doch zugleich das Prinzip M. Schmidts "sehr plausibel" (Philol. XXXV 5 = Kl. Schr. I 187), während doch jene Regel und dieses Prinzip nicht übereinstimmen, da z. B. τύπτω im Syllabar nach jener Regel *tu · pu · to ·*, nach diesem Prinzip *tu · po · to ·* geschrieben werden müsste. In seinem zweiten Aufsatz zu den kyprischen Inschriften ist er in der Anerkennung des M. Schmidtschen Prinzips noch einen Schritt weiter gegangen, indem er über den Ausdruck der inlautenden Konsonantengruppen folgendes bemerkt (Philol.

XXXVI 10 = Kl. Schr. I 263): "Überall sind die inlautenden
Konsonantenverbindungen in drei Klassen zu teilen: 1) Solche,
die sich notwendig zwischen die beiden Silben verteilen.
2) Solche, die ganz der zweiten Silbe zufallen. 3) Solche, bei
denen das eine oder das andere zulässig erscheint. Bei der
ersten Klasse benutzte die kyprische Schrift für den ersten
Konsonanten den vorhergehenden Vokal, bei der zweiten den
folgenden, während bei der dritten ein Schwanken zwischen
beiden eintreten konnte. Die Scheidung der drei Klassen kann
zu grossem Teile nur auf Grund der beobachteten Praxis erfolgen."

Ich habe im folgenden die in den kyprischen Syllabarinschriften vorliegenden Fälle inlautender Konsonantengruppen,
soweit sie für die Erkenntnis der Schriftregel lehrreich sind[1]),
zusammengestellt und mit der Theorie der griechischen Grammatiker über die Silbenabteilung, sowie mit der praktisch,
namentlich in Inschriften, gehandhabten griechischen Silbentrennung verglichen. Als Resultat ergiebt sich die grösste
Übereinstimmung der griechischen Silbenabteilungsregeln mit
den Regeln, nach denen für den ersten Konsonanten einer inlautenden Gruppe im Syllabar das Silbenzeichen mit dem vorangehenden oder folgenden Vokal zu wählen ist. Damit ist
der Satz bewiesen, dass die Wahl des Silbenzeichens
für inlautende Konsonanten vor Konsonanten
sich nach den kyprischen Silbenabteilungsregeln richtet: jeder inlautende vor Konsonanten stehende Konsonant wird durch dasjenige
Silbenzeichen ausgedrückt, das den Vokal der
Silbe enthält, zu der der Konsonant gehört.

1. Erste Hauptregel.

Wenn zwischen zwei Vokaler eine Konsonantengruppe
steht, die sich auch im Anlaut griech. Wörter findet (s. aber im

---

1) Nicht verwendbar für unsern Zweck sind die Beispiele, in
denen derselbe Vokal der Gruppe vorangeht und folgt, wie z. B.
'Αριcτίjαυ, ἐϲρητάϲατυ, κατέϲοργον, κατεϲκεύϲαϲε, ὅρκοιϲ, Περϲεύτα, Τάρβαϲ,
ferner die Fremdwörter wie 'Αββιμίλκων, Μιλικjάτωνοϲ, endlich Fälle
zweifelhafter Lesung oder Deutung.

folgenden die "besonderen Fälle"), so gehört die Konsonantengruppe zusammen an den Anfang der Silbe. Vgl. z. B. Herodian
II 393, 33: τὰ σύμφωνα τὰ ἐν ἀρχῇ λέξεως εὑρισκόμενα καὶ ἐν
τῷ μέςῳ ἐὰν εὑρεθῶςιν ἐν συλλήψει εὑρίσκονται, οἷον ἐν τῷ
κτῆμα τὸ κτ ἐν ἀρχῇ λέξεως ἐστίν, ἀλλὰ καὶ ἐν τῷ ἔτικτον
εὑρεθέντα ἐν τῷ μέςῳ τὸ κ καὶ τὸ τ ὁμοῦ ἐστιν· πάλιν κλαίω
ἔκλαιον, πρίζω ἔπριζον, βδέλλα ἑβδομάς, χθών ἐχθές, φθείρω
ἐφθόνουν· ἰδοὺ ἐπὶ τούτων τὰ σύμφωνα τὰ ἐν τῇ ἀρχῇ τῆς
λέξεως ὄντα εὑρεθέντα καὶ ἐν τῷ μέςῳ ὁμοίως εἰςί. Infolge
dessen wird in der alphabetischen Schrift bei der Silbenabteilung der Einschnitt vor einer solchen Gruppe gemacht,
in der Syllabarschrift für den ersten Konsonant der Gruppe
das Silbenzeichen mit dem folgenden Vokal gesetzt. In unseren
Syllabarinschriften sind die hierhergehörigen Gruppen durch
die folgenden Beispiele vertreten.

a. Muta + Muta.

διφθεραλοίφων : *ti · pe · te · ra · lo · i · po · ne ·* Journ. of Hell.
      stud. XII (1891) S. 130.

Τιμοϝάνακτος : *ti · mo · va · na · ko · to · se ·* ebd. S. 320.

b. Muta + Liquida.

Ἀμύκλωι : *a · mu · ko · lo · i ·* 59 [134][1]).

ἀνδριάνταν : *to · na · ti · ri · a · ta · ne ·* 14[d] [140].

ἀνδριϳάνταν : *to · na · ti · ri · ja · ta · ne ·* 59 [134].

ἀνδριάς : *a · ti · ri · a · se ·* 14[c] [141].

ἄνθρωπε : *a · to · ro · pe ·* 68 [144].

ἄνθρωποι : *a · to · ro · po · i ·* 68 [144].

ἀνθρώπω : *a · to · ro · po ·* 126 [130].

ἀνθρώπως : *a · to · ro · po · se ·* 60 3 [135].

[Ἀ]ριστοκλέϝης : [*a ·*]*ri · si · to · ke · le · ve · se ·* 147[a] [182].

Ἀριστοκρέτης : *a · ri · si · to · ke · re · te · se ·* 71 [146].

Ἀριστοκύπρας : *a · ri · si · to · ku · pa · ra · se ·* 25[f] [80].

Ἀριστοκύπρω : *a · ri · si · to · ku · po · ro ·* 25[a] [75].

---

1) Mit blossen Zahlen zitiere ich die Inschriften der Deecke-
schen Sammlung (GDI. Bd. I) und die in meinen Gr. Dial. II 168 ff.
gesammelten neueren Inschriften, deren Numerierung sich an
jene Sammlung anschliesst. In eckigen Klammern füge ich die
Zählung O. Hoffmanns (Gr. Dial. I 48 ff.) hinzu.

Ἀφροδίται : *a · po · ro · ti · ta · i ·* 1 [59].

Ἀφροδίσιος : *a · po · ro · ti · si · o · se ·* 86 [160].

Ἐτεϝάνδρω : *e · te · va · to · ro ·* 46, 47 [112].

Θεμιστοκύπρας : *te · mi · si · to · ku · pa · ra · se ·* 25ᵖ [89].

Θεοκλῆος : *te · o · ke · le · o · se ·* 126 [130].

Κυπραγό[ρ]- : *ku · pa · ra · ko · . .* 147ᶜ [184].

Κυπραγόραο : *ku · pa · ra · ko · ra · o ·* 79 [154].

Κυπρο- : *ku · po · ro ·* 25ˣ.

Κυπρομέδοντι : *ku · po · ro · me · to · ti ·* Journ. of Hell. stud. XI (1890) S. 67 f. nr. 12.

Μηνοκρέτης : *me · no · ke · re · te · se ·* 147ᵇ [183].

Μινοκρέτης : *mi · no · ke · re · te · se ·* 147ᵘ [197].

Νικοκλέϝης : *.ni · ko · ke · le · ve · se ·* 36ⁿ [102], 36ᵇ [101], 40 [105].

-νοκλέης : *.no · ke · le · e · se ·* 147ᶜ [184].

Ὀμφοκλέϝης : *o · po · ke · le · ve · se ·* 147ᵏᵏ [210].

Ὀνασικ[ρέ]τεος : *o · na · si · ke · [re ·] te · o · se ·* Journ. of Hell. stud. XI (1890) S. 66 nr. 9.

Ὀνασικύπρα : *o · na · si · ku · pa · ra ·* 24 [74].

Ὀνασικύπρας : *o · na · si · ku · pa · ra · se ·* 34 [177].

Ὀνασικύπρων : *o · na · si · ku · po · ro · ne ·* 60 2. 3, 11, 30 [135].

πατρί : *pa · ti · ri ·* Journ. of Hell. stud. XI (1890) S. 67 f. nr. 12.

-ρακλέϝης : *ra · ke · le · ve · se ·* 147ᵗ [196].

Σαϝοκλέϝης : *sa · vo · ke · le · ve · se ·* 147ᵈᵈ [204].

Στασικράτης : *sa · ta · si · ka · ra · te · se ·* 17 [68].

Στασικράτεος : *sa · ta · si · ka · ra · te · o · se ·* 18 [69].

Στασικρέτεος : *sa · ta · si · ke · re · te · o · se ·* 14ᶜ [67].

Στασίκυπρος : *sa · ta · si · ku · po · ro · se ·* 60 2 [135].

Τιμοκλέϝης : *ti · mo · ke · le · ve · se ·* 147ᶜ [186].

Τιμοκλέϝεος : *ti · mo · ke · le · ve · o · se ·* 36 [92].

Τιμοκλῆος : *ti · mo · ke · le · o · se ·* 35 [92].

Τιμοκρέτης : *ti · mo · ke · re · te · se ·* 121 [129].

Τιμοκρέτεος : *ti · mo · ke · re · te · o · se ·* 25ᵇ [76], 25ʰ [82].

Τιμοκρέ(τεος) : *ti · mo · ke · re ·* 25ᵘ [91, XXI].

Τιμοκύπρας : *ti · mo · ku · pa · ra · se ·* 23 [73].

Τιμόκυπρος : *ti · mo · ku · po · ro · se ·* 25ᵇ [76].

Φιλοκρέτεος : *pi · lo · ke · re · te · o · se ·* 25ᵍ |81].

Φιλοκύπρας : *pi · lo · ku · pa · ra · se ·* 22 [72].

Diesen dreiundfünfzig Beispielen widerspricht ein einziges, in dem der erste Konsonant der Gruppe Muta + Liquida durch das Silbenzeichen mit dem vorhergehenden Vokal ausgedrückt ist: Κυπροκρατίϝος [1]) : *ku · po · ro · ko · ra · ti · vo · se ·* 26 [98]. Das Zeichen *ko ·* dieses Wortes ist vom Steinmetzen oder in seiner Vorlage falsch statt des Zeichens *ka ·* gesetzt worden.

c. Muta + ν.

κασιγνη- : *ka · si · ke · ne ·* in den Formen κασίγνητοι 41 [106], [κα]cίγνητοι 71 [146], κασιγνήτοιc 60 5. 7. 8. 12. 13 [135], κα-ciγνήτωι 25[b] [76], κασιγνήτων 60 14 [135], κασιγνήτωc 60 3. 11 [135].

τρέχνιja (oder τέρχνιja) : *te · re · ki · ni · ja ·* 60 9. 18. 19. 22 [135].

d. μ + ν.

Herodian II 395, 10: ἀμετάβολον ἀμεταβόλου οὐ προηγεῖ-ται κατὰ cύλληψιν ἀλλὰ κατὰ διάcταcιν οἷον ἀρνόc, Ἑρμῆc, ἅλμη, ἔρνοc, ὅλμοc. ἰδοὺ ἐπὶ τούτων τὸ ἓν ἀμετάβολον ληκτικόν ἐcτι τῆc προηγουμένηc cυλλαβῆc καὶ τὸ ἕτερον ἀρκτικὸν τῆc ἐπιφερομένηc καὶ οὐκ εἰcὶν ὁμοῦ. δεῖ προcθεῖναι χωρὶc τοῦ μ καὶ ν· ταῦτα γὰρ εὑρίcκονται κατὰ cύλληψιν ὡc ἐν τῷ μνᾶ, μνημεῖον· ἐνταῦθα γὰρ τὸ μ καὶ τὸ ν ὁμοῦ εἰcιν.

μεμναμένοι : *me · ma · na · me · no · i ·* 71 [146].

Danach ist das noch ungedeutete Wort (Ethnikon?) *a · ra · ma · ne · u · se ·* 60 21 [135] Ἀρμανεύc und nicht Ἀραμνεύczu lesen.

2. Zweite Hauptregel.

Wenn die Konsonantengruppe sich dagegen nicht im Anlaute griechischer Wörter findet, so wird die Gruppe durch den Silbenabschnitt getrennt. Vgl. z. B. Herodian II 396, 1: ὅcα cύμφωνα μὴ δύναται ἐν ἀρχῇ λέξεων ἐκφωνεῖcθαι, ταῦτα

---

1) Früher las ich, um in Übereinstimmung mit den Regeln zu bleiben, die Zeichengruppe anders (Gr. Dial. II 140); jetzt halte ich die Deutung Κυπροκρατίϝος, die Deecke-Siegismund zuerst auf-gestellt haben, für die richtige und schreibe die nächsten Worte der Inschrift mit O. Hoffmann Gr. Dial. I 52f.: Κυπροκρατίϝοc ἠμὶ ὁ λᾶο ὅδε.

Ἀφροδίται : *a · po · ro · ti · ta · i ·* 1 [59].

Ἀφροδίсιος : *a · po · ro · ti · si · o · se ·* 86 [160].

ἘτεϜάνδρω : *e · te · va · to · ro ·* 46, 47 [112].

Θεμιςτοκύπρας : *te · mi · si · to · ku · pa · ra · se ·* 25ᵖ [89].

Θεοκλῆος : *te · o · ke · le · o · se ·* 126 [130].

Κυπραγό[ρ]- : *ku · pa · ra · ko ·* .. 147ᶜ [184].

Κυπραγόραο : *ku · pa · ra · ko · ra · o ·* 79 [154].

Κυπρο- : *ku · po · ro ·* 25ˣ.

Κυπρομέδοντι : *ku · po · ro · me · to · ti ·* Journ. of Hell. stud. XI
(1890) S. 67 f. nr. 12.

Μηνοκρέτης : *me · no · ke · re · te · se ·* 147ᵇ [183].

Μινοκρέτης : *mi · no · ke · re · te · se ·* 147ᵘ [197].

ΝικοκλέϜης : .*ni · ko · ke · le · ve · se ·* 36ⁿ [102], 36ᵇ [101], 40
[105].

-νοκλέης : .*no · ke · le · e · se ·* 147ᶜ [184].

ὈμφοκλέϜης : *o · po · ke · le · ve · se ·* 147ᵏᵏ [210].

Ὀναςικ[ρέ]τεος : *o · na · si · ke · [re ·] te · o · se ·* Journ. of Hell.
stud. XI (1890) S. 66 nr. 9.

Ὀναςικύπρα : *o · na · si · ku · pa · ra ·* 24 [74].

Ὀναςικύπρας : *o · na ·* si *· ku · pa · ra · se ·* 34 [177].

Ὀναςικύπρων : *o · na · si · ku · po · ro · ne ·* 60 2. 3, 11, 30 [135].

πατρί : *pa · ti · ri ·* Journ. of Hell. stud. XI (1890) S. 67 f.
nr. 12.

-ρακλέϜης : *ra · ke · le · ve · se ·* 147ᵗ [196].

ΣαϜοκλέϜης : *sa · vo · ke · le · ve · se ·* 147ᵈᵈ [204].

Στασικράτης : *sa · ta · si · ka · ra · te · se ·* 17 [68].

Στασικράτεος : *sa · ta · si · ka · ra · te · o · se ·* 18 [69].

Στασικρέτεος : *sa · ta · si · ke · re · te · o · se ·* 14ᶜ [67].

Στασίκυπρος : *sa · ta · si · ku · po · ro · se ·* 60 2 [135].

ΤιμοκλέϜης : *ti · mo · ke · le · ve · se ·* 147ᵉ [186].

ΤιμοκλέϜεος : *ti · mo · ke · le · ve · o · se ·* 36 [92].

Τιμοκλῆος : *ti · mo · ke · le · o · se ·* 35 [92].

Τιμοκρέτης : *ti · mo ·* ke *· re · te · se ·* 121 [129].

Τιμοκρέτεος : *ti · mo · ke · re · te · o · se ·* 25ᵇ [76], 25ʰ [82].

Τιμοκρέ(τεος) : *ti · mo · ke · re ·* 25ᵘ [91, XXI].

Τιμοκύπρας : *ti · mo · ku · pa · ra · se ·* 23 [73].

Τιμόκυπρος : *ti · mo · ku · po · ro · se ·* 25ᵇ [76].

Φιλοκρέτεος : *pi · lo · ke · re · te · o · se ·* 25ᵍ |81].

Φιλοκύπρας : *pi · lo · ku · pa · ra · se ·* 22 [72].

γίνωςκειν, ὅτι τὸ κ πρὸ τοῦ μ οὐδέποτε εὑρίςκεται ἐν ἀρχῇ
λέξεως· τοῦ γὰρ πολύκμητος οὐχ εὕρηται ἐν χρήςει τὸ ἁπλοῦν
αὐτοῦ, ἤγουν τὸ κμητός· καὶ τὸ κέκμηκα, ὃ δηλοῖ τὸ κεκοπίακα,
οὐκ ἔςτι ἀπὸ τοῦ κμῶ, ἀλλ' ἀπὸ τοῦ κεκάμηκα. λέγει δὲ ὁ
Ἡρωδιανὸς τὸν Πάμφιλον ἀναγαγεῖν ἐν ταῖς Γλώςςαις τὸ κμέ-
λεθρα (cημαίνει δὲ τοὺς δοκούς). Hiernach erklärt es sich, dass
in der Syllabarschrift die inlautende Gruppe Guttural + μ
nach der zweiten Hauptregel behandelt ist.

ἰκμαμένως : *i · ki · ma · me · no · se·* 60 з. ₄ [135].

   Bei der Silbentrennung der alphabetischen Schrift jedoch
wurde diese Gruppe als Ausnahme nach der ersten Hauptregel behandelt, vgl. Herodian II 396, 1: ὅcα cύμφωνα μὴ δύναται ἐν ἀρχῇ λέξεων ἐκφωνεῖcθαι, ταῦτα καὶ ἐν μέcῃ λέξει
εὑρεθέντα χωριcθήcεται ἀλλήλων οἷον ἄνθος, ἔργον· οὐ δύναται
δὲ εὑρεθῆναι ἀπὸ τοῦ νθ ἀρχομένη οὐδὲ ἀπὸ τοῦ ργ· πλὴν
τούτων ἤγουν θμ, φν, γδ, χμ, κμ, cγ, cδ· ταῦτα γὰρ οὐδέποτε
ἐν cυμπλοκῇ ἐν ἀρχῇ εὑριςκόμενα, ἐν μέcῳ ἀλλήλων οὐ χωρί-
ζονται, οἷον ἴθμα, ἀφνειός, ὄγδοος, αἰχμή, ἀκμή, φάcγανον,
θεόcδοτος· εἰ γὰρ παρὰ τοῖc κοινοῖc οὐχ εὕρηται λέξιc ἀπὸ τοῦ
cδ ἀρχομένη, ἀλλὰ παρὰ τοῖc Αἰολεῦcίν ἐcτιν οἷον cδυγόc ἀντὶ
τοῦ ζυγόc.

b. c + Muta.

   Die Gruppe c + Muta findet sich sehr häufig im Anlaute griechischer Wörter und müsste danach, wo sie inlautend
vorkommt, nach der ersten Hauptregel behandelt werden, wie
dies auch Herodian II 393, 16 verlangt: τὸ c πρὸ πάντων τῶν
ἀφώνων ἐν cυλλήψει ἐcτίν, ἤγουν ὁμοῦ εἰcι τὰ δύο, τὸ c καὶ
τὸ ἐπιφερόμενον ἄφωνον, οἷον ἔcβεcε, φάcγανον, θεόcδοτος,
ἀcκός, ἀcτήρ, ἀcπίc, ἀcθενήc, ἀcχημοcύνη, ἑωcφόρος· ἰδοὺ ἐπὶ
τούτων τὸ c μετὰ τῶν ἐπιφερομένων ἀφώνων ὁμοῦ ἐcτι. Über
diesen Punkt herrschte aber unter den griechischen Grammatikern
heftiger Streit. Wir entnehmen dies einmal aus Grammatikerstellen, wie aus dem Exzerpt περὶ ὀρθογραφίαc in Bekkers Anecd.
Gr. 1127: cύνταξιc μέν ἐcτιν, ὅταν ζητῶμεν ποίᾳ cυλλαβῇ
cυντάξωμεν τὰ cτοιχεῖα, οἷον ἐν τῷ ἀcθενήc τὸ c, πότερον
ληκτικόν ἐcτι τῆc προτέραc cυλλαβῆc ἢ ἀρκτικὸν τῆc δευτέραc,
und aus dem Spotte des Sextus Empir. 638, 21 ed. Bekk.:
μεριcμῷ δὲ (sc. ἡ ὀρθογραφία κεῖται), ἐπειδὴ διαπορῶμεν ...

καὶ ἐν μέcῃ λέξει εὑρεθέντα χωρισθήσεται ἀλλήλων, οἷον ἄνθος, ἔργον. II 394, 33: τὰ ἀμετάβολα πρὸ τῶν ἀφώνων ἐν διαcτάcει εἰcὶν οἷον ἕρπω τὸ βαδίζω, ἕλκω, ἄνθος, ἄρτος, ἔργον, ἔμβολος, cύμφωνον, cύμπονος. Infolgedessen wird in der alphabetischen Schrift beim Silbenabteilen der erste Konsonant einer solchen Gruppe zum vorhergehenden Vokal gezogen, in der .Syllabarschrift für ihn das Silbenzeichen, das den vorhergehenden Vokal enthält, gesetzt.

a. Liquida + Muta.

ἀργύρω : *a · ra · ku · ro ·* 60 6, 13, 15, 17 [135].
ἀργύρων : *a · ra · ku · ro · ne ·* 60 7, 25. 26 [135].
Γολγίαι : *ko · lo · ki · a · i ·* 61 [136].
δάλτον : *ta · la · to · ne ·* 60 26 [135].
·ἐϜερξα : *e · ve · re · xa ·* 71 [146].
Τίμαρχος : ti · *ma · ra · ko · se ·* 33 [100].
Τιμάρχω : *ti · ma · ra · ko ·* 40 [105], ti · *ma · ra · ko ·* 36[b] [101],
.. *ra · ko ·* 36[a] [102] [1]).

b. Liquida + μ.

·αἰτάρ με : *a · i · ta · ra · me ·* 3 [61].
αὐτάρ με : *a · u · ta · ra · me ·* 15 [57], [αὐ]τάρ με 14[b] [66].
αὐτάρ μι : *a · u · ta · ra · mi ·* 2· [60].

c. Liquida + c.

Θυρcίja (oder Θυρcίja[υ]) : *tu · ru · si · ja ·* 147[rr] [217].

d. Liquida + ϝ.

ἄλϝω : *a · la · vo ·* 60 9, 18, 21.

e. ϝ + Muta.

ὀϝ γάρ : *o · vo · ka · re ·* 68 [144].

3. Besondere Fälle.
a. Guttural + μ.

Mit der Gruppe Guttural + μ lautet kein gebräuchliches griechisches Wort an, vgl. Herodian II 396, 11: κμέλεθρα· δεῖ

---

1) Unsicher ist die Deutung ἀρχόc : *a · ra · ko · se ·* 31, 32 [98, 99], vgl. Häberlin Woch. f. klass. Philol. 1890, Sp. 116, O. Hoffmann a. a. O.

[’Α]ριϲτοκλέϜηϲ 147ᵃ [182], ’Αριϲτοκῶν¹) 45 [120], ’Αριϲτοκρέτηϲ 71 [146], ’Αριϲτοκύπραϲ 25ᶠ [80], ’Αριϲτοκύπρϣ 25ᵃ
[75], ’Αριϲτομήδεοϲ Journ. of Hell. stud. XI (1890), S. 64
nr. 6, ”Αριϲτοϲ 25ᵃ [75], 25ᶠ [80], ’Αριϲτόφαντο 28 [95].

ἐπιϲταῖϲ : e · pi · si · ta · i · se · 68 [144].

ἔϲταϲαν : ne · se · ta · sa · ne · 71 [146].

ἔϲταϲε : e · se · ta · se · 14ᶜ [67], 25ᶠ [80], ἐπέϲταϲε 25ᵇ [76],
Journ. of Hell. stud. XI (1890), S. 61 nr. 2.

Θεμιϲτοκύπραϲ : te · mi · si · to · ku · pa · ra · se · 25ᵖ [89].

μιϲθῶν : mi · si · to · ne · 60 ₄, ₅, ₁₅ [135].

νεϜοϲτάταϲ : ne · vo · so · ta · ta · se · 59 [134].

τάϲδε : ta · sa · te · 32ᶜ [108], 60 ₂₈, ₂₉, ₃₀ [135].

τώϲδε : to · so · te · 60 ₃₀ [135].

τάϲ κε : ta · sa · ke · 60 ₂₉ [135].

cίϲ κε : si · si · ke · 60 ₂₉ [135].

Diesen dreiunddreissig Beispielen widerspricht ein einziges,
in dem die inlautende Gruppe ϲ + Muta κατὰ ϲύλληψιν behandelt ist:

τράϲθι²) : ka · ra · si · ti · 68 [144].

Ob diese Schreibung als ein Anzeichen dafür gelten darf,
dass auch in Kypros die Grammatikertheorie in diesem Punkte
zwiespältig war, oder ob sie einem Versehen des Steinmetzen
oder des Schreibers seiner Vorlage beizumessen ist, muss dahingestellt bleiben.

c. ϲ + μ.

Auch diese Gruppe ist zufolge der Theorie Herodians
κατὰ ϲύλληψιν zu fassen. Vgl. Herodian II 395, 16 : ἡμίφωνον
ἡμιφώνου οὐ προηγεῖται κατὰ ϲύλληψιν, ἀλλὰ κατὰ διάϲταϲιν
οἷον πλήϲϲω, τίλλω, πανϲέληνον, ἄλϲοϲ, θάλψαι, ἄρξαι, μέμψαι·
ἰδοὺ γὰρ ἐπὶ τούτων δύο ἡμίφωνα, ὧν τὸ μὲν ἓν ληκτικόν ἐϲτι
τῆϲ προηγουμένηϲ ϲυλλαβῆϲ, τὸ δὲ ἕτερον ἀρκτικὸν τῆϲ ἐπιφερο-

---

1) So lese ich nach Halls Angaben über die Zeichen (Verf.
Gr. Dial. II 145). Ich erkläre ’Αριϲτοκῶν als zweistämmigen Kurznamen, der sich zu ’Αριϲτοκρέτηϲ (oder ’ΑριϲτοκλέϜηϲ o. dgl.) verhält
wie z. B. der böotische Eigenname Πολιουκῶν GDI 994, Inscr. Graec.
sept. 1340 zu Πολυκράτηϲ (oder Πολυκλῆϲ o. dgl.).

2) Diese von Neubauer gefundene Lesung anzunehmen, trage
ich jetzt kein Bedenken mehr.

μένης· δεῖ προσθεῖναι χωρὶς τοῦ μ καὶ τοῦ ν, καὶ τοῦ c καὶ
τοῦ μ, καὶ τῶν cυλλαβῶν τῶν οὐcῶν ἐν τέλει λέξεως· ἐπὶ τούτων γὰρ εὑρίcκονται ἡμίφωνα ἡμιφώνων προηγούμενα κατὰ
cύλληψιν, καὶ ἐπὶ μὲν τοῦ μ καὶ ν ὡς ἐπὶ τοῦ μνᾶ καὶ μνημεῖον,
ἐπὶ δὲ τοῦ c καὶ μ ὡς ἐπὶ τοῦ cμῶ καὶ cμιλίον καὶ κόcμος κτλ.
Dagegen folgt auch hier die Praxis der alphabetischen Inschriften überwiegend (vgl. für die attischen Inschriften Meisterhans[2] 6 f.) dem Gebrauch, die Gruppe -cμ- bei der Silbenabteilung zu trennen, auch hier, wie es scheint, im Einklang
mit der Praxis der kyprischen Silbenschrift. Wenigstens ist
in dem einen Beispiel, das unsere Syllabartexte bieten, der
Sibilant durch das Silbenzeichen mit dem vorangehenden Vokal
ausgedrückt.

ἰναλαλιcμένα : *i · na · la · li · si · me · na ·* 60 26 [135].

d. Labial + c; Guttural + c.

Dass die Gruppen Labial + c und Guttural + c in einem
Teile Griechenlands von ältester Zeit an, in einem andern von
der Aufnahme des ionischen Alphabets an "διὰ τὴν κακοφωνίαν",
wie die Grammatiker sagen (Herodian II 397, 10), durch die
einfachen Zeichen ψ und ξ ausgedrückt worden sind, spricht
dafür, dass diese Gruppen von jeher κατὰ cύλληψιν gesprochen
worden sind. Das Syllabar stimmt mit dem Alphabete überein,
indem es einfache Silbenzeichen hat für *xe ·* und *xa ·*.

ἐϝεξε : *e · re · xe ·* 14[b] [66].

ὀρύξη : *o · ru · xe ·* 60 12, 24. 25 [135].

ἐξ : *e · xe ·* 60 12, 24. 25 [135].

ϝάναξ : *va · na · xe ·* 18 [69], 59 [134], 'Αριcτοϝάναξ 25[m] [86],
   [ϝά]ναξ 68 [144].

κᾶρυξ : *ka · ru · xe ·* 65 [142].

ἐϝερεα : *e · ve · re · xa ·* 71 [146].

Auch für das Kyprische ist demnach die Aussprache
dieser Gruppen κατὰ cύλληψιν anzunehmen, und da, wo zwei
Silbenzeichen zum Ausdruck eines derartigen Doppelkonsonanten verwendet wurden, ist zu erwarten, dass das erste nach
der Regel der verbundenen Gruppen, d. i. nach der ersten
Hauptregel gewählt wurde. Mit dieser Regel würden wir uns
im Einklange befinden, wenn wir *u · ne · u · ka · sa · me · no · se ·*
45 [120] umschreiben würden mit ὐνευξάμενος; da jedoch das

Syllabar, wie wir eben gesehen haben, ein Silbenzeichen für
-ξα- besitzt, so ist zu überlegen, ob nicht die Silbengruppe
ka · sa · einen von -ξα- verschiedenen Wert bezeichnen könnte.
Ich habe die Vermutung geäussert (Gr. Dial. II 145), dass vielleicht ὐνευχαcάμενοc zu lesen sei von einem kyprischen εὐχάομαι,
das zu εὔχομαι stehen würde, wie βρυχάομαι zu βρύχω usw.
Das Verbum εὐχᾱτέω (εὐχατῆcαι· ἐπικαυχήcαcθαι Hes.) scheint
auf ein zu diesem εὐχάομαι gehöriges *εὐχᾱτός zurückzugeben. —
Dagegen steht es im Widerspruch mit der erschlossenen Regel,
wenn wir die Zeichengruppe *e · ke · so · si ·* 60 31 [135] mit
ἔξωcι, wofür nach der Regel der verbundenen Gruppen *e · ko ·
so · si ·* zu erwarten ist, umschreiben.   Da aber die Umschreibung der Zeichen mit ἐχήcωcι eine Futurform ergiebt, für
deren Annahme es auf griechischem Boden vorläufig an genügenden Stützen mangelt, so wird man sich auch jetzt noch
damit begnügen müssen die Unregelmässigkeit der Schreibung
e · ke · so · si · konstatiert zu haben. — Bedenklich sind auch
zwei andere Lesungen, die bisher zu der Annahme geführt
hatten, dass inlautende Muta + c vom Syllabar in der Weise
der getrennten Gruppen ausgedrückt worden sei. In *mo · po ·
sa · ni · se ·* 147ᵈ [185], was mit Μόψανιc umschrieben zu werden pflegt, ist die Deutung des vorletzten Zeichens als *ni ·*
unsicher (vgl. O. Hoffmann a. a. O), und die Lesung des Apollon-
beinamens *ta · pi · te · ki* (korrigiert [1]) zu *ke) · si · o · i ·* 37 [137]
als τἀμφιδεξίωι ist zweifelhaft; denn wenn die von Ahrens
zur Empfehlung dieser Lesung herangezogene Hesychglosse
ἀμφιδεξίοιc χερcί· ταῖc τῶν τοξ(οτ)ῶν· διὰ τὸ ἑκατέραν χεῖρα
ἐνεργεῖν ἐν τῷ τοξεύειν. Αἰcχύλοc Τηλέφῳ lehrt, dass die
Hände von Bogenschützen vom Dichter "beiderseitig zugreifende" Hände genannt wurden, so genügt das noch nicht
als Nachweis, dass "beiderseitig zugreifend" ein Epitheton des
Apollon gewesen sei.

Leipzig. ·   Richard Meister.

---

1) Das Vorhandensein dieser Korrektur bestreitet O. Hoffmann
Gr. Dial. I 74 mit Unrecht.

Zu Inschriften aus Troezen.

Nicht gross war bisher die Zahl der Inschriften, die wir aus Troezen hatten. Von Bedeutung waren nur zwei: das bekannte Fragment Foucart 157a (GDI 3362) und die Inschrift von der Opferwilligkeit der Einwohner für die bedrohte Stadt (Vf. Stud. I 163—173; GDI 3364). Man muss es deshalb der französischen Schule in Athen als Verdienst anrechnen, wenn sie Herrn Legrand zur Ermittelung weiteren Materials nach dem alten "Trozan" schickte. Von welchem Erfolge seine Thätigkeit war, davon giebt eine Sammlung von 34 Nummern Aufschluss, die er BCH. XVII (1893) S. 84—121 publiziert. Alle überragen an Bedeutung die ersten zwei Nummern. Ihre Lesung und Auffassung zu fördern, dazu mögen die folgenden Bemerkungen dienen.

I. "A l'Ouest du γεφυραῖον ῥεῦμα, au dessous des moulins". Säule, deren unteres Stück eingemauert und deshalb gut erhalten ist, deren oberes Stück, das hervorragte, sehr gelitten hat. Das rechtwinklige Loch obenauf beweist, dass die 3 m hohe Säule als Trägerin eines Dreifusses diente, dessen Provenienz Z. 3 bespricht. Auf zwei Seitenflächen stehen a und b, von unten nach oben in der Form eines Hufeisens geschrieben (s. S. 194). BCH. 1893, S. 84—86.

a Δαμοτίμōι τόδε cᾶμα φίλα ϝέρ[γ]ἁc(c)ατο μά[τ]ἔρ,
   'Ανφιδάμα· οὐ γὰρ παῖδες ἐνὶ μεγάροιc ἐγένοντο:

b Καὶ τρίπος, ϐὸν Θέβαc⟨c⟩ι θεὄν ἔνικεν [ἄεθλον],
   [ἔcτ' ἀρετὲc οἱ μν]ἔμ' ἀγαθὲc: ἐπέθἔκε δὲ παιδί: [1]

Da Damotimos kinderlos stirbt, setzt ihm die Mutter das Denkmal, und zwar die Säule, auf der einst sein thebanischer Siegespreis im Wettlauf, ein Dreifuss, stand (vgl. IGA. 492). Legrand übersetzt: Damotimos, fils d'Amphidamas. Die Eigennamen auf °δάμαc haben z. T. die Heteroklisie nach der 1. Deklination: überliefert sind z. B. die Genitive 'Αλκιδάμα,

---

1) Legrand Z. 2 'Α[μ]φιδάμα. — 3 καὶ τρίποc "parfaitement lisible; les lois de la métrique sont donc assez mal observées". Er denkt an τρίπους. — 3 ϐὸν Θέβαccι θέον ἔνικε . . . . . — 4 . . . . [μν]ἔμ' ἀγαθὲc.

Καρτιδάμα, Καλλιδάμα, Πολυδάμα, die Akkusative Ἀνδροδάμαν, Σωδάμαν, die Vokative Λαοδάμα, Πολυδάμα, Πουλυδάμα (s. Pape-Benseler Lex. s. v.). Man kann hier aber ebensogut den Namen der Mutter annehmen und Ἀνφιδάμα mit Ἀριστοδάμα, Εὐρυδάμη, Ἱπποδάμη gleichstellen; dazu rät die Wortstellung.

Der Versbau zeigt, dass ἔνικε das Simplex zu dem aus Troezen bekannten ἀνήνικε ist (s. Verf. Stud. I 163, Index s. v.). Vgl. die Wunderkurtafel von Epidauros Nr. 59, 110 ὁ δὲ τὸμ πρὸ τοῦ ἀβάτου κείμενον (λίθον) ἦνικε. Zu den I. v. G. 56 verzeichneten Belegen sind ἤνικαν (Mytilene, Arch. Zeitung 1885, 142, Z. 15) und προc-εic-ήνεικεν (Delos Bull. 1886, 104, Z. 11) hinzugekommen. Statt ἔνικεν [ἄεθλον] wäre auch ἔνικε β[ραβεῖον] möglich: "den er vom Wettlauf in Theben als Siegespreis mitgebracht hatte"[1]).

Das ἐπί von ἐπέθεκε meint: ἐπὶ τύνβōι. Die Mutter setzte ihrem Sohne ⟨die Säule auf den Grabhügel⟩.

Das cc im Lokativ Θήβα-cι ist ein Versehen. In der Bauinschrift von Epidauros Z. 254 steht für diese Form Θήβαιc ⟨Verf. Aus Epidauros, S. 42 u. 59⟩. Nach den Formen von Z. 4 würden wir wenigstens Θήβη-cι erwarten. Aber in dialektischer Beziehung warf eben der von Ἀμφιδάμα gewonnene Versifex alles durch einander. Wo wir cc um des Verses willen erwarten, steht einfache Konsonanz: Z. 1 Ϝέρ[γ]άcατο d. i. Ϝεργάc(c)ατο. Inkonsequenz ist besonders auffällig beim ᾱ-Laute.

II. "Petite stèle trouvée dans les décombres de la Palaea-Épiscopi. BCH. XVII (1893) 86—90.

Die Inschrift enthält eine prosaische Anfrage an eine Priesterschaft (Z. 3—6) und eine poetische Antwort derselben (Z. 7—10), beides angeschlossen an die simpelste Weihaufschrift auf einem Säulchen (Z. 1—2). ⟨Dieses⟩, heisst es, "weihte Euthymidas, der das wissen wollte, was er nach dem ⟨üblichen⟩ Bade noch thun müsste, um zum Gotte gehen zu können". ⟨Ihm aber wurde zur Antwort:⟩ "Es ist Pflicht des Mannes, erst dem Herakles ein Opfer darzubringen, wenn er linkshin einen Vogel fliegen sah".

---

1) Für die Lücke giebt Legrand 29 Punkte. Meine Ergänzung hat nur 19. Kann man wirklich ausrechnen, wie viel Zeichen fehlen? Oder hat die Zahl 29 keinen Wert, ist dadurch nur die Richtung der Schrift angedeutet?

Εὐθυμίδας | ἀνέθεκε, | Ηά κα ποιῶν | ποὶ τὸν θεὸν ⁵ ἰοίε⟨ι⟩ λουσάμε νος, δαῆναι χρέ[ι][(ζ)]ὸν. θυσάμεν | [(Η)]ἐρακλεῖ ᾽υδρὸς | ἰδόντα ἐπὶ λαί᾽ ¹⁰ οἰῶνόν.

Z. 1 u. 2 haben z. T. andere Zeichen als Z. 3—10, wovon später. Die Worte von θυσάμεν ab sind ein Vers. Gelehrt klingt δαῆναι χρῄζων. Zwischen Satz 1 und 2 fehlt die Verbindung. Der Vers wurde offenbar nicht ad hoc gemacht, sondern war eine seit langem gebräuchliche Floskel allgemeinster Bedeutung, hier auf einen besondern Fall angewendet, und unbeholfen ist es, dass der Vers ohne Interpunktion oder Freilassung von Zeichenplätzen nach χρέ[ι]ζὸν, ohne überleitendes Sätzchen wie τοῖ δ᾽ ἀπεκρίνατο ὁ θεός oder ähnlich unmittelbar angeschlossen wurde. Im ersten Satze ist unnatürlich zu verbinden ἀνέθηκε — δαῆναι χρῄζων. Wäre die Inschrift auf einmal konzipiert worden, so hätte der Verfasser logischer geordnet: Euthymidas weihte das Geschenk, weil er auf eine Frage, was usw. —, den erfolgreichen Bescheid erhalten hatte: Opfere usw. Mir scheint, dass die Priesterschaft Z. 3—10 eigenmächtig zusetzte. Die Priesterschaft ist es zweifellos, auf die die rituelle Floskel, die Z. 7—10 steht, zurückgeht. Konfus wurde das ganze Machwerk, weil Z. 1 und 2 gegeben war und sie ihren Gedanken daran anknüpfen musste, und dann, weil sie die althergebrachte heilige Floskel, an der sich um des Verses willen so leicht nichts ändern liess, anbringen wollte. Um Gläubige, meine ich, die sich in gleicher Lage wie angeblich Εὐθυμίδας befinden würden, auf einen Präzedenzfall hinweisen zu können und sie zu gleicher Handlungsweise zu zwingen, machte die Priesterschaft den Zusatz.

Der Name des Heiligtums, in dem die Säule stand, klärte den Gläubigen darüber auf, wen er unter τὸν θεόν (Z. 4) zu verstehen habe. Wenn wir uns die Priesterschaft als Urheberin von Z. 3—10 denken, ist die Weglassung des Eigennamens des Gottes ausreichend erklärt.

Wer ist aber der Gott, zu dem, wie es nach dem Zusatze scheinen soll, Euthymidas gehen wollte? Legrand sagt S. 86 von der Säule: "dédicace faite à un dieu, Asclépios sans doute, en consultant l'oracle" und meint, dass Euthymidas die Frage thue, um den Tempelschlaf zu halten und dabei den Rat des Gottes in irgendwelcher Beziehung einzuholen. So verlockend der Gedanke ist, den Versuch zu

machen, ob man nicht τὸν θεόν Z. 4 und Ἡρακλεῖ Z. 8 identifizieren könne, so schwierig werden die sachlichen Verhältnisse,
wenn man den Versuch macht, so wahrscheinlich dagegen wird
das, worauf Legrand rät. Recht unbestimmt ist der Ausdruck in
der Frage gehalten. Es hätte Legrand darauf hinweisen
können, dass ποὶ τὸν θεὸν ἰέναι eine stehende Phrase
ist. In der ersten Wunderkurtafel von Epidauros, der Nr. 59,
steht Z. 3 αὖτα — ποὶ τὸν [θε]ὸν ἱκέτις ἀφίκετο καὶ ἐνεκάθευδε
ἐν τῶι ἀβάτωι; Z. 15 — πα|ρέβαλε ποὶ τὸν θεὸν ἱκέτις ὑπὲρ
τοῦ τόκου. ἐγκατακοιμαθε[ῖ]ca ᾿ δὲ ὄψ[ι]ν εἶδε; Z. 23 ἀνὴρ —
ἀ[φ]ίκετο ποὶ τὸν θεὸν ἱκέτας; Z. 34 αὖτα ἱκέτ[ις] ἦλθε ποὶ τὸν
θεόν; Z. 72 ἀνὴρ ἀφίκετο ποὶ τὸν θεὸν ἱκέτας; in der 2., der
Nr. 80, Z. 37 ἀφικόμενο[ν] | δ᾽ αὐτὸν ποὶ τ[ὸν θεό]ν — ἐθερά-
πευσε. Unbedenklich kann ich, was ich so für Epidauros bezeugt sehe, für Troezen annehmen. Nach dem Zusatze soll also
Euthymidas das erfragt haben, was er nach dem Bade
noch thun müsse, um zum Gotte ⟨Asklepios⟩ gehen
⟨und im Ἀσκληπιεῖον den Tempelschlaf halten⟩ zu
können. Die Priesterschaft ist also die des Asklepios, gleichgeübt
in Betörungskniffen und schlechten Reklameversen wie die in
Epidauros. Durch die zweite Wunderkurtafel aber ist ja ein
Ἀσκληπιεῖον für Troezen erwiesen: Z. 10 Ἀριστ[αγόρα
Τροζ]ανία. αὖτα ἔλμιθα ἔχουσα ἐν τᾶι κοιλίαι ἐνεκάθευδε | ἐν
Τροζ[ᾶνι ἐν τῶι] τοῦ Ἀσκλαπιοῦ τεμένει καὶ ἐνύπνιον
εἶδε. Die ganze Geschichte, die da von Ἀριστᾱγόρα erzählt
wird, ist eine Erfindung der Kollegen in Epidauros, die das
troezenische Ἀσκληπιεῖον nicht aufkommen lassen wollen und
dem Gotte in Epidauros grössere Wunderkraft zuschreiben als
dem in Troezen, und in der That hat ja das troezenische
Heiligtum immer hinter dem in Epidauros zurückgestanden.
Pausanias sah im heiligen Bezirke von Troezen ein Bild des
Heilgottes; er nennt es ein Werk des Τιμόθεος (II 32, 4).
Auf den Kult des Asklepios weisen die Nummern III und
IV, die Legrand in seiner neuen Sammlung S. 90 bringt.
Nr. III: Ἀπολλόδωρος Ἀθανάδα Εὐτυχὶς Ἀπολλοδώρου | τὰν
θυγατέρα Δαμοσθένειαν Ἀσκλαπιῶι Ὑγιείαι. Gewiss hatte Δα-
μοσθένεια im Ἀσκληπιεῖον zu Troezen Heilung gefunden, und
der Vater, der übrigens in der Beamtenliste der Nr. XXXV
Z. 4 nochmals genannt wird, zeigt sich erkenntlich durch die

Statue seiner Tochter. Nr. IV ist nur Fragment: vom Namen
des Weihenden blieb]τι[; Z. 2 steht ἀνέθηκ[ε], Z. 3 τῶι Αἰσκλ[α-
πιῶι] [1]). Noch einfacher als auf diesen 2 Stücken lautete die
Inschrift auf unserm Säulchen, eben nur Εὐθυμίδας ἀνέθεκε.
Aber gerade deshalb, weil die Fassung so simpel war, ersah
die Priesterschaft dieses Weihgeschenk aus, um den in der
Fassung so plumpen Zusatz zum Vorteil der Interessen des
Heiligtums anzubringen.

Ehe wir die Antwort der Priesterschaft (Z. 7—10) prüfen, sind einige Worte zum Texte nötig.

Im Majuskeltexte von Z. 7 und 8 steht ein offen-
barer Druckfehler: Z. 7 |ꓶΩN, Z. 8 |ΙΕΡΑΚΛΕΙ, also das
Z von ꓽΖων steht zu Anfang von Z. 8 statt Z. 7, und dafür
das Restchen von H, offenbar ꓶ, Z. 7 vor ὄν statt Z. 8 vor
ἐρακλεῖ, also ΗΕΡΑΚΛΕΙ. Denn H ist spir. asper, s. Z. 3. Auf
dem Steine ist es vor ἐρακλεῖ unkenntlich geworden: en tête
du nom d'Héraclès, sagt Legrand S. 87, subsiste un trait in-
certain, qui doit être l'aspiration.

Eine grosse Schwierigkeit bietet Zeile 8. Legrand
sagt, nachdem er über die Überlieferung von ΗΕΡΑΚΛΕΙ gesprochen hat: Le groupe qui suit, ΛΛΙΩΣ est d'une lecture
difficile: les deux lettres triangulaires et l'oméga sont très
nets; le troisième caractère est légèrement endommagé en
haut; à la fin, je crois distinguer un sigma (S. 87). On peut
songer à lire ἁγίως (S. 89). Die letztere Vermutung beweist,
dass Legrand den Vers nicht erkannte. Dieser aber fordert,
aus den Zeichen éine Silbe, eine kurze Silbe herauszulesen.
Da gilt es zunächst das Andre im Verse aufzuhellen. Von
ἰδόντα ab ist alles klar. Ohne Belang ist, dass man zwischen
λαι᾿ und λαι[ά] schwanken kann; für den Vers ist ja [ά] jedenfalls, wie das α von ἰδόντα, zu elidieren. Der Vers ist ein
schwerfälliger versus spondiacus und macht der Kunst der
Priester keine Ehre. Mit θυσάμεν aber (Legrand betont
θύσαμεν) hat es eigne Bewandtnis. Das ist keine volkstüm-

---

1) In der Erklärung zu dieser Inschrift bespricht Legrand
S. 92 die Stelle der Wunderkurtafel 80, 129 ff. Das Beispiel passt nicht,
weil nicht Νικασιβούλα Μεθανία auf dem Steine steht, sondern N.
Μεσσανία. S. Verf. Aus Epidauros S. 17.

liche Form, sondern ein Kunstprodukt, gebildet nach dem
Muster von ἀγέμεν, φερέμεν, von εἰπέμεν ἐλθέμεν (Curtius Verb.²
II 114), ein Infinitiv gleich θῦcαι. Wovon, fragt
man weiter, ist dieser abhängig? Kann in den fraglichen
Zeichen etwas stecken, was ihn verlangt? Raten wird man
auf: es ist Sitte, es ist Pflicht, weil ja Euthymidas gefragt
haben soll, was er thun müsse. Das führte mich darauf,
ΛΛΙΩϹ zu ΝΔΡΩϹ zu ergänzen, wobei ich namentlich die oben
mitgeteilten Worte Legrands über die Zeichenreste berück-
sichtigte: also νὸρός. Schwanken kann man, ob man Ηερα-
κλεῖνὸρὸc oder Ηερακλεῖ 'νὸρὸc schreiben soll. Dass neben
ἀνὸρόc ἐcτι das Partizip ἰὸόντα im Akkusativ steht, ist ebensowenig auffällig wie z. B. dass Xenoph. Anab. I 2, 1 neben Ξενίᾳ
(ἥκειν παραγγέλλει) der Akkusativ λαβόντα steht. Aber in graphischer Hinsicht könnte jemand gegen diese Lesung 'νὸρόc
Einspruch erheben wollen. Als Rest des ersten Zeichens giebt
Legrand Λ. Sein Text hat aber nur steile Ny-zeichen. Also
müsste Ͱ notiert sein. Aber die Notiz: les lettres sont irré-
gulières (und der Grund dazu: la pierre est mal dégrossie),
eine Notiz, welcher der uniforme Majuskeltext im Bulletin
widerspricht, weil eben der Druck nicht alle Differenzen wieder-
geben kann, darf ich wohl für mich in Anspruch nehmen.

Dunkel ist die Antwort, der verbindungslos folgende Vers.
Hinter der geschraubten Darstellung steckt wahrscheinlich folgender einfache Sinn: Euthymidas, der in den Tempel des
Asklepios eintreten wollte, badete sich, beobachtete aber im
Vogelfluge ein Unglückszeichen. Deshalb fragte er die Priester,
welche That den Gott geneigt machen könnte. Sie aber sagten: ein Opfer. Diesen einfachen Sinn sollten andere Gläubige,
denen es gerade so wie angeblich Euthymidas ginge, herauslesen und sollten aus dem Weihgeschenke schliessen, dass
Euthymidas wirklich opferte und dann einen erfolgreichen
Tempelschlaf hielt. Es ist ganz allgemein gewesen vor dem Eintritt ins ἄβατον ein Bad zu verlangen. In Troezen gehörte, so scheint es, zu den Vorbereitungen ausserdem
noch Vogelschau. Möglich, dass das οἰωνοcκοπεῖν auf
einem heiligen οἰωνιcτήριον unter Aufsicht priesterlicher οἰω-
νοπόλοι stattfand, denen die Gläubigen sich erkenntlich zeigen
mussten, und wahrscheinlich ist, dass das Bad der Vogelschau

voranging, weil ja auch diese eine heilige Handlung war. Ein günstiges Anzeichen nach dem üblichen Bade mag sofortigen Eintritt zugelassen haben, bei ungünstigem verlangte man noch ein Opfer, seltsamerweise für — Herakles. Für die Erklärung dieser Schwierigkeit fand schon Legrand den Weg. Ausser den von Pausanias angeführten Quellen Ἵππου κρήνη (II 31, 8/9) und Χρυσορρόας (II 31, 10) ist noch in Troezen eine Ἡράκλειος καλουμένη κρήνη genannt, und zwar in demselben §, in dem von der Asklepiosstatue die Rede ist. II 32, 4 heisst es: τοῦ δὲ Ἀσκληπιοῦ τὸ ἄγαλμα ἐποίησε μὲν Τιμόθεος, Τροιζήνιοι δὲ οὐκ Ἀσκληπιὸν ἀλλὰ εἰκόνα Ἱππολύτου φασὶν εἶναι. καὶ οἰκίαν ἰδὼν οἶδα Ἱππολύτου· πρὸ δὲ αὐτῆς ἐστιν Ἡράκλειος καλουμένη κρήνη, τὸ ὕδωρ, ὡς οἱ Τροιζήνιοι λέγουσιν, ἀνευρόντος Ἡρακλέους. Mit Recht schliesst Legrand aus dieser Beschreibung auf grosse Nähe von Ἡράκλειος καλουμένη κρήνη und dem Ἀσκληπιεῖον: à Trézène, la. source sacrée devait être celle que Pausanias mentionne quelques lignes après la statue d'Asclépios, et qu'il nomme source d'Héraclès. Er meint nun, dass das Bad in der Heraklesquelle genommen und deshalb dieser mit Opfer verehrt wurde. Es bekommt den Anschein, als ob man das ungünstige Zeichen bei dem aufs Bad folgenden Vogelfluge auf Missgunst des Schutzheiligen der Quelle zurückführte. Mit dem Opfer soll — so sieht es infolge des Zusatzes aus — Enthymidas und jeder, dem nach dem Vogelfluge die Gottheit missgünstig scheint, diese wieder geneigt machen. Diese Erklärung gewinne ich, weil ich Legrand nicht darin folge, dass er den Vogelflug nach links hin ausnahmsweise für Troezen als günstig erklärt, da doch anderwärts überall damit Unglück verbunden gedacht wurde. Wer aber den Troezeniern darüber gleiche Anschauung wie den andern Griechen beimisst, wird in der Auffassung der gegebenen Antwort mir folgen müssen.

Auf die Bedeutung, die beide Inschriften haben, weist der Herausgeber gleich mit den ersten Worten hin: les deux inscriptions suivantes sont les premières inscriptions archaïques qui proviennent de la Trézénie. Sehen wir sie nun darauf hin an: für ihr Alter ist die Schrift das einzige Kriterium.

Ia

ᗡΑΜοΤΙΜοΙΤοᗡΕꟅΑ Μ ΑΦΙᐱΑϜꟑᵖ. ᐱꟅΑΤοΜΑ.ϾᗡΑꟅ

ᏇΑΜᵒᐱ·ᗡ·ᐱᗡΕꟅΙοᗡ·ᐱꟑᗺΙΝꟑꟅꟑᗡΙ·ᐱᗡ·ᐱᗡ·ᐱᵒᏇᏆᏆᗡᵒ_ᵒ

Ib

ΚΑΙΤᐟΙᴦₒꟅΒₒΝⴱꟅΒΑꟅꟅΙⴱꟑꟅₒΝΕΝΙΚꟑΙ..............

ᔅΙⴱΙᐱꟑᗡꟗᏦᏆꟑⴱꟑ ᐱ ꟑᙏꟅᏆⴱᐱᐱᏆᏇꟑ ·········· ·

II

EVΘVΜΙΔΑꟅ
ΑΝΕⴱΕΚΕ
ΗΑΚΑᴦΩΙΩΝ
ᴦΩΙΤΩΝⴱΕΟΝ
5 ΙΩΙΕΙ ᐱΩVꟅΑΜ Ε
ΝΩΕΔΑⴱΝ Α ΙΨ⊦
ᒣΩΝⴱΥꟅΑΜΕΝ
ꟅΕ⊦ΑΚᐱΕΙᐱᐱΙΩꟅ
ΙΔ ΩΝΤΑΕᴦΙᐱᐱΙ
10 ΩΙ ΩΝΩΝ

Wie der Dialekt beider Inschriften nicht rein ist,
weil Verskünstler die Verfasser sind, so zeigt sich auch in der
Schrift Abhängigkeit von auswärts, und zwar von
Athen.

Das Alphabet von II ist jünger als das von I.
Hier bezeichnen Ϲ und o (ein Kreis, kleiner als alle anderen
Zeichen) noch Kürzen und Längen, hier begegnet die Interpunktion, hier haben α, δ, ε, θ, λ, μ, ν, ρ, ϲ, υ (unkontrollierbar β, γ,
ζ, ξ, φ, χ, ψ) ältere Gestalt. dort ist η bald durch Ε (Z. 2, 5, 8),
bald durch Β (Z. 6) ausgedrückt, Η ist spir. asper. Β fungiert
als η, wie oben erwähnt, Omikron begegnet überhaupt nur
einmal (Z. 4 θεόν), sonst ist Ω für Kürze und Länge
gesetzt. Von letzterer Thatsache ist bei der Zeitbestimmung
auszugehen. II fällt also in eine Zeit. in der man
das Zeichen Ω aus Athen eben erst überkommen,
eine Differenzierung der o-Laute durch das

NAUPLIA

GOLF VON NAUPLIA

Das Land der
ZAKONEN
und
seine Umgebung.

1 : 600000.
Gezeichnet von A. Thumb.

Heutige | Wohnsitze
Frühere | der Albanesen

Heutige | Wohnsitze
Frühere | der Zakonen

Zone alter Ansiedlungen

**selbe aber noch nicht gelernt hatte: das ist die
Zeit 400—350. Also ist I ins Jahrhundert vorher
zu setzen.**

Während die westliche Argolis Ⱶ für λ hat, hat die östliche Λ (vgl. attisch Λ und V). Die Gestalt des χ in II, das V, wurde bisher auch nur in der Akte von Argolis angetroffen; im Westen steht dafür + und X. Andere Verschiedenheiten sind unwesentlich: bisher war M nur in der westlichen Argolis, dort in schräger Lage, bekannt. Auf eine Merkwürdigkeit, die meine Erklärung von II stützt, hat Legrand nicht geachtet. II Z. 1 und 2 hat Λ und ▷, dazu E als η, Z. 3—10 Λ und Δ, dazu E und Ɵ als η, **also ist des Steinmetzen Inschrift Εὐθυμίδας ἀνέθēκε älter als der Zusatz der Priester (Z. 3—10).**

Leipzig.   Johannes Baunack.

Die ethnographische Stellung der Zakonen.

` I.

Am schluchtenreichen Westabhang des Parnon bis zum Meere hinab zwischen den beiden Städten H. Andreas im Norden und Lenidi im Süden, also in einem Teil der alten Kynuria, wohnt ein griechischer Volksstamm, der durch seinen eigenartigen, den übrigen Griechen unverständlichen Dialekt schon seit Jahrhunderten die Aufmerksamkeit griechischer und fränkischer Gelehrten gereizt hat, die immer wieder die Frage nach der ethnographischen Stellung dieses Völkchens, der Zakonen, beschäftigte: man stempelte sie bald zu Joniern oder Doriern, bald zu Slaven oder dem Sprössling eines andern ‟barbarischen" Stammes [1]).

---

1) Eine Übersicht der älteren Litteratur bei Deffner Archiv I 1 ff. und Zak. Gramm. 1 ff. Die Geschichte des Zakonenlandes behandeln besonders Thiersch a. a. O. S. 567 ff. und Deville in seiner Gramm. S. 14 ff.

Von den Byzantinern [1]) halten sie vor allem Georg Pachymeres (13. Jahrh.), Nikephoros Gregoras (14. Jahrh.) und
Mazaris (15. Jahrh.) für Nachkommen der alten Lakonen. Das
Abendland erhielt zuerst durch die Mitteilung Gerlachs an
Crusius (1574) authentische Kunde [2]) über die Zakonen, deren
ionische Herkunft behauptet wird, eine These, die Thiersch [3])
mit wenig Glück zu begründen suchte, andere [4]) kritiklos nachgesprochen haben, obwohl schon Villoison den richtigen Sach-
verhalt erkannt hatte [5]): Leakes Bedenken gegen den dorischen
Charakter des Zakonischen [6]) fallen wenig ins Gewicht.

Eine neue Wendung erhält unsere Frage durch den Sla-
visten Kopitar, der Fallmerayers Hypothese vorausahnt und die
Zakonen schlankweg für Slaven erklärt [7]), was zunächst nicht
einmal Fallmerayer [8]) anzunehmen wagt.

Der Fragmentist hat freilich seine Ansicht sehr bald
geändert [9]): auf Grund der Ortsnamen glaubt er auch die
ganze Ostküste des Peloponnes nicht für slavenfrei halten zu
dürfen, ohne dass er jedoch die Zakonen selbst für Slaven
ausgab; letzteres ist erst n a c h ihm entschieden ausgesprochen

1) Konstantinos Porphyr. de Ceremoniis I S. 696 ed. B. (dazu
Deville S. 21 f., der jedoch fälschlich "de adm. imp." zitiert). —
Pachymeres I S. 209 ed. B. (dazu vgl. Thiersch S. 567 f.). — Nikeph.
Greg. Hist. Byz. I 98 ed. B. — Mazaris ed. Elissen Analekten IV 230
(über den Wert der Sprachproben Deffner Arch. S. 2. Gramm. 4).
Kodinus I S. 12. IV 27. V 37. 42. ed. B. Ich mache besonders auf
eine von Tafel (Abh. der Bayer. Akad. Hist. Kl. V 58 f.) aus einem
Turiner Kodex ausgehobene Notiz aufmerksam, die bisher unbe-
achtet geblieben ist.

2) Turco-Graecia S. 489 (bei Deffner). woraus Ducange schöpft
Gloss. med. et inf. graec. s. v. Τζάκωνες.

3) Abh. d. Bayer. Ak. hist.-phil. Kl. 1835 S. 511—582 (besonders S. 567 ff.).

4) J. B. Ow Die Abstammung der Griechen etc. 1848, Anhang
S. 18 f. — Elissen Analekten IV 350 ff.

5) Homeri Ilias (Venedig 1788) Prolegg. p. XLIX.

6) Travels in the Morea II 505—508. — Die Researches in
Greece (1814) sind mir bis jetzt nicht zugänglich gewesen. — Pelo-
ponnesiaca S. 304—339 ist ein Auszug aus Thiersch.

7) Wiener Jahrb. f. Litt. 1822. XVII 96.

8) Gesch. d. Halbinsel Morea I 260 ff. 277 f.

9) Welchen Einfluss hatte die Besetzung Griechenlands durch
die Slaven auf das Schicksal der Stadt Athen (1835) S. 66 ff.

worden, so von Heilmeier[1]), H o p f[2]), Kriegk[3]), Hertzberg[4]),
während andere die Zakonen zwar für Reste einer altgriechischen Bevölkerung halten, aber doch mehr oder weniger weit-
gehende Vermischung mit Slaven behaupten: Schafarik[5]), Gregorovius[6]), neuerdings besonders Philippson[7]). Dagegen wird
die Slavisierung der Parnonlandschaft von einer grossen Zahl
von Gelehrten entschieden bestritten, bezw. altgriech. Herkunft
betont[8]), besonders von allen denen, welche sich genauer mit
der Sprache der Zakonen beschäftigten, also ausser den schon
genannten von Mullach[9]), Deville[10]), Comparetti[11]), vor allem
aber Deffner[12]) und zuletzt Hatzidakis[13]), deren Hauptergebnis,
Dorismus des zakonischen Dialekts, zum Gemeingut der Wissenschaft geworden ist[14]).

Merkwürdig ist daher, dass jüngst Psichari[15]) und sein
Schüler H. Pernot[16]) gegen den lakonischen Ursprung des Zakonischen Bedenken äusserten, freilich wie ich mit G. Meyer[17])

---

1) Über die Entstehung der romanischen Sprache S. 309.

2) Ersch und Gruber Enzykl. 86, 184 (vgl. auch 85, 119).

3) Westermanns Monatshefte V 538.

4) Oesch. Griechenlands I 200 und sonst.

5) Slav. Altertümer (übers. v. Aehrenfeld) II 230.

6) Gesch. d. Stadt Athen I 117.

7) Petermanns Mitteil. 1890 S. 38 (und Verb. d. Ges. f. Erdk. zu
Berlin 1889 S. 340).

8) Ross Reisen und Reiserouten I 157. Königsreisen II 19.
Curtius Peloponnes II 293. Finlay The History of Greece (1851)
S. 89. Diefenbach Hall. Allg. Litt. Zeit. 1843. Erg.-Bl. S. 146. Auch
Spratt Travels in Crete I 356 f. Besonders aber B. Schmidt Volks-
leben S. 6. 12.

9) Gramm. d. griech. Vulgarspr. 102 ff.

10) A. a. O. — Οἰκονόμος Γραμματικὴ τῆς τσακωνικῆς διαλ. (2. Aufl.
1870) äussert sich nicht über die Frage.

11) KZ. XVIII 148 f.

12) Ausser den angeführten Arbeiten vgl. noch Monatsber. d.
Berl. Ak. 1875 S. 15 ff. 175 ff.

13) Einleitung S. 9 f.

14) Gelegentliche Bemerkung bei G. Meyer Essais I 104 (Griech.
Gramm. S. XX), Müllensiefen De titulorum laconic. dial. 121 ff., Pezzi
La lingua greca p. 344, Boisacq Les dial. doriens p. 213. Vgl. auch
Ornstein Ausland 1887 S. 602 f.

15) Études de philol. néogrecque p. XXVII f.

16) In Psichari Études p. 54 ff.

17) Berl. phil. Wochenschr. 1893, Sp. 213. 214 f.

glaube ganz ohne Grund. Dass die Zakonen gar Albanesen
seien, hat ausser Sathas bis jetzt noch niemand geglaubt;
jene Ansicht ist nur eine Folge der absonderlichen ethnographischen Hypothese des verdienten Historikers [1].

Die Thatsache, dass der zakonische Dialekt im grossen
und ganzen ein letzter Ausläufer des Lakonischen ist, muss
zugleich als Stütz- und Ausgangspunkt für die Frage nach der
ethnographischen Stellung der Zakonen betrachtet werden: die
Frage ist von diesem Gesichtspunkt aus ganz entschieden im
Sinne einer altgriechischen Deszendenz des Volksstammes zu
bejahen.

II.

Aber gleichwohl wurde Slavisierung des Länderstrichs
östlich vom Parnon behauptet, die Zakonen zu "reinen Slaven"
(Hopf) gestempelt?

Historische Gründe werden dafür angeführt — freilich
keine direkten, wie denn überhaupt die geschichtliche (urkundliche) Begrenzung der Slaveneinwanderung kaum zu erreichen
ist [2]. Aber statt auf unbestimmte Angaben von einer terra
Slavonia [3] u. dgl. Gewicht zu legen, nehmen wir besser zu
dem Studium der Ortsnamen Zuflucht, als dem vornehmsten
Mittel um Klarheit zu erhalten. Die neugriechische Sprache
giebt bei ihrer auffallenden Sprödigkeit gegen slavische Elemente kein einziges sicheres Kriterium; das Zakonische verhält sich in diesem Punkte genau wie die übrigen Dialekte
des Neugriechischen, obwohl es gleich diesem in der Aufnahme
romanischer Bestandteile keineswegs zurückhaltend war [4].

Gerade die modernen Ortsnamen der ehemaligen Kynuria
verwerteten nun allerdings Fallmerayer und die ihm folgten
zur Bekräftigung ihrer Ansichten (s. oben). Aber die Durchforschung der peloponnesischen Ortsnamen ist bis heute noch
nie methodisch vorgenommen worden: über Fallmerayer ist
man kaum hinausgekommen oder hat es in der Bekämpfung

---

1) Worüber G. Meyer Essais 117 ff.

2) Gregorovius a. a. O. I 112 ff.

3) Vgl. besonders Hopf und zuletzt Gregorovius I 117 f.

4) Die von Kopitar und Thiersch angeführten Slavismen erweisen sich als eitel Schein, so z. B. μάτη nicht slav. mati, sondern
agr. μάτηρ. Vgl. auch Deffner Archiv S. 8.

seiner These nicht besser gemacht (Ow!). Ich möchte daher
im folgenden diese lohnende Aufgabe einmal wieder aufnehmen,
indem ich die Ortsnamen des zakonischen Gebietes einer Prüfung unterziehe.

Als Fundgruben für die Ortsnamen leisteten mir ausser
den grösseren Reisewerken vor allem die österreichische General-
karte von Griechenland (Wien 1885) und Philippsons Karte des
Peloponnes (1892), sowie die Ortsstatistik von I. Νουχάκης [1])
gute Dienste. Eine grössere Zahl Flurnamen enthalten die von
Deffner (Archiv 167 ff.) herausgegebenen und erläuterten zakonischen Heiratsprotokolle; auch der das "Archiv" eröffnende
Aufsatz Deffners bringt einige Namen von Örtlichkeiten. Endlich ist nochmals auf Deville zu verweisen. Mein Material ist
leider für Berg- und Flurnamen am spärlichsten.

Was den Umfang des behandelten Gebiets betrifft, so
war mir die heutige Ausdehnung der zakonischen Sprache
massgebend [2]); Philippsons Begrenzung bedarf jedoch der einen
Korrektur, dass Karakovuni noch einbezogen werden muss [3]).
Da das Gebiet früher viel weiter nach Süden ausgedehnt war [4]),
so verschlägt es nichts, wenn einige der angeführten Namen
nicht genau innerhalb des heutigen Sprachgebiets fallen.

Für Feststellung slavischer Namen dienten als wichtigstes
Hilfsmittel die Aufsätze Miklosichs über slavische Ortsnamen
in den Denkschriften der Wiener Akademie, besonders 1872 (I)
und 1874 (II).

Verzeichnis der Ortsnamen Zakoniens:

1. Αἰθηςῶνος Μονή bei Prastó (Χωρ. π.); wohl griechisch.
2. Ἄρμενο Örtlichkeit in der Ebene von Lenidi (Deffn.), griechisch (agr. ἄρμενον); vgl. Ἀρμενάδες auf Corfu.
3. Βασκίνα (nach Fallmerayer S. 65 slavisch) zu βοςκή nach

---

1) Νέος χωρογραφικὸς πίναξ, cυνταχθεὶς καὶ ἐκδοθεὶς ἐγκρίcει
τοῦ ὑπουργείου τῶν Στρατιωτικῶν. 2. Aufl. Athen 1890. Ich befolge im
wesentlichen die Orthographie dieses Verzeichnisses.

2) Nach Philippson a. a. O. S. 37 sind es 9000 Seelen in 7 Dör-
fern und 7 Weilern, nach Ornstein wird nur noch von kaum 1000
Personen das Zakonische gesprochen.

3) Ross Reisen I 168 (übereinstimmend mit Villoison).

4) So wurde nach Finlay bei Leake Pelop. 304 auch in Kunupia
noch in unserm Jahrhundert zakonisch gesprochen.

Deffner (Archiv 178); die Einwohner sind meist Hirten; Deffner wage ich nur bedingt zuzustimmen, da ich nicht weiss, ob die Form die zakonische ist: zu erwarten wäre Βαςέίνα, andernfalls müsste zakonisch *k* vor *i* aus τ oder π erklärt werden.

4. *Aèrische* oder *Aèrsche* oder *Aèsche*, Name einer Katavothre, nach Deffner (Archiv 178 und Gramm. 111) völlig überzeugend = agr. βέρεθρον (βάραθρον).

5. Δερνικέϊκα im δῆμος Lenidi (Χωρ. π.), vielleicht zu slav. *drьnъ* 'caespes' (Miklos. II no. 89), d. h. Weiterbildung eines *Δέρνικα oder Δέρνικο mit einem Suffix -έϊκο, das öfter in Ortsnamen begegnet[1], also eigentlich (καλύβια) Δερνικέϊκα od. ähnl.

6. *Deró* bei Leake Morea II 496, siehe Τυρός.

7. Δίγα Örtlichkeit bei Lenidi = lat. *vig(i)la*, ngr. βίγλα (Deffner Gramm. 94).

8. Ἐγκλειςτούρις, Kloster bei Prasto (Deffner, Ἐγκλειςτηρίου Χωρ. π.), griechisch.

9. *Evría*, ein breiter sanft ansteigender Bergabhang an der Küste = εὐρεία, Deffner Archiv 9. Das Adjektivum scheint sonst im Zakonischen nicht vorzukommen, was für das Alter des Ortsnamens spricht.

10. Θυρά, τά, Örtlichkeit bei Tyros (Deffner Archiv 167. 170); jedenfalls griechisch. Man ist wohl berechtigt, das Wort mit agr. Θυρέα oder Θυρέαι (Ort der Kynuria) zu verbinden, ohne dass damit eine lokale Identität behauptet werden müsste.

11. Στὸ Γιαλό, eines der Kalyviendörfer von Prasto (Leake II 495); griechisch. Γιαλός zakonisch *jalé* (= αἰγιαλός) wird die Küstengegend von H. Andreas genannt (Deffner).

12. Καλάμι, Gegend an der Mündung des Baches von Lenidi, wo viel καλάμι wächst. Deffner (Arch. 184). Ortsnamen vom Stamme καλαμο- sind in agr. und ngr. Zeit häufig.

13. Καμβυςέϊκα im δῆμος von Lenidi (Χωρ. πιν.); von einem Personennamen?

14. Κάνι, Fluss bei Prasto (Leake Morea II 498. 512); Leakes Identifizierung mit dem Τάνος scheitert an lautgesetzlichen Bedenken, da τ nur vor ι im Zakonischen zu κ wird (Deffner Gramm. 69 f.). Nach Ross Reisen und Reiserouten I 158 ist der Fluss nach einem Gipfel des Parnon so genannt. Zu καννί, lat. *canna*? Es könnte nach zakon. Lautgesetzen direkt mit καλάμι identisch sein (Deffner Gramm. 100).

15. Καρυά, Kloster bei Orionda (Leake III 505 u. a.); ein sehr häufiger neugr. Ortsname, der natürlich zu agr. Καρύαι gehört; in Gegenden, wo Slaven eindrangen, wurde daraus Ἀράχοβα (s. u.).

16. Καςτανίτςα (Καςτάνιτςα) ist zwar seinem Suffix nach slavisch (vgl. darüber Miklosich Ortsn. I 94) und wird daher im allgemeinen auch für slavisch gehalten (Miklosisch a. a. O. II no. 242), aber es ist

---

1) Dieses Suffix halte ich für griechisch: man vergleiche nur ῥωμέϊκος (ῥωμαίικος).

dem Stamme nach griechisch; man vergleiche etwa den agr. Ortsnamen Καстαναία (am Pelion), dessen lautgesetzliche neugriechische
Form Καстανιά häufig genug begegnet. Einer Anregung Leakes
(Peλop. 327) folgend möchte ich annehmen, dass das Suffix -ίτςα =
slav. -ica bei Städtenamen sich so einbürgerte, dass es sich auch
über slavische Gebiete hinaus verbreiten konnte, wobei also direkt
slavischer Einfluss nicht überall angenommen werden muss. So
konnte auch ein zakon. *Καстανέα[1]) nach Namen benachbarter Orte
(wie sl. *Varvitsa*, *Kerasitsa*, *Tripolitsa* usw.) umgestaltet werden.
Übrigens darf angeführt werden, dass das Suffix -ίτςα, obwohl
heimisch in den slavischer Berührung verdächtiger Gegenden, doch
auch nicht in sicher slavenfreien Gegenden fehlt, so Παλαιοκαстρίτςα,
Γαρίτςα und Βενίτςα auf Korfû.

17. Καстανιώκιςςα, Örtlichkeit bei St. Andreas (Deffner) = Κα-
стανιώτιςςα, wie es als Dorfname auf Euboea begegnet; natürlich
griechisch.

18. Κατήφορα, τά, ein A b h a n g bei Melana (Deffner) — (neu-)
griechisch.

19. Κλεισοῦρα, Kloster (Leake III 505) — auch agr. Ortsname.

20. Κοκκινέικα bei Lenidi (Χωρ. π.) — zu κόκκινος (vgl. Ortsnamen wie Κοκκινά, Κοκκινάδες usw.).

21. Κολανςιά (ἡ), Κολαςιά oder Κολοςιά, Örtlichkeit bei Melana
(Deffner), ist mir unklar; gehört es zu dem in der Eparchie Korinth
vorkommenden Κολαντςίκιον? Bei Κολοςιά Κολαςιά lässt sich noch
besser an den alten Ortsnamen Κολοςςαί, Κολαςςαί (Grasberger Griech.
Ortsnamen 139. 248) erinnern.

22. Κοντολινή, Kloster (Χωρ. π., *Kondolena* Philippson, *Kondo-
lina* Leake) vermutlich aus *Κονδυλινή (sc. μονή, χώρα od. ä.), vgl.
agr. Κονδυλέα in Arkadien.

23. Καρακοβούνι aus Κορακοβούνι.

24. Κοίλαςο, zak. *Tschiase*, Thalweitung bei Lenidi (Deffner
Arch. 9) ist alt sowohl nach Stamm (Κοιλο- Grasberger 200) wie Endung (-αςος).

25. Κουβελᾶς, ὁ zak. *kuveā*, Örtlichkeit in der Ebene von Lenidi,
wo sich mehrere Gruben befinden (Deffner); zu zak. *kuvele* κύβελον
(Hesych), wozu vielleicht auch ngr. κουβέλι Korais IV 247[2]). Der
Ortsname Κουβέλα oder Κούβελος ist nicht selten (Triphyllen, Euboea
und sonst).

26. Κουντάλια, τά, Örtlichkeit bei Vaskina (Deffner) hat jedenfalls nichts mit dem slav. Ortsnamen Κουνινά (Miklos. II no. 283) zu
thun; die romanische Endung (-*ale*) lässt auch einen gleichen Stamm
vermuten, also etwa lat. *cuneus* (κούνεος Strabo).

27. Κουτςούμπης, Anhöhe bei Prasto (Deffner), zak. Appellativum = agr. κοςύμβη, vgl. Deville S. 52.

---

1) Diese Form (nicht -ιά) haben wir für das Zakonische vorauszusetzen, vgl. Deville S. 75.

2) Anders G. Meyer Alb. Wb. s. v. *kove*.

28. Κρϲο Νέρι, Kap zwischen H. Andreas und Tyros (Deffner); vgl. Κρυονέριον in Akarnanien und sonst.

29. Λατοβούνι, Berg (Leake Morea II 499) — griechisch.

30. Λάκκος, zak. *Akho*, ein Teil des Meeresufers bei Lenidi (Deffner) — griechisch. Vgl. auch agr. Ortsnamen bei Grasberger (203).

31. Λενίδι, Hauptort der Zakonen, offiziell Λεωνίδιον, zak. ὁ ᾽Ατιε Λῆδι (Deffner Arch. 17), die Bewohner *Aijelidjóti* (ib. 169). Die Stadt ist nach einem heiligen Λεωνίδαϲ genannt, vgl. Deville S. 11. Die älteste Erwähnung der Stadt geschieht in einer Goldbulle von 1293 (s. Byz. Zschr. II 74). Fallmerayer findet natürlich auch hier "Stamm und Form" slavisch.

32. Λεοῦϲι bei Prasto (Deffner) ist Deminutivform eines erstarrten *Λεοῦϲα = ᾽Ελεοῦϲα (᾽Ελεοῦϲα Μονή öfter).

33. Λουκοῦϲ Μονή an der Nordgrenze Zakoniens. Deffner (Archiv 176) bringt Λουκοῦ mit der hl. Lucia zusammen, doch ist Boss' Ableitung von Λύκω (Reisen I 169) vielleicht richtiger; vgl. den alten Ortsnamen Λυκώ Not. episc. I 765 (Parthey).

34. *Lymbiada* = agr. Γλυμπία Curtius Pelop. II 303 (vgl. auch Bursian Geogr. v. Griechenl. II 135).

35. Τὰ (κάτω) Λουρια, Örtlichkeit bei St. Andreas — λουρί 'Streifen' ist ein häufiges neugr. Appellativum.

36. *Mákri*, ein lang sich hinziehender Bergabhang (Deffner Archiv 9); merkwürdig ist die Verschiebung des Akzents (neugr. μακρός und μακρύς), beweist aber vielleicht gerade hohes Alter: vgl. agr. Μάκρις als häufig gebrauchter Name für eine langgestreckte Insel (Grasberger 59).

37. Μαλεβό, heutiger Name des Parnon, dazu das Kloster *Malevi* (Deville, Deffner) oder Μαλεβᾶ (Χωρ. π.). Fallmerayer spricht leichthin von einem "echt slavischen Namen Malevo"[1], und man hat ihm nachgesprochen, ohne sich weiter um die Etymologie des Wortes zu kümmern. Das Suffix hat zwar slavischen Klang, stimmt jedoch nicht ganz, da eher ein *-ovo* oder *-ava* zu erwarten wäre (Miklosich I 96); weiter will es mir gar nicht einleuchten, dass man den Namen mit slav. *malъ* 'klein' (Miklosich II no. 335) verbindet. Ein mächtiges Gebirge mit einem Epitheton 'klein' zu benennen ist doch zu paradox; viel natürlicher ist es daher, den Namen mit albanes. *mal* 'Berg, Gebirge' in Zusammenhang zu bringen, und ich wundere mich, dass diese noch niemand ausgesprochen hat[2]. Über *mal* vgl. G. Meyer Alb. Wb. und Alb. Stud. III 78; wie das Suffix zu erklären ist, muss ich freilich Kennern des Albanesischen überlassen: von der Grundform *malva* (Hasdeu bei G. Meyer) liesse sich ausgehen, doch wird die Form von G. Meyer bestritten. Wie dem auch sei, der Name *Malevo* ist jedenfalls nicht slavisch, während für die albanesische Ableitung noch etwas anderes spricht: das alte Arte-

---

1) Welchen Einfluss hatte usw. S. 65.

2) Ich sehe nachträglich, dass Philippson a. a. O. S. 8 dieselbe Ansicht geäussert hat.

misiongebirge und ein Berg im Taygetos haben denselben Namen, und es ist merkwürdig, dass alle drei Punkte in einst albanesischem Sprachgebiet oder hart an der Grenze desselben lagen, wie ein Blick auf Philippsons ethnographische Karte zeigt. Der zakonische *Malevo* bildete einst die Grenze zwischen zakonischem und albanesischem Gebiet. Wenn der Name albanesisch ist, so kann er natürlich nicht älter als das 14. Jahrhundert sein; ich kenne keine Angabe, die dem widerspricht.

38. Μαραθέας, ὁ (zak. *Marasia*), Örtlichkeit bei Lenidi, so genannt wegen des vielen dort wachsenden μάραθρον (zak. *màraθe*), Deffner Archiv 184.

39. Μαυρίλα, Berg, begegnet auch als Name einer Örtlichkeit bei Sparta; ein Μαυρίλλον in der Ep. Phthiotis; dem Stamme nach griechisch, über das Suffix vgl. Hatzidakis Byz. Zschr. II 270.

40. *Mélana* (zak. *Mèana*), kann griechisch sein .(vgl. Μέλανες auf Naxos), doch ist auch slav. Herkunft nach Stamm und Suffix nicht ausgeschlossen, vgl. sl. *mělъ* 'seichte Stelle', dazu *Meljine, Melani, Melno* Miklosich II no. 343.

41. Μικόναϲο(ϲ), Örtlichkeit auf einem Berge nördlich von Lenidi. Ansprechend ist die Zurückführung auf ein *Μεθώναϲοϲ Deffner Archiv 185. Man vgl. wegen des i agr. Μεθώνη und Μηθώνη.

42. Μουϲτόϲ, salziger Sumpf nördlich von H. Andreas (Curtius Pel. II 374); Ornsteins Vermutung Ausland 1887 S. 631, dass Μουϲτόϲ = μεϲτόϲ (sc. ὁ μεϲτὸϲ λιμήν oder dgl.) sei, ist bestechend, doch in der lautlichen Begründung ungenügend; e zu u u. ä. ist zwar an sich möglich (vgl. Hatzidakis Einl. 105 f.), doch besitzt das Zakonische noch das entsprechende Adjektiv μεϲτέ, dazu μεϲτούκχου = μεϲτόνυω vgl. Οἰκονόμοϲ s. v., was Ornsteins Deutung unsicher, wenn auch nicht unmöglich macht. An slav. *mostъ* 'Brücke' (Miklosich II no. 358) ist wohl kaum zu denken, eher an einen agr. Namen wie Μύϲτοϲ (Insel an der lagunenreichen Küste von Ätolien).

43. Ξυλοπολιτέϊκα im δῆμος von Lenidi (Χωρ. π.) — griechisch.

44. *Orionda* s. u. 'Ρέοντας.

45. 'Ορθοκωϲτή, Kirche und Kloster zwischen Prastó und H. Andreas; bei Leake III 502 *Orthokostá* genannt; in einer Inschrift vom J. 1425 'Αρτοκοϲτά (ἡ) (s. Deffner Arch. 180), was lautliche Umbildung von 'Ορθο-. Das Wort ist natürlich griechisch; über Bildung und Bedeutung vermag ich allerdings keine genauere Auskunft zu geben.

46. Παλιοχώρα oder Παλαιοχώριον.

47. Παλιομάντρι (τό), Örtlichkeit bei H. Andreas (Deffner) — -μάνδρα 'Hürde' gemeingriechisches Wort.

48. Παλιόπολι (ἡ), Örtlichkeit bei H. Andreas, wo antike Mauerreste (Deffner).

49. Πάπαινα (ἡ), Örtlichkeit bei H. Andreas (Deffner); ähnliche Ortsnamen sind häufig, z. B. Παππαδᾶ, Παππάδες, Παππαδάτες etc. Das Suffix -αινα ist wohl identisch mit dem häufigen Andronymikon, vgl. Παύλαινα 'Frau des P.', Λιάκαινα, Κώϲταινα usw.; freilich bildet

ταδιδ. Dass eine Örtlichkeit nach dem
'riesters) bezeichnet wird, ist ebenfalls

tlichkeit in der Ebene von Lenidi, ei-
en des Weges ist" (Deffner Arch. 179).
pf bei Lenidi, zu agr. πηλός (zak. πηλέ)

Μπεζάνι, Örtlichkeit in der Nähe des
ιnnis, d. h. an der nördlichen Grenze
Suffix slavisch scheint (Miklosisch I 95
bezw. μπεζ- mit slav. *bъzъ* 'Hollunder'
no. 51).
bene von Lenidi (Deffner). Ἐπισκοπή
wohl agr. (vgl. Grasberger 35. 192), da
Vortes eine andere ist.
dreas, Πλάτανος, Πλατανάκιον; nach der
ιr Zeit zahlreiche Orte benannt worden.
   Lenidi: πολίτα — πολίτης ist im Zako-
s. v.
malevtis Philippson).
   der Zakonen, schon im Anfang des
ιer Urk.), nach Leake (Morea III 500)
vas aber sowohl sachliche wie sprach-
ιrantzes (15. Jahrh.) S. 159 ed. B. wird
einen solchen Ort giebt es auch in der
ündlich, wie Fallmerayer (a. a. O. 65)
αmen sehen konnte. Ich verhehle mir
Προάστειον — Πραστό(ς) Schwierigkeiten
ι zu *Πραστείο (oder *Πράστειο) als Aug-
vorden? Vgl. Καστρί(ον) — Κάστρος u. ä.
').
ase) Deffner. Wohl ein agr. Ortsname:
schen Demos Περγασή.
   Παλιοχώρα, gesuchter Weideplatz: zu

ιr Ort, schon im 13. Jahrh. bezeugt
ne haftet noch in der Form *Orionda*
ιei Leake (Pel. 339) τὰ Ῥέοντα. Der
ι Fusse der so genannten Anhöhe meh-
gen.
ιvή (Χωρ. π.) oder *Rondinó* (Leake III 505).
H. Andreas, 'der Rotboden' Deffner
gr. ῥούσσιος. Ein 'Ρούσι(ον) auch in der

ιbirge.
ιμος von Lenidi; zu einem Personen-

64. *Sároma*, Kloster (Leake III 502); hat schwerlich mit σάρωμα etwas zu schaffen.

65. Σερνιάλι (τό), Anhöhe zwischen Tyros und Melana, der Endung nach lateinisch oder italienisch (Deffner 169).

66. *Sevetila*, Gebirge (Fallmerayer a. a. O. S. 65 *Savetla*). Vielleicht zu slav. *svétlъ* 'hell, licht' (Miklosich II no. 644)? In diesem Falle würde Fallmerayer richtig slavische Bezeichnung vermutet haben.

67. Σιουβάλα oder Σιοβάλα "kleine sumpfige Niederung" bei Vaskina, desgleichen zwischen Delphi und Arachova; als Appellativuin schon zur Zeit des Eustathios im Gebrauch, der es aus ευμβολή (sc. ὁδάτων) erklärt, vgl. Deffner 178. Nach Deffner zu poln. *szuvar* 'Sumpfpflanze'. Mir zweifelhaft.

68. Σίταινα (Χωρ. π.), Σίτανας Phrantzes S. 159, von Fallmerayer 65 und Philippson a. a. O. 38 für slavisch gehalten, nach Deville (S. 5) zu σίτος wegen seiner Getreideäcker: aus dem selben Grunde könnte an slavisch *sétije* 'Saat' gedacht werden. Miklosich (II no. 577) zieht das Wort zu sl. *sitъ* 'scirpus'. Das Suffix spricht für slavische Abstammung, da es sich hier nicht wie bei Πάπαινα (no. 49) um ein Andronymikon handeln kann.

69. Σοχά (ἡ), kleine Thalebene zwischen Vaskina und Palaeochora (Deffner); derselbe Ortsname auch in Lakonien (am Taygetos). Nach Miklosich (II no. 599) zu *soha* 'vallus, Knüttel, Pfahl'. Scheint mir nicht ganz sicher.

70. Σίντζα (auch Σίτζα, Σύντσια), Kloster bei Lenidi, zu slav. *séno* 'foenum', auch 'Wiese', vgl. *Sénica* u. ä. Miklosisch II no. 571.

71. *Schá* (bezw. *Schála* im Dialekt von Kastanitza), Name einer hohen und steilen Felswand (Deffner); es hat nichts mit σκάλ-μη zu thun, wie Deffner (S. 9) meint, sondern ist = Σκάλα, einem häufigen Ortsnamen, der zweierlei Ursprungs ist: einmal aus it. *scala*, wenn es sich um einen Hafenort handelt, dann wie auch in unsern Falle aus slav. *skala* 'lapis, saxum' (Miklosich II no. 578), vgl. σχάλα 'scopulus sub aquis latens' Tzetzes Chil. 7. v. 152 und Miklosich Slav. El. im Ngr. s. v.

72. *Sòpore*, d. h. ἔςω-πόρος, Zickzackweg von Vaskina ins Thal von Lenidi (Deffner Archiv 9).

73. *Trikeri*, Kap; vgl. auch Τρίκερα ein Inselchen bei Hydra und Ort in der Eparchie Volo, zu agr. τρί-κερως 'dreihörnig'.

74. Τυρός, zak. *Teré* (Deffner), *Deró* Leake s. o., wohl mit dem von Stephanus Byzanz erwähnten lakonischen Tyros identisch, vgl. Bursian Geogr. II 137.

75. Φούσκα (auch Χούσκα), Örtlichkeit beim Kloster Orthokosta (Deffner); über Φύσκα u. ä. als agr. Ortsnamen Grasberger 118.

76. Φυλλιτσιά, Örtlichkeit bei Prasto, so genannt von der φυλίκη, zak. *filitsche*, welche dort dichte Gebüsche bildet (Deffner 185).

77. Χατζαλιού bei Lenidi "von einer Feldkapelle der Παναγία ἡ Χατζαρλιού so genannt" Deffner 184. Vgl. Χατζαλή in Messenien und andere mit demselben Element gebildete Ortsnamen wie Χατζα-

λάγα (bei Monembasia), Χατζηλάρ (Thessalien) usw.: zu χατζῆς (türk.) 'Pilger'.

78. Χερρονῆσι, Felshügel am Seerande von Mustos (Curtius Pel. II 374); die sonst übliche ngr. Form Ξερονῆσι beweist, dass jenes Wort ein hohes Alter beanspruchen darf.

Von Ortsnamen, welche Heiligen ihren Ursprung verdanken, sind noch Ἄγιος Ἀνδρέας (Stadt und Fluss), Ἄγιος Βασίλειος, Καρ Ἄγιος Δημήτριος, Ἄγιος Νικόλας, Παρασκευή (Kirche), Ἄγιος Ταξιάρχης anzuführen; sie kommen jedoch für unsere Frage nicht in betracht.

Dagegen darf 79. Βρασιά = altlak. Βρασίαι nicht vergessen werden, das bis ins 13. Jahrh. erhalten war (nach Krause a. a. O. 83. 303).

III.

Was lehren nun diese Namen? Sicherlich nicht, dass "im Lande Zakonien alle und jede Spur des alten Peloponneses erloschen ist. Nicht nur die Landschaft im ganzen, sondern auch die Orte und Gebirge im einzelnen tragen rein slavisches Gepräge, was unmöglich hätte geschehen können, wenn nicht nach Austreibung der alten hellenischen Bewohner die slavischen Eroberer des Peloponneses auch in dieses Gebirge eingedrungen und ihre Wohnsitze daselbst aufgeschlagen hätten. Es ist auch nicht ein einziger Name der alten Zeit übrig geblieben"[1]).

Da ist zunächst beachtenswert, dass aus dem durchmusterten Gebiet diejenigen Ortsnamen bis heute erhalten geblieben sind, bezw. die Slavenflut überstanden haben, welche uns aus dem Altertum überliefert werden: Βρασιαί, Γλυμπία (Γλυππία) als *Lymbiada* und Τυρός, von denen Pausanias in seiner Aufzählung der Eleutherolakonenstädte (III 22, 3 ff.) nur die beiden ersten kennt. Die ganze Gegend scheint eben im Altertum nur geringe Aufmerksamkeit erregt zu haben und enthielt nur sehr wenige wichtigere Orte. So ist auch nicht zu verwundern, dass Hierokles oder Konstantinos Porphyr. (de them.) oder eine von Gelzer veröffentlichte [2]) Notitia episc. des 7. Jahrhunderts keinen Ort unseres Gebietes nennen. Um so merkwürdiger also, dass gerade die überlieferten Namen auch die Völkerstürme des Mittelalters überdauert haben. Aber unter den heutigen Ortsnamen sind eine Reihe, welche ohne

---

1) Fallmerayer a. a. O. 64 f.
2) Zeitschr. f. wissensch. Theologie. XXXV (1892) 419 ff.

überliefert zu sein den Stempel der Antike deutlich an sich tragen: so *Jèrsche*, Καρυά, wahrscheinlich Θυρά, Κλεισούρα, Κοῖλαςο, Μιςόναςος, Πιςκοπή, Πρέγαςος, Χερρονήςι, vielleicht auch *Evṛla*, Λουκοῦ, *Màkri*, Φοῦςκα. Zu diesen kommen über 20 griechische Namen, über deren Alter sich nichts ausmachen lässt — sie können in alter oder neuer Zeit entstanden sein, weil die zu Grunde liegenden Appellativa noch lebendig sind: das gilt von Namen, wie z. B. Καλάμι, Καρακοβούνι, Λαγοβούνι, Λάκκος, Μαραθέας, Παραπόρια, Πλατάνα, 'Ρέοντας, *Trikeri*. Somit ist die grössere Hälfte der Namen zu gunsten der Kontinuität griech. Bevölkerung in Anspruch zu nehmen. Indem wir von 6 bis 7 mehr oder weniger dunkeln Namen absehen, bleiben zunächst 11 Namen von sicher moderner Entstehung: 'ςτὸ Γιαλό, τὰ Κατήφορα, Κρύο Νέρι, Λενίδι, Λεοῦςι, Λουρία, Παλιοχώρα, Παλιομάντρι, Παλιόπολι, Πάπαινα, Σαββατάκι. Dem gegenüber treten die slavischen Namen sehr zurück: nur drei scheinen mir unzweifelhaft, Σίτενα, Σίντζα und *Schà*, für mehr oder weniger zweifelhaft halte ich 7, Δερνικέϊκα, Καςτανίτςα, *Melana*, Πεζιάνι, *Sevetila*, Σιουβάλα, Σοχᾶ. Romanischen Ursprung scheinen nur 2 bis 3 zu verraten (Κουνιάλια, 'Ρουςςιαίς, Σερνιάλι), während gar das Türkische und Albanesische nur mit je einem Namen (Χατζαλιού? Μαλεβό) vertreten sind. Wie der albanesische Name zu erklären sei, haben wir oben schon gesehen. — Das einzige Element also, das ausser dem griechischen im Gebiet der Zakonen in betracht kommt, ist allerdings das Slavische. Aber der Prozentsatz der sicher slavischen Namen ist ein so geringer, derjenige alter und echt griechischer Namen ein so erheblicher, dass gegen die Kontinuität der griechischen Bevölkerung im heutigen Umfang des Zakonengebiets von dieser Seite schwerlich etwas geltend gemacht werden kann. Schwerlich auch von einer andern Seite.

Zum richtigen Verständnis unserer Resultate muss darauf hingewiesen werden, dass in den Gebieten, wo recht eigentlich Slaven sich niedergelassen haben, das Verhältnis der slavischen zu allen übrigen Ortsnamen ein ganz anderes ist: so lassen sich gleich westlich vom Parnon, also westlich und nordwestlich vom heutigen Zakonien fast die Hälfte der Ortsnamen leicht als slavische erkennen: ich brauche hier auf einem Gebiet, das etwa dem zakonischen an Flächeninhalt gleichkommt, nur *Vrestena*, *Varvitza*, *Arachova*, *Vervena*,

Doliana, Masklina, Verzova, Magula zu nennen — Namen,
die ihren slavischen Ursprung so deutlich wie möglich an der
Stirne tragen. Erst eine durchgehende Behandlung aller Ortsnamen des ganzen Peloponnes, überhaupt aller griechischen
Länder wird uns freilich über die Verhältnisse in einzelnen
Gebieten volle Klarheit bringen. Aber so viel ist sicher:
Zakonien ist griechisch geblieben, es sind höchstens ver-
sprengte slavische Reste eingedrungen. Ein solch vereinzeltes
Eindringen von Slaven ist nicht verwunderlich, da ja gleich
westlich vom Parnon Slaven sassen. So kann es auch nicht
wundern, wenn z. B. im Norden des Zakonengebietes Slaven
sich finden, wie vor allem der Ortsname Μελιγοῦ zeigt, der
auf den bekannten Slavenstamm der Milinger weist. Vielleicht
erklärt sich so die Thatsache, dass Kastanitza und Sitena (im
Nordwesten!) einen dem Vulgärgriechisch näherstehenden Dialekt haben (vgl. Deffner Gramm. 173): diese Orte (ziemlich
sicher Sitena) wurden wohl von einer Welle der Slavenflut
betroffen, büssten daher mehr als die übrigen Zakonen von
ihrer Eigenart ein und wurden dann durch griechische Einwanderer verstärkt, so dass ihr Dialekt nicht mehr rein blieb,
sondern in höherem Grade mit vulgärgriechischen Bestandteilen durchsetzt wurde.

    Da Fallmerayer auch an der ganzen Ostküste Vernichtung
der alten Bevölkerung und Slavenbesiedelung annahm, so
musste er die Folgerung ziehen, dass die durch ihre Sprache als
echte Griechen gekennzeichneten Zakonen erst nach der Slavenflut in ihre heutigen Sitze wanderten; da nun die Prämisse
falsch ist, so brauchen wir uns um die Folgerung eigentlich
nicht zu kümmern: aber es ist nicht überflüssig zu betonen,
dass die Annahme einer solchen Wanderung ohne jeden Beweis
ist[1]. Woher sollen sie gewandert sein? Doch nur aus einem
Gebiet, das lakonisch war. Nun ist aber gerade das Eurotas-
thal von der Slavenflut in hohem Grade betroffen worden;
auch die Parnonhalbinsel scheint von Slaven weniger frei als
Zakonien: es giebt also keine lakonische Gegend, die weniger

---

1) Kleine Verschiebungen zwischen dem Parnon und dem
Meere (Deffner Archiv 5) kommen hier nicht in betracht: Fallmera-
yer meint jedenfalls (so verstehe ich ihn wenigstens) eine totale
Neueinwanderung der Zakonen in ihr historisch bezeugtes Gebiet.

slavisch wäre als die Berge Zakoniens: hier allein also haben wir
die echten Nachkommen der altgriechischen Bevölkerung, der
Eleutherolakonen zu suchen.   Denn das wird man schwerlich
behaupten wollen, dass die Zakonen etwa vor den Slaven
insgesamt nach Konstantinopel "verzogen", dort warteten, bis
die Slaven wieder unterworfen waren und dann nach einigen
hundert Jahren ihre rauhen Berge wieder aufsuchten — wohl-
gemerkt ohne etwas von ihrer Eigenart verloren zu haben.

Als sicher darf gelten, dass die Zakonen früher aus-
gedehntere Wohnsitze hatten [1]). Wenn Villoison recht berichtet
ist, so müssten noch zu seiner Zeit Zakonen nördlich bis nach
H. Petros und Kastri gewohnt haben.   Mit Gerlachs Notiz bei
Crusius "inter Naupliam et Monembasiam" kann natürlich nicht
die ganze Ostküste zwischen den genannten Städten gemeint sein:
denn schon damals war ein breiter Streifen vom untern Eurotas
bis zur Ostküste albanesisch (vgl. die Karte).   Daher dürfte
die Angabe des Phrantzes [2]) glaubwürdig sein, wenn Κυπαρισσία
(d. h. heute Kyparissi) als südlichster Ort "Λακωνικῆς" genannt
wird.   Wie gross das Gebiet der Zakonen vor der Albanesen-
einwanderung war, lässt sich nicht bestimmen: aus der Chronik
von Morea muss geschlossen werden, dass das zakonische
Gebiet etwa bis zur Breite von Helos reichte, d. h. die ganze
Halbinsel bis zum Kap Malea ist auszuschliessen [3]). Die Untersuchung der Ortsnamen dieses Gebietes wird auch hier Aufklärung bringen.   Ich hoffe das noch in einem besonderen Aufsatz einmal nachholen zu können.

Der Grund, dem Hopf und andere Historiker besonderes
Gewicht beilegen, dass Venedig im 13. Jahrhundert die Ostküste "Sclavonia de Morea" bezeichnet, dünkt mir keineswegs
von besonderer Bedeutung: dass Slaven in die Gegend nördlich vom heutigen Zakonenlande vorgedrungen sind, haben wir
gesehen.   Auch in der Umgebung von Monembasia wohnten
Slaven, die offenbar von Helos, einem Mittelpunkt der Slaven-
ansiedelungen, vordrangen: so konnten die Venetianer leicht
dazu kommen, die Bezeichnung Sclavonia von einzelnen Teilen

---

1) Vgl. im allgemeinen Thiersch a. a. O. 569 ff.   Deville 18 f.
2) ed. B. S. 159.
3) Ich verweise hier nur auf einige Stellen in der Chronik:
Buchon Chroniques étrangéres S. 51. 107. 108. 116. 129. 155. (Anders,
aber wohl unrichtig schliesst Philippson S. 38.)

der Ostküste auf die ganze Küste zu übertragen. Wir dürfen
daraus, dass die Venetianer eine ethnographisch ungenaue
Bezeichnung aufbrachten, keinen Beweisgrund dafür herzuleiten,
dass die Zakonen "reine Slaven" waren. Alles zeugt für ihre
altgriechische Abstammung.

IV.

Es bleibt noch übrig, von dem Namen des merkwürdigen
Stammes zu sprechen. Von den meist abenteuerlichen oder
nicht begründeten Erklärungen[1]) ist die Erörterung Deffners
die umsichtigste und eingehendste; an diese brauchen wir uns
allein zu halten, da Deffner die älteren Ansichten kritisch geprüft hat. Auf die Möglichkeit eines slavischen Namens ging
Deffner übrigens nicht ein: wie ich glaube mit Recht, da noch
niemand meines Wissens ernstlich den Versuch gemacht hat,
einen entsprechenden slavischen Völkernamen nachzuweisen[2]).
Man ist eben immer und immer wieder versucht, Τσάκωνες mit
Λάκωνες in Beziehung zu setzen, wie schon die Byzantiner es
thaten und wie man bis auf die neueste Zeit[3]) es gethan hat.
Ein Übergang von λ in τς ist natürlich ausgeschlossen. Am
ansprechendsten erscheint Deffners Erklärung aus τ(ού)ς (Λ)άκω-
νες = τς᾽ άκωνες; ein solches Zusammenwachsen von Artikel
und Volksnamen hat nichts auffallendes; der Abfall des λ vor
dunkeln Vokalen ist ferner eine bekannte Thatsache des Zakonischen (Deville S. 82, Οἰκονόμος S. 13, Deffner Gr. S. 105).
Aber Deffner hat die Schwierigkeiten der Erklärung nicht
durchgeprüft: lässt sich nämlich diese Deutung mit dem Alter
des Namens (in der Form Τσάκωνες schon aus dem 13. Jahrhundert, als Τσέκωνες gar schon seit dem 10. Jahrhundert bekannt) in Einklang bringen? Sie setzt zweierlei voraus: dass

1) Vgl. Goar zu Kodinus ed. B. S. 247. Kornis bei Elissen
a. a. O. 350. Oikonomos bei Mullach 104. Ross Reisen und Reiserouten im Pelop. 167, anders Königsreisen II 19. Dieffenbach Hall.
Allg. Lit.-Z. 1843. Erg. S. 146. Mullach S. 104. Byzantios Lexikon
s. v. τσακίζω. Bursian Geogr. II 133. Deville S. 68 f. (dazu Comparetti KZ. XVIII 148). Spratt Travels and Researches in Crete
I 356 f. B. Schmidt a. a. O. S. 12. Deffner Monatsber. d. Berl. Ak.
1875 S. 16 ff. (auch Archiv 8).

2) Die Bemerkung bei Schafarik II 229 f. kann als ein solcher
Nachweis nicht gelten.

3) Zuletzt G. Meyer Essais I 104.

1) der Abfall von λ, sowie 2) die Artikelform τϲ mindestens soweit hinaufreichen als der Name bezeugt ist — Fragen, auf die Deffner sich gar nicht einliess.

Der *l*-Schwund gehört zwar dem Dialekt von Kastanitza nicht an, aber das scheint mir gegen das Alter der Erscheinung nichts zu beweisen, weil jener Dialekt dem Neugriechischen überhaupt näher steht, d. h. vom Vulgärgriechischen stark beeinflusst ist. Der λ-Schwund ist nach Hatzidakis (Einl. S. 8) nicht alt, er ist jedenfalls jünger als die (wohl lakonische) Wandlung des antevokalischen *e* in *i* (Hatzidakis Einleitung S. 9), jünger auch als der bei Deffner Gramm. S. 104 besprochene Übergang von λ zu ρ und die Umwandlung der Endung -oϲ, -ov in ε (Hatzidakis S. 8); andererseits ist aber der Lautvorgang nicht so jung wie Hatzidakis anzunehmen scheint: einmal weist darauf hin (Deffner Gramm. 162) die in *kòpana* = κωλόπανα, ϲκαρίτϲι (Oik.) = ϲκολαρίκι, θάϲϲα = θάλαϲϲα und andern Wörtern (Deville a. a. O.) vollzogene Kontraktion, vor allem aber unterliegen die aus der neugriechischen Vulgärsprache eingedrungenen Wörter jenem Prozesse nicht, vgl. z. B. λάθο = λάθοϲ, λάϲπη, ὁλόχρυϲε, λογιϲμό u. a. Die ins Zakonische eingedrungenen Fremdwörter gestatten eine etwas genauere Datierung: die lateinischen bezw. vulgärlateinischen Lehnwörter zeigen Schwund des λ: ἀμνι (Oik.), vgl. λαμνίον Soph., zu lat. *lamina*, *dzèa* = κέλλα, lat. *cella*, *kaveàri* = *caballarius* (καβαλλάριοϲ schon bei Procop und Euagrius vgl. Soph.), *màyua* (Singular μάγουλε Oik.) = μάγουλα, aus dem Lat. nach G. Meyer IF. III 68 f., μουάρι = μουλάρι *mulus* (μωλάριον Porphyrog.), *céa* Oik. *sella* (κέλλα schon bei Lydus), *skà* lat. *scala*, wozu ϲκαούκχου = ϲκαλώνω, ein Wort, das schon Porphyrog. kennt, ϲκουτέα lat. *scutella*, *afrìa* (Deffner Gramm. 106) entweder lat. *laurea* (Comparetti KZ. XVIII 142) oder λάφνη· δάφνη Hesych (G. Meyer Türk. Stud. I 29); auch ἀζούρι = λαζούρι (Oik.) ist ein altes (persisches) Lehnwort (Korais IV 275). Bei *skadìa* = ϲκλαβιά zu Ϲκλάβοϲ mlat. *Sclavus* ist mir zweifelhaft, wie weit die heutige Bedeutung *Sklaverei* zeitlich hinaufgerückt werden darf; der Völkername Ϲκλάβοϲ begegnet natürlich schon früh (bei Agathias 6. Jahrh. nach Soph.); die Form des Wortes zeigt, dass der λ-Schwund noch nach der Zeit der Slaveneinbrüche fortgedauert hat. Weiter aber sprechen zak. λόγγο, agr. λόγγοϲ 'Wald' (schon bei Ce-

drenus im 11. Jahrh. Soph.) = slav. *lągū* (Miklosich Sitz.-Ber.
der Wiener Akad. LXIII S. 548), *lalūdja* = gew. λουλούδι
(Pelop. λελοῦδι nach Byz. Lex.) aus dem Albanesischen *l'ul'e*
(G. Meyer Alb. Wb. s. v.) und ἀλάργα, ἀλαργυνέ, ἀλαργιέγγου
zu ital. *largo* (*alla larga*), κολόνα ital. *colonna* dafür, dass das
Lautgesetz des λ-Schwundes bereits seit geraumer Zeit, wahrscheinlich vor dem Höhepunkt des albanesischen und italienischen Einflusses (15. Jahrh.), vermutlich auch vor der vollständigen Hellenisierung der peloponnesischen Slaven (10.—12.
Jahrh.)[1]) seine Kraftwirkung eingebüsst hat: es spricht aber
meines Erachtens jedenfalls nichts dagegen, den Verlust des λ
so früh (10. Jahrh.) anzusetzen, dass die Annahme eines *Ἄκωνες aus Λάκωνες möglich wäre.

　　Bleibt noch das τς-. Hier will die Erklärung Deffners
nicht stimmen: abgesehen davon, dass Artikelformen mit τς-
erst seit dem Anfang des 16. Jahrhunderts bezeugt sind (Psichari Essais I 151 ff.) — was bei dem Zustand der mittelgriechi-
schen Texte freilich keineswegs gegen ein früheres Vorkommen
spricht — ist es bedenklich, dass das heutige Zakonisch und
auch der Peloponnes nichts von dieser Artikelform wissen:
damit wird Deffners Erklärung des τς aus τούς im Anlaut
von Τσάκωνες unhaltbar. Aber es fällt mir trotzdem schwer,
darum Deffners Ableitung im Prinzip abzulehnen: τς- wird
irgend ein anderes Element sein, das mit *Ἄκωνες verwachsen
ist. Ich schlage zwei andere Auswege vor, weniger weil
ich sie für sicher halte, als weil ich damit vielleicht einen
andern zu glücklicherem Suchen anrege: entweder ist ein
(εἰ)ς *Ἀκωνία(ν) d. i. *Σακωνία zu Τσακωνία geworden wie
κοσσύμβα zu κουτσούμβα, σέρβουλον zu τσέρβουλε (Deville S. 85.
69), oder es entstand aus ὁ ἐξ *Ἀκωνία(ς) nach dem zakonischen Lautgesetz Ξ zu τς (Deffner 117 f.) ὁ *(ἐ)τσακωνία(ς), wonach Τσακωνία und Τσάκωνες neu gebildet wären. Es sind
das, wie gesagt, vielleicht sehr gewagte Hypothesen, aber ich
wüsste keine andere, die mit mehr Berechtigung vorgebracht
werden könnte.

　　Nicht so schwer dürfte es sein, die Form Τσέκωνες, falls
sie bei Konstant. Porphyrog. richtig überliefert ist, mit Τσά-

---

　　1) Die genannten Wörter können allerdings auch aus der
ngr. Gemeinsprache eingedrungen sein.

νες zu vereinigen. Ich habe bereits IF. II 88 einer frühen
oche des Neugriechischen (oder der Κοινή) den Wandel
es unbetonten α in ε nach ρ, λ zuzuweisen versucht: dem-
h musste neben Λάκωνες sehr früh ein *Λεκώνων, *Λεκωνία
r. entstehen; diese Form scheint zwar wenig lebensfähig ge-
sen zu sein, aber immerhin könnte ein aus *Λέκωνες nach
κωνες umgestaltetes *Έκωνες als Grundform des von Por-
rrog. bezeugten Τσέκωνες betrachtet werden.

Wenn sich auch die Schwierigkeiten des Namens noch
ht heben liessen, so verschlägt das dennoch nichts gegen
nach jeder Seite hin wohlbegründete Ansicht von der
eehischen Abstammung der Zakonen. Ihre Landschaft hätte
Philippsons ethnographischer Karte nicht als "slavisch"
matisiert werden dürfen.

Freiburg i. B. September 1893.

Albert Thumb.

Erläuterung zur Karte.

Die Karte ist eine Reduktion des betreffenden Teiles der
ssen Karte Philippsons; eingetragen sind die geographischen
nen dieser, sowie der Wiener Karte und (für Zakonien) der
zze Devilles; die albanesischen Gebiete sind nach Philippsons
nographischer Karte in Petermanns Mitteilungen 1890 einge-
ehnet. Die Zone der slavischen Ansiedelungen, sowie die ehe-
ligen Grenzen Zakoniens beanspruchen nur ungefähre Richtigkeit.

Minutiae Italicae.

1. Lateinisch hūc, fūr.

Diese zwei Worte harren noch, soweit ich weiss, der
klärung ihres Vokalismus. Nach der allgemeinen Anerken-
ng der Postgateschen Deutung des Infinitivus Futurus (ini-
cos meos hoc dicturum, = dictu *erom, s. Brugmann Grds.
§ 900) bleiben nur diese zwei Beispiele des angeblichen
ndels von lat. ó zu ū übrig (Grds. I § 80 ad fin., Stolz Lat.
amm.² § 23. 6). Denn die Formen mit -ud in CIL. I¹ 813
. Loucinai .... c]astud facitud), was sie auch bedeuten und

woher sie auch ursprünglich stammen mögen, sind selbstverständlich etwas anderes als reines Latein s. u.

Nun bieten aber *huc* und *fur* keine solche Schwierigkeit,
dass sie eine Reihe von Grammatiken nacheinander als "Ausnahmen" hätten belästigen dürfen. *huc* muss wohl älteres
*hoi-ce sein, mit regelrechtem *ū* aus *oi* in betonter Silbe, mit
derselben Endung, die in *mi* gr. μοι (enklitisch) *Corinthi* usw.,
möglicherweise auch in *illi(c, -m)* in unbetonter Silbe in *-i*
überging. Der Kasus ist Lokativ-Dativ vom Pronom.-Stamme
*kho-; die Nebenform *hei-c* steht zu *hoic* (als Dativ schon gut
bekannt) gerade wie gr. Alt. οἴκοι : Dor. οἴκει; die Bedeutung
des Zieles beim Lokativ im Pronomen, wird wohl niemandem
auffallen, vgl. gr. ποῖ. Nach (oder mit?) Johansson möchte ich
die Lok.-Form *hei-c* (nicht *hoi-c*) auch im Nominativ finden,
heic homo 'ὁ ἐνθάδε ἄνθρωπος', kymr. *y dyn yma* u. dgl. m.,
womit aber nicht gesagt sei, dass der Funktionsübergang sich
erst im Lateinischen vollzogen hätte; ja, aus solchen nominativisch gebrauchten deiktischen Formen hat der Relativus
selbst sein *-i* in idg. Zeit genommen, siehe Brugmann Grds.
II § 414[1]).

Aus der Form *hū(c)* entwickelte sich zunächst der gewöhnliche Dativ *hui(c)* mit neu angefügtem dat.-lok. Ausgang
-i nach *illi*, *isti* u. dgl.; *hū(c)* als Adverb erstarrte. Wahrscheinlich ist es auch, dass die Form *huius*, wie man sich
auch ihre Entstehung im allgemeinen denkt, in letzter Entwicklungsstufe ihr *u* von *huc* bekommen habe. Wenn wir
z. B. mit Brugmann (Grds. II § 419) *hoi* + Genit.-Ausgang *-us*
annehmen, können wir ihm doch kaum zugeben, dass das *o*
nach *cuius* (aus *quoius*) in *u* überging; denn "*quoius* ist immer
auf republikanischen Inschriften geschrieben", *hoius* aber kommt
nur dreimal vor, *hoic* nur einmal (Neue II³ S. 450, 414, 415),
huius, *huic* öfters; *huius* ist also früher als *cuius* entstanden.
(Beiläufig sei hier gefragt, ob nicht in solchen Stellen, wo
"*huius*" und "*eius*" bei Plautus einsilbig gemessen sind [e. g.
Mil. 699, s. Neue a. a. O. S. 413], ursprünglich **hois* und **eis*
[parallel zu *mis tis*] gestanden haben mögen?).

---

1) Hiernach muss *qui* (Sing.), wenn nicht als proklitisch aufgefasst, aus *quei* (cymr. *pwy*), nicht aus **quoi* entstanden sein.
qoi der Duenos-Inschr. ist entweder Nom.-Pl. oder Dat.-Sing. Im
Plur. jedenfalls musste die Endung *-i* werden, nach *dominī* u. dgl.

Fur scheint mir sicher aus φώρ entlehnt, nicht aber
direkt ins Lateinische, sondern in einen der ländlichen Dialekte,
die *o* in *u* wandelten (*rinu, arpatitu*), vermutlich in den vols-
kischen. Die Inschrift *Loucinai . . . . . facitud* kann nicht
volskisch sein (mit -*ai* und -*ci*, gegen vol. -*e*, -*çi*-), vielmehr
mars. (vgl. *dunom* 'donum') oder sabinisch (*flusare* 'florali').

2. Lat. *au* : *o*; *au* aus *ou*?

Dass in der Vulgärsprache *au* phonetisch zu *o* wurde,
ist längst anerkannt. Die nähere Bestimmung der Örtlichkeit
dieser Wandlung verdient vielleicht eine kurze Besprechung.

Bei Festus (Ponor 202) heissen jene, 'rustici', welche *orum,
orata* 'genus piscis' *oriculas* statt *aurum, aurata, auriculas*
aussprachen. Dieselben haben nach Varro (L. L. I. 96) *pappum
Mesium non Maesium* gesagt, und daselbst ist auch das Schwanken zwischen *faenum* und *fenum* angeführt[1]). Nun sind auch
die meisten von den übrigen Beispielen gerade bäuerliche
Worte, *plostrum, hostus, posea, coles, rodus* 'saxum, res rudis'
('poetae, ut Accius, *raudus* appellant' Fest. Pon. 356); dazu
olla für *aula* (aus *aux-la-* cf. *auxilla* mit von Planta), obwohl das -*ll*- auffallend und kaum auf rein lautlichem Wege
zu erklären ist. Bei einem Wort, dass nur den Bauern geläufig war, nämlich *sorex*, ist die rein lateinische Form (*saurex*,
Serv. ad Georg. 3. 278, auch durch das gr. ύρεξ mit Tief-
stufenvokalismus verbürgt) durch die ländliche gänzlich verdrängt. *Corus* für *Caurus* sprach der wetterkundige Bauer,
origae nannte er die *aurigae*, denen er in Rom zuschaute;
wahrscheinlich ist es auch, dass das Wort, womit er die
schlechten Schauspielern zufallende Verhöhnung bezeichnete
(*explodere*), die Form annahm, die bei ihm, und nicht bei
gebildeten Römern, üblich war. *displodere* (vorklassisch, d. h.
bei Varro Res Rust. Lucrez, und einmal bei Horaz Sat. 1. 8. 46)
und *illotus, focale, suffocare* wird niemand den 'rustici' absprechen. Ob diese Komposita wirklich phonetische Formen
waren, und zwar nach den Lautgesetzen des betreffenden

---

1) Hier sind nicht am Platze Varros andere Beispiele, *scaep-
trum* für *sceptrum*, auf ungleiche Wiedergabe des griechischen η
beruhend, und *faeneratrix* und *fen*-, wohl ein Irrtum entweder von
anderen oder von Varro selbst.

Dialektes, oder 'Re-komposita' von *plŏdo*, *lŏtus* wie das k
applaudo von *plaudo*, mag dahingestellt bleiben. Die se
däre, adjektivische Bedeutung von *lautus* weist auf städtis
Gebrauch.

Wer sind nun diese 'rustici' die *au* als *o*, *ae* als *ē*
sprachen? Beide Wandlungen waren in Umbrien zu Ha
die Umbrer aber wohnten zu fern von Rom, um dem lat
schen Sprachschatz so viele Wörter schenken zu können.
treffs des Vokalismus gingen die Volsker, und nur die Vol
mit den Umbrern Hand in Hand, und ich weiss keinen Gr
weshalb ihre Mundart nicht die Schuld unsrer rusti
tragen sollte. Der von guten Schriftstellern gebrauchte N
Clŏstra Romana, ein Ort in volskischem Gebiet, darf vielle
als ein kleiner direkter Beweis gelten; die Lage von *Laut*
(Liv. 7. 39) ist nicht genau bestimmt. Unter Personenna
sind *Plŏtius* und *Clŏdius*, häufig im volsk. Gebiet vorkomm
in Italien zu verbreitet, um hier zu dienen; *Ofellius* a
welches in C. I. L. X nur bei Volskern und Campanern h
ist, neben *Aufellius* (Camp. Aurunc.), darf vielleicht erw
werden [1].

Bis jetzt habe ich die Thurneysensche Theorie (
XXVIII 154) nicht berücksichtigt, wonach urital. *oṷ* zu
geworden sein soll, und ich muss hier gestehen, dass ich
nicht für richtig halten kann. Von den Beispielen näm
die Thurneysen anführt, werden einige jetzt anders gede
(z. B. *avilla* zu *agnus* ἀμνός, nicht zu *ovis*); bei anderen
beide Formen, mit *o* und *au*, neben einander häufig beze
wohl ein sicherer Beweis, dass sie verschiedenen Munda
nicht verschiedenen Zeiten angehörten; andere noch,
lāvo : λούω, *cavos* : *cohus*, enthalten möglicherweise entw
den ə-Ablaut der *e* : *o*-Reihe, oder den *o*-Ablaut der *a*-Reih
welche beide von Bartholomae sicher gestellt zu sein schei
cōs ist von *cautes*, *auriga* von *os* zu trennen, auch *auscul*
wenn man auf dieser nur handschriftlichen Schreibung so
Gewicht legen will; das einmal inschriftlich vorkomm
austia ist wahrscheinlich ein falscher Archaismus; sonst li
es sich mit der Theorie absolut nicht vereinigen; denn

---

[1] Den Rustici schreibt Varro a. a. O. auch *spēca* für *spic*
und anderswo (danach zu beurteilen) *amēci* für *amici*. Nach *coveh*
eiras muss man vielleicht ein *ē* aus *ī* im Volsk. anerkenn

ōs 'Mund' die rein klassische Form sei, wird niemand bezweifeln. Ferner sind *plōdere* und *-focare* als Beweise unbrauchbar; denn wie kann man es wahrscheinlich machen, dass während *au* in Kompositis zu *-ū-* wurde (*accusare* u. dgl.), *ou*, das auch betont zu *ū* herabsank, in unbetonter Lage trotzdem als *ō* figuriert habe? Endlich und hauptsächlich stehen der Theorie noch im Wege *ovis* und *bovis*, ein wuchtiges Paar! Auf andere Einzelheiten die mir nicht haltbarer scheinen, brauche ich nicht einzugehen.

Was *octavos* und ὄγδοος betrifft, sind beide mir ihres Vokalismus wegen als kontaminierte Formen leicht verständlich. Ein idg. **oktəuos* müsste lat. *octāvos*, gr. -ᾰϝος heissen; dann schuf man *-ouos*, -ωϝος nach *octō*, ὀκτώ. Solche Doubletten aber können niemals lange bestehen; die Lateiner kombinierten die Qualität der alten Form mit der Quantität der neuen, dagegen die Griechen die Quantität der alten mit der Qualität der neuen (*-āuos* + *ouos* = lat. *-āuos*, gr. οϝος).

3. Umbr. *emantu(r)*, *tursiandu*.

Hier möchte ich noch eine Vermutung des Herrn G. A. Turner (aus Trinity College, Cambridge, ehemals mein Zuhörer) mitteilen, die mir sehr plausibel erscheint, insbesondere weil sie mit Brugmanns Deutung von *hertei herte(r)* parallel geht. Er fragt nämlich, ob nicht die Länge des *-ū(r)*, die sowohl durch die konstante Schreibung mit *-u* (nicht *-o* in diesem Tempus) als durch die Weglassung des *-r* bewiesen ist, auf einer imperativisch umgestalteten Endung beruhen kann; d. h., man hätte im Urumbrischen **emātōr*, nach **emetōd*, **emetōr*, statt **emātēr* gesagt. *Hertei* zeigt, dass der Vokal, der vor vor dem eventuell passivischen *-r* stand, einer Modusbezeichnung fähig war.

Cardiff, Wales, Oktober 1893.

R. Seymour Conway.

Latina: 1. *acer acris acre*, 2. *nullus est, quin.*

1.

Dass die idg. adjektivischen *u*-Stämme im Lateinischen zu *i*-Stämmen geworden sind (*sua(d)v-i-s* : ai. *svadú-s, tenu-i-s* : ai. *tanú-s*), erkärt man seit Benfey Orient und Okzident I 262 f. so, dass die *i*-Deklination ursprünglich nur dem Femininum angehört habe (vgl. ai. *svadví*) und von diesem auf die beiden andern Geschlechter übergegangen sei. Sieh z. B. Joh. Schmidt KZ. XXV 139, Danielsson Grammatiska anmärkningar I 25, K. F. Johansson KZ. XXX 443, Verf. Grundr. II S. 297. So hat man nun weiter, ebenfalls im Anschluss an Benfey a. a. O., die Femininbildungen wie *acris equestris* neben den Maskulina *acer equester* mit der alten femininen *i*-Erweiterung in Zusammenhang gebracht, indem man diese Adjektiva für alte *ro*-Stämme erklärte, die zunächst nur im Femininum *-ri-s* hatten und erst im Anschluss an dieses Genus das Mask. und Neutrum in die *i*-Deklination übergehen liessen. So Danielsson (a. a. O. S. 26 f.), der *acer acris* als Fortsetzung von älterem *acro-s *acrī betrachtet, da, wenn man von älterem *acrīs* m., *acris* f., *acre* n. ausgehe, die formale Verschiedenheit zwischen Mask. und Fem. unverständlich bleibe. Ebenso Joh. Schmidt (Die Pluralb. der idg. Neutra 61), der als Zeugnis für die alte *o*-Flexion des Maskulinums den Akk. *acrum* (Cn. Matius bei Charis. S. 117, 13 K.) herbeizieht und in dieser Weise nicht nur die adjektivischen *ri*-Stämme ursprünglich *o*-Stämme gewesen sein lässt, sondern überhaupt alle die nach der *i*-Deklination gehenden Adjektiva, "in welchen man bisher (noch C. Pauli Altital. Stud. I 1883, S. 24 und Stolz in I. Müllers Handb. der klass. Altert.-Wiss. II 202) lautgesetzwidrige 'Schwächung von *o* zu *i*' annimmt: *sterilus, sterilis* usw. bei Corssen II² 324 f. 425 f., Neue II² 87 f.". Endlich V. Henry, der in seinem Précis de gramm. comp. § 152 von dem *-i-* von *suav-i-s* sagt: "Cet *-i-* est peut-être un vestige très altéré de l'ancien *-ī* qui formait le féminin de ces adjectifs (en sk. *svad-ū-s*, fm. *svad-v-ī*), de même que le fm. *acris* par rapport au msc. *acer* est peut-être un souvenir de quelque féminin préhistorique *ak-r-i, en sorte que ces dérivations se rattacheraient à la catégorie précédente".

Ob die Deutung von suāvi-s auf Grund der Femininbildung ai. svādv-ī richtig sei, mag hier dahin gestellt bleiben. Jedenfalls ist es nicht richtig, für die Erklärung der Adjektiva wie acer acris die idg. ī-Bildung des Femininums herbeizuziehen, wenn der Gegensatz von Mask. acer und Fem. acris dies auch noch so nahe legt.

Adjektivische i-Stämme giebt es in den verschiedensten Sprachen. Z. B. ai. śréṇi- 'licht, rein' (in śréṇi-dant-) got. hrdins 'rein'; got. ga-mdins 'gemein' lat. com-moini-s -mūnis; gr. ἴδρι-ς 'kundig' aisl. vitr 'weise' (urgerm. *uitri-z); ai. hári-ṣ av. zairi-š 'goldgelb', ai. dādhṛṣi-ṣ 'mutig', tū́rṇi-ṣ 'eilend', bhúri-ṣ 'reichlich'; gr. εὖνι-ς 'beraubt'; air. air-dirc 'berühmt' maith 'gut'; got. riur-s 'vergänglich'. Es liegt also a priori keinerlei Nötigung vor, das in allen drei Geschlechtern auftretende acri- (vgl. osk. akrid, umbr. per-akri- per-acri-, Ber. der sächs. Ges. d. Wiss. 1893 S. 144 ff.) aus einem älteren *acro- herzuleiten. Das Suffix -ri- kann hier ebenso alt sein wie in ai. dś-ri-ṣ 'die scharfe Kante eines Dinges, Ecke, Schneide' gr. ἄκ-ρι-ς 'Spitze, besonders Berggipfel' ὄκ-ρι-ς 'Spitze, Ecke, Kante' lat. oc-ri-s 'Berggipfel', woneben ai. catur-aśra- 'viereckig' gr. ἄκρο-ν ἄκρα 'Spitze, Gipfel' ἄκρο-ς 'spitz' aksl. ostrъ 'scharf'. Auch das Schwanken zwischen lat. sacro- umbr. Akk. Pl. Fem. sakra osk. Nom.-Akk. Sg. Neutr. сакоро und lat. sacri- (porcum sacrem, porci sacres) umbr. Nom.-Akk. Sg. Neutr. sakre osk. Akk. Sg. Mask. sacrim braucht kein andres gewesen zu sein als das zwischen ai. śubhri-ṣ und śubhrá-s 'glänzend' oder usri-ṣ und usrá-s 'morgendlich'. Von gleicher Art können ferner die Doppelheiten lat. simili-s : gr. ὁμαλό-ς. lat. humili-s : gr. χθαμαλό-ς, lat. agili-s : ai. ajird-s gewesen sein, und wenn im Lateinischen die i-Deklination beim Adjektivum auf Kosten der o-Deklination um sich gegriffen hat, namentlich bei den Komposita (ex-animi-s u. dgl.), so lässt sich das sehr wohl so verstehen, dass in gewissen Adjektiven i- und o-Deklination von voritalischer Zeit her neben einander her gegangen waren und durch ihre i-Flexion auch andere o-Stämme in diese Flexion herübergezogen wurden. Überdies darf wohl wegen der Komposita wie ex-animi-s decem-jugi-s an die arischen Bildungen wie ai. sárathi-ṣ (zu

sa-rátha-s) *mazda-yasni-s* (zu *mazda-yasna-*) erinnert werden
(Grundr. II S. 264).

Woher aber nun die Dreiformigkeit des Nom. Sg.: *acer
acris acre, celer celeris celere?* Die, wie mir scheint, richtige
Antwort ist nahe genug gelegt durch die bekannte Thatsache,
dass diese schulmässige Scheidung zwischen Mask. und Fem.
im älteren Latein noch gar nicht bestand und bei einer Anzahl
von *ri*-Stämmen überhaupt nicht überliefert ist. Nur der Ausgang *-ris* in beiden Geschlechtern ist für *fünebris muliebris
lūgubris intermēstris* bezeugt, während bei *mediocris* und
sēmē(n)stris zwar in der Litteratur nur *-ris* belegt ist, aber
für das Mask. der Ausgang *-er* von Grammatikern zitiert wird.
Viele zeigen in der Litteratur von ältester Zeit her *-ris (-eris)*
und *-er* im Mask. neben einander, z. B. *alacer* und *alacris*
bei Ennius, *campester* bei Varro und *campestris* bei Cato,
celer bei Vergil und *celeris* bei Cato. Umgekehrt begegnet
-er zuweilen bei den alten Dichtern und überhaupt in der
volkstümlicheren Sprache auch im Fem., wie *celer* bei Liv.
Andr., *acer* bei Naevius und Ennius [1]), *volucer* bei Petronius.
Servius zu Verg. Aen. VI 685: Sciendum antiquos et *alacris*
et *alacer* et *acris* et *acer* tam de masculino quam de femi-
nino genere dixisse: nunc masculino utrumque damus, de femi-
nino *alacer* et *acer* nunquam dicimus. Das nähere s. bei
Bücheler-Windekilde Grundriss 9 f., Neue-Wagener Formenl. II³
15 ff., Kühner Ausf. Gramm. I 348 f. [3]), Georges Lexikon der
lat. Wortformen unter den einzelnen Wörtern.

Im Uritalischen hatte man **akris* für Mask. und Fem.,
*akri fürs Neutr. **akris* wurde lautgesetzlich zu **akṛs*, weiter
zu *acer*, gleichwie **agros* durch die Mittelstufe **agṛs* zu *ager*
wurde. Entsprechend im Umbr. *pacer* masc. 'propitius' aus
*pakri-s, gleichwie *ager* 'ager' aus **agro-s*, pälign. *faber* 'faber' aus **fabro-s*. Diese Erscheinungen in wortschliessenden
Silben haben ihre Parallele in Binnensilben, wie lat. *incertus*
aus **en-crito-s* durch die Mittelstufe **encṛto-s*, *sacerdōs* aus
*sácro-dōs (St. *sacro-*) oder **sácri-dōs* (St. *sacri-*) durch

_____

1) Dieser bietet *somnus ácris* und *ácer hiemps*.

3) Unannehmbar ist natürlich die Erklärung, die dieser Gelehrte von den Formen wie *ácer* giebt: "Wahrscheinlich hat man
bei diesen Adjektiven später in der Maskulinform das *is* abgeworfen, um diese von der Femininform zu unterscheiden".

sacṛdós, alterplex aus *altro-plex*, osk. Freternum aus
Frentrono- (vgl. loc. sg. Frentrei). Unter den lat. Formen
dieser Art verdient *acerbus* = *akro-dho-s* oder *akri-dho-s*
hervorgehoben zu werden, das mit demselben Suffix *-dho-* gebildet war wie *laci-du-s frigi-du-s* u. a. (Thurneysen KZ. XXX
489, Skutsch Forsch. zur lat. Gramm. und Metr. I 42): sein *b*
war durch das unmittelbar vorhergehende *r* bedingt (vgl.
barba : ahd. *bart* aksl. *brada*) und weist auf sehr frühen
Schwund des Vokals der zweiten Silbe. Wie weit die lautliche, Umwandlung der urital. Grundformen *akris *agros* bereits vorgeschritten war, als das Lateinisch-Faliskische und
das Umbrisch-Samnitische sich stärker differenzierten, ist schwer
zu sagen; es kommt hier namentlich darauf an, wie man sich
zu umbr. *ocar* ukar 'ocris' und zu den Schreibungen marruc.
pacrsi 'propitius sis' (oder 'sit') osk. Tantrnnaiúm 'Tan-
ternaiorum' u. dgl. stellt. Ausführlicher, aber mit verschiedenem Ergebnis ist diese Frage von Bronisch Die osk. *i-* und
*e-*Vokale 158 ff. und von Buck Der Vokal. der osk. Spr. 179 ff.
behandelt. Für uns mag genügen, dass die Entwicklungsstufe
*akṛs *agṛs* jedenfalls schon in der Periode der ital. Urge-
meinschaft erreicht war [1].

---

1) Deecke Erläuterungen zur lat. Schulgramm. 1893 S. 29 lässt
auf römischem Boden *agros *ácris* durch die Mittelstufen *agro*
*ácri, *agre *ácre, *ayr *ácr* zu *ager ácer* geworden sein, worin
ihm wohl niemand folgen wird. Für seine Auffassung darf man
sich nicht auf die Lehnwörter wie *Alexander conger* neben *Alexan-
drus congrus* (Weise Die griech. Wörter im Lat. 56) berufen. Denn
man ist ja in keiner Weise genötigt anzunehmen, dass hier *-ros*
einen lautgesetzlichen Umwandlungsprozess durchgemacht habe:
sie wurden bei der Herübernahme einfach der lateinischen Dekli-
nationsweise der *ro-*Stämme anbequemt. Wird doch auch z. B. niemand uns zumuten wollen zu glauben, der Nom. Pl. dieser Wörter,
congri = gr. γόγγροι usw., habe jedesmal auf lateinischem Boden
die Wandlung von *-oi* zu *-i* praktisch durchgemacht. Eine Entwicklung, wie sie Deecke für *ager* annimmt, liegt allerdings im
Westgermanischen vor: urgerm. *akraz* 'Acker' *fuglaz* 'Vogel'
wurden über *akkra *fugla* zu ahd. *accar fogal,* wie das *focla* der
Lex Salica beweist, die hier noch den urwestgermanischen Standpunkt repräsentiert. Aber die Schicksale des *-s* im Lat. waren ganz
andre als im Westgermanischen. Bei Deeckes Theorie sieht man
nicht ein, warum die Römer nicht zu den Formen *agers ácers* sollten gekommen sein, da, wie *fers pars* usw. zeigen, zu der Zeit, in

Gleichwie man nun im Lat. die zu den substantivischen
Stämmen *utri- ocri-* lautgesetzlich gehörigen Nominative *uter*
ocer nach der Analogie von Formen wie *ovis sitis* in *utris*
ocris, und wie man die zu den substantivischen Stämmen
utero- famulo- gehörigen Nominative *uter famul* nach den
Formen wie *lupus* in *uterus famulus* oder die zu den adjektivischen Stämmen *supero- misero- mortifero-* gehörigen
Nominative *super miser mortifer* nach den Formen wie *bonus*
in *superus miserus mortiferus* umgestaltete, so stellte man
neben *acer celer* die Formen *acris celeris* nach dem Muster
von solchen wie *comis dulcis rudis.* Vgl. auch *acritas* für
acertas, facilitas für *facultas* nach *comitas* u. dgl., *difficili-*
ter für *difficulter* nach *comiter* u. dgl.

Bei dieser Neubildung spielte das Geschlecht zunächst
keine Rolle, man sagte *acer* und *acris equos* und *acer* und

die Deecke die Entstehung von *ager acer* verlegt, die Wirksamkeit
des Lautgesetzes bereits erloschen war, nach dem *ter quattuor par*
fer ihr *-s* verloren hatten.

Noch weniger als Deeckes Ansicht vermag ich mir die von
Wharton (On Latin Consonant Laws, Philol. Soc., Dec. 20, 1889,
p. 7) anzueignen, welcher sagt: "Similarly Brugmann explains the
Nominatives *ager acer* as standing for **agros *acris*, the *er* repre-
senting a sonant *r*. I would rather suggest that in these words
the *e* was originally long (with **ācĕr* cf. *patĕr* in Aen. 5. 521), and
that the termination is due to the desire to distinguish Nominative
from oblique cases by forming it from a fuller stem. So in Um-
brian we have Nom. Sing. *pacer* 'pacified' from the longer stem,
Nom. Plur. *pacr-er* from the shorter: conversely in ἀγρός, Gothic
akrs, Sanskrit *ajras*, the Nominative follows the analogy of the
other cases. On Brugmann's principles it is difficult to see why, if
*agros became *ager*, **agrom* (*agrum*) did not become **agerm* (or
*agerem)". Nur auf Grund des Italischen solche Nominative auf *-ĕr*
zu konstruieren, ist an sich äusserst kühn, und es ist völlig unnötig,
weil man die überlieferten Formen, ohne den Lautgesetzen der
ital. Dialekte irgend einen Zwang anzuthun, aus den durch die
andern Sprachen angezeigten Grundformen ableiten kann. Dass
der Akk. zu lat. *ager agrum* lautete, steht im Einklang mit der
Thatsache, dass nirgends in den italischen Dialekten ein kurzer
Vokal vor wortschliessendem *-m* synkopiert ist. Ob freilich nicht
trotzdem auch hier einmal unter gewissen Umständen Synkope eingetreten, dann aber der Vokal durch Analogiewirkung wieder
hergestellt war (es könnte ja z. B. ein **agṛm* schon in uritalischer
Zeit nach **hortom *deivom* u. dgl. wieder zu **agrom* geworden
sein), will ich nicht verreden.

acris equa. Allmählich aber bevorzugte man beim Maskulinum die
Formen auf -*er* und gebrauchte sie spärlicher beim Femininum
mit Rücksicht auf die adjektivischen Nominative wie *niger*
neben *nigra nigrum*, *dexter* neben *dextra dextrum* oder
dextera dexterum. Das hat auch bereits Delbrück erkannt,
der in seiner Vergleich. Syntax I S. 404 bemerkt: "Die [ad-
jektivischen] *i*-Stämme unterscheiden das Mask. und das Fem.
nicht. Nur bei den Wörtern wie *acer, acris, acre* ist in der
Schriftsprache eine Unterscheidung hergestellt worden, offenbar
in nachahmender Anlehnung an Wörter wie *asper, aspera,
asperum*". Dass es nicht das fem. Geschlecht war, das die
Analogiebildungen *acris celeris* ins Leben rief, ersieht man
am besten aus der Behandlung der schon in vorhistorischer
Zeit, vielleicht schon im Uritalischen (Conway IF. III 86
Fussn. 1) substantivierten männlichen Monatsnamen auf -*bri*-
wie *Septembri*-: obwohl man die lautgesetzlichen Nominativ-
formen auf -*ber*, die an den alten mask. Substantiva wie *venter
pater passer* usw. eine Stütze hatten, im allgemeinen unange-
tastet liess, so bildete man doch auch den Nom. *Novembris*
(Cato); ebenso jenes *utris* (Gloss. Labb.) neben *uter*. Wenn
sich die Formen wie *acer celer* auch noch als Femin. hielten,
so darf das dem Einfluss der das Mask. und Fem. nicht scheidenden Adjektiva *pauper über degener* und der fem. Substantiva wie *linter* (selten Mask.) *tuber mater mulier* zugeschrieben werden.

Was nun das von Joh. Schmidt herangezogene, hie und
da neben *acri*- auftretende *acro*- *acra*- betrifft, das am frühesten aus der Iliasübersetzung des Cn. Matius, ca. 100 v. Chr.,
bezeugt ist (Neue-Wagener Formenl. II³ 161), so ist möglich,
dass *acri*- und *acro*- aus uritalischer Zeit ererbt waren wie
sacri- und *sacro*- (S. 219). Dann könnte dem Nomin. *acer*
aus **acro-s* ein Anteil daran zugeschrieben werden, dass das
aus **acris* entstandene *acer* speziell maskulinisch wurde. Da
aber aus dem Umbrisch-Samnitischen nur *akri*- bekannt ist, so
ist wahrscheinlicher, dass die *o*-Deklination des Adjektivs erst
auf römischem Boden durch den Nom. *acer* = **acri-s* hervorgerufen wurde. Vgl. *Silvanō silvestrō* neben *Silvanō silvestri*,
campestrōrum neben *campestrium* (Neue-Wagener a. a. O., Georges Lex. der lat. Wortf. s. v.).

Werfen wir nun noch einen Blick auf die Adjektiva auf

-li-, die eine ähnliche Lautveränderung durchmachten wie die auf
-ri-. Wie *-ro- -ri-* in unbetonten Silben zu *-r-*, so wurden *-lo- -li-*
zu *-l-*. Aus **famlos *katlos* wurde im Urital. **famls *katls*.
Hieraus osk. *famel*, umbr. **katel**. Im Lat. bestand zunächst
ebenfalls nom. **famel *catel* (neben abl. **famlōd *catlōd* usw.,
vgl. umbr. acc. **katlu** gen. **katles**). Diese lat. Nominativ-
formen wurden nun durch dasselbe Lautgesetz zu **famol
catol, weiter zu *famul *catul*, durch welches **faceltas* (aus
*facli-tas) zu *facultās*, **prae-sel* (aus **prae-sal*, zu *saliō
prae-siliō*) zu *praesul*, **prae-seltō *in-celcō* (aus **praé-saltō
in-calcō, vgl. *impertiō* neben *partiō*) zu *prae-sultō in-culcō*
wurde[1]). Weiter entsprangen *famulus catulus* nach der Analogie
von *lupus* etc., gleichwie *superus inferus* für *super infer*.
So war auch **facli-s* über **facel* zu **facol *facul* geworden.
Überdies das Neutrum **facli* zu *facul*, das als Adverbium
aus Pacuvius, Accius und Afranius belegt ist und sich, ebenso
wie *simul* = umbr. *sumel* und wie *volup* = **volupi* (vgl.
Delbrück Vergleich. Syntax I 603), infolge der adverbialen
Erstarrung auf dieser Stufe behauptete; daneben das Neutrum
difficul auch noch als prädikatives Adjektiv bei Varro Sat.
Men. 46: *quod utrum sit magnum an parvum, facile an
difficul.* Vgl. von Planta Gramm. d. osk.-umbr. Dial. I 233.
Dass das von diesem Gelehrten zitierte *mascel* = *masculus*
keine Gegeninstanz gegen den angenommenen vorhistorischen
Wandel von *-el* in *-ol -ul* bildet, ergiebt sich aus dem, was
G. Meyer Zeitschr. f. d. österr. Gymn. 1885 S. 286 Fussn. 11
über die Form bemerkt. Auch stehen die Formen *semel* und *subtel*
nicht entgegen. Sie waren entstanden aus **semēl* (Wackernagel
KZ. XXX 316) und aus **subtēl* (Stamm **subtēlo-* aus **sub-texlo-*,
zu *talu-s* aus **taxlo-*) und lehren nur, dass, als die Verkürzung der wortschliessenden *-ēl -ēr* zu *-el -er* eintrat, das Lautgesetz, das **facel* zu **facul* umschuf, nicht mehr wirkte[2]).
Nachdem nun ausserhalb des singularischen Nominativs *-li-* zu

---

1) Nur in *-ell-* blieb *e*. Daher *catel-lu-s* (vgl. *agellus* aus
ager-lo-) wie *fefelli percellō*. Vgl. osk. **Núvellum** neben **Núv-**

2) Da es hiernach lautgeschichtlich unbedenklich ist, *facul* aus
facel herzuleiten, so ist Skutschs Zurückführung von *facul difficul*
auf **facli-* (De nominibus Latinis suffixi *no-* ope formatis p. 6,
vgl. auch Gramm. und Metr. I 16) abzuweisen.

-ili- geworden war, z. B. Abl. Sg. **faclīd* zu *facilī(d)*, Nom.
Pl. **faclēs* zu *facilēs*[1]), wurde das **facul* im Nom. Sg. Mask.
Fem. zunächst wohl zu **facil* durch eine ähnliche Ausgleichung,
wie sie die Nominative *celeber integer* zeigen, die nach den
andern Formen des Paradigmas (*celebris integrī* usw.) für die
lautgesetzlichen **celiber *intiger* eintraten (Wharton On the
Vocalic Laws of the Latin Language, Philolog. Society, June 1,
1888 p. 52, Skutsch Vollmöllers und Ottos Krit. Jahresber.
über die Fortschr. der Roman. Philol. I 25). Endlich entsprangen
gen *facilis* M. F., *facile* N. nach solchen Adjektiva wie *cŏmis*
cŏme, gleichwie *facilitās similitās* (neben *facultās simultās*)
nach *cŏmitās* und wie *difficiliter* (neben *difficulter*) nach *cŏmi-*
ter. Vgl. hiermit *pugilis* (Varro) für *pugil* und *mūgilis* (Juven.)
für *mūgil*.

Neben den Adjektiven mit *-li-* standen solche mit *-lo-*,
gleichwie neben den Adjektiven mit *-ri-* solche mit *-ro-*, z. B.
pendulus tremulus. pendulus war aus **pendlo-s* hervorgegangen
gen durch die Mittelstufen **pendel *pendol *pendul*. Warum
wirkten nun diese *lo*-Stämme nicht in derselben Weise auf
die *li*-Stämme ein, wie die *ro*-Stämme auf die *ri*-Stämme?
Als noch **facol *facul* im Mask. und Fem. gesprochen wurde
gleichwie Mask. **pendol *pendul*, wird es bei jenen zur Neubildung einer Form auf *-lis* noch nicht gekommen sein; eine
formale Differenzierung der beiden Geschlechter war also damals
nicht möglich. Weiterhin hielt sich das lautgesetzliche **pendul*
nicht, wie *dexter asper*, sondern wurde zu *pendulus*. So hatte
*facul oder jüngeres **facil* an dem Nom. Sing. der *lo*-Stämme
nicht die Stütze, die *acer* an *dexter* hatte, und wurde **facil*
durch die Form *facilis* völlig verdrängt, die als Neubildung
nach *cŏmis* in derselben Weise sofort für beide Genera in
Gebrauch genommen war, wie die Neubildung *acris* im Anfang
beiden Genera gleichmässig diente.

Auch bei dem vom substantivischen zum adjektivischen
Gebrauch übergegangenen *vigil* (vgl. die Substantiva *pugil* und
mūgil) konnte es zu keiner Differenzierung der Geschlechter

---

1) Die Entstehung von *facili- stabili-* aus **facli- *stabli-* muss
als ein speziell lateinischer Prozess betrachtet werden, trotz umbr.
faŝefele 'facibile', purtifele 'porricibilem'. Von Planta a. a. O. 271
hat erkannt, dass diese umbr. Formen Neubildungen für **faŝefle*
*purtifle nach den Nominativen **faŝefel *purtifel* waren.

kommen. Man liest *cūra vigil, vigil flamma, vigil Aurōra* bei Ovid, *vigil obsidiō* beim älteren Plinius, *pervigil natūra* bei Chalcidius gleichwie *vigil custos* bei Ovid. Allerdings hat Apulejus (met. XI 26) *cūra pervigilis*, die einzige Stelle, wie es scheint, wo das Wort mit der Endung *-is* auftritt. Aber wir haben kein Recht zu der Annahme, dass bei der Schöpfung dieser Form das weibliche Geschlecht im Gegensatz zum männlichen eine Rolle gespielt habe.

2.

Quin war bekanntlich aus **qui-ne* hervorgegangen. Sein erster Teil war der uritai. Instr. **kᵘ̯i* und hatte die modale Bedeutung, 'wie (warum, weshalb)'. *Quin* hiess also 'wie (warum, weshalb) nicht'.

Aufgeklärt ist die Entwicklung des Gebrauchs dieses Adverbiums in Sätzen wie: *Quin conscendimus equos?; Quin uno verbo dic; Hercle quin recte dicis; Tamen quin loquar haec uti facta sunt hic, nunquam ullo modo me potes deterrere; Nequeo, quin fleam; Non dubitari debet, quin fuerint ante Homerum poetae.* Vgl. O. Kienitz De *quin* particulae apud priscos scriptores Latinos usu, Progr. Karlsruhe 1878, Madvig Lat. Sprachl.³ S. 346, Dräger Histor. Synt. der lat. Sprache II² 663, Schmalz I. Müllers Handbuch II² 529, Deecke Progr. von Buchsweiler 1887 S. 43, Paul Principien² 197.

Dagegen bedarf noch der Aufhellung das 'quin consecutivum' in Sätzen wie *Nemo est, quin, cum utrumvis liceat, aptas malit et integras omnis partis corporis quam eodem usu imminutas aut detortas habere* (Cic. Fin. III 5, 17). Hier haben wir zwei Fälle zu unterscheiden.

Erstens: *quin* bezieht sich auf ein 'so' im regierenden Satz, so dass der Nebensatz als Adverbialsatz erscheint. So: Ennius Alcum. fr. 2, 46 *Nemo est tam firmo ingenio et tanta confidentia, quin refugiat timido sanguen atque exalbescat metu;* Plaut. Pers. 690 *Nil mihi tam parvist, quin me id pigeat perdere;* Ter. Heaut. 675 *Nil tam difficilest, quin quaerendo investigari possiet;* Ter. Ad. 856 *Nunquam ita quisquam bene subducta ratione ad vitam fuit, quin res, aetas, usus semper aliquid adportet novi;* Cic. Nat. de. II 9, 24 *Negat enim (Cleanthes) esse ullum cibum tam gravem, quin is nocte et die concoquatur;* Caes. Bell. Gall. VI 39, 3 *Nemo est tam fortis, quin rei novitate perturbetur.* Hier erscheint das *qui* von *qui-n* als Synonymum von *ut*, das zuweilen in ähnlichen Gedankenverhältnissen auftritt, z. B. Cic. De or. III 31, 124 *Neque tanta (est) in rebus obscuritas, ut eas non penitus acri vir ingenio cernat, si modo aspexerit.*

Die zweite Gruppe bilden die Beispiele, in denen *quin* Stellvertreter von *qui, quae, quod non* ist, wo also der Nebensatz mit *quin* dem Sprachgefühl nicht als Adverbialsatz, sondern als Adjektivsatz erscheint. Plaut. Bacch. 336 *Nullust Ephesi, quin sciat;* Plaut. Pers. 365. 367 *Virgo atque mulier nulla erit, quin sit mala;* Plaut. Amph. 1054 *Neque ullast confidentia iam in corde, quin amiserim;* Plaut. Bacch. 1012 *Nihil est illorum, quin ego illi dixerim;* Ter. Hec. 240 *Nam nostrarum nulla est, quin gnatum velit ducere uxorem;* Ter. Phorm. 697 *Nil est, Antipho, quin male narrando possit depravarier;* Cic. Acad. II 7, 20 *Quis est, quin cernat, quanta vis sit in sensibus?;* Cic. Nat. de. III 13, 34 *Innumerabilia sunt, ex quibus effici cogique possit nihil esse, quod sensum habeat, quin id intereat;* Cic. Verr. IV 1, 1 *Nego in Sicilia tota ullum argenteum vas fuisse, quin abstulerit;* Caes. Bell. civ. III 52, 2 *Nemo fuit militum, quin vulneraretur;* Nep. XVIII 11, 5 *Non cum quoquam arma contuli, quin is mihi succubuerit.* Diesen Sätzen stellen sich solche an die Seite wie Cic. Nat. de. III 39, 92 *Vos enim ipsi dicere soletis nihil esse, quod deus efficere non possit.* Doch erscheint *qui non* auch bei vorausgehendem *tam*, wie Cic. Verr. IV 43, 95 *Nemo Agrigenti neque aetate tam affecta neque viribus tam infirmis fuit, qui non illa nocte eo nuntio excitatus surrexerit.*

Es fragt sich: wie kam *quin* dazu, im Adjektivsatz gebraucht zu werden, wo man nur *qui, quae, quod non* erwarten sollte? Dass der Konsekutivsatz statt der adverbialen Form (*ut*) die des Adjektivsatzes (*qui, quae quod*) annimmt (*tam — qui; non tam — qui non*), ist verständlich. Aber woher das umgekehrte, da doch ein *nemo est, ut non* oder *ut is non* unerhört ist? Von denen, die bisher über diesen Gebrauch von *quin* gehandelt haben, hat keiner gezeigt, wie man sich ein Eindringen dieser Partikel aus den Adverbialsätzen in die Adjektivsätze zu denken habe. Vielmehr haben sie sich, z. B. Kienitz in dem S. 226 genannten Programm p. 20 sq., darauf beschränkt, zu zeigen, dass *quin* nicht *qui, quae, quod non* sein könne.

Hiermit ist die Sache offenbar nicht abgemacht. Mir ist folgendes wahrscheinlich.

Das Adverbium *qui* fungierte von vorhistorischer Zeit her zugleich als allgemeine Relativpartikel für das deklinierte Pronomen, ähnlich wie unser *so* in ahd. (Ostfr. III 24, 20) *allaz, so thir liub ist,* mhd. (Nib. 959) *diu leit der schoenen Kriemhilde, so du hast geseit,* nhd. (Bürger, Ball.) *die Saat, so deine Jagd zertritt.* Ein Analogon auf italischem Boden ist das umbr.-samn. *po* (instr. des Stammes **kᵘo-*) in osk. *poizad* aus *po eizad [1]), **púllad** aus *po ollad und in umbr. pu-ɫe *po-rse,* das als Nom. Akk. Sg. Pl. aller drei Geschlechter erscheint. S. Verf. Grundr. II 780 und Ber. d. sächs. Ges. d. Wiss. 1893 S. 136, wo gleichartige Relativpartikeln noch aus andern Sprachen angeführt sind. Wegen der Bedeutung 'wie', die die lat. Relativpartikel *qui* ursprünglich hatte, vergleiche man speziell das niederd. *wo* 'wie' und das ostnord. *sum (som)* westnord. *sem* 'wie' als Relativpartikeln. Dass sich im Lateinischen die Relativpartikel *qui* nur in der Verbindung *qui-n(e)* erhielt, erklärt sich leicht daraus, dass diese Verbindung in ähnlichen Satzverhältnissen wie das echte Adverb *qui-n(e)* 'wie nicht, warum nicht' gebraucht wurde. Infolge davon trat eine Vermischung der beiden Satzarten ein, man warf im Sprachgefühl das *quin* des Adjektivsatzes mit dem konjunktionalen zusammen [2]). — Das *quin* des Adjektivsatzes stand, wenn ihm kein anaphorisches Pronomen beigegeben war, ursprünglich wohl nur so, dass *qui* den Nom. und den Akk. vertrat, wie es in den oben angeführten Beispielen der Fall ist. Infolge jener Vermischung ging man aber weiter und sagte z. B. auch: (Cic. Att. I 1, 3) *Dies nullus est, quin hic Satyrus domum meum ventitet,* wo *quin* = *quo non* war, vgl. Nep. XXV 20, 2 *Nullus dies temere intercessit, quo non ad eum scriberet.*

Dass *quin* Stellvertreter von *qui, quae, quod non* sei,

---

1) Hiermit war wohl umbr. *pora* identisch, da es auf *poizad zurückführbar ist (von Planta Gramm. der osk.-umbr. Dial. I 274).

2) Hiermit erledigt sich der Einwand von Kienitz S. 21: Tum vero velim afferant illi mihi vel unum exemplum, quo relativum pronomen cum negatione ita coaluerit, ut pro *qui non* nullo discrimine *quin* dici possit. At nulla suppetunt exempla, nisi ubi praecedat enuntiatum negativum. Quod cur fiat, explicari non posset, nisi *quin* esset coniunctio.

wird seit G. T. A. Krüger Gramm. d. lat. Spr. S. 810 darum
geleugnet, weil hinter *quin* öfters noch *is* folgt (*quin is =
qui nôn* etc.). Hierzu ist zu bemerken, dass einer Relativpartikel,
um ihr Kasusverhältniss zu bestimmen, auch anderwärts ein
dekliniertes Demonstrativum zugefügt wird, z. B. umbr. VIb 65
šimo etuto erafont via, pora benuso "retro eunto eadem via,
qua (gleichsam *qui ea*) ventum erit"; neugr. αὐτὸς εἶνε ὁ
ἄνδρας ποῦ τὸν εἶδα "das ist der Mann, den ich (wörtlich:
wo ich ihn) gesehn habe"; lit. *tàs cécorius, kúr iszválnino jó
dúkteri* "der Fürst, dessen Tochter er (wörtlich: wo er dessen
Tochter) befreit hatte".

Das Adverbium *qui* gehörte zum Stamm *qui-* (*qui-s qui-d*).
Wie wir uns nun auch die italischen Relativsätze aus den
Interrogativsätzen hervorgegangen denken [1]), jedenfalls darf uns

---

1) Es mag hier eine Bemerkung gestattet sein über Deeckes
Auffassung der lateinischen Relativsätze (Die griech. und lat. Nebensätze, Progr. von Buchsweiler 1887, S. 38 f.), die den Beifall von
Schmalz (Iw. Müllers Handb. II² 494f.) gefunden hat. Nach ihr soll
das Relativum unmittelbar aus dem direkten (adjektivischen)
Interrogativum entstanden sein. "Ich denke mir also" — sagt Deecke
— "dem Relativsatzgefüge ursprünglich eine wirkliche Wechselrede,
mit Behauptung, Frage und Antwort, zwischen zwei Personen zu
Grunde liegend, z. B.: A. *Punietur vir (ille)*. — B. *Qui (vir punietur)?* — A. *Hominem (ille) occidit*. Daraus mit Selbstfrage und
engerer Verschmelzung: *Punietur vir qui (?) hominem occidit*".
Ich halte einen solchen Entwicklungsgang nicht für wahrscheinlich.
Es giebt allerdings in den naturwüchsigen Volksmundarten Erscheinungen, die man vergleichen könnte: wie wenn z. B. bei uns im Volk
etwa "*da bin ich gleich drauf schlafen gegangen, warum? ich bin
arg müde gewesen*" gesagt wird, wobei *warum?*, ohne irgend eine
besondere Lebhaftigkeit ausgesprochen, nichts anderes meint als
das *weil* der Schriftsprache. Indessen ist sicher keine Mundart von
solcher Ausdrucksweise so durchsetzt, dass man sich vorstellen
könnte, sie vermöchte für die Bildung sämtlicher Arten von relativischen Sätzen die Grundlage abzugeben, mag man auch der Macht
der Analogie recht viel zutrauen. Denn die Situationen, in denen
Relativsätze angewendet werden, sind dazu zu mannigfaltig und
ungleichartig.
Man wird davon ausgehen müssen, dass die Italiker bereits
aus uridg. Zeit eine Kategorie von Sätzen, die den Wert von Relativsätzen hatten — einerlei in welcher Form, ob in einer Haupt-
satz- oder einer Nebensatzform, nur gewiss nicht mit den Kasus
der Stämme *quo- qui-* — mitgebracht hatten. Und wahrscheinlich
war es der im Arischen, Griechischen, Germanischen und Baltisch-

der Umstand, dass unser relativisches *quin* = *qui nōn* zu
diesem Stamm *qui-* und nicht zum Stamm *quo-* gehörte, nicht

---

Slavischen in relativischer Funktion vorliegende Stamm *i̯o-* (ai. *ya-*
usw.), der auch schon in der idg. Urzeit Relativsätze bildete, wenn
auch damals vielleicht nicht er allein dieses Amt hatte und er neben
dieser Funktion auch noch seine ältere anaphorische Bedeutung
beibehalten hatte. A priori ist also wahrscheinlich, dass im Italischen relativische *i̯o*-Sätze durch *quo-(qui-)*Sätze abgelöst worden sind.

Man liess vor Deecke die latein. Relativsätze (mit adjektivi-
schem oder adverbialem Pronomen relativum) aus indirekten
Fragesätzen entstanden sein und zwar aus jenen mit dem Indikativ,
wie sie noch im Altlatein reichlich vertreten sind, und unter denen
ja viele vom Standpunkt dieser Sprachperiode aus ebenso gut als
Relativ- wie als Fragesätze gefasst werden können, z. B. *video,
quam rem agis* oder *audin, quae loquitur?* (Draeger Hist. Synt.
II² 460 ff.). Nun giebt es aber unter den Sätzen mit dem bestimmten Relativum eine ganze Reihe, die aus indirekten Fragesätzen
organisch nicht herleitbar sind, vor allem die mit adverbialem *quod,*
wie *bene facis quod me adiuvas.* Und doch müssen wir, meine ich,
von den indirekten Fragesätzen ausgehen. Die abhängigen Fragesätze in Satzgefügen wie *video, quam rem agis* wurden in uritalischer
Zeit als gleichwertig empfunden mit relativischen *i̯o*-Sätzen von der
Art wie Rigv. VIII 92, 18 *vidmá hí yás tē adriváḥ tvádattaḥ* (scil.
mádaḥ) "denn wir wissen, o Keilträger, welches dein selbstempfan-
gener Rausch ist", X 129, 6 *átha kó véda yáta ābabhū́va* "aber
wer weiss, von wo es entstanden ist", Herodot IV 53 τὸ δὲ κοτύ-
περθε δι' ὧν ῥέει ἀνθρώπων (Βορυσθένης ποταμός), οὐδεὶς ἔχει φράσαι.
Infolge hiervon trat ein Promiskuegebrauch ein, *quo- (qui-)* übernahm durch analogische Verallgemeinerung beliebige Funktionen
von *i̯o-* — etwa so, wie *quoniam* 'weil', da es Synonymum von *quod*
ward, in späterer Latinität auch für *quod* 'dass' eintrat (Schmalz
Iw. Müllers Handb. II² 514), oder wie der abl. sing. (*equōd*) zugleich
die instrumentalen und lokativischen, oder wie die Konjunktivfor-
men (*agam*) zugleich die optativischen Bedeutungen übernahmen, —
und schliesslich wich *i̯o-* ganz dem *quo-*.

Was das unbestimmte Relativum betrifft, so ist wenigstens
für *quisque* (Draeger I² 101, II² 522) sicher nicht vom Fragepron-
men, sondern vom Indefinitum auszugehen. Das hat Delbrück
Vergleich. Synt. I 515 erkannt: "In plautinischen Sätzen wie: *quemque hic intus videro, eum ego obtruncabo* sollte man streng genommen nach Anleitung des arischen *yas kas ca quem quemque*
erwarten. [So im Lat. noch relat. *quandō quomque* 'wann, wann es
auch sei' = 'wann immer, wann auch immer'.] Indessen ist diese
Verbindung, welche dadurch unbequem wurde, dass derselbe Stamm
auch das Relativum lieferte, offenbar früh aufgegeben worden". In

hindern, dem Adverbium *qui* von uritalischer Zeit her bereits
auch echt relativische Funktion zuzuweisen. Den Relativstamm
qui- haben wir auf römischem Boden in *quis quid* im Alt-
lateinischen, z. B. Cato r. r. 148 *dominus vino quid volet faciat*
(Schmalz Iw. Müllers Handb. II² 494), in dem instr. sg. *qui*
(*qui-cum* neben *quōcum quācum*), in dem dat. abl. pl. *qui-bus*,
wahrscheinlich auch im acc. sg. masc. *quem* für **quim* = osk.
pim (Grundr. II S. 772), ferner event. in *quisquis quidquid*,
z. B. *deorum quidquid regit terras* (s. Fussn.), endlich im plur.
quēsquonque = *quicunque* (Cato). Hierzu kommen aus dem
Umbrisch-Samnitischen die Sätze wie osk. *pis cevs Bantins
fust, censamur* "qui (quicunque) civis Bantinus erit, censetor"
(Zvetaieff Inscr. It. inf. 231, 19), **pid e[sei] thesavreí pük-
kapid eh[stit]** "quod (quidquid) in eo thesauro quandoque
extat" (Zvetai. 136, 51), umbr. **ařfertur pisi pumpe fust,
ere ... prehabia, piře uraku ri esuna si herte** "flamen
qui quonque erit, is ... praebeat, quod (quidquid) ad illam
rem divinam sit oportet" (Va 3), ferner dasjenige umbrische
pirsi, welches als Konjunktion dem lat. *quod* 'was das anbe-

derselben Weise ist auch *quisquis* zu erklären, falls sein Gebrauch in Sätzen wie *quatenus quidquid se attingat, quocunque in
loco quisquis est* der ursprünglichere war, vgl. Rigv. VIII 102, 20
yád agnē kāni kāni cid ā tē dārūṇi dadhmási "wenn wir dir, o
Agni, alle möglichen Holzarten auflegen" und argiv. αἴ τίστις ἢ τὰν
βωλὰν ... εὐθύνοι (Robert Monumenti antichi pubbl. per cura della
R. Accademia dei Lincei I (1893) p. 594). Dann stünde z. B. *deorum
quidquid regit terras* für *deorum quod quidquid regit terras*. Doch
scheint auch möglich, dass auch hier das Fragepronomen direkt
für das idg. Relativum eingedrungen war, vgl. Rigv. II 25, 1 *játéna
játám áti sá prā sasṛtē yáyą yúją kṛnuté brāhmaṇas pátiḥ* "mit
seiner Nachkommenschaft breitet er sich über die anderer aus,
wen immer Bṛhaspati zu seinem Freunde macht", VIII 50, 6 *yádyad
yámi tád ā bhara* "um was immer ich bitte, das bring heran";
mit *utut* vgl. *yáthāyathā*. *Quicumque* und das unbestimmte *qui*
sind bezüglich ihres Ursprungs nicht anders zu beurteilen als das
bestimmte Relativ *qui*.

Wie es gekommen ist, dass in der speziell lateinischen Ent-
wicklungsperiode im Relativsatz *quis* und *quid* durch *qui* und *quod*
verdrängt wurden, so dass jene als pronomina relativa nur noch
im ältesten Latein durch ein paar Beispiele vertreten sind, ist mir
unklar. Jedenfalls hat aber diese formale Differenzierung mit der
Entstehung der durch den Interrogativstamm charakterisierten Relativsätze in uritalischer Zeit nichts mehr zu schaffen.

trifft, dass', 'wenn' entspricht: VIa 5 *sersi pirsi sesust, poi
angla aseriato est, erse neip mugatu nep* ... "sede quod (si)
sederit qui oscines observatum ibit, tum nec muttito nec ...",
VIa 26 *orer ose, persei ocre Fisie pir orto est, toteme
Iovine arsmor dersecor subator sent, pusei neip heritu* "illis
(rebus) aucte, quod (si) in arce Fisia ignis ortus est, in urbe
Iguvina ritus debiti (?) omissi sunt, pro nihilo ducito".

Schliesslich sei noch erwähnt, dass der Gebrauch des
scheinbar als lebendiger Kasus (Ablativus) stehenden *quī* (z. B.
Plaut. Amph. 99 *in illisce habitat aedibus Amphitruo, natus
Argis ex Argo patre, quicum Alcumenast nupta,* "mit welchem") schon im Anfang der historischen Zeit in eigentümlicher Weise eingeschränkt war. Es war substantivisch wie
quis: man sagte *quō pactō,* nicht *quī pactō* usw. Es hatte
nur instrumentale, keine ablativische Funktionen: daher z. B.
zwar *quī-cum,* aber kein *ex quī* oder *a quī.* Dieser Umstand
ist insofern von Wichtigkeit, als er beweist, dass die Form
schon zu der Zeit, als der Synkretismus zwischen Ablativ und
Instrumental stattfand, kein lebendiger Kasus mehr war [1]).
Ihre adverbiale Erstarrung wird vollends dadurch erwiesen,
dass *quīcum* auch im Sinne von *quibuscum* vorkommt: Plaut.
Capt. V 4, 6 (1003) *Nam ubi illo adveni, quasi patriciis
pueris aut monedulae aut anates aut coturnices dantur, qui-
cum lusitent* (vgl. Kienitz De *quī* localis modalis apud priscos
scriptores Lat. usu, Jahrbb. f. klass. Philol. Suppl. Bd. X 532).
Es verhielt sich also dieses *quīcum* zu dem *quī(n)* in *nullus
est quin sciat* ähnlich wie unser *womit* zu dem mundartlichen
wo in *der mann, wo mir das erzählt hat.*

Leipzig.   K. Brugmann.

---

1) Der abl. absolutus *quī praesente* "in wessen Gegenwart"
(s. die sogleich im Text anzuführende Abhandlung von Kienitz
S. 529) zeigt hiernach, dass wir in der absoluten Partizipialkon-
struktion des Lateinischen den Instrumental anzuerkennen haben,
wenn auch vielleicht nicht ihn allein. Ich komme hierauf in einer
demnächst zu veröffentlichenden Arbeit "Die mit dem Suffix *-to-*
gebildeten Participia im Verbalsystem des Lateinischen. Eine syntaktische Untersuchung." ausführlicher zu sprechen.

Zur Chronologie der lateinischen Lautgesetze.

Mit annähernder Sicherheit lässt sich der Zeitpunkt des Eintretens des Rhotazismus für das Lateinische bestimmen. Diese auffallende lautliche Erscheinung, welche, wie bekannt, auch von den lateinischen Nationalgrammatikern in gebührendem Masse gewürdigt worden ist, muss um 330 v. Chr. jedenfalls als vollendete Thatsache existiert haben [1]). Wenigstens liegt kein ausreichender Grund vor, an der Richtigkeit der Tradition in ihrer Hauptsache zu zweifeln. Diese chronologisch sicher stehende Thatsache der lateinischen Sprachgeschichte nehme ich zum Ausgangspunkt meiner Ausführungen, die wenigstens einige meines Wissens bis jetzt noch nicht beobachtete Thatsachen relativer Chronologie der lateinischen Lautgesetze ergeben werden.

Meine erste Beobachtung knüpft sich an das Wort *ornus* 'wilde Bergesche', welches, wie auch Hirt IF. I 483 ausdrücklich anerkennt und neuestens auch Danielsson De voce ΑΙΖΗΟΣ quaest. etym. S. 38 zugiebt, von Fick BB. XVI 171 in überzeugender Weise zu anord. *askr*, lit. *üsis*, slav. *jasika* gestellt worden ist und mithin auf *osinus* zurückgeführt werden muss [2]). Das Verhältnis der in der klassischen Sprache allein üblichen Form *ornus* zu diesem durch den Vergleich mit den entsprechenden Formen der verwandten Sprachen erschlossenen *osinus* ist dahin zu bestimmen, dass ersteres aus *orinus* durch Synkope des Vokals der nachtonigen Silbe entstanden ist. Es ist also der Übergang des intervokalischen *s* in *r* älter als die Synkope des Vokals der nachtonigen Silbe.

Hier gilt es zunächst einem Einwande zu begegnen, der gegen meine Auffassung des Wortes *ornus* vorgebracht werden könnte. Das von uns als notwendig vorausgesetzte *orinus*

---

1) W. Deecke Die Falisker 28 setzt die Periode des Rhotazismus in die Zeit von 450—350.

2) Prellwitz Etym. Wört. 42 nimmt wegen gr. ἀχερωίς (-ωίς *ösis) eine Grundform *ösinus an. Ich halte diese Zergliederung von ἀχερωίς für problematisch.

und das historische *ornus* könnten nach Osthoff Archiv für
lat. Lex. IV 464, wie beispielsweise *calidus* und *caldus*, *validus*
und *valdē*, ersteres als die "Form der geringeren Geschwindig-
keit", letzteres als "Schnellsprechform" bezeichnet werden. Ja,
Skutsch Forschungen zur lat. Grammatik und Metrik I 47 hält
diese Erklärung für die einzig mögliche. Dem gegenüber muss
hervorgehoben werden, dass denn doch auch noch andere Möglichkeiten bestehen. Es sei darauf hingewiesen, dass Meyer-Lübke
Gramm. der romanischen Sprachen I 54 und 261 für das Vulgärlatein an einen Zusammenhang dieser Erscheinung der Synkope
in der nachtonigen Silbe von Proparoxytona mit der Natur
der den Vokal einschliessenden Konsonanten zu denken scheint,
wenn er an der letzteren Stelle (S. 261) bemerkt, "dass der
tonlose Mittelvokal von Proparoxytonis schon im Vulgärlateinischen gefallen sei zwischen *r'm*, *z'd*, *l'm*, *l'd*, *l'p*, *s't*, ferner
in *frigdus* und *domnus*, deren zweites schon bei Plautus belegt ist". Noch viel wahrscheinlicher dünkt mich ein Erklärungsversuch, den von Planta Gramm. d. oskisch-umbr. Dial.
I 215 ausspricht. Er geht aus von dem Nebeneinanderbestehen
der umbrischen synkopierten Imperativformen und nichtsynko-
pierten Partizipialformen, z. B. *aitu*, *agito* aus *aktu *agětōd und
muieto aus *mugětom und erklärt diese Verschiedenheit durch
die Quantität des Vokales der nachfolgenden Silbe. Ist derselbe lang, so erfolgt Synkope des Vokals der vorausgehenden
Silbe. In der Fussnote 2) deutet von Planta an, dass auch das
Verhältnis von lat. *calidus* und *caldus* in der gleichen Weise
erklärt werden könnte; *calidus* *calidum* aus *caledŏs *caledŏm*,
wenn die zweite folgende Silbe kurzen Vokal hatte, aber
*caldōd *caldī, worauf dann durch gegenseitige Ausgleichung
dieser Doppelformen *calidus* und *caldus* in Aufnahme kamen
und nebeneinander fortbestanden. Man darf die Formen der
letzteren Art wohl als die volkstümlicheren bezeichnen, wie
ausser den romanischen Fortsetzern auch die Stelle des Quintilian I 6, 19 zeigt, in welcher der Gebrauch von *calidum* als
pedantisch "περίεργον" bezeichnet wird. Darum mag es wohl
nicht auf Zufall beruhen, dass das zum Adverbium erstarrte
valdē nur in dieser éinen Form vorhanden ist, während beim
Adjektiv bekanntlich die dreisilbige Form verallgemeinert ist.

Kehren wir nun zu unserem *ornus* zurück. Ist von Plantas
Erklärungsversuch richtig, was ich für sehr wahrscheinlich

halte, so ist die Form *ornus* ein Ausgleichsprodukt der Formen
*orinus *orinum und *orni orno*. Das heisst mit anderen Worten, die Synkope der nachtonigen Silbe kann bei diesem Worte
erst nach Abschluss des Prozesses des Rhotazismus eingetreten
sein. Denn wäre die Vokalsynkope vor Eintritt des Rhotazismus erfolgt, so hätte aus der vorauszusetzenden Flexion *osinos
*osnod nur *osinus *onod sich ergeben. Daraus liesse sich aber,
wie leicht ersichtlich ist, die in der historischen Latinität bezeugte Form *ornus* nur durch die Annahme erklären, dass
nach Abschluss des Prozesses der Rhotazierung noch eine
zweite Vokalsynkope eingetreten wäre, eine Annahme, die
sicherlich nur geringe Wahrscheinlichkeit für sich hat. Wir
sind demnach berechtigt, aus dem Vorhandensein der Form
ornus den bereits mehrfach ausgesprochenen Schluss auf das
chronologische Verhältnis von Rhotazismus und Synkope des
Vokals der nachtonigen Silbe in den *ornus* (bez. *osinus*) gleich-
gestalteten Wörtern (Proparoxytona) zu ziehen. Gleicher Art
ist z. B. auch *verna*, wenn es Brugmann Grundriss II 137 richtig
aus *ves-ina herleitet. Und ebenso sind *aetas* [*aevitas* für die
Zwölftafelgesetze bezeugt durch Zitate bei Cicero und Gellius]
auceps auspex aus *avi-ceps *avispex* in dieselbe Kategorie
zu stellen.

Sind diese Ausführungen richtig, so sind wir auch berechtigt in *cavitionem* (Paul. Festi 43 Th. d. P.) einen Überrest
aus jener Zeit zu sehen, wo in derselben Weise, wie *orinus
*ornod, auch *cavitum *cavitus (aus *cavetum *cavetos) neben
*cauto(d) cauti bestanden. Somit wird durch *cavitionem*, das
sich in seiner Form an *cavitum angeschlossen hat und gerade
dadurch Zeugschaft ablegt für dessen lautliche Gestaltung, der
Nachweis erbracht, dass der synkopierte Vokal in diesem und
natürlich auch den entsprechenden Fällen *i* gewesen ist, oder
mit anderen Worten, dass die V o k a l s c h w ä c h u n g in der
n a c h t o n i g e n S i l b e ä l t e r i s t a l s d i e S y n k o p e.

Im Zusammenhange mit der eben angeführten Beobachtung soll hier noch auf einige sprachliche Thatsachen aufmerksam gemacht werden, welche gleichfalls in dasselbe Gebiet
der Vokalschwächung in nachtoniger Silbe gehören. Schon
Brugmann Grundriss I S. 322 hat die Beobachtung verzeichnet,
dass die Schwächung älter ist als der Übergang der Silbe
que- in *co-* vor Konsonanten und zum Beweise hierfür das

Kompositum *inquilīnus* aus urspr. **en-quel-ino-s* von W. *quel-*,
vgl. *colō* aus **quelō*, ins Feld geführt. Diese gewiss un-
anfechtbare Thatsache hat nur das Missliche an sich, dass
sie, soweit wenigstens ich zu urteilen vermag, chronologisch
nicht verwertbar ist. Dagegen ist in chronologischer Hinsicht aufklärend zu wirken geeignet das Adverbium *ilicō*,
das meines Wissens zuerst Havet MSL. V 229 f. auf **in*
slocō zurückgeführt hat, eine Erklärung, die gegenwärtig
allgemeine Zustimmung geniesst. Meines Erachtens ist aber
von **en slocō* auszugehen, da die Bildung von *ilicō* nicht
erst zu einer Zeit erfolgt ist, in welcher *en* bereits allgemein
durch *in* ersetzt war. In diesem Kompositum muss demnach
der Übergang des anlautenden *e-* in *i-* zu einer Zeit stattgefunden haben, da die Lautgruppe *-nsl-* noch ungestört bestand. Andernfalls wäre im historischen Latein nicht *ilicō*
sondern **elicō* daraus geworden. Und da die lautgesetzliche
Umformung von *en* in *in* schon in die historische Latinität,
in die Zeit der beginnenden Litteratur fällt, wie *en manom*
(Duenos-Inschrift) beweist ([*enque eodem*] *maci* [*stratod*] (Col.
rostr.), neben *inaltod marid*, sowie das von Parodi Arch. glott.
suppl. I 9 angeführte *enManicelo* CIL. I 199, 12 hat neben
mehrmals vorkommendem *in* nur die Bedeutung einer graphischen Variante, wie *Vendupale* 9 neben *Vindupale* 3), so ist
es nicht statthaft analogische Umbildung zu **in slocō* anzunehmen. Der Umstand, dass in diesem Kompositum der Vokal
der nachtonigen Silbe Schwächung zu *i* erfahren hat, weist
die Entstehung desselben in eine Zeit, zu welcher auch bereits
das oben berichtete *cavitio*, beziehungsweise **cavitum* bestanden. Daraus dürfen wir aber auch umgekehrt den Schluss
ziehen, dass sich die Lautgruppe *-nsl-* noch bis in die Zeit
des historischen Latein ungestört behauptet haben muss. Hierfür haben wir allerdings auch noch ausser einem aus der
Analogie der uns mehrfach bezeugten Lautgruppen *-sn-* und
-sm- hergeholten Beweisgrunde einen unmittelbaren Beleg in
dem Kompositum *anhēlare*, dessen zweiter Bestandteil nach
Fick Et. Wört. I³ 15 mit ai. *anilās* 'Wind' nahe verwandt ist.
Mit Recht hat Osthoff Zur Geschichte des Perfekts 115¹ darauf
hingewiesen, dass die Schwächung eines ursprünglichen *a* in *ē*
hier nur scheinbar vorliege, sondern vielmehr *ā* vor folgender
Doppelkonsonanz in *ē* übergegangen sei, wie in *cōnscendō*

neben *scandō* und analogen Fällen, und erst hinterher nach
Vereinfachung der ursprünglichen Lautgruppe Dehnung des *e*
eingetreten sei. Wenn er aber als Grundform für das vorauszusetzende Etymon von *anhēlare* in Übereinstimmung mit Fick
*ăn-ănlo-s *ăn-enlo-s (*alum* 'wilder Knoblauch', *alāre* 'hauchen,
duften') ansetzt, so ist dabei übersehen, dass aus einer solchen Grundform *anĕllos zu erwarten wäre, wie man aus
ullus homullus (St. *uno- homon-*) ersieht. Vielmehr ist als
Grundform *ăn-anslo-s *ăn-enslo-s anzusetzen (vgl. Brugmann
Grundriss I S. 177), woraus sich regelrecht nach den Lautgesetzen des Lateinischen *anēlus anhēlus ergiebt. Jedenfalls
folgt aus diesem Beispiel, dass die Schwächung des Vokals
der nachtonigen Silbe stattgefunden haben muss, als die Lautgruppe ·*nsl*- noch bestand, da unter anderem mehrfache Konsonanz die Bedingung des Übergangs von *ă* in *ĕ* in nachtonigen Silben ist, und somit stützen sich *ilicō* und *anēlāre*
wechselseitig. Zugleich ist dadurch die Entstehungszeit von
ilicō genauer bestimmt als durch Havets allgemeine Äusserung
"a donc été formé longtemps avant Plaute", die er wegen des
plaut. *collocāre* gemacht hat.

Hier scheint es mir am geeignetsten an den oben erwähnten Wandel von *e* in *i* vor Konsonantengruppen, der in
historischer Zeit erfolgt ist, eine kurze Auseinandersetzung
über *inuleus* 'Hirschkalb' und *insula* anzuknüpfen. Dass das
erstere ein echt lateinisches, dem griechischen ἔνελος (Hesychios)
etymologisch verwandtes Wort ist, das nur in falscher Anlehnung an das vom griech. ἵννος stammende *hinnulus* auch *hin-
nuleus* geschrieben wurde, ist von Keller Epilegomena zu Hor.
carm. I 23, 1, Lateinische Volksetymologie 311 richtig dargethan und auch von O. Weise Die griech. Wörter im Latein 22 f.
anerkannt worden. Allein hinsichtlich der Erklärung der lat.
Form *inuleus*, wie sie Keller Lat. Volksetym. 48 giebt, bin
ich ganz anderer Ansicht. *inuleus* verdankt sein *in-* nicht der
Volksetymologie, deren Eingreifen ich mir in unserem Falle
gar nicht erklären könnte, sondern der Wirkung des bekannten
Lautgesetzes, nach welchem *e* vor gewissen Konsonantengruppen in *i* übergegangen ist. Ich führe das Wort auf eine
Grundform *enlo zurück, woraus sich regelrecht **inlo-* entwickelte, das durch die Entstehung eines svarabhaktischen
Vokals zu **inulo-* wurde, und von dem *inuleus* herstammt.

Das Wort *insula* scheint mir auch heute noch am wahrscheinlichsten mit gr. νῆcoc νᾶcoc (aus *νά-τιο-? nach Curtius Grundr.
⁵319 aus *νά-κιο-) in Zusammenhang gebracht zu werden, wenn
auch neuestens Per Persson Studien zur Lehre von der Wurzelerweiterung usw. 227 ausdrücklich hervorhebt, dass ihre Zu-
sammengehörigkeit doch nicht feststehe.   Wie ich in meiner
Laut- und Formenlehre ²287 gegen Schulze hervorgehoben
habe, muss es auf *ensla *ṇsla zurückgeführt werden. Anders,
aber nicht überzeugend Wharton Etyma Latina 48.

Es muss nach dem Gesagten *insula* sein *i* früher erhalten
haben, als die Lautgruppe -nsl- zu -l- vereinfacht wurde, und
vor der Entwickelung des svarabhaktischen Vokals zwischen
s und *l*. Für die Chronologie der Lautgesetze ergiebt dies
den Schluss, dass der svarabhaktische Vokal in *inuleus*, *insula*
und, wie wir doch sicher sagen dürfen, in allen ähnlichen
Fällen jünger ist als der in historischer Zeit erfolgte Übergang von *e* in *i* vor gewissen Konsonantengruppen. Aus dem
Gesagten geht aber auch hervor, dass zwischen dieser Erscheinung der anaptyktischen Vokale im Lateinischen und
Oskischen kein unmittelbarer Zusammenhang besteht.

Gegen meine Ausführungen über *inuleus* beweisen Fälle
wie *ullus sigillum* nichts.   Sie sind jüngeren Datums und erst
zu einer Zeit entstanden, da die Synkope des Vokals der nachtonigen Silbe aufkam.   Und inzwischen war auch die Lautregel der Assimilation des *n* an nachfolgendes *l* in Kraft getreten.   Zugleich muss aber auch ausdrücklich hervorgehoben
werden, dass nach der von uns früher gemachten Beobachtung
der chronologischen Vorgängigkeit der Schwächung des Vokals
der nachtonigen Silbe vor der Synkope die unmittelbaren Vorgänger von *ullus sigillum* *ūnilos* *signilom* gewesen sind,
nicht *unolos, *signolom.   Ebenso sind natürlich auch *altrinos
*erivom (vgl. gr. ὄροβοc J. Schmidt KZ. XXXII 325) für die
späteren Formen *alternus ervum* anzusetzen.

Fassen wir die von uns bis jetzt gewonnenen Ergebnisse
kurz zusammen.   Als das relativ älteste Lautgesetz hat sich
uns auf dem eingeschlagenen Wege die Schwächung des Vokals
der nachtonigen Silbe ergeben.   Dieses Lautgesetz ist älter als
das Gesetz des Rhotazismus.   Dagegen jüngeren Datums ist
das unter gewissen, allerdings bis jetzt nicht mit Sicherheit
herausgebrachten Bedingungen obwaltende Eintreten der Syn-

kope der nachtonigen Silbe. Noch jüngeren Ursprungs ist das Auftreten eines svarabhaktischen Vokals nach der Tonsilbe, welches erst nach dem zu Beginn der Litteratur sich vollziehenden Übergang von *e* in *i* vor gewissen Konsonantengruppen fällt. Daneben haben sich uns auch Anhaltspunkte über den Zeitpunkt ergeben, bis zu welchem die Inlautsgruppe -*nsl*- erhalten blieb, und wann die Assimilierung der Lautgruppe -*nl*- zu -*ll*- eintrat.

Wenn auch nach den vorausgegangenen Erörterungen kein Zweifel darüber bestehen kann, dass die Vokalschwächung der nachtonigen Silbe in eine verhältnismässig alte Zeit zurückgeht, so kann ich doch keinen Anhaltspunkt dafür finden, den terminus a quo ausfindig zu machen. Dass auch noch Formen aus einer Epoche, in welcher das Vokalschwächungsgesetz nicht herrschte, überliefert waren, dürfte am ehesten durch das von Paul. Festi 17 Th. d. P. überlieferte *"acetare dicebant, quod nunc dicimus agitare"* und diesem entsprechende Formen erwiesen werden. Allein niemand weiss darüber Auskunft zu geben, aus welcher Zeit diese Form *acetare* stammt. Nur soviel ist nach unseren früheren Ausführungen gewiss, dass sie aus einer Zeit stammen muss, welche der Rhotazierung des intervokalischen *s* voranging, da nachgewiesenermassen die Vokalschwächung älter ist als die Rhotazierung. Damit sind wir, soweit das uns bis zur Stunde zur Verfügung stehende Material reicht, am Ende der auf einigermassen sicheren Thatsachen der Sprachgeschichte beruhenden Schlussfolgerungen angelangt. Ob also die aus dem sechsten vorchristlichen Jahrhundert stammende Inschrift der Fibula von Palestrina wirklich einer Zeit angehört, in welcher das Vokalschwächungsgesetz bereits herrschte, ist bei dem Abgange untrüglicher Kriterien eine blosse Vermutung, der ich mit dem gleichen Rechte in einer Anzeige des Buches von C. D. Buck Der Vokalismus der oskischen Sprache (Zeitschrift f. d. österreichischen Gymnasien Jahrgang 1892, 998) die Behauptung entgegengestellt habe, man müsste nicht nur *ꟼheꟼhiked*, sondern auch *Numisioi* erwarten, da alle Wahrscheinlichkeit dafür spricht, dass die altlateinische Betonung der Anfangssilbe, deren Spuren wir in einer Reihe von Belegen verfolgen können, zur Zeit der Entstehung jener Inschrift noch herrschte. Natürlich hat die thatsächlich überlieferte Form *Numisius* (z. B. CIL. XI 1, 3110 aus Falieri und 3176) nichts mit unserem *Numasius* zu thun, sondern repräsentiert eine selbständige auch im Etruskischen und Oskischen vertretene Namensform, vgl. Deecke Die Falisker 215 no. 86 und Fabrettis Glossarium. Zugegeben nun, dass von Planta I 589 im Recht ist, wenn er die Verlegung des Akzentes für uritalisch, ja sogar unmittelbaren Zusammenhang der Zurückziehung des Akzentes im Italischen und Keltischen für möglich hält, so machen es doch verschiedene Umstände, insbesondere die Behandlung der griechischen Lehnwörter im Lateinischen, worauf ich schon wiederholt aufmerksam gemacht habe, höchst wahrscheinlich, dass das ältere Betonungsgesetz noch ins historische Latein hineinragte und der Eintritt der jüngeren Betonung nicht, wie von Planta a. a. O. meint, schon in die vorhistorische Zeit fällt. Da die Numasios-Inschrift ins sechste vorchristliche Jahrhundert fällt und andererseits die für die Zwölftafelgesetze bezeugte Form *aevitas* bereits Schwächung der nachtonigen Silbe zeigt, so könnte man mutmassen, dass um 500 v. Chr. herum dieses letztere Gesetz zur Geltung gelangte. Ja, vielleicht steht auch das Auftreten des svarabhaktischen Vokals in *Aesculapius* in Zusammenhang mit der neuen Betonung, wenn wir für *Aisclapi*, das trotz Lattes Le iscr. paleolat. 6 f. mit Jordan Krit. Beitr. 26 f. für echt lateinisch zu halten ist, Anfangsbetonung voraussetzen dürften.

Innsbruck, Ende Juni 1893.

F. Stolz.

Der Infinitiv Praesentis Activi und die *i*-Diphthonge in wortschliessenden Silben im Lateinischen.

Die idg. *i*-Diphthonge mit kurzem ersten Bestandteil *ai ei oi* sind im Lateinischen in wortschliessenden Silben ebenso wie in urspr. unbetonten Mittelsilben unter dem Einflusse der Tonlosigkeit unterschiedslos zu *i* zusammengefallen. Diese Lehre darf gegenwärtig trotz des Widerspruches von Torp Beiträge zur Lehre von den geschlechtslosen Pronomen S. 15 ff. Anm. als ausgemacht gelten. Sie wird bewiesen durch die folgenden Fälle:

I. *ai*.

1. 1. Sg. Perf.: *tutudī* = ai. *tutudé*; vgl. altbulg. *vědě*.

2. Dat. Sg. der konsonantischen Stämme: *patrī* = ai. *pitré*, vgl. δόμεναι; dazu der Inf. Praes. Pass. *agī* = ai. *-djē* und wahrscheinlich auch 2. Pl. Pass. *legimini* = gr. λεγέμεναι.

3. Dat. Abl. Pl. der fem. *a*-Stämme: *mensis* = osk. *diumpais*, gr. χώραις, wobei dahingestellt bleiben muss, ob *-ais* von Anfang an *ā* hatte oder auf älteres *-ais* zurückgeht.

4. *sī* zu osk. *svai*, umbr. *sve*, volsk. *se*, gr. αἰ; betreffs des Anlautes s. KZ. XXXII 277 ff. Da die proklitische Natur des Wortes durch das Griechische genugsam verbürgt wird, liegt kein Anlass vor, die Formen der ital. Mundarten hinsichtlich der Endung von einander loszureissen, wie dies neuerdings mehrfach geschehen ist. Während gr. εἰ den Lokativ eines ŏ-Stammes darstellt, ist αἰ und ital. *s(u̯)ai* der Lokativ eines *a*-Stammes; *-ai* ist aus älterem *-ai* entstanden in den Verbindungen, in denen sich das proklitische Wort eng an folgenden konsonantischen Anlaut anlehnte, wie ich es kürzlich für καί vermutet habe (KZ. XXXIII 300).

II. *ei*.

1. Lok. Sg. der ŏ-Stämme: *bellī* = osk. *múiníkeí tereí*, gr. οἴκει.

2. Dat. Sg. der Personalpronomina: *mihī tibī sibī* = osk. *sifeí*, pälign. *sefei*, preuss. *tebbei sebbei*, lit. *távei sávei*.

3. *ubī ibī*, die in ihrem Suffix dem ai. *kúha*, altbulg. *kъde* 'wo' + *id* oder, was sehr viel wahrscheinlicher, *i* entsprechen (J. Schmidt KZ. XXXII 407 f.).

III. *oi*.

1. Nom. Pl. der mask. ŏ-Stämme: *populī* = altlat. *poploe pilumnoe*, gr. λύκοι.

2. Dat. Abl. Pl. der ŏ-Stämme: *illīs* = altlat. *oloes*, osk. *zicolois*, pälign. *cnatois*, gr. λύκοις. Auch hier muss unentschieden bleiben, ob *oi* auf älterem *ōi* beruht.

3. Gen. Sg. des Personalpronomens: **mī tī* in altlat. *mis tis* (Brugmann Grundr. II 819) = ai. *mē tē*, gr. μοὶ τοὶ[1]).

4. Nom. Sg. *quī* aus *quoi* (*qoi* Dvenosinschr.) = osk. *poi*; entsprechend *hīc* aus **hoic(e)*.

---

1) Über den Dativ *mī* und sein Verhältnis zu *mihī* s. meine 'Stud. z. lat. Lautgeschichte' S. 123 Anm. 2.

Unbestimmbar ist die Qualität des Diphthongen in *uti*,
möglicherweise = altbaktr. *kutha* 'wie' + *i* (J. Schmidt KZ.
XXXII 408).

Diese durchgreifende Behandlungsweise würde eine einzige
Ausnahme erfahren: im Nom. Pl. der fem. *a*-Stämme *istae mensae*,
wenn man diesen dem gr. ταὶ χῶραι direkt gleichsetzt, mag
man nun beide Formen mit Brugmann als Fortsetzungen des
idg. Nom. Dualis (ai. *diçē*, lit. *gerē-jì*) betrachten oder annehmen, dass sie auf beiden Sprachgebieten unabhängig in derselben Weise nach dem Muster des Nom. Pl. Mask. auf *-ōi* neugebildet sind. Also ist jene vollkommene Gleichsetzung unhaltbar, wie schon Streitberg z. germ. Sprachgesch. 67 und Idg.
Anz. II 170 ausgesprochen hat. Denn auch der Versuch Osthoffs Perfekt 197 ff. sie trotz ihres Widerspruches mit den
oben aufgeführten Fällen zu retten — Streitberg ist auf diesen
Versuch nicht weiter eingegangen — kann nicht als gelungen
betrachtet werden.

Osthoff meint, die einsilbigen Pronominalformen *hae quae*
könnten, wenigstens wo sie betont seien, urspr. **hāi quāi* ganz
lautgesetzlich fortsetzen und von ihnen aus sei *ai* für *i* zunächst auf die anderen Pronomina, dann auf die Substantiva
und Adjektiva übergegangen. Allein in allen anderen Kasus
dieser Pronomina sind die Formen zur Herrschaft gelangt, die
in unbetonter Stellung entstanden sind. Beim Nom. Dat. Abl.
Pl. *hi qui*, *his quis* kann man den zweisilbigen Pronomina
illi illis usw. die Schuld daran zuschieben (Brugmann Grdr.
1, 75). Beim Nom. Sg. Mask. *qui hic* aus *quoi *hoice* aber ver-
sagt diese Auskunft, und er lehrt, dass die unbetonten Formen
beider Pronomina aus eigener Kraft im Stande waren die betonten zu verdrängen. Man wird diesen Gang der Entwicklung auch bei *hic* nicht befremdlich finden, wenn man bedenkt, dass dieses urspr. nur das bezeichnete, was zur Person
des Redenden in Beziehung steht, und sich vielfach von *meus*
kaum unterschied (Bach in Studemunds Studien auf dem Geb.
d. arch. Lat. II 148 ff.), also keineswegs so scharf deiktische
Kraft besass, dass es überall oder auch nur in den meisten
Fällen einen Akzent gehabt hätte. Unter diesen Umständen
wird man sich kaum zu der Annahme verstehen wollen, dass
gerade der Nom. Pl. Fem. die Ausgleichung entgegen dem allgemeinen Zuge vorgenommen haben sollte, zumal da sich als

ein Ausweg, auf dem ein ernsthaftes Hindernis nicht begegnet,
die Möglichkeit bietet das -*ae* auf -*ai* zurückzuführen. Mit
anderen Worten, die urspr. Endung -*as*, von der noch in
historischer Zeit Spuren in dem *matrona* der Inschriften des
Pisaurischen Haines (CIL. I 173. 177), vielleicht auch noch im
Naevius- und Plautustext vorliegen, hat nach dem mask. -*oī*
ihr *s* durch -*ī* verdrängt, ebenso wie im Gen. Sg. das urspr.
-*as* sein *s* nach dem mask. *ī* durch *ī* ersetzt hat: *viāī*; aus
der verschiedenen Quantität des *i* erklärt sich die Verschiedenheit der silbischen Behandlung, die zunächst eingetreten ist.

Dann gewinnen wir die einfache, physiologisch wohl
begründete Regel, dass die *i*-Diphthonge mit k u r z e m ersten
Komponenten diesen in unbetonten Silben mit dem *i* zu einem
Monophthong verschmelzen, die mit l a n g e m ersten Komponenten diphthongisch bleiben, sei es dass sie den ersten Bestandteil ganz unversehrt behalten oder ihn verkürzen: Nom.
Pl. Fem. *istae terrae*; Dat. Lok. Sg. Fem. *terrae Romae* aus
-*ai*; Nom. Sg. Fem. *quae haec* aus **quāi hāic*, vgl. *sī quā*;
Nom. Pl. Neutr. *quae haec* aus **quāi hāic*, vgl. *sī quā*. Auf
diese Weise können wir der Herbeiziehung der verschiedenen
idg. Akzentqualitäten entraten, die Streitberg z. germ. Sprachgeschichte 66 ff. für möglich hält, die aber, wie ich überzeugt
bin, auf dem Gebiete des Lat. unzulässig ist, da hier Verkürzung und Erhaltung langer Vokale in auslautenden Silben
von ganz anderen Faktoren abhängen.

Wie man indess auch über diesen Punkt denken mag,
auf alle Fälle bleibt die Erkenntnis bestehen, dass urspr. *āi*
ēi ōi in auslautenden Silben zu *ī* werden. Diese Erkenntnis
hat dazu geführt eine Gleichung aufzugeben, die der älteren
Sprachwissenschaft als gesichertes Resultat galt, die Gleichung:
Inf. Praes. Akt. *vīverĕ* = ai. *jīvdsĕ*. Ai. *jīvdsĕ* könnte lat. nur
als **vīverī* erscheinen, und deshalb ist, zuerst wohl von Misteli
Ztschr. f. Völkerpsych. XIV 326, dann auch von Brugmann
Grdr. 2, 392. 459 f. Stolz Lat. Gr.² S. 380 *vīverĕ* für einen
urspr. Lokativ auf **-ĕsĭ* erklärt worden. Nachdem Bartholomae
IF. II 271 ff. in sehr ansprechender Weise die konjunktivisch
und imperativisch gebrauchten ai. 2. Sg. wie *jẹ̆si dā́rṣi nakṣ̌i*
als urspr. Infinitive, d. h. Lokative eines *s*-Stammes erklärt
und direkt mit lat. *ferre velle* aus **fer-sĭ *vel-sĭ* verglichen
hat, kann ein Zweifel an der Richtigkeit jener Annahme wohl

nicht mehr bestehen. Dennoch glaube ich, dass das Ebenbild
des ai. *jīvdsĕ* im Lat. auch im Inf. Praes. Activi nicht vollständig untergegangen ist, sondern einige Spuren in der ältesten
lat. Litteratur hinterlassen hat. Um dies wahrscheinlich zu
machen, müssen wir die Entwicklungsstufen etwas schärfer ins
Auge fassen, die die auslautenden *-ăi -ĕi -ŏi* auf ihrem Wege
zum *ī* durchlaufen haben.

Während des ganzen letzten Jahrhunderts der Republik,
genauer seit dem titulus Mummianus CIL. I 542 a. u. c. 609,
gehen zur Bezeichnung des aus ihnen entstandenen Lautes die
Schreibungen *ei* und *i* regellos durch einander, ebenso wie beide
Schreibungen für urspr. *ei* in haupttonigen und urspr. *ī* in haupttonigen und unbetonten Silben neben einander herlaufen; sie
drücken nichts als ein monophthongisches *ī* aus, dessen Bezeichnung durch blosses *i* bezw. *i* longa in der Kaiserzeit zur Allein-
herrschaft kommt. Gehen wir weiter zurück, in die Zeiten,
in denen urspr. *ei* und *ī* noch auseinander gehalten werden,
so finden wir in Urkunden, die die Scheidung scharf durch-
führen, den Nachkommen von unbetonten *ăi ĕi ŏi* durchaus
mit *ei* bezeichnet. Dies lehrt am deutlichsten das Senatus-
consultum de Bacanalibus CIL. I 196 a. u. c. 568: wie es in
Wurzel- und Ableitungssilben *ei* und *i* konsequent scheidet (*dei-
cerent exdeicatis exdeicendum ceiris preivatod*[1]), aber *fĭgier*,
vgl. umbr. *fĭktu, trinum scriptum*, vgl. osk. *scriftas, Latīni au-
dīta venīrent potisīt*), so schreibt es *sei nisei sibei ubei ibei quei
foideratei oinvorsei virei* N. Pl. *eeis* N. Pl. *eeis* Dat. Abl. Pl. *utei*,
aber im Gen. Sg. *Latini urbani sacri*. Wenn es also Z. 29
vobeis hat, so liefert es damit den Beweis für die Richtigkeit
von Brugmanns Ansicht (Grdr. II 817), dass *nobīs vobīs* Nach-
bildungen nach *istīs* usw., nicht, wie man früher glaubte, in
ihrem Suffix mit dem ai. *-bhyas* identisch sind (*-bhĭes* zu *bĭes*
zu *bĭis* zu *bīs*). Es stellt ferner die Parallelität in helles Licht,
die zwischen den Schicksalen von *ăi ĕi ŏi* in Endsilben und in
urspr. unbetonten Mittelsilben obwaltet, durch die Schreibung
inceideretis Z. 26, in der keineswegs, wie Stolz Gr.[2] S. 273
meint, *ei* nur graphischer Ausdruck für *ī* ist. Dieselben Ver-

---

[1] = osk. *preivatud* Tab. Bant. 15. 16; durch diese Form wird
die neueste Etymologie von *privus* aus *pri-oivos* widerlegt, die
Prellwitz BB. XIX 317 ff. giebt.]

hältnisse weist das Decretum L. Aemilii Pauli CIL. II 5041
auf. Zwar verwendet es *ei* für den kurzen und langen *e*-Laut
(*inpeirator decreivit*), Schreibungen, über die nachher noch
zu sprechen sein wird, aber bei den späteren *i*-Lauten hält
es auseinander *in turri* und *quei servei leiberei* Nom. Pl. *in-
castreis utei*. Beide Inschriften sprechen so unzweideutig dafür,
dass der aus *ai ei oi* hervorgegangene Laut ursprünglich von
reinem *i* verschieden war, dass es demgegenüber nichts verschlägt, wenn sich für ihn auf noch älteren Denkmälern
gelegentlich blosses *i* geschrieben findet, wie in der ältesten
Scipionengrabschrift CIL. I 32 *hic* Z. 4 neben *hec* Z. 5.

Dieses *hec* führt uns auf eine dritte Schreibung *e*, die
neben *ei*, und zwar vorzugsweise in den ältesten Inschriften,
auftritt. Dass es sich bei ihr nur um eine andere orthographische Gewohnheit, nicht etwa um genetisch verschiedene
Formen handelt, hat schon Ritschl Opusc. II 622 ff. nachdrücklich hervorgehoben, ohne dass er, wenigstens in den neuesten
sprachwissenschaftlichen Arbeiten, das gebührende Gehör gefunden hätte [1]). In der That lassen sich Schreibungen mit *e*
fast bei allen oben aufgezählten Kategorien nachweisen. Ich
beginne mit denen, bei denen der Verdacht, dass es sich um
prinzipiell verschiedene Bildungen handle, am meisten ausgeschlossen ist:

Dat. Abl. Pl. der fem. *a*-Stämme: *Martses* (*legionibus*)
auf der Bronze vom Fucinersee, die nach Bücheler Rhein. Mus.
XXXIII 489 noch dem 5. Jh. d. St. angehört. *ede*, d. i. *isdem*
(*leigibus*) auf der alten Inschr. von Praeneste CIL. XIV 2892.
nuges Grabschr. des Protogenes I 1297 (neben *que soveis heicei*).

Dat. Abl. Pl. der *o*-Stämme: *pro sueq*, d. i. *suisque* Inschr. von Praeneste XIV 2892. *Cavaturines Mentovines* sent.
Minuc. I 199, 39 a. u. c. 637.

Nom. Pl. der mask. *o*-Stämme: *socie* Fucinerbronze. *ploirume* älteste Scipionengrabschrift I 32. *III vire* I 554. 555

---

1) Allerdings war gerade das Beispiel, an dem er seine
Ansicht zu demonstrieren suchte, nicht glücklich gewählt: die
Schreibungen *ne nei ni*, in denen er ein und dasselbe Wort
suchte, während doch die schliesslich verbleibende Scheidung zwischen *nē* und *ni* zeigt, dass hier von Anfang an verschiedene Bildungen zu grunde liegen: *nĕ* = ai. *nā*, air. *ni*, das gedehnte *nē̆*, *ni*
= osk. *nei*, lit. *nei*.

a. u. c. 624/25. *Falesce* XI 3078a (neben *quei* N. Pl. *magistreis*
N. Pl. *Iovei Iunonei* Dat. Sg.).

Nom. Sg. *hec* älteste Scipionengrabschrift I 32. *que* Grabschrift des Protogenes I 1297.

Dat. Sg. *tibe* Grabschrift des P. Corn. Scipio I 33 (neben
quei sei factei). Unsicher ist *mihe* I 1049. *nise* steht einmal in der lex Rubria (a. u. c. 705) CIL. I 205 I 47, doch ist
fraglich, wie es zu beurteilen ist, da die Inschrift sonst *nisei*
I 50. II 50 und durchweg *sei* bietet und in nächster Nähe
von *nise* der Graveur auch in *Mutina* für *Mutinam* sich ein
Versehen hat zu Schulden kommen lassen; ob wir in dem
ständigen subjektlosen *iudicare* neben Formen von *iubere* mit
Lange Denkschrift. d. Wiener Akademie X 52 den Inf. Pass.
anzuerkennen, also *e = ei* zu setzen haben, muss ebenfalls als
zweifelhaft gelten.

Dat. Sg. der konsonantischen Stämme: *Iunone matre* usw.
Hier sind die Belege ziemlich zahlreich; man findet sie bei
Corssen I² 727 und Schneider Exempla Index S. 155 f. Dazu
kommen aus alten Praenestinischen Inschriften *Hercole* XIV
2891. 2892. *Hercule* 2890 und aus einer Inschrift von Tus-
culum *Venere* XIV 2584. Einige von diesen Belegen stehen
auf Denkmälern, auf denen auch andere Formen mit *e = ei*
vorkommen, so *Hercole* XIV 2892 neben *ede sueq*; *Iunone*
I 172. 173. *matre* I 177 auf Cippi aus dem Pisaurischen Hain,
aus dem eine andere Inschrift mit *Lebro = Lei-* vorliegt I 174;
patre I 182. *Valetudne* IX 3812. 3813 auf Steinen aus dem
Gebiete der Marser, aus deren Lande wir *socie* und *Martses*
haben und bei denen sich *e = ei* selbst in Wurzelsilben findet:
recos I 183. *recus* IX 3813. Es liegt also gar keine Veranlassung vor diese Dative auf -*e* von denen auf -*ei* -*i* zu
trennen und in ihrem *e* den Reflex der idg. Lokativendung -*ē*
der *i*-Stämme zu sehen, wozu Stolz Gr.² S. 340 f. Brugmann
Grdr. II 604 geneigt sind. Wenn bei den Dat. Schreibungen
mit *e* viel reichlicher belegt sind als bei den anderen bisher
aufgezählten Klassen, so liegt der Grund darin, dass dieser
Kasus in den ältesten Inschriften, die vorwiegend Weihinschrif-
ten sind, überhaupt sehr viel häufigere Verwendung gefunden hat.

In derselben Weise sind nun meiner Meinung nach auch
die Schreibungen -*es* im Nom. Pl. der mask. *ŏ*-Stämme aufzu-

fassen, die mit *-eis* und *-is* wechseln; die Belege bei Corssen I² 751. Schneider p. 152, dazu *fabres* auf der Inschrift aus Praeneste XIV 2876, das jedenfalls Nom. Pl. ist. Seit Bopp vgl. Gramm. I² 449 bekennt man sich, wie es scheint, fast allgemein zu der Ansicht, dass diese *-es -eis -is* eigentlich die Endungen der *i*-Stämme und von diesen auf die *ŏ*-Stämme übertragen seien. So Corssen I² 753 ff. Stolz Gr.² S. 334. Brugmann Grdr. 2, 662; vorsichtiger drückt sich Schweizer-Sidler aus Gr.² S. 21. 79. Diese Annahme lässt sich jedoch als irrig erweisen. Ich bin mit Corssen I² 746 f. Brugmann Grdr. 2, 665 der Meinung, dass die Endungen *-eis -is* im Nom. Pl. der *i*-Stämme die nominativisch gebrauchten Akkusativformen sind; lautliche Entwicklung aus *-ēs*, älterem *-ĕįēs*, kann nicht vorliegen, da solches *ē* eben immer *ē* bleibt, und der von Stolz Wiener Stud. VI 139 gezeichnete anderweitige Entwicklungsgang ist nicht klar genug, um überzeugen zu können. Die epigraphischen Thatsachen stehen mit jener Annahme durchaus im Einklang; die ältesten Belege für *-eis* stammen aus einer Zeit, in der urspr. *ī* schon vielfach mit *ei* bezeichnet wird. Wäre also *-es -eis -is* im Nom. Pl. der *ŏ*-Stämme den *i*-Stämmen entlehnt, so dürften wir in der Periode, die *ei* und *ī* noch scheidet, *-eis* noch nicht antreffen. Thatsächlich aber begegnet der Nom. Pl. *eeis* im SC. de Bac. Z. 3, das uns durch seine feste Orthographie auch hier wieder wichtige Dienste leistet. Der Nom. Pl. eines *i*-Stammes, der in ihm vorkommt, *sei ques* von *sei quis*, findet sich beide Male, Z. 3 und 24, in dieser Schreibung, und auch die Nom. Pl. von konsonantischen Stämmen, die ja die Endung der *i*-Stämme haben, endigen durchweg auf *-es*: *homines* 19. *mulieres* 19. *scientes* 23. Allerdings begegnet auf dem Gebiete der *ē*- und *ī*-Laute einmal eine falsche Schreibung: *compromesisse* Z. 14, vorausgesetzt, dass dies kein Irrtum des Graveurs ist; *neiquis* Z. 3 neben sonstigem stetigen *nequis neve* beruht nicht auf schwankender Orthographie, sondern auf abweichender Bildung, vgl. o. S. 245 Anm. 1. Dennoch lehrt der klare Gegensatz, der sowohl Z. 3 als auch Z. 24 zwischen *sei ques* und dem unmittelbar folgenden relativischen *quei* besteht, dass *ques* einen offneren *ē*-Laut enthält als *quei* und *eeis*. Auch auf der Weihinschrift der Vertulejer aus Sora vom Beginn des 7. Jh. CIL. I 1175, die *ei* und *ī* schon zusammenfallen lässt, heisst es *Vertuleieis leibereis*, aber *lubetes*. Diese

Differenzen zeigen, dass -es -eis -is im Nom. Pl. der ŏ-Stämme
mit den i-Stämmen nichts zu thun hat, dass es vielmehr die
sonstige Endung der ŏ-Stämme -e -ei -ı + einem s ist, das
nach Analogie der anderen Stämme angehängt ist; ich möchte
es nicht für ausgeschlossen halten, dass dabei das Schwanken
der a-Stämme zwischen -as und -ai von Einfluss gewesen ist,
das, wie gesagt, in schwachen Resten noch in die Zeit unserer
Denkmäler hineinreicht und das wir für ältere Zeiten in weiterem Umfange vorauszusetzen haben.

   Nach dem Dargelegten scheint es mir keinem Zweifel zu
unterliegen, dass auch die Schreibung *die quarte*, die Gellius X 24
aus dem Atellanendichter Pomponius anführt und bei der die
Länge des auslautenden *e* durch das Metrum gesichert ist,
nichts als einen Überrest jener alten Orthographie darstellt,
wie dies schon Fleckeisen Zur Kritik der altlat. Dichterfragm.
bei Gellius S. 29 f. ausgesprochen hat, während Stolz Gr.²
S. 341 -e und -i ihrer Herkunft nach von einander trennen
will. Eine inschriftliche Bestätigung hat sie in dem *dze
noine* der Dvenosinschrift gefunden, an dessen Deutung als
die noni ich nicht zweifle, da auch das *oi* sich ungezwungen
erklären lässt (vgl. meine 'Studien zur lat. Lautgeschichte'
S. 87). Dagegen darf *me* für *mi*, das nach Festus bei Ennius
und Lucilius vorkam, nicht herangezogen werden, vgl. Bücheler
Dekl.² § 291. *me* Plaut. Truc. 417, das Stolz Gr.² S. 345
damit auf eine Stufe stellt, ist natürlich Ablativ: q*uid me
futurumst?*

   Wollen wir nun die Schreibung e in ihrem Verhältnis zu
ei und i phonetisch erklären, so haben wir vor allem darauf
Gewicht zu legen, dass sie in den ältesten Inschriften am
häufigsten vorkommt, später gegenüber den anderen zurück-
tritt. Dass sie nicht ganz und gar verloren geht, erkärt sich
aus dem Festhalten an der alten, von der lebendigen Sprache
längst überholten Orthographie, das für so viele Erscheinungen
im Lat. charakteristisch ist und sich besonders in formel-
haften Wendungen geltend macht. Von diesem Gesichtspunkt
aus wird es z. B. verständlich, dass in der Inschrift XI 3078a
e nur in der offiziellen Schreibung des Volksnamens *Falesce*,
sonst ei (*quei magistreis Iovei Iunonei*) steht (o. S. 246). Ab
und zu mag auch absichtliche Altertümelei im Spiele sein, wie
dies für die Grabschrift des Protogenes möglich ist. Wir

haben ferner im Auge zu behalten, dass die Formen *poploe
pilumnoe fesceninoe* und *oloes privicloes*, die Festus anführt,
nicht eine Entwicklungsphase von *oi* zu *i* darstellen, sondern,
wie für die drei ersten schon Bücheler Dekl.² § 85 bemerkt
hat, von Grammatikerhand für *oi* eingesetzt sind. Demnach
werden wir uns den Entwicklungsgang der unbetonten *ăi ĕi ŏi*
folgendermassen zu denken haben. Sie wurden zunächst zu
monophthongischem *ẹ*, das von Anfang an geschlossener war
als das altüberkommene oder durch Kontraktion aus *ĕ + ĕ*
entstandene *ẹ*, aber durch kein anderes Schriftzeichen ausgedrückt werden konnte, da *ei* noch seine alte Geltung als
Diphthong bewahrte. Dann wurde urspr. *ei* zum Mono-
phthongen = geschlossenem *ẹ* und fiel mit den Sprösslingen
der unbetonten *i*-Diphthonge zusammen; diese wurden nunmehr
durch *ei* bezeichnet und so auch graphisch von altem *ẹ* geschieden. In der Übergangszeit, in der in Endsilben die Schreibung *ei* für *e* sich allmählich Bahn brach, konnte sich das
Schwanken, das in diesen lange geherrscht haben muss, auch
auf die graphische Bezeichnung des offneren *e* übertragen, und
von diesem Gesichtspunkt aus wird es verständlich, dass die
Beispiele für *ei* = altem *ẹ* und *ĕ* vorzugsweise gerade den
ältesten Inschriften angehören: *decreivit inpeirator* in dem
Dekret des L. Aemilius Paulus, das durchweg *quei servei utei*
usw. schreibt; *leigibus* auf der Inschr. aus Praeneste CIL. XIV
2892, die *Hercole sueq ede* hat; *pleib(i)* auf einer an der
Strasse nach Ostia gefundenen Inschrift litteris antiquissimis
VI 1277. Aus späterer Zeit liegt nur ein Fall vor: *pleibeium*
VI 3823, auf einer Inschrift, die *ei* und *i* promiscue braucht
und die nach Jordan Observ. Romanae subsicivae Königsberger
Ind. Lect. W.-S. 1883/84 p. 13 der Sullanischen Zeit angehört.
Später ging geschlossenes *ẹ*, sowohl das in haupttonigen Silben
aus urspr. *ei*, wie das in unbetonten Silben aus *ăi ĕi ŏi* entstandene, in *i* über und fiel mit altem *i* zusammen. Die phonetische und orthographische Stufenfolge, wie sie hier angenommen ist, stimmt genau überein mit der Entwicklung, die
geschlossenes *ẹ* im Griechischen durchgemacht hat. Ursprünglich
wird es durch E bezeichnet. Dann wird urspr. diphthongisches
EI monophthongisch, fällt mit altem geschlossenem *ẹ* zusammen,
und infolge dessen wird auch dieses EI geschrieben. Endlich
wird geschlossenes *ẹ* zu *i*, und es gehen EI und I durcheinander.

Kehren wir nunmehr, nachdem die Entwicklungsgeschichte
der unbetonten *ai ei oi* klargelegt ist, zum Inf. Praes. Act.
zurück und fragen wir, was aus idg. *giṷēsdi* = ai. *jīvāsē* im
Lat. werden musste, so muss die Antwort lauten: zunächst
ṷīverē. Nach dem Bilde, das die Inschriften uns gewähren,
dürfen wir diese Orthographie in plautinischer Zeit noch durchaus erwarten, und ich meine, wenn wir nun im Plautustext
thatsächlich noch Infinitive Act. auf *-erē* finden, so dürfen wir
sie unbedenklich den ai. auf *-āsē* gleichsetzen. Auf das Vorkommen dieser Inf. haben zuerst Key Transactions of the
philol. society of London 1866 S. 60, Bücheler Dekl.[1] S. 62,
W. Wagner Rhein. Mus. XXII 118. 426 aufmerksam gemacht.
Freilich hat sich innerhalb der klassischen Philologie lebhafter
Widerspruch dagegen erhoben, und man hat das *ē* teils durch
Konjekturen zu beseitigen gesucht, teils es dem Einflusse besonderer Faktoren, wie der Zäsur, zugeschrieben, dass die
Kürze in der Geltung einer Länge gebraucht wird (Ritschl
Opusc. II 444 ff. C. F. W. Müller Plaut. Prosodie 22 ff.). Ein
paar sichere Beispiele aber finden sich auch noch in der
2. Aufl. des Büchelerschen Grundrisses S. 120 verzeichnet,
und diese haben auch die neuesten Herausgeber anerkannt.
Und ich denke, die Chancen für die Richtigkeit der handschriftlichen Überlieferung wachsen, wenn die Sprachwissenschaft die Länge mühelos erklären kann. Zudem haben wir
ein schwerwiegendes Zeugnis für den aktivischen Gebrauch
des Infinitivs auf *-i* in der Formel, durch die der Zensor das
Volk zum Zensus berief und die uns Varro L. L. VI 86 auf-
bewahrt hat: *si quis pro se prove altero rationem dari volet.*

Man wird einwenden, es sei wenig wahrscheinlich, dass
sich ein Rest der ältesten Orthographie nur in den Infinitiven
auf *-erē* gehalten habe, während sonst der aus *ai ei oi* entstandene Laut im Plautustext immer als *ei* oder *i* erscheint.
In der That sind in diesem die Spuren von *e* = späterem *ei i*,
die man als Analoga anführen könnte, so vereinzelt, dass sie
gewiss eher zufällige Korruptelen als treue Bewahrungen des
Ältesten sind: *dare* Poen. 710 = *darī* und *quasenex* Stich.
648, woraus in einzelnen Hss. *qua senex* geworden ist, =
quasi nix, worin Lachmann zu Lucrez p. 91 einen Rest des
alten *quase* hat sehen wollen. Bedenken wir aber, wie selten
die aktiven Infinitive auf *-erē* von Plautus verwendet werden,

so werden wir zu dem Schlusse gedrängt, dass sie schon in seiner Zeit auf dem Aussterbeetat standen. Im 7. Jh. der Stadt, als in den Plautustext die neuen orthographischen Gewohnheiten eindrangen (Ritschl Opusc. II 629), waren sie sicherlich aus der lebendigen Sprache ganz verschwunden, die Formen auf *-ere*, die sich bei Plautus fanden, wurden also samt und sonders als die allein noch vorhandenen auf *-erĕ* aufgefasst, und so entgingen auch die *-ĕrĕ* der Umschreibung, die die Formen wie *quase tibe* usw. betroffen hat.

Gicht man auf Grund der vorstehenden Darlegungen zu, dass das Lat. auch Inf. auf *-esdi* ererbt hat, so gestaltet sich das Bild der Entwicklungsgeschichte des Infinitivs etwas anders, als es von Brugmann Grdr. II 460 entworfen ist. Das Lat. hat dann keine Neubildungen vorgenommen, sondern nur die überkommenen lokativischen und dativischen Infinitive so verteilt, dass es die lokativischen dem Aktiv, die dativischen dem Passiv zuwies. Dabei wurden bei den Verben der 3. Konjugation die Bildungen auf *-esdi* überflüssig, da neben ihnen gleichbedeutende kürzere auf *-di* lagen, und so entledigte sich die Sprache ihrer als eines überflüssigen Ballastes.

Anhangsweise sei darauf hingewiesen, dass die obigen Darlegungen über den Platz, der dem *ĕ* in der Entwicklungsgeschichte der *i*-Diphthonge in unbetonten Silben zukommt, auch den Schlüssel für das Verständnis einer anderen vielbesprochenen (Corssen I² 328. 707 f. Mommsen Röm. Forsch. II 23 ff. Jordan Hermes XV 1 ff. v. Planta Gr. d. osk.-umbr. Dial. I 154 u. a.), aber immer noch unaufgeklärten Bildung enthalten: für *pŏmērium*. Dass dies aus *pós-moiriom* entstanden ist, ist über jeden Zweifel erhaben, aber von der durch die Lautgesetze geforderten Form *pŏmirium* (vgl. *anquīna* = gr. ἀγκοίνη; *Achīvi* = Ἀχαιοί, *olīva* = ἐλαία, *in-cīdo in-quīro per-bīto* zu *caedo quaero baeto*) taucht nur eine ganz unsichere Spur auf in der Paulusglosse (327, 13 Th. d. P.) *posimirium pontificale pomerium*, deren *i* bei der offenbaren Verderbnis des ersten Bestandteils *posi-* und bei dem lückenhaften Zustande des entsprechenden Festustextes für nichts weniger als gesichert gelten kann. Das allein übliche ist durchaus *pŏmērium*, und das ist, wie wir nunmehr sagen dürfen, nichts anderes als die alte Orthographie aus der Zeit, wo der in urspr. unbetonter Silbe aus *ăi ĕi ŏi* entstandene Laut durchweg mit *e* bezeichnet wurde. Überall sonst ist jene Schreibung aufgegeben worden, bei diesem staatsrechtlich-sakralen Begriff aber hat die Amtssprache sie festgehalten und hat bewirkt, dass auch die Umgangssprache des täglichen Lebens, soweit sie überhaupt in die Lage kam sich des Wortes zu bedienen, die alte Form anwendete. Es ist ganz dieselbe Erscheinung, die wir in den Rechtsausdrücken *poena foedus* 'Bündnis' mit ihrer Erhaltung des alten *oe* an Stelle des zu erwartenden *ū* (Wackernagel KZ. XXXIII 55) oder in *divortium* antreffen, das allein von allen Angehörigen der Sippe *vert-* das alte *-vort-* durch alle Zeiten fortgeführt hat (meine Stud. z. lat. Lautgesch. 20).

Halle a./S., 20. Juli 1893.

Felix Solmsen.

The Future Infinitive Active in Latin.

According to Madvig, Latin Grammar, the Latin Future Infinitive Active "is formed by the addition of *esse* to the participle in *-urus*, but *esse* is often omitted". This, the view of all Latin grammarians that I know, is open to two objections, the first that it is not an adequate statement of the usage of the Latin forms and the second that it fails to account for that usage. Firstly *esse* is not 'often' absent; it is usually absent. An examination of (1) Caesar B. G. I—VII and Hirtius VIII (A. Holder); (2) Cicero pro P. Quinct., Sex. Rosc., Q. Rosc., P. Sulla (C. F. W. Müller); (3) id de N. D., de Div., de Fato (same ed.); (4) Velleius Paterculus (Halm); (5) Petronius (Buecheler); in all about 800 solid Teubner pages, has given me the following result for the frequency of occurrences of (A Fut. Inf. without 'esse' (B Fut. Inf. with 'esse'.

	(1)	(2)	(3)	(4)	(5)	Total Counts[1]
A	88 + 3 Hirt.	33	23	17	19 =	186
B	9 + 0	8	18	0	4 =	39

[1] In computing deductions have been made for dubious readings, and if several futures follow one verb without break in the construction as *abeo et, vem*, out they are counted as only one case.

These specimens from prose writings of different characters and periods show that forms *without* 'esse' largely outnumber forms *with* 'esse', viz as 5 to 1, and that some writers do not use the latter at all.

Moving back to the two most ancient authors available for a comparison we find that in Plautus and Terence they occur as follows

	Plautus (about 20600 lines)	Terence (about 6200 lines)	= Total Cases[1]
(A)	103	54	173
(B)	20	15	35
	123	69	192

1) The following are the references. Plautus is cited by Ritschl' new ed. except where noted, Terence by Dziatzko. The case-ending is -um except where specified. Plautus (A) Tr. 71, 704, 724, 774. Ep. 8, 625. Curc. 143, 263 -os, 325, 710. As. 98, 356, 363 -os, 454 -am, 466, 529, 612 -am, 787 -am, 930. Truc. [Prol. 5], 133 -am, 205, 398 ('se esse' coni. Schoell), 430, 767. Aul. 269. Am. [Prol. 22 -os], 53 -am, 187, 208 (-um, -os), 654, 658, 659, 718 -am, 919. Mer. 244, 654, 668, 746 -os, 999 (Hermann coni. 'esse'). St. 22, 201, 265, 455, 463, 654, 677 -os. Poen. 409 -am, 422 (so A, 'facturum te esse promis(is)ti' cett.), 624 -am, 771. Bacch. 186. 592 'negat se esse ituram' (alia alii, 'negato esse i.' codd.) 741, 742, 805, 856, 1029. Capt. 427, 428, 780, 845. Rud. 95, 405 -os, 630, 631 -am, 637 -am, 1186 -am, 1213, 1336. Ps. 106, 115, 352, 406, 515, 565, 701 (A 'seso', cett. 'esse'), 902. Men. 529, repeated 548, 894, 1043, 1101 (-os codd.), Cas. [Prol. 57], 221 -am, 323, 483 -am, 602, 788, 858 -am. Mil. 346, 372 -am, 454 -am, repeated 455, 776, 941 'confuturum' (cf. 'confore' Ter. Andr. 167), 1067, 1069, 1231, 1414. Pers. 91, 141, 456 -am. Most. (ed. Ussing) 197, 220 'futurum' (= 'fore' 219), 414, 620, 1115. Cist. (Ussing) 422 -am — Indeclinable (see p. 254) Truc. 400 (the Mss. 'habiturum esse' against the metre) Cas. 671 'occisurum' (but A '-am') 692 'occisurum' (A -am, Gellius l. c. below and the rest -um). (B) Ep. 415. Curc. 542. As. 368, 611. Mer. 83, 798. St. 511 ('esse' om. Bothe, Fleckeisen) Poen 1170, Bacch. 285, 1195. Ps. 105, 1314. Cas. 553 -am, repeated 600. Mil. 1188, 1197, 1411. Pers. 167, 400, 496. Cist. 97, repeated 101. Terence (A) And. 149, 162, 241, 383, 387, 401, 402, 405, 508, 522 -os, 562, 615, 661, 694 -as, 964, 976. Haut. [Prol. 19], 176 -am, 462, 501, 571, 606 -am, 857, 981 -os. Eun. 205, 852, 946 -a, 1060. Ph. 467 -os, 627, 777 -am, 1022. Hec. 62, 113 -am, 156 -am, 290 -as, 299, 366, 437, 500, 629 -am. 659, 679 -am, 819. Ad. 236, 382, 333 and 334, 473, 693 -os, 705 -os, 750, 811. (B) And. 174 -as, 410, 621, 659. Haut. 160, 359, 489, 735 -am, 864. Eun. 789, 999. Ph. 599. Hec. 261, 497, 872. In enumerating the prologues are always excluded, and he repetitions are not reckoned as *cases*.

In considering these facts and statistics we should ob-
serve that Terence (69 cases, 71 verbs) uses the fut. inf. (of
all forms) twice as frequently in proportion as Plautus (128
cases, 132 verbs), and that in Plautus out of 129 verbs in the
declinable form 101 have case-forms in -um, 22 in -am, 6 in
-os, while in Terence out of 71, 52 have case-forms in -um,
10 in -am 5 in -os, 3 in -as and 1 in -a. Whence we should
conclude that the fut. inf. is used with greater freedom in
Terence than in Plautus.

Early Latin possessed also an *indeclinable* fut. inf. which
we know chiefly from Gellius I 7 and Priscian IX p. 864 (Keil
p. 475). The instances, first collected by M. Hertz Neue Jahrb.
Suppl.-Band VII 12 n. 27, are as follows: (a) Infinitive in -turum.
Plaut. *Truc.* 400; *Cas.* 671; 693 (supra); Cato ap. Gell. (Jordan
p. 26, 7); C. Gracchus ap. Gell.; Lucilius ap. Prisc. (XVII 8
L. Mueller); id. XXX 107 sq.; C. I. L. I 197 (lex reperta Ban-
tiac) 18 (4 times); I 198 (lex Acilia repetundarum) restored
four times 36, 37 (bis), 44; Laberius *in Gemellis* (51 Ribbeck);
Claudius Quadrigarius ap. Gell. (Peters Hist. Rom. vel. 122
1, 2), id. Peters p. 232, 6; Sall. Tug. 104, 4; Varro de r. r.
I 68. In all 14 places. (b) Infinitive in -turum *esse*. C. I. L.
198, 45; 198, 45; Sulla ap. Prisc., Valerius Antias ap. Gell.
In all 4 places.

These are all the instances that have come down to us,
though Priscian l. c. says '*frequenter* tamen antiquissimi neu-
tro participio futuri addebant esse et infiniti futurum signifi-
cabant'. In use these forms (a) and (b) are in all respects
similar to (A) and (B). Thus 'iouranto — facturum' C.I.L. I 197
is parallel to 'euasuros censent aegritudinem' Lucil. XXVI 87
(Muell.); 'credo ego inimicos meos hoc dicturum' C. Gracch.
to 'interminatast nos futuros ulmeos' Pl. *As.* 363; 'dixerant
omnia — processurum esse' Val. Ant. to 'nuptias futuras esse
audiuit' Ter. Andr. 174. Modern grammarians, following Priscian, see in them the *neuter* participle with *esse* expressed
or to be supplied. But they do not explain how the Romans
came to use a form which conveyed their meaning so imper-
fectly and incongruously, nor do they deal with the very
awkward passage of Quadrigarius 'dum ii conciderentur, hostium
copias ibi occupatas *futurum*', which an unprejudiced observer
must recognize as equivalent to 'occupatas *fore*' and equate

to ἔϲεϲθαι and not to ἐϲόμενον. Much sauer was the view
of Aulus Gellius' learned friend l. c. §§ 13, 14 'non ergo isti
omnes quid soloecismus esset ignorarunt, sed et Gracchus 'dicturum' et Quadrigarius 'futurum' et 'facturum' et Plautus
'occisurum' et Laberius 'facturum' *indefinito modo* dixerunt,
qui modus *neque in numeros* neque in personas neque in
tempora neque in genera distrabitur sed omuia istace una
eademque declinatione amplectitur'; compare §§ 6, 8. In a
word these forms are *true infinitives*.

To return to the declinable future, the ordinary explanation leans without doubt upon the analogy of the perf. pass.
(or deponent) and, comparing the relations of '(dicit) uictos
esse hostes' aud 'uictos hostes' to 'uicti sunt hostes' and
'uicti hostes', infers similar relations for 'uicturos esse h.' and
'uicturos h.' to 'uicturi sunt h.' and 'uicturi h.'. But the
analogy will not bear such a weight. 'Esse' is much less ofteu
absent with the perf. than the fut. A passage taken at random
trom one of the works of Cicero which (see above p. 252 [3])
shows the abnormally low percentage of 55.0 for the absence
of 'esse' with the fut. inf. gives a much lower one for its
absence with the perf. In de Diu. §§ 46—67 this occurs 8
times ouly out of 37 (21.6 p. c). Further while 'uicti hostes'
sunt is common, 'uicturi hostes' is very rare execpt of course
where a verb can be at once supplied from the context as
Most. 594. Plautus and Terence furnish only one dubious
example Baech. 510 'quae futura' (Teuffel 'futtilia'). From later
Latin I can only cite Lucan VII 782, Prop. I 19, 18; id. 8, 37
is not clear and 17, 3 corrupt. In other respects too the analogy
fails. (1) In rhetorical questions in oratio obliqua the Subj.
and Inf. are used according to circumstances (Riemann Rev.
de phil. VII 113 sqq.). Thus 'uictos esse (se, eos)?' represents
'uicti sumus?' or 'u. sunt?', 'uicti essent?' represents 'uicti
estis?' But 'uicturos?' alone is used to represent the fut.
(2) In sentences like 'dixit se facturum', the personal pronoun is frequently absent. This brevity of expression, which
seems to be ancient, is found with other simple infinitives
(Madv. L. Gr. § 401 and Cic. Fin. V 31, Kühner L. G. II 516 sqq.
Draeg. Synt. II² 440 sq., the comm. on Catull. 36. 7, 42. 4) as
in Greek; 'dixit facturum' is to 'dixit facere' as ἔφη ποιήϲειν

to ἔφη ποιεῖν. But it is not found with the Perf. Inf. [1]); and
for a very good reason; 'dixit uictum' for 'd. se uictum esse'
is not Latin at all. Madvig well observes (on Cic. fin. l. c.)
that 'in Cic. Cluent. 176 'de hoc Stratone — quaesituram esse
dixit' id est insoliti quod additur *esse*, [et pro Mil. 96 in
codicum scriptura sed ad corrigendum facillima] recte enim a
Kruegero de attractione p. 338 sqq. obseruatum est rarissime
id apud historicos qui hoc genus frequentant addi apud Liv.
28, 23, 6; 33, 49, 4; 40, 4, 8; 42, 10, 15'. The truth is that, in
itself and apart from its history, this construction can be no
more justified with the future than with the perfect participle.
From all this we see that (*A*) also is in its function a *true
infinitive* and that it does not descend from any declinable
periphrastic form. Its proper relations are seen, for example,
in Liv. 9, 1. 11 'pro certo babete priora bella . . . aduersus deos
gessisse, hoc quod instat ducibus ipsis *gesturos*' and we finally
dismiss the hypothesis that the fut. inf. act. is formed from
the fut. participle either with or without the addition of 'esse'.

That there *is* a connexion between the declinable and
indeclinable forms, is however indisputable; and if we cannot
find the common origin in the one, we must seek it in the
other. Now if 'dicit hostes uenturos' has come out of 'd. hostes
uenturum', it can only have come by the road of *attraction*.
The ground for this is to be sought in the prevalence of the
masc. and neut. sing. As already said, 154 out of 200 fut.
infinitives in Plautus and Terence end in -*um*. Juxtapositions
like 'hoc futurum, hunc futurum' naturally suggest agreement
and declension for futurum', issuing in 'hos futuros, hanc
futuram, haec futura'. The loosening of the sense that -*arum*
was indeclinable produced a rare construction which has
puzzled editors and grammarians e. g. Draeger II[2] 446 sq. It
is found first in Plaut. As. 634 'quas — Diabulus ipsi *daturus
dixit*', then in Prop. II 6. 7 '*uisura* et quamuis numquam
speraret Vlixen', Stat. Th. VII 791 sq. 'non aliter caelo noc-
turni turbine cori seit *peritura* ratis' and in that affecter of

---

1) The only examples are corrupt. Thus in Cic. Or. § 38 *se* is
rightly inserted and in p. Sull. § 14 Halm restores *is se* for 'ipse'
from good Mss. If the pronoun be omitted, the only construction
possible is the poetical graecism of Verg. A. 2. 377 'sensit medios
delapsus in hostes'.

the antique Apuleius Met. 7, 14 'quoad summos illi promitterent honores habituri mihi'. This assimilation is easier in the Passive as with 'uideor, dicor', e. g. True. 85 'dicitur uenturus' which however is the only instance I have observed in the early writers [1]). The power of attraction to modify syntax is well known. Examples with verbals are 'natus maior' (Cic. p. S. Rose. § 39 'annos natus maior XXXX', Verr. II § 122) and 'natu magno (maximo)' often in Livy, both irrational attractions from 'natu maior' (= γενεῇ μείζων) etc. and the attraction of the gerund to the gerundive, 'timendum est poenas' to timendae sunt poenae' and 'rem gerendo' to 're gerenda' (Roby Lat. Gr. II pref., a discussion strangely overlooked in Germany; cf. R. S. Conway Class. Rev. V 296 sqq.); and, as I think, the Greek gerundive in -τέος from verbal nouns in ·τέον, -τέα, as in οἰστέον τάδε Eur., οὐκ οὐ παραδοτέα ἐστίν Thuc. The insertion of 'esse' in (B) is now intelligible. In (b) it was due to an anticipation of the view of Priscian (Gellius passes no opinion) that -ārum was a neut. sing.

We are left then with the *Future Infinitive Active* in-*tūrum* as the original inheritance of the Latin language. This I have explained elsewhere (Cl. Rev. V 301) with Brugmanns approval (Grundr. II p. 1268) as a composite form (such as is the Romance fut. It. canter-ò, Fr. chanter-ai) from -tū loc. (dat.) of -tū- (Brugmann Gr. II p. 164) + *(e)rum* for *exum*, an inf. elsewhere supplanted by *esse* but supported by Osc. 'ezom' and Umbr. 'erom'. This "dative" was especially common in stems in -tu-: Neue Formenlehre I 355 sqq. quotes accessu amplexu aspectu conspectu prospectu casu commeatu concubitu consulatu delectu despicatu dominatu equitatu exercitu impetu luxu magistratu ornatu quaestu sumptu uersu ucuatu uestitu uictu usu.

The above discursion would be felt to be incomplete without a word on the periphrastic conjugation with *sum*. If I have counted right, Plautus uses it in the Ind. 101 times, in the Subj. 27 times. The tense is Pres., except in As. 621 'fuit', Most. 428 'fui', Cist. 151 'eram'; Cist. 227 'esset', Pers. 296 'fuerim'. Its meaning is closely allied to that of

---

1) Later the form with *esse* seems to have become common though Caesar in the B. G. does not insert it.

the Fut. Ind.; they are used side by side in Cist. 332 sq. A. 'non remissura es mihi illam? M. pro me responsa tibi. A. non remittes'; cf. Amph. Prol. 88, 94; and Ps. 565 'neque *sim facturus* quod *facturum* dixeram' shows Plautus felt little difference between them. I have conjectured, with the approval of Brugmann (Grundr l. c.), that the participle arose out of the declinable fut and that the slightly different meaning, 'acturus est' being ὁρᾶν μέλλει rather than ὁράσει ('aget'), is due to the express reference to the present time in *est*, though it might have acquired the meaning even without this, as in Greek Ar. Au. 759 αἶρε πλῆκτρον εἰ μαχεῖ. It is a little strange too that, here also contrasting with the perf. part., it should not be used adjectivally in Plautus, even the convenient *futurus* being absent; especially as his use and still more Cato's, de re rust. (with *eris* 9 times, with *erit* twice cf. Holtze Syn. II p. 89) show it was well developed in their times. Kretschmer may however be right in explaining it KZ. XXXI 463 as formed by adding -*ro*- to the verbal stem -*tu*-; confusion with the inf. would accents for the *u*, and this confusion again would be easy if there were a verbal adj. in -*tūrus*. As to the nouns in -*tūra* they may be, as K. thinks, from -*tūra*; but *fig-ūra* suggests, at any rate that they are modelled on a different type; of which perhaps it is the sole survivor, the others having been killed by the more vigorous offspring of the perfect part. in *to*- (nātus 'born', nāt-ūra 'the way anything is has been born'): or again -*ura* may have been added to -*tu*. But these are only speculations.

Cambridge.   J. P. Postgate.

Eine neue oskische Inschrift aus Capua.

(Mit einer Tafel.)

Vor etwa vier Jahren wurden einem Antiquitätenhändler in Neapel von Leuten aus Santa Maria di Capua vetere zwei Ziegelsteine mit oskischen Inschriften gebracht. Der grössere von diesen Ziegeln ist eins der vier Exemplare der Stele mit

Viriium Vesuliais deivinais (s. Bücheler Rhein. Mus.
XLIV 330 und namentlich XLV 171). Die Inschrift des anderen
Ziegels ist bisher nicht publiziert. Sie lautet (vgl. die Tafel):

Tr. Vírriieís Kens-
ssurineís ekas
iúvilas tris eh-
peílatasset Ve-
sulliaís fertalis
staflatasset
Mi. Blússii. Mi. m. t.
nessimas staíet
veruis lúvkeí

Näheres über den Fund konnte ich nicht ermitteln. Doch
wird der Ziegel vermutlich am selben Orte gefunden sein wie
die oben erwähnten vier Stelen, das wäre "nach der Herrn
Bourgignon verbürgten Aussage nicht im Fondo Patturelli bei
Curti beim grossen Heiligtum, sondern im Fondo Tirone in
der Richtung von S. Maria nach dem Tifate zu" (v. Duhn bei
Bücheler Rh. M. XLV 171). Für gleichen Fundort unserer Inschrift mit den vier Stelen spricht vielleicht auch, dass sie
von derselben Familie, den Virrii, herrührt (und derselben Gottheit, den Vesulliae, gilt), während sonst im Fondo Patturelli
bis jetzt keine Virrii als Stifter der iovilae usw. auftreten.

Der Ziegel ist am unteren Ende, auf dem wahrscheinlich
ähnliche Embleme standen wie auf den meisten bisher gefundenen derartigen Ziegeln, gebrochen (12 cm unter der letzten
Zeile). Das erhaltene Stück ist 40 cm hoch, 17—18 cm breit.
2—3 cm dick, oben etwas abgerundet. Die Inschrift besteht
aus 9 Zeilen, die meist die ganze Breite des Ziegels einnehmen
(z. B. t in Zeile 7 zu äusserst am Rand). Die Schrift ist die
jüngere mit Ⱶ und V, wagrechten Querstrichen bei ⱻ Ⰾ Ⱅ,
gerundetem Ⱁ. Bemerkenswert ist die Form des ⱬ mit Abrun-
dung des unteren Winkels. Auf jüngere Zeit weist auch die
regelmässige Bezeichnung der geminierten Konsonanten (z. B.
Vírriieís, Vesulliaís gegenüber Viriium, Vesuliaís
der oben erwähnten Stelen). Immerhin fällt auch diese Inschrift wegen der Erwähnung des meddix tuticus vor 211 a. C.
Die Schrift ist vor dem Brennen mit einem Stift in den weichen Ton tief eingegraben, die Lesung daher überall deutlich
und zweifellos, höchstens könnte man den Punkt nach t am

Ende von Z. 7 bezweifeln. In veruis Z. 9 sicher V, unmög-
V, also der Punkt aus Versehen vergessen. In fertalis Z. 5
ist das I so nahe aus ⊣ gerückt, dass man zuerst fertans
zu lesen versucht ist (da statt ꓩ in Capua einigemal N vorkommt), aber mit Unrecht, wie man bei genauerer Betrachtung des Originals bald sieht, abgesehen davon, dass in einer
so korrekten Inschrift die Form N neben dem dreimaligen regelmässigen ꓩ sehr auffällig wäre und davon, dass eine Form
fertans hier kaum erklärlich wäre.

Die Inschrift gehört zu der bekannten Gruppe von capuanischen Sakralinschriften, die sich auf die Weihung von iovilae
und damit zusammenhängendes beziehen. Klar ist der Anfang:
'Trebii Virrii Censorini hac iovilae tres —'. Das Verbum
ehpeilatasset ist neu. Vergleicht man Minieis Kaí-
sillieis Minateis ner. ekas iuvilas Juveí Flagiuí
stahint Zvetaieff Inscr. It. inf. dial. No. 112, so ergiebt sich
als ungefähre Bedeutung von ehpeilatasset 'sind aufgestellt', doch wird etwas näheres über die Art der Aufstellung in dem Worte liegen. Man wird vermutlich an lat.
pila 'Pfeiler' anzuknüpfen haben, so dass wir auf eine Grundbedeutung 'aufgerichtet, errichtet' kämen [1]). Die Göttinnen
Vesulliae sind bereits erwähnt, fertalis staflatasset
übergeben wir vorläufig. Es folgt, eine Zeile für sich einneh-
mend, die Datierung: Mi(nnieís) Blússii(eís) Min(nieís)
m(edikkiaí) t(úvtíkaí). Die Blossii sind als capuanische
Familie bei Cicero und Livius und durch lat. Inschriften bezeugt (vgl. Mommsen Unterit. Dial. 252). Der Schlusssatz nessimas staíet veruís lúvkeí bedeutet 'sie stehen zunächst dem Thore im Hain'. Das letzte Wort ist allerdings
im Oskischen noch nicht belegt, doch wird es kaum etwas

---

1) Osk. ehpeilatas spricht dann gegen die ohnehin unwahrscheinliche Annahme, dass *pila* 'Pfeiler' mit *pila* 'Mörser' (aus
*pisla, zu *pinso*) identisch sei, da man im Osk. Erhaltung des *sl*
erwarten würde. Eher könnte vielleicht *compilare* (cogere est et
in unum condere, Fest. 28 Thewr.) und *pilus* 'Manipel', eigentlich
'Haufe'?, dazu gehören (an etymologische Verwandtschaft mit ai. *ci-*
'schichten, häufen, sammeln' könnte jedoch nur bei der Annahme,
dass die lat. Wörter aus labialisierenden Dialekten entlehnt seien,
gedacht werden). Ob l. *pilarium* (s. Georges s. v.) heranzuziehen
sei, bliebe selbst dann fraglich, wenn die iovilae wirklich irgend
welchen Zusammenhang mit dem Totenkult gehabt haben sollten.

anderes sein als das lat. *lucus*; húrz, búrtin der Inschrift
von Agnone (deren statús, statif auch etwas an staiet,
stahint anklingt) wird man nicht dagegen anführen wollen.
Aus einem Haine stammen auch die bekannten Votivinschriften
von Pisaurum. Interessant ist jedenfalls dieser letzte Satz unserer
Inschrift in sachlicher Beziehung, vielleicht führt er (mit
ehpeilatasset) Kundige zu genauerer Erkenntnis dessen,
was eigentlich die iovilae waren. Eine Angabe über den Stand-
ort der iovila enthält auch die von Bücheler Rh. M. XLIV 326 ff.
erklärte Inschrift in den Schlussworten iiuk destrst 'sie befindet sich rechts'. Neu ist auf unserer Inschrift die Dreizahl
der iovilae; auf den meisten bisher bekannten Inschriften ist
von einer iovila die Rede, auf der oben angeführten Zvetaieff
No. 112 und den beiden mit Úpíl. Vi. Pak. beginnenden (oder
nur der ersten?) von einer nicht näher bestimmten Mehrzahl.
Sollte etwa die Dreizahl auch in der leider sehr verstümmelten
und unsicher überlieferten Inschrift Zvetaieff No. 120 vorliegen?
Wenigstens Mommsens Vermutung tris[tamentud 'testa-
mento' scheint mir durch die seither gefundenen Sakralinschriften nicht begünstigt zu werden. Mit unserer Inschrift hat diese
letztgenannte auch nessimas gemein.

Wir kommen nun zu dem schwierigen fertalis staflatasset. Der Stamm des Verbums ist bereits bekannt aus dem
pälignischen *pristafalacirix*, wahrscheinlich 'Vorsteherin', und
dem etwas unklaren umbrischen *staflarem, staflare* (stafli?).
Im Lat. hat *stabulo- stabulare* meist spezielle Beziehung auf
den Stall, ausser in *prostibulum, prostibula, naustibulum*. Für
das osk. Verbum an unserer Stelle sind wohl nur zwei Bedeutungen möglich, entweder 'aufstellen' oder 'festsetzen' (lat. beides
statuere, umbr. ersteres in statitatu, statita, pälign. in
sestatu(?)*ens*, volsk. beides möglich in *sistiatiens*). Die Entscheidung hängt von fertalis ab. Als wahrscheinliche Kasusform dieses Wortes ergiebt sich aus aidilis der pompeiani-
schen Inschrift Zvet. 142 = l. *aedilēs* der Nom. Plur. Für die
Etymologie giebt es verschiedene Möglichkeiten. Man könnte
zunächst an W. fer- 'ferre' denken, die auf sakralem Gebiete
vielfache Verwendung hatte (umbr. affertur, aferum, *aso
fertu* usw., marruc. *asum feret, asignas ferenter*, lat. *inferium
vinum, praefericulum* usw., vgl. Bücheler Rh. M. XXXIII
284 f.), doch müsste erst ein *fertom oder *ferta, etwa 'Dar-

gebrachtes' 'Darbringung' vorausgesetzt werden[1]) und hiervon
fertali- abgeleitet werden (zu *-t-ali-* könnte man allenfalls lat.
altare verglichen, dessen *r* für *l* steht). Verschiedene Bedenken
hätte die Zusammenstellung von fertalis mit lat. *fĕrālis fĕrā-
lia*, deren *r* überdies aus *s* entstanden sein kann wie in *fĕriae.*
Am einfachsten und ungezwungensten bietet sich die Verbindung mit lat. *fer(c)tum* 'Opferkuchen'. Welche grosse Rolle
bei römischen und umbrischen Opfern das Gebäck spielte, ist
bekannt. fertalis staflatasset würde dann wohl in éine
Kategorie gehören mit kerssnasias fufens und sakrasias fufens der Inschriften Rh. M. XLIV 321 ff.: I ek.
iúhil. Sp. Kalúvieis iním fratrúm múinik. est fiisíais
púmperiais prai mamerttiais pas set kerssnasias L.
Pettíeis meddikiaí fufens; II i[úvi]l. ek. Sp. Kalúvieis
inim fratrúm múinik. est fiisíais púmperiais
pas prai mamerttiais set sakrasias L. Pettieis
meddikkiai fufens. Aus verschiedenen Inschriften weiss
man, dass die iovilae an den Zusammenkünften gewisser Fa-
milienverbände (púmperiaís, eidúís) geweiht wurden
(sakrannas, sakrann., sakrafír in den beiden Úpil-
Steinen, sakruvit Zvet. 113, sakrvist Rh. M. XLIV 326)
und zwar teils mit Opfertieren (sakriss sakrafír, sakrid
sakrafír auf den Úpil-Steinen, s]akrid Rh. M. XLV 161 A.),
teils mit Opfermahlen (kerssnais auf dem ersten Úpil-
Stein); diese beiden Arten sind in den oben angeführten zwei
Inschriften als sakrasias und kerssnasias unterschieden
(s. Rh. M. XLV 166). Sollte nun nicht unser fertalis eine
dritte Art bezeichnen können, die einfachste, die Weihung
durch Darbringung von Opferkuchen? Bücheler fasst sakrasias, kerssnasias als Adjektiva zu púmperiais, vielleicht ist auch möglich, dass die Adjektiva hier substantivisch
die Feier bezeichnen, wie, mit demselben Suffix, Fluusasiais
'Floralibus', am Fest der Flora. Dann wäre also fertalis
staflatasset zu übersetzen 'es sind Feiern mit Opferkuchen
festgesetzt worden'.

---

1) Allerdings sagt Paul. Fest. 417 Thewr.: *strufertarios ... a
ferto scilicet quodam sacrificii genere*, doch glaube ich, wegen der
häufigen Verbindung von *strues* und *fer(c)tum* ('Opferkuchen'), mit
Stolz IF. I 332, dass hier ein Missverständnis vorliegt und der
zweite Bestandteil des Kompositums vielmehr *fer(c)tum* ist.

Zu erwähnen ist noch eine weitere Möglichkeit: dass
fertalis nicht Nom. sondern Dat.-Abl. Plur. wäre. Hiergegen
spricht, da unsere Inschrift in der Unterscheidung von i und
í und in der Bezeichnung der Geminaten sonst sehr korrekt
ist, das -is des Endung statt -iss (vgl. Anafriss, teremniss,
-ss auch in sakriss oder sakri.ss des ersten Úpíl-Steines).
Das -s liesse sich vielleicht durch Raummangel entschuldigen
(vgl. das von Bücheler zweifelnd eikviaris gelesene Wort
des zweiten Úpíl-Steines? -s für -ss aus -ks in meddis
des ersten Úpíl-Steines), da das Wort noch ganz auf diese
Zeile sollte, was ja jedenfalls die engere Zusammendrängung
der Buchstaben nach dem T veranlasst hat (s. die Tafel); so
könnte man zur Not auch vielleicht annehmen, die Weglassung
des Differenzierungsstrichelchens in I statt Ⱶ sei durch das
nahe Herantreten des Schrägstriches des vorausgehenden Ⰷ
verursacht (s. die Tafel). Lässt man diese Notbehelfe gelten,
so könnte fertalis entweder Dat. sein, also ein Beiwort zu
Vesulliaís wie deivinais in den oben angeführten 4 Stelen;
die Erklärung dieses Beiwortes bliebe jedoch schwierig und
ausserdem ist es wegen anderer iovila-Inschriften wahrscheinlich, dass Vesulliaís zum Vorausgehenden zu ziehen ist[1]).
Oder fertalis wäre Abl., 'an den Fertalien', Bezeichnung
eines Festes wie lat. *vinalia, terminalia, feralia, lucaria,
Saturnalia* und viele andere.

Zum Schlusse folgen noch einige grammatische Bemerkungen. In der Orthographie zunächst ist unsere Inschrift
eine der korrektesten aus Capua. So in der Unterscheidung
von i und í, wo ihr auch, gegenüber den Tuffcippen, die gute
Erhaltung zustatten kommt. So zeigen immer í die Diphthonge ai eí úí; Vírriieís mit i in der Stammsilbe wie auf
der Bleitafel Zvet. 128; i = ɹ in Kenssurineís; für iúvilas
bestätigt unsere Inschrift, dass -il-, nicht -íl-, die richtige
Schreibung war. Auffällig ist der Unterschied zwischen tris
und fertalis (letzteres als Nom. Plur. genommen), doch
ist -is in Mehrsilbern durch aídilis aus Pompeji gestützt.

---

1) Man würde sonst statt ehpeilatasset blosses set oder
überhaupt kein Verbum erwarten, vgl. Miníeís Kaísillieís Mína-
teís ner. ekas iuvilas Juveí Flagiuí stahint Zvet. 112, ek.
iúhil. Sp. Kalúvieís iním fratrúm múinik. est u. dgl. mehr.

Beachtenswert ist *ss* in Kenssurineis gegenüber kenzsur
aus dem Frentanischen. staflatasset ohne Anaptyxe vor l
stimmt zu den übrigen capuanischen Beispielen von Kom. +
Liq. (sakra- statt sakara- anderer oskischer Gegenden).
fertalis, falls zu 1. *fer(c)tum*, enthält *rt* aus *rkt* (zunächst
rht?) wie *fortis* 'fortius' der Tab. Bant. Enklise von set in
ehpeilatasset, staflatasset wie in prúftúset. Wichtig
ist stalet, da es die Richtigkeit der Schreibung stalet
des Cipp. Ab. (gegenüber ii in Maiiúí, Púmpaiianeis usw.)
bezeugt. Für 'Thor' ist der Plural angewendet in veruis
wie im umbrischen veres *uerir uerof-e*; hierdurch kommt
sehr in Frage, ob nicht veru Sarinu aus Pompeji statt
Akk. Sg., wie man gewöhnlich annimmt, vielmehr Akk. Plur.
Neutr. sei, vgl. Thurneysen KZ. XXXII 556, der auch umbr.
uerof-e als Neutr. erklärt.

Fürstenau i. d. Schweiz.   R. v. Planta.

Labiovelare Media und Media aspirata im Keltischen.

1. Es ist wohl allgemein herrschender Glaube in der
Sprachwissenschaft, dass in einem grossen Teile der indogermanischen Sprachengesamtheit, nämlich im Iranischen, Slavobaltischen, Albanesischen und Keltischen, die beiden Artikulationsarten der aspirierten und der einfachen Media lautgesetzlich durchaus zusammengefallen seien und gar keine Spur ihres
einstigen Geschiedenseins hinterlassen haben. Hiervon ist aber
das Keltische insofern auszunehmen, als es meines Erachtens
die "labiovelaren" (postvelaren) indog. *g* und *gh* durchweg nicht zusammengefallen zeigt; so dass der Satz
Brugmanns Grundriss d. vergleich. Gramm. I § 438 S. 328: "Von
urkelt. *gu* = idg. *gh* ist a priori anzunehmen, dass es wie
gu = idg. *g* behandelt wurde" seine Berechtigung verlieren
dürfte [1].

---

[1] Ich unterscheide hinfort, einem Vorschlage Thurneysens
folgend, die drei *k*-Reihen als "labiovelare", zweitens "velare" oder

A. Labiovelares indog. *g* ist gemeinkeltisch durch *b* vertreten.

Dies zeigt sich zunächst wortanlautend in einer grösseren Reihe wohl bekannter Beispiele, wie: air. *beo*, cymr. *byw*. bret. *beu* 'lebendig'; air. *bó*, mcymr. *buch* 'Kuh', abret. *bou-*

---

auch "reinvelare" und drittens "palatale" Laute, mit Vermeidung der Morphol. Unters. V 63 f. Anm. gebrauchten Ausdrücke "postvelar", "palatovelar" und "praepalatal". "Dass die Zungenartikulation bei den beiden velaren Reihen eine verschiedene war", schreibt mir Thurneysen (21. März 1893), "wird durch keine Thatsache angedeutet; wohl aber, dass bei einer die Lippen eine grosse Rolle spielten". Beiläufig bemerkt, hat Bartholomaes Angriff auf die von Bezzenberger' in seinen Beiträgen XVI 234 ff. (vgl. auch Deutsche Litteraturz. 1890 Sp. 1871) und von mir a. a. O. aufgestellte Gutturaltheorie, in den IF. II 264 ff., mir keineswegs den Glauben an die Notwendigkeit der Unterscheidung dreier Reihen, anstatt der bisherigen zwei, erschüttert; eine eingehendere Widerlegung der Bartholomaeschen Einwände würde - mich hier zu weit führen. Wie Bartholomae, so in Form einer Münsterer Doktorthese sein Schüler K. Lichterbeck, Thesen, Gütersloh 1893. Das Bedürfnis nach Zulassung einer dritten *k*-Reihe mag sich am dringendsten eben angesichts des verzweifelten Auskunftsmittels Bartholomaes geltend machen, wenn dieser in seinen Stud. z. indog. Sprachgesch. II 19 f. und passim geradezu einen "Wirrwarr", einen "Wechsel zwischen den beiden Gutturalreihen" im weitesten Umfange, "so zwar, dass sich nicht gar viele Wörter werden auftreiben lassen, bei denen er nicht nachzuweisen ist", für theoretisch und praktisch zulässig erachtet. Der hauptsächlichste Anstoss war für Bartholomae der Umstand, auf den er allerdings in den IF. II 264 ff. nicht zurückkommt: dass im Armenischen in Wörtern wie *dustr* 'Tochter', *orcal* 'Erbrechen', *boic* 'Nahrung' die gewöhnlichen Vertreter der Palatale begegnen, anstatt der nach der Etymologie zu erwartenden Reflexe der hinteren *k*-Laute; aber diese Schwierigkeit hebt jetzt glücklich A. Meillet Mém. de la soc. de linguist. VII 57 ff., indem er zeigt, dass dies aus gutem Grunde nach speziellem armenischem Lautgesetze allemal in der Stellung nach ursprünglich vorhergehendem *u* geschieht. Seit Bezzenberger und mir sind übrigens auch andere selbständig auf die Scheidung der drei Reihen der *c*-, *k*- und *q*-Laute gekommen, nemlich Wharton Etyma lat. introd. S. XXVIII f. und Bugge Etrusk. u. Armen. I 108 Anm. (vgl. auch ebend. S. 163). Die gleiche Lehre bekennen jetzt Fick Vergleich. Wörterb. I⁴ S. XXXVII f., Bechtel Die Hauptprobleme d. indog. Lautlehre 346 ff., Gust. Meyer Alban. Stud. III 2 und von Planta Gramm. d. osk. umbr. Dial. I § 159 S. 325 f., um von anderen gelegentlich und privat gegebenen Zustimmungen, wie derjenigen Thurneysens, zu schweigen.

in *bou-tig* 'stabulum'; air. *ben* (gen. *mnd*) 'Frau', cymr. *benyw*, *benaig* 'Weibchen', acorn. *benen* 'sponsa'; ir. *béimm* 'Reise, Weg'; air. *at-bail* 'kommt um, stirbt', cymr. *a-ballif* 'ich komme um', corn. *bal* 'pestis'; air, *bir* 'Spiess, Sachel', cymr. corn. *ber* 'vern'; air. *broo bró* (gen. *broon*) 'Mühlstein, Handmühle', cymr. *breuan*, corn. *brou*, bret. *breou*; air. *bráge* 'Hals, Nacken'. Die ausserkeltischen Zeugnisse für *g-* in diesen Wörtern und Wurzeln, die namentlich durch deren griechische Entsprechungen mit β-, altitalische mit lat. *v-*, osk.-umbr. *b-*, germanische mit *q-* erbracht werden, führen Brugmann Grundriss I § 437a S. 327 f. und Bezzenberger in seinen Beiträgen XVI 238 f. auf; vgl. auch Windisch Kurzgefasste ir. Gramm. § 31 S. 8.

Ich füge noch ir. *bress*, mir. *bras* 'gross', corn. *bras* 'grossus' bei, indem ich dazu lat. *grossu-s* 'dick', abulg. *grъdъ* 'stolz' stelle, sowie auch lat. *grandi-s* 'gross, bedeutend', abulg. *grъdъ* 'Brust' und gr. βρένθος 'Stolz', βρενθύομαι 'brüste mich, geberde mich stolz', deren Nasal man trotz Wiedemann BB. XIII 310 als ursprüngliches Wurzelinfix ansehen darf. Endlich cymr. *blif* 'catapulta', *blifai* 'projectile', *blifyn* 'bullet, ball, projectile', *blifio* 'to cast from an engine' als auf idg. *gl-m-* oder *gl-e-m-* beruhende mutmassliche Verwandtschaft von gr. βάλλω, arkad. δέλλω, βέλος, βολή, βλῆμα, lat. *volare* 'fliegen'.

Für den Wortinlaut ist zunächst ein sicheres Beispiel air. *imb imm* (gen. *imme*), cymr. *ymen-yn* 'Butter', Stamm *imben-*: lat. *unguen, unguo*, umbr. umen 'unguen', umtu 'unguito', dazu auch ahd. *ancho* 'Butter', aind. *andk-ti* 'salbt', *aṅjánti* 3. Plur., *aktú-sh* 'Salbe', preuss. *anctan* 'Butter'; vgl. Brugmann Grundriss I § 421 S. 311, Bezzenberger a. a. O. 239. Ferner mir. *tomm* 'Auswuchs, etwas hervorstehendes', 'Hügel, Busch', cymr. *tom* 'Erdhügel, Düngerhaufen' nebst cymr. *tomen* f. dass., *tomi* 'einen Haufen machen, düngen' weisen auf urkelt. *tumbo-s* = gr. τύμβος 'Grabhügel, Erdhügel', aind. *tuṅga-s* Adj. 'emporstehend, gewölbt, hoch', m. 'Anhöhe, Berg' aus idg. *tungo-s* aus *tu-m-go-s*, nach Stokes BB. IX 92, Verf. Morphol. Unters. V 137, Bechtel Die Hauptprobl. d. idg. Lautl. 353 (vgl. auch Fröhde BB. III 133 Anm. X 300, Verf. Morphol. Unters. V 86 f. Anm., Prellwitz Etym. Wörterb. d. griech. Spr. 330). Vielleicht ist ein drittes Beispiel ir. *cob* 'Sieg', gall. *Cob-(nertus)* : aind. *çag-ma-s* 'kräftig'

(Fick Vergleich. Wörterb. I⁴ 45).   Und ein viertes, dieses
ebenfalls wie mir. *tomm*, cymr. *tom* mit suffixalem -b- aus
-g-, das air. *claideb*, cymr. *cleddyf* M. 'Schwert, Klinge',
wenn es, aus urkelt. *cladi-bo-s* entstanden, mit aind. *khaḍ-gá-s*
M. 'Schwert' aus idg. *khold-gó-s* in Wurzel und Suffixbildung
sich vergleichen lässt, nach Rhŷs und Frankfurter KZ. XXVII
222; das -i- in urkelt. *clad-i-bo-s* dürfte vermutlich mit dem
-yo-Suffix von lat. *glad-iu-s* im Vokalabstufungsverhältnis stehen.
Das ir. *cimbid* 'Gefangener', das Bezzenberger in seinen Beiträgen XVI 251 nebst "bret. *camhet* (Grundform *kambito-n*)
an rot 'Radfelge'" zu gr. κόμβος 'Band, Schleife' und zu lit.
kéngė 'in die Wand geschlagener Haken, Krampe an der Thür'
stellt, lässt man besser bei Seite, da es wegen seiner nächsten
Beziehung zu ir. *cimb* 'Tribut' (Stokes Corm. transl. p. 39,
vgl. auch Windisch Ir. Texte mit Wörterb. 424ᵃ) und vielleicht zu gall.-lat. *cambiare* 'wechseln, tauschen' (Bezzenberger
chend. Anm. 1) ein wenig sicheres Beispiel ist.

Das air. *imb imm*, cymr. *ymen-yn* ist an anderen Stellen
bei Brugmann, Grundriss I § 438b S. 328. § 525 S. 383, miro
quodam lapsu unter die Zeugnisse für die keltische Entwickelung
der aspirata idg. *gh* geraten; eine — durch mich veranlasste —
Berichtigung dessen bringen die "Berichtigungen und Nachträge" Grundriss II S. 1430. Doch, wenn hier dann unter besonderer Rücksichtnahme auf *imben-* 'Butter' über die keltische Vertretung des idg. *g* gelehrt wird: "ir. brit. *b* im Anlaut
und in der Verbindung *ng*", so widersprechen solcher Fassung
der Regel die thatsächlichen Verhältnisse eben in anbetracht
jener ir. *cob*, gall. *Cob-* und air. *claideb*, cymr. *cleddyf*, die Richtigkeit der Wortdeutung dieser vorausgesetzt. Sollte man aber
auch lediglich an die zwei Beispiele air. *imb imm*, cymr.
ymen-yn und mir. *tomm*, cymr. *tom* sich halten müssen, so
wäre doch zu einer solchen oder überhaupt einer Beschränkung der Regel des Inlautsfalles, wie sie Brugmann vorschlägt,
kein triftiger Grund vorhanden, wenn erstens das einzige von
Brugmann a. a. O. I § 437c S. 328 für "ir. brit. *g* im Inlaut vor
n" aus idg. *g* (vgl. auch Strachan Transactions of the philol.
society 1891-2-3 S. 226 f. 228) angeführte Beispiel, air. *uan*,
cymr. *oen* 'Lamm' aus urkelt. *ogno-s* : gr. ἀμνό-ς, eine andere
Auffassung gestattet (s. unten S. 289 f.), ferner aber phonetischer-
seits keine Ratio sich absehen lässt, der gemäss in dem nexus

urspr. -*ŋg*- das -*g*- leichter labialisierbar gewesen sein könnte, als in anderen Lautverbindungen, beispielsweise -*rg*-, -*lg*- oder bei -*g*- in intersonantischer Stellung.

B. Die Aspirata idg. *gh* scheint ebenso allgemeinkeltisch nur unlabialisiert durch *g* fortgesetzt zu sein. Hierfür sind die Beweisstücke, die wir wiederum nach den beiden Stellungen im Wort- und Wurzelanlaut und im Inlaut sondern, folgende:

Air. *guidim* 'ich bitte', ro *gdd* Perf. 'rogavi', *no-gigius* *s*- Fut. redupl., *ni-gessid* *s*-Aor. Konj. (Thurneysen Rev. celt. VI 94 f., Stokes KZ. XXX 559, Brugmann Grundriss II § 663 S. 1026. § 668 S. 1029): gr. πόθο-c aus *φόθ-ο-c, ποθέω, θέccαcθαι, vgl. auch avest. *jaidhyēmi*, apers. *jadiyamiy* 'bitte, wünsche'. Air. *gonim* 'ich verwunde, töte', Perf. 1. Sg. *ro gegon*, 3. Sg. *geguin*, ir. *guin* 'Wunde': gr. φόν-ο-c, ἔ-πεφνον, φατό-c und θείνω, vgl. auch aind. *ghan-d-s* 'der schlägt, Knüttel, Keule', *ghata-s* 'Schlag, Tötung', *ghn-dnti* Praes. 3. Pl. 'sie schlagen', *hdn-ti* 3. Sg., aisl. *guð-r gunn-r*, ags. *ȝúd*, ahd. *gund-(fano)* 'Kampf', and. (Hildebrandsl.) *gúdea* dass., lit. *ginczà* 'Streit'. Ir. *gor* 'Wärme, Feuer', air. *gorim guirim* 'erhitze, erwärme, brenne', cymr. *gor* 'Brut', *gori* 'brüten', bret. *gor* '(feu) ardent, furoncle': gr. θέρ-ο-μαι, θέρος, θερμό-c, vielleicht lat. *formus, fornus furnus, fornax*, deren *f*- jedoch auch nach anderer etymologischer Auffassung der Wörter auf altem *bh*- beruhen kann (Persson Wurzelerw. u. Wurzelvar. 105); vgl. auch aind. *ghar-md-s* 'Glut, Wärme', *hdras* N. 'Glut', avest. *garemō* 'warm, heiss', armen. *ǰerm* 'warm', abulg. *gorĕti* 'brennen', preuss. *gorme* 'Hitze'.

Sehr viel zweifelhaftes besteht betreffs der Zusammenstellung des air. *gell* N. 'Einsatz, Pfand', *gellaim* 'ich verspreche' mit gr. ὀφείλω 'bin schuldig, schulde' und τέλθος n. 'Entrichtung, Opfer', sowie mit got. *us-, fra-gildan* 'vergelten', abulg. *žlĕdą* 'zahle, büsse', lit. *geliúti* 'gelten'. So Bezzenberger in seinen Beiträgen XVI 253 und Prellwitz Etym. Wörterb. d. griech. Spr. 234, teilweise auch Feist Grundriss d. got. Etym. 43; dieselbe Kombination, mit Beiseitelassung von air. *gell*, *gellaim*, bei Fick BB. VI 212. XVI 290. Vergleich. Wörterb. I⁴ 416, Brugmann Grundriss I § 439 S. 329. II § 685 S. 1042 f. und Bechtel Die Hauptprobl. d. idg. Lautl. 359. 361. Zunächst ist das abulg. *žlĕdą* wahrscheinlich germanisches Lehnwort, da für got. *fra-gildan*, aisl. *gjalda*, ags. *ȝieldan*, asächs. *gël-dan*, ahd. *gëltan* durch das aschwed. *gialla* auf ein -*t*-Präsens germ. *ȝél-þō* zurückgewiesen wird, eine Form auf idg. -*dhō* nicht ansetzbar ist (Miklosich Lex. Palaeoslov. 200ᵃ. Etym. Wörterb. d. slav. Spr. 407ᵇ, Kluge Etym. Wörterb.⁵ 133ᵇ, vgl. auch Brugmann Grundriss II § 685 S. 1042 f.); desgleichen ist lit. *geliúti* entlehnt, nemlich aus dem nd. *gellen = gelten*, nach Mielcke (vgl. Brugmann Ber. d. sächs. Ges. 1890 S. 226 Anm. 2, Prellwitz a. a. O.), nach Leskien (brieflich) "ganz sicher". Das gr. τέλ-θος ferner ist doch wohl nicht zu trennen von dem gleichbedeutenden und weit häufiger gebrauchten τέλ-ος N. 'Entrichtung, Zoll, Abgabe', das formale Verhältnis beider so wie bei ἄχ-θος : ἄχ-ος, wenn diese letzteren wurzelhaft zusammengehören (Passow Handwörterb. d. griech. Spr. II⁵ 1855ᵇ); würde man also τέλ-θος auf *ghél-dhos zurückleiten, so müsste man sich schon dazu entschliessen, das τ- von τέλ-ος, wofür ja lautgesetzlich *θέλ-ος zu erwarten wäre, ferner von τελώνης 'Zöllner' auf Übertragung von Seiten des so viel selteneren τέλ-θος beruhen zu lassen; wegen anderweitiger Etymologie des τέλος aber sehe man Curtius Grundz.⁵ 221, Wharton Etyma graeca 122 und Prellwitz a. a. O. 317. Griech. ὀφείλω müsste, statt *ὀθείλω stehend, sein -φ- von den wurzelverwandten Formen wie ὀφλισκάνω, ὦφλον, ὄφλημα bezogen haben. Ob umbr. felsva hierher zu stellen (Brugmann Ber. d. sächs. Ges. 1890 S. 222 f., von Planta Gramm. I 448), bleibt ganz unsicher. Und kann in got. *fra-gildan*, aisl. *gjalda* usw. das anlautende ȝ- an sich ein früheres ȝw- = idg. *gh*- vertreten? Wo nicht, so wäre hier, wie ja auch betreffs des -*ð*- für -þ- im Wurzelauslaute (s. oben), der Einfluss der schwachstufigen Formen got. -*guldum*, -*guldans* heranzuziehen, um ȝeld-, ȝild-, so auch in den Nomina got. *gild* aisl. *gjald* ags. *ȝield* asächs. *gëld* ahd. *gëlt*, got. *gilstr* ahd. *gëlstar*, zu erklären. Endlich das "ir. *gell* hat hinten nicht den Dental des Germanischen usw., denn *gell* wird schon zu einer Zeit geschrieben, die *ld* noch nicht zu *ll* assimiliert", bemerkt Thurneysen brieflich. Allerdings aber könnte, da kelt. -*ll*- wohl aus -*ln*- entspringt, in air. *gell* das *n*-Suffix in nominalem Gebrauche stecken, das man als präsensstammbildend in gr. ὀφείλω anzuerkennen hat: denn ὀφείλω, kret. ὀφήλω aus *ὀφέλ-νω, sowie εἴλω, dor. ϝήλω, lesb. ἀπ-έλλω aus *ϝέλ-νω (Brugmann Curtius' Stud. IV 122 f.

Griech. Gramm. ²§ 30 S. 50. § 56 S. 70. Grundriss I § 204
S. 172. II § 611 S. 981, G. Curtius Verb. d. griech. Syr.
I² 261. 306, Gust. Meyer Griech. Gramm.² § 502 S. 445).
Doch erklärt Thurneysen gegenüber der Kombination air.
gell, gr. ὀφείλω, got. *-gildan* weiter, dass er die Deutung
des *gell* 'Einsatz, Pfand' aus *gislo-n* und Zusammenstellung
mit air. *giall* 'Geisel' aus urkelt. *gèslo-s* = aisl. *gísl*, ags.
gísel, ahd. *gîsal* m. 'Kriegsgefangener, Bürgschaftsgefangener'
(Brugmann Grundriss II § 76 S. 194) ebenso wahrscheinlich
finde. Somit steht man vor einem mehrfachen non liquet
und bleibt es vor der Hand ganz fraglich, ob dem *g-* des
irischen Wortes *gell* die an sich lautlich mögliche Herkunft
aus altem Labiovelar idg. *gh-* zuzusprechen sei.

An Beispielen des Inlautsfalles sind für solche etymologische Geltung eines keltischen *g* anzuführen:

Air. *laigiu, lugu*, mcymr. *llei* compar. 'minor' : gr.
ἐλαφ-ρό-ς, ἐλαχύ-ς, lat. *levi-s*, vgl. auch aind. *raghú-sh laghú-sh*
'rasch, schnell, hebende, leicht', abulg. *lьgъkъ* 'leicht'. Air.
snigid 'es tropft, regnet', *snigis* 3. Sg. Prät., *snige* 'Tropfen,
Regen' nebst *snechta* 'Schnee' : gr. νίφ-α, νιφετό-ς, νείφει, lat.
nivit, ninguit, nix niv-is, ahd. *snîwit*, got. *snaiw-s*, vgl. auch
abulg. *snègъ* 'Schnee', lit. *snéga-s* 'Schnee', *sniñga* 'es schneit'.
Mir. *esc-ung* 'Aal', eig. 'Wasser-' oder 'Sumpfschlange' : gr.
ὄφι-ς, lat. *angui-s, anguilla*, vgl. auch aind. *áhi-sh*, avest.
ažhi-sh' 'Schlange, Drache', lit. *angí-s* 'Schlange, Natter',
unguŷs 'Aal', poln. *wąź*, russ. *užъ*, slov. *vóž* 'Schlange', poln.
węgorz, russ. *ugorъ*, serb. *ugor*, slov. *ógor* 'Aal' und dazu
ein unbelegtes aksl. *ągoristъ* 'anguilla'. Hierher vielleicht auch
noch cymr. *llyngyr* 'lumbrici', bret. *lencquernenn* 'Eingeweide-
wurm' : lat. *lumbricus*, wenn diese lateinische Form in der
Weise wie lanuv. *nebrundines*, pränest. *nefrones* neben gr.
νεφρό-ς, ahd. *nioro*, ais. *nýra* aufgefasst werden darf, nach
Bezzenberger in seinen Beiträgen XVI 257.

Wie zu diesen Wörtern für 'Niere', lanuv. *nebrundines*
usw., sich das air. *dru* (Plur. *árain*), cymr. *aren* F. 'Niere',
eirin Pl. 'Pflaumen' verhalte, ist allerdings wegen der Gestalt
der Wurzelsilbe des keltischen Wortes nicht durchsichtig; vgl.
Stokes KB. VIII 338, Windisch Paul Braunes Beitr. IV 268
Anm., Brugmann Grundriss II § 114 S. 331 f. Doch ist bezüglich des Konsonantismus so viel sicher, dass dem Ansatz von

urkelt. *agr- hier nichts im Wege steht, gemäss air. *dr*, cymr.
aer, ahret. air 'Schlacht, Blutbad' aus *agr- u. dgl. (Windisch
Kurzgef. ir. Gramm. § 74 S. 16, Brugmann Grundriss I § 523
S 382, Strachan Transactions of the philol. society 1891-2-3
S. 237). Ob dagegen für air. *dru*, cymr. *aren* auch von einem
*abr- ausgegangen werden könne, wie Windisch Paul-Braunes
Beitr. IV 268 Anm. und bei G. Curtius Grundzüge ⁵316 meinte,
ist durchaus zweifelhaft und nach Strachan a. a. O. 238 wahrscheinlich zu leugnen, was mir auch Thurneysen auf Grund
eigener Zusammenstellungen bestätigt; Fälle wie das Fut.
redupl. air. *do-béra* 'wird geben' aus vermeintlichem *-bebrat
oder *-bibrat, die noch Windisch Ir. Gramm. § 75 S. 17 und Brugmann Grundriss I § 526 S. 383 für lautgesetzlichen mit "Ersatzdehnung" verbundenem Verlust des -b- aus der Gruppe -br-
anführen, erklärt Strachan unter Zustimmung Thurneysens als
Analogiebildungen, angesichts entgegenstehender Fälle wie air.
abra 'Augenwimper', gäl. *abhra* : ὀφρῦς, maced. ἀβροῦτες
Hesych. Mithin würde auch das air. *dru*, cymr. *aren* zu einem
Zeugnis für gemeinkelt. -g- = idg. -gh-, wofern es wirklich zu
gr. νεφρό-ς usw. gehört. Grundverfehlt erscheint die Ansicht,
die seit Benfey Griech. Wurzellex. II 56 bis in die neueste Zeit
hinein ihre Vertreter, z. B. an G. Curtius Grundzüge ⁵316 (zwei-
felnder derselbe chend. S. 483), O. Schade Altdeutsch. Wörterb.²
651ᵇ, Vaniček Etym. Wörterb. d. lat. Spr.² 140, Leo Meyer Vergleich. Gramm. I² 1007, Fick Vergleich. Wörterb. I⁴ 502 und
Prellwitz Etym. Wörterb. d. griech. Spr. 212, findet, dass in
νεφρό-ς, *nefrōnēs*, *nebrundinēs* und in ahd. *nioro*, mnl. *niere*,
mengl. mnd. *nēre*, ais. *nȳra* ein idg. *nebhr- stecken könne; das
lehnte für die germanischen Formen auch schon Joh. Schmidt
Verwandtschaftsverh. d. idg. Spr. 56 ab. Wenn Fick und Prellwitz ahd. "*nior*- aus *nebhr*-, wie an. *bjórr* neben *bifr*, nhd.
biber aus *bebhru*-" geltend machen, so entgeht ihnen, dass
dem aisl. *bjórr*, ostnord. *biur* vielmehr nach speziell skandina-
vischer Lautregel gesetzmässig ein *beburr = ags. *beofor* zu
Grunde liegt, nach Noreen Altisländ. u. altnorweg. Gramm.²
§ 106a S. 66. § 231 S. 130, Pauls Grundriss d. german. Philol.
I 465 f. Die einzig zulässige Zurückführung des in ahd. *nioro*,
aisl. *nȳra* enthaltenen germ. *neur- auf *neɣwr- = idg. *neghr-
(Kluge Germ. Konjug. 12. 44. Etym. Wörterb.⁵ 271ᵃ f., Fröhde
BB. III 14, Bersu Die Gutt. u. ihre Verbind. mit *v* im Lat. 131 f.

160, Brugmann Grundriss I § 423 S. 311 f. § 443 S. 331. § 509
S. 376. II § 74 S. 173. § 114 S. 331 f., Stolz Lat. Gramm.² § 53
S. 294, Franck Etym. woordenboek d. nederl. taal 678, Verf.
Morphol. Unters. V 82 Anm., vgl. auch Schweizer-Sidler und
Surber Gramm. d. lat. Spr. I² § 57 b S. 48 und Bezzenberger in
seinen Beiträgen XVI 257) gewinnt nun bei Verwandtschaft
des air. *dru*, cymr. *aren* von keltischer Seite noch eine Stütze.

Ein weiteres Beispiel wie hiernach das air. *dru* 'Niere'
würde air. *nár* 'schamhaft, schüchtern, bescheiden' sein, wenn
es Strachan a. a. O. 237 richtig aus *naghro-s* oder *naghro-*
deutet mit Beziehung zu gr. νήφω, dor. ναφω 'bin nüchtern',
woran sich aber der Begriffe wegen noch zweifeln lässt.

Sehr schwierig ist die Frage, wie in dem Falle air. *ingen*,
mir. *inga inge* 'Nagel, Kralle', acymr. *eguin*, ncymr. *ewin* f.,
corn. *euuin* 'unguis', bret. *iuin* 'ongle' für ur-inselkelt.
engwinā (Thurneysen bei Brugmann Grundriss II § 114 Anm. 2
S. 332) : lat. *ungui-s*, *ungula*, gr. ὄνυξ ὄνυχ-ος, ahd. asächs.
nagal, ags. *nægel*, ais. *nayl* 'Nagel', got. *ga-nagljan* 'nageln',
lit. *nága-s* 'Nagel, Klaue', *nagà* 'Huf', abulg. *noga* 'Fuss',
nogúti 'unguis', aind. *nakhá-s*, *nakhá-m* 'Nagel, Kralle', neupers. *naxum*, osset. *nax* 'Nagel' der inlautende Guttural
sowohl hinsichtlich seiner ursprünglichen Artikulationsart wie
auch Artikulationsstelle zu beurteilen sei. Auch Bezzenberger
a. a. O. 257 f. ist damit nicht ganz ins Reine gekommen. Ich
füge zu seinen Bemerkungen hier nur das eine berichtigend
hinzu: wenn trotz der indo-iranischen Formen, denen gemäss
man gewöhnlich die Grundform mit Tenuis aspirata ansetzt,
so z. B. Kluge KZ. XXVI 88, Brugmann Grundriss I § 429 c
S. 320. § 553, 5 S. 408. Griech. Gramm.² § 32 S. 51, Stolz Lat.
Gramm.² § 57 S. 297, Kozlovskij Archiv f. slav. Philol. XI 386
und Wharton Etyma lat. 110. 127. 129, vielmehr, wie bei
Feist Grundriss d. got. Etym. 82 geschieht, mit indogermanischer Media aspirata, oder zugleich auch mit dieser, was
Kluge Etym. Wörterb.⁵ 267ª, Franck Etym. woordenboek d.
nederl. taal 667 und Prellwitz Etym. Wörterb. d. griech. Spr.
226 zu denken scheinen, zu rechnen sein sollte, und wenn
diese stimmhafte Aspirata, vornehmlich oder einzig des lat.
ungui-s wegen, der labiovelaren "q-Reihe" zugewiesen werden
müsste, so würde das Keltische seinerseits hiergegen seines
-g- halber keinen Einspruch erheben und nicht notwendig, wie

Bezzenberger vermeinte, "auf einen *k*-Laut weisen", da das -*g*-
in air. *ingen*, acymr. *equin* an sich recht wohl = idg. -*gh*- sein
könnte. Aber allerdings weist das Germanische, wie Bezzenberger richtig bemerkt, die *q*-Reihe hier ab, weil es *naʒla·*
hat, nicht *naula- in Einklang mit *hveula-n 'Rad' = ags.
hvéol, isländ. *hjol*, schwed. dän. *hjul*, *neurŏn = ahd. *nioro*
(s. o. S. 271) u. dgl. Und das einzige Gegenzeugnis des lat. *ung-u·i·s*
wird dadurch entkräftet, dass für die Geltung seines inneren
-*u*- als suffixales Bildungselement, nicht als labiale Affektion des
Velars, das -*w*- der Thurneysenschen inselkeltischen Grundform
*eng-w-ina in die Wagschale fällt, das seinerseits dem Verdacht
der Herkunft von labialer Affektion nicht unterliegen kann.

2. Dass in irgend einem sicheren Beispiele kelt. *b* =
idg. *gh* sei, ist zu leugnen. Allerdings verzeichnet Bezzenberger
in seinen Beiträgen XVI 239. 240 zwei solcher Fälle, in denen
wortanlautend diese Entsprechung zu gelten habe; und ebend.
253 Anm. 1 bringt er auch ein vermeintliches Zeugnis für inlautendes kelt. -*b*- aus -*gh*- vor.

Zunächst soll in air. *benim* 'ich schlage, schneide', mbret.
benaff 'ich schneide', acymr. *et-binam* 'lanio'. *du-heneticion*
'exsectis' Gloss. nicht minder Verwandtschaft von gr. φόνο-c,
ἔ-πεφνον, φατό-c, θείνω, aind. *ghand-s* usw. vorliegen, als in
air. *gonim*, Perf. *ro-gegon*, ir. *guin* 'Wunde' (vgl. Bezzenberger
a. a. O. 252, oben S. 268). Aber diese etymologische Auffassung
des air. *benim*, mbret. *benaff*, die lange Zeit herkömmlich war
und auch in neuerer und neuester sprachwissenschaftlicher
Litteratur immer wieder auftaucht, z. B. bei Bechtel Die Hauptprobl. d. idg. Lautl. 332. 357, Fick Vergleich. Wörterb. I⁴ 40,
Prellwitz Etym. Wörterb. d. griech. Spr. 118, ist schon von Joh.
Schmidt KZ. XXV 170 f. beanstandet worden; Ascoli Sprachwissensch. Briefe 165 hat sie dem gegenüber vergeblich zu
stützen gesucht. Endgiltig beseitigt sie Thurneysen Rhein. Mus.
N. F. XLIII 351. KZ. XXXI 83 f. durch den überzeugenden
Nachweis, dass als Wurzel sich *bhey-*, tiefstufig *bhl-* für *benim*
aus weiter zugehörigen Formen des Keltischen selbst, wie air.
ro-bt Prät., *ro-bith* Pass., *bithe* Part. 'perculsus', ir. *biail*
'Beil', agall. *bidu-bium* 'Holzhaue', abret. *bitat* 'resecaret',
cymr. *bidog* 'Hirschfänger', ferner aus ahulg. *biją biti* 'hauen',
ahd. *bihal* 'Beil' aus germ. *bi-pla-n, gr. φιτρό-c 'Holzscheit',

lat. *per-fines* 'perfringas' Fest. u. ähnl. ergebe; vgl. auch Verf.
Verhandlungen d. einundvierzigsten Versamml. deutscher Philol.
in München Leipz. 1892 S. 303 und Brugmann Grundriss II
§ 604 S. 977. Strachan Transactions of the philol. society
1891-2-3 S. 235 erachtet auch die unmittelbare Zurückführung
des Nomens air. *béimm* und mbret. *boem*, nbret. corn. *bomm*
'Schlag' auf diese Wurzel *bhey-* unter Ansatz eines urkelt.
*beismen für wohl möglich, aber er hätte dann nicht an spä-
terer Stelle, S. 247, für ir. *bét* 'evil, injury, hurt' noch an der
Herleitung aus *ghen-* 'schlagen' festhalten sollen; Thurneysen
(brieflich) urteilt, dass dieses *bét* von *benim* der Bedeutungen
wegen ganz zu trennen sei. Nach Richard Schmidt in den
Idg. Forsch. I 77 ist das air. *béimm* N. 'Schlag' eine sekundäre Wortschöpfung, desgleichen nach Strachan, wenn dessen
andere Heischeform *bensmen a. a. O. 234 f. 251 das Richtige
trifft: die Verbumsform *be-nim* wäre in der Folge als *ben-im*
aufgefasst worden.

Von der Wurzel *ghen-* leitet neuerdings Stokes Urkelt.
Sprachsch. 15 (das Citat nach Strachan) auch mir. *indeoin*
'Amboss', corn. *ennian*, bret. *anneffn* ab, indem er ein **ande-
bni-s* zu Grunde legt. Dagegen zeigt Strachan a. a. O. 226 f.,
dass eine Form mit innerem *-b-* höchstens die bretonische, her-
kommend etwa von einem **ande-beni-s*, sein könne; das irische
Wort gehe ohne Schwierigkeit auf ein **ande-gni-s* zurück.
Trotz solcher Differenz meint Strachan die Wörter nicht wurzelhaft trennen zu müssen, indem auch er eben noch daran festhält, dass kelt. *ben-* = idg. *ghen-* sein könne, wie kelt. *-gn-*
normal = idg. *-ghn-* sei nach einer vermeintlichen Spezialregel,
für die *-gn-* — anstatt *-bn-* oder daraus *-mn-* — aus vermeintlichem idg. *-gn-* in air. *uan*, cymr. *oen* 'Lamm' (vgl. o. S. 267,
weiter unten S. 289 f.) angeführt wird. Auf ganz andere Fährte
jedoch verhilft, was mir Thurneysen über diese Wortsippe
aufklärend schreibt (10. November 1893): "Zunächst die
Formen sind folgende: altir. *indéin*, mir. *indeoin innéoin*,
gl. Oxfordensis poster. (eher cymr. als corn.) *ennian*, neucymr.
eingion (*ng* = *w*) und *einion*, corn. (bei Lhuyd) *anyan*, mbret.
anneffn (*ff* = *v*), neubret. *anneo anneañ*. Darnach scheint mir
urbritt. Grundform etwas wie **annivan* . . ., und auch das ir.
wird auf etwas wie **endirani-* zurückgehen; jedenfalls begann
das zweite Wortglied oder, um vorsichtiger zu sprechen, die

dritte Silbe mit *v*". Sollte hiernach die Wurzel nicht dieselbe, wie in avest. *van-a-iti* 'schlägt, kämpft', armen. *vanem* 'schlage, schlage in die Flucht' (entlehnt? vgl. Hübschmann Armen. Stud. I 51), got. *wund-s*, ags. asächs. nhd. *wund*, ahd. *wunt* adj. 'verwundet' aus idg. **wn̥-tó-s* Part., ags. *wund*, asächs. *wunda*, mnl. *wonde*, ahd. *wunta* f. 'Wunde' für germ. **wun-dō* = idg. **wn̥-tá*, gewesen sein?

Die andere Stütze Bezzenbergers für behauptetes kelt. *b-* = idg. *gh-* ist cymr. *brawddegg* 'Redensart', *am-mrawdd* 'circumlocution' nebst air. cymr. *bard*, corn. *barth*, agall. *bardos* 'Barde', zu preuss. *po-gerdaut* 'sagen', lit. *gerdas* 'Geschrei, Botschaft', *girdĕti* 'hören' und zu gr. φράζω, πεφρα-δεῖν gestellt, wie dasselbe bei Prellwitz Etym. Wörterb. d. griech. Spr. 348 sich findet. Sie ermangelt ebenfalls sehr des Eindrucks der Zuverlässigkeit. Entweder sind nur φράζω und die baltische Wortsippe einander vergleichbar, so nach Bezzenberger und Fick BB. VI 239, Fick Vergleich. Wörterb. I⁴ 418, und Brugmann Grundriss II § 707 S. 1061 f., oder man hat mit Stokes BB. XI 70 φράζω und die keltischen Wörter unter sich zusammenzubringen, mit Ausschluss der baltischen, indem der Wurzelanlaut jener altes *bh-* war; eins ist hier so unsicher wie das andere, Zusammenschluss aller drei verschiedensprach- lichen Wortgruppen aber unstatthaft, so lange nicht die Glei- chung kelt. *b-* = idg. *gh-* besser begründet ist.

Nach Bezzenberger a. a. O. 253 Anm. 1 soll mit gr. νείφει, νίφα usw. nicht das air. *snigid* 'es tropft, regnet', wie sonst wohl allgemein geglaubt wird (vgl. oben S. 270), — und also wohl auch nicht air. *snechta* 'Schnee'? — sondern vielmehr ir. *nimb* 'Regen, Wolke' und cymr. *nyf* 'Schnee' zusammen- zustellen sein. Doch sind diese wohl nur Entlehnungen aus dem Lateinischen, und zwar sogar von zwei verschiedenen Quellwörtern des Lateins. Ir. *nimb*, nur in Glossaren belegt, von lat. *nimbus*, wie schon Cormac S. 32 unzweifelhaft richtig konstatiert: "*nimb .i. bróen*, ab eo quod est *nimbus*"; vgl. auch O'Dav. S. 107: "*nimb .i. nell no braen*" und Windisch Ir. Texte mit Wörterb. 708ᵇ. Dagegen cymr. *nyf*, das nur ein- mal bei einem cymrischen Dichter sich findet, ist dessen ge- lehrte Wiedergabe des lat. *nicem*. So über diese Wörter ir. *nimb* und cymr. *nyf* auch Thurneysen (brieflich), mit der zu- sätzlichen Bemerkung, dass das von Lexikographen, z. B. Spur-

rell An english-welsh pronouncing dictionary³ 310ᵇ, angeführte
Verbum cymr. *nyfio* 'schneien' unbelegt sei. Überdies, wenn
sich Bezzenberger zu denken scheint, dass cymr. *nyf* und ir.
nimb ganz dasselbe Wort seien, wie sollte es kommen, dass
die Lautgruppe -*mb*- in cymr. *nyf*, *nyfio* eine so ganz andere
Behandlung zeigt, als in cymr. *ymen-yn* 'Butter' und *tom*,
tomen 'Erdhügel : air. *imb imm*, mir. *tomm* (vgl. oben S. 266)?

Zu erwähnen ist hier auch die von Stokes BB. IX 87
herrührende Vergleichung des air. *bél* M. 'Lippe' mit gr. χεῖλος,
lesb. χέλλος N. Sie hat unverdiente Zustimmung gefunden, z. B.
bei Gust. Meyer Griech. Gramm. § 68 S. 81 und Prellwitz Etym.
Wörterb. d. griech. Spr. 355. Widersprochen hat ihr aber Sohn-
sen KZ. XXIX 352 mit dem triftigen Grunde, dass die dabei
erforderliche Heischeform *χέσλος — diese auch bei Windisch
KZ. XXVII 169 und Wackernagel ebend. XXIX 124 unter
anderer etymologischer Voraussetzung — wegen χελύνη 'Lippe,
Kinnlade' nicht aufstellbar sei, wahrscheinlicher sei χεῖλος aus
*χέλ-νος entstanden; das letztere lehrte übrigens vor Solmsen
auch schon Wharton Etyma graeca 132. 147, dieser mit Ver-
weisung auf aisl. *gjǫlnar* F. Pl. 'Kieme, Kiefer', dem wohl ein
dem χελύνη zunächst stehendes germ. *ʒelunóz zu Grunde zu
legen ist. Aber gegen die Stokessche Ansicht giebt es nun
noch drei weitere Einwände: erstens, dass das *b*- des air. *bél*,
wenn überhaupt in eine der drei Gutturalreihen, dann doch
wohl nur in die der Labiovelare zurückweisen, griech. χ- in
χεῖλος aber nur entweder das palatale *ʒh* oder das reinvelare
(mittlere) *gh* darstellen könnte; ferner, dass air. *b*-, als von
altem labiovelaren Guttural kommend, einzig auf der nicht
aspirierten Media idg. *g*-, nicht auf aspiriertem *gh*-, beruhen
könnte; und drittens endlich, worauf mich Thurneysen aufmerksam macht, ergiebt -*sl*- im Irischen nicht "Ersatzdehnung" bei
einfachem -*l*-, sondern -*ll*-, wie z. B. in ir. *coll* 'Haselstaude':
aisl. *hasl* ags. *hæsel* ahd. *hasal*, lat. *corulus*, in air. *giall*
'Geisel' : aisl. *gísl*, ags. *ʒísel*, ahd. *gísal* (vgl. oben S. 270).
Ein neuerer lautlich wenigstens unanstössiger Vorschlag von
Stokes bei Strachan Transactions of the philol. society 1891-2-3:
S. 243 betreffs des air. *bél* ist, dass es aus *getlo-s zu deuten
und zu got. *qiþan* 'sagen, sprechen' zu beziehen sei.

Auch bei Brugmann Grundriss I § 438 S. 328 erweisen
die vorgebrachten Belege für die keltische Vertretung seines

"idg. *gh* mit Labialisierung" sämtlich nur *g*, sowohl anlautend
wie inlautend, abgesehen von dem einen dort falsch gruppier-
ten air. *imb imm*, cymr. *ymen-yn* 'Butter'. Brugmann hat
sich also wohl gerade durch dieses *imb*, sodann aber vornehmlich durch seine "a priori" gefasste Meinung, dass Zusammenfall aspirierter und unaspirierter media im Keltischen
durchweg zu erwarten sei, den Weg zur Erkenntnis des Richtigen verlegt.

Nicht minder ist es Bezzenberger misslungen, den durch
ihre Zahl und etymologische Klarheit ausreichend verbürgten
Beispielen für kelt. *g* = idg. *gh* in befriedigender Weise gerecht
zu werden. Wie wenig er die übliche Herleitung des air.
snigid aus der Wurzel *sneygh-* von gr. νείφει, ahd. *sniwit* zu
erschüttern vermocht hat, haben wir gesehen (S. 275 f.). In
anderen Fällen werden andere nicht stichhaltige Auskunftsmittel von ihm versucht. So bestreitet er a. a. O. 255 hauptsächlich wegen air. *lugu, laigiu*, mcymr. *llei* die Beweiskraft
des gr. ἐλαφ-ρό-ς für idg. *-gh-* und will zweifelnd diesen Fall,
sicherer aber S. 256 f. den von air. *gorim* : gr. θέρος θερμό-ς,
worin ihm Bechtel Die Hauptprobleme d. idg. Lautlehre 359
beistimmt, der *q*-Reihe ab- und der reinvelaren *k*-Reihe zusprechen. Mir scheint überhaupt nicht, trotz Bechtel a. a. O.,
dass Bezzenberger seinen Satz, dass auch die reinvelaren
(mittleren) *k*-Laute, ebenso wie idg. *q*, *g*, *qh*, *gh*, im Griechischen der Palatalisierung zu τ, δ, θ und bei mundartlicher Beschränkung, in der "achäischen Dialektgruppe". der Labialisierung zu π, β. φ unterliegen, bewiesen habe, worauf ich
indes hier nicht näher eingehen kann; vgl. auch Carl D. Buck
Amer. journal of philol. XI 214 Anm. Was Bezzenberger a. a. O.
252 für die *g-* in air. *guidim* 'ich bitte' und in ir. *guin* 'Wunde',
deren Herkunft von idg. *gh-* er nicht in Abrede stellt, als
Sondererklärungen in Bereitschaft hält, wird hernach (S. 285 f.)
von uns zu prüfen sein.

3. Wenn wir die Gleichung kelt. *b* = idg. *gh* nicht gelten
lassen, so fragt sich nun weiter, ob nicht andererseits kelt. *g* =
idg. *g* für einige Fälle, und zum Teil vielleicht durch besondere
lautgesetzliche Umstände gerechtfertigt, anzuerkennen sei.

Man hat mehrfach auf Einflüsse gefahndet, welche durch
benachbartes *u*, vorhergehendes und nachfolgendes, den Labio-

velaren der *q*-Reihe in der Art widerfahren, dass diese ihre
labiale Affektion einbüssen in Sprachen, welche sonst Labialisierung zu kennen pflegen. Namentlich weit ist de Saussure
gegangen, der es Mém. de la soc. de linguist. VI 161 f., gestützt auf die Bemerkungen Brugmanns KZ. XXV 307 Anm.,
geradezu als eine auf alle west-indogermanischen Idiome sich
erstreckende Regel hinstellte, "qu'on ne trouve jamais de *u*
après une gutturale vélaire précédée d'*u*". Ebenso wie de
Saussure, ohne seinen Vorgänger zu erwähnen, Meillet in seinem Aufsatz "Les groupes indo-européens *uk, ug, ugh*", Mém.
de la soc. de linguist. VII 57 ff.; hier wird auch noch das
Armenische unter denselben Gesichtspunkt gebracht, dieses mit
einem an sich wohl beachtenswerten Ergebnis inbetreff seiner
eigenartigen Behandlung von idg. *q, g, gh* nicht nur, sondern
auch "reinvelarer" *k, g, gh* nach *u* (vgl. oben S. 265 Anm.).

Ich gebe nun de Saussure gern zu, dass, was ich PBrB.
VIII 275 f. gegen Brugmann a. a. O. ausgeführt habe, heute
zum Teil nicht mehr als stichhaltig gelten kann. Andererseits
wird er, wie auch Meillet, mir einräumen müssen, dass bei
λευκός, lat. *lûceo*, got. *liuhaþ*, bei ζυγόν, lat. *jugum*, got. *juk*
u. dergl. hinfort von einer "exception au labialisme" kaum
noch geredet werden könne, seitdem wir mit *k*-Lauten rechnen,
die, ohne jemals palatal gewesen zu sein, doch von Labialisierung nirgends etwas aufweisen, den *k*-Lauten der mittleren
Gutturalreihe. Dasselbe macht auch Bechtel Die Hauptprobleme
d. idg. Lautl. 353 gegen de Saussure und Brugmann geltend.

In der Beschränkung auf die einzig labialisierungsfähigen
Gutturale, die *q*-Laute im engeren Sinne, ist — das hebt ebenfalls schon Bechtel a. a. O. gegen de Saussure und Brugmann hervor — die de Saussure-Meilletsche Regel jedenfalls nicht durch-
führbar. Das Italische zunächst lehnt sie entschieden ab.
Das zeigt lat. *ûv-* in *ûv-êns, ûv-esco, ûv-idu-s, ûv-or*, wo *û(g)v-*
= idg. *ûg-* die stärkere Tiefstufe zu *uog-* in aisl. *vǫk-r* 'feucht,
nass', *vǫkva* F. 'Feuchtigkeit, Nässe' ist, sowie gr. ὑγ-ρό-ς die
schwächststufige Gestaltung derselben Wurzel enthält; höchst
gesucht ist lat. *ûve-* "aus *ûksye*" bei Solmsen Stud. z. lat.
Lautgesch. 162 f. 168 Anm.; idg. *ûg-* wird auch durch ags. ahd.
f-ûht 'feucht' gestützt (Verf. PBrB. XVIII 247). Wenn Brugmann KZ. XXV 307 Anm. sich gedacht zu haben scheint, es
könne lat. *û(g)v-* für lautgesetzliches *ag-* nach verwandten

Formen mit *ve(g)v-, *vo(g)v- eingetreten sein, so widerspricht dieser Annahme der gänzliche Mangel solcher wurzel-
hochstufigen Wortbildungen wie germ. *waq-a-z = aisl.
vǫk-r innerhalb des Lateinischen. Es widerspricht aber ferner lat.
lupu-s, das trotz aller Versuche der Abtrennung von griech.
λύκο-ς mit diesem auf grundsprachlichem *luqo-s beruhen
muss, einer alten Nebenform zu *wḷ'qo-s = aind. vṛka-s, avest.
vehrkó, lit. wilka-s, abulg. vlьkъ, alban. ulk, got. wulf-s; lupu-s
bekanntlich, trotz Bugges neuerem Zweifel BB. XIV 63 f., als
dialektische, etwa sabinische oder umbrische Lehnform für
echt-lateinisches *luquo-s. Vgl. Bugge KZ. XX 2, von Bradke
ZDMG. XL 352, Fröhde BB. XIV 107, Verf. Morphol. Unters.
V 77, Wharton Etyma lat. 55, Gust. Meyer Alban. Stud. III 2 f.,
W. Schulze Quaest. epicae 327 Anm.; über lu, ru für wḷ, wṛ
neuerdings in abweichender Weise Darbishire Transactions of
the Cambridge philol. soc. 1892 S. 193 ff. (vgl. Streitbergs
Anz. f. idg. Sprach- u. Altertumsk. III 37 f.). Wenn man an
der bisherigen Deutung von lat. fruor aus *fru(g)v-ō-r (G.
Curtius Grundzüge⁵ 187, Verf. PBrB. VIII 295, Bersu Die
Gutt. u. ihre Verbind. mit v im Lat. 8. 124. 141. 153. 167,
Schweizer-Sidler und Surber Gramm. d. lat. Spr. I² § 76 S. 63,
Wharton Etyma lat. 39, Brugmann Grundriss II § 532 S. 928),
richtiger vielleicht aus *frū(g)v-ō-r (Solmsen Stud. z. lat. Laut-
gesch. 129 Anm. 165), noch wird festhalten dürfen, so ist fruor
ein drittes Zeugnis gegen die Zulässigkeit der de Saussure-
Meilletschen Anschauungweise auf italischem Sprachboden.

Im Griechischen allerdings, das darum auch recht-
mässig ὑγρός, λύκος hat, ist es Lautgesetz, dass nach u, wie
auch vor demselben, die nicht labialisierten Formen κ, γ, χ
Vertreter der alten Labiovelare der q-Reihe sind; vgl. Brugmann Grundriss I § 427c S. 316 f. § 428c S. 319. § 429c S. 320.
Griech. Gramm.² § 35 S. 55. 56, Bugge BB. XIV 63.   Aufs
Griechische schränkt bereits Bechtel Die Hauptprobleme d. idg.
Lautl. 353 die vermeintliche "gemeinsam europäische Regel"
de Saussures ein.   Dieser Mém. de la soc. de linguist. VI 162
und Meillet ebend. VII 59 f. waren betreffs der Fälle wie κύκλος,
νύξ, οἰνό-φλυξ, in denen, wie nach ihrer Meinung selbst in
λύκος, kein idg. u zu finden ist, auch genötigt, sie als "une
seconde série de formes" hinzustellen und zu "séparer nette-
ment de la loi générale les faits purement grecs", bei denen

ein "phénomène de date hellénique" dasselbe Resultat einzelsprachlich hervorgebracht habe, wie in ὑγρός u. ähnl. ein gemeineuropäischer, daher vorgriechischer Lautwandel; eine missliche Konsequenz, der man von Bechtels und meinem Standpunkte aus überhoben ist[1]).

Mit einem dem Griechischen entsprechenden Gesetze hat

---

1) Mit Bechtel a. a. O. stimme ich nur darin nicht überein, dass er "Ausnahmen" von der griechischen Regel der Unterdrückung des labialen Nachlautes hinter *u* zulassen zu müssen glaubt. Sein τύμβο-ς : aind. *tuṅga-s*, mir. *tomm* (vgl. oben S. 266) ist zunächst ein verwunderliches Beispiel, da hier doch -*g*- gar nicht einem *u* nachfolgte. Die wohl von Fick BB. II 188 herrührende Etymologie ὕψι, ὕψος, ὑψηλός zu gall. *ūxello-* in *Uxello-dūnum*, air. *uasal* 'hoch, erhaben' ist keineswegs so unanfechtbar, wie von Bechtel und anderen geglaubt wird, und schon Thurneysen KZ. XXX 492 findet Schwierigkeiten darin. Es werden doch wohl diejenigen Recht behalten müssen, die ὕψι, ὕψος zu den *p*-Formen ὑπό, ὑπέρ, ὕπατος, aind. *úpa, upamá-s* 'oberster', ags. *ufema* 'oberster, höchster', also auch zur Sippe unserer *ob, oben, ober, über,* stellen: so Bopp Vergleich. Gramm. III³ 497 f., Pott Etym. Forsch. I² 475 645, G. Curtius Grundzüge⁵ 290, Vaniček Griech.-lat. etym. Wörterb. 91, Wharton Etyma graeca 128, Leo Meyer Vergleich. Gramm. I² 579. 589. auch Prellwitz Etym. Wörterb. d. griech. Spr. 337, nur dass dieser noch ebend. und S. 332 ὑψηλός und ὕψος 'Buckel, Höcker' zu gall. *Uxello-dūnum*, air. *uas* 'oberhalb' zu beziehen für eine gleichberechtigte Möglichkeit hält. Mit dem gall. *ūxello-*, air. *uasal*, cymr. corn. *uchel*, mbret. *uhel* 'hoch' aber und air. *uas ós*, cymr. *uch uwch*, corn. *uch* 'oberhalb' vergleicht sich wohl wahrscheinlicher als alles andere, als z. B. die Sippe von lat. *augeo, auxilium*, got. *aukan* 'sich mehren', gr. αὔξω nach G. Curtius Grundzüge⁵ 383, Brugmann Grundriss I § 434 S. 326 und Prellwitz Etym. Wörterb. d. griech. Spr. 39 f., oder auch als gr. αἶπος nach Thurneysen a. a. O., das got. *auhuma* 'höher', *auhumist-s* 'höchst, oberst'. "Auch κόβος, κούβη?" bemerkt Bechtel noch, selbst zweifelnd und ohne Anhaltspunkte zu geben. Gr. ὕβρι-ς und aind. *ugrá-s* 'gewaltig, heftig', avest. *ughró* stellte Bezzenberger in seinen Beiträgen II 155 zusammen, ebenso ihm folgend ich PBrB. VIII 275 und Prellwitz Etym. Wörterb. d. griech. Spr. 332, und neuerdings wiederum Bezzenberger in seinen Beiträgen XVI 253 so, dass er jetzt den Labial in ὕβρι-ς, wie auch in ὑψηλός, gewagter Weise aus der Quelle spezieller "achäischer" Gestaltung auch sonst nicht labialisierbarer *k*-Laute herleiten möchte; dagegen aber Bugge BB. XIV 62 f. mit Deutung des ὕβρι-ς aus *ὐδ-βρι-ς = idg. *úd-gri-s*, zu βριαρό-ς, "ansprechend" nach Brugmann Griech. Gramm.² § 200 S. 220, zum mindesten jedoch nicht unwahrscheinlicher als Bezzenberger.

man nun auch für das K e l t i s c h e operieren zu dürfen geglaubt; wie ich glaube, ohne durchschlagenden Erfolg.

Die κ-Form in gr. βου-κόλο-ϲ und die π-Form in αἰ-πόλο-ϲ
liess de Saussure Mém. de la soc. de linguist. VI 161 f. (vgl.
auch ebend. VII 89), ebenso andere nach ihm, wie Meillet
ebend. VII 58, King and Cookson The principles of sound and
inflexion 127 (anders jedoch dieselben S. 130. 245), Bugge
BB. XIV 65, Wackernagel Das Dehnungsgesetz d. griech. Komp.
4, Bezzenberger in seinen Beiträgen XVI 252. 258, Bechtel Die
Hauptprobleme d. idg. Lautl. 353, neuerdings Prellwitz Etym.
Wörterb. d. griech. Spr. 8. 51. 244, mit lautgesetzlicher Berechtigung entwickelte Varianten eines und desselben urspr. *-qolo-s
sein. Darauf fussend lehrte Stokes in brieflicher Mitteilung an
Bezzenberger, unter Zustimmung des letzteren a. a. O. 252, in
air. *buachaill* 'Hirt', cymr. *bugail*, corn. bret. *bugel* zeige sich
darum gemeinkeltisches -k-, anstatt des im gallo-britischen
Zweige zu erwartenden -p- = idg. -q-, weil auch im Keltischen "labialisation does not occur after u". Ist aber, frage
ich, die Identität der Schlussglieder von βου-κόλο-ϲ und
αἰ-πόλο-ϲ so unbedingt gesichert? Ein späteres gr. βου-πόλο-ϲ
bei Hesych dürfte man zwanglos mit de Saussure als Neubildung nach αἰ-πόλο-ϲ, οἰο-πόλο-ϲ u. a. ansehen. Aber etwa
auch umgekehrt θεη-κόλο-ϲ 'Priester', θεο-κόλο-ϲ· ἱέρεια Hesych.,
wovon de Saussure nichts erwähnt, als eine solche nach βου-
κόλο-ϲ? Oder sollen das -κόλο-ϲ in θεη-κόλο-ϲ und dasjenige
in βου-κόλο-ϲ etymologisch nichts mit einander zu schaffen
haben? So lange die Möglichkeit besteht, dass -κόλο-ϲ und
-πόλο-ϲ nur synonym, nicht auch wurzelverwandt seien — vgl.
auch θεο-, θεη-πολέω neben θεη-κόλο-ϲ — lässt von dem air.
bua-chaill, cymr. *bugail* sich die Meinung aufrecht erhalten,
dass es nur an das gr. -κόλο-ϲ anzuschliessen sei, mithin ein
zwingender Grund, das gemein-keltische ·k- auf idg. -q-, anstatt auf reinvelares -k- oder palatales -c-, zurückzuführen,
nicht vorliege. Gehört -κόλο-ϲ zu got. *haldan* 'Vieh hüten,
weiden', ags. *healdan*, asächs. *haldan*, ahd. *haltan haltham*,
wo der Begriffskern ist 'mit sorgsamer Überwachung zusammen-
halten' (Kluge Etym. Wörterb.[5] 153[a] f., Brugmann Grundriss
II § 685 S. 1042), so dann ir. -*chaill*, cymr. -*gail* ebendahin,
und Bezug auf die Wurzel *qel-* 'sich umtreiben' in aind. *cárati*,
gr. πέλω, lat. *colo, in-quilinus* wäre wegen der abstehenden

Grundbedeutung des germanischen Verbums noch unw
·scheinlicher.

Ja, unter solchen Umständen würde vielleicht auch die \
bindung von αἰ-, οἰο-πόλο-c mit lat. *ō-pilio, a-pilio* und der Hirt
göttin *Palēs* und selbst mit aind. *pālā-s* 'Wächter, Hüter, Hi
compp. ved. *aja-, avi-, go-pālā-s*, Denom. *paldyati* 'bewacht,
wahrt, beschützt, hütet' (Pott KZ. VII 97 Anm.**, Corssen Aus‹
Vokal. I² 426. 814. II² 356. 415. Krit. Beitr. 152) aufrecht
erhalten sei; -πόλο-c und lat. *-pilio* verbindet auch Leo Me,
Vergleich. Gramm. I² 44. 154. 253, trotzdem -πόλο-c und (β
κόλο·c derselbe I² 524. 710. Das lat. *-pilio* so mit -πόλο-c
vermitteln, dass man unbefugter Weise lateinischen Lautwan
von *q* zu *p* annähme (Fröhde BB. VIII 166, Bugge ebe
XIV 65), oder so, dass man jenes für ein oskisches Lebnw
ausgäbe (King and Cookson The principles of sound and
flexion 130), hätte man gar keine Veranlassung. Aber a‹
der als hinderlich angesehene Zusammenhang von aind. *pal*
mit *pā-ti* 'schützt, hütet', *go-pā-s* '(Rinder-)Hirt' (Fick \
gleich. Wörterb. II³ 47. 146) brauchte nicht zu leiden: e
von *pa-* ausgegangene Sekundärwurzel *p-el-* liesse sich du
morphologische Parallelen, wie sie Persson Wurzelerw.
Wurzelvar. 59 ff. beibringt, stützen, z. B. *st(h)a-* 'steh
stellen' : *st(h)-el-* 'stellen' in aind. *sthāla-m*, *sthalī* 'Pla
Ort, Stelle', gr. cτελεό-v 'Stiel', cτέλεχοc 'Stammende', |
locu-s altlat. *stl-ocu-s*, ahd. *stil* ags. *stela steola* 'Sti‹
ags. *stille* ahd. *stilli* Adj. 'still', ahd. *stal (ll)* 'Stall, Stell
stollo 'Stütze, Pfosten' u. a. (Kluge Etym. Wörterb.⁵ 36
Persson a. a. O. 63, vgl. auch Hübschmann ZDMG. XXX
92 ff.). Übrigens aber mag wohl dem Griechen in sein‹
-πόλο-c mit dem idg. *-polo-s* 'hütend, bewachend' ein *-qol
'umhertreibend, betreibend' vielfach zusammengeronnen se
und letzteres ist vielleicht auch schon in ἱππο-, ταυρο-πόλ
'Rosse, Stiere tummelnd' zu suchen, vielleicht dann auch
θεο-, θεη-πολέω 'deum *colo*', selbstverständlich in den Kom
siten, "qui s'écartent du sens de gardien, pasteur, tels ‹
πυρπόλοc, ὀνειροπόλοc, ainsi que les proparoxytons ἀμφίπολ
πρόcπολοc, etc." (de Saussure Mém. de la soc. de lingu
VI 161 Anm. 1).

So viel zur Begründung meines Zweifels, dass in β
κόλο-c und air. *bua-chaill*, cymr. *bugail*, corn. bret. *bugel* ‹

Schlussglied auf die Wurzel *qel-* zurückgebe, deren Anlaut
hier wegen der Stellung nach *u* nicht labialisiert worden sei.
In gleichem Sinne liesse sich etwa noch air. *úr* 'frisch, neu,
roh', cymr. *ir* 'saftig, frisch, grün, roh' heranziehen, nach
der ihm gegebenen verwandtschaflichen Beziehung zu den
vorhin S. 278 genannten gr. ὑγρό-ς, lat. *ūvens, ūvidus*, aisl.
vǫk-r (Siegfried bei Stokes KB. VIII 322, Wharton Etyma
graeca 127. Etyma lat. 111, Strachan Transactions of the philol.
society 1891-2-3 S. 239). Aus einem **ūbro-s* nicht herleitbar
(vgl. oben S. 271), könnte air. *úr*, cymr. *ir* die von Strachan
a. a. O. angesetzte Grundform **ūgro-s* zu heischen scheinen.
Aber sind denn die Begriffe 'saftig, frisch' und 'nass, feucht'
einander so naheliegend, dass sie unbedingt zu der Vergleichung
auffordern[1])? Auch air. *fér* 'Gras', cymr. *gwair* 'Heu', Adj.
'frisch, sprossend', corn. *gwyr* auf dieselbe Wurzel *weg-* 'feucht
sein' mit Strachan a. a. O. 237 zurückzuführen, werden wir
aus dem gleichen semasiologischen Grunde Bedenken tragen,
sowie in anbetracht des lautlichen Momeuts, dass hier ein
Anlass zur Vermeidung der fest bleibenden Gruppe -*br*- aus
idg. -*gr*- gar nicht abzusehen wäre. Vielleicht zeigt gr. ὀπό-ς
'Saft' einen besseren Weg der Auffassung der in Rede stehenden keltischen Wörter. Dieses kann seines Spiritus lenis auch
im Attischen wegen den ihm mit Recht verglichenen abulg.

---

1) Dass lat. *ūva* 'Traube' als 'saftige Frucht' vom 'Feuchtsein'
benannt sei, diese etymologische Weisheit Varros l. l. V § 104 "*ūvae
ab ūvōre*" haben viele der Neueren als bare Münze genommen;
ein berechtigter Zweifel dagegen bei Fröhde BB. XVI 203. Ich
halte für die ungezwungenste und an sich vollkommen ausreichende
Erklärung die, dass ein urlat. **ō(g)vā* = lit. *úga*, lett. *ůga* 'Beere',
abulg. (*vin-)jaga* 'Traube' einfach volksetymologisch an *ū(y)vor,
ū(g)vidus* angelehnt und darnach umgestaltet worden sei (Bersu
Die Gutt. u. ihre Verbind. mit *v* im Lat. 148); enge Verknüpfung
im Sprachgefühl erkennt auch Solmsen Stud. z. lat. Lautgesch. 168
an. Rein lautlich *ūva* aus **ō(g)vā* zu gewinnen (Schweizer-Sidler
und Surber Gramm. d. lat. Spr. I § 21, 7 S. 25, Fick Vergl. Wörterb.
I⁴ 371 und Wharton Etyma lat. 111, Zubatý BB. XVIII 260), ginge
nur dann an, wenn es etwa kein echt lateinisches Wort, sondern
aus einem der *ō* in *ū* verwandelnden altitalischen Schwesterdialekte
eingedrungen wäre. Auch die Vermittelung der balto-slavischen
Formen mit *ūva* durch Zugrundelegung eines alten Ablauts idg. *ō*
aus **ōw* : *ū* (Wiedemann Lit. Prät. 37, Kretschmer KZ. XXXI 385.
Deutsche Litteraturz. 1893 Sp. 171, Solmsen a. a. O. 152 Anm. 3) erscheint gänzlich überflüssig.

sokŭ 'Saft', lit. *sakaĩ* 'Harz' nicht schlechthin gleichgese
werden, mag aber zu dem im Slavobaltischen, auch w
durch alban. *ĝak* 'Blut' nach Gust. Meyer Etym. Wörterb.
alban. Spr. 136. Alban. Stud. III 43. 57 und Brugmann Grun
riss I § 458 S. 338 vertretenen **s-(w)oq-o-s* — vgl. lett. *swe*
'Harz' — die um das "bewegliche *s-*" vorne ärmere Nebe
form idg. **woqó-s* erschliessen lassen. Und nun könnte c
sich ergebenden Wurzelform *weq-* 'saftig, frisch sein' au
das air. *fér* 'Gras', cymr. *gwair*, corn. *gwyr* aus **weq-ro*
ihrer Tiefstufengestalt *ūq-* das Adjektiv ir. *úr*, cymr. *ir* 1
*ūq-ro-s zugewiesen werden. Lat. *sūcu-s*, worüber nähe
bei Verf. PBrB. VIII 279 f. und Joh. Schmidt Pluralbild.
idg. Neutra 205, von gleicher Ablautstufe der um *s-* vermehrt
Wurzel, wenn für **s-ūqu-o-s* stehend? Das Adjektiv air. *ua*
'grün' stellt Strachan a. a. O. 228 gleichfalls zu ὑγρό-ς, lat. *ūv*
usw. und meint es auf **wog-niyo-s* zurückführen zu dürf
wir von unserem Standpunkte möchten vielmehr ein **woq-niy*
dahinter sehen — man vergleiche dann zum lautlichen Strach
a. a. O. 227 — unter Geltendmachung derselben Modalitäten
den Verlust von ir. *f-* = idg. *w-*, die Strachan für seinen Zwe
anführt. Die dreifache Anlautung *sw-*, *s-* aus **sw-* und *w-* 1
ihre bekannten Analogien bei den Formen des Zahlworts *sec*
bei gr. ἕλκω für **séλκω*, lat. *sulcus*, ags. *sulh* 'Pflug' :
welkù, abulg. *vlékǫ* und sonst; vgl. Brugmann Griech. Gramn
§ 13 S. 30. Grundriss I § 589, 3 S. 447. II § 170 S. 476 u
Darbishire Transactions of the Cambridge philol. society
92. 104 f., bei denen nur fälschlich **cϜέλκω* anstatt **céλ*
(richtig letzteres an ersterer Stelle bei Darbishire S. '
ebenso bei Fick Vergleich. Wörterb. I⁴ 552. 562 und Prellw
Etym. Wörterb. d. griech. Spr. 91, vgl. ferner Solmsen
XXXII 278 nebst den Anm. 1. 2). Mit unserer Tiefstufenfo
ir. *úr*, cymr. *ir* aus **ūq-ro-s* stünden bei dem Sechszahlw
etwa auf gleicher Linie preuss. *uscht-s wuscht-s* 'sextus' u
lit. *ŭszés* zur Seite von *szészios* Pl. 'Wochenbett' (Brugm
Grundriss I § 589, 3 S. 447. § 170 S. 477). Von allem, v
Strachan aus dem Keltischen zu aisl. *vǫkva*, lat. *ūvéns*,
ὑγρός stellt, kann begrifflich und lautlich diesen Ausspr
bloss das ir. *fúal* 'Urin' erheben; aber man muss es d
nicht aus **woglo-* mit Strachan a. a. O. 244 deuten, vielm
aus einem urkelt. **woblo-*; dass auch **obl-* lautgesetzlich

ir. *ual-* führen musste, ist wohl aus *él-* = **ebl-* in air. *nél*
'Wolke' : cymr. *niwl*, besonders aber aus *ual-* = **ubl-* vor
breitem Vokal in air. *guala* 'Schulter' : abulg. *gъbežъ* 'Bie-
gung', *gybъkъ* 'biegsam', lett. *gubt* 'sich krümmen', lit. *dwī-*
gubas 'zweifach', gr. κῦφός (vgl. Strachan a. a. O. 244. 245)
unfehlbar zu folgern.

Noch bestimmter bestreite ich, dass für das Keltische
sich erweisen lasse, es sei in der Stellung vor einem *u* die
Labialisierung der *q-* und *g-*Laute, wie im Griechischen, unterblieben. Dies ist in betreff des *g-* von air. *guth* M. 'Stimme,
Wort' von Brugmann Grundriss I § 437 S. 328 behauptet worden; hinsichtlich des Wurzelanlauts in ir. *guin* 'Wunde' und
air. *geguin* 'vulneravit' von Ascoli Sprachwissensch. Briefe 165
Anm. 1. Für beide Fälle dann auch von Bezzenberger in seinen
Beiträgen XVI 252, der als dritten seinerseits noch air. *guidim*
'ich bitte' hinzufügte.

Es erledigt sich zunächst das vermeintliche Zeugnis dieser
guin geguin und *guidim* ohne weiteres dadurch, dass es sich
bei ihnen um alte aspirierte labiovelare Media handelt,
diese aber, wie wir gesehen haben (S. 268 ff.), allgemein und
regelmässig nur durch kelt. *g* reflektiert wird. Da überdies
hier der *u-*Laut nur eine speziell irische Wandelung aus idg.
und urkelt. *o*, bewirkt durch den mouillierenden Einfluss des
in der Nachsilbe gestandenen palatalen Vokals, ist, gemäss dem
bei Brugmann Grundriss I § 82 S. 76 erwähnten Lautgesetze.
so müsste der Eintritt der nicht labialisierten Form ein relativ
später, nemlich im einzeldialektischen Leben des Irischen erfolgter Vorgang gewesen sein; man hätte dann aber für das
Urkeltische noch die Stufe *g*ᵏ vorauszusetzen, also diese wohl
auch, besonders in anbetracht des ja analog beurteilten air.
guth, für das an Stelle von idg. *g* erscheinende kelt. *b*: eine
offenbare Schwierigkeit, wenn auch nicht geradezu Unmöglich-
keit, bei dem ja gemeinkeltisch vorliegenden Auftreten des *b*
= urspr. *g*. In welche Periode keltischer Sprachentwickelung
Bezzenberger die Entkleidung von der Labialaffektion durch
Einfluss des nachfolgenden *u* verlege, ist mir nicht klar geworden; bei ihm S. 252 ist von einer "im Irischen" erfolgten
rückwärts gerichteten Wirkung des *u* die Rede, S. 255 aber
zieht er wegen air. *lugu*, *laigiu*, mcymr. *llei* : gr ἐλαχύ-ς,
neben der oben S. 277 erwähnten Vermutung über den Ursprung

des -φ- von ἐλαφρ-óς, die andere Möglichkeit in Betracht, das
"schon im Urkeltischen q-Laute vor u zu k-Lauten wurden"

Es müsste ferner in Konsequenz der Ascoli-Bezzenber
gerschen Lehre Übertragung des g von ir. *guin geguin, gui
dim* auf die sämtlichen Formen aus denselben beiden Wurzeln
also auf *gonim* Präs. und *ro-gegon* Perf., auf *ro gád* Perf
und die mit -s- geformten Konjunktiv- und Futurbildungen
ni-gessid, no-gigius (vgl. oben S. 268), angenommen werden
wozu man sich offenbar auch nicht gern entschliessen würde
Die Ascolische Parallelisierung von *guin, geguin, ro gegon*
air. *benim* mit att. ion. γυνή : boeot. βανά zerfällt zudem i
nichts bei der nicht mehr abzustreitenden Wurzelverschieden
heit von *gonim* und *benim* (vgl. oben S. 273 f.).

Was das air. *guth* M. 'Stimme, Wort' anbetrifft, so ist di
Deutung aus einem idg. *gu-tu-s* mit üblicher Beziehung z
gr. βο(F)-ή 'Ruf' und aind. *jó-guv-ē* 'spreche laut aus, ve
künde' keineswegs unvermeidlich. Vergleicht man vielmeh
aind. *háv-a-te* 'ruft', *hav-a-s* M. und *hū-ti-sh* F. 'Ruf, Anruf'
abhi-, a-huta-s Part. 'angerufen', avest. *zavaiti* 'ruft, flucht
abulg. *zorą* 'ich rufe, nenne', so würde palatal aspiriert an
lautendes idg. *ǵhu-tu-s* hinter dem keltischen Worte stecke

Als ein Gegenzeugnis, dem gemäss idg. g trotz nachfol
gendem u sich im Keltischen labialisiert als b zeigt, darf ma
wohl ir. *bus* 'Lippe', gäl. *bus* 'Schnauze, Mund mit dicke
Lippen', verglichen mit ahd. asächs. nl. *kus*, ags. *coss*, ais
koss M. 'Kuss' (Kluge Etym. Wörterb.[5] 222[a]), gelten lasse
Bezzenberger freilich musste a. a. O. 252 von seinem Standpunkt
diese Zusammenstellung bestreiten, aber wenn sie lautliche
seits angeht, wird man sie gewiss dem Bezzenbergersche
Vorschlage, mit ir. gäl. *bus* vielmehr das lit. *buczúti* 'küssen
in Verbindung zu bringen, vorziehen, da lit. *bucz* als de
Schall des Kusses malende Interjektion, nach Kurschat Litt.
deutsch. Wörterb. 61[a], kaum ein Wort von altem Gepräg
gewesen sein dürfte. Das Verhältnis der britannischen Wö
ter cymr. *gwefus* und *gweus*, corn. *gueus*, bret. *gwe
gwes gwez* 'Lippe' zu dem ir. gäl. *bus* ist zweifelhaft (vg
Thurneysen Keltoroman. 86); doch meint Thurneysen (brieflich
dass zu letzterem wohl als gallischer Beleg *Jo[vi] Bussumar
C. I. L. III No. 1033* komme. Zu beachten wäre endlich auc
die Gleichheit der Stammbildung bei kelt. *bussu-* und germ

kussu- aus **qussu-*, da got. **kussu-s* mit Sicherheit erschlossen wird (Kluge a. a. O., Franck Etym. woordenboek d. nederl. taal 532).

Wo man sonst noch, wie in dem air. *guth* 'Stimme, Wort', ein kelt. *g* = idg. *g* hat sehen wollen, ist gleichfalls eine andere, sei es etymologische, sei es lautliche Auffassung der betreffenden Wortformen statthaft.

In betreff des air. *galar* N. 'Krankheit, Kummer', cymr. *galar* M. 'Trauer, Kummer' bezweifelt schon Bezzenberger a. a. O. 256, dass sie an ahd. *quëlan* 'Schmerzen leiden', asächs. *quëlan*, ags. *cwëlan* 'sterben', ahd. asächs. *quala* 'Qual' anzuschliessen seien, weil auf die Zugehörigkeit zu letzteren "ir. *at-bail* 'perit', *at-ru-balt* 'mortuus est', corn. *bal* 'pestis' grösseren Anspruch haben" (s. oben S. 266, vgl. auch Verf. PBrB. XVIII 257 nebst dort angeführter Litteratur). Annehmbar ist vielleicht Bezzenbergers Verbindung des air. cymr. *galar* mit umbr. *holtu* Imper.; so auch von Planta Gramm. d. osk.-umbr. Dial. I § 215 S. 438 Anm. 3.

Desgleichen bemerkt Bezzenberger ebend., dass mit air. *gelim* 'verzehre, fresse, grase' zusammen das ahd. anfrk. *këla* 'Kehle, Hals' auf idg. *g*, nicht auf *g*, weise, trotz gr. βλωμός 'Bissen', καβλέει· καταπίνει Hesych., δέλεαρ, aeol. βλήρ 'Köder'. Ich zeige anderwärts, dass auch lat. *gula* für idg. *g*- ohne Labialisierung spreche, und mache einen Versuch, Mischung zweier synonymer Wurzeln, *ger-* in gr. βορά, βιβρώσκω, βρῶσις, lat. *vorare*, ahd. *quërdar* 'Köder' und *yel-* in air. *gelim*, ahd. anfrk. *këla*, ags. *ceole*, lat. *gula* — beziehungsweise *gel-* und *ger-* — als wahrscheinlich hinzustellen; vgl. einstweilen Verf. Transactions of the Amer. philol. assoc. XXIV 51.

In Verbindung mit ahd. *quëllan* 'quellen' und aisl. *kelda* 'Quelle' erwähnt Bezzenberger ebend. das ir. *gil* 'Wasser'. Aber "*gil* .i. *uisge* ('Wasser') bisher nur in Glossaren, daher bei Etymologien kaum zu verwerten", bemerkt mir Thurneysen. In betreff des aisl. *kelda* scheint übrigens Bezzenberger fälschlich anzunehmen, dass es dem labiovelaren Anlaut *g-*, den auch aind. *jala-m* 'Wasser, Nass' haben kann, sich abhold beweise; jedoch aisl. *kelda*, "woraus entlehnt finn. *kaltio*" (Kluge Etym. Wörterb.[5] 291[b], Pauls Grundriss d. german. Philol. I 322, Noreen ebend. I 419), ist = got. **kaldjō* und lautgesetzlich mit germ. *kal-* aus idg. *gol-* oder *gl̥-* zu *quellen*

gehörig (vgl. Kluge German. Konjug. 44 ff., Verf. PBrB. VII
256 ff. 281 ff.).   Anders über die Etymologie des aisl. *keld*
Thomsen über d. Einfluss d. german. Spr. auf d. finn.-lapp. 139
nach dessen begrifflich minder wahrscheinlicher Herleitung ιle
Wortes von aisl. *kald-r*, got. *kald-s* 'kalt' würde allerding
kelda den durch die weitere Verwandtschaft von lat. *gelu*
gelidus, *gelare*, osk. γέλαν 'πάχνην' gewährleisteten alter
nicht labiovelaren Anlaut (vgl. Bezzenberger in seinen Beiträger
XVI 242) zu beanspruchen haben.

Zu got. *aqizi*, aisl. *ox*, ags. *œx*, asächs. *accus*, ahd
acchus F. 'Axt' soll sich nach Strachan Transactions of th
philol. society 1891-2-3 S. 240 das air. *tál* 'ascia' stellen nnι
"may, perhaps, stand for *to-aglo-*".   Das Unsichere diese
Kombination tritt ihrem Urheber selbst an der Befremdlichkei
des Zweckes der Partikel *to-* hier entgegen; darum sei von nu
nicht besonders betont, dass gr. ἀξίνη 'Axt, Beil' im Gegensat:
zum got. *aqizi* auch mit altem Nicht-labiovelar zu rechnen nah
legen könnte.   Mit Stokes' Erklärung des *tál* aus *taklo-* ode
takslo- : abulg. *tesla* 'Axt', ahd. *dëhsala*, *dëhsa* 'Beil', KZ
XXXI 235, scheint es freilich, wie Strachan zeigt, auch nocl
in lautlicher Beziehung zu hapern.   Wäre ein idg. *toklo-* al:
Ausgangsform passabel?

Einige Male, wo es sich nur um griech. β als das Gegen
über eines kelt. *g* nach herkömmlicher etymologischer Auf
fassung handelt, hat man den Labiovelar idg. *g* preisgegeben
dagegen wiederum auf griechischer Seite den vermeintlicher
"achäischen" Überschuss an Labialisierung erkennen wollen
So auf Grund der Vergleichungen air. *ticsath* 'tollet', genauer
'tollito, er soll aufnehmen' aus *tu-id-gestatu*, lat. *gero*, *gestare*
gr. βαστάζω (nach Zimmer KZ. XXX 156, der Präfixansatː
to- tu- + ed- id- jedoch nach Thurneysens Mitteilung) und
cymr. *gi* 'nervus', lit. *gija* 'Faden' : gr. βιό-ς 'Bogen' Bezzen
berger a. a. O. 253 und Bechtel Die Hauptprobl. d. idg. Lautl
348. 355. 361.   Ich wüsste zunächst nicht, was βαστάζω "aebäi
sches" an sich hätte; βιός als nur homerisches Wort könnte
ja eher dem Verdacht solcher Herkunft unterliegen.   Aber jene
Etymologien sind ebenfalls entschieden anfechtbar.   Wenn nach
Fick BB. II 188. Vergleich. Wörterb. I⁴ 413 f. lit. *gija* 'Faden
zu lat. *hilum*, *filum* gehört, kann auch cymr. *gi* 'nervus' zu
derselben ursprünglich aspiriert mit idg. *gh* anlautenden Wurzel

bezogen, also von βιό-c und aind. *jyá'*, avest. *jya* 'Bogen-
sehne' getrennt werden. Von lat. *gero, gestare* und air. *ticsath*
'tollito', zeige ich BB. XIX 320 ff., dass sie, während βαcτάζω
an lat. *bajulu-s* sich anschliesst, die aus idg. *aʒ-* in lat. *ag-o*,
gr. ἄγ-ω, air. *ato-m-aig* 'adigit me' weitergebildete Sekundärwurzel *ʒ-es-* enthalten.

4. Wenn ich nichts übersehe, bleiben nur zwei Fälle
übrig, bei denen man die Thatsache, dass ein kelt. *g* den
regelrechten Entsprechungen von idg. *g* in etymologisch vergleichbaren Wörtern der verwandten Sprachen und teilweise
des Keltischen selbst gegenüberstehe, nicht wird wegschaffen
können.

Durch mir. *nigim* 'ich wasche', *nigther* 'lavatur', *ro-
caom-nagair* 'er wusch', air. *fo-nenaig* 'er reinigte', *do-fo-
nuch, -nug* 'abluo, lavo', gael. *nighidh* 'waschen' : gr. χέρ-
νιβ-α Akk., χέρ-νιβ-ο-ν, ἀπο-νίψαcθαι, νίπτρο-ν, νίζω, aind. *ne-
nej-mi* 'wasche ab, reinige', *nij-ya-te* Pass., *nik-tá-s* Part.,
nej-ana-m 'das Waschen' werden Bezzenberger a. a. O. 253 und
Bechtel Die Hauptprobl. d. idg. Lautl. 356 dazu verleitet, von
idg. *nig-*, nicht *nig-*, als Wurzelform auszugeben, indem sie
wiederum die Labialisierung in gr. νιβ- auf Rechnung einer
speziellen Lautentwickelung der "achäischen Dialektgruppe"
bringen zu dürfen glauben; ohne hinreichenden Anhalt, denn
auf die Verknüpfung von ἀνιγρόν· ἀκάθαρτον, φαῦλον, κακόν,
δυcῶδεc, ἀcεβέc Hesych. mit νιβ- 'waschen' nach J. Baunack
Rhein. Mus. N. F. XXXVII 474 scheint Bechtel selbst kein
grosses Gewicht legen zu wollen, und viel eher dürfte auch
das Hesychwort als ἀν-ιγ-ρό-ν aufzufassen sein, so dass in
beiden Teilen der Komposition Anschluss an ἄν-αγ-νο-c 'unrein,
unkeusch', ἀν-αγ-ήc dass. bestünde und von der Wurzel *yaʒ-*
'weihen, opfern' in ἅγ-νό-c, ἅγ-ιο-c, ἅζομαι, aind. *ydj-a-ti*
'weiht, opfert, verehrt', *yaj-ñá-s* 'Weihehandlung, Opfer, Verehrung', avest. *yazaitē* 'opfert' hier ein wertvoller griechischer
Rest der Tiefstufenablautung, gleicher Weise wie in aind.
ij-ya-te Pass., *ij-yá-t* Prek., *ish-ṭá-s* Part. 'geopfert', *ij-yá'* und
ish-ṭi-sh 'Opfer', uns entgegenträte.

Ferner wäre hierherzustellen air. *uan*, cymr. *oen*, corn. *oin*,
bret. *oan* 'Lamm', wofern es, was doch das Wahrscheinlichste
bleibt, aus urkelt. *ogno-s* zu deuten ist; dazu gr. ἀμνό-c aus

aus *áβ-vó-c, lat. *agnu-s, avilla*, abulg. *jagnę, jagnьcь* 'Lamm
(Brugmann Grundriss I § 428a S. 318. § 437c S. 328. § 523
S. 382, Strachan Transactions of the philol. society 1891-2-3
S. 226. 228), trotz des Zweifels bei Wharton Etyma lat. 3.

In den beiden Fällen mir. *nigim* und air. *uan*, cymr.
oen usw. nun handelt es sich gleichmässig um die Stellung
des kelt. -*g*- im Wurzelauslaute. Und für diese Lage ist bekanntlich ein alter "Wechsel zwischen Media asp. und Media",
den Brugmann Grundriss I § 469, 8 S. 348 f. bespricht, gut bezeugt. Also möchte ich, da ja kelt. -*g*- zwanglos auf ursprüngliches -*gh*- zurückgehen kann, ihm diese Herkunft auch in
nigim und urkelt. *ogno-s* zusprechen, trotz der *g*-Formen, die
ihnen zur Seite gehen.

Es läge dann also das air. *uan*, cymr. *oen* aus idg.
ogh-no-s neben gr. ἀμνό-c aus *ag-nó-s* oder *ṇg-nó-s* ebenso
oder ähnlich, wie aind. *budh-ná-s*, gr. πυθ-μήν neben πύνδαξ,
aisl. *botn*, ags. *botm*; selbst die lat. *agnu-s, avilla* und abulg.
jagnę können zu der Wurzelform mit -*gh*- gleich gut, wie zu
der mit -*g*-, bezogen werden. Zu einer Aufstellung der Regel,
dass ursprüngliches *gn*- inlautend, nach Brugmann Grundriss
I § 437c S. 328, oder gar in jeder Lautstellung, nach Strachan
a. a. O. 226 f., keltisch nicht zu *bn*-, daraus *mn*-, sondern zu
gn- werde, giebt demnach unser air. *uan*, cymr. *oen* keine
Veranlassung; vgl. oben S. 267. 274. Den Gen. Sing. air. *mná*
aus *bnas* zu *ben* 'Frau' erklärt zudem Strachan a. a. O. 227
in unnötig gekünstelter Weise.

"In den meisten Fällen", bemerkt Brugmann Grundriss
I § 469, 8 S. 349, "ist ein Nasal in der Nähe" bei solchem
"Wechsel der Artikulationsarten in den idg. Urzeit"; vorwiegend, wie ich auf Grund eines umfänglicheren von mir gesammelten und einmal später bei anderer Gelegenheit zu ver-
wertenden Materials hinzufügen darf, ein infigierter Nasal,
so ja auch in πύνδαξ. Das aind. *nij*- 'waschen' aber hätte
ein Zeugnis seiner präsentischen Nasalinfixbildung wenigstens
durch das *niṅk-te* des Dhâtupâṭha (Böhtlingk-Roth Sanskrit-
Wörterb. IV 142). Es wäre aber möglich, dass mir. *nigim*
wenn wir dieses auf idg. *nigh-ō* oder *nigh-yō* beruhen lassen,
eine Stütze seiner Artikulationsart des Wurzelauslauts im Griechischen fände: an dem von Grammatikern mehrfach al-
äolische Form für νίζω oder νίπτω bezeugten νίccω, das =

idg. *nigh-yō zu setzen wäre. Schon Max Müller KZ. IV 365 f. und Pott Etym. Forsch. II² 1, 786. 787 zogen dieses νίϲϲω hervor; G. Curtius Grundzüge ⁵317 wollte ihm weniger trauen und berief sich auf Ahrens De graec. ling. dial. I 46 Anm. 3 (bei Curtius wohl mit falschem Zitat "D. äol. 41") woselbst ich aber nichts den Zweifel gegen äol. νίϲϲω rechtfertigendes vorfinde. Indessen war Curtius selbst a. a. O. 318 nicht abgeneigt, Zusammenhang der Sippen von νίζω, χέρ-νιβ- und νίφ-α 'Schnee', νείφει, ahd. *snîwit, got. snaiw-s zu vermuten, und machte das einem Dialekte von Thrakien zugeschriebene νίβα· χιόνα καὶ κρήνην Hesych. (vgl. auch Max Müller KZ. XIX 42) geltend; und ähnlich schon Benfey Griech. Wurzellex. II 54. Also kämen auch mir. nigim 'wasche' und air. snigid 'es tropft, regnet' zusammen, und das Bedeutungsverhältnis zwischen nigh- = kelt. nig-, nig- = gr. νιβ-, aind. nij- 'waschen', germ. niq- in aisl. nykr 'Flussungeheuer, Flusspferd', ags. nicor, ahd. nihhus 'Krokodil', mnl. nicker 'Wassergeist', ahd. nicchessa 'weiblicher Wassergeist, Nixe' (Fick Vergleich. Wörterb. I⁴ 501. III³ 163, Schade Altdeutsch. Wörterb.² 651ᵃ, Kluge Etym. Wörterb.⁵ 272ᵃ, Prellwitz Etym. Wörterb. d. griech. Spr. 213) und idg. s-nigh- 'tropfen, schneien' = kelt. snig-, gr. νιφ-, germ. sniʒw- wäre kein erheblich anderes, als bei der Wurzel plew- in gr. πλύ-νω 'wasche, spüle', aind. a-plarate 'badet sich, wäscht sich', ahd. flewen, ar-flawên 'waschen, spülen', lit. pláuju 'spüle' : lat. pluit 'regnet', gr. πλέω 'schiffe, schwimme', aind. plávate 'schwimmt, schifft', abulg. plova 'fliesse, schwimme, schiffe'. Lässt in solcher Weise der Versuch sich anstellen, für nig- 'waschen' eine Nebenform mit aspiriertem Wurzelauslaut nigh- = kelt. nig- wahrscheinlich zu machen und von dieser aus die Brücke zu dem um das "bewegliche s-" vorn vermehrten s-nigh- 'schneien' zu finden, so gewinnt man weitere Stützen der den "Wechsel der Artikulationsarten" begleitenden Nasalinfigierung durch die bekannten Nasalpraesentia lat. ninguit und lit. sniñga 'es schneit'.

Es könnte drittens noch air. ongim 'ich salbe' nebst oingter 3. Plur. Praes. Pass., ongad 'Salbung' in den Verdacht genommen werden, dass es als Repräsentant der aspiriert mit -gh- auslautenden Wurzelform dem air. imb imm, cymr. ymen-yn 'Butter' und aind. añj-ánti 'sie salben', ahd. ancho 'Butter' (vgl. S. 266. 267. 277) zur Seite gegangen sei, während lat. ungu-o

an sich sowohl auf -*gh*- wie auf -*g*- zurückweisen könnt
Aber Thurneysen (brieflich) wird Recht haben, dass jenes ai
ongim "wohl zweifellos aus der Kirchensprache eingedrungen«
Lehnwort" von lat. *unguo* sei. Als *gh*- und *g*-Formen stehe
übrigens auch neben einander einerseits mir. *esc-ung* 'Aal
gr. ὄφι-ς, aind. *áhi-sh* (vgl. oben S. 270) und andererseits ain
nága-s 'Schlange', ahd. mhd. *unc* M. 'Schlange', sowie d«
wohl auch zugehörige gr. lesb. ἴμβηρις· ἔγγελυς. Μηθυμναῖ
Hesych. (Prellwitz Etym. Wörterb. d. griech. Spr. 130). Vie
leicht lässt sich geradezu an einen wurzelhaften Zusammei
hang dieser alten Bezeichnungen des 'schlüpfrig glatten' Getie«
wie 'Schlange' und 'Aal' — die lat. *angui-s*, *anguilla*, li
angi-s, *ungurys*, poln. *wąż* russ. *užŏ* slov. *vôž*, poln. *węgoi*
russ. *ugorь* serb. *ugor* slov. *ôgor* und aksl. *ągoristь* 'anguilli
hätten unter ihnen wiederum unbestimmbaren Wurzelauslai
— mit der verbal das 'Schmieren' ausdrückenden Wurz
von lat. *unguo*, aind. *anák-ti*, *añj-ánti* denken, vgl. ain«
añjana-s 'Hauseidechse' und ved. *ny-ánaje* Perf. Med. 'i
hineingeschlüpft, hat sich hineingleitend versteckt' Rgv. 1 161,
(A. Kuhn in seiner Zeitschr. I 384), dazu auch A. von Edlinge
'Erklärung der Tier-Namen aus allen Sprachgebieten' Landi
hut 1886 S. 30. 68 unter *Eidechse* und *Kröte*, und vornehmlic
H. D. Müller BB. XIII 311 f. Indes für das, wie gesagt, en«
lehnungsverdächtige air. *ongim* ist aus solcher sich eröffnende
Perspektive kein besonderer Schluss zu ziehen.

5. Wie ist es **phonetisch** zu verstehen, dass, währen
idg. *g* im Keltischen stets als *b* erscheint, die Aspirata *gh* ai
demselben Sprachgebiet ohne Wirkendwerden der Labialisi«
rung immer *g* ergiebt?

Die Beantwortung dieser Frage würde leichter sein, wen
wir genauer zu ermitteln im Stande wären, welcher Art da
lautliche Element war, das vor alters den charakteristische
Unterschied zwischen media aspirata oder "media mit g«
hauchtem Absatz" und der einfachen media ausmachte. Wa
dies entweder der "stimmlose Hauch, unser *h*", oder auch ei
"stimmhafter Hauch", gemäss den Beschreibungen verschiedene
Aussprache der aspirierten Mediae bei Sievers Grundzüge d
Phonet.[3] § 20, 2a, α S. 151 ff., so könnte man sich wohl voi
stellen, dass der Hauchlaut, auch der "stimmhafte" im zweite

der angenommenen Fälle, bei vorhergehendem *g* diesem allmählich die Labialisierung d. i. "Rundung und Vorstülpung der Lippen" (vgl. Sievers a. a. O. § 23, 2 S. 167) entzogen und seinerseits auf sich selber genommen habe. Aus ursprünglichem *gʷh* wäre somit zunächst durch Entrundung der Lippen bei dem Verschlusselement urkelt. *ghʷ* geworden, darnach die dem *h* allein noch anhaftende Lippenrundung mit diesem zusammen geschwunden. Bestand aber, was das Wahrscheinlichste sein dürfte, anfänglich gleichsam ein *gʷhʷ*, Durchdringen des ganzen Lautkomplexes mit der Artikulation der Lippenrundung, so wäre spätere Beschränkung der letzteren auf den Zusatzhauch vorauszusetzen. Durch Wegfall des *hʷ* von einem *ghʷ* musste sich ein Endresultat ergeben, wie bei den keltischen Fortsetzungen des reinvelaren idg. *gh*, z. B. in air. *lige* 'Lager, Grab', *dligim* 'ich verdiene' (Brugmann Grundriss I § 425 S. 314, Bezzenberger in seinen Beiträgen XVI 243), und des alten palatalen *ȝh*, in air. *ligim* 'lecke'. *gam*, acymr. *gaem*, acorn. *goyf* 'Winter' (Brugmann a. a. O. I § 383 S. 291. § 392 S. 296), air. *guth* 'Stimme, Wort' (vgl. oben S. 286) u. ähnl. mehr, ferner auch Zusammenfall mit dem von Hause aus aspirationslos gewesenen kelt. *g* = idg. *g* und *ȝ*. In einem Falle wie air. *in-grennim* 'ich verfolge': lat. *gradior*, got. *grid* Akk. 'Schritt, Stufe', abulg. *grędą* 'ich komme', wo man bisher reinvelaren Wurzelanlaut *gh*- allein oder vornehmlich auf Grund der keltischen Form anzunehmen sich gestatten durfte (Brugmann a. a. O. I § 430 S. 321. § 434 S. 326, Bezzenberger a. a. O. 243 f.), haben wir jetzt eine Art Bürgschaft dafür, dass der Labiovelar *gh*- ausgeschlossen sei, höchstens noch durch das lat. *gr*-, wenn nemlich altes *ghr*- im Lateinischen, wie man vermuten darf, als *fr*- vertreten sein müsste (vgl. Brugmann Grundriss I § 433 c S. 325, Stolz Lat. Gramm.² § 53 S. 294, Verf. MU. V 95).

Im Griechischen, Italischen und Germanischen sind bekanntlich die labiovelaren Mediae (und tenues) aspiratae ihres labialen Nachlautes nicht, oder doch nur unter den gleichen Bedingungen wie die aspirationslosen *q* und *g* auch, verlustig gegangen. Das lässt nach dem obigen voraussetzen, dass im Griechischen z. B. bei φόνος, νιφα u. dgl. an dem zu Grunde liegenden *kʷh* oder beziehungsweise *kʷhʷ* aus idg. *gh* auch das Verschlusselement selbst die Lippenrundung bewahren musste, damit die Verwandlung zu *ph* möglich wurde, sowie

entsprechend hier k^w, g^w zu p in ποινή, ἕπομαι, b in βαίν
χέρ-νιβα sich gestalteten.

Ich verdanke die Anregung zu dieser Auffassung d¿
lautlichen Vorganges, demzufolge kelt. g aus idg. gh entsprau¿
im wesentlichen Thurneysen. Sollte sich etwas besseres ¿
die Stelle des hier vermuteten setzen lassen, so bin ich ge¿
bereit, mich eines anderen belehren zu lassen. Die Hauptsacł
schien mir vor der Hand die Feststellung der Thatsache selb
zu sein, dass das Keltische, im Gegensatz zu seinem $b =$ idg.
aus ursprünglichem gh durchweg unlabialisiertes g entwickelt

Heidelberg, 11. November 1893.

H. Osthoff.

Zu den irischen Zahlwörtern.

Die Zahlsubstantiva auf -ar, -er, besonders cóicer.

Zu den Eigentümlichkeiten des Irischen gehören die Zał
substantiva auf -ar, -er und -bor, die in der Grammatic
Celtica² p. 311 ff. behandelt sind: *óinar*, *triar* (zweisilbi¿
cethrar, *cóicer*, *sesser* (*mórfesser* wörtlich "die grosse Sech
heit" = "die Siebenheit"), *ochtar*, *nónbor*, *dechenbor* (für d
letzten drei s. mein Wörterbuch). Da sie vorwiegend von Pe
sonen gebraucht werden, liegt es nahe sie als alte Zusamme
setzungen mit *viro-, dem Stamm von altir. *fer* und lat. *vi
erklären zu wollen, nach Art der Dvigukomposita des Sanskr
Dvigukomposita sind im Irischen nachweisbar; bekannte B¿
spiele sind die Wörter *de-thriub* und *deich-thriub*, die i
Singular die zwei Stämme und die zehn Stämme der Jud¿
bezeichnen: *ro bói chocad etir deichthriub 7 dethriub corríci-s¿*
Ml. 137ᶜ, 8 (fuit bellum inter decem tribus et duas trib
usque eo, Z.² p. 302). Vgl. in meinem Wörterbuch *cethar- thr*
'die vier Stämme', *cethar-aird* 'die vier Ecken', *cethar-sl¿*
'die vier Wege', *tre-cheng* 'die drei Krieger', dazu *cethar-d¿*
Ulcain 'die vier Stiere des Vulkan', Tog. Troi² liu. 2 (Ir. Te¿
II). Auch die lautlichen Schwierigkeiten sind vielleicht ni¿

der Art, dass sie unbedingt gegen die Annahme einer solchen
Zusammensetzung der Zahlwörter mit *viro sprächen. Wir
werden sehen, dass das *b* von *nonbor, dechenbor,* das man
als die Vertretung des *v* hinter *n* ansehen könnte, doch nicht
so leicht verständlich ist, aber echt irisch würde es sein, wenn
das *i* von *viro-* oder *vira-* in unbetonter Silbe unter dem
Einflusse des breiten Vokals der folgenden Silbe in *cóicer,
óinar* zu *e* und *a* geworden wäre. Höchstens könnte man
bei diesem Ursprung erwarten, dass gelegentlich auch einmal
óiner, trier vorkäme, was nie der Fall ist.

Aber es giebt andere Gründe, die mit mehr Gewicht
gegen diese Erklärung der irischen Zahlsubstantiva geltend
gemacht werden können. Die lateinischen Wörter *duoviri,
decemviri, tresviri, triumvir, triumviri* unterstützen sie nur
scheinbar, denn diese lateinischen Wörter sind doch nur un-
eigentliche Komposita und werden in ganz anderem Sinne
gebraucht.

Die irischen Zahlsubstantiva sind Abstrakta, indem *óinar,
triar* nicht etwa 'ein Mann', 'drei Mann' bedeutet, sondern
den Zustand der Alleinheit, der Dreiheit, usw. Daher ihr
merkwürdiger Gebrauch im sogenannten Dativ, der hier wohl
als der alte Instrumentalis anzusehen ist, mit vorgesetztem
Possessivpronomen: *meisse m'óinur* 'ego solus' (Z.[2] p. 311)
Wb. 5[a], 25 ist wörtlich 'ich in meiner Alleinheit', *lotar iarom
a triur churad co tech m-Budi* 'darauf gingen die Helden
alle drei nach Budes Behausung', Fled Bricr. 75, ist wörtlich
'sie gingen in ihrer Dreiheit von Helden'. So kommt es, dass
óinar sich auf einen Plural beziehen kann: *fuirib for n-óinur*
'vobis solis' (Z.[2] p. 311) Wb. 14[d], 17. Wollte man *óinar, triar*
usw. um jeden Preis als Komposita von *viros* erklären, so
könnte man sich allerdings neutrale Komposita *oino-virom,
tri-virom usw. in der angegebenen Bedeutung konstruiren,
und dabei an lat. *biduum, triduum* erinnern. Allein in der
Bedeutung dieser lateinischen Wörter ist doch immer der
Begriff 'Tag' erhalten geblieben, während die irischen Wörter
in Fällen gebraucht werden, in denen der Begriff 'Mann'
gradezu ausgeschlossen ist. Dies ist der Fall, wenn sie sich
auf Feminina beziehen: *connd rabi ben nad rissed dd én
diib acht Ethne Ingubai a hóenur,* 'so dass keine Frau
da war, auf die nicht zwei Vögel gekommen wären, Ethne

Ingubai allein ausgenommen", Sergl. Concul. 6; *seisear inghean*
Brit. Mus. Add. 18748 (TBC.) im Anfang. Oder wenn sic
sich, wofür schon in der Gramm. Celt. einige Beispiele bei-
gebracht sind, gelegentlich auch auf Sachen beziehen: *inna*
oindai .i. fin no bairgen no olae d oinur, 'in seiner Einheit
d. i. Wein oder Brot oder Öl für sich allein', Ml. 121ᶜ, 4
ebenso *a triur* in den darauf folgenden Glossen.

Mit Recht ist ferner schon in der Gramm. Celt. auf das
Substantiv *ilar* hingewiesen, das auch Hogan in seiner Sammlung irischer Neutra mit unseren Zahlsubstantiven zusammengestellt hat (Todd Lecture Series, Vol. IV p. 259): *ilar* ist
offenbar von *il* 'viel' mit demselben Suffix, wie *óinar* von
óin, abgeleitet, und bedeutet ganz im allgemeinen 'Vielheit,
Mehrheit, Plural'. Dieses Wort führt zu anderen Kollektiven
auf *-ar*, bei denen womöglich noch weniger an eine Zusammensetzung mit *viros zu denken ist: *buar* 'Vieh', *bruar* 'Fragmente', *lebrar* 'Bücher', *cendar* 'Köpfe', *sálchar* 'Schmutz
(von *sálach* 'schmutzig'), *clocher* 'Steine' usw., vgl. Hogan
a. a. O., ferner Stokes, Tog. Troi Index s. v. *altar*, wo auch
auf entsprechende cymrische Bildungen verwiesen wird: *ir*
poulloraur Gl. zu pugillarem paginam (Mart. Cap.), *ysgwydawr*,
gwaewawr, cledyrawr, hydinawr, llawnawr.

Von der Zweizahl ist kein solches Nomen auf *r* gebildet
worden, sondern hier erinnert *dias*, Gen. *desse*, Dat. *diis*, an
die Abstrakta auf *as*, wie *londas* 'indignatio' von *lond* 'zornig'.
Diese sind allerdings maskuline *u*-Stämme, aber *gnás* 'Gewohnheit' (wahrscheinlich für *gnáthas, *gnat-as-ta) ist Femininum
und kann mit *dias* zusammengestellt werden. Wie aber *dias*
ein einfaches Derivat von *dei ist, so können auch die anderen
Zahlsubstantiva ähnliche einfache Derivate der Zahlwörter sein.

Endlich ist zu beachten, dass im Irischen das wirkliche
Kompositum *óinfer* neben *óinar* erhalten ist. Es bedeutet
'éin Mann', 'ein einzelner Mann', und ist in meinem Wörterbuch genügend belegt. Den Unterschied zwischen *a óinur*
und *óinfer* veranschaulichen die letzten Sätze der in meiner
Kurzgefassten Grammatik mitgeteilten Sage Echtra Condla
Chaim: "*Is a oenur d'Art indiu*" ol Cond, "*dóig ni fil
bráthair*". "*Biadfocol an ro radis*" or Coran, "*iss ed ainm
forbia co bráth Art Oenfer*". "Art ist nun allein, sagte Conn,
"denn er hat keinen Bruder mehr". "Ein treffendes Wort,

was du gesagt hast", sagte Coran, "ein Name, der für immer
bleiben wird, das ist Art Genfer!" Ebenso ist charakteristisch
der kurze Ausdruck *triar óenfer* für die Dreieinigkeit in
Broccans Hymnus, V. 18. Ein ähnliches Kompositum wie ir.
óinfer ist im Cymrischen *cannwr* 'hundert Mann', aus *cant-*
gwr; Belege weist Kuno Meyer im Glossar zum Peredur nach.
    Nach unseren Erörterungen würden die irischen Zahl-
substantiva ideell auf die Grundformen *oinárom*, *triarom*,
quetvorarom, *quenquerom*, *svekserom*, *octarom*, zurückgehen, aber vor *nónbar* und *dechenbor* müssen wir Halt
machen, diese wollen sich nicht fügen! Sollten diese die für die
anderen Wörter bestrittene Komposition mit *viro-* enthalten?
Gewiss kommt *b* für ir. *f* vor, eine tönende Spirans für eine
tonlose: *coibnes* 'affinitas' ist aus *con-fines* entstanden, *cobsud*
'stabilis' aus *con-fossad*, das Lehnwort *coibse* aus lat. *con-*
fessio (s. Z.[2] p. 871), aber in allen diesen Wörtern ist das *n*
geschwunden. Die negative Vorsatzsilbe *an-* hat ihr *n* vor *f*
behalten, s. die Beispiele *anfechtnach* usw. in meinem Wörterbuch, aber die Schreibweise mit *b* zeigt sich in der älteren
Sprache nur bei unmittelbar folgendem Konsonanten, in *anble*
für *an-féle*, *anbsud* für *an-fossad*, usw. Auch dazu stimmt
nónbor und *dechenbor* nicht, jedenfalls werden diese Wörter
nie mit *f* geschrieben. Beachtenswert ist, dass wir neben
dechenbor (s. mein Wtb.) auch die Form *deichneabhar* finden,
Transact. Oss. Soc. IV p. 192, bei O'Reilly *deichneamhar*, eine
Schreibweise, die darauf hinzudeuten scheint, dass *n* und *b*
ursprünglich nicht unmittelbar zusammenstiessen, sondern einen
Vokal zwischen sich hatten. Dies spricht nicht zu gunsten
einer Vergleichung mit *decemvir*. Neben *nónbor* ist auch die
Form *noinbor*, später *naonbhar* (so bei O'Reilly, vgl. *naoi*
naonbhair do mhaithibh an chabhlaigh sin, Toruigh. Dhiarm.
p. 82) nachgewiesen, während mir für die Form *naonar* bei
O'Reilly, deren Erklärung keine Schwierigkeit machen würde,
keine Stelle bekannt ist. Da ich wenig Vertrauen zu etymologischen Konstruktionen habe, so verzichte ich darauf, diese
Formen auf *-bor* zu erklären. Doch auf Eins möchte ich hinweisen. Wie sich *óinar*, *triar* usw. an Nomina wie *ilar*, *buar*,
lebrar usw. anschliessen, so giebt es im Irischen auch andere
Nomina auf *-bor*, *-bar*, die vermutlich mit *nónbor* und *dechen-*
bor zusammenzustellen sind. Ich habe zunächst an die fol-

genden gedacht: *candabar .i. cac*, O'Dav. p. 65, *co sephain*
a channebor ass, 'so dass er seinen Kot heraustrieb', LU
p. 74ᵃ, ein anderes Ms. hat dafür *caindebaid*, vgl. KZ. XXII
S. 214; *deseabar greine*, O'Dav. p. 78, *fria deiseabhair n.*
grene, 'zur Zeit der Sommersonnenwende', Lives of Saints
ed. Stokes, lin. 1885. Ferner hat Hogan für die Ortsname
Argetbor und *Doburbur* ('Aquae Collectus') im Book of Armag
an unsere Zahlwörter erinnert. Besonders wichtig scheint mi
duilleabur 'Blätter' zu sein, unverkennbar ein Kollektivum
cumadh lir fri duilleabur a n-indmhussa do Balla, 'so das
so zahlreich wie Blätter ihre Schätze für Balla sein würden
Lives of Saints lin. 4809[1]). Sogar *arbur* 'Schar' könnte hierher
gehören. Aber eine eigentliche Erklärung bringen diese Zu
sammenstellungen nicht. Merkwürdig ist, dass im Lateinische
die Monatsnamen *Quintilis*, *Sextilis* durch die Bildungen au
-*ber*, *September*, *Oktober*, *November*, *December* fortgeset
werden. Ich habe früher vermutet, dass *November*, *Decembe*
mit ir. *nónbor*, *dechenbor* in einem gewissen Zusammenhan
stehen könnte, gebe aber zu, dass Thurneysens Erklärun
dieser lateinischen Monatsnamen, in denen er hinten ein vo
*mens 'Monat' abgeleitetes *mens-ri* abscheiden will (*Kalenda*
Septembres sei vielleicht *K. septem-* oder *septumemb-res*
KZ. XXX S. 490, Beachtung verdient. Immerhin kann ma
aber aus der verschiedenen Bildung der lateinischen Monat
namen die Nutzanwendung ziehen, dass auch die irischen Zahl
substantiva verschiedener Bildung sein können. Für die Zahle
1 bis 8 bleibe ich bei den oben aufgestellten Grundforme
oinarom usw.

Weiterbildungen der Zahlwörter mit *r*-Suffixen finden sic
nun auch im Lateinischen, wenn auch mit anderer Bedeutung
singularis, *quinarius*, *quintarius*, *denarius*, *decuria*, u. a. n
Mit ir. *triar* lässt sich formal lat. *triarii* vergleichen, nur da
das irische Wort einen Stamm *triaro-*, das lateinische ei
Weiterbildung davon zu *triario-*, enthält. Aber besonde
schön stimmen, abgesehen von derselben Weiterbildung i
Suffix, ir. *cóicer* und osk. *pumperia* zusammen. Eine Schwi
rigkeit bietet nur das *d* in umbr. *pumpedias*. Das umbrisch

---

1) Ibid. lin. 3367 findet sich auch *riabhor* F. 'Nebel', offenb
von *ceo* 'Nebel' mit demselben Suffixe weitergebildet.

d steht in der Regel für ursprüngliches *d*, aber in *famedias* entspricht es doch sicher dem *l* von lat. *familiae*, vgl. den Index zu Büchelers Umbrica. Daher haben neuere Interpreten zwar den oskischen Genitiv *pumperias* durch ein nach dem Muster von *decuriae* fingiertes lat. **quincuriae*, die umbrische Form *pumpedias*. aber durch die lateinische Form *quintiliae* erklärt, s. Brugmann Grundriss II S. 475, Buck Vokalismus der osk. Sprache S. 118. Eine ähnliche Variation der Suffixe würde etwa lat. *sextarius* und *sextilis* bieten. Vielleicht sind aber doch beide Wörter identisch, denn so gut *d* im Umbrischen vereinzelt für *l* gesetzt ist, so gut könnte es auch vereinzelt für ursprüngliches *r* gesetzt sein. Wenn Bücheler in den Umbrica S. 141 und im Rh. Mus. XLIV S. 325 mit *pumpedias* in interessanter Weise den Namen des Königs *Numa Pompilius* verknüpft, so brauchte aus diesem Zusammenhange nicht notwendig die völlige Gleichheit der Stämme von *Pompilius* und *pumpedias* zu folgen. An einer anderen Stelle, Rh. Mus. XLIV S. 131, hat Bücheler übrigens umbr. *pumpedias* für nicht nur sachlich, sondern auch lautlich identisch mit osk. *pumperias* erklärt. Doch mag dem sein, wie ihm wolle, das oskische Wort bleibt für die Vergleichung mit ir. *cóicer*. Belegt sind die Kasusformen *pumperias* (Zvetaieff Inscr. It. Infer. S. 146) und *pomperiais* (Bücheler Rh. Mus. XLIV S. 323). Nach Bücheler, Rh. Mus. XLIII S. 131, bezeichnet die *pomperia* "einen ursprünglich nach der Fünfzahl bestimmten Familienverband innerhalb einer weiter verzweigten Gens", also eine Fünfheit, und diese Bedeutung stimmt schön zu der von ir. *cóicer*, nur dass dieses irische Wort kein terminus technicus geworden ist.

Leipzig.   E. Windisch.

Ost- und Westgoten.

Im vierzehnten Kapitel seiner Schrift De origine a
busque Getarum sagt Jordanes: "*Ablabius enim storicus ref*
quia ibi super limbum Ponti, ubi eos diximus in Scyt.
commanere, ibi pars eorum, qui orientali plaga tenel
eisque praeerat Ostrogotha, utrum ab ipsius nomine an
loco, id est orientales, dicti sunt Ostrogothae, residui v.
Vesegothae, id est a parte occidua".

Diese Stelle enthält die älteste uns bekannte Etymolo
des Namens der *Ostrogothae* und der *Wisigothae*. Die ält
und zugleich die modernste. Denn bis auf den heutigen T
ist die Deutung, die Jordanes, sei es aus der Überliefer
geschöpft, sei es selbständig aufgestellt hat, die herrsche
geblieben, ist von einer Generation der andern unbesehn
altes Erbgut überliefert worden.

Trotz ihres ehrwürdigen Alters hält aber die Erklär
des Jordanes schwerlich kritischer Prüfung stand. Vielm
unterliegt sie nach Form und Inhalt ernsten Bedenken.

I. *Wisigothae.*

Wenn man *Wisigothae* als 'Westgoten' auffassen w
so muss es Befremden erregen, dass dem ersten Kompositio
glied das sonst auf germanischem Boden dem Namen
westlichen Himmelsrichtung eigentümliche *t* abgeht.

Man hat diesen Mangel allerdings dadurch zu erklä
versucht, dass man auf griech. έσπέρα lat. *vesper* verwe
Die Vergleichung fördert jedoch wenig. Denn die Suffixbildt
beider Wörter liegt zu weit von jener der germanischen
mag man nun *westen* oder *wisi-* heranziehn. Das macht t
Wert der Etymologie illusorisch, da es in userm Fall gr
darauf ankommt, für die eigentümliche Form der germanisch
Suffixbildungen auf fremdem Sprachgebiet Anknüpfungen
finden.

Sievers Pauls Grundriss I 408 Anmerkung ist der er
gewesen, der in *Wisigothae* kein Wort für 'Westen' als er
Kompositionsglied hat anerkennen wollen. Neben den sonsti
germanischen Benennungen der westlichen Himmelsrichtu

scheint ihn namentlich der älteste Beleg des Wortes, der in dem bei Ammianus Marcellinus überlieferten Eigennamen *Westralpus* vorliegt, dazu bestimmt zu haben, "die Richtigkeit der (seit Jordanes?) üblichen Deutung der *Wisigothae* als 'Westgoten' in begründeten Zweifel" zu ziehn.

Sievers ist unbestreitbar in gutem Recht, wenn auch vielleicht dem *t* in *Westralpus* ausschlaggebende Bedeutung abgesprochen werden muss. Denn ich sehe nicht, welche Gründe man gegen die Möglichkeit beibringen könnte, *t* habe sich zwischen *s* und *r* auf rein lautlichem Weg entwickelt. Was Wrede (Sprache der Ostgoten S. 48 Fussnote 7) gegen Sievers' Zweifel vorbringt, entbehrt allerdings einer überzeugenden Kraft völlig. Er meint: "Wie *Os-win* zu *Ostro-gotha* wird sich auch das auffällige *Wisigothae* zu *Vestr-alpus* u. ä. verhalten, so dass man Sievers' Bedenken . . . nicht zu teilen braucht". Ich begreife nicht, was damit gewonnen sein soll, wenn eine Unbekannte durch eine zweite ersetzt wird: Eine sonst nicht belegte *t*-lose Form für 'Osten' soll Zeugnis ablegen für die Existenz einer sonst nicht belegten *t*-losen Form für 'Westen'.

Dabei bleibt die Hauptschwierigkeit ganz unberührt, nämlich das merkwürdige *i* in der Kompositionsfuge von *Wisigothae*. Was soll für ein Stamm zu grunde liegen? Jedenfalls kein *e/o*-Stamm; diesen schliesst der Gegensatz, worin *Wisigothae* zu *Ostro-gothae* steht, a priori aus. Grade das geheimnisvolle *i* scheint mir jede Vergleichung mit *westen* sowohl wie mit ἑσπέρα und *vesper* völlig zu verbieten, entschiedner noch als der blosse Mangel des *t*.

Nicht minder schwer lassen sich die Hindernisse aus dem Wege räumen, die von Seiten der Bedeutung der Übersetzung von *Wisigothae* durch 'Westgoten' entgegenstehn. Ich will ganz von der allgemeinen Erwägung absehn, wie wenig glaubhaft es sei, dass schon in der ältesten Schicht germanischer Völkernamen geographische Begriffe eine Rolle gespielt haben sollten. Ausser dem strittigen Fall der *Wisi*- und *Ostro-gothae* lassen sich meines Wissens Belege dafür nicht beibringen. Viel wichtiger ist eine ganz konkrete Thatsache, die für die Beurteilung der in *Wisi*- enthaltnen Bedeutung von höchstem Wert ist.

Angenommen, *Wisi-gothae* habe wirklich nichts anders

als 'Westgoten' besagt, wie will man sich alsdann erklären,
dass auch das erste Glied des Kompositums allein
als Kurzname vorkommt? Soll es etwa den Sinn von
'Westler, Westländer' gehabt haben? Ich glaube, dass man
sich damit nur schwer befreunden könnte, selbst wenn nicht
auch noch die lautliche Form den zweifelhaften Ausweg völlig
ungangbar machte.

Die Kurzform erscheint für *Wisigothae* bei folgenden
Schriftstellern:

1. Claudius Claudianus, der ums Jahr 400 lebte,
sagt im ersten Buch seines Gedichtes De consulatu Stilichonis

... *Quis enim Visos in plaustra feroces*
Reppulit? ... V. 94 (MG. Auct. ant. X 192).

Die Lesarten geben "*uisos* Em VΠ[1] *mysos* A *misos* Π[2]
nisos BP[1], P[2] et u et h adscripsit volens *uisos*, *uolsos* ς unus".
Dazu vergleiche man, was die Vorrede S. XXV sagt: "*Getas*
ex consuetudine poetarum his Gothis substituit Claudianus,
idem tamen etiam primus Visorum nomen offert Stil. I 94,
quod ibi ex optimis membranis confidenter restituimus".

Neben den *Visi* nennt derselbe Schriftsteller auch ganz
ausdrücklich die 'Ostgoten'. Aber er bezeichnet sie mit dem
Voll-, nicht mit dem Kurznamen. Man vergleiche das Gedicht
In Eutropium lib. II v. 153:

"... *Ostrogothis colitur mixtisque Gruthungis*
Phryx ager ..." (aO. S. 101).

Die Lesarten *ostrogotis* PΠA, *osdrogothis* C, *obstrogotis* B
sind ohne Bedeutung.

2. Bei Apollinaris Sidonius, dessen Leben etwa
in die Zeit von 430—88 fällt, findet sich die Kurzform des
Vollnamens *Wisigothae* an drei verschiednen Stellen.

"*Bellonothus, Rugus, Burgundio, Vesus, Alites,*
Bisalta, Ostrogothus, Procrustes, Sarmata, Moschus
Post aquilas venere tuas ..." Carm. V v. 476 (MG. Auct.
  ant. VIII 199).

"*Hic iam disposito laxantes frena duello*
Vesorum proceres raptim suspendit ab ira
Rumor ..." Carm. VII v. 398 (aO. S. 213).

"*Haec secum rigido Vesus dum corde volutat*
Ventum in conspectum fuerat ..." Carm. VII v. 431
  (aO. S. 214).

Wie Claudius Claudianus kennt auch Apollinaris Sidonius bei den 'Ostgoten' nur den Vollnamen. Eine Stelle, die besonders charakteristisch ist, da *Vesus* und *Ostrogothus* in engster Verbindung mit einander aufgeführt werden, ist eben schon zitiert worden. Ausserdem kommen noch zwei andre in betracht:

"*Noricus Ostrogothum quod continet, iste timetur*". Carm. II v. 377 (aO. S. 182).

"*Istis Ostrogothus viget patronis...*". Ep. L. VIII 9 v. 36 (aO. S. 137).

3. Aber noch früher findet sich eine Spur des Kurznamens *Vesus*, nämlich bei Trebellius Pollio, einem der sechs Scriptores historiae augustae, der angeblich zwischen 302 und 306 geschrieben hat. Im 6. Kapitel seiner Vita Claudii haben die Handschriften BPM. *trutungi austorgoti uirtinguisigypedes*. Müllenhoff HZ. VIII 134 liest dies folgendermassen: *Grutungi Austrogoti Tervingi Visi Gipedes*. Es ist nicht zweifelhaft, dass Müllenhoffs Konjektur das richtige trifft. Das beweist schon der Parallelismus *Grutungi — Austrogoti* und *Tervingi — Visi*.

Hiermit ist die Kurzform *Wisi* auch bei einem Prosaschriftsteller nachgewiesen, was immerhin nicht ohne Bedeutung ist. Denn es wird dadurch jede Möglichkeit abgeschnitten, in den *Wisi*, *Wesus* der Dichter eine individuelle, aus metrischen Gründen vorgenommene Verstümmelung zu suchen.

Es fragt sich nun: woher kommt dieser auffallende Unterschied in der Benennung der beiden Gotenstämme? Warum wendet derselbe Schriftsteller, der für *Wisigothae* regelmässig die Kurzform gebraucht, bei *Ostrogothae* ebenso ausschliesslich die Vollform an? Das für einen blossen Zufall erklären zu wollen, geht nicht an. Der Grund muss ein tieferer sein. Offenbar der, dass die ersten Kompositionsglieder in *Wisigothae* und *Ostrogothae* in jener Zeit nicht als völlig gleichartig empfunden worden sind, mit andern Worten, dass zwar *Ostro-* schon damals als Bezeichnung der Himmelsrichtung, als Osten aufgefasst wird, dass aber *Wisi-* noch nicht die volksetymologische Umdeutung als 'Westen' erfahren hat. Damit haben wir den springenden Punkt wieder erreicht: Weder formell noch dem Gebrauch nach lässt sich *Wisi-* in *Wisigothae* mit 'Westen' übersetzen. Es muss daher eine andre Etymologie gesucht werden.

Diese liegt nahe genug.

R. Kögel hat im Literaturblatt für germ. und rom. F lologie 1887 Sp. 108 zuerst nachdrücklich auf die germanisch Eigennamen aufmerksam gemacht, die mit *wesu-* komponi sind. Es giebt deren nicht wenige. Auch im Keltischen sp das Wort bekanntlich in der Namenbildung eine bedeuter Rolle. Weitere Verwandten von germ. *wesu-*, *wisu-*, kelt. *re* sind griech. ἐΰς, aind. *vásu-*, illyr. *vese-* 'gut'. Unzweifelh hängen auch got. *ius* 'gut', *iusilo* 'Besserung' (Fick Wört buch⁴ S. 131) damit zusammen, wenn auch der Wechsel *-ye-* : *-ey-* Schwierigkeiten macht.

Formelle Bedenken stehn, so viel ich sehn kann, ni im Wege. Wenn Trebellius Pollio, Claudius Claudianus ι Apollinaris Sidonius die Kurzform nach der zweiten latei schen Deklination flektieren, so ist das dem Verfahren ι Wulfila analog, der lateinische o-Stämme im Gotischen n: der *u*-Deklination abwandelt. Wir dürfen darin eine Spur ι ursprünglichen *u*-Stammes *wesu-* erblicken.

Auch die Form *wisi-*, bei Jordanes *wese-*, ist in Ordnu In der Schlacht an der Maros fällt der Wandalenkö *Wisimar* im Kampf gegen die Goten, vgl. Jordanes Kap. Schon Müllenhoff hat im Index Personarum auf die deutsch Namen *Wisugart*, *Wisigart*, *Wisurth*, *Wisirth*, sowie auf *Vi gast* verwiesen. Wrede Sprache der Wandalen S. 48 kon 1886 mit der Etymologie noch nicht ins Reine kommen; ε 1887 bedarf sie keiner weitern Erklärung mehr.

Mit dem gleichen *wesu-*, *wisi-* ist der gotische Na *Visibadus*, *Wisivadus* gebildet. Wenn Wrede Sprache der O goten S. 132 meint, das erste Kompositionsglied dieses Nam sei "entweder an das erste Kompositionsglied der *Wisi-goth* ... oder wahrscheinlicher an das in Eigennamen aller In germanen geläufige **wesu-* 'gut', wulf. **wisu-*. ostgot. *wis* anzuknüpfen, so besteht für mich diese Alternative nicht mel beide *wisi-* sind identisch. Ferner vergleiche man noch ο gotisch *Felithank*, *Felethanc* und den *Filimēr* der gotisch Ursage (Jordanes Kap. IV u. ö.). Das erste Kompositionsgli ist bei beiden Namen germ. *felu-*, griech. πολυ-. Auch ι Name von Theoderichs Tochter, der bei Ammianus Marcellin *Matesventha* (Variante -*srinta*), bei Jordanes *Mathesvent* lautet, gehört hierher. Denn Kögel AfdA. XVIII 54 hat se

ansprechend an gall. *matu-* 'gut' in *Matugenia* u. ä. erinnert.
Schliesslich kann noch auf Westgotennamen wie *Fride-ricus*
(5. Jh.), *Fride-badus* (683), *Wide-ricus* (646) u. dgl. m. verwiesen werden. Doch sind sie von geringrer Bedeutung, da
es sich bei der Namensform *Wisigothae* in erster Linie um
ost-, nicht um westgotische Überlieferung handelt.

Die *Wisigothae* sind nicht der einzige germanische Stamm,
dessen Name mit german. *wesu-* zusammengesetzt ist. Auf ein
andres Beispiel hat jüngst Much PBrB. XVII 132 f. aufmerksam gemacht. Es sind die Οὐιϲβούργιοι des Ptolomaios. Die
Deutung ihres Namens kann keine andre sein als die von
Much vorgeschlagne: 'die in guten Burgen wohnenden' oder
'die gute Burgen besitzenden'.

Auch der Name der *Wesseaxon* ist wahrscheinlich nicht mit
westan, sonden vielmehr mit *wesu-* komponiert. Cosijn Taalk.
Bijdr. S. 270 f. verweist darauf, dass Earle dies *wes-* mit *wisi-*
in *Wisigothae* zusammengestellt habe. Ich verdanke den Nachweis dieser Stelle Hrn. Prof. Sievers.

II. *Ostrogothae.*

Wenn es also feststeht, dass der Name der *Wisigothae*
mit der Himmelsrichtung nichts zu schaffen haben kann, so
liegt es nah, auch an der Übersetzung des Namens *Ostrogothae*
durch 'Ostgoten' zu zweifeln. Gewiss ist, dass die Volksetymologie den Namen früh in diesem Sinn gedeutet hat,
zweifellos schon, ehe die Auffassung der *Wisigothae* als 'Westgoten' aufgekommen ist. Dafür spricht der Gegensatz von
Austrogoti — *Visi* bei Trebellius Pollio und seinen beiden Nach-
folgern. Ja, man kann noch weiter gehn und der volkstümlichen Deutung auch eine gewisse etymologische Berechtigung zugestehn. Dennoch glaube ich, dass von Haus aus in
Ostrogothae die Himmelsrichtung sowenig zum Ausdruck hat
kommen sollen wie in *Wisigothae*. Dagegen scheint mir schon
das Alter des Volksnamens zu sprechen. Denn dieser tritt bereits
im Namen des Stammheros *Ostrogota* auf. Aus seinem Namen
hat man "mit Recht schon auf das Alter des Volksnamens
geschlossen", wie Müllenhoff HZ. IX 136 sagt. Denn "*iniuria
ambigitur utrum rex a populo an, quod sanus nemo con-
tendet, populus a rege nomen acceperit* (MG. Auct. ant. V 143).
Man vergleiche den Beinamen *Ostrogoto*, den Theoderichs

Tochter Ariagne führt, um von der byzantinischen Kaiseri gleichen Namens geschieden zu werden (Wrede Sprache de Ostgoten S. 65 f.).

Schon vor der Wanderung nach dem Süden müsste di geographische Bezeichnung des einen Gotenstamms aufge kommen sein und zwar, was noch unwahrscheinlicher ist, ohne dass, wie man jetzt behaupten darf, irgendwelche korrespon dierende Benennung bei einem der beiden andern Gotenstämm zur Stütze gedient hätte.

Die äussere Form des ersten Kompositionsgliedes in *Ostro gothae* und die Verwandtschaft mit aussergermanischen Wör tern ist durchsichtig genug.   Der älteste uns bekannte Bele findet sich an der schon zitierten Stelle des sechsten Kapitel von des Trebellius Pollio Vita Claudii.   Und zwar erscheint hie der Diphthong *au*: *Austrogoti* (BPM. *Austorgoti*).   Dass hier wenig später als 300 n. Chr., das alte gotische *au* noch erhalter und dass es in der spätern Form *Ostrogothae*, *Ostrogoth* monophthongiert sei, wie Wrede Sprache der Ostgoten S. 16 angenommen hat, scheint mir gegen jeden Zweifel gesicher zu sein.

Vereinzelt stehnde griechische Schreibungen wie Oὔсτρι γοτθοι bei Prokop kommen nicht in betracht, wie denn über haupt die griechische Überlieferung an Genauigkeit in de Wiedergabe der Laute der lateinischen nachsteht, vgl. Wrede Sprache der Ostgoten S. 6.

Ferner scheint mir die Verwandtschaft des gotischer *austro*- mit dem ai. *uṣar-*, *usrd-*, lit. *auszrà* und Genossen ausser aller Frage zu stehn.   Aus den nächsten Verwandten *usrd-*, *auszrà* folgt mit Notwendigkeit, dass *austro*- ebensogut auf ältres *aus-ro*- zurückgeht, wie germ. *austro*- 'Ostern' auf *ausro*- führt, vgl. Sievers PBrB. V 526.   Idg. *dusro*- und *usró*- sind verschiedne Ablautformen desselben Stamms, lit. *auszrà* und ai. *usrd*- die im gleichen Ablautverhältnis zu einander stehnden Femininbildungen.   Mit Recht hat schon Sievers aO. lat. *auster*, deutsch *ostar* 'Osten' scharf hiervon getrennt: sie sind mit Suffix -*tero*- gebildet, vgl. Brugmann Grundriss II § 75 S. 185 Anmerkung.   Man muss sich daher hüten, die Bildungstypen 'Ostern' und 'Osten' mit einander zu vermischen. *Ostan* usw. hängt sicherlich mit dem Adverb *ostana* zusammen, während die abweichende nordische Form *austr* (wie *vestr*, *nordr*, *sudr*) mit dem Adverb *óstar* usw. in engster Beziehung steht. In beiden Fällen hat das *t* etymologischen Wert, während es in *austro-*, *austró-* spezifisch germanischer Lautentwicklung sein Dasein verdankt.

Man sieht daraus, dass der Name *Austro-goti* seiner Bildung nach gar nicht unmittelbar zur Bezeichnung der Himmelsrichtung 'Osten' gehört. Wir müssen vielmehr auf das indogermanische Adjektiv *dusro-* *usró-* 'hellaufleuchtend, hellglänzend' zurückgehn, woraus das movierte Femininum *usrá*, *auszrà*, **östró* 'die hellaufleuchtende', ein ursprüngliches Epitheton der Morgenröte, erst abgeleitet ist. Die Bezeichnungen der östlichen Himmelsrichtung bilden erst eine dritte Schicht von Ableitungen von der idg. Wurzel *dus-* 'leuchten'.

Die *Austro-goti* wären demnach als die 'glänzenden' aufzufassen, wie die *Wisigothae* als die 'wackern'.

Dafür, dass eine solche Benennung dem Gedankenkreis des gotischen Volkes nicht fremd gewesen ist, braucht nur an den Namen des westgotischen Königsgeschlechtes der *Balthi* erinnert zu werden. Jordanes deutet den Namen bekanntlich folgendermassen: "*Rege Hallarico, cui erat post Amalos secunda nobilitas Balthorumque ex genere origo mirifica, qui dudum ob audacia virtutis Baltha, i. e. audax, nomen inter suos acceperat*" (Kap. XXIX).

Edward Schröder HZ. XXXV 237 ff. hat die Geschichte des Wortes weiter verfolgt. Er hat auf den Zusammenhang zwischen germ. **balaz* und der *te/to-*Weiterbildung got. *balþs* 'kühn' hingewiesen, dem lit. *báltas* 'weiss' entspricht. Auch anord. *Baldr* d. i. idg. *bhaltér-* 'der leuchtende' gehört zur gleichen Sippe, er, von dem es in der Gylfaginning heisst: "*hann er hvitastr Ásanna*", vgl. Mogk PBrB. VI 528. Der Bedeutungsübergang von germ. **balþaz* 'hell strahlend' zu 'kühn' vergleicht sich dem von griechisch ἀργός 1) 'hell schimmernd', 2) 'schnell'.

Dürften demnach die *Balthi* ursprünglich vielmehr 'die glänzenden' gewesen und *balþ*, *bald* als erstes oder zweites Glied germanischer Eigennamen in frühester Zeit mit *dag* und *berht* sinnverwandt zu betrachten sein, wie Schröder aO. 241 vermutet, so hat auch die Bedeutung von *Austrogoti* nichts auffallendes mehr.

Wie *Wisigothae* durch das gleichgebildete Οὐισβούργιοι

gestützt wird, so auch *Ostrogothae* 'die glänzenden' durch den bedeutungsverwandten Völkernamen *Sciri* 'die glänzenden' d. i. die 'berühmten' oder 'ausgezeichneten', vgl. Bremer HZ. XXXVII 9.

Es ist nun leicht begreiflich, dass das erste Kompositionsglied *austro- ostro-* von *Austro-goti Ostro-gothae* schon sehr früh mit der wurzelverwandten und in ihrer äussern Form nahestehenden Bezeichnung für die Himmelsrichtung 'Osten' im Sprachgfühl des Volkes zusammengebracht und der Name daher als 'Ostgoten' gedeutet worden ist. Erst hiermit war dann die Möglichkeit gegeben, in *Wisigothae* das Korrelat 'Westgoten' zu suchen. Dass diese Umdeutung erst relativ spät erfolgt ist, beweist, wie schon hervorgehoben worden ist, der langandauernde Gebrauch des Kurznamens *Wisi*, *·Wesi*.

Dem früher erwähnten *Wesseaxon* entspricht stets *Éastseaxon*, vermutlich durch formelle Anlehnung an *east* zu stande gekommen. Denn ursprünglich wird wohl eine dem *Austro-goti* entsprechende *r*-Form bestanden haben, sogut wie *Wes-seaxon* dem *Wisi-gothae* genau gleich ist.

Was die äussere Form des Ostgotennamens anlangt, so befremdet das durchgängig in der Kompositionsfuge auftretende *o*. Das ist sicherlich ungotisch; denn Fälle wie *Theodoridus* und *Theodoricus* bei Jordanes kommen nicht in betracht: sie verdanken das *o* der Kompositionsfuge wohl nur einer etymologischen Spielerei, einer Anlehnung an griechische Eigennamen wie Θεόδωρος.

Das *o* der Kompositionsfuge erinnert an ein andres *o*, das gleichfalls Schwierigkeiten bereitet. Ich meine das *o* in *Gothi*. Bei Wulfila müsste statt seiner *u* stehn, denn **Gutos *Gutans* enthalten den Schwundstufenvokal *u* gegenüber der in anord. *Gautar* vorliegenden Vollstufe *au*. Das *o* des Gotennamens ist zweifellos — worauf mich Hr. Prof. Osthoff aufmerksam macht — ein Beweis dafür, dass auch im Gotischen einmal der *a*-Umlaut vorausgehendes *u* zu *o* gewandelt hat. Wir müssen daher in *Gothi Gothae* eine traditionelle Form erblicken, die in der Schriftsprache der lateinisch und griechisch schreibenden Historiker fortgelebt hat, auch nachdem die lebendige Sprache jedes *o* wieder zu *u* gewandelt hatte. Man vergleiche die *Gutones* des Plinius, *Gutþiuda* des gotischen Kalenders und *gutanio* des Goldrings von Pietroassa (Henning Runendenkmäler S. 32). Mit der bequemen Aushilfe Wredes aO. S. 44, das *o* verdanke seine Existenz einer 'Nostrifizierung', ist nichts erklärt.

Wahrscheinlich ist, dass die *Gotones* in den Annalen, die *Gothones* in der Germania des Tacitus das Muster für die traditionelle Schreibung mit o abgegeben haben.

Ist das gotische *u* vor *a* erst aus älterm umgelauteten *o* hervorgegangen, so muss der *a*-Umlaut von *u*, und weiterhin auch der von *i*, gemeingermanisch, wahrscheinlich sogar urgermanisch sein.

Freiburg in der Schweiz.

Wilhelm Streitberg.

Germanisches.

1. Engl. *strawberry* 'Erdbeere'.

Lat. *fragum* 'Erdbeere' wird allgemein mit griech. ῥάξ 'Beere, Weintraube' auf Grdf. *srdg* zurückgeführt. Ich stelle dem lat. Wort das engl. Synonymon in erster Linie gleich: angls. *streawberie* 'Erdbeere'. Dass die angls. engl. Zusammensetzung verdeutlichend gemeint sein kann wie ahd. *Windhund, Maulesel, Maultier* oder wie ags. *mûlberie* = *Maulbeere* aus lat. *môrum*, ist nicht anzuzweifeln. Ein germ. Primitivum *strawa-* 'Erdbeere' (von *strawa-* 'Stroh' gänzlich zu trennen) fügt sich mit lat. *fragum* 'Erdbeere' unter eine gemeinsame Grdf. *srdgh(w)o-*. Will man das griech. Wort mit der lat. = germ. Bezeichnung der Erdbeere vereint wissen, so müsste *srdg* : *srdk* (letzteres nur für germ. *strawa-* aus *srakwó-*) der ganzen Sippe zu Grunde gelegt werden.

2. Angls. *heolfor* 'Blut'.

Das seltsame Wort steht bisher isoliert und unerklärt da. Ich glaube darin ein Kompositum nachweisen zu können. Angls. *heorodréor*, wozu as. *herudrôrag*, legt es als Synonymon

nahe für die neuerdings bekannt gewordene altangls. Form
helubr (vgl. seolfor = got. silubr, heolstor aus helustr) Dissi-
milierung aus *herubr anzunehmen. So bleibt br- als selbständiges Wort zu deuten. Ich vermute darin den Rest des von
Joh. Schmidt Pluralbildungen S. 338 nachgewiesenen idg. kru
= slav. kry 'Blut'. Dass dies zu *fru und in Zusammensetzungen zu *bru lautgesetzlich werden konnte, ist nicht zu
bezweifeln, ebensowenig dass auslautendes u im Angls. nicht
mehr erhalten sein kann. So ist heolfor mit heorodreor (Beow.
850 werden beide identisch neben einander gebraucht) gleich-
gebildet wie gleichbedeutend. Übrigens ist bekannt, dass heru-
als erstes Kompositionsglied in der german. Allitterationspoesie
oft nur den allgemeinen Begriff "des feindlichen, kriegerischen,
gewaltigen, furchtbaren und verderblichen enthält" (Greins
Sprachschatz unter heoru).

3. Ahd. sēla 'Seele'.

Die Erklärung für den auffälligen w-Verlust, der ahd.
sēla von got. saiwala trennt, liegt in einer Lautregel, die dem
Gesetz vom Verklingen des w im Anlaut vor l und r parallel
ist. Wie ahd. rēhhan — lispen für ursprgl. *wrēhhan — *wlispjan
steht — so ahd. sēla für *sē-wla. Das Angls., das am wr- und
wl-Anlaut festhält, bewahrt die Kombination auch im Inlaut:
angls. sāwle. So erkärt sich nun auch ahd. lērahha gegen ags.
lāwrice aus urd. *lē-wrahha, ahd. hirat neben angls. hiwrǣden
aus *hi-wrat. Also der Silbenanlaut wl- wr- wäre grade wie
der Wortanlaut behandelt: das Angls. vereinigt sich mit dem
Ahd. in der Wahrscheinlichkeit von westgerm. Silbentrennun-
gen wie lai-wrakō hī-wrād sai-wla, die natürlich auf noch
älteren laiw-rako hiw-rad saiw-la beruhen können.

4. Ahd. gotan — mannan.

Die Akkusative der männlichen Nomina Propria werden
im Ahd. bekanntlich gern auf -an gebildet: Hludwigan usw.,
und daran schliessen sich gotan mannan truhtinan fateran.
Die Vulgatansicht deutet dieses -an aus der Adjektivdeklination,
ohne es irgend plausibel zu machen. Demgegenüber setze ich
ahd. mannan unmittelbar gleich got. mannan, angls. monnan.

Es scheint mir unbezweifelbar, dass im Ahd. — unmittelbar
vor der Zeit der überlieferten Denkmäler — der Akkusativ
der schwachen Maskulina auf -*an* enden konnte, entsprechend
dem got. -*an*, angls. -*an*, anord. -*a*. So gut die starken Infinitive auf allen Gebieten -*an* als Endung besitzen resp. voraussetzen, muss auch ·*an* in *hanan mannan* gemeingerm. sein.
Wenn im Ahd. *rabo* und *raban* neben einander stehen, so ist
wohl gewiss von einem Paradigma Nom. *hrabo*, Akk. *hraban*
auszugehen. Und so geht ahd. *sabo* neben *saban* offenbar auf
einen Akk. *saban* zurück: got. *saban* ist lat. *sabanum*; und
so weist ahd. *mango* aus lat. *manganum* auch auf einen Akk.
mangan. Noch sei daran erinnert, dass ahd. as. *wolcan*
'Wolke' neben *wolca wolco* wohl auf einem schw. Mask. *wolko*,
Akk. *wolkan* beruht, das seinerseits von einem schw. Neutrum
wolko^n ausgegangen wäre. So stimmt auch as. *gëban* 'Ozean'
zu anord. *geime* (KZ. XXVI 87) und bestätigt einen westgerm.
Akk. *gaiman giman* zu einem Nom. *gaimo* = an. *geime*. Und
wenn meine im EtWb.[5] aufgestellte Deutung von *Himmel*
richtig ist, darf as. *hëban* neben an. *heima* auch auf ein westgerm. schw. Mask. *haimo, Akk. *himan zurückgeführt werden.

Gehen wir von *mannan* als einem regulären Akkusativ
aus, so haben wir für *gotan truhtinan* kaum einen weiteren
Ausgangspunkt nötig. Und hier liegt wohl auch die Quelle,
aus der die Akkusative as. *Adam-an Herodes-an Satanas-an*
und ahd. *Hludwig-an* usw. geflossen sind. Denn hier wird
erklärlich, warum die Nomina Propria nur im Akkusativ
heteroklitisch sind — nämlich weil der Singular von *mann-*
die gleiche Heteroklise nur im Akkusativ zeigt.

5. Asächs. *alo-mahtig*.

Im Heliand sind *alomahtig alowaldand alowaldo alohël*
die einzigen Belege für *o* in der Kompositionsfuge bei *a*-Stäm-
men. Aber ich glaube darum auch nicht, dass germ. *ala-* zu
Grunde liegt, und vermute eine germ. Stammform *alwa-* dafür.
Dieses *alwa-* würde sich zu air. *uile* aus **oljo-* verhalten wie
got. *taihswa* zu griech. δεξιός, ahd. *falawēr* zu griech. πολιός.
Man erinnere sich noch daran, dass das German. in ahd. *alanc*
alunc (aus *ēlonkó-s *ēlənkós) noch eine weitere primäre Bildung von hoher Altertümlichkeit zur gleichen Wurzel zeigt.

6. Mhd. nhd. *heiser.*

Das auslautende *r* gegen ahd. *heis* macht Schwierigkeit.
Ich denke, die Erklärung dafür liegt in der mhd. Nebenform
heisram, die freilich selbst zunächst der Erklärung bedürfte.
Denn mit Weinhold Mhd. Gr. § 262 S. 257 darin irgend ein *m*-
Suffix zu vermuten ist ganz unbegründet. Mir scheint es eine
tautologische Zusammensetzung zu sein, die an an. *rámr* 'heiser'
anzuknüpfen wäre. Ein ahd. **heis-rám* wäre im Mhd. einerseits *heisram* geblieben, anderseits über **heisren* zu *heiser*
geworden, mit ähnlicher Behandlung der Endung wie in mhd.
nhd. *messer* aus ahd. *mezziras.*

7. Anord. *heiðingi* 'Wolf'.

Bugges glänzende Kombinationsgabe hat einige an. Maskulina auf *-ingi* mit got.-westgerm. Bildungen auf *-gangja* zusammengebracht wie an. *foringi* mit got. *fauragaggja* (vgl.
Noreens Anord. Gramm. I² § 233). Ebenso lässt sich an. *hei-
ðingi* 'Wolf' — aus Atlakv. 8 bekannt — im Anschluss an das
synonyme angls. *hǽðstapa* 'Heidegänger' aus got. **haiþigaggja*
deuten.

Freiburg i. B.   Fr. Kluge.

Germanische Etymologien.

1. *Heimdallr.* Was der zweite Bestandteil dieses Götter-
namens bedeutet, ist längst erkannt. Er kehrt wieder in *Mardǫll* (Gen. *Mardallar*), einem Beinamen der lichten Göttin
Freyja, und in *Dellingr,* einem Lichtwesen, dessen Sohn der
Tag ist, und deckt sich mit ags. *deall* 'leuchtend, stolz,
prunkend'. Ob auch mhd. *getelle* 'artig, zierlich, geschickt'
(Mhd. Wb. III 28) nebst dem Namen des Meisterschützen *Tell*
(ahd. *Tello* Förstem. I 331) dazu gehört, ist zweifelhaft, aber
nicht unwahrscheinlich. Der nordische Name hat eine Nebenform mit einfachem *l* (Gen. *Heimdalar*), die auch ahd. in
dem altbairischen Namen *Talamot* 'Frohgemut' (Förstemann
I 331) vorkommt. Unaufgeklärt ist aber bis jetzt der erste

Bestandteil des Namens jenes Lichtgottes. Wenn ihn Bugge
an *heimr* 'bewohnter Ort, Welt' anschliesst, so wird dies niemand für mehr als einen Notbehelf ansehen, denn der Sinn
'über die Welt hin glänzend' ist nicht nur matt, sondern lässt
sich auch aus dem Kompositum nicht herauslesen. In dem ersten
Bestandteile muss vielmehr eine Verstärkung oder superlativische
Steigerung des zweiten liegen, wie es so oft in zweistämmigen
Namen der Fall ist, und diese gewinnen wir, wenn wir das
merkwürdige altfriesische Wort *hēmliacht* vergleichend heranziehen. Dieses gewährt der Emsigoer Text der Zusätze zu
der 17. der alten Küren bei Richth. 38, 16 in der Wendung
hemliachtes deys, wo die anderen Hss. nur *liachtes deis* und
der lateinische Text *uno claro die* hat; in der gleichen
Phrase, so dass es also auf diese beschränkt ist, findet es sich
32, 11 im Hunsigoer Text, während der Emsigoer die nur
unwesentlich abweichende Lesart *himliachtes*, der Rüstringer
domliachtes hat; in der westfriesischen Redaktion steht *bi
liachta dei*, in der lat. Übersetzung *clara die*. Dass hier
mit *heim* 'Haus und Hof' nicht auszukommen ist, liegt auf
der Hand. Dagegen wird alles klar, wenn man *hai-mo-* zu
an. *heiδ* n. d. i. **hai-do-* 'Glanz des Himmels und der Luft'
(auch adjektivisch: *heiδr himinn, heiδar stjǫrnur, heiδr dagr*)
und unserem durch alle westgermanischen Sprachen verbreiteten *heiter* d. i. *hai-dro-* 'hell, licht, glänzend' stellt und
wegen der *m*-Ableitung das nahe verwandte, nur durch das
Plus des *s* im Anlaut (Noreen Utkast 124 ff.) unterschiedene
Wort got. *skei-ma* 'Glanz' (auch altn. ags. alts. ahd. vorhanden),
vor allem aber mhd. *scheim* M. 'Glanz, Schimmer' (Lexer III 687)
vergleicht. Der Sinn von *hēmliacht* ist also 'hell-licht' (vgl. die
Redensart 'am hellichten Tage') 'ganz hell', und somit ist
Heimdallr der 'hell strahlende' Gott. Dass diese Etymologie
seinem Wesen entspricht, ist aus Mogks Darlegung Grundriss
I 1057 zu entnehmen. Übrigens ist auch *Mardǫll* keineswegs
die 'über das Meer hin glänzende', wie man gewöhnlich deutet,
sondern *mar-* aus *mari-* ist dasselbe Wort, das auch in den
Frauennamen *Meridrūd, Meripurc, Meripirin, Merihilt, Meri-
swind* erscheint (in Männernamen kommt es fast gar nicht vor),
die sich aus dem Begriffe 'Meer' nicht erklären lassen. Ich
zweifle nicht, dass auch dieses Wort 'glänzend' bedeutet und
aus der von Fick I⁴ 515 behandelten Sippe μαρμαίρω 'flim-

mern', μαῖρα 'Hundsstern', μαρμάρεος 'schimmernd, **glänzend**'
skr. *mdrici* 'Lichtatom' zu erläutern ist. Man wird es nach
dieser Erörterung nicht unwahrscheinlich finden, dass auch ein
Teil der mit *Haim-* komponierten Personennamen das oben
nachgewiesene Adjektiv *heim* 'glänzend' enthalte, namentlich wenn, wie in ahd. *Haimperht*, auch im zweiten Kompo-
sitionsgliede der Sinn des Glänzenden liegt. Von den abd.
Namen möchten z. B. noch *Heimger*, *Heimgis* und *Haimulf*,
die alle drei 'glänzender Held' bedeuten, sowie der Frauen-
name *Haimolindis*, der sich durch seinen Stammcharakter
von *Haimirich* und *Heimiradh* (Pip. 2, 203, 2) unterscheidet,
hierher zu ziehen sein.

2. Es mögen sich ein par Einfälle zur Deutung altger-
manischer Volksnamen anschliessen. Der Name der sali schen
Franker ist soviel ich weiss bisher noch unaufgehellt. Die
alten Belege für *Salii* findet man bei Zeuss 329. Die Benennung tritt erst auf, als das Volk die *insula Batavorum* in
Besitz nimmt. Ich vermute, dass *Salja-* 'insulanus' heisst und
abgeleitet ist von dem Fem. *sala 'Insel' = lit. lett. *salà* gleicher Bedeutung. — Den Namen *Ubii* hat Müllenhoff Ztschr.
IX 130 behandelt. Er möchte das Adjektiv *ubja-* zu got.
ufjo 'Überfluss' ziehen, wozu er auch ahd. *ubper* maleficus,
uppeheit vanitas, *uppig* inanis vanus stellt. Aber diese letztere
Sippe ist von dem gotischen Worte ganz zu trennen. Sie
würde für den Volksnamen auf die Bedeutung 'Übelthäter,
Bösewichte' führen, denn *ubja-* 'üppig' gehört wie *ubi-ko-*
(Eigenname *Ubik*, *Ubico* Förstem. I 1207) zu *ubi-lo-* 'übel'
(die in der Zschr. der Savigny-Stiftung f. Rechtsgesch. 1890
S. 224 vorgetragene Deutung ist nicht aufrecht zu erhalten).
Die Bedeutungsentwickelung von maleficus zu inanis vanus hat
ebenso bei *bosi* Graff III 216 stattgefunden. Rekurriert man,
was auch Müllenhoff vorzieht, auf den gotischen Ausdruck,
so kommt man auf einen Sinn, der für die Verhältnisse des
Volkes schwerlich passt, denn die deutschen Stämme auf
römischem Gebiete lebten eher in fortdauernder Not, als im
Überfluss.. Die Personennamen *Uffo*, *Offo*, *Uffing* sind fernzuhalten, da sie durch die Nebenformen ags. *Wuffa* (Müllenhoff
Beowulf 67) ahd. *Uuoffo* Pip. 2, 304, 10. 319, 8 an eine ganz
andere Stelle gewiesen werden. Wenn man sich bei dem
an sich möglichen Sinne 'Übelthäter' (der dann auf einen von

freundnachbarlicher Seite verliehenen Übernamen hinführen
würde) nicht beruhigen will, so könnte man die alte Grimm-
sche Deutung 'Flussanwohner, Rheinanwohner' in modifizierter
Gestalt wieder aufnehmen, indem man anknüpft an lit. *upé*
'Fluss' (Leskien Bildung der Nomina im Lit. 238. 278). Wie
viele Worte, die sich in den verwandten Sprachen, besonders
in dem so nahestehenden Litauischen, erhalten haben, müssen
in jener Urzeit, als diese Namen geschaffen wurden, noch vorhanden gewesen sein, nach den Verlusten zu schliessen, die
seit der Zeit des Wulfila vor unsern Augen eintreten! Und
dass ein lokaler Sinn in *Ubii* zu suchen sei, wird durch den
Ortsnamen *Ubiti* (Förstemann H 1497) wahrscheinlich gemacht,
der etymologisch von dem Volksnamen um so weniger getrennt
werden kann, als die Stadt Oefte bei Werden a. d. Ruhr noch
im Gebiete der alten Ubier liegt. Das seltene Suffix hat den
Sinn von *-ahi* und lat. *-ētum* gehabt, vgl. ags. *þyrnete* spine-
tum Grimm Gramm. II² 210 und ahd. *fisgizzi*, dessen ältere
eigentliche Bedeutung 'Fischwasser, Fischteich' aus dem Schweiz.
Idiot. I 1106 erhellt; *Ubiti* wird also eine wasserreiche Gegend
meinen. Dann sind die *Ubii* auch dem Namen nach mit den
Ripuarii, den 'Uferanwohnern' identisch, Zeuss 343. — Den
Namen der *Usipii* hat Much Beitr. XVII 138 f. aus dem Keltischen zu erklären versucht, aber seine Träger, die gewöhnlich mit den sicher deutschen *Tenchtheri* zusammen genannt
werden, sind Germanen; ihre Wohnsitze und ihre Geschichte
sprechen gleichmässig gegen gallische Nationalität, s. Zeuss
88 ff., und die keltisierte Form *Usipetes* darf nicht irren. Wir
finden die *Usipii* zu Cäsars Zeit in den wasser- und sumpf-
reichen Gegenden der Rheinmündungen. Nach der Beschaffenheit ihres Wohnsitzes wird man sie auch benannt haben, denn
das nd. *sipe* 'feuchtes Land, Niederung', nl. *zijp* 'trocken ge-
legtes Meer' ist in ihrem Namen nicht zu verkennen. Der
Name ist gebildet wie der des slavischen Volkes der *Polaben*
'Elbanwohner'. Wie hier *po-*, so ist dort *u-* eine Präposition,
die 'an', 'bei' bedeutet; sie scheint sonst im Deutschen verloren zu sein, hat sich aber bekanntlich im Slavischen erhalten.
Dass die slav. Präp. *u* 'bei' mit dem gleichlautenden Verbal-
präfix 'von — weg' = preuss. lat. *au-* identisch sei, halte ich
für unerwiesen und unwahrscheinlich. Dagegen wird Verwandtschaft mit der indogermanischen Postposition bestehen, die

Brugmann Grundriss II 700 in dem Ausgange -*s-u* des **Lokatives**
Pluralis erkannt hat.   Den gleichen Sinn wie *Usipii* hat vielleicht auch der Name der *Lygii* Zeuss 124, der zu lit. *lúngas*
'Morast' gehören könnte. — Undeutsch ist der Name Σούδητα
nebst Σούδινοί. Much Beitr. XVII 110 meint, dass er jedem
Deutungsversuch widerstrebe. Aber so schlimm steht die Sache
nun doch nicht. Wenn die Sudeten das Erzgebirge sind und
die Sudinen an dessen Südabhange, etwa in der Gegend von
Teplitz, dessen heisse Quellen gewiss schon früh die Aufmerksamkeit der Bewohner auf sich zogen, sesshaft waren, so wäre
eine Erklärung zu finden, indem man lat. *sudare* 'schwitzen'
und seine Verwandtschaft (Fick II 286) heranzöge. Dann hätte
Σούδητα zunächst die Gegend der heissen Quellen gemeint und
wäre erst von da auf das Gebirge, an dessen Fusse sie ent-
springen, übertragen worden. Das (keltische?) Volk erhielt
seinen Namen natürlich erst, nachdem die Benennung der
Gegend bereits feststand.

3. Ein uraltes deutsches Wort bei Plinius hat selbst Müllenhoff Germ. Antiq. 110 nicht erkannt und die richtige Überlieferung einer ganz überflüssigen Konjektur zu Liebe unter
den Text verwiesen. Unter den Nachrichten über den Bern-
stein hat Plinius die folgende: *Philemon fossile esse* [*dixit*]
*et in Scythia erui duobus locis, candidum atque cerei coloris
quod vocaretur electrum, in alio fulvum quod appellaretur
sualiternicum.* So B; in F steht *subalternicum*, in X *sual-
ternicum.* Das in B richtig erhaltene Wort bedeutet 'etwas
brennbares, das den Anschein von Holz hat': *swali-* gehört zu
ags. *swelan* 'langsam ohne Flamme brennen' (die reiche Verwandtschaft des Wortes s. bei Schade 911 f.) und *-ternicum*
erklärt sich aus dem Volksnamen der gotischen *Tervingi*, der
Waldanwohner, und aus got. *triu* 'Holz'. Die Weiterbildung
mit *n* weiss ich aus dem Germanischen sonst nicht zu belegen,
aber das Slav. hat sie in *drényni* καρπὸς κρανείας Joh. Schmidt
Vokal. II 75 (ahd. *tirnpaum* scheint Lehnwort zu sein).

4. Dass das ags. *specan*, das mit *sprechen* etymologisch
nichts zu schaffen hat, auch im Ahd. weit verbreitet ist, kann
wohl noch nicht' als allgemein bekannt betrachtet werden.
Ich kenne dafür folgende Belege: *kaspohchan vvesan conlo-
qui* BR 106, 7; *zospehhe adloquatur* Gl. II 42, 7 (Würzburg);
furispachust praecurris Gl. II 71, 54 (Vind. 271); *spahhi*

labium Gl. I 502, 34 (Clm. 14689) = *gispache* Clm. 17403 =
gisprâhhi cet. Die folgenden Belege stammen aus den Hss. Clm.
2723 und 2732, in den Praeteritalformen ist meist *a* über der
Zeile nachgetragen: *ingagan spehhan obtendere* Gl. I 309, 66;
gispah prosecutus est Gl. II 117, 67; *voragispah praemisit*
Gl. II 266, 7; *voraspahhomes praemisimus* Gl. II 124, 16. 181,
60. 136, 31; *firspahhames parcamus* Gl. II 277, 19; *gispahho-
mes promisimus* Gl. II 117 36; *vilospahhaler linguosus* Gl.
II 189, 73; *gispahhi facetiae* Gl. II 364, 51; *pispahha offen-
sione* Gl. II 128, 69; *pispahho laceratione* Gl. II 186, 43;
spahhuse secretario Gl. II 117, 9. Dazu noch *bespacharis de-
latoris* Gl. II 68, 24 aus einer Wallersteinischen Hs. In den
mhd. Wörterbüchern finde ich das starke Verb nicht verzeichnet,
obwohl es gewiss in den Handschriften steht; dagegen mancherlei
Zubehör wie *spaht* 'lautes Sprechen, Geschwätz', *spehten*
'schwatzen', *gespehte* 'Geschwätz'. In einer wahrscheinlich
alemannischen Quelle reimt *spachen* auf *slachen* 'schlagen'
Mhd. Wb. II 2, 474. Auch auf dem sächsischen Sprachgebiete
war das Wort verbreitet. Schmeller III 555 weist aus einem
Glossar nach: *anspecken concionari, speckere concionator
rhetor*. Im Nordischen hat sich der gleiche Bedeutungsübergang vollzogen, wie bei dem griech. λόγος zu λέγω : *spakr*
heisst nicht mehr 'redegewandt' sondern 'weise', *speki* und
spekð 'Weisheit'. Mit der Etymologie kommt man glaube ich
nur zum Ziele, wenn man den Guttural von urgerm. *spekan*
als eine Wurzelerweiterung betrachtet; offenbar ist das daneben
liegende *sprekan* von bestimmendem Einfluss auf die Gestaltung des bedeutungsgleichen Wortes gewesen. Welche Form
es vor der Angleichung an *sprekan* gehabt hat, lässt sich
nicht mehr ermitteln, aber als Wurzel ist aller Wahrscheinlichkeit nach *seq* 'sprechen' zu betrachten. Auf der Stufe
sqe- musste sie im Germanischen wenigstens vor hellen Vokalen
zu *spe-* werden, vgl. engl. *wisp* 'Wisch' neben ahd. *uuisc* aus
wisqi- zu lat. *virga* aus *$uizg^ua$* Noreen Utkast 93; ahd. *forspōn*
neben *forscōn* aus Grdf. *$prksqe-$* (vgl. Brugmann Grundriss
II 1030 f.); ahd. *hosc* 'Spott, Schmach' neben ags. *hosp*,
hyspan. Diese und andere Beispiele hat Noreen a. a. O., weitere werden sich finden. Zu der Wurzel *seq* gehört ausser
seggian (*sagen*) noch altn. *skáld* 'Erzähler' (Lidén Beitr. XVI
507) und, wie ich abweichend von E. Schröder Zs. XXXVII 264,

dessen Herleitung mich hinsichtlich der Bedeutungsentwickelung
nicht recht befriedigt, annehme, das urgerm. *spell* 'Erzählung',
obwohl das *ll* der Erklärung einige Schwierigkeiten macht.
Vielleicht ist es, wie in *gamallus* neben *mathal-*, ags. *mæðel*
und in *stollo* 'Stütze' neben altn. *stuðill* (ahd. *kastudit* 'gestützt' Graff VI 652) aus *pl* entstanden, so dass also das
Suffix *-tlo-* darin stäke. Vgl. noch *stall* neben *stadel*, ahd.
wallon ambulare neben *wadalon* vagari (*uuadalota ambulavit*
Gl. I 453, 58) und ags. *waðol* 'der Mond' als das Wandel-
gestirn.

5. Während sich das Substantiv *hathu* 'Kampf' im Ags.
nur als erstes Glied von poetischen Kompositis, im Alts. und
Ahd. gar nur noch in Eigennamen erhalten hat (vgl. Gramm.
II² 434), ist das dazu gehörige starke Verbum, ohne dass
man bisher davon Notiz genommen hat, im Ahd. länger in
lebendigem Gebrauche geblieben. Schon Graff IV 805 ver-
zeichnete aus Ja (Gl. I 587, 19) *hatunga insectatio*. Dazu
kommen aus dem Glossar Gc 3 (Clm. 6277 aus Freising) folgende vier Verbalformen: *hatamas insequamur* Gl. II 175, 22;
hattit insequitur ebd. 64; *zihatinna insequenda* ebd. 176, 60;
hatenta insequuntur ebd. 170, 55. Dazu *Hadandes-heim* aus
den Lorscher Schenkungsurkunden bei Förstem. II 767. Da
das Verb 'verfolgen' bedeutet, so wird damit auch der genauere Sinn des alten Substantivs offenkundig. Das Verb
muss stark flektiert haben (wie *faran*) und ursprünglich gewiss
mit grammatischem Wechsel, der aber in den überlieferten
Formen zu Gunsten der endungsbetonten Formen (wie z. B.
bei *findan*) ausgeglichen ist.

6. Den Schluss mögen einige germanisch-baltische Vergleichungen machen: ahd. *uuitu-vina* 'Scheiterhaufen' O. 2,
9, 48 und *uuituffina vel saccari strues* Gl. I 646, 71 (Clm.
19440) = ags. *wudefine strues* Wright-W. 151, 30 zu lit. *pinas*
'Strauchwerk zum Zaunflechten', *pinti* 'flechten', denn der
Scheiterhaufen bestand aus Flechtwerk, wie J. Grimm. Germ.
III 1 ff. = Kl. Schr. VII 461 ff. schön dargelegt hat. — Mhd.
hudele 'Lumpen', schweizerisch *hudel* Pl. *hudlen* 'Lumpen,
Plunder' zu lit. *skutas* 'Fetzen', *skutos* 'Abschabsel', *skutù*
skusti 'schaben', Leskien Ablaut 308. — Schweiz. *daube*
'Schlucht' (so heisst z. B. der Absturz des Gemmipasses) =
lit. *daubà* 'Thal'. — Ahd. *grüz* 'Weizenbier' = lit. *grúdas*

'Korn', lett. *grauds* 'Korn', dazu auch *grütze* und *griesz*; wegen des Bedeutungsverhältnisses vgl. *bior* 'Bier' zu as. *beuw*, ags. *beów* 'Getreide'. — Got. *skildus* 'Schild', eigentlich 'Bret', zu lit. *skiltìs* 'abgeschnittene Scheibe', *skeliù* 'spalten', *skéldu skéldėti* 'sich spalten' Leskien Ablaut 341; auch *lint* 'Schild' ist = lit. *lentà* 'Bret', und ags. altn. *bord* 'Schild' erklärt sich aus got. *baúrd* 'Bret'. — Ahd. *waso* 'Rasen, feuchte Erde', *wasal* 'Regen', vgl. lit. *ëwasa* 'Feuchtigkeit in der Erde, Baumsaft'. — Dass die *Fledermaus* etwas mit der Maus zu thun habe, ist mir nicht nur aus zoologischen Gründen, sondern auch wegen der ahd. offenbar altertümlichen Nebenform *fledaremustro* Gl. I 341, 10 (Karlsruher Hs.) = *fledaremustra* Sangall. 283 zweifelhaft; die Form begegnet noch Gl. I 343, 17 in zwei anderen St. Gallischen Hss. (*fledremustro*), 348, 35 (*fledermustro*) in den Monseer Glossen des Clm. 18140, und 295, 6 lesen wir in Rd-Ib den Akkus. *vespertilionem flederemustrun*. Schon das Mask. schliesst die Zugehörigkeit zu *mûs* aus. Ich möchte glauben, dass wir eine Weiterbildung von *musa* 'Fliege' vor uns haben (vgl. lit. *musė*, griech. μυῖα d. i. *musja, altb. mucha, preuss. muso), ähnlich dem lat. *musca*. Denn in jener Urzeit wird man die Zugehörigkeit der Fledermaus zu den Säugetieren schwerlich erkannt haben. Man wird sie mit den Nachtschmetterlingen zu der grossen Gruppe der Fliegetiere gerechnet haben, die nicht Vögel sind. Als ein Vogel konnte sie deshalb nicht angesehen werden, weil sie keine Stimme hat und Nachts fliegt. Ob der Vokal *u* lang oder kurz ist, lässt sich nicht entscheiden. Was das Suffix anlangt, so halte ich *t* für sekundär entwickelt (wie in *swester*) und das Suffix in der Hauptsache für identisch mit dem von altn. *morðr* 'Marder' d. i. *marð-ru- gegenüber ags. *mearð*, vgl. ahd. *Mardrinpah* Förstem. II 1063, wodurch vielleicht ein *mardro* vorausgesetzt wird (sonst heisst das Wort *marder*, also mit starker Flexion); das gleiche Suffix hat sicher auch noch ags. *gandra* 'Gänserich' neben *ganra* = mnd. *ganre*, jetzt in verschiedenen Gegenden *gander* (vgl. Hildebrand DWb. IV 1, 1, 1256), wo das *d* ebenso auf sekundärer Lautentwickelung beruht wie dort das *t*, denn die Ableitung erfolgt von einer Grundform *gan, die neben *gans* angenommen werden muss; wohin sollte sonst das *s* gekommen sein? Dass auch *Kater* hierhergehört, mag man Kluge Beiträge

XIV 585, der mich im übrigen nicht überzeugt, unter Vorbehalt zugeben. Der erste Bestandteil des Kompositums *fledremustro* erklärt sich aus schweiz. *fladere* 'schwach fliegen, flattern' Idiot. I 1169 und bezieht sich auf den geräuschlosen Flug des Tieres.

Basel, 3. Oktober 1893.

Rudolf Koegel.

Etymologisches.

---

1. Germ. *Hals*, sl. *kolo*, gr. τέλος und verwandtes.

Bekanntlich werden im Altisländischen nach 1200 die Vokale *a*, *o*, *ǫ*, *u* vor *lf*, *lg*, *lk*, *lp* gedehnt, z. B. *úlfr* 'Wolf', *gálgi* 'Galgen', *fólk* 'Volk', *hólmr* 'Insel', *hiǫlp* 'Hilfe' aus älterem *ulfr*, *galge* usw. Die Dehnung zeigt sich demnach vor den Konsonantengruppen, in welchen die schwedischen und norwegischen Dialekte kakuminales ('cerebrales') *l* aufweisen. Dagegen hat das Aisl. mit ganz vereinzelten Ausnahmen (*bólstr* 'Polster', *háls* 'Hals') keine Dehnung vor *ld* [1]), *ll*, *ls*, *lt* (z. B. *halda* 'halten', *falla* 'fallen', *fals* 'falsch', *salt* 'Salz'), also vor den Konsonantengruppen, die in schwed. und norw. Dialekten rein dentales *l* zeigen. Daraus habe ich (Pauls Grundriss I 470, § 105a und Aisl. Gramm.² § 111, 3) den Schluss gezogen, dass eine Verschiedenheit der *l*-Laute auch im Aisl. vorhanden gewesen sei und die verschiedene Behandlung der vorhergehenden Vokale veranlasst habe.

Nun ist aber zu beachten, dass die genannten Dialekte zwar in den weitaus meisten Fällen kein kakuminales *l* vor den dentalen Konsonanten *d*, *l*, *s*, *t* dulden; dies gilt jedoch nur, wenn die Verbindungen *ld*, *ll*, *ls*, *lt* altererbt sind. In den verhältnismässig wenigen Fällen, wo die Verbindung erst durch nordische Synkope entstanden ist, kommt kakumi-

---

1) Die vermeintliche Dehnung vor *ld* in *skáld* 'Dichter' existiert nicht. Die Länge ist hier, gleichwie in *sáld* 'Sieb', uralt, s. Lidén Beitr. XV 507 f., Uppsalastudier tillegnade Sophus Bugge, S. 82.

minales *l* auch vor den genannten dentalen Konsonanten vor,
z. B. schwed. *mäld* 'Mahlkorn' zu *mala* 'mahlen' (vgl. mit dentalem *l gäld* 'Schuld' zu *gälda* 'bezahlen'), *stöld* 'Diebstahl'
zu *stjäla* 'stehlen', *tild* neben *tilja* 'Diele', *älder* neben *al*
'Erle' (vgl. mit dentalem *l älder* 'Alter' zu nhd. *alt*, aisl.
aldenn 'alt', lat. *altus* 'gross gewachsen'; ebenso *väld* 'Gewalt' zu aisl. *valda* 'walten'), *bolde* 'Geschwür' zu *bula*
'Beule', *köld* (aschwed. *kyld*) 'Kälte' zu *kulen* 'kalt' (vgl.
mit dent. *l kall* aus aschwed. *kalder* 'kalt'); ferner *dolsk*
'hinterlistig' zu aschwed. *dol*, *dul* 'Verheimlichung' (vgl. mit
dent. *l falsk* 'falsch' zu aschwed. *fals*, lat. *falsus*; ebenso
ilsken 'boshaft' zu *illa* 'übel'), *Nils* aus aschwed. *Nigels*,
Niklas (*Nikolaus*), *Ols-son* zu *Olof* u. a. m. Weil die Gruppe
ln fast überall durch Synkope entstanden ist, steht in diesem
Falle häufig kakuminales *l*, z. B. *kölna* 'Darrhaus' aus lat.
culina, *moln* aus aschwed. *molin* 'Wolke', *aln* aus aschwed.
alin 'Elle' u. a.

Ganz ebenso liegen die Verhältnisse im Aisl. betreffs der
Dehnung vor *ln* und *ls* [1]). Wir verstehen jetzt, warum trotz
dem auf *l* folgenden dentalen *n* es neben *ǫln* 'Elle' eine gedehnte Nebenform *óln* (später *áln*) giebt. Die seltene Nebenform *alen* (anorw. auch *alun*) zeigt, dass das Wort ursprünglich ein in gewissen Kasus synkopierendes gewesen ist; vgl.
auch ahd. *elina* und gr. ὠλένη (dessen Wurzelvokal in der
aisl. Nebenform *óln* vorzuliegen scheint). Die Form *ǫln* hat
kurzen Vokal, entweder weil sie der lat. Form *ulna* direkt
entspricht, oder weil sie von den unsynkopierten Formen *alen*,
alun beeinflusst worden ist. Nur auf Analogie dürfte es beruhen, dass in Fällen wie Nom. Pl. M. *stolnir* zu *stolinn* 'ge-
stohlen' nicht ein lautgesetzliches *stólnir auftritt. Die Kürze

---

1) Warum vor dem durch Synkope entstandenen *ld* keine
Dehnung stattfindet (z. B. *valda* 'wählte', *talda* 'zählte', nicht *válda,
*tálda), bedarf einer besonderen Untersuchung, die ich hier nicht
anstellen kann. Jedoch sei schon hier auf die beachtenswerte Ansicht Wadsteins (Beitr. XVII 420 ff.) hingewiesen, nach welcher *talda*
eine analogische Neuschöpfung ist statt *talda (ahd. *zalta*, as. *talda*,
ags. *tealde*). Wenn diese Ansicht sich bewähren sollte, ist hier die
Verbindung *a + ld* zu spät entstanden, um Dehnung bewirken zu
können. Dann wäre *valda* statt *válda (ahd. *welita*) zu *velia* nach
der Analogie *talda* zu *telia* gebildet.

ist also hier von derselben Art wie in anderen scheinbaren
Ausnahmen des Dehnungsgesetzes, z. B. Prät. *skalf* 'zitterte',
Pl. *skulfum*, Part. Prät. *skolfinn* (statt **skálf* usw.) nach *barg*
'barg', Pl. *burgum*, Part. *borginn* u. dgl.

Wenden wir uns jetzt zu der aisl. Verbindung *ls*, so ist
klar, dass in Fällen wie Gen. Sg. *sels* (aus **selhas*) 'Seehunds'
oder *óðals* (**óðalas*) 'Eigentums' die Kürze auf den Einfluss
benachbarter Formen wie Dat. *sele*, *óð(a)le*, Akk. *sel*, *óðal* u. a.
zurückzuführen ist. Dagegen steht lautgesetzliche Dehnung in
bólstr aus älterem *bolstr* (neben *bulstr*) 'Polster' und *háls*
neben *hals* 'Hals'. Wie auch die schwed. und norw. Dialekte
mit ihrem kakuminalen *l* in *bolster* beweisen, ist aisl. *bulstr*.
bolstr aus **bulistr* synkopiert; vgl. aschwed. *bulin* 'aufgebläht'.
Bei *háls*, *hals* aber liegen die Verhältnisse folgendermassen.
Die kurzvokalische Form *hals* (= schwed., norw. Dial. *hals*
mit dentalem *l*) stimmt natürlich ganz mit dem alat. *collus*
aus **colsus*, setzt also einen Stamm **halsa-* voraus. Dagegen
muss *háls*, dem das in gewissen schwed. und norw. Dialekten
vorkommende *hals* mit kakuminalem *l* entspricht, ein unsyn-
kopiertes **halasa-* oder **halisa-* voraussetzen. Betreffs der
Suffixformen *-s-* : *-as-*, *-is-* (*-us-*) verhalten sich die beiden
Stämme wie got. *ahs* : lat. *acus* (ahd. *ahir*), gr. ἀξ-ίνη : ahd.
acchus (got. *aqizi*), got. *þeihs* : lat. *tempus*, ahd. *dins-tar*
(**tems-ro-*) : *demar* (aind. *támar*), ahd. *lefs* : *leffur*, aisl. *fax* :
griech. πέκος, got. *weihs* : aind. *véðas* u. a. m. (vgl. Brugmann
Grundriss II 387, 393 f.). Dies **hal(a)sa-*, *hal(i)sa-* ist natürlich —
durch den im Germ. so überaus häufigen Übergang der *-os-*, *-es-*
(*-us-*)Stämme in die Flexion der *-a*-Stämme — aus einem neutralen **halas-*, **halis-* entstanden. Diesen Stamm, indoeur. **qolos*
(und **qelos*, s. unten), finden wir nun im Griechischen als
τέλος 'Wendepunkt, Drehpunkt' wieder. In betreff des Ablautes
der Wurzelsilbe ist aisl. *fax* : πέκος, lat. *foedus* : *fidus-tus*,
griech. ὄχος : ἔχος u. a. zu vergleichen (s. Brugmann a. a. O.).
Indoeur. **qol-os*, **qelo-s* gehört natürlich zur Wurzel *qel* 'sich
drehen, bewegen'. Die einem derartigen Stamm ursprünglich
zukommende abstrakte Bedeutung 'Drehung' ist wie ja auch
sonst oft in eine konkrete übergegangen, welche entweder wie
bei τέλος 'das worum man sich dreht' sein kann (vgl. nhd.
Wende, das sowohl 'das Wenden', 'Wendung' wie 'Wendepunkt' und 'Pol' bedeuten kann); oder auch wie bei *hals*,

collus, -*um* 'das, welches sich dreht' (vgl. nhd. *Windung*, teils in der Bedeutung 'das Winden', teils 'die sich windende Linie'). Die spezielle Anwendung als Bezeichnung des Nackens hat das Wort gemeinsam mit anderen derselben ursprünglichen Bedeutung, z. B. nhd. *Dreher* 'der zweite Halswirbel' und *Wirbel* 'Rückgratsknochen'. Eine andere Spezialisierung des Begriffes 'was sich dreht' haben wir in dem mit *hals* auch in betreff des Ablautes genau stimmenden asl. *kolo* (Gen. *kolese*) 'Rad'.

Dieselben Bedeutungsnuanzen hat der neben dem -*os*-Stamm stehende -*o*-Stamm aufzuweisen. Wie griech. ὄχο-c neben ὄχ-οc, lat. *modu-s* neben *mod-es-tus*, griech. πόκο-c neben πέκ-οc, got. *hlaiw* neben *hlaiw-as-nōs* u. dgl., so steht neben dem -*os*-Stamm *qelos-* (in griech. τέλοc) ein -*o*-Stamm *qelo* in aisl. *huel* (nicht *huél*, wie man noch hie und da geschrieben findet) 'Rad', und neben *qolos-* (in aisl. *hals*, asl. *kolo*) steht ein *qolo-* in lat. *colus* 'Spinnrocken' und dem damit identischen griech. πόλοc 'Achse, Pol, Wirbel, Kreis, ringsumlaufender Grenzrain'. Wie wir sehen, ist die Bedeutung 'was sich dreht' durch *huel* und *colus* vertreten, während πόλοc auch die Bedeutung 'das worum man sich dreht' aufzuweisen hat. Nur die erste tritt in dem reduplizierten Stamm *qé-q(ə)lo-*, *qə-qló-* hervor: aind. *cakrám*, -*ás*, griech. κύκλον, -οc, ags. *hweohl*, *hweoʒol*, *hweowol*, aisl. *hiól* (*hweula-*) 'Rad'.

Das Verhältnis *hals*, *collus*, -*um* : *hals*, *kolo*, also der Suffixwechsel -*s*- : -*os*-, -*es*-, liegt auch in griech. τέλcον 'Wendepunkt, Grenze' : τέλοc vor.

Endlich sei bemerkt, dass der germanische Wechsel *h* : *hw* in *hals*, *hals* : *huel* ganz den bekannten Regeln für die Vertretung der Gutturale im Germanischen (s. meine Urgermanische Lautlehre § 41) so wie dem griechischen Wechsel π : τ entspricht; vgl. ahd. *heisi* 'heiser' : aisl. *huiskra* 'flüstern', got. *haims* 'Dorf' : *hweilan* 'weilen', mhd. *hall* 'Hall' : aisl. *huellr* 'hell, laut', nschwed. *harfvel* 'Haspel' : ahd. *hwerfan* 'sich drehen', aschwed. *har* 'wer' : Genit. *hwes* 'wessen' u. dgl.

Wir haben also einen genauen Parallelismus in folgenden Bildungen:

qolo- : *colus*, πόλοc; *qolos-* : *kolo*, *hals*; *qolso-* : *collus*, -*um*, *hals*.
qelo- : *huel*; *qelos-* : τέλοc; *qelso-* : τέλcον.

2. Germ. *Hexe* und das Part. Prät. Akt.

Gewöhnlich nimmt man an, dass die durch das Suffix
-*u̯ŏs-* : -*u̯es-* : -*us-* charakterisierte Partizipbildung im Germanischen nur sehr spärlich vertreten sei. Meines Wissens sind
von den deutschen Gelehrten bis jezt nur drei Beispiele als
hierher gehörig erkannt worden: got. Pl. *bērusjōs* 'Eltern',
ags. *éʒesa, éʒsa* (as. *ēcso*) 'Besitzer' und urgerm. **maʒusē, -ō*
('Hercules Magusanus'), s. Brugmann Grundriss II 417, KZ.
XXIV 81, Möller ib. 447, Schmidt ib. XXVI 371 f., Schulze
ib. XXVII 547 ff., Kluge Pauls Grundriss I 377, Kauffmann
Beitr. XV 561. Indess habe ich schon bei Hellquist Arkiv für
nordisk filologi VII 159, in aller Kürze darauf hingewiesen, dass
im Altnordischen mehrere deverbative Adjektiva auf -*se* dieselbe Bildung zeigen. Dass Wörter wie aisl. *heize* 'wer etwas
versprochen hat' funktionell Partizipia sind, hat schon P. A.
Munch bemerkt, wenn er auch ihr Bildungsprinzip völlig verkannt hat, indem er äussert (Samlede Afhandlinger IV 57):
"Endelsen -*si* er en gammel Tillægs-Partikel, som fojedes
umiddelbart efter et Gjerningsords Rod og derved dannede et
slags Particip". Dass wir in -*si* keine Partikel suchen dürfen,
ist wohl für die Sprachforschung unserer Tage selbsteinleuch-
tend. *Heize, -za* ist ganz wie *éʒesa, *maʒusē, -ō* gebildet,
d. h. es wäre ein gotisches, schwach flektierendes **haitusa*,
F. **haitusei*, Ntr. **haitusō* (vgl. *gibanda, gibandei, gibandō*) oder,
wenn wir beachten, dass der Suffixform -*us-* die Formen -*u̯es-*,
-*u̯os-* zur Seite standen, vielleicht daneben **haitwisa, -ei, -ō*
oder sogar **haitwasa, -ei, -ō*. Mit dieser Bildung stimmt auch
die Bedeutung. Wir führen hier die wichtigsten anord. Beispiele an:

Aisl. *heize, heiza* 'wer versprochen hat' zu *heita* 'versprechen'.

Aisl. *halze* 'wer festgehalten hat' zu *halda* 'halten'.

Aisl. *á-leikse* 'wer im Spiele verloren hat' zu *leika*
'spielen'.

Aisl. *of-gangse* 'zu weit gegangen', *al-gangsa* 'überall
verbreitet' zu *ganga* 'gehen'. *Gangse* statt lautgesetzlichem
*gǫngse ist vom Inf. *ganga* beeinflusst worden. Aschwed.
gængse ist entweder von dem bedeutungsähnlichen *gænger*
(aisl. *gengr*) beeinflusst, oder es entspricht einem got. **gaggwisa*

A isl. *epter-staðse* 'wer zurückgeblieben ist', *staðsa* 'wer gestanden hat' zu *standa* 'stehen'. *Staðse* statt **stǫðse* beruht auf Analogie nach Part. Prät. Pass. *staðenn*.

Anorw. *full-nomse* 'wer alles gelernt hat' zu *nema* 'lernen'. *Nomse* statt **numse* beruht auf Anschluss an das Part. Prät. Pass. anorw. *nomenn* (s. meine Aisl. Gramm.[2] § 423).

Aschwed. *dugse, dogse* 'tauglich' zu *dugha, dogha* 'taugen'. Der *o*-Vokal in *dogse* ist aus dem Inf. *dogha* entlehnt.

Aschwed. *an-vaxe* 'schlaflos' zu *vaka* 'wachen'.

Nach diesen und ähnlichen Partizipien starker Verba — dann auch *dugha* und *vaka* sind ja ursprünglich stark (vgl. das Gotische) — werden dann auch einige derartige *-se*-Bildungen zu schwachen Verben analogisch gebildet, wie z. B. aisl. *á-høyrse* zu *høyra* 'hören' (wäre die Form alt, müsste sie **-høysse* heissen, da ja *høyra* aus **hauʀian* — vgl. got. *hausjan* — entstanden ist und *ʀs* zu *ss* assimiliert wird), *idze* zu *idta* 'einwilligen', *hirse* zu *hira* 'ausweichen'. Allen diesen Bildungen gemeinsam ist, dass sie fast ausschliesslich prädikativ in Verbindung mit *vera* 'sein' und *verða* 'werden' vorkommen, so dass z. B. *er heize* so viel wie 'hat versprochen', *varð heize* dasselbe wie 'versprach' ist, also *heize* ganz wie ein Partizip fungiert.

Im Gegensatz zu den oben behandelten Fällen zeigt got. *bērusjōs* starke Flexion und setzt demnach einen Sg. **bērusi* 'die geboren habende, Mutter' voraus, der Bildung nach dem aind. *vidúṣī*, griech. *Ϝιδυῖα* ganz entsprechend. Man kann meines Erachtens nicht umhin, in got. *jukuzi* (mit *z* statt *s* nach dem Vernerschen Gesetze) 'Joch', eigentlich 'was zusammengefügt hat', eine ganz analoge Form zu finden, d. h. ein Partizip zu der Wurzel *jeug* in lat. *jungo* usw. Es wäre auch vielleicht möglich, got. *aqizi* 'Axt' hierher zu stellen, in welchem Falle der Gegensatz got. *aqizi* : ahd. *acchus* dem oben erörterten **hait-wis-* : **haitus-* entspräche. Aber vielleicht erhebt das griech. ἀξίνη gegen diese Auffassung Einspruch. Sicherer scheint mir, dass ahd. *hulsa* 'Hülse' einem got. **hulusi* entspreche und Part. Prät. zu *helan* sei. Ferner stelle ich ahd. *zaturra* (got. **taduzi*), *zatar(r)a* 'meretrix' zu der in griech. δατέομαι, ahd. *zetten* 'verteilen, vergeuden, verschwenden', aisl. *tað* 'excrementum' erscheinenden Wurzel. Ebenso könnte ahd. *zundira* (got. **tundwizi*) 'Zunder' sich zu mhd. *zinden* (starkes Verb) 'glühen', ahd. *scruntussa* 'fissura' zu *scrintan* 'dehiscere' u. a. m. verhalten.

Wir können jetzt dem vielbesprochenen Wort *Hexe* näher treten. Zunächst muss man ahd. *hazus(sa), hazis(sa), hezesa*[1]) von ahd. *hagazus(sa), hagazissa,* mndl. *haghetisse*, ags. *heʒitisse, hæʒtes(se)* scheiden (dies gegen Kluge Beitr. XII 378, u. a., aber mit Kauffmann ebd. XVIII 155 Note). Dies letztere Wort betrachte ich als mit jenem zusammengesetzt, also als ein ursprüngliches **haga-hazus(sa), -hazissa, heʒi-hetisse*, wo *haga-, heʒi-* das bekannte ahd. *hag*, ags. *heʒe* 'Wald u. dgl.' ist; vgl. ahd. *holz-muoia, holz-rûna, walt-minna* u. a. Hexennamen. *Hazus(sa), hazis(sa)* dagegen dürfte eine Partizipbildung von der oben behandelten Art sein und zu got. *hatan* (Luc. I 71; VI 27; wahrscheinlich starkes Verb) 'anfeinden' gehörig. Allerdings wäre es auch möglich, dass es eine Weiterbildung des got. *hatis* 'Zorn' wäre. Jedenfalls dürfte also *Hexe* so viel wie 'feindlicher Walddämon' sein, der Bildung und Bedentung nach mit ahd. *holz-muoia* und schwed. *skogs-rå* übereinstimmend.

Upsala, 14. September 1893.

A d o l f N o r e e n .

Zur Geschichte des Wortes *Samstag.*

Unser *Samstag*, ahd. *sambaz-tac* geht zweifellos auf das hebräische שבת *šabbat* zurück, aber selbstverständlich nicht direkt, und ausserdem durch Vermittelung einer Form, die einen inlautenden Nasal zeigte. Kluge sucht, zuletzt in der 5. Auflage seines Etymologischen Wörterbuches der deutschen Sprache S. 312, dieses Mittelglied in einem griechischen *cάμβατον für cάββατον, das allerdings "bisher nicht gefunden" sei, obwohl es auch durch persisch *šamba* vorausgesetzt werde. "Offenbar ist ein etwa im 5. Jahrhundert bestehendes orienta-

---

1) Kauffmann Beiträge XVIII 155 Note will statt *hezesusun* Ahd. Gloss. II 397 *hegezussun* lesen. Die Emendation *hezesun* scheint mir aber weit einfacher zu sein, da die Silbe *su* leicht doppelt geschrieben worden sein kann.

lisches *sambato* durch das Griechische (mit dem Arianismus)
zu den Oberdeutschen und Slaven gekommen". Vgl. auch Kluges
Ausführungen im Grundriss der germanischen Philologie I 319.

Ich bin vielleicht im Stande das bisher vermisste griechische Wort oder wenigstens eine Ableitung davon nachzuweisen. Bei den englischen Ausgrabungen in Naukratis in
Ägypten ist eine späte, aus der römischen Kaiserzeit stammende griechische Inschrift gefunden worden, die in "Naukratis"
Part II. by Ernest A. Gardner, London 1888, Tafel XXII No. 15,
vgl. S. 68, veröffentlicht worden ist. Die links verstümmelte,
rechts oben verwischte Inschrift, die, wie aus der Datierung
der dritten Zeile hervorgeht, der römischen Kaiserzeit angehört,
lautet:

> A]μμωνίου Συνατ[?
> c]υνόδω cαμβαθικῇ
> Καί]caροc φαμενώθ Z.

In der zweiten Zeile stand wohl ἐν cυνόδῳ cαμβαθικῇ.
Gardner hat in seiner Umschrift zu dem letzten Worte ein Fragezeichen gesetzt, das wohl nicht der Lesung — denn diese ist
durchaus sicher — sondern bloss der Deutung des fraglichen
Wortes gilt. Ich meine, die Worte können bedeuten: "in einer
am Sabbat stattfindenden Versammlung". Ist das richtig, so
haben wir hier das Adjektiv cαμβαθικόc zu dem vorausgesetzten
cάμβατον, das nun getrost seines Sternes bei Kluge entkleidet
werden kann. Das θ für τ in cαμβαθικόc ist in keiner Weise
befremdlich; es gehört zu den bekannten Eigentümlichkeiten
des ägyptischen Griechisch, Beispiele hat zuletzt Bursch in
seinem Kritischen Briefe über die falschen Sibyllinen im Philologus LI (1893) S. 95 zusammengestellt. Oder man kann
daran erinnern, dass in späterer Zeit semitisches ת durch θ
umschrieben wird: Muss-Arnolt Semitic Words in Greek and
Latin S. 48.

Ferner gehören wahrscheinlich hieher die folgenden Eigennamen aus griechischen Papyrus (Ägyptische Urkunden aus
den kön. Museen zu Berlin, 1892 ff.): No. 6, 24 Σαμβᾶc Χρυcᾶ
τοῦ Σαμβᾶ (158/159 n. Chr.); No. 50, 2. 4 Σαμβᾶτοc, Σαμβᾶτι
(115 n. Chr.); No. 141², 6 Σαραπιάc ἡ καὶ Σαμβαθούc (242/3
n. Chr.); No. 166, 2 Σαμβαθίωνος (157/8 n. Chr.).

Im Anschluss hieran gestatte ich mir noch einige Bemerkungen über das Wort und seine Geschichte zu machen.

Hebräisch *šabbat*, auch *šabbat*, ist früh als cάββατον ins Griechische und daraus als *sabbatum* ins Lateinische übergegangen.
Von da ist das Wort bei allen zum Kulturkreise des römischen
Reiches und der römischen Kirche gehörenden Völkern heimisch geworden, wie man in Roeslers noch immer lesenswerter
Abhandlung "Über die Namen der Wochentage", Wien 1865,
im einzelnen verfolgen kann. Uns interessiert hier nur einiges
davon. Die romanischen Sprachen haben in der Benennung
des Samstags durchweg die sonstige planetarische Bezeichnung
der Wochentage durchbrochen und an Stelle von *Saturni dies
sabbati dies* oder *dies sabbati* gesetzt: spanisch und portu-
giesisch *sabado*, sardisch *sabbadu*, italienisch *sabbato*, friau-
lisch *sàbide*, provenzalisch und katalonisch *dissapte* [1]).
    Daneben kommen nun Formen mit dem Nasal vor. Auf
romanischem Sprachgebiete ladinisch *sonda*, das Ascoli Archivio
glottologico I 70 aus **sambida **sammida **samda erkärt; franz.
samedi, das allerdings lautlich nicht völlig klar ist, so dass
sich Konrad Hofmann entschlossen hat es von *sabbatum* ganz
zu trennen [2]), was aber, soweit ich sehe, den Beifall der Romanisten nicht gefunden hat; rumän. *simbătă* (mazedorum.
sâmbata, *sâmbăta*; istrorum. *sómbată*). Ferner in den slavischen Sprachen, deren Formen auf aslov. *sąbota* zurück gehen,
im magyarischen *szombat* und endlich in unserm ahd. *sambaz-
tac*. Rumän. *simbătă* ist aus dem Slavischen entlehnt (Miklosich Beiträge zur Lautlehre der rum. Dialekte III 23), ebenso
magy. *szombat*; natürlich sind auch lit. *subatà sabatà* slavische Lehnwörter (Brückner Slav. Fremdwörter 139. 129).
Das asl. *sąbota* hält man für Entlehnung aus dem noch un-
verschobenen ahd. **sambat-* = *sambaz-*.
    Ich halte nun Kluges Erklärung, nach der dieses **sambat-
sambaz-* aus der griechischen Kirchensprache des Ostens entlehnt sein soll, für ziemlich unwahrscheinlich. Die griechische

---

1) Das lat. *dies Saturni* hat sich im Nordwesten Europas
erhalten: altir. *dia-sathairnn* (die brit. Formen s. bei Loth Les mots
latins dans les langues brittoniques, Paris 1892, S. 203); ags. *saeter-
daeg*, *saeternesdaeg*, engl. *saturday*, fries. *saterdei*, holl. *zaturdag*,
vlam. *salerdach*, westfäl. *zătersdăx*. Über alban. *šëtunë* s. mein
Etym. Wörterb. S. 405.

2) RF. II 355. Altfranz. *semedi* scheint an *sedme* = *septima*
allerdings angelehnt zu sein. W. Förster zu Aiol et Mirabel S. 600
Sp. 2.

Kirchensprache hat gewiss ein cάμβατον so wenig gekannt wie die lateinische ein *sambatum*; sie kennt auch heut nur cάββατον, die ursprüngliche, nach den hebräischen Lauten genau transskribierte und durch feste gelehrte Tradition erhaltene Form. Die neugriechischen Mundarten stehen so fest unter dem Banne dieser kirchengriechischen Form, dass in ihnen, vielleicht mit Ausnahme des otrantinischen *samba* (Morosi Studi 103), nirgends eine Spur von cάμβατον zu finden ist. Aus dem kirchengriechischen cάββατον hat Wulfila seine gotische Form genommen; bei ihm heisst es *sabbataun, sabbató dags*, offenbar in gelehrter Weise nach den Buchstaben des griechischen cάββατον umschrieben, das in der wirklichen Aussprache damals gewiss schon, wie heute, *sávaton* lautete. Die Form cάμβατον war lediglich eine vulgärgriechische Form, eine Form der Volkssprache. Da die Feier des jüdischen Sabbats ziemlich früh auch im Westen des römischen Reiches populär geworden ist (vgl. Roesler a. a. O. S. 13), darf es nicht wundern, dass auch diese Vulgärform als *sambatum* ins Volkslatein eindrang. Sie wird für dieses erwiesen durch ladinisches *sonda* und franz. *samedi*. Aus eben diesem volkslateinischen (nicht kirchenlateinischen) *sambatum* stammt nach meiner Meinung nun auch ahd. *sambaʒ-*, dessen Lautverschiebung sich dann in befriedigender Weise erklärt.

Wir begegnen nun weiter dem Nasal von cάμβατον, **sambatum* auch in orientalischen Sprachen. Im Neupersischen ist شنبذ *šanbað* 'Sabbat' oder 'Woche', häufiger ohne auslautenden Dental شنبه *šanba*, in der Zählung der Wochentage یکشنبه *yekšanba* 'Sonntag' usw.; s. Nöldeke Persische Studien II 37 (= Sitzungsberichte der Wiener Akademie, phil.-hist. Klasse, Bd. CXXVI, Abh. 12). Pazend *šanbað* (Hübschmann ZDMG. XLVI 246). Arabisch ist die gewöhnliche Form سبت *sabt* 'Sabbat, Ruhe', auch 'Zeitraum', daneben سبّه *sabbe* 'Woche, Zeitraum', oder auch سنبه *sanba* 'Zeitraum', s. Nöldeke a. a. O. S. 37 A. 5. Äthiopisch *sanbat*. Dagegen armenisch blos *šabaṭ*. Das armenische Wort ist aus dem Syrischen entlehnt (Hübschmann a. a. O. 246); die persischen und arabischen Formen stammen zunächst jedenfalls aus dem Aramäischen. Ich vermag nicht zu entscheiden, ob das Aramäische hier eine eigene Form oder lediglich das griechische cάμβατον vermittelt hat. Auf jeden Fall müssen wir die Frage aufwerfen, ob die

Nasalierung von ϲάββατον = *šabbat* den Griechen zuzuschreiben
sei, oder ob diese aus einem aramäischen Dialekte die bereits
nasalierte Form entlehnt haben. Die Erklärung liegt entweder
auf indogermanischem oder auf semitischem Gebiete.

Im Griechischen ist die Doppelkonsonanz ββ so gut wie
ganz unbekannt. Bei Homer steht ὑββάλλειν Ilias V 343
aus ὑπ(o)βάλλειν und an mehreren Stellen der Ilias κάββαλε
aus κάτβαλε; bei Pindar Nem. VI 51 (Mommsen) καββάϲ aus
κατ(α)βάϲ. άββαϲκε aus άπόβαϲκε ist Grammatikeranführung
(Egenolff Progr. Heidelberg 1888 S. 10, s. Kühner-Blass I 177).
Im Corp. Inscr. Att. II 115 steht der fremde Eigenname Ἀρύββαϲ.
Ausserdem in späten Fremdwörtern, wie ausser ϲάββατον noch
ἀββᾶϲ ῥαββί. Auch κίββα = πήρα, das nach Hesychios ätolisch
ist, wird ungriechisch sein. In den genannten semitischen
Wörtern entspricht ββ semitischem *bb*. Nun kommt in der
Wiedergabe semitischer Wörter im Griechischen für solches *bb*
einigemale μβ vor. Kluge unter *Samstag* hat bereits einige
Beispiele angeführt. Von ihnen ist die Beweiskraft des ersten,
"lat. *ambubaja* [Horaz Sat. I 2, 1] zu syr. *abbub* [richtig
abbûb]" für die Entwickelung der Nasalierung ausserhalb des
Semitischen eine sehr geringe; denn *abbûb* selbst steht für
*ambûb aus *anbûb von einem Verbum *nabab* und der Nasal
ist im assyrischen *ambûbu*, sabäischen und maltesischen *ambûb*
erhalten (Muss-Arnolt Semitic Words p. 127 A. 2). Von Kluges
weiteren Beispielen ist der Eigenname Ἀμβακούμ aus Ἀββακούμ
entstanden. Allerdings hat hebr. קוּבַּ֞ק nur einfaches *b*; aber
der Name ist volksetymologisch als קָם אֲבָא, d. i. πατὴρ
ἐγέρϲεωϲ, erklärt worden (Suidas s. v. Ἀββακούμ) und so zu
seinem doppelten *b* gekommen, das dann zu μβ wurde (vgl.
M. Sachs Beiträge zur Sprach- und Altertumsforschung aus
jüdischen Quellen I 35). Es folgen Ἱερόμβαλοϲ für *Jerubbaal*
(Philon von Byblos bei Euseb. praep. evang. I 9), Ϲαμβήθη,
wie neben Ϲάββη eine der Sibyllen genannt wird, und Ϲαμ-
βάτειον der Sabbatfluss. Dazu kann ich noch einige andere
fügen. ϲαμβύκη, lat. *sambūca*, eine 'syrische Erfindung' (Athen.
IV 175d), ist aram. אָכֵּבַּס *sabbēka* (Nöldeke Gött. Gel. Anz. 1884,
S. 1022; Muss-Arnolt a. a. O. 128). Ihm reiht Lagarde Übersicht
über die im Aramäischen, Arabischen und Hebräischen übliche
Bildung der Nomina (Göttingen 1889) S. 124 A. **) den Flussnamen Ἰαμβύκηϲ aus קוּבַּי *Jabbuqa* an. Ferner ist κύμβα, wie

nach Athenaeus XI 483 A die kyprischen Paphier für ποτήριον
sagten, nicht zu trennen von κύββα, das bei Hesychios ebenfalls mit ποτήριον glossiert wird, und beide werden semitisches
קֻבָּה *qubbah* 'Becher' wiederspiegeln (Muss-Arnolt a. a. O. 90
A. 8) [1]). Das spätgriechische ἔμβολος 'Säulengang' hat Georg
Hoffmann Über einige phönizische Inschriften S. 12 A. 1 wahrscheinlich richtig aus syrisch *'abbûla* hergeleitet; hier ist aber
der Vorgang wohl kein rein lautlicher, sondern es ist Volksetymologie im Spiele.

In diesem Zusammenhange ist es nun von Interesse, dass
für das homerische κάββαλε eine alte Lesart κάμβαλε an mehreren Stellen bezeugt ist, durch Apollonius Sophista, durch
Hesychios und durch gute Handschriften, unter denen sich der
syrische Palimpsest befindet. S. Ebeling Lexicon homericum
S. 665 f. und die dort angeführte Litteratur. Zu καταβάλλω
gehört wohl auch καμβολίαι· κακολογίαι, λοιδορίαι Hes. (Anger-
mann Dissimilation S. 11). Ganz ebenso ist an der oben angeführten Pindarstelle die Variante καμβάς für καββάς überliefert. Vgl. meine Griechische Grammatik S. 269 A. 1. Für den
oben erwähnten, inschriftlich mit ββ geschriebenen Fürsten
Ἀρύββας haben die Handschriften des Demosthenes häufig die
Form Ἀρύμβας: Kühner-Blass I 270 [2]). So lange nicht nachgewiesen ist, dass alle diese handschriftlichen Varianten von
griechischen Schreibern im Orient herrühren, wird die Behauptung nicht widerlegt werden können, dass die Griechen selbst
in späterer Zeit die ihnen gänzlich fremd gewordene Laut-
verdoppelung ββ durch μβ ersetzt haben, und dass also auch
cάμβατον für cάββατον auf ihre Rechnung gesetzt werden kann.
Ein letzter Ausläufer dieser Erscheinung ist es, wenn im ngr.
Dialekte von Mariupol in der Krim das arabisch-türkische
جبّار *džabbar* zu *džambar* 'kühn, mutig' geworden ist: Blau
ZDMG. XXVIII 582. Die Form cάββατον so wie ἀββᾶς sind
Wörter der gelehrten Kirchensprache.

---

1) Gehört dazu das oben genannte, angeblich ätolische κίββα.
πήρα Hes.? Auch κύμβη wird bei Hes. mit πήρα glossiert.

2) Umgekehrt wird hie und da μβ zu ββ; attisch ξυββάλλεσθαι
368 v. Chr. (Meisterhans 88), delphisch Ἀθαββος Collitz 1784, 22 für
Ἀθαμβος, auf einer Inschrift der Kaiserzeit τυββοκλέπται. W. Schulze
KZ. XXXIII 318. Mucke De consonarum in graeca lingua geminatione II (1893), 36.

Aber es ist auch möglich, dass die Nasalierung von cάμβατον auf semitischem Sprachgebiete entstanden ist. Ich habe
darüber kein selbständiges Urteil und muss mich auf ein
kurzes Referat beschränken. Die Semitisten sollten einmal
diese Frage im Zusammenhange untersuchen; ich finde bis jetzt
nur unausgeführte Andeutungen. Nöldeke a. a. O. 37 spricht
blos von der "merkwürdigen Nasalierung" bei *śanba*, die sich
auch sonst finde. Fränkel Die aramäischen Fremdwörter im
Arabischen (Leiden 1886) S. 136 A. 1 sagt von arab. اِنْدَر,
andar 'Tenne', es sei aus אַדְּרָא entlehnt, indem "die Verdoppelung durch Einschub eines *n* aufgelöst" worden sei.
"Die Sprache hat in die grosse Zahl der mit *n* aufgelösten
Doppelungen, die ursprüngliches *n* enthielten, auch schliesslich
solche Doppelungen gezogen, die ursprünglich kein *n* enthielten". Dabei wird dann äthiopisch *sanbat* aus שַׁבָּת oder
cάββατον angeführt. Dieselbe Auffassung finde ich bei Kampffmeyer Alte Namen im heutigen Palästina und Syrien I (Leipzig
1892) S. 83: "Bekannt ist die Auflösung eines verdoppelten
Konsonanten im Hebräischen und Aramäischen in *n* oder *r* +
Konsonant. Dieselbe ist ihrem Wesen nach eine (bisweilen
fehlerhafte) Rückbildung (Entwickelung: *nt* = *tt*; Rückbildung
tt = *nt*, dann auch da eintretend, wo *tt* gar nicht aus *nt*
entstanden ist)". Das Mandäische "liebt es, eine Doppelkonsonanz durch *n* mit dem einfachen Konsonanten zu ersetzen;
wenigstens tritt für *dd, gg, bb* sehr oft *nd, ng, mb* [meist *nb*
geschrieben] ein". Nöldeke Mandäische Grammatik S. 75 ff.
Mitunter bleibt es hier zweifelhaft, ob ein solches *n* ursprünglich oder sekundär ist, da im Mandäischen *n* vor einem andren
Konsonanten weniger regelmässig assimiliert ist, als im Hebräischen und Syrischen. Ebenda S. 51. Einige aramäische
Lehnwörter im Armenischen zeigen gegenüber ihren Stamm-
wörtern das Plus eines Nasals, und Hübschmann wirft bei ihrer
Besprechung, in ZDMG. XLVI 230, die Frage auf, ob sie
nicht aus einem syrischen Dialekte stammen, der *gy* zu *ng*,
kk zu *nk* differenziert hatte. Jensen bei Horn Grundriss der
neupersischen Etymologie S. 29 A. sagt bei der Deutung von
άγγαρος: "babylonisch *agru* (ein Gemieteter) konnte im Neu-
babylonischen zu *aggaru* und dieses weiter zu *angaru* werden".
Vgl. S. 254. Es ist also sicher, dass in semitischen Dialekten,
speziell auch in aramäischen, die Doppelungen *gg, dd, bb*

durch *ng, nd, mb* vertreten werden konnten, sei es, dass sie
selbst aus der Verbindung von Nasal und Verschlusslaut assimiliert waren, sei es auch nicht. Auf diese Weise konnte
bereits in semitischem Munde ein *šambat* neben *šabbat* vorhanden sein, das die Griechen als cάμβατον übernahmen [1]).
Fränkel hat a. a. O. nicht übel franz. *rendre* (richtiger
vulgärlateinisch *rendere*) aus *reddere* verglichen, das die Romanisten wenigstens früher auf lautlichem Wege, durch Substitution von *nd* an Stelle von *dd*, erklärten. Jetzt freilich
sieht man darin lieber Anbildung an *vendere* oder *prendere*.
Indessen bleibt Schuchardt Romania XVII (1888) 419 bei der
alten Erklärung, er sieht darin un changement phonétique parfaitement explicable, celui de la moyenne prolongée en nasale
+ moyenne, und führt spanisch *zambullir* = *subb.*, ital. dial.
embé für *ebbene*, calabr. *ambeccè*, *jimba* für *gibba* an. Auch
die gewiss unrichtige Etymologie von it. *andare* aus lat. *addare*
hat dieselbe Annahme der Ersetzung von *dd* durch *nd* zur
Voraussetzung.

Das zakonische *sámba* Ntr. 'Samstag' (Deffner Zakonische
Grammatik S. 114) habe ich bei den vorstehenden Erörterungen
aus dem Spiele gelassen. Die Möglichkeit ist nicht ausgeschlossen, dass hier ein direkter Fortsetzer des volksgriechischen
cάμβατον vorliegt. Aber andrerseits scheint allerdings im Zakonischen auch sonst ββ zu *mb* zu werden, wie δδ zu *nd* und
ττ zu *ng* (Deffner a. a. O. S. 66. 80. 114). Und deshalb kann
šamba selbständig aus cάββατον entwickelt sein. Zur Gestaltung der Endung vergleiche man pontisches cάββα in einem
Liede aus Surmena (Archiv für mittel- und neugriech. Philologie I 124): κάθε cάββαν ἡμέρα. Vom Plural cάββατα ist
nach dem Verhältnis von ὀνόματα zu ὄνομα ein sächlicher
Singular-Nominativ cάββα gebildet und dieser dann schliesslich
als Femininum behandelt worden.

Graz, 7. 8. 93.   G u s t a v   M e y e r.

Nachschrift.

Das Heft des XVII. Bandes der Zeitschrift für romanische
Philologie, welches S. 563—566 einen Aufsatz von J. Bahad

---

1) Vgl. *amba* neben *abba*: Byzantinische Zeitschrift II 188 A. 1.

über franz. *samedi* enthält, ist mir erst am 2. November 1893
zugegangen. Derselbe berührt sich in einigen Punkten mit
meinen Ausführungen und bringt besonders aus einer Mitteilung von W. Schulze die Namensform Σαμβάτιος für Σαββάτιος
aus griechischen Inschriften. Ausführlich handelt über 'Samstag'
jetzt W. Schulze KZ. XXXIII (1894) 366 ff.

Gotisch *ai* vor *r*.

Joh. Schmidt (Gesch. des idg. Vokalismus II 423) hat versucht, das *i* in got. *hiri, hirjats, hirjiþ* durch die Annahme
zu erklären, dass der Akzent auf die zweite Silbe gefallen sei.
Dies ist von vornherein unwahrscheinlich. Denn, wie auch die
Entstehung der Formen sein mag, dem gotischen Sprachgefühle
mussten sie als regelmässige Verbalformen und *hir-* als Stammsilbe erscheinen. Nun trifft aber auch Schmidts Ansicht, dass
i in unbetonter Silbe sich der Brechung entziehe, nur für *i*
vor *h*, nicht für *i* vor *r* zu. Ausser in *hiri* usw. erscheint *i*
vor *r* nirgends. Wie de Saussure dargethan hat, ist vielmehr
idg. *e* vor *r* in unbetonter Silbe sogar zu *a* geworden. Die
sichersten Beweise dafür sind die Lehnwörter *lukarn* und *kar-
kara*. Ebensowenig bleibt *u* vor *r* in unbetonter Silbe. Das
von Schmidt angeführte *fidur-* ist als *fidúr-* anzusetzen. Das
Fremdwort *paurpura* (daneben *paurpaurai* Luc. 16, 19) kann
nicht in Betracht kommen, da die meisten Lehnwörter erst
aufgenommen sind, nachdem sich das Verhältnis von *u* und *au*
bereits geregelt hatte. Ebensowenig kann *ur* etwas beweisen,
da der Vokal leicht an *us* angeglichen sein könnte; wir wissen
aber auch gar nicht, ob nicht die Assimilation an das folgende
r erst eingetreten ist, nachdem die Modification des *u* durch *r*
bereits abgeschlossen war. Vielmehr entspricht im Got. *-ar* in
unbetonter Silbe auch dem *-ur* der anderen germanischen
Sprachen (= älterem *-or* oder *r̥*). Daher kann in den Ver-
wandtschaftsbezeichnungen lautlicher Zusammenfall der beiden
ursprünglich vorhandenen Formen des Suffixes (*-ter — -tor*),
vgl. ags. *fœder — bródor*, anord. *fadir — fǫdur*) angenommen
werden. Ebenso kann *ufar* sowol angelsächsischem *ufor* (= ahd.
ubar), als angelsächsischem *ofer* entsprechen. So lässt sich

auch bei *unsar, izwar, hindar, undar, undaro, aftaro, anþar,
afar* nicht vom Got. aus, sondern nur durch Vergleichung ausmachen, ob *-er* oder *-ur* zu Grunde liegt. Entsprechend kann
ja auslautendes *a* im Got. sowohl Verkürzung von *ê* (vgl. *ƕamma
— ƕammêh*) als von *ô* (vgl. *ƕana — hanôh*) sein.

Um auf *hiri* usw. zurückzukommen, so bietet sich für
diese Formen kaum eine andere Erklärung, als dass das *i (j)*
der Endung den Eintritt des *a*-Timbres in dem *r* und damit
die daran geknüpfte Wirkung auf den vorhergehenden Vokal
verhindert hat. Wir haben nun freilich Formen, in denen *ai*
vor folgendem *i* steht. In *bairiþ, gatairiþ* usw. dürften wir
unbedenklich Angleichung an die übrigen Präsensformen annehmen. Aber bei *fairina* ist an keine Angleichung zu denken.
In diesem Worte aber liegt dem *i* älteres *e* zu Grunde. Es
liesse sich denken, dass nur ursprüngliches *i* den Einfluss auf
den vorhergehenden Vokal gehabt hätte. Man könnte auch
annehmen, dass er nur von konsonantischem *i* ausgegangen sei;
denn *hari* geht auf **harje, *harji* zurück. Übrigens könnte
das *i* der 2. 3. Sg. Ind. Präs. noch anders gewirkt haben als
das von *fairina*, falls der Übergang von unbetontem *e* vor *i*
älter ist, als der allgemeine (*nimis* aus **nemezi*). Das können
wir nicht mehr entscheiden.

Die angenommene Wirkung des *i (j)* muss auf die Fälle
beschränkt werden, in denen es dem *r* unmittelbar folgte. Durch
einen andern Konsonanten hindurch erstreckt sie sich nicht,
vgl. *airzeis, airzei, airziþa, airzjan.*

München, 30. Mai 1893.   H. Paul.

Germanisch *ll* aus *ðl*.

Überblickt man die germanischen Verbindungen von Konsonant + *l*, so fällt der Mangel bestimmter Zeugnisse für einstiges
Vorhandensein der Gruppe *ðl* um so mehr in die Augen, als
die Verbindung *þl* ganz gewöhnlich ist. Für *ðl* liesse sich,
soweit ich sehe, höchstens etwa das an sich zweideutige *bod-
los* des Heliand anführen; aber nach Massgabe seiner englischen

Äquivalente *botl, bold* wird man auch dafür doch eher ursprüngliches *þl* ansetzen müssen.

Nun wäre es aber, selbst wenn germanische *ðl* aus idg.
dhl nur zufällig nicht belegt sein sollten, doch sehr auffällig,
wenn nicht wenigstens *ðl* im grammatischen Wechsel mit *þl*
einmal vorhanden gewesen wäre. Es liegt also nahe, anzunehmen, dass die Gruppe *ðl* wohl einmal vorhanden gewesen,
dann aber durch einen neuen Lautprozess so weiterverändert
worden sei, dass sie auf den ersten Blick unkenntlich wurde.

Fragt man sich nun nach dem eventuellen Schicksal eines
alten *ðl*, so bietet sich die Annahme einer Assimilation zu *ll*
sofort als eine phonetisch leicht begreifliche Wandlung dar,
die ja auch in späteren Perioden, z. B. im altnordischen (*frilla*
aus *friðla, milli* aus *miðli* u. dgl.) wiederkehrt. Für die germanische Zeit hätte sie eine Parallele an dem bekannten durch
Kluge aufgedeckten Übergang von *zl* zu *ll*, wie in germ.
*krol-ld- 'kroll' aus **kruz-ld-* neben **krûsa-* in 'kraus'. Zieht
man nun die Wortsippen mit germ. *þl* heran, so erscheinen
wirklich wiederholt Formen mit *ll* neben solchen mit *þl*: die
Vermutung bestätigt sich also durch die Thatsachen.

Ein wie mir scheint ganz unverdächtiges Zeugnis für den
Übergang von *ðl* zu *ll* bieten die bekannten *ll*-Nebenformen
des germanischen Stammes **maþla-* in got. *maþl*, ags. *mœðl*,
ahd. *mahal* usw. Wollte man hier auch die nur in latinisierter
Gestalt überlieferten Formen, also speziell die *mallus, mallare,
gamallus, mallobergus* der Lex Salica beanstanden, so bliebe
doch mindestens das rein deutsch überlieferte *Thiot-malli, -melli*
'Detmold, Ditmold' (J. Grimm RA. 746. Förstemann II² 1445)
übrig, das seinerseits jene Formen hinlänglich stützt. In zweiter
Linie hat man doch auch wohl keinen besondern Anlass, Namen
wie *Mallobaudes, Mallegundis, Baudomalla, Leudomalla* von
dem St. **malla-* aus **maðla-* zu trennen und etwa mit den
mella-Namen (Much ZfdA. XXXVI 44 ff.) zu verbinden.
Alle diese Formen werden deshalb auch von jeher (z. B. von
J. Grimm a. a. O.) mit St. **maþla-* zusammengestellt, und dass
es sich dabei um eine Assimilation des Dentals an das *l* handle,
ist auch schon von Müllenhoff (bei Waitz Das alte Recht der
salischen Franken S. 289) ausgesprochen worden (vgl. auch
schon die zweifelnde Bemerkung von Graff II 650 unter *Mallobaudes*). Nur kann das *ll* nicht, wie Müllenhoff noch annahm,

direkt aus *þl* entstanden sein, denn diese Lautgruppe bleibt
sonst erhalten oder wird zu *hl*, *fl* etc. umgestaltet (vgl. Paul
und Braunes Beitr. V 527 ff.) [1]): es bleibt also nichts anderes
übrig, als **malla-* auf **maðla-* zurückzuführen, das seinerseits
in grammatischem Wechsel mit anfangsbetontem oder vollbe-
tontem **maþla-* gestanden hat.

Genau dasselbe Verhältnis zeigen nun auch noch einige
andere Wort- oder Formgruppen. Ganz richtig[2]) hat schon
J. Grimm Gr. I² 123 das ahd. *wallôn* mit ahd. *wadal* usw.
zusammengestellt. Wir bekommen also jetzt den Ansatz: St.
*waþla- in ahd. *wadal, wadali, wadalôn* usw. Graff I 776 f.,
ags. *wadol* (daneben mit langem Wurzelvokal ags. *wǽdl, wǽdla*
aus älterem **wǽdla* [anglisch *wédla* im Vesp. Ps., vgl. Beitr.
IX 221 f.]), aber St. **waðlôja-* = **wallôja-* in ags. *weallian*, ahd.
wallôn usw. Auch die a. a. O. von J. Grimm gegebene Erklärung des ahd. *gruntsëllôn* fundare (*christenheit ist ûffin
steine kegrúntsellot* Ecclesia [est] supra petram fundata Notker
Ps. LXXVII 69) wird in ihrem Kern richtig sein: nur darf
man *-sellôn* nicht aus *-sedilôn* entstehen lassen, sondern auf
altes **seðlôja-* neben St. **sëþla-* in ahd. *sëdal* etc. zurückführen.
Ja selbst J. Grimms weitere Vermutung (GDS. 355), unser
fallen könne (also wieder über **faðla-*) mit der W. *pet — pot* in
Verbindung gebracht werden, liesse sich nun ernstlich disku-
tieren. Doch wird es zweckmässiger sein, sich einstweilen auf
die Vermehrung weniger zweifelhaften Belegmaterials zu beschränken.

Genau wie **maþla-* zu **malla-* und **waþla-* zu **wallô-*
verhält sich nun äusserlich betrachtet wieder **staþla-* bezw.
*staþ(u)la- zu **stalla-*. Ersteres haben wir in ags. *staðol*, ahd.
stadal 'Stadel' usw., letzteres in an. *stallr*, ags. *steall*, ahd.

---

1) Auch die neue Beobachtung von Kögel AfdA. XIX 244,
dass im Ahd. inlautendes *h* vor *l*, *n*, *r*, *w* schwindet (wegen ags.
Parallelen dazu vgl. meine Ags. Gr. § 222, 2) hilft das *ll* nicht erklären, denn bei diesem Ausfall tritt Dehnung des Vokals vor er-
haltenem einfachen *l* ein: Zeugnis die von Kögel nicht erwähnte
Gruppe von ahd. *ôtmâli* divitiae neben *ôtmahali, mâlôn* Notk. neben
mahalôn, inmâlët adnuit (Pa. Gl. K. *Annuit adnuit favit: pauhnit
inmalet cahaizzit* Ahd. Gl. I 22, 17).

2) Nur mit irriger Bestimmung des lautlichen Verhältnisses:
er scheint an späte Assimilation gedacht zu haben, da er Fälle wie
quollîh anzieht (zu diesem vgl. jetzt Kögel AfdA. XIX 243).

stal 'Stall' usw. und deren zahlreichen Ableitungen und Kompositis. Doch hat hier die lautliche Differenz zum teil wohl einen anderen Ausgangspunkt. Die beiden Stämme **stap(u)la-* und **stalla-* geben in den Einzelsprachen auch in der Bedeutung auseinander (vgl. z. B. ahd. *stadal* 'scuria, horrea' nebst *houestadel, chornstadel* mit *stal* 'stabulum' nebst *uerhirstal, marhstal, scafstal, rindstal* usw.; doch vgl. andererseits wegen mehrfacher Berührungen auch Schmeller II² 732), und da sich unser *stall* in der Bedeutung mit lat. *sta-bulum* aus **sta-dhlo-* deckt, so darf man dies *stall* auch wohl direkt auf dieselbe Grundform zurückführen (also **stadhlo-* zu **staðlo-* zu **stalla-*, aber **stat(u)lo-* zu **stap(u)la-*). Anders freilich verhält es sich wohl mit dem andern *stall* 'stelle', woher ahd. *stellen*. Dies wird auf **staðla-* aus **stapla-* zurückzuführen sein. Man vergleiche speziell das seltene ahd. und asächs. *stadal* 'das stehen' (*ih gihun gode almahtigin . . . unrehtes stadales, unrehtes sedales* Mainzer Beichte, MSD. I³ 242, 6, vgl. Pfälzer Beichte ib. 243, 5; *unrehtaro stathlo, unrehtaro sedlo* ib. 237, 27) mit dem gleichbedeutenden ags. *steall* (z. B. *setl ʒeðasenap déman and steall fylstendum* Aelfr. Hom. II 48, *on stealle and on setle* Reg. Ben. XII 19 u. ä. bei Bosworth-Toller 913, oder *ætsteall* 'Beistand' Grein I 62, *ofersteall* 'Widerstand' Bosworth-Toller 737, *wiðersteall* 'Widerstand' Grein II 697) und dem Kausativum **staðlejo-, *stallejo-* in ahd. *stellen* 'stehen machen, stellen'[1]), oder Parallelen wie ags. *burhsteal* Wright-Wülker I 205, 36 = mhd. *burcstal* neben *burcstadel* Lexer I 394 (das ags. *burhstapel* bei Lye usw. ist noch ohne Beleg), oder ahd. *bi-stallo, bi-stello* 'vicarius, defensor' Graff VI 667, ags. *nýdʒestealla* Beow. 882, ahd. *not-stallo, not(i)-gistallo* Graff VI 674, mhd. *not-stal, not-gestalle* Lexer II 113. 110 (ags. *oferstealla* 'überlebender' Bosw.-Toller 737) neben mhd. *not-stadel* 'Gefährte' Rother 3551, *die nótgestadlin* beide Athis E 76 (vgl. W. Grimm Kl. Schriften III 300 f. Schmeller II² 732).

Hieran mag sich das Paar **stupl-: *stull-* anschliessen. Den Dentallaut haben wir in an. *stoð, stoða*, ags. *studu. studu* (PBrB. IX 249) nebst an. *styðja*, ahd. *studen* 'stützen' (Graff VI 652); daneben Ableitung auf *-ilo-* in an. *stuðill* 'Stütze'. die Gruppe *-pl-* endlich in as. *-stuthli* (*fan themo tan-stuthlia*

---

1) Ags. *staðelian* ist jüngere Bildung nach *stadal*; ags. *stellan — stealde* ist fern zu halten, da es westg. *ll* aus *lj* hat.

dentium de pectine, Ahd. Gl. II 582, 65). Auf altes **stulla-*
aus **stuð-lṓ-* etc. weist dagegen ahd. *stollo* 'Stollen', *stollṓn*
'fundare', *stulla* 'Haltepunkt', *stullen* 'sistere', *gistullen*, *fir-
stullen* 'stehen bleiben' (Graff VI, 676 f.).

Zu ahd. *strëdan* 'fervere' gehören ferner sowohl mhd.
strudel, strodelen Lexer II 1253 als nhd. (nd.) *strullen*.

Zu ahd. *knodo* 'Knoten' etc. stellen sich ags. *cnoll*
'Knollen', mhd. *knolle* 'Klumpen' (auch als Bergname üblich,
wie ags. *cnoll*) aus **knoð-ld-*, **knoðlán-*.

Mhd. *schrolle* 'Erdscholle' lässt sich möglicherweise auf
eine Grundform **skruðld-* aus **skrað-ld-* zurückführen und dann
mit ahd. *scrōtan* verbinden.

Bei an. *troll* 'Zauberer, gespenstisches Wesen' und seiner
Sippe (mhd. *trolle, trulle, trülle*) möchte man an Zusammenhang mit got. *trudan*, an. *troða*, ahd. *trëtan* usw. denken: an.
troll N. aus ursprünglichem **troð-ld-*, **trol-ld-* 'das Treten'
= 'Alpdrücken' = 'Alp', mhd. *trolle* etc. aus **troð-ld-n* wie
nhd. *trottel* = 'Tolpatsch'?

Der Versuchung, an. ags. alts. *full* 'Becher' mit lat. *po-
culum* zu verbinden, wird man wohl widerstehen müssen, da
es zu schwer sein würde, die für das Germanische notwendige
Wurzelform *pə* (germ. **ful-la-* aus **pə-tlo-*) aus der Wz. *poi*
abzuleiten.

Ein ziemlich sicheres Beispiel mit Wurzelvokal *i* scheint
mir dagegen wieder ags. alts. *bill* (ahd. *billiu* Hild., *uuidubil*
runcina usw., Graff III 95) aus **biðl-* zu sein, neben ahd.
bihal aus **biþla-*.

Ob auch an. *illr* aus **ið-la-z* zu an. *ið, íð* hierher gehört (Grundbedeutung 'eifrig, heftig')?

Nach langem Vokal wird man nach bekannter Regel
einfaches *l* für etwaiges *ll* aus *ðl* erwarten müssen. Da hierbei wieder die Suffixe *-ðhlo, -tlo* eine besonders hervortretende
Rolle spielen, so wird freilich sehr vielfach die Konkurrenz
des Suffixes *-lo* zu berücksichtigen sein, sofern hier ein positives
Kriterium für die einstige Existenz eines Dentals vor dem *l*
fehlt, wie es in den oben besprochenen Beispielen die Gemination des *l* abgab. Doch lässt sich immerhin einiges aufweisen, was mit einer gewissen Wahrscheinlichkeit hierher zu
stellen ist.

Zu Wz. *aidh* 'brennen' in gr. αἴθω usw. stelle ich St.

aila- in ags. *ǽlan* aus **ailjan* 'brennen', nebst St. **ailiða-*
'Feuer' in ags. *ǽled*, an. *eldr* (über die Formen des letzteren
s. besonders L. F. Leffler, Ordet *eld* belyst af de svenska
landsmålen, Svenska landsm. I 272 ff. 739 ff.)

Mhd. *bil* 'der Augenblick, wo das gehetzte Wild steht
und den Angreifer erwartet' gehört wohl zu got. *beidan* usw.
'erwarten': also St. **bila-* aus **biðla-*.

Ahd. *ila* 'studium', *ilen* 'tendere, niti, quaerere, studere,
operam dare, certare, moliri, conari' usw., *ilig* 'studiosus, fer-
vidus' usw., *iligo* 'instanter, naviter, certatim' usw. (Graff I 226 ff.)
kann, wenn es für **ið-la-* steht, sehr wohl zu dem oben S. 339
erwähnten an. *ið, ið* 'studium', *iðinn* 'assiduus, sedulus', *iðja*
'studium, ars', *iðn* 'studium, negotium', *iðula, iðuliga* 'assidue'
usw. (Egilsson 443 f.; wegen moderner Dialektformen vgl. noch
Aasen 320 f. Ross 360. Rietz 289) gehören.

Ahd. mhd. usw. *ki-l* 'Spalter, Keil' zu Wz. *kei* 'spalten'
aus **ki-ðla-* neben nhd. dial. *keidel* aus **ki-þla-* (Grimm DWb.
V 449. Kluge⁵ 191).

Mhd. *zilant* 'Seidelbast' weist neben mhd. *zidelbast*, nhd.
dial. *zeidel, zeidler* (Schmeller II² 1085. 1113. Lexer III 1101.
1113. Weigand II 1163 f.) auf altes **til-* aus **tiðl-* neben **tiþl-*.

Ahd. *zila* 'Reihe' aus **tiðla* wegen nhd. dial. *zeidel* aus
*tiþla-? Grimm DWb. V 449.

Nl. *spijl*, nd. *spile*, nhd. *speiler* 'dünnes Spriesslein von
Holz zum Aufspiessen aufzuhängender Würste, zum Auseinander-
sperren der Därme beim Wurststopfen' (Weigand II 756) weist
neben mhd. *spidel, spedel* (Mhd. Wb. II^b 494), nhd. dial. *spei-
del, spättel (spettel, spittel, spätter*, s. Schmeller II² 659 f.) auf
altes **spila-* aus **spiðla-* neben **spiþla-*, **spipla-*.

Ahd. *siula* 'Pfriemen, Nadel' zu lat. *sū-bula*, asl. *šilo*
aus **šidlo*?

Einige andere Formen, die möglicherweise hierhergehören,
wie das sehr schwierige ags. *mǽl* 'Rede', *mǽlan* 'reden' neben
mæðl, mæðlan und *maðolian* oder ags. *stǽl, stǽl* in *onstǽl,
stǽlan, stǽlwierðe* (neben *staðolwierðe*) u. dgl. übergehe ich
vor der Hand als zu unsicher, da die für ihre Auffassung in
Betracht kommenden speziellen Lautgesetze des Ags. noch zu
wenig erforscht sind, als dass man mit einiger Zuversicht über
die anzusetzenden Grundformen urteilen könnte.

Leipzig, 17. Sept. 1893.　　　　　E. Sievers.

Germanisches *ss* und die *Hessen.*

Das germ. *ss* (*s*), welches aus idg. *tt* hervorgegangen ist,
ist in neuerer Zeit mehrfach hinsichtlich der näheren Umstände
seiner Entstehung untersucht worden. Die Litteratur und Beispiele verzeichnet Noreen, Utkast S. 117 ff. Alle neueren Forscher stimmen jetzt, wie es scheint, in folgendem überein:
1) Das *ss* ist als solches im Germanischen sehr jung und den
Einzeldialekten angehörig; das Urgerm. weist statt·dessen auf
eine ursprüngliche Verbindung *tþt* hin, aus welcher dann urgerm. *tþ* entstand (Brugmann Grundr. I 347. 384 nach Osthoff
Perfekt 566), oder auf *þt* (Kluge Beitr. IX 152 und Pauls
Grundr. I 316). 2) Der Name *Chatti* in seinem Verhältnis zu
Hessen besitzt für die Beurteilung dieser Verhältnisse eine ausschlaggebende Bedeutung (vgl. z. B. neuestens noch Wilmanns
D. Gramm. I S. 23).

Beide Sätze halte ich für falsch. Und wenn auch in
diesen vorhistorischen Dingen sich zwingende Beweise schwer
liefern lassen, so hoffe ich doch für meine Ansicht so viel
Wahrscheinlichkeit erzielen zu können, als dies in sprachwissenschaftlichen Fragen möglich ist und hinreichen kann, um obige
Dogmen nicht ferner widerspruchslos bestehen zu lassen.

Zunächst muss ich über den *þ*-Laut einige phonetische
Bemerkungen vorausschicken. Man operirt viel zu sehr mit
der Annahme, als ob germ. *þ* einfach ein *s*-Laut sei, dessen
Haupteigenschaft die Artikulationsstelle bilde, welche man
schlechthin als "interdental" bezeichnet. Wenn also z. B. Brugmann MU. III S. 133 Anm. das urgerm. *ss* als interdental gesprochen, als *þþ*, annimmt, so beruht das auf der phonetischen
Auffassung, als sei das frühere interdentale *ss* eben später einfach "dentales" *ss* geworden, habe also nur seine Artikulationsstelle nach hinten verschoben. Oder wenn Kluge Beitr. IX 151
(nach der germanischen Lautverschiebung *t* zu *þ*) der Meinung
ist, idg. (urg.) *t* sei interdental gewesen, so ist das aus der
angeblich spezifisch interdentalen Qualität des *þ* gefolgert.

Diesen Irrtum muss man aufgeben. Die Grundlage einer
richtigern Beurteilung des Lautes giebt Sievers in seiner Phonetik schon seit der 2. Auflage (²100, ³120, ⁴119). Man hat

in den þ- und s-Lauten zwei ganz verschiedene Reihen von
Spiranten des Dentalgebiets anzuerkennen: die Enge der s-Laute
wird gebildet durch eine Rinne der Zungenspitze, während der
übrige Teil des Zungenrandes in der Stellung des t-Verschlusses
verharrt; die Enge der þ-Laute dagegen wird gleichmässig
durch den g a n z e n vordern Zungenrand gebildet (koronal oder
marginal), ohne jede Rinnenbildung in der Mitte. Die S t e l l e
aber, wo der Zungenrand die Enge des þ bildet, kann verschieden sein; sie k a n n zwischen den Zahnreihen liegen, also
interdental sein, sie kann aber auch beliebig weiter hinten
liegen, ohne dadurch ein s zu werden, also an der Hinterfläche
der Oberzähne ('interstitiell'), oder ganz an der gewöhnlichen
Stelle der t-Artikulation, an den Alveolen. Ja noch weiter zurück-
liegend lässt sich sehr wohl das marginale þ bilden. Und im
Englischen ist nach Sweet postdentale, nicht interdentale Aussprache des th Regel. Es ist mir durchaus wahrscheinlich,
dass damit das Englische der Geltung des urgerm. þ nahesteht:
urgermanisches þ wird alveolar gewesen sein, wie das idg. al-
veolare t, aus dem es hervorging [1]). Dieser germ. þ-Laut hat
eine viel engere Verwandtschaft zum dentalen Verschlusslaute,
als zu den Spiranten der s-Reihe. Wo überhaupt in den älteren
germ. Sprachen die þ sich gewandelt haben, sind sie in Verschlusslaute übergegangen, und in modern englischen Dialekten
sehen wir den Übergang th zu d vor unsern Augen. Dagegen
fehlt der Übergang des þ in s: die Artikulationen beider Laute
sind zu gegensätzlicher Natur [2]). Es wäre daher die frühere
Meinung Brugmanns und Möllers (Beitr. VII 460), germ. ss sei
aus germ. þþ hervorgegangen, schon aus allgemeinen Erwägungen zu verwerfen, selbst wenn nicht Kluge gezeigt hätte,

----

   1) Kluges idg. interdentales t würde schon an sich eben so
unwahrscheinlich sein, wie die Annahme eines labiodentalen p als
allgemein idg. Lautes, nach germ. labiodent. f. Beide sind zu mangelhafte Verschlusslaute, um ein so grosses Verbreitungsgebiet einzu-
nehmen.
   2) Nur in ganz neuer Zeit ist im Nordfriesischen der Insel
Amrum — im Gegensatz zu den übrigen nordfries. Mundarten —
ein solcher Wandel eingetreten. Vgl. Bremer im Jahrb. f. niederd.
Sprachf. XIII 15. — Dagegen ist das schon altnordhumbr. auftretende -es der neuengl. 3. Pers. Präs. analogisch entstanden, vgl.
Kluge Pauls Grundr. I 904.

dass germ. *þþ* in Wahrheit zu *dd-tt* geworden ist (vgl. Ahd. Gr.
§ 167 A. 10. Noreen Altisl. Gr. § 183). Diese unmittelbaren
Übergänge eines *t (d)* in *þ* und umgekehrt sind phonetisch
sehr begreiflich :- *þ* ist zu *t* der zugehörige Engelaut. Wird
also der *t*-Verschluss auf seiner ganzen Linie gelockert, so
entsteht *þ*; wird des letzteren Enge geschlossen, so wird *t*
daraus. Dagegen ist *þ* wenig geeignet, mit *t* sich zu einer
Affrikata *tþ* oder zu *þt* zu verbinden. Solche Verbindungen
sind nirgends im Germanischen belegt: wo sie durch Zusammen-
rückung entstehen, tritt Verschlusslaut an die Stelle (vgl. z. B.
an. Ntr. *glatt* statt *glaþt* zu *glaðr* etc. Noreen § 210. 2. 3).
Man wird also Bedenken tragen müssen, dem Urgermanischen
derartiges anzudichten. Dagegen ist *s*, der "Rinnenlaut",
so recht eigentlich derjenige Spirant, der die Verbindung mit
t sucht. Die Verbindung *st* ist überall beliebt und fest, und
die Verbindung *ts* entsteht gern durch Affrikation aus *t*. Letzteres ist sehr begreiflich, denn beim *s* bleibt der grösste Teil
des *t*-Verschlusses bestehen und nur zur Bildung der kleinen
Rinne löst sich die Zungenspitze. Die Gruppe *ts* ist also die
recht eigentliche Affrikata zu *t*. So sehen wir sie in der ahd.
Lautverschiebung aus *t* entstehen, deren *z* ein alveolares Rinnen-*s*
enthielt[1]), und heute im Dänischen und im irischen Englisch, wo
auch *ts* aus *t* hervorgeht, nicht *tþ* (Sievers Phonetik⁴ § 729.
Vgl. Verner AfdA. IV 341). Ganz im Gegensatze hierzu
steht das germ. *þ*, welches aus.idg. *t* nicht durch Affrikation,
sondern durch einfache Lockerung des Verschlusses entstand
(Sievers Phonetik⁴ § 733), was ja aus seiner inlautenden
Kürze, gegenüber ahd. *ȥȥ*, längst geschlossen worden ist.

Hinsichtlich der idg. Gruppe *tt* schliesse ich mich nun
durchaus der in MU. III 131 ff. dargelegten Auffassung Brugmanns an, dass die *s*-Affektion derselben schon ursprachlich

---

1) Ich hebe das hervor mit Hinsicht auf ahd. Gr. § 168, wo
ich noch die andere Möglichkeit offen liess. Das *s* in ahd. *tz*, *ȥȥ*
muss sich vom ahd. *s* dadurch unterschieden haben, dass in *z* ein
alveolares *s* enthalten war, ahd. *s* aber weiter hinten lag mit einem
mehr *š*-ähnlichen Klange: eine Ansicht, die ich schon Beitr. I 530
aus den slov. Freisinger Denkmälern folgerte und die jetzt auch
von Wilmanns (D. Gr. I 87 f.) vertreten wird. Die nach oberd. Mustern
gebildete magyarische Orthographie (sz = s, s = š) spricht deutlich
für diese Geltung der spätmhd. *sz* (= *ȥ*) und *s*.

entstanden und von den Einzelsprachen weitergebildet sei.
Danach haben wir also schon idg. ein aus *set-tó-* (Part. zu *sed-*
sitzen) entstandenes *sets-tó-* anzusetzen, woraus lat. *(ob-)nessus*,
an. *néss* Sitz hervorgingen. Die Affektion des *tt* war ein Af-
frikationsprozess des ersten *t* und brachte daher ein richtiges
Rinnen-*s* mit sich, ergab also *tst* und nicht *tþt*, wie Brugmann
später Grundriss I 347 als "richtiger zugeben" will. Auf *tþt*
weist nichts hin, ausser schiefe Spekulationen über urgermanische
Verhältnisse. Alle idg. Sprachen haben hier wirkliche *s*-Laute,
nirgends ist ein *þ*-Laut an dieser Stelle belegt und auch aus
phonetischen Erwägungen können wir in diesen *t*-Verbindungen
nur *s* erwarten.

So nehme ich denn auch an, dass im Urgermanischen das
idg. *tst* schon voll zu *ss* entwickelt worden sei. Alle vorhandenen germ. Sprachen haben schon in ihren ältesten Formen
das *ss* völlig ausgebildet, nebst der daneben stehenden alten
Vereinfachung zu *s* nach langem Vokal. Ein Übergang eines
altgerm. *þ* in *s* wäre unerhört und unbelegt und nichts weist
darauf, einen solchen zu vermuten.

Nach diesen Vorbemerkungen gilt es nun, sich mit den
Chatti abzufinden, welche die Forschung lange Zeit an der
unbefangenen Würdigung der Thatsachen irre gemacht haben.
Veranlassung dazu gab die Besprechung des Namens durch
Müllenhoff ZfdA. XXIII 5 ff., an welche dann Kögel Beitr. VII
171 ff. weiter ausführend anknüpfte. Ausgangpunkt ist die
Behauptung, der Name *Chatti* und *Hessen* müsse identisch sein.
Als ersten, der dies "erkannt" habe, stellt man W. Wackernagel
hin. So Müllenhoff a. a. O. und noch Kluge Pauls Grundriss I
316: "Lautgeschichtlich instruktiv ist die von Wackernagel
AdWb.¹ 283 erkannte Identität von *Chatti* ahd. *Hęssi*, wodurch
urgerm. *þt* = germ. *ss* erwiesen wird".

Sehen wir nun zu, was Wackernagel an jener Stelle "erkannt" hat, so ist es doch weiter nichts, als dass das *ss* in
Hessen aus einer ursprünglichen *tt*-Verbindung erklärt werden
könne. Wenn er es mit *wissa* zu *witan*, *güsse* zu *giozan* u. a.
vergleicht, so folgt daraus doch zunächst nur, dass *Hessen* mit
Chatti zu gleicher Wurzel gehören müsse, wie *güsse* zu *giutan*,
nicht aber, dass sie buchstäblich identische Worte seien.

Letzteres ist nur aus ethnographischen Erwägungen von
Jakob Grimm Gesch. d. d. Spr. S. 565 ff. und von Müllenhoff

a. a. O. postuliert worden. Überblicken wir kurz die Thatsachen.

Nur bei römischen und griechischen Schriftstellern in den
ersten 4 Jahrhunderten unserer Zeitrechnung erscheint der Name
der *Chatti* Χάττοι. Zuerst bei Strabo, zuletzt etwa 400 n. Chr. [1]).
Von etwa 720 an ist dann der Name eines Volksstammes *Hassii*,
Hassi, *Hessii*, *Hessiones* überliefert, dessen Wohnsitz (*Hassia*,
Hessigouui) ein deutscher Gau ist [2]), welcher in einer Gegend
liegt, in der nach Tacitus auch *Mattium*, das Zentrum des
Chattenvolkes belegen war. Es steht also fest, dass die späteren
Hessen in den alten *Chatti* enthalten gewesen sein müssen.
Andererseits aber hat der mittelalterliche Name *Hessen* nur
ein kleines Gebiet, den eigentlichen Hessengau (s. die Karte
bei Landau), während die heutige weitere Ausdehnung des
Hessennamens dynastischen Verschiebungen verdankt wird. Dagegen waren die *Chatti* nach den antiken Berichten ein sehr
grosses Volk, dessen Gebiet bis an den Main und in den Rhein-
gau sich erstreckte. Die Betrachtung der ethnographischen
Verhältnisse führt uns also nicht weiter, als dass die *Hessen*
ein kleiner Teil der früheren *Chatten* gewesen sein müssen.
Und da sie in dem Zentrum von deren Gebiet sitzen, so wäre
vom ethnographischen Gesichtspunkte aus nichts dagegen
einzuwenden, die Namen *Chatti* und *Hessen* für identisch zu
erklären, wenn dies die Sprachwissenschaft erlaubt. Erlaubt
sie es nicht, so würde den ethnographischen Gründen ebenso
gut ihr Recht geschehen, wenn man sagte: der Name *Hessen*
bezeichnete eine kleine Untervölkerschaft der alten Chatten, er
ist eine nur durch das Suffix verschiedene Ableitung aus der
gleichen Wurzel und muss auch schon zur Römerzeit in der
Form *Chassii* neben *Chatti* bestanden haben, gerade so wie
etwa ags. und an. *sëss* neben *sittan*, *sitja* besteht [3]).

---

1) Vgl. Albert Duncker Geschichte der Chatten (1888) in der
Zs. f. Hess. Geschichte und Landeskunde N. F. XIII S. 244. 364.

2) Vgl. G. Landau Beschreibung des Hessengaus, Kassel 1857
S. 5. — Aus dem Jahre 699 schon urkundlich *ad Chassus* in Lothringen s. Arnold Ansiedlungen und Wanderungen S. 203.

3) Die Erklärung der *Hessen* als wurzelgleiche Bildung neben
Chatti, und die Auffassung der Hessen als Untervölkerschaft der
Chatten ist auch nach J. Grimm mehrfach vertreten worden, ohne
sich jedoch gebührende Beachtung zu erringen. Bei den verschie-

Wir werden also die Entscheidung der Frage doch rein sprachlichen Erwägungen zuweisen müssen. Und wir dürfen, unbekümmert um die Ethnographie, fragen: Können *Chatti* und *Hessen* identische Worte sein? Von denen, die diese Ansicht verfechten, hat am besten Kögel den Thatsachen Rechnung getragen. Er fasst (Beitr. VII 197 t.) das *tt* in *Chatti* als geminierten Verschlusslaut und zieht aus der behaupteten Identität von *Chatti* und *Hessen* den Schluss, dass indogermanisch *tt* als solches in die Einzelsprachen übernommen sei, auch im Germanischen sich der germ. Lautverschiebung des idg. *t* zu *þ* entzogen habe [1]). Zur Römerzeit habe noch *tt* bestanden. Die Entwicklung des *tt* zu *ss* falle den germanischen Einzelsprachen in späterer Zeit zu und sei durch die Affrikata *ts* hindurchgegangen zu denken. So folgerichtig diese Ansicht gedacht ist, so scheitert sie doch an den sonstigen sprachlichen Thatsachen. Man muss sich klar machen, dass nach Kögel der ganze Prozess der Entwicklung des *tt* zu *ss* in die Zeit von etwa 400—700 n. Chr. zusammengedrängt würde. Nun stimmen aber alle altgermanischen Sprachen in dem *ss*, *s* überein, auch die seit dem 2. Jahrhundert sicher jeden Konnexes entbehrenden Skandinavier und Goten. Bei den Goten sind ums Jahr 400, also zu der Zeit, wo in *Chatti* noch *tt* dagewesen wäre, schon die Typen *wis-* und *wiss-* neben *wit-* (vgl. *weis, miþwissei, witan*) genau so fest ausgeprägt wie in allen andern germ. Sprachen. Anderseits wäre *Chatti* ein Zeitgenosse des gotischen *skatts*. Wäre die Bewegung zu *ss* erst so spät eingetreten, so würden wir hochdeutsch wie *Hessen* so auch *Schass* (ahd. **scassa-*) statt *Schatz* erhalten haben. Diese chronologischen Schwierigkeiten sind denn gegenüber Kögel alsbald hervorgehoben worden von Möller Beitr. VII 459 f. (vgl. auch Brugmann MU. III 132 [1]). Und man ist dann allgemein zu der

denen Schriften von H. v. Pfister (Über den chattischen und hessischen Namen, Kassel 1868, zuletzt in seinem 2. Ergänzungshefte zum Hess. Idiotikon, Marburg 1894, S. 2 ff.) konnte allerdings der sprachwissenschaftliche Dilettantismus des Verfassers die Sprachforscher auch gegen beachtenswerte sachliche Bemerkungen zweifelhaft machen. Hervorzuheben aber ist die Behandlung des Namens von Vilmar Kurhess. Idiotikon S. 166 und von M. Heyne im DWb. IV² unter *Hesse*.

1) Letzteres wäre nach Sievers Phonetik⁴ § 734 sehr wohl erklärlich.

Auffassung Müllenhoffs zurückgekehrt, nach welcher das *tt* in *Chatti* eben nicht *tt* besagen, sondern ungenaue Wiedergabe eines andern Lautes sein soll, der verschieden definiert worden ist (*þþ, tþ, þt*), jedenfalls aber irgendwie einen *þ*-Laut enthalten und die gemeingermanische Vorstufe des *ss* darstellen müsste [1]).

Diese Ansicht vermeidet nun freilich die gegen Kögel sprechenden chronologischen Schwierigkeiten einigermassen [2]).

---

1) Wer Kögels Auffassung aufgegeben hat, dürfte nun keinesfalls mehr mit dem von ihm beigezogenen langobardischen Eigennamen *Tato, Tatto* operieren. Denn in diesem kann es sich lediglich um den Verschlusslaut *t* handeln. Der Name ist belegt als Name des siebenten Langobardenkönigs in mehreren Quellen und ferner zweimal als Eigenname in Urkunden aus der Mitte des 8. Jahrhunderts. Kögel meinte, dass dieses *Tato* mit dem häufigeren *Tasso* (*Tassilo*) identisch sei. Freilich wäre es auch bei Kögels Auffassung gewagt, anzunehmen, dass langob. erst im 8. Jahrh. der Übergang des Verschlusslauts *tt* in *ss* stattgefunden habe. Jeder andere, der den Übergang früher legt, muss anerkennen, dass *Tato* (*Tatto*) und *Taso* (*Tasso*) zwei ganz verschiedene Namen sind, mit denen in dieser Frage gar nicht zu operieren ist. Grade in einer der beiden Urkunden (Meyer Langob. S. 191) werden *Tato et Taso* als zwei verschiedene Persönlichkeiten nebeneinander aufgeführt. — Beiläufig lässt sich gegen die beliebte Zusammenstellung von *Tasso*, *Tassilo* mit got. *ungatass* einwenden, dass man im Langob. dann *Zasso* erwarten sollte. Nach dem vorwiegenden langob. Gebrauche ist das *T* in *Tasso* als germ. *d* zu betrachten (vgl. langob. *Taciperga, Tacipert, Toto* u. a.). Für das bairische, wo *Tassilo* sehr häufiger Name ist (Förstemann Ahd. Namenb. I 1142) ist zudem eine andere Beurteilung gar nicht möglich, wozu noch die rheinfränkische Schreibung (Lorscher Annalen) *Dassilo* kommt. — Auch der Name *Tatto* ist hochdeutsch noch im 8.—9. Jahrh. häufig (Förstemann I 1143), rheinfränkisch (Lorsch) *Datto*. Der ebenfalls vorkommende ahd. Name *Tazzo* (auch langob. *Taso* einmal belegt) ist dazu eine kosende Deminutivform mit Suff. *zo*. Überhaupt aber muss man sich wohl hüten, die auslautenden Doppelkonsonanzen in einteiligen Namen wie *Tasso, Tatto* für die allgemeine Lautlehre zu benutzen. Ein Blick in Starcks Kosenamen kann lehren, dass es mit diesen Doppelkonsonanzen seine ganz eigene Bewandtnis hat.

2) Nicht völlig. Denn niemand hat sich darüber ausgesprochen, welcher Laut denn in der Chattenzeit dem germ. *s* nach langem Vokal (got. *weis* weise usw.) eigen gewesen sein soll. Denn diese Vereinfachung muss doch nach Übereinstimmung des got. mit allen andern germ. Sprachen auch uralt sein (vgl. Kluge Beitr. IX 152) und hätte bei der Annahme von *þþ, þt* oder *tþ* für späteres *ss*

Aber dafür tritt sie desto schärfer mit anderen Thatsachen in Widerspruch. Die eine haben wir schon oben. im Zusammenhange erörtert, dass ein Übergang des altgerm. þ in s undenkbar ist. Zweitens aber ist es unzulässig, die römische Schreibung *Chattus* mit Müllenhoff als *Chatþus* (ev. *Chaþtus*, *Chaþþus*) aufzufassen, sondern *tt* kann nichts weiter bedeuten, als das nächstliegende, die geminierte dentale Verschlussfortis, als welche es Kögel korrekterweise auch auffasste. Müllenhoff macht sich seinen Weg frei für die Umdeutung des *tt*, indem er die beiden andern chattischen Fälle des *tt*, die in der römischen Überlieferung daneben liegen, beseitigt. Einmal der Hauptort der Chatten *Mattium*, der nach Tacitus Ann. I 56 jenseits der Eder lag. Mit diesem Orte identifiziert man das heutige Dorf *Maden* bei Gudensberg, welches seit dem Ende des 8. Jahrhunderts als *Mathanun, Mathenun, Madanun* belegt ist (Landau a. a. O. S. 44. 51) und wo sich die Gerichtsstätte des Hessengaus befand. Nun darf man zugeben, dass das alte *Mattium* in dieser Gegend gelegen haben wird. Aber Müllenhoff selbst erkennt an, dass die Namen nicht identisch seien, sondern mit verschiedenen Suffixen gebildet sein müssten. Wenn er trotzdem aus dem einfachen þ in *Mathanun* folgern will, dass das *tt* in *Matti-um* die Geltung þd oder þþ habe, dass man also den Stamm als *maþþi-* oder *maþdi-* auffassen müsse, so wird das Niemand für zwingend halten. Um so weniger als wir den positiven Beweis dafür haben, dass es richtiges *tt* war, und zwar in dem Namen des ganz nahe dabei gelegenen heutigen Dorfes *Metze*, welches ebenfalls dicht bei Gudensberg, 5—6 km nordwestlich von *Maden* liegt. *Metze* ist seit dem 11. Jahrhundert als *Mezehe, Metzihe* (= *Mezzaha* 9. Jahrh.) urkundlich belegt (Landau S. 61) und dazu kommt noch, dass das Dorf an einem Bache liegt, der die *Metzoft* heisst und der ahd. *Metzaffa* sein würde, mit welchem der Dorfname *Metzaha* (nur unter Substitution des jüngeren *aha*) sachlich identisch ist. Nun gehören die Orts- und Flussnamen auf -*ef, af-* (in heutiger Form oft mit *t*: -*aft, -oft*), niederdeutsch *ep-, ap-* zum allerältesten Bestande deutscher geographischer Namen (vgl. hierüber Arnold, An-

---

doch kaum etwas anderes als einfaches þ sein können, das dann mit dem gewöhnlichen þ hätte zusammen fallen müssen.

siedelungen S. 93 ff.) und es kann gar keinem Zweifel unterliegen, dass die *Metzoft* ihren Namen schon zur Chattenzeit
getragen hat, etwa als *Mattiapa. Und was kann das dann
anders heissen, als "Bach von *Mattium*"? (Vgl. auch Arnold
S. 97). Es geht also daraus hervor, dass *Mattium* nicht genau
an der Stelle des heutigen *Maden*, sondern etwas nordwest-
licher gelegen hat. Durch die regelrechte ahd. Lautverschiebung
zu *tz* ist nun aber positiv bewiesen, dass in *Mattium* und Zubehör (*Mattiaci*)[1]) das *tt* nichts anderes war, als geminierte
Verschlussfortis.

Das dritte chattische *tt* beseitigt Müllenhoff wieder anders.
Es ist dies der Name der *Chattuarii*. Diesem Namen soll nur
einfaches *t* zukommen, das *tt* bei Römern und Griechen sei
nur dem Anklingen des Namens an *Chatti* zu verdanken, mit
denen die *Chattuarii* an sich nichts zu thun gehabt hätten.
Eine sehr gewagte Annahme, der gegenüber die Auffassung,
dass die *Chattuarii* ein aus den Chatten losgelöster Stamm
gewesen seien, durchaus wahrscheinlich ist und im Anschluss
an Zeuss S. 99 auch von neuern Forschern, so viel ich sehe,
allgemein festgehalten wird[2]). Dass aber das Wort e i n f a c h e s *t*
gehabt habe, ist gegenüber dem steten *tt* bei römischen und
griechischen Schriftstellern unglaublich. Und wenn Müllenhoff
ZfdA. XXIII 7 zum Beweise des einfachen *t* das ags. *Hetware*
und das *Hazzoarii* der Fuldaer Annalen anführen will, so ist
mir das unverständlich. In dem zweimal belegten ags. *Hetware* (Beowulf) und *Hætwerum* (Widsið) ist die im Ags. ganz
gewöhnliche Erscheinung zu erblicken, dass Geminata nicht
nur im Wortauslaut, sondern auch im Silbenauslaut vereinfacht
wird (vgl. Sievers, ags. Gr. § 231, 2). Und ahd. *Hazzoarii*
besagt gar nichts, da *zz* nicht blos den auf einfaches *t* weisenden
Doppelspiranten *ʒʒ* bezeichnet, sondern im Ahd. geradezu die

---

1) Über weitere Verbreitung des Elementes *Metz-* in Namen
des Chattengebiets vgl. Arnold S. 205.

2) Ich verweise besonders auf R. Schröder, der in seinen verschiedenen Arbeiten über die Franken, zuletzt (1881) zusammen-
fassend in der Zs. der Savigny-Stiftung Germ. Abt. Bd. II S. 1—82, mit
guten Gründen gegen Müllenhoff erweist, dass die Chattuarier von
den Chatten abstammen, ebenso wie ihre Nachbarn die Batavi, von
denen dies Tacitus in ganz unverdächtiger Weise zweimal bezeugt.
— Vgl. auch F. Dahn Deutsche Geschichte I 2 (Gotha 1888) S. 9 ff.

Normalschreibung auch für die aus *tt* entstandenen inlautende
geminierte Affrikata *tz* ist (vgl. Ahd. Gr. § 159). Die gleiche
Erklärung, wie für das ags. *t* in *Hetware* ist anzuwenden, wenn
in lateinischen Schriften der späteren Zeit der Name bisweilen
Hatuarii (Atuarii) geschrieben wird: Vereinfachung im Silben-
schluss vor dem konsonantischen Anlaut des zweiten Teils,
während im alten *Chattuarii* wahrscheinlich noch der vokalische
Stammauslaut des ersten Teils = *Chatto-yarii* zur Geltung kam.
Übrigens ist in dem mittelalterlichen pagus *Hattera* in der Ruhr-
gegend (Grimm Gesch. d. d. Spr. S. 589, vgl. R. Schröder a. a. O.
S. 5), wo das anlautende *w* des zweiten Teils geschwunden ist
(Ahd. Gr. § 109 A. 4), das dem Namen zukommende *tt* noch mit
aller wünschenswerthen Deutlichkeit erhalten.

Hiernach werden wir nun auch in dem Namen *Chatti*
selbst nichts anderes als *tt* sehen dürfen. Wenn schon für
Müllenhoffs Auffassung — falls sie anderweit als notwendig
erschiene — darauf hingewiesen werden könnte, dass die Römer
kein Zeichen für den þ-Laut hatten und dass bekanntlich oft,
besonders später, lateinisch-romanisches *t* zur Bezeichnung des
germ. þ gebraucht wird, so fällt doch für die G r i e c h e n
dieses Auskunftsmittel weg. Und der Chattenname ist uns am
frühesten in griechischer Form bei Strabo als Χάττοι überliefert.
Die Griechen hätten ihn doch gewiss Χάτθοι geschrieben, da
sie in ihrem θ ein Zeichen für den þ-Laut besassen. Es darf
also nicht mehr zweifelhaft sein, dass der Name der Chatten,
wenn er im 8./9. Jahrhundert noch vorhanden gewesen wäre,
ahd. *Hazza* (N. Pl.) gelautet haben würde (wie *Swaba*, *Lanc-
parta*); und heute, mit dem üblichen Übertritt in die schwache
Deklination, würden wir *die Hatzen* als Name des Volkes vorfinden müssen. Der alte Stammname ist aber seit Eintritt der
Völkerwanderung verklungen wie so mancher andere altgermanische Volksname. Und wenn wir später im Zentralgebiete
des alten Chattenlandes als Bezeichnung eines kleinen Gau-
volkes den Namen *Hessen* vorfinden, so werden wir, wie oben
besprochen, darin wohl eine etymologisch verwandte, dem Suffixe nach aber davon verschiedene Bildung anzuerkennen
haben [1]).

---

1) Die Suffixverschiedenheit scheint sich nicht bloss auf die
Form der Dentale zu beschränken, sondern auch den vokalischen
Stammausgang zu betreffen. *Chatti*, Χάττοι war sicher reiner *a*-Stamm

In *Chatti (Chattuarii)*, *Mattium* haben wir also alte
geminierte *tt* anzuerkennen. In *Mattium* läge es nahe, das
älteste Beispiel westgerm. Gemination durch *j* zu erblicken.
Aber *Chatti* verbietet dies und wir erhalten so in diesen Worten
einige weitere Fälle des seltenen got.-germ. *tt*, wie in got.
skatts, an. *hǫttr*, ags. *hætt* (Hut), *katze*, an. *kǫttr* u. a. Die
Entstehung dieses *tt* werden wir doch wohl auf urgermanischen
Boden, nach der Lautverschiebung, verlegen müssen. Wollte man
sie für indogermanische *tt* halten, die der Lautverschiebung
sich entzogen hätten (Sievers Phonetik⁴ § 734), so müsste es
eine irgendwie entstandene spätidg. Gemination sein, nach voll-
endetem Wandel der altidg. *tt* in *tst* (zu *ss*). Die etymologische Frage des Namens *Chatti* lasse ich hier unerörtert (vgl.
Heyne DWb. IV unter *Hesse*, Zimmer QF. XIII 299, Kögel
Beitr. VII 178, Osthoff Perfekt 566 f., Laistner Germ. Völkernamen S. 27, dazu Hirt Litteraturbl. f. germ. u. rom. Phil. 1894,
S. 166). Doch bemerke ich, dass mir Grimms Zusammenstellung
mit ags. *hætt*, an. *hǫttr*, in welchem die gleiche germ. Geminata vorliegt, immer noch beachtenswert erscheinen will. Während wir aber in *Chatti* eine Bildung ohne dentales Suffix haben,
könnte in *Hessii* eine Ableitung aus derselben dental auslautenden Wurzel mit -*ti*- (resp. -*tjo*-) Suffix vorliegen.

Heidelberg, Oktober 1893. W. B r a u n e.

Die e-Abstossung bei dem neuhochdeutschen Nomen.

Schon mehrfach hat sich die Forschung der Frage nach
der Behandlung des Endsilben-e im Nhd. zugewandt. In der
völligen Willkür, die hier in der Schriftsprache zu herrschen
scheint, Gesetz und Ordnung zu entdecken, hat sich vor allem
Behaghel bemüht, Germania XXIII 264 ff., dessen förjlernde
Gedanken von Bojunga Die Entwicklung der nhd. Substantiv-
flexion (Leipzig 1890) weiter ins einzelne ausgeführt worden
sind. Neuerdings hat auch Wilmanns Deutsche Grammatik I
§ 279 ff. eine kurze zusammenfassende Darstellung der Frage
gegeben. Durch die genannten Forscher ist es festgestellt,
dass das Nhd. bei Abstossung eines e zwar auch durch gewisse Lautgesetze bestimmt wird, dass aber ganz besonders
der auf Grund des Geschlechts und der Bedeutung erfolgende
Zusammenschluss der Nomina auf -e mit anderen zu Gruppen
daran Schuld ist, dass sich e teils erhalten hat, teils nicht.
Wenn ich hier die Untersuchung noch einmal aufnehme, so
geschieht es um den Entwicklungsgang des Nhd. nach dieser
Seite hin zu beleuchten [1]). Derselbe ist bisher nur gelegentlich
berührt und nicht immer richtig beurteilt worden. Es ver-
kennt ihn z. B. Bojunga, wenn er auf S. 53 f. von den schwachen Maskulinen bemerkt, dass es "eine Eigentümlichkeit der
älteren Stufe unserer Sprache nicht allein auf oberdeutschem
Boden" gewesen sei die apokopierten Formen vorzuziehen und
dass dies Verhältnis sich nach und nach geradezu umgekehrt
habe, ohne dass ein Grund dafür erkennbar sei. Ich weiss
nicht, aus welchen Quellen sich Bojunga seine Ansicht gebildet hat; er nennt nur Schottels Grammatik [2]), der allerdings
(auch bei den Femininen) die apokopierten Formen bevorzugt,
eine Sonderbarkeit, wie so manche andere bei Schottel, der
als Niederdeutscher nicht zur völlig richtigen Erfassung der
in ihrem Grunde mitteldeutschen Schriftsprache gelangte. Vielleicht hat Bojunga noch weiter Luther im Auge gehabt, über

---

1) Eine eingehendere Behandlung des Gegenstandes behalte
ich mir für eine andere Gelegenheit vor.

2) Ausführliche Arbeit von der Teutschen Haubt-Sprache.
Braunschweig 1663.

den ja auch Wilmanns § 279 Anm. bemerkt: "weit über das
im Nhd. erlaubte Mass geht Luther im Gebrauch der Synkope
und Apokope", mit Berufung auf Frankes Buch über Luthers
Sprache. Aber Franke bringt an der zitierten Stelle Belege
aus Lutherischen Schriften, die den verschiedensten Zeiten angehören, darunter auch solche aus seinen frühesten Traktaten,
in denen uns in Wirklichkeit gar nicht Luthers Sprache, sondern die seiner Drucker entgegentritt. Franke betont selbst
S. 4, dass wir erst nach 1522 eine geregelte Schreibweise bei
Luther finden, von da an tritt eine "allmähliche Reinigung
und Befestigung des Lautstandes und der Rechtschreibung"
ein, eine Ausmerzung vieler Formen, die ihm anstössig sind.
Er wendet sich von einigen mitteldeutschen, seinem Dialekte
gemässen Formen ab, ganz besonders aber sind es die vielfach von den Druckern eingeschwärzten oberdeutschen Formen,
die er später von seinen Schriften fernhält. Dahin gehören
auch die nach obd. Weise apokopierten Formen, die später
immer seltener werden; offenbar hat er sich hier seinem in
diesem Punkt konservativeren Dialekt mehr und mehr ange-
passt. Am geklärtesten ist Luthers Sprache in der letzten
Bibelausgabe von 1545; auf dies Werk ist auch die spätere
Schriftsprache in erster Linie gegründet und jede Untersuchung,
die Luthers Sprache in ihrer Bedeutung für die schriftsprachliche Entwicklung betrachtet, wird es zum Ausgangspunkt
nehmen müssen. Auf dies Werk trifft nun Wilmanns Äusserung,
dass Luther in der Apokope weit über das im Nhd. erlaubte
Mass hinausgehe, keineswegs zu: er geht nur in einigen Fällen
darüber hinaus, bleibt in anderen darunter; vor allem ist die
früher häufige willkürliche Abstossung eines e nur noch selten
zu finden, vielmehr wird zwar in einigen Worten das -e ständig
abgeworfen, überwiegend aber regelmässig bewahrt, nur in
einigen Wortgruppen ist die gekürzte Form neben der ungekürzten im Gebrauche. In diesen Fällen ist in der späteren
Sprache meist die verkürzte Form nach längerem Schwanken
durchgedrungen; sonst ist die Apokope — von wenigen Einzelheiten abgesehen — in dem Umfang, in dem sie sich bei
Luther findet, für die Schriftsprache zur Regel geworden.

Es ist hier nicht der Ort die allmähliche Ausbreitung
der Luthersprache, mit der die Regelung der e-Apokope Hand
in Hand geht, näher zu verfolgen. Bekannt ist, dass im 16.

Jahrhundert noch keine einheitliche Schriftsprache vorhanden
war, dass der Süden und Westen seine lokalen Schriftsprachen
weiter ausbildete. Anschluss an Luthers Apokopierungsgesetze
können wir daher nur in dem engeren Kreise erwarten, der
an Luther anknüpfte und der sich hauptsächlich aus Ostmittel-
deutschen, sowie aus Norddeutschen zusammensetzte. Aber
auch hier gelten lange Freiheiten für die poetische Sprache,
in den Gedichten aus dem 16. und dem Anfang des 17. Jahrhunderts, die Mittel- und Norddeutsche zu Verfassern haben,
sind allenthalben Wortformen mit willkürlich abgestossenem *e*
zu finden. Dagegen ist erst Opitz aufgetreten (Poeterei Kap. 7)
und hat Beibehaltung der vollen Form verlangt; nur vor Vokal
erklärte er die Verkürzung für notwendig, vor *h* für zulässig.
Opitz setzte seine Forderung in überraschend kurzer Zeit durch
und so verschwinden von jetzt an die willkürlichen Wortver-
kürzungen auch aus der Poesie, soweit sie überhaupt unter
dem Einfluss der mitteldeutschen Schriftsprache steht. Welche
Formen apokopiert zu gebrauchen waren und welche nicht,
war natürlich nach Luthers Sprache, die Opitz als die Lehr-
meisterin der hochdeutschen Sprache galt, zu entscheiden. Wie
aber bei den Schlesiern und den andern mitteld. Dichtern des
17. Jahrhunderts doch unbeabsichtigt manches Dialektische
mit durchschlüpft, so auch in diesem Punkt. Zweisilbige Formen, wie *kleine, Herze, Netze*, die das Mitteld. liebt, die aber
Luther vermieden oder hinter die gekürzten Formen hatte
zurücktreten lassen, finden wir jetzt und bis tief ins 18. Jahrhundert hinein in der poetischen Sprache. In der Schriftsprache fassen sie indess nicht dauernd Fuss; diese hält die
Kürzungen Luthers fest und führt die Beseitigung des *-e* in
einzelnen Gruppen noch mit grösserer Konsequenz durch. Gottsched und Adelung bezeichnen im allgemeinen den Abschluss
dieser Bewegung, nur in Einzelheiten ist sie auch jetzt noch
nicht zum Stillstand gekommen [1]). Vom 18. Jahrhundert an hat
auch die Schriftsprache der Süddeutschen, die gerade in der
Behandlung des auslautenden *e* sich in einem starken Gegensatz zur mitteld. Schriftsprache fühlte (Kluge Von Luther bis

---

1) Auf die Freiheiten in der Verkürzung der Formen auf *-e*.
wie sie der neueren Dichtersprache eigen sind, kann ich hier nicht
eingehen.

Lessing S. 129 f. 135. 139), sich allgemein der zur Herrschaft
gelangten Regel gefügt.

Die e-Abstossung bei Luther[1]) erklärt sich zunächst durch
einige Lautgesetze, die allgemein und auch für seinen Dialekt
Giltigkeit haben. So das Gesetz, das Haupt (zu Erec V. 7703)
aufgestellt und Behaghel auf das Nhd. angewandt hat: Abstossung des e nach nebentoniger Silbe. Es tritt bei Zusammensetzungen, deren 2. Bestandteil nicht als selbständiges Wort vorkommt, und bei mehrsilbiger Ableitung hervor. Ursprünglich dreisilbige Worte wie *elend, Herzog, Besem, Nadel, Antlitz* haben
bei Luther durchgängig ihr e verloren, ebenso die Bildungen
auf *-nis -in -ung* (zuweilen wird noch *-inne -unge* geschrieben).
Hierher gehören auch Formen wie *teuer, Bauer, Feier*, die
Luther zwar einsilbig schreibt (*teur, Baur, Feir*), aber sicher
zweisilbig sprach, also aus *teuere usw. entwickelt. Ausserdem
kommt noch ein wichtiges Lautgesetz, an das auch schon
Behaghel S. 265 denkt, für Luther wie für das ältere Nhd.
insgesamt in betracht: Abstossung des e nach Vokal. Die verkürzten Formen sind z. T. erhalten (*neu, treu, Brei, Weih,
Leu, Schalmei* und andere Bildungen auf *-ei, Au, Frau, Scheu,
Heu*, alle mhd. auf *-e*), z. T. sind sie jetzt wieder durch For-
men auf *-e* ersetzt. Von diesen erklären sich einige leicht als
Neubildungen. So hat *Treue* (schon bei Luther *Trewe* neben
Trew) sein e erhalten nach den andern Abstrakten (*Güte* im
Verhältnis zu *gut*), *Reue* (bei Luther *Rewe*) vom Verbum aus
nach dem Verhältnis von *Liebe* zu *lieben*[2]), ebenso *Haue*;
Braue, Klaue (bei Luther *Klawe*) sind Neubildungen aus dem
Plur. für mhd. *brâ, klâ*; *Laie* hat e erhalten unter Einfluss
der vielen schwachen Mask., die lebende Wesen bezeichnen,
Kleie unter dem Einfluss der übrigen schwachen Fem. Dazu
kommt eine grössere Anzahl von Wörtern, bei denen jetzt
dem e ein h vorausgeht: *frühe, Krähe, Nähe, Schlehe, Zehe,
Lohe, Reihe, Schleihe, Weihe, Höhe, Ruhe, Brühe, Mühe*. Diese
Wörter werden auch bei Luther, soweit sie vorkommen, zweisilbig geschrieben, dürfen aber als einsilbig betrachtet werden,
da für Luther das graphische Prinzip (auf Grund von *gehen*,

---

1) Ich berücksichtige hier ausschliesslich die letzte Bibelausgabe von 1545.

2) Die Formen *Reu, Treu* sind noch bei den Dichtern des
17. Jahrh. ganz gewöhnlich.

stehen, sehen usw., phonetisch = *gēn, stēn, sēn* ausgebildet)
gilt nach *h* ein stummes *e* zu setzen. Dies Prinzip, durch das
auch die auffallenden Formen *sihe, sahe* mhd. *sich, sach, Ehe*
mhd. *ē, Rehe* mhd. *rēch* verständlich werden, bewirkte die
Beibehaltung des *e* in *frühe* und den Fem. (auch *Weihe* schreibt
Luther, aber stark flektierend, also einsilbig, Akk. *den Weihe*);
bei einigen Worten mag das *e* unter dem Einfluss gleichartiger
Bildungen auch gesprochen worden sein. Später ging man in
Abhängigkeit von der Schrift allgemein dazu über das *e* auch
zu sprechen. Das 17. Jahrh. kennt die einsilbigen Formen
noch; Zesen führt im Reimverzeichnis[1] *Näh, Schlee, Zee,
Schlei(h), Höh, Loh, Ruh, früh, Brüh, Müh* unter den männlichen (z. T. zugleich unter den weiblichen) Reimen auf. Einsilbiger Gebrauch der Wörter lässt sich vielfach bei den Dichtern nachweisen z. B. bei Opitz[2] S. 124 *Ruh*, 133 *Loh*, 156
früh, 230 *Müh*; bei Fleming[3] S. 7 *Loh*, 27 *Unruh*, 267 *Ruh*.
Stieler[4] führt z. T. die einsilbigen Formen mit an, die selbst
noch im 18. Jahrh. erscheinen. — Ferner ist die Abstossung
des *e* nach kurzer Silbe auf Liquida oder Nasal, die ja im
Oberd. schon sehr früh zu bemerken ist (vgl. mhd. *schar, zal,
han, scham*) in betracht zu ziehen. Diese Entwicklung ist im
Mitteld. wesentlich anders verlaufen als im Oberd. Es soll hier
nicht untersucht werden, in welchem Umfang Luthers Dialekt
an der Apokope Anteil hat. Dass von einem spurlosen Verschwinden des *e* wie im Obd. nicht die Rede sein kann, lehrt
jedes Denkmal des Thüringisch-Meissnischen noch aus dem
Ende des 15. Jahrhunderts, wobei natürlich zu berücksichtigen
ist, dass unter den Formen ·auf -*e* manche die Endung erst
wieder durch Ausgleichung angenommen haben können. Luther
selbst bietet Formen wie *Schare, Hane, Schame, Öle*. Wenn
andere Worte durchaus endungslos erscheinen, so kann das
nicht rein lautgesetzlich erklärt werden, sondern wird vor

---

1) Hoch-Deutscher Helikon. 4. Ausgabe (Jena 1656). I 273 ff.
II 135 ff. Die Worte auf -*e* werden zwar auch einsilbig angesetzt,
dann aber immer mit ' versehen. Diese gekürzten Formen lasse ich
unberücksichtigt.

2) Deutscher Poematum erster Teil. Breslau 1628.

3) Geist- und Weltliche Poemata. Jena 1651.

4) Der Teutschen Sprache Stammbaum und Fortwachs. Nürn-
berg 1691.

allem durch die dem Worte eigene Flexion, sowie die Einwirkung verwandter Bildungen verständlich. Ich bespreche
daher die einschlägigen Formen unter den einzelnen Klassen.

Wo lautgesetzlicher Schwund des e nicht in Frage kommt,
muss die e-Abstossung bei Luther durch Ausgleichungen innerhalb der Klassen erklärt werden. Oberdeutscher Einfluss ist
nur insofern heranzuziehen, als er erklärt, warum Luther so
oft der Form ohne -e den Vorzug gegeben hat; die verkürzte
Form selbst bot ihm in den meisten Fällen schon sein Dialekt,
da sie sich in der Komposition und dem Satzzusammenhang
entwickeln musste. Dieser der gesprochenen Sprache eigene
Wechsel musste in der Schriftsprache beseitigt werden. Bei
den Nominibus liegt eine Form auf -e (von dem -e als Kasus-
zeichen sehe ich hier ab) in folgenden Klassen vor:

1) Adjektive: die ja-Stämme.
2) Maskulina: die n-Stämme nebst den ja- und u-Stämmen.
3) Feminina: n-Stämme und ō-Stämme.
4) Neutra: n-Stämme und ja-Stämme.

Die Stellung der e-Form in diesen Klassen ist eine verschiedene. Zum Teil gehört sie einer Flexion an, die sich
sehr deutlich von der der andern Stämme innerhalb der Klasse
abhebt: damit war die e-Form der Ausgleichung ziemlich ent-
rückt. Dies ist bei den n-Stämmen der Fall, während die
ō-Stämme den i-Stämmen, die ja-Stämme den a-Stämmen in
der Flexion von vorn herein nahe standen und daher deren
Einfluss meist unterlagen. Aber auch von den schwachen
Mask. haben sich einige auf Grund der Bedeutung von der
Hauptmasse der Worte abgesondert und darum vielfach ihr e
eingebüsst; bei den schwachen Ntr. geschah es aus dem Grunde,
weil sie wenig zahlreich waren und darum dem Einfluss der
vereinigten a- und ja-Stämme nicht widerstehen konnten.

Bei den adjektivischen ja-Stämmen hat Luther
zwar noch keine feste Regel entwickelt, im ganzen bevorzugt
er aber die verkürzte Form. Es heisst fast ausnahmslos *leer,
schwer, leicht, keusch, fest, rein, klein, schön, dick* usw.,
sogar *wild, feig, streng* kommt vor; bei andern wieder überwiegt die e-Form oder ist allein belegt, so *kühne, küle, irre,
süsse, dünne*, besonders bei vorausgehender Media, da bei
Abfall des -e der Konsonant den Charakter als stimmhafter
Laut einbüssen musste (Behaghel Germ. XXIII 266). Dies

Schwanken setzt sich noch im 17. Jahrh. fort. Auch manche
e-Formen, die bei Luther schon zurücktreten, werden noch von
den Dichtern verwandt; so findet sich z. B. bei Fleming S. 40
schöne, 109 *reine*, 112 *kleine*. Zesen führt viele Adjektiva
mit und ohne -e, andere nur mit -e an, darunter *süsse*, *kühne*,
dürre, *dreiste*, *dünne*, *dicke*. Dass aber die Prosasprache in
der Verkürzung weiter fortschritt, bezeugt Stieler, der alle
diese Adjektiva ohne -e ansetzt und überhaupt fast ganz auf
dem Standpunkt der jetzigen Sprache steht. Was sich an *e*-
Formen jetzt noch erhalten hat, führt Wilmanns § 285 an.
Die Umgangssprache, nicht allein der Süddeutschen, neigt
übrigens entschieden zu Abstossung und lässt oft auch nach
Medien das *e* wegfallen.

Mit den schwachen Maskulinen sind schon bei Luther
die wenigen *ja-* (*u- wa-*) Stämme auf -e zusammengefallen: nur
Käse macht wie nhd. eine Ausnahme und auch *Friede* bewahrt
noch meist starke Flexion, was die Nebenform *Fried* erklärt.
Die Scheidung der mhd. schwachen Mask. in zwei Klassen,
von denen die eine Wörter für lebende Wesen umfasst und
die alte Flexion erhalten zeigt, die andere Abstrakta und Konkreta enthält mit einem Nom. Sg. auf -*en* (nur in Resten wie
Friede, *Funke* noch -*e*), Gen. auf -*ens* bereitet sich bei Luther
vor. Die Wörter der 2. Klasse haben zwar noch oft die mhd.
Formen, daneben aber auch die nhd. (Franke § 195). Abstossung des -*e* kommt sowohl in der 1. als in der 2. Klasse
vor und hat verschiedene Ursachen. Die ursprüngliche Dreisilbigkeit wird in betracht kommen bei *Mensch* (so auch später
fast immer, doch kennt Zesen noch *Mensche*), *Blitz* (auch
stark flektierend) mhd. *blik(e)ze*, *Lenz* ahd. *lengizo*. Durch
Svarabhakti war Dreisilbigkeit eingetreten (Bojunga S. 14),
infolge dessen -*e* abgeworfen bei *Stern* (auch stark), *Born*
(Pl. *Börne* neben der schriftsprachlichen Form *Brunn-e* -*en* Pl.
Brünne, meist *Brünnen*[1]). Sonst fehlt das -*e* öfter nach *r*.

---

1) Die schwankende Flexion von *Born* scheint auf *Dorn* eingewirkt zu haben: Luther hat einmal den Sg. *Dorne* (s. Dietz) und
den Pl. *Dornen* oder *Dörnen*. Was Bojunga zur Erklärung der
sog. Mischdeklination beibringt, ist nicht ausreichend. Die Vereinigung der schwachen Pl.- mit der starken Sg.-Flexion ist eine so
auffallende Erscheinung, dass sie nicht allein aus dem Streben nach
Numeraldifferenzierung erklärt werden kann. Mir scheinen meist

Zunächst nach der mhd. Regel in *Ar* (in *Fischar*), *Ber*, auch
in *Schwer* für späteres *Schwären*; später kommen noch hinzu
Star, *Stär*, *Stör*, *Spor* (Zesen; Stieler neben *Sporn*). Aber
auch nach *rr* und *r* nach Länge ist -*e* abgeworfen. Von den
hierher gehörigen haben *Narr* (daneben *Narre*, auch bei Zesen)
und *Thor* (bei Zesen auch *Thore*) nach Bojunga S. 55 ihr
-*e* als Schimpfwörter (durch Steigerung des Akzentes der
Stammsilbe) eingebüsst. Dieser Annahme stehen *Laffe*, *Schurke*
im Wege und was sonst von Schimpfwörtern, die -*e* verloren
haben, angeführt wird, beweist nicht viel: *Geck* ist aus westlichen Mundarten eingeführt, bei *Jud*, *Pfaff* dürfte die verkürzte Form süddeutschen Ursprungs sein, *Lump*, *Tropf* sind
aus Wörtern für Konkreta entwickelt, *Schranz* aber ist erst
zur schwachen Dekl. übergetreten. Ebenso wie *Narr* verkürzt
Luther auch *Farr* (später daneben *Farre*), wie *Thor* auch
Mohr; die Einwirkung des *r* scheint mithin zweifellos: die
verkürzte Form wäre aber nicht durchgedrungen, wenn es
nicht von vorn herein einige endungslose schwache Mask. gegeben hätte, darunter das vielgebrauchte *Mensch*. Nach *n*
fehlt *e* bei *Han* (doch auch *Hane*), *Schwan*; *Ahn* kommt
nicht vor (Zesen *Ahne*). Nach *m* bleibt *e*: *Name*, *Scheme*
(*Keim*, *Schelm* lasse ich als schon im Mhd. schwankend unberücksichtigt). Von den weiter in betracht kommenden sind
Herr (hier überdies *r* am Schluss), *Fürst* (daneben *Fürste*)
mit Recht aus der häufigen proklitischen Stellung vor Namen
erklärt worden, so ist wohl auch *Schenk* (neben *Schenke*) zu
nehmen und der Verwandtschaftsname *Neff* (später *Neffe*);
Graf, das in der Bibel nicht vorkommt, lautet in späteren
Schriften Luthers *Graue* (s. Dietz), noch bei Zesen *Grafe*.
Auffällig ist *Greis* (schon bei Zesen, Luther hat den Pl. *Greisen*),
hier wird sich niederd. Einfluss (mnd. *gris*) geltend gemacht
haben. Für *Hirt* heisst es bei Luther, Zesen und noch Stieler
Hirte, die Verkürzung ist eher aus dem Einfluss der Komposita
(Luther *Kuehirt*), als der schon früh verschollenen starken Flexion
zu erklären. Sonst heben sich von den Worten, die zur 1. Klasse
gehören, noch die Tiernamen hervor: sie neigen, obgleich sie
die schwache Flexion meist bewahren, doch zur Abstossung

---

lautähnliche Wörter eingewirkt zu haben: so erklärt sich *Sren* —
schon bei Luther — aus dem Sg. *See*: *Zehe* = *Zê* s. oben S. 355 f.,
das alem. *Mannen* aus *män*: *hän*, *schwän*, *Gauen* aus *Gau*: *Pfau* usw.

des *e*. Es mögen hier die lautgesetzlich verkürzten *Leu, Pfau*,
auch *Bär, Hahn* usw. eingewirkt haben, ferner ist in Anschlag
zu bringen, dass ursprünglich stark flektierende Tiernamen
gern zur schwachen Dekl. übergehen, aber im Nom. Sg. endungslos bleiben z. B. *Hirsch, Fuchs, Storch* (Belege bei Kehrein
§ 310). Luther hat *Drach* neben *Drache*, später heisst es
Fink, Greif, Kauz, Spatz, Ochs neben *Ochse*; alle diese verkürzten Formen kommen schon bei Stieler vor (auch *Aff, Falk*)[1]).
Von diesen allerdings zahlreichen Ausnahmen abgesehen ver-
bleibt den Wörtern für lebende Wesen ihr -*e*: *Bote, Geferte,
Geselle, Götze, Pfaffe* usw.; dass die sonst häufigen Verkürzungen auch hier manchmal zu einer Abstossung des -*e* führen
(Luther auch *Gesel, Götz*), ist natürlich, aber die längeren
Formen sind bei Luther wie in der md. Schriftsprache des
17. Jahrh. herrschend[2]). — In der 2. Klasse bilden die Abstrakta eine Gruppe für sich, indem sie im Nom. Sg. -*e* festhalten (*Gedanke, Wille* usw.). Ausgenommen ist *Schmerz* (bei
Luther nur selten neben *Schmertze* -*en*) und *Schreck* (mit
starker Flexion, den älteren Quellen nicht bekannt) neben
Schrecken (bei Luther Ntr.). Die Konkreta haben ihren Nom.
Sg. auf -*e* zu -*en* erweitert und nur wenige haben unter dem
Einfluss der Masse der *a*-Stämme konkreter Bedeutung das -*e*
abfallen lassen. Luther hat *Klump*, das aber nicht von Hause
aus *n*-Stamm ist, *Tropf* neben *Tropfe* und *Spelt* mhd. *spelze*;
Zesen hat *Knoll, Huust*, während er die hierher gehörigen
Wörter sonst auf -*e* oder -*en* ansetzt. Solche Formen sind
auch sonst durchaus die gewöhnlichen, mindestens im Meiss-
nischen, das hier für die Schriftsprache ausschlaggebend gewesen ist. Schottel ist daher vom schriftsprachlichen Standpunkt aus nicht im Recht, wenn er die Worte endungslos
ansetzt. Stieler führt zwar auch die gekürzte Form meist
neben der auf -*e* -*en* an z. B. *Riem Rieme Riemen*, verwendet
aber in den Beispielen fast ausschliesslich die 2. oder (noch

---

1) Einige Fischnamen haben -*en* angenommen z. B. *Karpfen*
(Bojunga S. 73). Als menschliche Nahrung betrachtet konnten die
Fische das Schicksal der Konkreta teilen.

2) Wie Schottel, erklärt sich auch Gottsched (Sprachkunst S. 212)
sonderbarer Weise für die gekürzten Formen *Bub, Knab, Rab*. Seine
Polemik gegen die Formen auf -*e* lässt aber erkennen, dass diese
zu seiner Zeit die üblichen waren.

häufiger) 3. Form, was keinen Zweifel darüber lässt, welche
Form ihm geläufig war. In die Schriftsprache sind nur wenige
der gekürzten Formen (z. T. mit Deklinationswechsel) eingedrungen: ausser *Spelz* noch *Streif*, *Weck*, allenfalls auch
Daum, *Gaum* in der poetischen Sprache, neben den Formen
auf *-en*; *Lump*, *Tropf* auf Personen bezogen. Für *Reif* heisst
es bei Luther noch *Reiffe*, Zesen hat die endungslose Form
(durch den Einfluss von *Frost*, *Schnee* hervorgerufen). —
Schliesslich ist auf die Fremdwörter hinzuweisen. Bei Luther
sind sie endungslos z. B. *Psalm* (im Sg. stark), *Levit*. Das ist
zur Regel geworden, aber nach längerem Schwanken. Im
17. und selbst 18. Jahrh. kommen Formen wie *Christe* (Zesen),
Poete (Opitz S. 200), *Soldate* (Logan[1]) S. 70), *Comete* (Lessing 6, 147), *Juriste*, *Studente* noch oft vor.

· Bei den **Femininen** scheiden sich in der Flexion scharf
die schwach flektierenden von den *i*- und *ō*-Stämmen, diese aber
waren im Beginn der nhd. Zeit nicht mehr scharf geschieden,
da die der *i*-Dekl. eigentümliche Bildung des G. D. Sg. im Verschwinden begriffen war und mithin nur die G. Pl. eine andere
Endung zeigte. Beeinflussungen der *ō*-Stämme durch die *i*-Stämme
sind deshalb nicht ausgeschlossen, kommen aber aus dem Grund
nur in beschränktem Mass vor, weil die *ō*-Stämme im Übergang zu den *n*-Stämmen begriffen sind und oft einen Plur.
auf *-en* bilden, der dann wieder zur Erhaltung des *-e* des Sg.
beitrug. Im allgemeinen bleibt das ausl. *-e* der *n*- und *ō*-Stämme,
wo nicht nach den Lautgesetzen Abfall erfolgen muss. Doch ist
es ausser den so verkürzten noch eine nicht unerhebliche Zahl
von alten *ō*-Stämmen, die bei Luther und später endungslos
erscheinen. Die meisten haben Liquida oder Nasal am Schluss,
der vorausgehende Vokal ist aber nicht nur nach der mhd.
Regel eine ursprüngliche Kürze, sondern oft auch eine alte
Länge; dieser Unterschied war ja im Mitteld. schon längst
ausgeglichen. Im allgemeinen bleibt das *-e*, wenn das Wort
schwache Flexion oder wenigstens einen Pl. auf *-en* hat. *Schar*
(nur selten *Schare*) kommt freilich im Pl. *Scharen* vor, ebenso
Wahr, für das später wieder *Ware* hergestellt wird; alte Länge
hat *Fahr* (für späteres *Gefahr*), *Bahre* aber bewahrt als schwa-
ches Fem. sein *-e*. Hat die Stammsilbe den Vokal *e*, so tritt
Verkürzung nicht ein: wahrscheinlich hat *Wehre* mhd. *wer*,

---

1) Deutscher Sinn-Getichte drey Tausend. Breslau (1656).

bei dem man Abstossung erwarten könnte (*Beere* ist Plur.)
unter dem Einfluss von *Ehre, Lehre, Schere* usw. sein *e* festgehalten. Bei *i* Abstossung: *Begier* und (mit mhd. Diphthong)
Zier. Bei *u* Abstossung in *Schnur* 'Sohnsfrau', später auch in
Kur, Spur (Luther dafür *Spür* und *Spüre*, Zesen auch *Spure*);
bei mhd. *uo* bewahrt Luther -*e*: *Hure, Rhure*, wofür aber
später, da das Wort nicht im Pl. vorkommt, *Ruhr*; *Flur*,
das mhd. im Geschlecht schwankt, kommt bei Luther nicht
vor. Bei *ü* Abstossung: *Thür* (später, aber noch nicht bei
Stieler, auch *Thüre* vom Pl. aus); *Gebühr* ist bei Luther Ntr.
Nach *l* ist nach mhd. Regel *e* abgestossen in *Wahl, Zahl*;
dem schliesst sich *Qual* mhd. *quale* an, während das schwach
flektierende *Schale* sein -*e* behält. Bei *Strahl* ist vor Luther
Genuswechsel eingetreten (durch den Einfluss von *Pfeil*), ebenso
in *Hehl, Fehl* (Luther *Heel, Feil*, dies stark flektiert). Sonst
bleibt -*e* in den schwach flektierenden *Kehle, Schule, Mühle*
(mhd. *mülen*) usw. Nach *n* fehlt das *e* in *Ban*, die dialektische Form *Bahne* führt aber noch Zesen an, sie steht auch
bei Fleming S. 145. *Pein* schwankt mhd. im Geschlecht (Fleming S. 136 noch *Peine*). Zur Erklärung von *Stirn* wird auf
die dreisilbige Form *stirene* zurückzugreifen sein; *Dirne* bewahrt aber sein -*e*, weil es schwach flektiert, ebenso das
später auftretende *Birne*. Sonst *Biene, Fahne* usw. Nach *m*
fehlt das *e* nur in *Scham*, woneben aber *Schame*; erstere
Form wird später (bei fehlendem Pl.) herrschend. Sonst
Blume usw. *Ohm* (nicht bei Luther), schwankt früher in der
Flexion, wird auch als "Zählform" fast nur im Sg. gebraucht;
Form (Luther und auch Zesen *Forme*) ist Fremdwort. —
Ausserdem haben eine Anzahl von starken Fem., mhd. auf -*te*
ausgehend, ihr *e* eingebüsst: *Acht, Schlacht, Wacht, Rast,
Kost, Hut, Furcht* usw. Es sind Abstrakta, die durch die
i-Stämme auf -*t* beeinflusst sind, sie haben alle keinen Plur.
ausser *Schlacht*, wo er wohl erst der neueren Sprache angehören wird, das -*e* fehlt darum durchgängig[1]). Für *Huld* heisst
es bei Luther *Hulde*, auch Zesen kennt diese Form noch; die
Verkürzung (z. B. bei Opitz S. 229) steht unter dem Einfluss
von *Schuld, Geduld*. — Luther hat auch sonst von *ô*-Stämmen,
die sich ihre Flexion bewahrt haben, die endungslose Form

---

1) Umgekehrt ist (aber erst spät) *Geschicht* wegen des sehr
häufig gebrauchten Flur. zu *Geschichte* geworden.

neben der auf -e: *Herd*, *Kron*, *Stim*, *Stund* kommen nicht
selten vor. Dasselbe gilt für einige alte *i*-Stämme, die nachdem sie von obliquen Kasus oder dem Pl. zur *ō*-Dekl. übergetreten waren, doch noch bei Luther endungslos gebraucht
werden können z. B. *Blüt*, *Hüfft*, *Stet* (= *Stätte*). Diese Formen hat indes die spätere Sprache nicht angenommen, sondern
nachdem der Pl. auf -en sich festgesetzt hatte, wurde auch
der Sg. ständig auf -e gebildet. Allerdings fehlen willkürlich
verkürzte Fem. im 17. Jahrh. nicht ganz: einige Dichter gestatten sich sie zu verwenden z. B. Logau (S. *2 Kron*, *8 Hab*,
40 Eil usw.), Gryphius; Schottel stellt sie (a. a. O. S. 309) als
die gewöhnlichen Formen hin und selbst Stieler führt sie noch
hie und da mit an. Die gute meissnische Sprache, wie sie z. B.
Zesen repräsentiert, verpönte indes diese Verkürzungen und so
fassen sie in der Schriftsprache nicht Fuss. Die endungslose
Form findet sich jetzt nur bei einigen Wörtern, die hauptsächlich im Süden ihre Heimat haben, nämlich *Mark* (Luther
unbekannt, übrigens schon mhd. *marc*), *Mass* als Flüssigkeits-
bestimmung (Luther hat das abstrakte *die Masse* neben dem
Ntr. *Mass*, das schwerlich aus dem Fem. hevorgegangen ist),
Maut, *Pfalz* (bei Zesen *Pfaltze*). *Milz* (bei Zesen *Miltze*) ist
ursprünglich Ntr. gewesen. Auch hier haben die Fremdwörter
die endungslose Form, namentlich die auf -*ik* (*Musik*), -*ier*
(*Manier*), -*on* (*Person*), -*ur* (*Figur*). Die Formen auf -e kommen noch zuweilen im 17. Jahrh. vor.

Bei den N e u t r i s lagen Ausgleichungen besonders
nahe. Denn die *ja*-Stämme fielen abgesehen vom N. A. Sg.
durchaus mit den *a*-Stämmen zusammen, die *n*-Stämme hatten
zwar eine besondere Flexion, ihre Zahl war aber eine so
geringe, dass sie schwer ihre besondere Form im N. Sg. behaupten konnten. Zu den lautgesetzlich verkürzten Formen
dürfen auch die ursprünglich dreisilbigen *Bild*, *Hemd* gerechnet
werden (hier Verkürzung trotz des schliessenden *d*), obgleich
Luther noch *Bilde*, Zesen und Spätere noch *Hemde* kennen
(der Pl. *Bilder* — Luther noch meist *Bilde* — ist durch die Verkürzung hervorgerufen, nicht umgekehrt, wie Wilmanns § 295
meint). Aber auch sonst hat Luther bei den *ja*-Stämmen das
e überwiegend weggelassen, falls nicht eine Media vorhergeht
(*Gebirge*, *Getreide*, *Gewelbe*). Ausschliesslich erscheint *Heer*,
Meer; *Melh* abd. *melo*; *Reich* (dies wohl unter südd. Einfluss).

Sonst häufiger *Glück, Stück, Netz, Creutz* als die Formen
mit -*e*, ebenso bei den Zusammensetzungen mit *ge-*: *Gefess,
Gewechs, Gesicht, Gespött, Gerücht, Gesetz*; *e*-Formen fehlen
freilich nicht und sind bei einigen Wörtern allein belegt z. B.
Gehöre, Nadelöhre. Ausnahmen machen *Bette* (ob ursprünglich Pluralbildung zu dem dialektischen *bet* = altsächs. *bed*,
auf das *Beet* zurückgeht?), *Öle* (mhd. *olei* neben *öl*); *Pföle* =
Pfühl ist nur im Pl. belegt. Von den schwachen Ntr. hat *Auge*
sein -*e* bewahrt, *Ohre* fast immer (wegen des häufigen Plur.),
Hertz dagegen nicht. Hier weicht die md. Dichtersprache des
17. und früheren 18. Jahrh. von Luther ab, indem sie sich der
Formen auf -*e* allenthalben bedient. Zesen hat teils allein,
teils neben den verkürzten Formen: *Stücke, Hertze, Geschencke,
Gelencke, Geschäffte, Geschlechte, Geleite, Geschöpfe, Geschütze*
usw. Von Belegen aus Dichtern seien angeführt: Opitz S. 158
Glücke, 162 *Netze*, 163 *Gesichte*, 176 *Gesetze*, 198 *Gerüchte*,
232 *Geschencke* usw.; Fleming S. 10 *Creutze*, 19 *Hertze*, 21
Gerichte, 24 *Geschäffte*, 47 *Gemühte*, 66 *Glücke*, 80 *Gesichte,
Gesträpe*, 120 *Gebiete*, 124 *Stücke* usw. Dagegen werden *Ohr,
Gehör, Nadelöhr, Öl, Pfühl* verkürzt gebraucht. Luthers Kür-
zungen dringen indessen durch. Bei Stieler heisst es nur noch
Netz, Herz, Hemd usw. (*Bette* neben *Bett*), das -*e* bleibt aber
bei vielen Zusammensetzungen mit *ge-*, so bei *Gebeine, Gebiete,
Gedärme, Gefechte, Geheule, Geschäfte, Gespötte, Gestelle,
Gestreuche*. Bei diesen Worten, die teils Kollektiva, teils Verbalabstrakta sind, wurde -*e* als Bildungselement empfunden.
Später aber liess man, da doch viele gleichartige Bildungen
das -*e* nicht hatten, die Endung fallen[1]) und behielt sie nur
bei vorausgehender Media, dann bei *Gerippe* (unter Einfluss
von *Rippe*, das selbst mit anderen ursprünglichen Ntr. nur
durch den Übertritt zum Fem. sein -*e* erhalten hat) und bei
den von Verben abgeleiteten Abstrakten, die ein wiederholtes
Thun bezeichnen (Wilmanns § 295): das Festhalten des -*e* soll
hier dazu dienen diese Bildungen von den älteren Abstrakten
(z. B. *Gespotte* von *Gespött*) zu unterscheiden.

Leipzig, Juli 1893.   K. v. Bahder.

---

1) Gottsched, der sich (Sprachkunst S. 212) gegen Formen wie
Gesichte, Gedichte usw. ausspricht, hat sie doch noch in seinen
Dichtungen verwendet, ebenso das auf S. 237 verpönte *Herze*.

Das schwache Präteritum des Germanischen.

Man ist heute gewohnt, im schwachen Präteritum ein
t-Präteritum zu sehen. PBrB. VII 467 ff. hat Möller an. wn.
olla als Hauptbeweis für sein *t*-Präteritum verwenden zu können
geglaubt. Nun hat aber *olla* abweichend von allen anderen an.
schwachen Präteriten ein starkes Partizip neben sich, und die
älteste Form dieses Partizips (Neutr. *valdet*) stimmt zum Westgerm., wo das Verbum der Reduplikationsklasse angehört. Da
jedes an. schwache Präteritum sonst ein -*tó*-Partizip hat, so
kann *olla* überhaupt erst entstanden sein, nachdem diese Angleichung allgemein durchgeführt worden war. Auch an. muss
valda ursprünglich den reduplizierenden Verben angehört haben.
Die Vorform von *olla* ist offenbar erst eine Analogiebildung
nach der Vorform von *kunna*, wozu die Verwandtschaft der
Bedeutung 'walten, herrschen' mit der Bedeutung 'verstehen,
können' Anlass gab[1]; nicht proportionelle Analogiebildungen
kommen ja da vor, wo sich ein Wort nach einem bedeutungsverwandten richtet (vgl. ar. *napat*-'Abkömmling' nach *bhratar*—
'Bruder', Brugmann Grundriss II 2, 722, Anm. 2). Die Analogie ist natürlich schon in einer Zeit eingetreten, in der urgerm. *u* noch nicht zu *o* gebrochen war, und das ausl. *d* der
Wurzel ist wahrscheinlich schon sehr früh dem folgenden *þ*
assimiliert worden.

So bleiben nur got. *kunþa* und **unþa* (= an. *unna*) als
Stützen eines *t*-Präteritums. Dagegen lassen sich as. *habda*,
libda, *sagda* nur in der gezwungensten Weise als *t*-Präterita,
ohne die geringste Schwierigkeit aber als *dh*-Präterita erklären.
Bei *kunþa* und **unþa* aber ist doch offenbar, wie man auch
früher annahm, in der Gestaltung des Wurzelauslauts ein gemeinsamer Faktor gegeben, der eine besondere Lautentwicklung
erklärlich machen könnte. Kein derartiger Faktor liegt bei
habda, *libda*, *sagda* vor. Will man für got. *kunþa* = an.
kunna = ags. *cúde*, an. *unna* = ags. *úde* einerseits, got.

---

[1] Ostnord. erklären sich *skulle*, *ville* nach *kunne* wie umgekehrt *kunde* nach *skulde*, *vilde* aus der Zugehörigkeit zur gleichen
Verbalklasse.

munda = ags. *munde* nebst an. *munda* 'ich wurde' andrerseits
ein *t*-Präteritum annehmen, so ist absolut kein Grund abzusehen,
weshalb die Richtung der Ausgleichung in dem einen Falle der
in dem anderen entgegengesetzt gewesen sein soll. Wahrscheinlich werden sich *kunþa* und **unþa*, wie Paul PBrB. VII 150f.
wollte, durch die Entwickelung *nndh* zu *nþ* erklären, indem
die Fortis *nn* die folgende Lenis *d* zur Fortis *þ* verschärft
haben wird [1]). Setzt man diesen Lautwandel später als das
Vernersche Gesetz, so hat man nicht nötig, das früh zum Adjektiv gewordene got. *kunþs*, as. *cûth* usw. erst als Analogiebildung nach der Vorform von *kunþa* zu fassen. Gesetzt aber
kunþs allein sei die lautgesetzlich entwickelte Form und *kunþa*
erst danach gebildet, so würde doch auch hier das *nn* als
Ursache der besonderen Lautentwickelung aufgefasst werden
müssen, da sich hier wieder nicht absehen lässt, weshalb der
Akzent in **gn̥-tó-s*, nicht aber auch in **mn̥-tó-s* zurückgezogen
sein soll: es ist methodisch erforderlich, bei sämtlichen Sprachneuerungen die Ausnahmslosigkeit durchzuführen. As. u. ahd.
onsta, *consta* und as. *monsta* sind, da ags. neben *const*,
monst nur *úde*, *cúde*, *munde* liegen, erst nach der Gleichung
darst : *dorsta* = *canst* : *consta* usw. gebildet worden, so dass
nur das *st* von *canst*, *manst* einer lautlichen Erklärung bedarf. Auch ahd. *onda*, *konda* mit *d* für germ. *þ*, woneben
gleichfalls *kanst*, zeigen durch ihre Übereinstimmung mit ags.
úde, *cúde*, dass das zwischen dem Ags. und Ahd. in der Mitte
gelegene As. eine Neuerung vorgenommen haben muss, die
spurenweise (bei Otfrid) auch in das Ahd. gedrungen ist; ihr
o haben die ahd. Formen, neben denen bair. noch *kunda* liegt,
nach Braune Ahd. Gr. § 32 Anm. 1 von *dorfta* usw. bezogen.
Die as. Nebenformen *cunsta*, *munsta* haben ihr *u* von *cunnan*,
munan erhalten, wozu das Ungewöhnliche eines *o* vor einer
Nasalverbindung den Anlass gegeben haben mag; *farmuonstun*
(Cotton) ist Kontamination.

Ferner muss as. anfrk. *satta*, mfrk. *satte* gegen Möller
PBrB. VII 479 wieder mit Paul PBrB. VII 141 wegen ostnord.
satta, north. *satte*, die Noreen Pauls Grundr. I 513 richtig

---

1) Was hier als durch Assimilation erzeugt angenommen wird,
hat spontan stattgefunden, wenn oberdeutsch *bb* zu *pp*, *gg* zu *ck*
im Gegensatze zu dem erhaltenen *b* und *g* verschoben worden sind

einander verglichen hat [1]), als urgerm. vokallose Bildung
gefasst werden, kann also keinesfalls ein altes *t*-Präterit
als welches es *ss* haben müsste, gewesen sein. Für vorg
ddh kommen zwar sonst germ. keine Beispiele vor; doch k
sich hier der zweite Komponent sehr wohl dem ersten ass
liert haben: die Entwicklung war vielleicht *ddh* zu *dd* z
zu *td* zu *tt*. Nun hat freilich Wadstein PBrB. XVII 420 f.
bauptet, dass in Formen wie an. *hvatta* — und zu di
gehört auch *satta* — bereits urgerm. Analogiebildungen n
dem Präs. für Formen mit *ss* vorlägen, wie ja z. B. auch
dacta für *dahta* nach *decken* gebildet worden sei. Allein
besass auch wirklich bei weitem die Mehrzahl der *ja*-V
bereits bindevokallose Präterita, während urgerm. sicher
grosse Mehrzahl dieser Verba Präterita mit Bindevokal h
so dass dort auch ein Analogiepräteritum weitaus wahrscl
licher mit *i* gebildet worden wäre. Die grosse Masse der
gulären Präterita lässt sich gleichfalls als mit idg. *dh* geb
auffassen, die übrigen aber als Analogiebildungen nach
Partizip.

Es mag hier eine Darstellung der Art folgen, wie
die Ausgleichung der finiten Formen und der Partizipia
bindevokallos gebildeten Präterita vollzogen zu haben sch
Nach Wirkung des Vernerschen Gesetzes trat das Analo
gesetz ein: "Das Präteritum gleicht sich in seinem Ko
nantenstande seinem Partizip an bei denjenigen Verben,
im Präsens einen anderen Konsonanten im Wurzelauslaut al
Präteritum zeigen; steht im Präsens der gleiche Konsor
so vollzieht sich die Ausgleichung in entgegengesetzter I
tung ausgenommen bei den Präteritopräsentien und bei *brin
bugjan, kaupatjan*". Vgl. as. *sôhta* = an. *sótta*, ahd. *wo*
= an. *orta* = got. *waúrhta*, ahd. *dahta* = an. *þótta* =
þahta, ahd. *dûhta* = an. *þótta* = got. *þúhta*, ahd. *dahte*
ags. *deahte*; dagegen as. *lagda* = an. *lagda*, as. *sagda* =
sagda, as. *hogda* = an. *hugda* = got. **hugda* wegen *gahu*
as. *habda* = ags. *hæfde*, as. *libda* = ags. *lifde*, as. *s*
= north. *satte* = ostnord. *satta*, an. *hvatta* (neben Adj. *hv*

---

1) Westnord. *setta*, ags. *sette*, as. *setta* haben wie westi
selda gegenüber ostnord. *salda* = ags. *sealde* ihren Vokal,
saxta seinen Konsonanten aus dem Präsens bezogen.

as. *latta, ritta, quadda, studda*; doch ahd. *wissa* = an. *vissa*
= got. *wissa*, ahd. *muosa*, ahd. *tohta* = ags. *dohte*, ahd.
got. *mahta* = an. *mátta*, as. *êhta* = an. *átta* = got. *aihta*,
ferner ahd., as., got. *brāhta* = ags. *bróhte*, ags. *bohte* = got.
baúhta, got. *kaupasta*. Ausgegangen ist die Analogie vom
Partizip als Muster, doch wurden umgekehrt die finiten Formen
des Präteritums dort massgebend, wo sie eine lautliche Stütze
am Präsens fanden. Nur bei den Präteritopräsentien siegte
auch hier das Partizip, weil es wiederum seinerseits innerhalb
des Präsens eine Stütze in der 2. Sg. Ind. (vgl. ahd. *weist*,
maht) erlangte [1]. Über die Einzelausnahmen aber lässt sich
folgendes vermuten: 1) *brahta* ist nach seinem Partizip gebildet, weil dies wegen seines vom Präsens abweichenden *a*
fester im Gedächtnis haftete (Paul Prinz. der Sprachg. 167).
2) *bugjan* hat sich nach den als nächstverwandt empfundenen
Verben auf *k-jan* (*sōkjan, waúrkjan, þagkjan, þugkjan*) gerichtet, während bei *lagjan* das *g* infolge der Mitwirkung von
ligan siegte. 3) *kaupasta* geht zunächst auf *kaupassa* zurück
und hat sein *t* von den Präteriten, die wie *baúhta, brahta*
mit ihm die Eigentümlichkeit teilten, im Präteritum einen
anderen wurzelauslautenden Konsonanten als im Präsens zu
zeigen, erhalten [2]. *kaupassa* aber kann nur nach dem Partizip

---

1) Ein ursprüngliches Präteritopräsens muss auch ahd. *missen*
(= ags. *missan* = anord. *missa*) gewesen sein, zu dem noch *missu*
und *farmis* sicher belegt sind (Sievers Gött. Gel. Anz. 1880, S. 414).
Das beweist nicht nur die Richtung der Ausgleichung, sondern
auch das Verhältnis der Bedeutung zu der von *mīdan*: 'vermissen'
ergiebt sich aus: 'verborgen, vermieden, verlassen haben, fern
davon geblieben sein'. Da aber das Präteritopräsens zugleich
Präteritum eines noch bestehenden Verbums blieb, so wurde es
der Unterscheidung wegen in seiner präsentischen Bedeutung durch
ein wirklich formelles Präsens ersetzt, das nach Analogie der gleichfalls auf Doppelkonsonanz endenden Präterita wie ahd. *scutta*, wozu
scutten, als *missen* gebildet wurde (analog in den übrigen germ.
Dialekten). Dies neue Präsens erzeugte dann seinerseits wieder
reguläre Präteritalformen.

2) Wenn im Präteritum nur *kaupastēdun* M. 26, 27, *kaupa-
stēdi* 2. Kor. 12, 7, im Partizip nur *kaupatidai* 1. Kor. 4, 11 überliefert ist, so beruht das auf Zufall. Offenbar besass das Gotische
zur Zeit sowohl die Formen mit -*st*- als auch die durch die Isoliert-
heit des Verbums veranlassten Analogieformen mit -*tid*- für die
eine Kategorie so gut wie für die andere, befand sich hier also
gerade in einem Übergangsstadium.

gebildet worden sein. Das von ihm verdrängte *kaupatta hatte in der unbetonten Silbe des Präsens, wo das *t* nicht stark hervortrat, keine genügende Stütze gefunden.

War also *dh* der Tempuscharakter des schwachen Präteritums, so ist damit von neuem die Frage gestellt, ob sich dasselbe nicht auf eine Zusammensetzung mit dem Präteritum der Wurzel *dhē* zurückführen lässt. Dass hier überhaupt eine Zusammensetzung stattgefunden hat, ist auch aus einem anderen Grunde sehr wahrscheinlich. Dieser Grund leuchtet am besten aus einer Parallele des Ai. ein. Nach Brugmann Grundriss II 2, 1265 hatte dort die Ausbreitung des durch Verbindung eines Kasus auf -*ām* mit *cakāra* gebildeten periphrastischen Perfekts ihre Ursache in einem formalen Notstande; man brauchte historische Perfekta zu Präteritopräsentien wie *véda* 'ich weiss', sowie zu Kausativen und Denominativen, die von Haus aus überhaupt kein einfaches Perfekt hatten, und wünschenswert wenigstens war die Umschreibung auch da, wo sich dies Perfekt nicht deutlich genug vom Präsens wie bei *as* 'sitzen' unterschied. Ganz entsprechend hat das Germanische seine *dh*-Präterita bei den Präteritopräsentien und bei den schwachen Verben, die ja grösstenteils Kausativa und Denominativa sind, in deren Analogie die meisten übrigen Verba mit gleicher Präsensbildung eintraten. Eine Parallele aber zur ai. Wurzel *as* bildet in gewisser Hinsicht das Präteritum von *biginnan* im Westgermanischen: ahd. *bigonda*, *bigunda*, *bigunsta* (Is.), as. *bigonsta*, me. *begūde* zeigen deutlich die Analogie nach *an*, *unnan* und sind deshalb gebildet worden, weil das ursprünglich wie im Gotischen allein bestehende starke Präteritum den Eindruck eines Kompositums des Präsens *an* machte. Wurde dadurch das Bestreben hervorgerufen, eine deutliche Präteritalform von *biginnan* zu schaffen, so wurde dies Bestreben eben durch die Association mit *an* in die Bahn gelenkt, nach dem Präteritum dieses Verbums selbst wieder ein Präteritum zu bilden [1]. Von anderen Verben mit schwachem Perfekt bleiben überhaupt nur noch *bringan* und ahd. *brūhhan* = ags. *brūcan* übrig, die jedoch beide das-

---

1) Vielleicht hat auch *bugjan* nur zum Unterschiede von *biugan* schwache Flexion angenommen (vgl. Kluge Beitr. z. Gesch. der germ. Konjug. 123).

selbe erst nach einem erhaltenen -tó-Partizip gebildet haben können. Dazu deutet das *a* von *brahta* wahrscheinlich sogar noch auf eine Kontamination mit einem früheren starken Perfekt.

Die Ausgänge des schwachen Präteritums und des Präteritums der Wurzel *dhē* stimmen ags. und as. genau überein. Ahd. *tāti* erklärt sich aus der Proportion: *namis: nami = talis: tati*. Alem. *-tōm, -tōt, -tōn* im Ind. Plur. der schwachen Verba hat entweder sein *o* vom Sing. erhalten oder repräsentiert wahrscheinlicher im wesentlichen die ursprünglichen Endungen des Präteritums der Wurzel *dhē*, das dann selbst hier die Endungen des starken Verbums angenommen und in allen anderen germ. Dialekten auch auf das schwache Verbum übertragen hat. Die 1. und 3. Sing. Opt. der schwachen Verba im Alem. haben ihr *i* nach den übrigen Personen wiederhergestellt.

Vokal der ersten Silbe des Präteritums von *dhē* ist ursprünglich germ. *ē* wie noch ahd. und as. *a*[1]) im Ind. Plur. und im ganzen Opt. gewesen, da in diesen Formen auch das poetische Westsächsische noch *ǣ* neben *y* aufweist (Sievers Ags. Gr.² § 429 Anm. 1). Wenn das Northumbr. nur im Ind. Plur. *dédon* neben *dydon*, im ganzen Opt. dagegen nur *dyde* zeigt, so hat dies *dyde* seine Nebenform *déde deshalb ganz verdrängen können, weil das lautlich gleiche *dyde* im Ind. Sg. überhaupt keine Nebenform besass. Der ags. Ind. Plur. *dydon* (kent. *dydun*) und der Opt. *dyde, dyden* (north. *dyde*) sind nach dem Ind. Sg. *dyde* gebildet wie umgekehrt nach Möller PBrB. VII 470 der afries. Ind. Sg. *dēde* nach dem Ind. Plur. *dēden* und dem Opt. *dēde*. Ob *dyde* ursprünglich selbst einmal aus dem Opt. entnommen worden, ist dabei gleichgiltig: aus der Verteilung der Formen in den verschiedenen wgerm. Dialekten folgt, dass vor der Trennung derselben eine Zeit bestanden hat, in der unser Präter. im Ind. Plur. und im ganzen Opt. in der ersten Silbe ein *ē*, im Ind. Sg. dagegen einen kurzen Vokal, wohl nicht überall gleicher Qualität, aufwies. Das Gotische zeigt also bei seinen regulären schwachen Präteriten *-dēd-* vor dem Ausgange genau in denselben Formen, in denen wg. das Verbum 'thun' diese Gruppe im Anlaut besitzt. Wo aber das wg. Präteritum von 'thun' zwischen seinen

1) As. *dedum* ist an den Sing. angeglichen.

beiden *d* einen kurzen Vokal hat, da zeigen die got. regulären schwachen Präterita einfaches *d* vor dem Ausgange, das westg. und nordg. auch im Ind. Plur. und im Opt. durchgeht. Der Schwund der Lautgruppen erklärt sich nun bei der überwiegenden Mehrzahl der schwachen Präterita durch ein einziges höchst einfaches Lautgesetz, nämlich durch eine Silbendissimilation. Das Gesetz lässt sich folgendermassen formulieren: "Westg. und nordg. schwand die inlautende Gruppe 'unbetonter Vokal + *d*', got. nur die inl. Gruppe 'unbetonter kurzer Vokal + *d*' nach vorausgehendem *d*". Darnach ist z. B. got. *tweiflida*, as. *twiflida* aus **twifli-deda*, as. *twiflidun* aus dem got. noch vorliegenden *twiflidēdun* lautgesetzlich entstanden. Silbendissimilationen, von denen eine Binnensilbe und die Schlusssilbe betroffen werden, sind keineswegs selten: vgl. ahd. (Williram) *kunningino* aus *kuninginnono*, abulg. Fem. Gen. *dobryję* aus **dobryjeję*, Dat. *dobrěji* aus **dobrějeji*, Instr. *dobroją* aus **dobrojąją* aus **dobrojąjeją*, umbr. *suront* aus *sururont*, 'item', franz. *neté* aus *netteté*. Bei *t*-Lauten scheinen übrigens die Silbendissimilationen am häufigsten vorzukommen, wenigstens wenn man nach den von Brugmann Grundr. I § 643 ff. aus allen idg. Sprachzweigen aufgezählten Beispielen schliessen darf.

Nicht ganz so einfach liegt die Sache bei Präteriten wie *kunþa* und *olla* und auch bei solchen wie *satta* und *hvatta*, bei denen das *td* gewiss nur sehr kurze Zeit existiert haben wird. Brugmann freilich behauptet a. a. O., dass sich Silbendissimilationen auch bei nur ähnlichen Anlauten zweier einander folgender Silben einstellen könnten. Allein das einzige hierfür angeführte Beispiel, griech. τέτραχμον aus **τετράδραχμον*, ist doch offenbar nur nach seinen eigenen Verhältnissen zu beurteilen. Auf die ähnlichen Silbenanlaute τ und δ folgt hier noch in jeder der beiden betroffenen Silben die Lautgruppe ρα, was ja sicher zum Verschwimmen der Silben beitragen musste. Aber selbst wenn in unserem Falle eine Silbendissimilation zwischen *þ* und *d* auch noch möglich sein sollte, so lässt sich doch eine solche zwischen *t* und *d* wohl sicher nicht mehr für möglich halten. Zur Erklärung der kurzen Formen werden wir hier vielmehr von einem andern Satze Brugmanns a. a. O. ausgehen müssen. Derselbe lautet: "Solches Hinwegeilen über einen Teil der Laute wird nicht immer chronisch und allge-

mein üblich, daher oft die volle und die gekürzte Form in
derselben Sprachgenossenschaft neben einander". In der That
muss es wohl eine Zeit gegeben haben, in der z. B. neben
twiflida noch *twiflideda üblich gewesen ist. Nichts war aber
dann näher gelegt, als nach der grossen Masse der Präterita
auf *-deda* und *-da* zu denen auf *-þeda* auch solche auf *-þa*
und zu denen auf *-teda* auch solche auf *-ta* zu bilden. Die
silbendissimilatorische Neigung aber wird diese Analogiebildung
wenigstens noch begünstigt haben: aller Wahrscheinlichkeit
nach wurden Lautgesetz und Analogiegesetz noch von derselben
heranwachsenden Generation vollzogen.

Für die Richtigkeit des hier eingeschlagenen Weges giebt
es nun eine besondere Bestätigung. Schwache Präterita, wie
sie auch für den Ind. Sg. von uns rekonstruiert wurden, mit
einer zweisilbigen Endung, deren beide Silben mit einem *t*-Laut
begannen, sind auch thatsächlich noch für den Ind. Sg. aus
einem germ. Dialekte auf uns gekommen, nämlich aus dem
Krimgotischen. Busbeck hat drei krimgot. Präteritalformen
überliefert: *tzo warthata* 'tu fecisti', *ies warthata* 'ille fecit',
ich malthata 'ego dico', wofür man richtig 'ego dixi' gesetzt
hat. In Busbecks Glossen steht *t* auch für *d* zweimal in *tag*
'dies', *th* wiederum auch für *t* z. B. in *schwalth* 'mors', *ga-
deltha* 'pulchrum' (neben *atochta* 'malum', *wichtgata* 'album')
und so auch *th* für *d* in *thurn* 'porta'. In *ies warthata* ist
war, das noch die gleiche Ablautsstufe wie as. *warhta*,
warta zeigt, als wurzelhaftes Element abzutrennen; *h* ist dabei
dem folgenden *t* wie in *athe* 'octo' lautgesetzlich assimiliert.
Das erste *a* von *-thata* bezeichnet nur den in tonloser Silbe
entstandenen überkurzen irrationalen Vokal, den Busbeck vorwiegend z. B. auch in *handa* 'manus' = got. *handus*, *mycha*
'ensis' = got. *mēkeis*, *brunna* 'fons' = got. *brunna* offenbar
zum Ausdrucke einer dunkleren Aussprache als im Deutschen
schreibt (vgl. abulg. ъ neben ь), neben dem er freilich auch
einfach nach Muster des Deutschen *e* verwendet wie in *sune*
'sol' = got. *sunna*, *mine* 'luna' = got. *mēna*, *athe* 'octo' = got.
ahtau. So erklärt sich auch das ausl. *·a* von *tzo warthata*
als Abschwächung eines langen Vokals; das *-s* ist im Ausl.
abgefallen wie in *handa* = got. *handus*, in *mycha* = got.
mēkeis, in *thurn* = got. *daúrons*, in *iel* 'vita sive sanitas'
= got. *hails* usw. In *ich malthata* ist *-thata* gleichfalls als

Endung abzutrennen und *mal-* als wurzelhaftes Element wie
an. *mál* als aus *mapl-* entstanden aufzufassen. Das im Stammes-
auslaut von *malthata* zu erwartende *i* ist in derselben Stellung
und jedenfalls unter denselben Betonungsverhältnissen ausgefallen wie das *a* von *wichtgata* 'album' aus *wichtag-ata* aus
hwítag-ata (Metathesis). Ob das *th* von *malthata* dem von
warthata in der Aussprache gleichzusetzen ist, lässt sich nicht
bestimmt ausmachen, da Busbeck gerade in der Wiedergabe
der Dentale die grössten Schwankungen aufweist. Aus den
krimgot. Formen folgt übrigens, dass sich die Silbendissimilation erst in der Zeit, in der die Goten schon am schwarzen
Meere sassen, vollzogen hat. Der Lautwandel begann eben da,
wo er im weitesten Umfange stattgehabt, im Nordgerm. und
Westgerm., pflanzte sich dann von letzterem durch Vermittelung
des Wandalischen und Gepidischen auf das Westgotische fort
und erreichte das Krimgotische gar nicht mehr.

Das schwache Präteritum ist also eine ursprünglich peri-
phrastische Bildung gewesen. Es bleibt daher noch zu untersuchen, welche Verbalform denn mit dem Präteritum der
Wurzel *dhē* zusammengesetzt worden ist. Die einzelnen Verbalklassen zeigen hier abweichende Stammesgestaltungen. Und
zwar scheint die *ó*-Klasse durchweg ihr *o* im Präteritum ge-
wahrt, die *ē*-Klasse dagegen, nach dem As. und Ags. zu schliessen,
durchweg ihr Präteritum ohne *ē* gebildet zu haben. Die Präteritopräsentia zeigen durchweg die reine Wurzel. Schwankungen bestehen dagegen bei den *jo*-Verben, von denen, nach
der Übereinstimmung der verschiedenen germ. Dialekte zu
schliessen, zwar die Mehrzahl ihre Präterita mit *i*, eine Minder-
zahl jedoch solche ohne *i* gebildet haben muss. Man könnte
hier zunächst Brugmanns Grundr. II 2 S. 1275 aufgestellte Vermutung, dass Formen wie *salbōda* Zusammenrückungen mit
dem Kasus eines Verbalnomens wie lat. *amā-bam*, abulg. *dêla-
achъ* wären, insofern akzeptieren, als man nur für den zweiten
Bestandteil einen anderen Ursprung als Brugmann annähme
und die Präterita der übrigen Verbalklassen als nach *salpō-
dhedhóm* gebildet auffasste. Allein wenn die Präterita der
ē-Verba nach diesem Muster geformt worden wären, so müssten
sie auch ihr *ē* so gut wie die Musterformen ihr *ō* erhalten
haben. Ferner ist es höchst unwahrscheinlich, dass das Italische,
das Slavische und das Germanische unabhängig von einander

— es handelt sich ja in jeder dieser Sprachen um eine Zusammensetzung mit einem andern Hilfsverb — denselben Kasus
(den Instrumental nach Brugmann Grundr. II 2 S. 1265 Anm.)
derselben Art von Verbalnomen zur Komposition benutzt haben
sollen. Wunderbar bleibt aber vor allem, dass in den vorderen
Bestandteilen dieser Zusammensetzungen gerade immer nur
solche stammbildenden Elemente auftreten, die auch schon in·
den Verbalstämmen selbst enthalten sind. Aus diesen Gründen
lässt die germanische Bildungsweise — und höchstwahrschein-
lich auch die italische und die slavische (erstere auch in *arē-
facio, calē-facio*) — kaum eine andere Deutung zu als die einer
Zusammensetzung mit dem Infinitiv mit daran sich schliessender
Wortkürzung. Es haben demnach einmal vorgermanische
Formen wie **salponon-dhedhôm, *χαβēnon-dhedhôm* usw.
existiert.

Wortkürzungen zusammengesetzter formeller Bestandteile
sind überhaupt etwas gar nichts Seltenes. Jedenfalls liegt
doch eine Wortkürzung vor, wenn im heutigen Litauisch das
blosse *sùktum* für *sùktumbime, sùktumbite* eintreten kann. Hier
springt die Analogie von Kürzungen stofflicher Bestandteile
wie nhd. *Kilo* aus *Kilogramm, Studio* aus *Studiosus, Prolet*
aus *Proletarier* von selbst in die Augen. Offenbar ist auch
der Grund zur Kürzung ganz derselbe wie bei jenen stofflichen
Elementen, bei denen dem Sprecher das häufig anzuwendende
ganze Wort zu lang, dem Hörer aber auch in gekürzter Form
verständlich erscheint: *-tumbime, -tumbite* sind analog sehr
lange häufig gebrauchte Endungen, für die infolgedessen blosses
-tum eintreten kann, wo es sich aus dem Zusammenhange ergiebt, welche Person an der betreffenden Stelle gemeint ist.
Da aber die Beziehung sehr häufig nicht aus dem Zusammenhange klar wird, so geschehen die formellen Kürzungen
im Gegenteil meistens in der Weise, dass ein weiter vorn
stehender Teil der Endung ausgelassen wird. Eine solche Wortkürzung hat z. B. im französ. und provenz. Futurum stattgefunden. Suchier sagt darüber Gröbers Grundr. d. roman. Phil.
I 656: "Da die Singularformen und die 3. Pl. des Futurs am
häufigsten gebraucht wurden, so übten sie auch auf die übrigen
Formen einen Druck aus, und die letzteren wurden jenen dadurch angeglichen, dass sie die Silbe *av* verloren, daher gewöhnlich I. Pl. *amar em*, 2. Pl. *amar etz*. Die gleiche Ver-

kürzung trat in sämtlichen Formen des Imperf. Fut. ein: prov.
amar ia, afrz. *amerie.*" Der Prozess, der hier stattgefunden,
kann jedoch keine Analogiebildung gewesen sein, da gar keine
Musterreihe vorgeschwebt hat. Wenn vielleicht auch die kür-
zeren Formen, denen übrigens auch das Imperf. Fut. gegen-
überstand, mitgewirkt haben mögen, so kann doch der Vorgang an sich nur als eine Wortkürzung aufgefasst werden.
Grössere Ähnlichkeit mit unserer Wortkürzung hat die des
serbischen Futurums. Dasselbe wird durch Verbindung des
Infinitivs mit dem Präsens von *htjeti* zum Ausdruck gebracht,
wobei das Suffix des Infinitivs abgeworfen wird, wenn das
Präsens von *htjeti* dem Infin. folgt z. B. in *hvalićeš* aus *hra-*
liti ćeš (Miklosich Vgl. Gr. d. slaw. Spr. III 246). Ähnlich lautet
es auch im litauischen Futurum *súksziau* aus **suktiau* aus
súktumbiau. Zu den formellen Wortkürzungen ist auch ahd.
mannolih aus *mannogilih* usw. zu rechnen.

Wenn das Wortkürzungsgesetz bei den *ō*-Verben in
der Weise gewirkt hat, dass hier *ō* erhalten blieb, bei den
ē-Verben dagegen so, dass hier *ē* mitverschwunden ist, so liegt
dies daran, dass bei jenen *ō* durch das ganze Präsens durch-
ging, bei diesen aber *ē* mit *io*, *ie* wechselte [1]. Das *ō* wurde
also als stammhaft, das *ē* dagegen als Teil der Endung empfunden, die eben vor dem angetretenen Hilfsverb gänzlich
fortfiel. Das gleiche Prinzip zeigt sich bei den Präteritopräsentien. Am schwierigsten sind die *io*-Verba zu beurteilen, die
ihr Präteritum nicht alle gleichmässig bilden. Um hier klar
urteilen zu können, müsste erst einmal von jedem einzelnen
Verbum der Klasse die urgerm. Form des Präteritums sicher
festgestellt werden. Erschwerend für die Untersuchung ist hier
die spätere Ausgleichung mit dem Partizip. Doch ist auch
vielleicht von vornherein der Umstand, ob das Partizip mit
oder ohne *i* gebildet worden war, für die Formung des Präteritums bestimmend gewesen, indem danach das *i* des Präsens
teils als stammhaft, teils als suffixal empfunden wurde.

Wenn in obiger Darlegung das schwache Präteritum als
eine Zusammensetzung mit später erfolgter Wortkürzung auf-

---

1) Auch Streitberg Zur german. Sprachgeschichte 83 erkennt
neben dem reinen *ē*-Typus einen *ē*-: *io*-Typus an, der, wenn wirklich
beide Typen vorhanden waren, eben den Ausschlag gegeben
haben muss.

gefasst worden ist, so soll damit die Möglichkeit, dass die Wortkürzung sogleich bei der Zusammensetzung stattgefunden hat, keineswegs in Abrede gestellt werden. Vielleicht hat es niemals *salponon-dhedhóm, sondern von Anfang an *salpó-dhedhóm geheissen. Psychologisch scheint mir der Prozess durchaus möglich zu sein: nur dürften sich schwer dazu sichere historische Beispiele auffinden lassen, da die ungekürzten Zusammensetzungen sehr leicht nur sehr kurze Zeit existiert haben können. Jedenfalls bildet aber überhaupt die Wortkürzung ein höchst beachtenswertes und vielleicht noch in weiter Ausdehnung anzuwendendes Moment für Erklärungen von Flexionsformen [1]).

Der gegebenen Erklärung gemäss kann in der Wurzelsilbe des schwachen Präteritums nur die Vokalstufe des Infin. Präs. enthalten sein. Von den Nichtpräteritopräsentien weichen hier nur ab got., as., ahd. *brahta* = ags. *bróhte* und as. *warahta, warhta, warta* = krimgot. *warthata* (neben *kor* "triticum") neben den Partizipien as. *gibraht*, ahd. *braht*, ags. *zebróht* und as. *giwarht*, altags. *zewarht* (Korpusglossen 567). Bei *brahta* liegt offenbar eine Kontamination mit dem starken Perfekt des ja zum Teil noch stark flektierenden Verbums vor. Dem as. *warhta* aber stehen gegenüber got. *waúrhta*, an. *orta*, ags. *worhte*, ahd. *worhta*, deren Vokalismus sich nach dem des Präsens erklärt. Da nun gerade das stehende as. *warhta* (*warahta, warta*) ein *wirkian* neben sich hat (fränk. scheint *wirken* das noch im Weissenburger Katechismus vorhandene *wurchen* erst vom As. her verdrängt zu haben; vgl. Braune Ahd. Gr. § 364), so liegt die Annahme sehr nahe, dass nicht nur in *warhta*, sondern auch in *wirkian* eine Kontamination mit einem starken Verbum der dritten Reihe vorliegt,

---

1) Vielleicht existierte das mit *dhedhóm* umschriebene Präteritum schon, als das Germ. noch ein idg. Dialekt war. Es wäre wohl möglich, dass idg. Formen von der Wurzel *dhē* auch sonst zur Bildung periphrastischer Tempora verwandt wurden, d. h. dass der griech. Aor. Pass. auch -θην — trotz Wackernagels ansprechender Deutung — doch wieder als eine Zusammensetzung mit dem Aor. gleicher Wurzel in intransitiver Funktion — ἐθην entsprechend ἐστάν — nebst Wortkürzung aufzufassen ist und bereits auf das Idg. zurückgeht. Auch dies Tempus wird ja hauptsächlich von abgeleiteten Verben gebildet.

das einmal, wie *zewarht* im Altags. und *warthata* im Krimgot.
zu zeigen scheinen, auch noch über das As. hinaus verbreitet
gewesen ist.

Auch der Vokalismus der Wurzelsilben in den Präterita
der Präteritopräsentia zeigt in Übereinstimmung mit dem Infin.
ihres Präsens die Schwundstufe. Abweichend aber von der
Vokalstufe *u*, *o* heisst es wieder in Übereinstimmung mit dem
Infin. Präs. got., as., ahd. *mahta*, an. *mátta*, ags. *meahte*[1]),
bei denen die Ursprünglichkeit des *a* für den Inf. Präs. durch
die Übereinstimmung des Got., An., Ahd. und, nach dem Ind.
Plur. Präs. zu schliessen, auch des Ags. in Abweichung von
allen übrigen Präteritopräsentien mit *a* im Sing. erwiesen wird;
as. *mohta*, neben dem noch *mahta* steht, ist erst nach dem
jüngeren *mugan* gebildet, ebenso ahd. *mohta*, das dort erst
später neben *mahta* aufkommt (vgl. Braune Ahd. Gr. § 375,
Anm. 2). Ausgenommen von der Übereinstimmung mit dem
Infin. sind nur northumbr.-merc. *scalde (salde)* und *darste*.
Analog heisst es aber auch northumbr.-merc. *walde*, und in
diesem Falle ist offenbar die ursprüngliche Form bewahrt, da
das Ahd. im grössten Teile der Präsensformen und so auch
im Infin. Umlauts-*e* erhalten hat (vgl. Sievers PBrB. IX, 365).
Ahd. *wolta*, as. *wolda*, ags. *wolde* sind Angleichungen an
scolta, *dorsta* usw., ahd. *welta*, as. *welda*, für die nichts
hindert, gleichfalls Umlauts-*e* anzunehmen, Angleichungen an
das eigene Präsens wie 'got. *wilda*, an. *wilda*. Die Ursprünglichkeit aber gerade von *walde* folgt auch aus dessen verein-
zeltem Vorkommen ausserhalb des Northumbrischen und Mer-
cischen und zwar nicht bloss in der westsächsischen Cura pa-
storalis, sondern auch innerhalb des Kontinentalgermanischen
im As. als *walda* (Hel. 301 C). North-merc. *scalde* und *darste*
sind erst Analogiebildungen nach *walde*: wenn hier das An a-
logiegesetz nur zwei Formen umfasst, so liegt das an der
nahen Verwandtschaft der Bedeutung 'sollen' und 'wagen' mit
'wollen' (vgl. Ztschr. d. Ver. f. Volkskunde I 58 f.).

Got. 3. Sing. *iddja* ist nach Brugmann Grundr. II 2 S. 861
ai. *áyat* oder *iyát* gleichzusetzen: wie in *deda* selbst konnte

---

1) Die ags. Nebenform *mihte* mit *i*-Umlaut des *ea* stammt
aus dem Optativ. Das *ht* setzte *meahte* in Beziehung zur 2. Sing.
Ind. Präs. *meaht*, wodurch die Proportion zu stande kam: *meahte* :
mihte = *meaht* : *miht*.

sich hier in einer vereinzelten Form ein sonst im Germ. ver-'
lorener Typus erhalten, weil das Verbum in seiner Formation
isoliert stand (vgl. Ztschr. d. Ver. f. Volkskunde I 60). Die Iso-
liertheit der Bildung bewirkte got. und ags. in verschieden-
artiger Weise einen Anschluss an das schwache Präteritum:
got. *iddja* bildete *iddjĕdum* nach *nasida*, *nasidĕdum* usw.,
während sich ags. *eode*, *eodun* durch Antritt des vollen Suffixes des schwachen Präteritums erklären (vgl. ten Brink ZfdA.
XXIII 66). Dagegen ist westsächs. *funde* (neben *fǫnd*) zu
fundon nach dem Verhältnis des bedeutungsverwandten *sóhte*
zu *sóhton* geschaffen worden: dass dies Analogiegesetz schon
während des Aufenthaltes der Angelsachsen auf dem Kontinent
eingetreten ist, folgt aus as. *funda* (Hel. 2017). Was die an.
vorkommenden schwachen Präterita ohne Dental betrifft, so
mögen diese ursprünglich wohl nur zu gleichartigen Partizipien erst nach Analogie des Nebeneinander von Dentalpräteritum
und Dentalpartizip gebildet worden sein. Jene dentallosen
Partizipien waren wohl idg. Verbaladjektiva auf -*o*-, die zu
ihrem Verbum besonders nahe Beziehungen festhielten. Über
den Gang des ganzen Prozesses würde freilich nur eine auf
vollständige Materialsammlung sich stützende Spezialunter-
suchung Klarheit verschaffen können.

    Deda selbst hat man mit Recht wegen seiner Personal-
endungen als Aorist oder Imperfektum betrachtet. Es entspricht
als augmentlose Form dem ai. reduplizierten Aorist *dadhām*.
Demnach haben also die alemannischen Pluralendungen -*tóm*.
-*tón* als ursprünglich zu gelten, während das *o* der 2. Pl. für
ursprüngliches *ē* eingetreten sein muss. Über die Endungen
des Sing. vgl. van Helten PBrB. XVII 279. Im Optativ scheinen
nach Sievers PBrB. XVI 236 ursprünglich Formen wie **dudīs*,
*dudī mit *u* aus idg. *ə* vorgelegen zu haben. deren Ungewöhn-
lichkeit zunächst dahin gewirkt haben mag, dass ein Teil des
German., den das spätere Ags. repräsentiert, das *u* auch in
den Indikativ einführte, später aber dahin, dass das *u* im
ganzen German. aus dem Optativ selbst verdrängt wurde. Ein
Optativ *dĕdī* ist offenbar Analogiebildung nach Formen wie
gēbī, ein Anschluss, der dadurch bewirkt wurde, dass in jenen
Formen mit *ē* der Vokal der ersten Silbe wie in **dudī* zwischen
zwei Explosivlauten stand. Die nicht proportionelle Analogie
scheint hier durch einen gewissen Notstand veranlasst worden

zu sein und wurde·dadurch erleichtert, dass sich hier ein einzelnes Wort nach einer ganzen Wortklasse zu richten hatte. Nach Analogie dieser Klasse drang dann ě auch in den Ind. Plur. von *deda*, wo es dann auch — ausgenommen im Alem. in der Zusammensetzung — eine entsprechende Umformung der Endungen hervorrief[1]). Wenn alem. in der 1. und 3. Sing. Opt. der schwachen Präterita analogisches -*i* für -*i* eingetreten ist, so entsprang dies dem Triebe, dem gesamten Optativ, dem Plur. Ind. und der 2. Sing.-Ind., Formen, die beim starken Verbum und bei *tuon* durch die gleiche Vokalstufe der Wurzel einander associiert waren, auch bei den schwachen Präteriten ein gemeinsames Charakteristikum, als welches sich hier die Vokallänge der Endung darbot, zu verleihen.

Freiburg i. B., 20. März 1893.

Richard Loewe.

Beiträge zur Erklärung und Textkritik altenglischer Dichtungen[2]).

1. Genesis.

V. 707.   *þe him þæt wif wordum sægde.*

Sievers nimmt in seiner Ausgabe (Der Heliand und die ags. Genesis) mit Recht nach *wif* eine Lücke an; *ofta* (vgl. V. 705: *ful þiclice*) dürfte das richtige zu ergänzende Wort sein.

---

1) Wäre ahd. *tātum* nach *gābum* zu einem einmal im Germ. vorhandenen, dem ai. *dá-dha-ti*, lit. *de-d-ù* entsprechenden Präsens gebildet, wie Brugmann Grundr. II 2, S. 1254 annehmen möchte, so müsste dazu auch ein entsprechender Sing. nach *gap* gebildet worden sein.

2) Vgl. Greins Ausgabe, sowie seine Nachträge Germania X 305 ff. und 416 ff.; ferner die Kollationen von Sievers HZ. XV 456 ff. und von Schipper Germ. XIX 327 ff.; endlich die Bemerkungen von Sievers in PBrB. X 512 ff. [Jetzt noch Wülkers Ausgabe.]

V. 1404 ff.   *þá hine hálig god*
                    éce upp forlét édmonne
                    stréamum stígan, stíðferhð cyning.

Da Dietrich-Greins Konjektur *edníowne* einen metrischen Fehler enthält, schlage ich die Ergänzung *é[acne an]d wonne* vor, vgl. *wonn* V. 1301, 1379, 1430 und 1462.

V. 1546 ff.   *and heora féower wíf nemde wǽron P[h]ercoba,*
                    Olla, Olliva, Ollivani,
                    wǽrfæst 'metod wǽtra láfe.

Diese offenbar in Unordnung geratenen Zeilen sucht Grein in seiner Ausgabe durch Einschiebung eines Verses: *þá wið flóde nerede fréa ælmihtig* nach V. 1547 herzustellen. Germ. X 417 dagegen schreibt er "einfacher":

                    and heora féower wíf P[h]ercoba,
                    Olla, Olliva, Ollivani
                    nemde wǽron, [þá genered hæfde], usw.

Doch auch dies streitet gegen die Gesetze der altengl. Metrik. Ich schlage deshalb vor zu lesen:

                    and heora féower wíf P[h]ercoba, Olla,
                    Olliváni [and] Olliva
                    nemde wǽron [þá genered hæfde] usw.

V. 2611 ff.   *ús gewritu secgeað,*
                    godcunde béc, þæt séo gingre
                    hire ágen bearn Ammon héte.

Sievers hat bereits *hire* aus 2612b nach 2613a versetzt; das nach *gingre* fehlende Wort wird dann *ides* (vgl. V. 2466, 2500, 2512, 2535 u. 2606) oder *mægeð* (nach V. 2604) sein.

V. 2627 f.   *þá sé þeoden his þegnas sende,*
                    heht bringan tó him selfum.

Grein ergänzt metrisch falsch *brýd Abrahames* am Schlusse; ich möchte *beornes wíf* nach *heht* einschieben, um den letzten Vers herzustellen (vgl. V. 2638: *brýde æt beorne*).

V. 2695 f.   *Siððan mé sé hálga of hyrde fréan,*
                    mínes fæder fyrn álǽdde.

Die erste Hälfte von V. 2696 ist nicht in Ordnung; ich möchte nach Gen. 20, 13 *éðle* hinter *fæder* einschieben, also lesen:

                    mínes fæder [éðle] fyrn álǽdde.

zu sein und wurde dadurch erleichtert, dass sich hier ein einzelnes Wort nach einer ganzen Wortklasse zu richten hatte. Nach Analogie dieser Klasse drang dann *ē* auch in den Ind. Plur. von *deda*, wo es dann auch — ausgenommen im Alem. in der Zusammensetzung — eine entsprechende Umformung der Endungen hervorrief[1]). Wenn alem. in der 1. und 3. Sing. Opt. der schwachen Präterita analogisches *-ī* für *-i* eingetreten ist, so entsprang dies dem Triebe, dem gesamten Optativ, dem Plur. Ind. und der 2. Sing.-Ind., Formen, die beim starken Verbum und bei *tuon* durch die gleiche Vokalstufe der Wurzel einander associiert waren, auch bei den schwachen Präteriten ein gemeinsames Charakteristikum, als welches sich hier die Vokallänge der Endung darbot, zu verleihen.

　　Freiburg i. B., 20. März 1893.

Richard Loewe.

Beiträge zur Erklärung und Textkritik altenglischer Dichtungen[2]).

1. Genesis.

V. 707.　　*þe him þæt wif wordum sægde.*
Sievers nimmt in seiner Ausgabe (Der Heliand und die ags. Genesis) mit Recht nach *wif* eine Lücke an; *ofta* (vgl. V. 705: *ful þiclice*) dürfte das richtige zu ergänzende Wort sein.

---

　　1) Wäre ahd. *tātum* nach *gābum* zu einem einmal im Germ. vorhandenen, dem ai. *dá-dha-ti*, lit. *de-d-ù* entsprechenden Präsens gebildet, wie Brugmann Grundr. II 2, S. 1254 annehmen möchte, so müsste dazu auch ein entsprechender Sing. nach *gap* gebildet worden sein.

　　2) Vgl. Greins Ausgabe, sowie seine Nachträge Germania X 305 ff. und 416 ff.; ferner die Kollationen von Sievers HZ. XV 456 ff. und von Schipper Germ. XIX 327 ff.; endlich die Bemerkungen von Sievers in PBrB. X 512 ff. [Jetzt noch Wülkers Ausgabe.]

V. 187ᵇ f. *swā hyra wǣdum ne scód* || *gífre gléda.*

Das von Grein in der Anmerkung fragend vorgeschlagene
scódon ist ebenso ein metrischer Fehler wie das im Text
hinter *gléda* eingeschobene *nið* überflüssig. Wegen der Verbindung eines Verbs im Sg. mit folgendem Pl. des Subj. vgl.
Dietrich HZ. X 332 f., XI 444 ff.

4. Satan.

V. 80.   *ðonne hé in witum word indráf.*
L. *word-gid*, um den Halbvers b zu füllen.

V. 90 f.   *þá ic of dseald wes*
         niðer under næssas in ðone néowlan grund.

Greins Ergänzung *swegle* nach *of* verstösst gegen die Metrik,
ich stelle *of* um und ergänze *swegles wlite*:

        þá ic dseald wes of [*swegles wlite*].

V. 203 f.   *mid alra gescefta*
      céosan ús eard in wuldre.

Greins Ergänzung *ordfruma* vor *céosan* ist unzulässig; *ór* oder
ord 'Anfang' passt so gut wie Dietrichs *ealdre* oder *ealdor*.

V. 225 f. *Ðá gét ic furðor gefregen féonda . . . .*
      . . . . . ondetan,

ergänze *mænigu* || *yfel*, nicht wie Grein *bearn* || *unriht* nach
féonda, da dies den Vers noch nicht in Ordnung bringt.

V. 239 f. *engla ordfruma and tó þǽm ǽðelan*
      hnigan him sanctas.

Wegen der falschen Stellung des Hauptstabes ist V. 239ᵇ um-
zusetzen:

        and þǽm ǽðelan tó.

V. 273 f. *ic hér gepolian sceal þinga ǽghwylces,*
      bitre in ðæs . . . . . beala gnornian.

Nicht Greins *brynes* sondern *brandes* ist die metrisch korrekte
Ergänzung.

V. 312 ff. *þǽr héo mid wuldorcyninge wunian móton*
      áwa to aldre, ágan
      dréama dréam mid drihtne gode.

Ergänze etwa *swǽ* oder *fǽgre* oder *wynne* statt Greins *sodof*
hinter *ágan*.

V. 349 f. *Nis nǽnig swá snotor ne swá cræftig*
ne þæs swá gléaw, nympe god seolfa.

Ergänze *searo-* vor *cræftig*, nicht *sundor-* mit Grein.

V. 352. *hú sunnu þǽr scíneð ymbútan.*

L. *scíma* statt *sunnu*; Greins *scír* vor *sunnu* zerstört das Metrum.

V. 371. *Sátanus swearte geþóhte.*

Nach V. 692 ist *seolf* hinter *Sátanus* zu ergänzen.

V. 490. *carcernes clom ðrówade.*

Durch Einschiebung von *cwealm* vor *þr.* wird der 2. Halbvers korrekt.

V. 506 f. *þæt héo ágan*
drihtnes dómas and duguðe þrym und

V. 554 f. *up tó éðle, þǽr wé ágan*
drihtnes dómas.

Ergänze *sculon*, nicht wie Grein *móton*, hinter *ágan*.

V. 529 f. *swá héo geségon, hwǽr sunu meotodes*
on upp stód, éce drihten.

Ergänze nach Crist 1031: *cwic árísan* am Anfang des Verses *cwic*, um das Metrum herzustellen — oder l. *gestód*. *þá gin-gran* vor *on upp* ist natürlich mit Grein zu streichen.

V. 570. *þá gýt nergende Críst* [*mid niðum wunode*]

statt *niðum* ist *niððum* zu schreiben, und dadurch wird *wunode* unmöglich. Ergänze statt dessen *wæs*.

V. 603. *geond* [*féower*] *foldan scéatas.*

Vor Greins *féower* ergänze ich noch *þá*, um dem Metrum genüge zu thun.

V. 639 ff. *hú hie him on edwit oft ásettað*
swarte súslbonan, [*þonne Sátanus*] *stǽleð*
fǽhðe in fir[e]ne.

Diese Ergänzung Greins verstösst gegen die metrischen Gesetze. Ich möchte in V. 640 bloss *Sátan* einsetzen.

V. 726. *Đá hé gemunde, þá hé on grunde stód.*

Grein sucht durch Einsetzung von *gáste* vor *gemunde* die Allitteration herzustellen, bringt aber dadurch einen metrischen Fehler in den Vers. Lies *gémde* statt *gemunde* (und *þæt* statt *þá* wie in V. 721 f.), die *Fußnote*), sih. *aus*, *zu liegen*, vgl. die.

V. 729. *déofla mænego [ádréogan ne mihton].*
dréogan wäre hier metrisch allein zulässig.

5. Crist.

V. 152 f.   *is séo bót gelong*
        eal æt þé dnum . . . . . ofer-þearfum.
Die fehlenden fünf Buchstaben sind ohne Zweifel *æfter*, **vgl.**
Hymnus IV 109 f. mit meiner Ergänzung:
                        is séo bót æt þé
        gelong æfter [mé].

6. Höllenfahrt Christi.

V. 28 f. *þæt hé mé gesóht[e] . . . . . . ex mónat ealles*
        folces fruma, nú . . . . sceacen.
Da nach Schipper sechs Buchstaben in V. 28 fehlen und . . *ex*
erhalten ist, kann Greins Herstellung Germ. X 421: [*ymb seo-*
fon] *mónað* — d. h. von Johanni bis Ostern — nicht richtig
sein, es liegt aber nahe zu ergänzen: [*ymb si*]*ex*. Die in V. 29
fehlenden acht Buchstaben hat aber Grein offenbar richtig
a. a. O. als [*is sé fyrst*] ergänzt. Die beiden Verse würden
also lauten:
        þæt hé mé gesóht[e ymb si]ex mónað,
        ealles folces fruma, nú [is sé fyrst] sceacen.
V. 60 f. *þæt þú ús . . . . . . te sécan woldest,*
        nú wé on þissum bendum bid . . . .
Ich ergänze diese Lücken Schippers: [*besenc*]*te* oder [*geswenc*]*te*
in der ersten, und *bíd*[*an móston*] in der zweiten Zeile, vgl.
Sat. 108:
        ér ic móste in ðeossum atolan æðele gebídan.
móston müsste natürlich abgekürzt *mostō* geschrieben gewesen
sein (vgl. Schipper a. a. O 328), *geswencte* mit $\bar{g}$ = ge.

7. Béowulf.

V. 2706 (Heyne 2707):
        Féond gefyldan, ferh ellen wræc.
Sievers bessert PBrB. IX 141 f. *gefyldan* mit Thorpe in *gefylde*,
Kluge ebd. 192 *ellen* in *ealne*. Näher scheint mir *ellor* 'anders-
wohin', d. h. 'aus' zu liegen, vgl. die Ausdrücke für **sterben**

Béow. V. 55: *fæder ellor hwearf*, Jud. V. 112: *gǽst ellor hwearf*, und Béow. V. 2254: *dug[uð] ellor scóc*, sowie die Nomina *ellor-síð* 'Tod', *ellor-fús* 'moribundus'. — Ähnlich ist Gen. 1385 f.: ... *wrǽcon ... feorh ‖ of flǽschoman*.

8. Juliane.

V. 560 f. *heredon on héahðum and his hálig
sægdon sóðlíce.*
Nach *hálig* ergänzt Grein metrisch falsch *wuldor*; ich schlage *weorc* vor, womit das in der Lücke vorher verloren gegangene Wunder gemeint wäre.

9. Gúðláe.

V. 914 ff.   *wæs þám báncofan*
[*untrymnes ádle gongum*]
æfter nihtglóme néah geprungen.
Setze *séo* vor *untrymnes* (nach V. 935: *séo ádlþracu*) oder ergänze *þá* darnach, wie in V. 904b: *wæs gewinnes þá*.

10. Hymnen und Gebete.
IV.

V. 109 f.   *is séo bót æt þé*
gelong æfter...
Grein ergänzt metrisch falsch *láðe*, da aber nach Sch. S. 334 bloss zwei Buchstaben überklebt sind, wird *mé* das fehlende Wort sein (vgl. oben 5, 152).

V. 116 f. *G[rim] biþ þæt, þonne mon him sylf ne mæg
wyrd onwendan, þæt hé þonne wel þolige.*
Wegen *g[rim]* vgl. Sch. a. a. O. Grein merkt nicht an, dass in dem ersten Halbverse die Alliteration fehlt. Ich vermute, dass nach *þæt* ein Wort ausgelassen ist; in betracht kämen etwa das Subst. *searo* oder die Adv. *simle* und *sóðe*. [Wülker liest *gód*.]

XI.

V. 17 ff. *ðǽr gelícade þá ......
in þám hordfate hálgan gǽste
beorht on br............scan,
sé wæs ordfruma ealles léohtes.*

So die Lücken nach Sch. S. 335. Grein ergänzte schon fragend *br* . . . . . . zu *bréostum*, für die übrigen möchte ich vorschlagen:

> *ðǽr gelicade þá*[*m lice bidan*]
> *in þám hordfate hálgan gǽste*[*s*],
> *beorht on br*[*eostum bryde ébri*]*scan.*

Für *ébriscan* wäre auch ebenso gut *iúdiscan* möglich. *Lice* würde natürlich Instr. Soc. scin. [Vgl. jetzt Wülker S. 281.]

11. Pharao.

V. 6 ff.   *siex-hun* . . . . *a searo-hæbbendra:*
> *þæt eal fornam* . . . .
> *wrðe wyrde in woruldrice*

heisst es vom Heere der Ägypter. Wegen der von Sch. S. 335 genau angegebenen Lücken ist Greins *hundreda* sowie *yða geblond* (das zudem noch metrisch falsch ist) zu verwerfen. Ich möchte bessern:

> *siex-hun*[*dred gódr*]*a, searo-hæbbendra:*
> *þæt eal fornam* [*yða flódas*].

Wegen des Sg. *fornam* bei folg. Subj. im Pl. vgl. oben 3, 187.

12. Rätsel[1]).

V.

V. 6 ff.   *ic him gromheortum*
> *winterceald oncweðe; wearm lim*
> *gebundenne béag bersteð hwilum.*

Die letzten Worte sind Greins Besserung des *bæg hwilum bersteð* der Hs.; *wearm lim* ergänze ich zu *lim*[-*wǽdum*] und beziehe es auf den in V. 5 genannten *secg oððe méowle*, die durch diese Apposition zu dem *winterceald* sich nennenden Gegenstande des Rätsels in Gegensatz gestellt werden.

XXVII.

V. 7 f.   *and mec fugles wyn*
> *geond spéddropum, spyrede geneahhe* etc.

Grein ergänzt metrisch falsch *sprengde* hinter *geond*; das Richtige dürfte wol *spáw* sein.

---

1) Vgl. Prehn R. des Exeterbuches, Paderborn 1883; Grein Germ. X 307 ff.; Herzfeld Die R. des Exeterbuches, Berlin 1890. [Jetzt Trautmann Mitteil. V 46 ff.]

XXXII.

V. 6.   *Niðerweard wæs neb hyre.*

Ergänze *geneahhe* oder *genýded* nach *Niðerw.*, um das Metrum herzustellen.

XLI.

V. 1 f.   *Éce is sé scyppend, sé þás eorðan nú
wreð-studum and þás world healdeð.*

Ergänze *weardað* hinter *-studum!*

XLVI.

1   *Ic on wincle gefrægn weax ndthwæt
þindan and þunian, þecene hebban,
on þæt bdnléase brýd grápode
hygewlonc hondum: hrægle þeahte
5 þrindende þing þéodnes dohtor.*

Das etwas zweideutige Rätsel ist von Dietrich (a. a. O. 474) mit Unrecht auf die Biene oder die Zunge gedeutet, Herzfeld versteht es von dem mit Hefe versetzten Teig, der geknetet und mit einem Tuche bedeckt ist, worunter er aufschwillt. Für *weax* in V. 1 lies *weaxan* mit Herzfeld; *bdnléase* in V. 3 gehört natürlich zu *þæt*, nicht zu *brýd*, wie D. meinte.

LIX.

Das Rätsel vom Ziehbrunnen, wie Dietrich HZ. XI 477 es erklärt, schliesst mit den Versen:

14 f.   *þrý sind in naman
ryhte rúnstafas: þára is Rád fúrum.*

Grein Germ. X 308 f. hält *pyt* für die Lösung, *rád* soll dann als nähere Bezeichnung davor treten: *rád-pyt*. Aber das Ganze geht gar nicht auf den Brunnen, sondern auf den Schwengel, und darnach ist *ród* 'Stange' offenbar das Wort, das der Dichter zu raten aufgiebt. *fúrum* ist einfach für *furma* verschrieben, wie Grein bereits in seiner Ausgabe fragend vermutete, nicht für *fulsum*, wie er Germ. a. a. O. meint.

LXIV.

V. 15.   ... *léas rinc, þá unc gerýde wæs.*

Ergänze noch *sum* vor Dietrichs (S. 479) *ræd-*, weil der Halbvers doch mindestens vier Silben fordert.

LXXXII.

V. 1 ff.   *Nis min sele swíge, ne ic sylfa hlúd*
            ymb . . . . ; unc dryht[en] scóp
            síð ætsomne,

so beginnt das Rätsel vom Fisch und Wasser.

Ergänze *droht minne*, das der Schreiber ausgelassen hat, da das Mskr. keine Lücke zeigt (Schipper S. 338).

LXXXV.

V. 12 ff.   *Eom ic gumcynnes*
            ánga ofer eorðan; is min bæc
            wonn and wundorlic.

Ich ergänze *ágen* vor *bæc* in V. 13, um die fehlende Allitteration herzustellen.

LXXXVIII.

V. 24.   . . . . . . *of wombe bewaden féreð.*

Die fehlenden sechs Buchstaben sind leicht als *wéalīc* zu ergänzen; *of wombe bewaden* muss heissen 'des Inneren beraubt'. — Dietrich, der nicht wusste, dass *of* in der Hs. erhalten sei, ergänzte *wonsceaft* (a. a. O. S. 487).

Giessen, im August 1893.

Ferd. Holthausen.

Die Inversion von Subjekt und Prädikat
in den nordischen Sprachen.

Die Inversion in koordinierten Hauptsätzen hat in letzter Zeit viel Staub aufgewirbelt. Man ist ihr mit allen möglichen Ausdrücken zu Leibe gegangen, hat in ihr einen Greuel, etwas unsäglich Gemeines gefunden und sie dadurch in den Pfuhl der Hölle gestossen. Auf der anderen Seite haben Forscher, die in der Geschichte unserer Muttersprache zu Hause sind, sie in Schutz genommen, wenn auch keiner so weit gegangen ist, diese syntaktische Erscheinung für die Schriftsprache zu fordern. Die Frage, ob die Inversion erlaubt oder sprachwidrig ist, lässt sich weder durch Machtgebot noch durch den

persönlichen Geschmack beantworten, nur geschichtliche Durchforschung des Sprachgutes führt zu ihrer Lösung. Dieser Weg
ist in ruhiger und trefflicher Weise eingeschlagen worden von
J. Poeschel[1]); derselbe kommt zu dem Ergebnis, dass die Voran-
stellung des Zeitwortes nach u n d in der deutschen Sprache so
alt ist, wie diese selbst, und dass wir in dieser Inversion einen
Rest alter Freiheit in der Wortstellung überhaupt besitzen.
Dieses Resultat reizte mich, auch die nordischen Sprachen auf
diese Erscheinung hin ins Auge zu fassen, und dabei zeigte
sich, dass diese wie in manchen anderen Punkten auch in
Bezug auf das Auftreten der Inversion mit der deutschen
Sprache Schritt halten, doch zeigen die einzelnen Zweige des
nordischen Sprachstammes unter einander selbst wieder Verschiedenheiten. In der ältesten Zeit ist die Umstellung von
Zeitwort und Nomen durchweg neben der gewöhnlichen Wortfolge herrschend; am konservativsten ist wie in anderen Dingen
auch hierin die isländische Sprache, in der noch heute die
Inversion ganz gebräuchlich ist. Am frühesten sucht sich die
dänische Sprache derselben zu entledigen, hat aber doch bis
in unsere Zeit sie noch nicht ganz abgeschüttelt. Im Mittel-
schwedischen und Mittelnorwegischen können wir sie noch in
zahlreichen Beispielen finden, das Neunorwegische geht Hand
in Hand mit dem Dänischen, und das Neuschwedische fast
mit dem Hochdeutschen. So können wir in dieser syntaktischen
Erscheinung noch heute einen Unterschied zwischen dem alten
ostnordischen und westnordischen Stamme finden.

Es unterliegt keinem Zweifel, dass wir in der Inversion
einen Überrest aus einer Zeit haben, wo die Stellung der
Worte im Satze noch eine freiere war, als sie heute ist. Daher erklärt es sich, dass sie auch in einfachen Hauptsätzen
in den älteren nordischen Sprachdenkmälern durchaus nicht
selten ist. Besonders häufig findet sie sich beim Beginne der
direkten Rede. So lautet z. B. der Anfang der 2. Weihnachts-
homilie in der StHb. (50): *Biþek yþr, góþ syst̄ken.* Oder an
anderer Stelle heisst es: *Jesus svaraþe: Hefka ec diofol*
(86. 18 "Ich habe nicht den Teufel"). Gerade die älteste is-

1) In der Einladungsschrift der Fürsten- und Landesschule
Grimma 1891, 71—83 und neuerdings: Auch eine Tagesfrage. Wissen-
schaftliche Beihefte zur Ztschr. d. Allgem. deutsch. Sprachvereins
Nr. V. Vgl. dazu Hildebrand Ztschr. f. d. deutsch. Unterr. V 793—96.

ländische und norwegische Prosa hat hiervon schier unzählige
Beispiele. Ich sehe dabei ganz von der Dichtung ab; wer
die Eddalieder und Skaldengedichte kennt[1]), weiss, welche
Rolle in ihnen die Inversion spielt. Allein dass wir es auch
hier nicht nur mit einer poetischen Licenz, sondern thatsächlich mit Sprachgebrauch zu thun haben, lehrt uns die Prosa[2]).

Bereits in den Runeninschriften lassen sich Beispiele von
Inversion finden. In dem *aihek* auf dem Brakteaten von Maglemose
(*ho . ʀ aihek.* Noreen Altisl. Gr.[2] Anh. No. 23), dem *snuheka*
auf dem Steine von Stentofta in Schweden (ebd. No. 34) liegt
zweifellos Inversion vor. Aus etwas späterer Zeit findet sich ein
Beispiel der Inversion auf dem Röckstein: *auktumirɑnubsakaʀ*
d. i. *auk dó mæir ann ub sakar* (Bugge Ant. Tidskr. f. Sver.
V 38 f. 91); in noch späteren Inschriften ist sie durchaus nicht
ungebräuchlich (vgl. die Beispiele bei Brate und Bugge, Run-
verser Ant. Tidskr. f. Sver. X No. 16: *ld hann úti fiarri*; No. 69
var hann i Grikkum; No. 72 *var Ulrifr i Grikkium*; No. 83:
ʋæit iak u. öft.). In der altisländisch-norweg. Prosalitteratur
können wir unsere Blicke hinwenden, wohin wir wollen, jedes
Denkmal lehrt uns, wie geläufig in jener Zeit die Umstellung
von Verbum und Nomen gewesen ist. Ich greife nur aus den
verschiedenen Litteraturgattungen eine Anzahl Beispiele heraus.

Die ältesten altisländisch-norwegischen Handschriften sind
Werke geistlichen Inhalts, die zum grossen Teil nach lateinischen Vorlagen gearbeitet sind. Diese Vorlagen selbst geben
keine Veranlassung zur Inversion; nichts desto weniger ist sie
in diesen Schriften ungemein häufig. So in der StHb. S. 4, 29:
oc nam hon eige þat af aɴara deómom; 6, 19: *oc tók hann
af hennar hollde alt likamlegt eþle*; 8, 28 *oc ma hon aollom
hidlpa*; 50, 11: *Heiþek yþr syner miner*; 63, 10: *Légþa ec
aond mina i fósto*; 67, 31: *oc gerþe hann eige avita ovine sina;*
175, 9: *Faþer, fel ec anda miɴ a heɴde þér*; 179, 18: *oc
beʀ hann þa sigr af þeim.*

Gl. norsk Hb. 19, 17: *Sagða ec, quað Dauid, jatta
mon ec fyri drotne i gægn mér*; 32, 16: *oc liggja gaotur
hennar til hælvitis*; 113, 28: *oc iðraðosc baðer syndar sinnar;*

---

1) Man vgl. hierzu die Beispiele bei Gislason Um frumparta
S. 328 ff.

2) Vgl. Lund Oldnord. Ordföjningslære § 177. 182.

148, 30: *oc bió hann sic þa til holmgaongu*; 160, 30: *oc lá hann fyrir fotum þæim.*

Eluc. (Faks.-Ausg.) 38, 13: *oc gofoþ ér mer at eta*; 30, 10: *oc ólo þau son.*

Cod. AM. 645. 4° (Ausg. von Larsson) 1, 6: *Vrþo þeir fegner þesi iartegn*; 100, 18: *oc blotoþv þeir þar*; 92, 18: *oc brennom vér*; 86, 13: *oc for ec meþ boþorþ friþar alt i iervsalem*; 15, 22: *oc mátti hann nér eki amdt taca.*

Aus der Sagalitteratur: Heimskr. (Ausg. v. Unger) 219, 17: *Var hann djarfr ok snjallr i máli*; 221, 21: *ok gengu skipin mikinn út yfir grunnit*; 222, 29: *ok sneri konungr ofan aptr til skipa*; 223, 5: *fengu þeir beitt um nóttina fyrir Balagarðssíðu*; 223, 13 ff.: *hitti hann þar Þorkel hinn háfa,... ok reðst þorkell til ferðar með honum*; 223, 16 ff.: *Sigldu þeir þá suðr ... ok unnu þeir víkingaskip mörg*; 224, 24: *ok fekk Aðalráðr konungr ekki atgert*; 224, 29: *ok stóðu þeir niðr grunn i ánni.*

Gunnlaugss: (meine Ausg.) 1, 9: *ok var þeira dóttir Hún-gerþr*; 1, 25: *ok riþu þeir til þess*; 1, 32: *ok sofnaþi Þor-steinn*; 2, 9: *ok sá ek upp i himininn*; 2, 32 f.: *ok mun hon fæþa meybarn fritt ok fagrt ok munn þit unna þvi mikit*; 3, 5: *ok fór hann i brott at fardǫgum.*

Þiðrikssaga 143, 4: *Ganga þeir nu vt*; 143, 7: *oc hevir Þetleifr nv vnnit þenna leic*; 143, 22: *oc vil ec geva þer herra havuð hans*; 144, 1: *oc skiliaz þeir nv at veizlvnni*; 144, 11: *oc let hann nv lif sitt.*

Aus den späteren romantischen Sagas: Bósasaga (Ausg. v. Jiriczek) 4, 13: *ok unni hann honum meira*; 4, 16: *ok var hann rdðgjafi konungs*; 4, 18: *ok var hann fyrir öllum inntektum*; 5, 21: *ok var hún þvi kólluð Brynhildr baga*; 7, 4 f.: *ok var Bósi jafnan i konungsgarði ok lögðu þeir Herrauðr lag sitt saman.* Elissaga (Ausg. v. Kölbing) 18, 6: *Drapo vær af þeim vel M.*; 22, 10: *oc lyfti hann þegar æinum miklum staf*; 25, 3: *oc kæyrði hann þeyar þann hinn fliogskiota hest sinn.*

So lässt sich diese Umstellung von Verbum und Nomen durch die ganze ältere Litteratur verfolgen. Und sie hat sich in gleichem Umfange auf Island und den Færöru bis heute er-halten. Wer die isländischen Sagen und Märchen gelesen hat, wird sie auf Schritt und Tritt gefunden haben. Ich stelle hier nur die Beispiele aus einem Märchen zusammen (Jón Árnason Ísl. Þjóðs. II 315 ff.): 315, 30: *var hún fríð sýnum*; 316, 4:

og yrði hann að gœta ríkisstjórnar; 316, 5 : *buðu þeir honum að fara*; 316, 6: *Gátu þeir loks*; 316, 8 : *og gjörðu þeir pad*; 316, 29 f.: *og var drottning sett i vagninn hjá honum, og fékk hann þegar ástarhug á henni*; 317, 6: *og var hún býsna diúp*; 317, 7: *Geingu þœr mœðgur síðan heim*; 317, 8: *og lét drottning dóttur sína fara í klæði*; 317, 22: *Fór hún síðan af stað*; 318, 10: *höfðu þœr klæðaskipti*; 318, 22 : *Fór hún þá inn með þetta* u. öft.

In der andern Litteratur ist es nicht anders. So haben wir z. B. bei Baldvin Einarsson (Melsteð, Synisbók íslenzkra bókmennta á 19 öld) S. 52, 7 : *og stunda fiskiveiðar með atorku og forsjá*; 53, 30 : *og fór eg ætið fróðari . . . en eg kom*; 54, 22 : *ok mœttu þeir rœðu við yður um stundarsakir* ; 57, 2 : *og varð eg að borða það*; 57, 10 : *og taka þeir þá af mjer ómak.*

Wie das Isländische hat natürlich auch das Færöische diese syntaktische Erscheinung beibehalten. So finden wir z. B. in dem Märchen von dem Seehundsweibchen (Færøsk Anthologi I) 345, 33 : *og líktust teir nú rœttuliga öðrum fólki*; 346. 20: *og livdu tey vœl hvört hjá öðrum*; 347, 24 : *og segði hon honom frá.*

Im Norwegischen ist es ganz ähnlich. So lange diese Sprache noch ihre alten Eigentümlichkeiten zeigt, findet sich hier auch die Inversion durchaus nicht selten. Noch bei Peder Claussøn Friis ist sie ziemlich häufig. Man. vgl. z. B. (Samlede Skrifter udg. af G. Storm) 173, 13 : *oc schall du hede Thorolff Smør*; 176, 1 : *oc sende Irlenderne en Biskop som hed Friderich*; 178, 21 : *oc drœb hand 4 Mend den Stund*; 179, 25 f. *oc ginge Iislendingerne dertill*; 181, 4 : *oc haffde de sendt Mend effter hannom*; 184, 14 : *Oc haffue de uden Tuiffuell faaet dieris Faar fraa de Lande.* Erst mit dem Eindringen der dänischen Sprache wird die Inversion seltener und ist heute ziemlich verdrängt, wenn sie auch, selbst bei den besten Schriftstellern, nicht als verpönt gilt (vgl. z. B. Bjornson Fortællinger I 12, 30 : *og stod han hver Gang lige rank paa Foden*; 34, 22 : *vilde han tage sig af Gaarden.*

Während so der westnordische Sprachzweig der Inversion gegenüber ziemlich konservativ gewesen ist, hat sich der ostnordische ihr mehr oder weniger zu entledigen gesucht. Aber auch hier sind die 2 Vertreter des Zweiges, das Schwedische

und Dänische, nicht Hand in Hand gegangen. Im Mittel-
schwedischen ist die Inversion noch geradeso herrschend wie
im Isländischen und Norwegischen. So in Svenska medeltidens
bibelarbeten S. 2, 25: *oc war enoch siunde man aff adam*;
4, 2: *Oc heter then deel aff wœrldinne affrica*; 13, 17: *oc war
daniel vnger aff iudha konungx slœkt*; 40, 11: *Oc skulo wi
her rœtlika ower tala*; 41, 16: *Oc maghom wi kalla*; 51, 15:
Oc skulom wi leta; 104, 19: *Oc war thz skœlikt*; 168, 30:
Oc war archen i fœrdhom hundradha aar; 249, 18: *oc gaff
iak wt mina twa sönir*; 249, 25: *Oc mon iak tha bœra witne
a mot mik* u. öft. Oder in Sagan af Didrik af Bern Kap. I 45
Oc badh hon syne quinnor; 6, 16: *oc hawer iak lika wœll
nog*; 7, 24: *oc bedl han tha at alla hans riddara*; 13, 57:
oc bleff han tha död; 94, 11: *oc haffuer tw stor hedher ther
aff*; 146, 6: *oc torffwa wij nw ey langer her liggia*. Auch
in der Übersetzung des neuen Testamentes aus dem Jahre 1526
ist die Inversion noch sehr häufig, z. B. Apostelgesch. (Faks.-
Ausgabe von Axel Andersson) 2, 12: *Och förskrœcte the sigh
alle*; 2, 42: *Och bliffuo the allstädhes stondandes vthi apost-
lanas lärdom*: 4, 4: *och wort talet på mennena widh fäm
tusend*; 7, 41: *och giordhe the en kalff*; 9, 19: *Och was Saulus
medh the lœryungar*; 11, 8: *Och sadhe iach*; 12, 10: *Och gingo
the fram i genom then första .. wäkten*. Erst im Laufe des
18. und 19. Jahrhunderts wird diese Umstellung immer seltener
und heute verhält man sich ihr gegenüber in ähnlicher Weise,
wie in Deutschland: man meidet sie, wenn sie auch noch vorkommt, zumal in der volkstümlichen Rede.

Etwas anders liegt die Sache im Dänischen. Hier zeigt
sich schon in den älteren mitteldänischen Denkmälern eine
gewisse Abneigung gegen die Umstellung. Dass wir sie in den
Gesetzen fast gar nicht finden, hat allerdings seinen Grund in
der Sprache der Gesetze. Diese verlangt in ihrer bündigen
Weise Vorder- und Nachsatz und gewährt infolgedessen kein
Feld für sie. Aber auch in den Chroniken, Briefen, Erzählungen ist sie im Vergleich mit der gleichaltrigen schwedischen
und isländisch-norwegischen Litteratur ziemlich selten [1]. Gleich-

---

1) Vgl. z. B. in den alten Bibelübersetzungen Apost. 9, 27:
schwed. *och was han sedan meth dem*; dän. *oc hand var met
thennom* (Save Om källorna til 1526 års öfversättning af nya test.
S. 70/1).

wohl lässt sich auch hier eine Anzahl Beispiele finden, die
dafür sprechen, dass man sie wohl gekannt und benutzt hat.
So heisst es im Eingange von Knut des Grossen Witherlagsret
(Brandt Gammeld. læseb. 36, 6): *oc gat han thøm ey haft
samman satte*; ferner Gd. krøniker (herausg. von Lorenzen)
6, 10: *oc for han til Swerikæs*; Karl Magnus krønike (Rom.
digtn. fra middelald. III) 161, 19: *oc mottw nw se drøffuelsæ
pa worth folk*; 162, 8: *oc setther ieg ether til bædringh for
ether synder*; Pedersens Umarbeitung von Kong Olger Danskes
Krønike (Abdruck der Ausg. von 1534) 6, 14: *och fant jeg
hende omsiger i Paris*; Briefe aus den Jahren 1329 und 1340
(Brandt Gd. læseb.) 77, 2: *Kungær jæk thet allæmæn*; 77, 7:
ok kænnes jæk mikh fæ; 78, 9: *och tilbindher jek mek*. In
seiner Art ist das Dänische sich gerade so konsequent geblieben, wie das Isländische: die Inversion ist nicht unbedingt
verwerflich, aber man liebt sie nicht. Ja, die einzelnen Dichter
scheinen ihr gegenüber ihren persönlichen Geschmack in ihren
Werken ausgesprochen zu haben. Und hierbei zeigt sich, während
Holberg eine gewisse Abneigung gegen sie an den Tag legt, dass
Oehlenschläger, Dänemarks klassischer Dichter, sie durchaus
nicht für verwerflich ansieht. In seiner Vaulundurssaga z. B.
schreibt er (Folkeudg) S. 7, 13 *Og var det da heel underligt*;
12, 7: *og levede de siden lang tid uforstyrret lykkeligen*;
17, 1: *og finge de dem begge en halv ruus*; 25, 6: *og var
dette sværd saa smidigt*; 30, 4: *og byder og befaler jeg her
ved min kongelige magt*; 32, 27: *og vil jeg kiøbe min frihed*;
34, 12: *Og maatte han nu saaledes fra morgen til aften
smedde*; 41, 25: *og skal jeg vel ride at mage det paa det
bedste*; 42, 17: *og mærkede de til intet ondt*. Ich glaube nicht
fehl zu greifen, wenn ich dieses häufige Auftreten der Inversion
gerade bei Oehlenschläger aus der Beschäftigung und Lektüre
der altisländischen Litteratur erkläre. Die neueren Dichter
zeigen wieder eine gewisse Abneigung gegen sie, doch sind
auch sie in ihrem Geschmacke einander nicht gleich.

Stelle ich die Ergebnisse der Durchforschung einer Anzahl nordischer Litteraturdenkmäler neben die Ergebnisse der
Pöschelschen Untersuchungen, so dürfte sich für die Geschichte
der Inversion behaupten lassen:

1. Die Umstellung von Subjekt und Prädikat in Hauptsätzen kennen alle germanischen Stämme; sie muss dem-

nach gemeingermanisch sein und aus einer Zeit stammen, wo die Stellung der Worte im Satze noch eine freiere war.

2. Sie ist in der älteren Zeit durchaus volkstümlich und allgemein und findet sich ebenso häufig, wie die jetzt geforderte Stellung.

3. Erst im Laufe der Zeit, namentlich in den heutigen Schriftsprachen, hat sich bei den Deutschen, Schweden und Dänen das Bestreben gezeigt, diese Umstellung aufzugeben, während sie sich bei den Isländern in der alten Weise erhalten hat.

4. Die Inversion ist demnach keine Unart oder kein Barbarismus der Neuzeit, sondern alter nationaler Sprachgebrauch, dem gegenüber der einzelne sich wohl ablehnend verhalten mag, der aber ebensowenig wie andere Altertümlichkeiten unserer Sprache die Lauge des Spottes verdient.

Leipzig.   E. Mogk.

Über einige slavische Wörter im Schwedischen.

In der Abhandlung: "Svenska ord belysta genom slaviska och baltiska språken" (Upsala Univ. Årsskrift 1881) habe ich die meisten Wörter, die im Schwedischen aus den slavischen Sprachen direkt oder indirekt aufgenommen sind, erörtert. Von diesen Wörtern sind die folgenden als im Deutschen, wenigstens in der gewöhnlichen Schriftsprache, nicht gebräuchlich, besonders hervorzuheben:

Besman 'Schnellwage', altschwed. *bisman* (neben *bismari,* entspr. mnd. *besemer, bisemer*): russ. *bezmen.*

Bulvan 'ausgestopfter oder nachgemachter Lockvogel (Birkhuhn)'; zunächst, wie es scheint, aus lett. *bulwans*: russ. *bolvan.*

Lodja (in älteren schwed. Schriften) 'Lastboot auf den Flüssen in Russland und in den benachbarten Ostseeprovinzen': russ. *lodija.* Eine alte Variante desselben Wortes, Plur. *lådior,* findet sich schon in der um 1320 verfassten (in Handschriften aus dem 15. Jahrhundert bewahrten) gereimten schwedischen Eriks-Chronik (V. 1523); diese Form entspricht der russ. Form *ladija*.

Pasma F. und *pasman* N. 'Fitze, Gebinde Garn', finnisch *pasma* und *paasma* (Genit. -*an*), lett. *pasma*: slav. (russ. usw.) *pasmo*.

Prestav (prestaf), eigentlich Marschall oder Zeremonienmeister, ursprünglich in weiterem Sinne, später ausschliesslich Marschall bei einem vornehmen Leichenbegängnis, der einen mit Flor umwundenen Stab vor dem Leichenzug trägt; jetzt aber meistens missverständlich vom Stabe selbst gebraucht, als wenn das Wort von *stav (staf)* 'Stab' mit dem lat. *prae-* 'vor' gebildet wäre! Vielleicht wurde zunächst das Verb *prestavera* (Prestav sein) als = 'den Stab vor [dem Leichenzug] tragen' gefasst? *Prestaf*, im Jahre 1615 belegt, ist das russ. *pristav* Aufseher.

Tolk 'Dolmetscher', altschwed. *tolker*, mnd. *tolk* (altnorweg. *tulkr*, finn. *tulkki*, lett. *tulks*): altruss. *tolkъ*.

Torg 'Markt', altnorweg. *torg*, dän. *torv*: altruss. *torgъ*.

Tulubb und veraltetes *tulupp* 'Pelz': russ. *tulup*.

Einige in der zitierten Abhandlung nicht erwähnten Wörter slavischer Herkunft folgen hier:

Kibitka 'leichter halbverdeckter Schlitten': russ. *kibitka*.

Lave (lafve) 'wandfeste Bank, z. B. Schlafbank oder Schwitzbank in einer Badestube usw.' In der Abhandlung: "Slaviska lånord från nordiska språk" (Upsala Univ. Årsskrift 1882), S. 28 f., glaube ich wahrscheinlich gemacht zu haben, dass schwed. *lave* aus dem finnischen *lava*, dies aus dem russ. *lava* 'Bank' entlehnt ist (nicht umgekehrt, wie Miklosich glaubte). Nachträglich füge ich hier hinzu, dass meiner Meinung nach (gegen Bugge Arkiv f. Nord. Fil. II 209) auch das altnorweg. *láfi*, neunorweg. *laave* 'Tenne, Scheune' aus demselben finnischrussischen Worte, aber in der alten Zeit, wo noch *lava* mit langem *a* gesprochen wurde, entlehnt sein könnte, und dass ich geneigt bin, die echt nordische Entsprechung des slav. *lava* im schwed. *loge* Tenne, Scheune, altschwed. dän. *lo* (urnord. Grundf. *lōwan-*) zu finden.

Loka F., früher auch *lok* N., 'Bogen auf dem Pferdegeschirr, Kummet nach finnischer Art': aus finn. *luokka, luokki* in derselben Bedeutung; dieses aus russ. *luk* 'Bogen', altslav. *lǫkъ*.

Sjubb 'Waschbär', meistens in der Zusammensetzung *sjubbskinn*, früher (noch im Wörterbuche von A. F. Dalin 1853 als einzige Form) *sjupp*; mit nhd. *Schupp, Schuppenpelz* aus dem slav. (russ.) *šuba* Pelz entlehnt (Grot Filolog. Razysk. ² I 482). Das *p* im Deutschen und im früheren Schwedischen ist vielleicht aus dem slav. Gen. Plur. *šub* nach substantivischen Zahlwörtern zu erklären. Das *b* aber in der jetzigen schwedischen Form beruht wohl nicht auf direktem slavischen Einfluss, eher vielleicht auf Assoziation mit dem mit *sjubbskinspäls* wesentlich synonymen *tulubb* als Nebenform zu *tulupp* (s. oben).

Väska, früher auch *vätska*, 'Hängetasche'; mit norw. *væska*, ält. dän. *vedske* zunächst aus dem Niederdeutschen; vgl. mnd. *weske, we(t)scher, wetsker*, auch *watschen*, ält. nhd. *wätsch(g)er, watschger* usw. 'Reisetasche, Felleisen'. Das Wort ist zwar dasselbe wie das echt deutsche mnd. *watsack*, mhd. *watsac* (woraus dän. *vadsæk*, ält. schwed. *vätsäck*), stammt aber zunächst aus den westslavischen Sprachen, in welche das deutsche Wort aufgenommen war: poln. *wacek*, čech. *vačck*. Zu der letztgenannten Form als scheinbarer Deminutivform ist čech. *rak* wohl sekundär entstanden, wie schon Jungmann vermutete (Wörterbuch V 12).

Upsala, September 1893.

Fr. Tamm.

Bemerkungen zu den z-Lauten im Slavischen, vornehmlich im Altslovenischen.

Die nachstehenden, keineswegs erschöpfenden Bemerkungen knüpfen an das grundlegende Werk von Miklosich "Etymologisches Wörterbuch der slavischen Sprachen" und an das ebenfalls grundlegende "Handbuch der altbulgarischen Sprache" 1886 ² von Leskien an.

Schleicher hat in Formenlehre der kirchenslavischen Sprache 1852 nur drei Spiranten als ursprüngliche bezeichnet: *s*, *j* und *v*; *z* hat er aus *ĝ* oder *ĝh* hervorgeschen lassen. So auch im Kompendium 1866. Osthoff hat zuerst *z* als ursprünglich indogermanisch nachgewiesen und zwar aus *s* vor stimm-

haften Konsonanten hervorgegangen, in *mьzda* 'Lohn', *mozgъ*
'Gehirn' [1]), in *hasta* Nest, Ast usw. KZ. XXIII 87; später in
XXIII 579 in idg. *zdhi*. Dieser Befund hat sich als richtig
erwiesen, Leskien hat demgemäss in Hdb. 17 in *mьzda z* als
ursprünglich hingestellt; vgl. Brugmann Gr. I 446 ff., dem ich
auch sonst folge; in dem zur Vergleichung heranzuziehenden
μιcθóc ist c aus z der aus *dh* zu θ gewordenen Aspirata angeglichen. *mьzda*, welches im Slavischen ziemlich verbreitet
und nur im Poln. seit alter Zeit durch *myto* ersetzt ist (so im
Flor. Ps. 14. Jahrh.; ausnahmsweise im 15. Jahrh. *mьzda* in
Sophienbibel u. Stat. 1460 und isoliert im 16. Jahrh.), ist von
G. Curtius Grundzüge mit Recht mit Wz. *mьstь* 'Vergeltung' verglichen, wo *s* wegen der Tenuis *t* steht. Ähnlich, wie *mьstь* und
mozgъ, sind *brazda* 'Furche' und *gvozdь* 'Nagel' zu erklären:
das erste ist ahd. *prort, prart* (an. *broddr* usw. mit skr. *bhṛṣṭi*-
zusammenhängend) gleich zu achten; *gvozdь* ist mit an. *gaddr*,
l. *hasta* (aus *hazda*) gleichen Ursprungs. Auch in *gnězdo*
'Nest', vgl. ai. *nīda*, l. *nīdus*, arm. *nist*, ahd. *nest* (*ni-sed*) ist
ein altes *z* enthalten, denn es ist schwer, das slavische Wort
von den zur Vergleichung herangezogenen zu trennen; das
Bedenken Miklosichs in EW. wegen *ě* gegenüber von *i* lässt
sich nach Osthoffs Ausführungen MU. IV durch Annahme einer
Abstufung von *noizd-* und *nizd-* heben; das anlautende *g* ist
vielleicht im Anschluss an *gnesti* oder *gnětiti* angetreten.

Ursprünglich ist auch dasjenige *z*, welches *ĝ* oder *ĝh*
reflektiert. Diese Laute wurden nach allgemeiner Annahme
im Arischen und Lituslavischen spirantisch gesprochen. Die
Wörter dieser Gruppe sind, soweit ihre Etymologie ermittelt
ist, genugsam bekannt: *ĝ* in *brěza, zemja, znati, zrъno, zǫbъ,
jazьno, mlъzą* usw., *ĝh* in *azъ, vezą, vrъzą, gryzą* (Leskien
Abl. 297, von Fick mit βρύχω zusammengestellt), *drъz-, zima,
zovą, lizati* usw. Nur entzieht sich das Nebeneinander von
g und *ĝ, ĝh* in Wörtern gleicher wurzelhafter Herkunft und
verwandter Bedeutung in verschiedenen Sprachen, auch selbst
in demselben Sprachgebiete einer sicheren Erklärung, wie z. B.
žena und *zętь, žlъtь* und *zlato, drъž-* und *drъz-, go že* und *zi*
u. a.; namhafte Versuche zur Erklärung dieses Wechsels haben

---

[1] Vgl. über dieses Wort Bartholomae KZ. XXVII 352: Wz. *mezg*
ostidg. und Wz. *mezgh* westidg.

u. a. J. Schmidt in KZ. XXV 125 ff. (zwei arische *a*-Laute)
und im Anschluss an diese Abhandlung Bechtel in den Haupt-
problemen 372 ff. unternommen. Der Umstand, dass *g* und *ĝ*,
ĝh in der bezeichneten Sphäre auch im Slavischen wechseln,
spricht dafür, dass der etymologische Zusammenhang zwischen
g und *z* ununterbrochen empfunden wurde, wie denn auch noch
in später Zeit, im Einzelleben der slavischen Sprachen *zį* wie
gį und auch *zъ* wie *gъ* behandelt wurden: *kazati kaźą* wie
lъgati lъžą, *koza* und *koźa* wie *strégą* und *stražъ* (Lesk. 42);
auch poln. *scieżka* von *stъdza*, *pogróżka* von *grozić* u. a.

Es mögen zunächst zu den Wörtern mit wurzelhaftem
z = ĝ, *ĝh* einige Bemerkungen gegeben werden. In einigen
ist *z* auf slavischem Boden vor tönenden aus *s* geworden: in
zde (rъzdé) für *sъde (vъsъdé)*; in *uzda* 'Zügel', welches wohl
mit *usta* 'Mund' zusammenhängt[1]), und in *rozga* 'Rute', welches
ich aus *rost-ga* erklären möchte[2]). *nozdri* 'Nüstern' (St. *nosъ*)
und *męzdro* 'Baumrindensaft' (St. *męso*), beide auf slavischem
Boden ausgestaltet, haben wohl als Suffix -*rъ* und *ro*; die
Annahme eines zweiten Kompositionstheiles *der* (Brugmann I
441; II 177) ist nicht ohne Bedenken, weil ähnliche Komposita
im Slav. fehlen; die Wörter mögen aus **nostri* und **męstro*
ähnlich entstanden sein, wie *mъzgъ* und *mъskъ* 'mulus', *blъsk*-
und *blъzg*-, wie das Lit. beweist, *dręzga* und *dręska*[3]); in den
neueren slav. Sprachen sind solche Erscheinungen nicht selten:
skon und *zgon* u. a. In *izba* ist bekanntlich *z* auch aus *s*
geworden: *(i)stъba*, d. *stuba*, ein allgemein verbreitetes Fremdwort (s. u.).

In mehreren Wörtern kommt die Lautfolge *zg* und *zd*
vor, diese, wie es scheint, auch im Lit. beliebt: in *gruzdije*
'glebae' neben *grudije* ist *z* parasitisch, wie *gruda* 'Erdscholle',
lit. *grúdas, grúdžt* 'stampfen' beweisen; betreffs *mězga* 'Baumsaft' äusserte J. Schmidt KZ. XXV 128 mit Bezugnahme auf
die etymol. Nachweise Miklosichs, dass man *zg* für *g* annehmen
müsste; ich glaube, dass sich diese Annahme bestätigt durch
den notwendigen Vergleich mit *mъgla* 'Nebel' und durch Hin-

---

1) Vgl. Kretschmer KZ. XXXI 452.

2) Mikl. EW. Nachtr. 430 erklärt Wz. *orz* als zweifelhaft.

3) Zu poln. *drzazga* auch *trzaska*, sei bemerkt, dass es wohl
aus dem Laus. entlehnt ist: *Draźdany* Dresden; hierher gehört auch
drzaznić, nicht zu *drъz*-.

weis auf poln. *miegoć* 'Feuchtigkeit', *miegotny* Adj. (s. Linde);
in *brĕzgъ* 'Dämmerung' (poln. auch *brzask*) ist *zg* für *g* eingetreten: Wz. *brĕg*; in *bręzdati* 'sonare' ist *d* auszuscheiden, wie
lett. *brasu* 'brausen' beweist; ferner ist in *pizda ъ* dem folgenden
d angeglichen, vgl. lit. *pisù* 'coire c. fem.'; dass in poln. *zgłoba*
(schles. auch *zagłoba*) *g* eingeschoben ist, scheint sehr wahrscheinlich zu sein, denn es ist unmöglich, das Wort von *zъlъ*
schlecht zu trennen. In *jazda* 'Fahrt, Ritt' gehört *z* nicht zum
Stamme und auch wohl nicht zum Suffix; Wz. *ja*, wie verschiedene Beispiele beweisen: altč. und altž. Formen des Präteritums lauten *przyjal, przyjeli*; *vyjal, vyjeli* usw.; im Präs.
jadą ist *d* ebenso zu erklären, wie in *idą*, das *ch* des Infin.
(jachati) gehört dem nominalen Suffix -*chъ* an, wie in *smĕchъ*
zu *smĕjati* 'lachen' u. a., wahrscheinlich auch *grĕchъ* zu *grĕjati*.
In einigen klr. und poln. Wörtern auf -*izna* verleiht zwar *z*
denselben eine bestimmte Bedeutung, gehört aber nicht zum
Suffix, welches -*ina* ist: kr. *otčyna* und *otčyzna*, p. *dolina*
und *wysoczyzna*, vgl. auch *mężczyzna* 'Mannsperson' und r.
ženščina; in č. *ohyzda* ist *z* parasitisch, wie *ohyda* beweist,
welches im Poln. aus dem Čech. oder Kruss. entlehnt ist.

In *bezъ, izъ, nizъ, prĕzъ, razъ*, ist *z* ein Bildungselement,
dessen Herkunft und Bedeutung nicht bekannt ist. Für das
d in gleichgebildeten Wörtern *zadъ, nadъ, podъ, prĕdъ* usw.
gab Miklosich im Lex. palaeosl.-gr.-lat., im 2. Heft 1864, unter
zadъ eine Erklärung: "ortum e verbo *dĕ*", welche Jagić später
in seiner anregenden Abhandlung "Lehen der Wurzel *dĕ* im
Slavischen" 1871 ausführte. Inbezug auf *z* ist eine ähnliche
Erklärung nicht gefunden; die von Miklosich EW. unter *go*,
unter Hinweis auf *izъ, nizъ*, gegebene Erklärung, dass *go, že*
und *zi* der Partikel *gha* usw. gleichzustellen sei, befriedigte
ihn selbst nicht: "die Sache ist dunkel und Hypothesen gestattet". Mir liegt es fern Hypothesen aufzustellen, etwa auf
zъvati 'benennen', Wz. *zъ, zụ* hinzuweisen, ich möchte nur in
diesem Zusammenhange erinnern, dass Miklosich auch in *paz-*
dasselbe Bildungselement erblickte: *paznogъtъ, pazderъ* 'stipula'
(Wz. *der*), vor allem in *pazducha* 'sinus', welches mit čech.
poln. *pazucha* 'Achselhöhle' zusammenzustellen ist: *wsadzić za
pazuchę* 'auf den Busen legen'. *bezъ*, lit. *bĕ*, ist jetzt im Poln.
allein üblich, ich möchte aber meinen, dass es aus dem Kruss.
entlehnt ist, und daraus würde sich das harte *e* erklären (vgl.

Mikl. I 520); im Flor. Ps. (14. Jahrh.) kommt nur *przez* in der Bedeutung 'sine' vor, im Gegensatz zu *przes* 'per', auch in den Gnes. Predigten und polab. *priz* 'sine'; *izъ* in lyk. *äsä* ist aus *ěg* erklärt worden (BB. XIII 271); *nizъ* ist in *nizъkъ, niskъ* enthalten, davon *niětь* (vgl. Kirste Archiv f. sl. Ph. XIII 395).

In einigen Wörtern ist *z* wohl nicht *ǧ* oder *ǧh*, sondern anderen Ursprungs. *drъzъkъ* 'kühn', *drъzati* 'kühn sein' wurde trotz der Meinung Schleichers Kirchsl. 117 f., "dass es des *z* wegen, welches nie einen anderen Laut, als die gutturale Media wiedergiebt, nicht zu skr. *dhṛṣ*, griech. θάρϲοϲ und lit. *drasus* gestellt werden könne", von Curtius Grdz., auch in der letzten Ausgabe (167 f.) zu θάρϲοϲ θραϲύνω gestellt, da ja die Warnung Schleichers dadurch hinfällig wurde, dass er selbst sl. *z* = *dh* "bisweilen als Ersatz eines skr. *dh*" hinstellt (S. 108, 110). *vęzati* 'binden' befremdet durch den Anlaut *v*, welcher sich auch durch Übertragung nicht erklären lässt, weil *ęza* nur ausnahmsweise mit *v* im Anlaut erscheint; die Zusammenstellung mit *ęhas*, ἄγχω, *ango* hat Bedenken wegen der Bedeutung; und so wäre es möglich, an got. *windan* Wz. *vendh* zu denken; *ęza, ęzostъ* müsste davon getrennt werden, welches wohl auf Wz. *angh* zurückzuführen wäre. *lězą* 'gehe, schleiche', mit dem ablautenden poln. *lazy* 'urbar gemachte Flächen', hängt wahrscheinlich mit lit. *lendù* 'krieche', *landžoti* 'umherkriechen', ahd. *lint*, an. *linnr* 'Schlange' zusammen, vgl. *měsęcь* 'Monat', Wz. *mens*; Mikl. EW. vergleicht es mit ai. *rangh lanh, ragh lagh*, deren *gh* "palatal oder velar ist". *rъzati* 'wiehern', mit *rъžati* wechselnd (im Poln. existiert neben *rżeć* auch *r-zac*: *konie zarzaly*), gehört wohl zu denjenigen Wörtern, in denen *g* und *ǧ* wechseln: *rugio*, ρύζω[1]); in *gręznąti* ist nicht sicher, dass *z* einem *g*-Laute entspricht, im Hinblick auf lit. *grimstù, grimzdau*, lett. *grimt, grimdinat* s. Ulmann Lett. Wb. *jęza, jędza* 'Krankheit' vergleicht Fortunatov Arch. XI 573 mit lett. *īgt* lat. *aeger*; näher liegt die Vergleichung mit lett. *idzinat* 'reizen', *igstu* 'innerlichen Schmerz haben' (Ulm Lett. Wb.) und lett. *ind(ew)e* 'Krankheit', Bezzenb. Lett. Stud. 170 u. 17. Die Partikel *съz-* für *sъ-*, lit. *už* f. *už* ist wohl mit Recht von Osthoff MU. IV 259 mit got. *ut*, ahd. *ūz*, nhd. *aus, ausser* zu-

---

1) Ob kruss. *rehotaty* p. *rzegotač* laut lachen (vgl. ON. Rzegocin) mit *rъzati* zusammenhängt, ist nicht ausgemacht.

sammengestellt, vgl. ai. *ud* heraus, *udara* 'Bauch', zd. *uz*, *us* usw.: Prellwitz Griech. EW. 336 vergleicht weiter *Urlaub*, *Urteil* usw.; damit würde die Partikel *vy* für *vyd* zusammenhängen, freilich ist dann *vъz-* von *be-z* usw. zu trennen. Zu beachten wäre noch *nъzati* 'infixum esse', wozu Mikl. EW. 214 das ablautende *noz* setzt (mit *nožь* 'Messer' aus *noz-jь*); ob es mit νήθω νάσσω zusammenhängt, wage ich nicht zu entscheiden.

In alten Fremdwörtern steht *z* oft für einen anderen, als einen *g*-Laut, so in *izba* (s. ob.); in *gonъznąti* 'genesen', got. *ganisan*; *drozdъ* (serb. auch *drozak* f. *drozg*), ahd. *drosca*, mhd. *drostel*, lat. *turdus*; russ. *glazъ* 'Auge', mhd. *glaren*; poln. *glaz* 'Stein', mlat. *glacia*; *krъzno* 'Pelz', ahd. *chursinna*, mlat. *crusina*; č. *kouzlo*, osorb. *kuzlo*, ahd. *koukal*, mhd. *goukelaere*, ahd. *gaukler*; ns. *zeger*, poln. *zegar*, ahd. *seiger*; für russ. *lobъzati* 'küssen' liegt wohl ahd. *lefs* 'Lippe' näher, als skr. *li-buja* 'Liane' (de Saussure Mém. V 232); Zagreb Agram ist aus *z' Agramb* ähnlich entstanden, wie Ϲτάμπουλ, poln. *Stambul* aus ϲτὴν πόλιν (Archiv XII 315); so ist auch wohl das Namenspaar *Ujézd* und *Mois* in Schlesien zu erklären: m' *Uis(d)*, im *Ujezd*.

Viele Wörter mit *z* in der Wurzel sind nicht erklärt: *brъz-*, *dręzga* (s. ob.), *groza* (s. ob.), *gvozdъ* 'Wald', p. *gzlo* Dem. *giezleczko* 'Hemd', *jezero*, *kazati*, *koza* (s. ob.), *loza*, *merz-*, *slъza*, *trizna*, *za*, *zajęcь*, *zvězda*, *zvъněti*, *zъdati*, *zъréti* u. a. *brъz-* 'rasch' bringt J. Schmidt KZ. XXV 131 mit *confluges*, *flugvius, Johansson KZ. XXX 444 mit βραχύς und *brevis* zusammen, was annehmbar wäre, wenn nicht die Urform *bъrz-* wäre[1]). In *gvozdъ* 'Wald, Berg' fehlt häufig *v*: *Wolgast* = *velij gozd*, Ortsname *Gozdanin* bei *Mogilno*, PN. *Gozdziewski*, vielleicht auch *Bydgoszcz* 'Bromberg' für *Bytgoźdž, wobei der erste Teil der Komposition dunkel bleibt. Pol. *gzlo*, *giezleczko* weist auf mlat. *casula* hin, wie *koszula*. Zu *loza* hat Brückner Lit. 102 bemerkt, dass lit. *laža* aus dem Slav. entlehnt ist. *merz-* 'abominari' ist vielleicht mit *merz-* 'frieren' verwandt, die Bedeutung spricht nicht dagegen. *slъza* 'Thräne' "ein schwieriges Wort" (Mikl. EW.), schon wegen der verschiedenen Lautfolge *slъz-* und *slъz-* (das p. *lza*, ap. *slza* kann aus beiden Grundformen entstanden sein), ist kaum mit ai.

---

1) Der Flussname *Bzura* ist aus *Brzura* entstanden.

sarj- zusammenzustellen. Das räthselhafte Wort *trizna (tryzna,* auch *trizma)* in aruss. und aserb. Quellen in der Bedeutung von Kampfspielen bei der Totenfeier, ist weder von Ilowajskij Žurn. Min. Nar. Pr. Bd. 228, 350 "o turanizmĕ" usw. aus *trije,* noch auch von Krek Einleitung² 432 N. aus Wz. *ter* genügend erklärt worden. Das Wortz *ajęcь* 'Hase' bleibt ebenfalls dunkel, mag man in der ersten Silbe die etymologisch nicht erklärte Präposition *za* vermuten oder eine andere Zerlegung des Wortes versuchen. Ebenso spotten einige Wörter mit *z* im Anlaute jeder befriedigenden Erklärung, vornehmlich *zvézda, zvъnéti, zъdati, zъréti* u. a. *zvъnéti zvonъ zvękъ,* in einigen Quellen und im Poln. mit *dz* im Anlaut (s. u.), wird wohl mit Recht von Mikl. EW. mit ursprünglichem *ĝ* oder *ĝh* angesetzt, ein Hinweis auf θένω ist wohl nicht ohne Bedenken, obgleich *v* hier, wie in anderen Fällen nicht zum Stamme gehört; es sei bemerkt, dass im ältesten Polnisch der Anlaut nicht *dz,* sondern *z* ist: im Ps. Flor. *vzniec* für *zwnieć* (čech. auch *rzénti*), vgl. L. Malinowski Prace filol. I 99, 101, 293, und dass hierher gehören auch kroat. *Zvonimir* f. *Zvъnimir* (s. Arch. f. slav. Phil. IV 408), *Zvrinogrod* und *Svine, Svinemünde;* ob auch das spätere p. *Dźwina,* russ. *Dvina* (ursprünglich *Duna*) irgend einen Zusammenhang mit *zvъn-* hat, vermag ich nicht zu sagen. Das Wort *zъdati* bauen und dazu gehörige sind in den slavischen Sprachen sehr verbreitet, gewöhnlich in der Form *zid-;* hierher gehören Wörter, wie č. *zed* 'Mauer' usw., Dem. *zídka,* PN. *Zdislav* p. *Zdzisław,* p. *zdun* 'Töpfer', *zdanie* 'Satz in syntaktischem Sinne', *zdobić* 'verzieren', *ozdoba* 'ornamentum', welches Mikl. EW. zu *go* stellt, und in den Gnes. Pred., in den Glossen c. 1400 *posedlili* 'aedificaverunt' *(pozedlić* gebildet wie dial. *gorlić się* 'sich ereifern'); serb. *zidati* 'bauen' usw.; russ. *zdati zdanije* 'Gebäude'; nsl. *zidati,* bulg. *zidja* 'mauern'; Mikl. brachte in Wurzeln das Asl., Denkschr. 1857, auch *zdati sę* videri mit *zъd-* in Verbindung. Die Erklärung Mikl. VG. I² 245 mit Hinweis auf lit. *žědu* 'bilde, forme', ist mehr ansprechend, als die andere VG. I² 241 aus *sъ-dati* 'bilden', in EW. ist nur die zweite angedeutet. Die Schreibung im Ev. Zogr. *zъdati* (Jagić Arch. I 21) ist trotz des Präs. *ziždą* beachtenswert, denn russ. *zodčij* 'Baukundiger' steht damit in Verbindung. Soll man zu *zъd* die Wörter der Wz. *ged, god,* wie p. *wygodny* 'bequem eingerichtet' u. a., serb. *zgodovina* 'Geschichte' stellen und *Gdecz (Giecz)*, *Gdowo* (Baud. Lex.) damit in Verbindung bringen? Zu *zьréti* reif werden und schauen sei bemerkt, dass jenes mit skr. *jar*, osset. *zarond* 'morsch werden' zusammenhängt (das p. *dordzialy* 'reif', im 17. Jahrhundert, ist aus *do-zraly* durch Metath. entstanden); dieses lebt in p. *zrenica* 'pupilla' (f. *źrzenica*, vgl. *zénica*), in *zerkać* usw., während in p. *zwierciadlo*, wie mir scheint, eine Übertragung auf Wz. *vrьt* stattgefunden hat, vgl. *wierciadlo* bei P. Kochanowski Jerozwyzw.; *zrьcadlo* würde immer nur *zercadlo, z(ier)ciadlo* ergeben (vgl. Mikl. I 249). — In kaschub. *ozgumba* 'Bissen Brod', welches Mikl. EW. unter *go* anführt, ist *z* Präposition und das Wort aus dem altp. *zgębę* (17. Jahrhundert, etwa für den Mund, für das Leben ausreichend) gebildet: *zgębę chleba* bei J. Zbylitowski, richtiger Z. Morsztyn. — Eine andere Schicht von *z(dz)*-Lauten liegt in den Wörtern, in denen auf slavischem Boden die tönende Spirans sich aus *g* entwickelt hat in bestimmten Flexionsformen: *nozé, bozi, mozéte* Imper. (ihr möget), in einigen Nomina auf -*ęzь, ęza* und in Verbis iterat. z. B. *dvьzati* neben *dvigati*; hierher gehören auch einzelne Wörter mit dem *dz*-Laute: *dzvьnéti, dzvézda, dzvizdati* usw., aufgezählt VG. I² 251 ff., auch *dzvérь* 'Tier'. Am klarsten liegen die Verhältnisse bei den Formen wie *nozé, bozi* und *mozéte*; dass *z(dz)* aus *g* im Asl. vor einem diphthongischen *ě* oder *i* (nur im Aus- und Anlaut = *oi*) sich entwickelt hat, hat zuerst Collitz angedeutet, was Arch. f. slav. Phil. III 727 von Jagić angezeigt wurde, vgl. J. Schmidt KZ. XXVI 392, BB. III 263; später wurde diese Frage wiederholt behandelt bis auf die Qualität des *ě* im Impf. *možaaše, možaše* gegenüber Imperat. *mozéte*, vgl. Brugm. II 910, 1272; Wiedemann Beitr. z. Konj. 117, hier auch die Litt. Das Polnische bietet in der Deklination (die vergleichbaren Konjugationsformen sind durch andere ersetzt), soweit noch erhalten, regelmässig *dz*: *nodze*, selten im Plur. *wrodzy*, durch *wrogi* ersetzt: *nozé* oder damit übereinstimmende Formen bieten auch andere slav. Sprachen; wenn das kleine Fragment vita Quadrati, welches wohl eines der ältesten russ.-slov. Denkmäler ist (s. Jagić Specim. 57), *dьsk̍é* hat, so ist damit konstatiert, dass das Russ. in dieser Beziehung seit der frühesten Zeit abweicht. — Die aus verhältnismässig später Sprachepoche stammenden Nomina auf *ęzь* und -*ęza* wechseln mit solchen auf *z* und -*ęga*. Bemerkenswert ist der Wechsel von *z* und *g*: asl. *lьza*

-ęg utilitas, russ. *polьza* und *polьga*, wruss. *l'ha* und *l'za*,
p. *ulga* Erleichterung und *nie lza* bei J. Kochanowski (16. Jahrh.),
č. *lhota* und *lze*; *z* in *lьzě* 'licitum' ist wohl als Lokat. aus
lьg- entstanden. Die meisten übrigen Wörter erklärte Miklosich VG. II 317 für Lehnwörter, wogegen Perwolf Arch. VIII
16 sich erklärte; p. *robociądz*, č. *robotěz* 'Frohnarbeiter' (vgl.
p. *zaciąg* 'Frohndienst') ist jedenfalls ein spätes Wort (16.
Jahrh.); ähnlich *mosiądz* aus Messing, *szeląg* aus Schilling
(aus Zwilling ist ein PN. *'Cwieląg* geworden); dagegen ist
aus Häring schles. *jarząg* entstanden (J. S. Bandtke in
Mrówka Pozn. 1821. II 48); zu *ksiądz*, noch im 16. Jahrh.
in der Bedeutung Fürst gebräuchlich, sei bemerkt, dass in
schles. Ortsnamen *knegnicy* (Baud. Lex.) wahrscheinlich noch
kъnęg- fortlebt mit Zugrundelegung von *kъnęgyni* 'Oberin,
Äbtissin'. Es scheint fast, dass die Völker- und Ortsnamen
auf *-ęzь* als ältere, die auf *-ęg* als jüngere und heimisch gewordene empfunden wurden; zu diesen würden gehören r. *Var-*
jagi, *Kolbiagi* (Mikl. Arch. X 1 ff.), *Jatvjagi*, p. *Jadźwingi*,
Jadzwingowie (*Jaćwież* für ein vorausgesetztes *Jadźwięż* ist
Collectivum), daneben klr. *Jatrjazy*; zu jenen *Korljazi* für
Karlingi (Nestor I) und das aus dem Süden hergewanderte
Frjazin Frjazi, *Frjazove* Franken (Nestor *Frjagove*); über die
Vitinger *(vitęzь)* s. Mikl. EW. 393 und Perwolf Arch. VIII 15 f.
Dass der Name für Schlesien bodenständig, auf *Silingi* Σιλίγγαι
zurückzuführen und slav. etwa *sъlęzь* anzusetzen sei (nicht *Slęzь*,
wie in Baud. Lex.) ist seit jeher anerkannt worden, und zwar mit
dem Laute *z*, was nicht so sehr durch die č-Formen *Sleezane*,
Slazane bei Cosmas, den Namen des Loheflusses[1] *Slense*
1203, *Slenza* 1208, des Berges und Gaues *Slenz* 1245,
Zlenz 1248 (vgl. Thietmar 1017 in pago Silensi), als vielmehr
durch p. *S'lązak* für *S'lęzak*, č. *Slezák* der Schlesier bewiesen
ist; auch die latinisierte Form *Silensi* Thietm. 1017, *Silesia*
mit Erhaltung des *i* spricht dafür; an eine p. Form *ślędz*
könnte wegen *Selencia* bei Gallus, mons Silentii 1148, 1209,
Silenciana provincia bei dem sog. *Kadlubek* (Nebring Schlesiens
Vorzeit 1874) gedacht werden, wenn diese Formen nicht lati-
nisiert wären. Bei *sъlęzь* an Gen. Plur., wie etwa bei *Samnium:*

---

1) Dieser Name: *lau* 1248 Grünhagen Reg. 675, *laaw* 1273, eb.
1439, *lau* 1292 ist poln. *ława* Wasser.

Safinim uinim (Kirchhof MU. I 222) zu denken, **verbietet der**
Umstand, dass ähnliche Bildungen im Slav. **fehlen; sъlęzъ**
ist wohl N. Sg., davon *sъlęzi* in den Umbildungen. **Da *rozъ***
und *groza* z. B. Akk. Plur. *rozy grozy* deklinieren, *kъnęzъ*
und *stъza* aber *kъnęzę stъzę*. so liegt darin der Beweis, **dass**
in den zuletzt genannten Wörtern *z* ehedem bis zu **einem**
gewissen Grade mouilliert gesprochen wurde, und liegt die von
Miklosich, zuletzt VG. I³ 257 ausgesprochene Vermutung
nahe, dass in ihnen *z* aus *gi* in einer späteren Epoche sich
entwickelte, als *ž*.

Anders ist *z* zu erklären in den Verbis iterat. *dvizati,*
namizati, dostizati, izbézati u. a., deren Zahl übrigens nicht
gross ist: hier ist die Umwandlung von *g* in *z* unmittelbar,
ohne ein bestimmtes Lautgesetz, wohl durch den Einfluss des
Akzentes erfolgt, wie es Baudouin de Courtenay in "Zwei
Fragen aus der Lehre über die Palatalisation im Slavischen"
(Acta et commentationes universitatis Jurieviensis olim Dorpa-
tensis 1893) durch Beispiele, wie russ. *dvigatъ* und *podvizátъ-*
sja wahrscheinlich gemacht hat.

Breslau.   W. Nehring.

Zu den slavischen Iterativa.

Die slavischen Iterativa sind bekanntlich durch zwei **Mo-**
mente charakterisiert: 1. Abgesehen von denen auf -*ujǫ* **haben**
alle ohne Ausnahme den Verbal-(Präsens- und Infinitiv-)**stamm**
auf -*a-* (-*va-*, -*ja-*). 2. Die ganze Masse primärer Verba von **kon-**
sonantisch schliessenden Wurzeln lässt im Iterativ eine Dehnung
des Wurzelvokals eintreten. Und zwar werden gedehnt *e o ъ ь*
zu *ě a i y*, z. B. *pletǫ plesti* — -*plětati, bodǫ bosti* — *badati,*
klъnǫ klęti — -*klinati, dъchnǫ dъchnǫti* — *dychati.* Hierbei
ist zweierlei zu bemerken: 1. wenn der Präsens- und Infinitivstamm sich im Vokalismus unterscheiden, so richtet sich das
Iterativ nach der schwächsten Stufe d. h. *ъ* oder *ь*, z. B. *mъrǫ*
*merti (mréti) — -*mirati, berǫ bъrati* — -*birati.* 2. Neben *ě*
erscheint manchmal *i*, z. B. neben -*grěbati* zu *grebǫ greti* auch
-*gribati.* Nicht gedehnt werden die Längen, also *i a u y ě ę ǫ,*
und *r̥ l̥* bezw. *ъr, ъl.* Gedehnt werden noch Iterativa von **den**

Verba auf -*i*- (Kausativa und Intensiva), aber nur mit *a* aus
o, was ja natürlich ist. Alle anderen Verba bekommen -*vati*
und bewahren den Vokal, entweder da derselbe lang ist: es
sind nämlich vokalisch auslautende (also im Slavischen lange,
s. Leskien Handbuch² § 11) Wurzeln; oder weil es abgeleitete
Verba auf -*ają* -*ati*, -*ėją* -*ėti* sind.

So lautet die praktische Regel, s. Leskien Handbuch²
§ 12. Miklosich II² 454 ff. Es ist von vornherein klar, dass
die ganze Iterativkategorie in diesem Umfang und dieser Ausbildung nicht altererbt sein kann. Andrerseits lässt sich aber
ihre Entstehung aus speziell slavischen Verhältnissen nicht erklären. Leskien (Handbuch² S. 16) meint zwar, diese Iterativa beruhten im letzten Grunde auf abgeleiteten Verben, aber
das ist schwerlich richtig und lässt sich auch nicht erweisen. Im
grossen und ganzen lassen sich diese Iterativa vom slavischen
Standpunkt aus nicht als Denominativa auffassen. Brugmann
Grundr. II S. 1137 meint, dass in einigen von diesen Iterativa
der Wurzelvokal von Haus aus auf einer höheren Stufe stand
und dass daraus geradezu ein Bildungsprinzip für die Neu-
schöpfungen gemacht wurde. Da Brugmann diese Iterativa
als in der älteren Schicht der *a*-Denominativa wurzelnd betrachtet, so läuft seine Meinung schliesslich auf dasselbe heraus
wie bei Leskien; sie ist nur anders stilisiert und enthält noch
einen weiteren Gesichtspunkt. Erweisen lässt sie sich ebensowenig wie die Leskiensche Ansicht, entbehrt auch thatsächlich
jeder näheren Ausführung. Den slavischen Iterativen entsprechende Bildungen finden sich auch im Baltischen vor —
wenn auch im geringen Umfang, da dort andere Verbaltypen
zum Ausdruck der Iterativität verwendet wurden —, worauf
Leskien Ablaut 448 aufmerksam gemacht hat. Die Sache wurde
aber bis jetzt noch nicht genauer untersucht und diese Deh-
nungen gelten als rätselhaft.

Ich will im Folgenden etwas zur Aufhellung beitragen,
verzichte aber darauf meine Ansicht auf breiterer Grundlage
aufzubauen und in Einzelheiten hinein zu verfolgen. Es geschieht teils des mir zur Verfügung gestellten Raumes wegen,
teils weil ich augenblicklich nicht viel mehr geben könnte.

Es empfiehlt sich zunächst die oben gegebene rein praktische Regel etwas anders zu fassen und zugleich festzustellen,
was wir vor Allem zu untersuchen haben.

Es bedürfen einer Untersuchung über ihre **Vokalverhält-**
nisse: 1. Iterativa primärer Verba von konsonantisch schliessenden
Wurzeln; 2. Iterativa der Kausativa (und Intensiva). Von den
ersteren fallen weg (wenigstens zunächst) alle Verba von Wurzeln der schweren Reihen, da hier sowohl das primäre Verbum
als auch das Iterativ langen Vokal aufweisen; es bleiben also
in der Hauptsache Verba der e-Reihe. In Bezug auf dieselben
ist die Regel so zu fassen: Alle diphthongischen Wurzeln der
e-Reihe (mit fallendem oder steigendem Diphthong) haben im
Iterativ *i* oder *y*; wenn die Wurzel noch einen Konsonanten
hat (also ɞr, ɞr usw. + Kons.), so sind natürlich *i, y* gekürzt
worden. Alle anderen Wurzeln der e-Reihe haben *ē*. Man
sieht, schon diese Fassung der Regel ist geeignet, die Sache
in ein ganz anderes Licht zu stellen.

Die Hauptformation der baltischen Iterativa ist die auf
-*au* -*yti*, le. -*u* -*it* und die auf -*oju* -*oti*, le. -*aju* -*at*. Beide
haben mit den slavischen Iterativa nichts zu thun. Die erste
Formation ist nämlich die alte Intensiv-(Kausativ-)Bildung,
die sich auch im Slavischen in ziemlich grossem Umfange vorfindet, die aber hier nicht zum Iterativtypus κατ' ἐξοχήν geworden. Die zweite Bildung ist deutlich denominativen Ursprungs (Leskien Ablaut 436 ff. Brugmann Grundr. II 1135) und
findet sich ebenfalls im Slav. (Brugmann a. a. O.), wenn auch
in sehr geringem Umfang iterativisch verwendet (aus Brugmanns Worten a. a. O. scheint das Gegenteil hervorzugehen).
Diese Kategorie geht uns hier nur insofern an, als im Litauischen die durativen Verba auf -*au* -*oti* (über die gleich
unten) wegen der verwandten Bedeutung "gelegentlich in die
Flexion dieser Denominativa auf -*oju* -*oti* verfallen [z. B. *lin-*
doju neben *lindau* usw., s. Brugmann Grundr. II § 740], daher
mögen umgekehrt so flektierte Verba, deren Vokal die Tiefstufe hat, wie *griżóti* 'schwanken', *svyróti* dss. ursprünglich
hierhergehören." Leskien 448.

Als identisch mit den slavischen Iterativen betrachte ich
dagegen die litauischen Durativa (Leskiens Intensiva) auf -*au*
-*oti*, die "ein gewissermassen energisches Verharren in einem
Zustande bedeuten z. B. *rymau rymóti* 'dauernd aufgestützt
sitzen'" Leskien 430. Der Unterschied liegt eben nur in der
speziell charakterisierten Durativität im Litauischen, denn es
ist zu beachten, dass diese Verba im Lettischen, so weit sie

dort vorkommen, erstens einfach iterativen Sinn haben und
zweitens auf -*aju* -*at* ausgehen, also genau wie im Slavischen.
Ausserdem gehen diese Verba auch im Litauischen auf -*oju*
-*oti* aus neben -*au* -*oti* (s. oben S. 408) und diese Flexion kann
ja ursprünglich sein.

Diphthongische Wurzeln der *e*-Reihe:

1. *brýdau brýdoti* dur. 'im Wasser (nach Hineinwaten)
stehen': *bredù brìsti* 'waten'. Das Slav. hat nur *broditi*
= lit. *bradýti*.

le. *dìrat* iter. 'schinden': *dìrti* (Präs. zweifelhaft, Leskien 324 — wohl als **derù* anzusetzen) = slav. *dirati:*
derą dьrati.

drýbau -*oti* dur. 'dick herabhangen': *drimbù drìbti.*

kýloti iter.: *keliù kélti* 'heben'.

mýnioti le. *mìńat* iter.: *minù mìnti* 'treten' = slav.
-*minati: mьną*, russ. *mnu*, pol. *mnę*. Über *i* vor -*oti*
s. Leskien 438.

rýmau -*oti* dur.: *rimstù rìmti* '(eig. sich stützen)
ruhig werden'.

svýróti 'taumeln' also iter.: *svyrù svìrti* 'Übergewicht
bekommen'.

trýnioti iter.: *trinù trìnti* 'reiben'.

stýgau -*oti* dur. 'verharren': *stingù stìgti* inch. 'an
einem Orte ruhig werden, verweilen'.

glúdau -*oti* dur. 'angeschmiegt daliegen': *glust* 'schmiegt
sich an'.

klúpau -*oti* dur. 'auf den Knien liegen': *klumpù klúpti*
'stolpern, in die Knie fallen' (aus **kulpti* zu preuss. *po-
quelb-ton* 'kniend', Wiedemann Lit. Prät. 18).

le. -*kúsat* 'auftauen' und le. *kúsat* (-*ùt*, -*ēt*) 'wallen,
überwallen': le. *kùstu* (*kunstu) *kust* 'schmelzen intr.,
thauen' = slav. *kychati* (vgl. noch zur Bedeutung le.
kùsuls 'Sprudel', lit. *kùszinti* 'rühren, in Bewegung
bringen' usw. [1]).

le. *schl'úkat* iter.: *schl'úku* (*sliunku) *schl'ukt* 'glitschen'.

---

1) Die Etymologie stammt von mir her. Nähere Begründung
gebe ich zusammen mit andern Etymologien in einem Aufsatz, der
bereits in einer Sitzung der philol.-hist. Klasse der Krakauer Akademie gelesen wurde. — Korrekturnote.

le. *schupat* 'wiegen' (setzt ein **siup-* voraus): *supu súpti* trans. 'schaukeln'.

2. *lindau -oti* dur. 'wo stecken (hineingekrochen sein)': *lendu líŝti* 'kriechen'; und andere Leskien 447. Hier ist also Kürzung eingetreten, s. oben S. 408.

Nicht diphthongische Wurzeln der *e*-Reihe.

1. le. *lēkat* iter.: *lecu lekt* 'hüpfen, springen' (lit. *lekiù lēkti* 'fliegen'). Slavisch genau so, nur mit anderem Determinativ *létajǫ -ati: leŝtǫ.*

le. *mētat* (und lit. *mētau -tyti* mit dem Infinitivstamm nach der gewöhnlichen Iterativbildung) iter.: *metù mèsti* 'werfen' = slav. *métati : mesti.*

le. *nēsat* iter.: *nesu nest* 'tragen'. Im Slav. fungiert als Iter. *nositi.*

le. *tekat* iter.: *tekù tekěti* 'laufen, fliessen' = slav. *těkati : teŝti.*

Vgl. noch le. *rēgatē-s* 'sich umsehen': *redŝēt*, lit. *regěti* 'sehen'; le. *pēlēt* iter. zu *pel'u pelt* 'schmähen'; lit. *sélinēti* iter. zu *selù selěti* 'schleichen'. Im Lit. sonst nur Iterativa von der Art wie slav. *nositi*, also *sagañ -ýti : segiù* usw.

2. Wenn in der Tiefstufe einer nicht diphthongischen Wurzel *i* erscheint, was bekanntlich auch im Slav. und sonst vorkommt, ohne dass die Bedingungen dieses Ablauts bis jetzt klargelegt sind, so hat das Iterativ dementsprechend *y*, nicht *ě*, also *kybau -oti* dur. 'hangen': *kimbù kibti* 'hangen bleiben' (Wiedemann 8), *vyŝoti* 'ein wenig fahren' (vgl. le. *viŝinat* 'umherfahren'): *veŝù vèŝti* 'fahren' genau so wie im Slav. *-nizati* (: *nož*) u. dgl.

Es stimmen also, wie wir sehen, die baltischen Verhältnisse mit den slavischen vollkommen überein. Der urbaltischslavische Stand der Dinge ergibt sich demnach von selbst [1]).

Jetzt müssen wir die Frage aufwerfen, ob sich Ähnliches in anderen indogermanischen Sprachen nachweisen lässt. Um die Frage zuversichtlich bejahen oder verneinen zu können,

---

1) Es ist noch der Fall, wenn neben *-é-* im Iter. *-ī-* erscheint, zu berühren. In solchen Fällen (*-grîbati* neben *-grébati*, lit *kylóti* zu *keliù kélti*) kann das iterativ mit *-ī-* älter sein, wenn die Wurzel diphthongisch ist. Also ist *-é-*Form dann Analogiebildung.

müsste man natürlich sämtliche Verbalbildungen dieser Sprachen
einer systematischen Durchsicht unterwerfen. Ich habe das
nicht gethan, glaube aber schon auf grund des Wenigen, was
sich mir mehr zufälligerweise ergab, die Frage mit 'ja' beantworten zu können.

Lat. *in-stīgāre: stinguō*. Wiedemann 38 stellt dazu lit.
stўgau -oti : stingù stìgti 'an einem Orte ruhig werden, verweilen' (eig. 'bleibe stecken', vgl. le. *stёgu stigt* 'einsinken')
und got. *stigqa*. Jedenfalls ist Leskiens Etymologie (Ablaut
285), der das lit. Wort zur Wz. *steigh-* stellt, nicht zu billigen
und mir erscheint Wiedemanns Gleichung sehr wahrscheinlich.
Wie dem auch sei, entspricht *in-stīgāre : stinguō* genau dem
baltisch-slavischen Bildungsprinzip. Ich glaube, dass auch in
Bezug auf die Bedeutung diese lateinischen verba composita,
die einer andern Flexion des Simplex gegenüber *a*-Flexion
zeigen, sich mit den slav. Iterativen sehr nahe berühren. Vgl.
Brugmann Grundr. II S. 957.

ἰάομαι, Gdf. *isā-iō : iaίνω Gdf. *is-n̥-iō (ai. *iṣ-an-yati):
*eis-ō (ai. *éṣati). Es ist ausdrücklich hervorzuheben, dass
ἰάομαι langes *ī* hat (bei Brugmann Grundr. II 1086 und sonst
kurz angesetzt).

μῡκάομαι: aor. μῡκεῖν = russ. *myčat'*[1]). Ich bemerke,
dass μῡκάομαι nicht ein jüngeres Denominativ ist, vgl. Sütterlin,
griech. Verba denom. 8.

διψάω 'aufsuchen, verlangen': δίψα 'Durst': ai. *jéhatē*
'sperrt den Mund auf', Prellwitz Etym. Wb. s. v.

Lat. *cēlāre* zu *oc-culo* aus *oc-celo*, air. *celim*, germ. *hela*
(ahd. *hёlan* usw.), idg. *ǵēlō*. Stolz Lat. Gr.² 264 rechnet das
Wort falsch zur *ē*-Reihe.

Ferner zwei griechische Verba, die Bechtel Hauptprobleme 161 A. anführt, ληκᾶν in der Glosse ληκᾶν . τὸ πρὸς ψδὴν
ὀρχεῖσθαι (Hes.) und πηδᾶν (zu ai. *pádyatē* 'fällt'. Bechtel
hat zugleich die langen Vokale mit den slavischen *-ē-* in den
Iterativen identifiziert und erklärt die griech. Verba ebenfalls
für Iterativa. Obendrein deckt sich ληκᾶν mit le. *lēkat* (s. oben)
was Bechtel entgangen ist, und πηδᾶν mit slav. *padati*. Die
Wurzel des ersteren setze ich als *leq-* an und nicht *lēq-* wie
Fick I⁴ 539 es thut.

---

1) Nur ist *myčat'* ein *-ē-iō*-Verbum, urslav. *mykēti*.

Das Angeführte genügt jedenfalls um zu behaupten, dass schon im Idg. die Anfänge einer verbalen *a*-Bildung vorhanden waren, die von Haus aus imperfektiven Sinn hatte und (wir sprechen immer von der *ē*-Reihe) durch -*ĭ*-, -*ŭ*- (-*ei̯*- und -*ey*- Wurzeln) oder -*ē*- (-*e*-Wurzeln) charakterisiert waren. Wie man sieht, lassen sich diese Vokalstufen auf eine Linie nicht stellen, wenigstens so lange man in -*ĭ*- und -*ŭ*- ‘nebentonige Tiefstufe’ sieht. Das Material reicht aber auch nicht aus, um etwa entscheiden zu können, ob nicht -*ē*- unter analogischer Beeinflussung seitens des -*ĭ*- und -*ŭ*- entstanden ist.

Iterative *a*-Bildungen mit der Dehnung der Wurzelsilbe von Verben, die den anderen leichten Reihen angehören, kann ich nur aus dem Slav. nachweisen, auch hier giebt es natürlich nur sehr wenige, wie z. B. *badati* zu *bodǫ*. Sie tragen zur Aufhellung nichts bei.

Über die Iterativa von den Kausativen (Intensiven) wie -*ganjati* zu *goniti* (: *ženǫ*), die sich offenbar nahe mit griechischen Bildungen wie πωτάομαι : ποτέομαι berühren, die aber nicht im unmittelbaren Zusammenhange mit den obigen stehen, so wie über die Flexionsverhältnisse werde ich vielleicht Gelegenheit haben ein andermal zu handeln.

Perchińsko (Galizien).

Johannes v. Rozwadowski.

Der Lenorenstoff in der bulgarischen Volkspoesie.

Bekanntlich ist man, trotz der scharfsinnigen vergleichenden Untersuchungen Wollners, Psicharis, Politis' und der lichtvollen Besprechungen Wesselofskys, Destunis', Jules Girards, G. Meyers und anderer, noch immer weit entfernt von einer halbwegs übereinstimmenden Beantwortung der Frage über den Ursprung und die Grundidee der Lenorenerzählung, sowie über das genealogische Verhältnis ihrer Gruppen und Versionen [1].

---

[1] Vgl. W. Wollner Der Lenorenstoff in der slavischen Volkspoesie, Arch. f. slav. Phil. Bd. VI, 1882, 239—269; Psichari La ballade de Lénore en Grèce, in der Revue de l'histoire des religions, Bd. IX,

Selbst die für das verhältnismässig so kleine Gebiet der Balkan-
länder bisher aufgestellten genetischen Reihen durchkreuzen
sich oft in diametral entgegengesetzten Richtungen, ja innerhalb dieser selbst bestehen nicht unbedeutende Schwankungen[1]).

1884, S. 27—65; N. G. Politis Τὸ δημοτικὸν ἄςμα περὶ τοῦ νεκροῦ ἀδελ-
φοῦ (Das Volkslied vom toten Bruder) im Δελτίον τῆς ἱστορικῆς καὶ
ἐθνολογικῆς ἑταιρίας τῆς Ἑλλάδος. Athen, Bd. II. Okt. 1885. S. 193—261
und Mai 1887. S. 552—556; Sathas et Legrand Les exploits de Digénis Acritas, epopée byzantine du X siecle, publiée pour la première fois d'après le manuscrit unique de Trébizonde, Paris 1875,
introd. S. 48 f.; A. Wesselofsky in der Zeitschrift des russischen Unterrichtsministeriums (Żurnal ministerstva narodnago prosvěščenija,
1885 Novemberheft S. 71—79). Vgl. dazu die kritischen Bemerkungen desselben zu M. Gasters Ilchester Lectures on greeco-slavonic
literature in der näml. Zeitschrift 1888, März S. 241 u. 242; G. Destunis, ebd. 1886 März, S. 76—100; Jules Girard im Journal des Savants
1886 März, S. 143—152; W. Meyer in der deutschen Litteraturzeitung
1886, Kol. 1197—9; K. Krumbacher im litterarischen Zentralblatt,
1885, No. 234, Kol. 1152—53 und in der Zeitschrift für Litteraturgeschichte Bd. II, S. 214—220); Gustav Meyer in der Berliner Philologischen Wochenschrift 1886, No. 18; F. Liebrecht in der Germania
1886, S. 347—351; G. Cadicamo La leggenda di Garentina in der
südital. Zeitschrift L'adolescenzo (periodico letterario, didattico, edu-
cativo. Anno II, num. 9. Corigliano Calabro 1884 Giugno, S. 65—69).
Da letztere Zeitschrift eine Seltenheit ist, sei es mir hierorts erlaubt
zur Beruhigung der Lenorenforscher (siehe Sozonovič S. 16) zu
bemerken, dass Cadicamos kleiner Artikel nichts anderes ist als eine
sentimentale feulletonistische Paraphrase des in Girolamo di Radas
Rapsodie abgedruckten alb. Liedes (Rapsodie d'un poema albanese usw. Firenze 1866, Canto XVII 70—33), abgedruckt von demselben in Fiamuri arberit usw., periodico mensile 1883—1884
und in Dozons Manuel de la langue chkipe ou albanaise, Paris
1879, S. 136. Sie entbehrt jeglichen wissenschaftlichen Wertes.

1) Wollner: Serb. → bulg. → griech. → alb. (Sicher ist ihm
jedenfalls, dass die serb. Version nicht aus der griech. entstanden
ist.) Psichari: Serb. → bulg. → alb. → griech. So auch Sozonovič,
der sonst jeden Zusammenhang der Lieder und Märchen vom toten
Bruder mit den L. und M. vom toten Bräutigam läugnet. Für ein
slavisches Original entscheidet sich auch W. Meyer, obwohl er
anerkennt, dass das serb. Lied Spuren von Unursprünglichkeit aufweist. — (Vgl. auch Dozon Chans. pop. bulg. XXIV, und Sanders
Das Volksleben der Neugriech. S. 314.) — N. G. Politis: griech. →
bulg. → alb. → serb. Ebenso Wesselofsky (die ältere Form der
Ballade ist in jenen Liedern zu suchen, in denen ein verwandtschaftliches Verhältnis und nicht ein Liebesverhältnis zum Ausdruck gelangt ist) — und Destunis. Auch Krumbacher erklärt sich

Dieser verworrene Zustand der Frage war es hauptsächlich,
der auch mich veranlasste auf Grund einiger neuer Materialien
und ausgehend von den bulgarischen Versionen mich an
dem noch immer nicht befriedigend gelösten Lenorenproblem zu
versuchen[1]), denn selbst die unlängst erschienene, in ihrer
Reihe und ihrem Umfange nach letzte bedeutendste Untersuchung des russischen Gelehrten Sozonovič "Lenora Bürgera
i rodstvennyje jej süžeti v narodnoj poeziji jevro-
pejskoj i russkoj" (Bürgers Lenore und die ihr verwandten Sujets in der europäischen und russischen Volkspoesie —,
Warschau 1893), die sichtlich durch Krumbachers suggestiven
Artikel in der Zeitschrift für vergleichende Litteraturgeschichte (Bd. II. 1887. 3. u. 4. H. S. 214—220) beeinflusst
ist, wird kaum als das letzte Wort in der Frage zu gelten
haben. Der geehrte Professor hat wohl mit seltener Erudition
vieles zusammengetragen, was zur Aufklärung der prinzipiellen
Frage, die die Lenorenerzählung in sich birgt, beitragen könnte,
dazu ist reichlich benutzt worden, was vorhergehende Gelehrte

durch Politis vollkommen bekehrt (Litt. Zentr.-Bl.). So auch Liebrecht (Germ.). — Jules Girard scheint den Vorzug dem bulg. Liede
zu geben. — Dem alban. Liede sprechen die Palme zu natürlich
sowohl Cadicamo, als auch Rada (Rapsodie d'un poema albanese usw.
Firenze 1866, S. 32) und Camarda (Appendice al saggio di gram-
motologia comparata sulla lingua albanese 1866, Prato, discorso
preliminare S. XVII). Nur G. Meyer verhält sich skeptisch. Die
Untersuchung ist nach ihm noch einmal aufzunehmen und zwar
auf breiterer Basis von einem Kenner der griech. und südslav.
Volkslitteraturen.

[1]) Es kann sich in vorliegender Arbeit selbstverständlich nur
um eine flüchtige Skizze handeln. Eine weitere Ausführung des
Themas behalte ich mir für den Sbornik des bulgarischen Unterrichtsministeriums vor, wo ich auch die Absicht habe in der Weise
Politis' alle bis jetzt mir bekannten schriftlichen und gedruckten
bulgarischen Varianten der Lenorenerzählung (Lieder und Märchen
vom toten Bruder) als Anhang erscheinen zu lassen. Da ich bis jetzt
noch nicht über eine befriedigende Anzahl von albanesischen und
rumänischen Versionen verfüge, musste ich mein Hauptaugenmerk
auf die genauere Bestimmung des genealogischen Verhältnisses der
bulgarischen, griechischen und serbischen Varianten richten. Am
Schlusse konnte ich freilich nicht umhin auch die Frage von der
Abhängigkeit der zwei noch zu besprechenden Lenorengruppen zu
berühren, allein von einer Vertiefung des Gegenstandes kann hier
schon aus räumlichen Rücksichten nicht die Rede sein.

über das Thema geschrieben; wenn es ihm trotzdem nicht ganz
gelungen ist, seine Thesen vom Ursprung der Lenorenerzählung
und von der gänzlichen Unabhängigkeit der noch von Wollner
mit Recht unterschiedenen Gruppen (I. Lieder und Erzählungen
vom toten Bräutigam und II. solche vom toten Bruder)
näher zu begründen, so liegt die Schuld daran nicht so sehr
an der Methode, als vielmehr an der teilweisen Unzulänglichkeit des Materials, mit dem er besonders bei der Untersuchung
der Lieder vom toten Bruder operieren musste. Richtig
ist es, dass der Stoff reichlich zuströmt, und es ist schon eine
schwierige Sache, sich in demselben zu orientieren, aber dieser
Reichtum ist, wie mir scheint, ziemlich trügerisch. Es fehlt
vielfach an einem System in der Sammlung desselben und
daher die ungleichmässige Stärke der Quellen, die uns für
beide Gruppen der Lenorenversionen — für die nordslavisch-
germanische und die südliche zu Gebote stehen. Beide Gruppen
aber, obwohl an Umfang verschieden, sind sich an Bedeutung
gleich und beanspruchen gleiches Interesse und vorzüglich die
nämliche Sorge in der Förderung des Materials, wenigstens
so lange die von Krumbacher angeregte prinzipielle Frage nicht
gelöst ist: "ob nämlich die südslavische Version der Lenorenerzählung überhaupt eine so enge Verwandtschaft mit der
nordslavischen und der germanischen besitzt, wie gemeinhin
angenommen wird, ob nicht beide Sagen etwa völlig zu trennen und als selbständige Produkte zu betrachten sind" (Zeitschrift für vergl. Litteraturgesch. Bd. II. 1887. 3. u. 4. H.).
So steht es jedoch thatsächlich nicht, obwohl gerade für das
vorteilhaft begrenzte Balkangebiet eine systematische Erforschung der verschiedenen Versionen eine verhältnismässig leicht
zu erreichende Sache wäre[1]). Es brauchten nur die ethno-

---

1) Noch immer fehlt es an einer halbwegs vollständigen
bibliographischen Zusammenstellung aller bis jetzt bekannten Versionen des Liedes (resp. Märchens) vom toten
Bruder. Kalaš bibliographischer Versuch in der Živaja Starina (II. Jahrg. II. Heft 142—45) umfasst das gesamte Gebiet des
Lenorenstoffes, weist aber in der zweiten Gruppe empfindliche
Lücken auf. Es wäre vielleicht auch richtiger gewesen die Varianten nach den zwei von Wollner und Sozonovič unterschiedenen
Redaktionen der Lenorenversionen zu gruppieren. Auch Bugiel,
der im Archiv für slav. Philologie (XIV. Bd. S. 147) einige von
Wollner nicht benutzte Varianten verzeichnet, weiss als Ergänzung

ser Lied dem serbischen Volke **nur in**
1 zwei Versionen von Vuk Karadžić und
pjesme iz Bosne, Pančevo 1884, S. 10—14,
, S. 667) bekannt sein sollte [1]). Wenn aber
und Bulgaren so beliebte Lied wirklich
reitung unter den Serben gefunden haben
n höchst erwünscht, dies irgendwie fest-
in Zweifel mehr darüber obwalte.
ich, dass bei der allgemeinen Bekannt-
r mit dem Lenorenstoff keiner von den
desselben auf die Idee kam, nachzufra-
en der uns interessierenden Erzählung
änen existierten. Es war ja bei der
in der Kultur, in den Sitten und Ge-
völker, die trotz der verschiedenen eth-
n vielen Fällen fast zur Identität wird,

er vom toten Bruder) nur die Version von
in der Wisła) anzuführen. Kalaś Versuch
giel und Sozonović. Inbetracht alles obigen
ausführliche Bibliographie aller mir bis jetzt
, bulgarischen, griechischen, rumänischen
n des Liedes und Märchens vom toten Bru-
über 140 beläuft, zusammengestellt, musste
lichen Rücksichten streichen. Dieselbe wird
grösseren Arbeit über das Lenorenthema,
. Unterrichtsministeriums erscheinen wird,
en.
rkung Psicharis Op. cit. S. 43: "Disons tout
uchée funèbre se retrouve dans la poesie
ites si minimes, que lorsque on vient d'ana-
sque se dispenser d'analyser l'autre", lässt
im französischen Gelehrten mehrere ser-
ergleich vorlagen, dennoch stützt er seine
Übersetzung des Vukschen Liedes.

sehr wahrscheinlich, dass wir dem Lenorenstoffe auch unter
den Rumänen begegnen werden. Diese Voraussetzung hat
sich auch thatsächlich bestätigt. Die Herren Professoren Hasdeu
und Bianu in Bukarest, an die ich mich in dieser Angelegen-
heit wendete, hatten die Güte, mich auf einige gedruckte
rumänische Versionen des Liedes vom toten Bruder aufmerksam zu machen.

Sehr günstig steht es, dank den Bemühungen Politis',
mit der Erforschung der griechischen Versionen. Der
geehrte Professor hat auch nach seiner Studie in Δελτίον nicht
aufgehört neue Varianten zu sammeln. Dieselben, 21 an der
Zahl[1]), sollen demnächst in einer besonderen Volksliedersammlung erscheinen, sodass wir bald im Besitze von 41 griechischen
Versionen sein werden.

Gegen diese Fülle von Materialien sticht wieder die
Armut auf albanesischem Gebiete empfindlich ab, obzwar
dieselbe doch nicht so gross ist, wie man nach den bisherigen
Untersuchungen schliessen könnte, die nur ein einziges vollkommen erhaltenes Lied (in zwei sehr wenig von einander
verschiedenen Versionen) und ein einziges ziemlich defektes
Märchen kennen. Herr Professor G. Meyer hatte die grosse Güte
mir einige neue albanesische Versionen in Abschrift mitzuteilen,
die recht interessant sind, allein dieselben sind meistenteils
fragmentarisch und haben dazu den Fehler, dass sie nicht in
dem Mutterlande selbst aufgezeichnet sind, sondern aus den
süditalienischen Kolonien stammen. Vielleicht fände sich doch
jemand, der in Albanien selbst der Erzählung vom toten Bruder
nachforschte. Die des Albanesischen kundigen bulgarischen
Lehrer in Mazedonien und die Diener der protestantischen und
katholischen Propaganda in Albanien würden sich in dieser
Beziehung ein grosses Verdienst erwerben.

Bei dem grossen Reichtum an bulgarischen Versionen
ist es nur zu bedauern, dass die bisherigen Erforscher nur
so wenige derselben benutzen konnten. Ausser der bedeutenden
Anzahl handschriftlicher Varianten, die sich auf alle Teile des
bulgarischen ethnographischen Gebietes verteilen und von einer
sehr starken Verbreitung und Beliebtheit des Liedes vom toten

---

1) Herr Professor Politis hatte die seltene Liebenswürdigkeit
mir eine gedrängte Analyse seiner unedierten Varianten zuzu-
schicken, wofür ich ihm meinen innigsten Dank schulde.

Bruder unter dem bulgarischen Volke Zeugnis ablegen, besitzen wir jetzt an 20 gedruckte Versionen. Es hätten gewiss auch die seit 1852 veröffentlichten Varianten genügt, um sie vor einigen Fehlschlüssen zu bewahren, wenn freilich nicht die Mehrzahl derselben in Zeitschriften und Tagesblättern stecken würden, die niemals über die Grenzen des Landes gelangt sind und selbst für uns bibliographische Seltenheiten geworden sind[1]). Nicht weniger unzugänglich sind auch einige Varianten, die in den kleinen ethnographischen Sammlungen von Lačkoglu, Ljubenov, Čomakov u. a. erschienen sind. Nach alledem ist es nicht zu verwundern, dass die bisherigen Untersuchungen des Lenorenstoffs in der Poesie der Balkanvölker, was die bulgarischen Varianten anbetrifft, sich fast ausschliesslich auf die Miladinov und Dozon stützen. So kennt Wollner

---

1) Selbst ein so ausgezeichneter Kenner unserer Volksdichtung wie M. Drinov konnte in seiner Rezension des Sbornik von Kačanovskij (Arch. f. slav. Phil. VII, 1883, S. 109—117. Vgl. dazu Sof. Periodičesko Spisanije IV 1883, 150—151) zu No. 48 desselben nur folgende vier Varianten anführen: Miladinov No. 200, Balg. Knižei, Dozon Nr. 7 und Period. Spis. II 161—163. Vier Jahre später konnte A. Ilijev, der erste der bei uns in der kurzen Vorrede zu seiner Übersetzung von Erbens Gedicht "Svatebni Košile" auf die Ähnlichkeit von Bürgers Lenore mit unseren Liedern vom toten Bruder hinwies, als Versionen desselben nur folgende zwei: Milad. 100 und 200. Efrem Karanov in seiner verdienstlichen, aber in der Erkennung der Motive nicht immer glücklichen Zusammenstellung der bis zum Jahre 1889 erschienenen bulgar. Parallelen zu Miladinovs Volksliedern (im Sbornik des bulg. Unterrichtsministeriums Bd. I, S. 157—176) führt zu Nr. 100, 200 und 229 folgende Varianten an: Milad. 160, 218, 251, Iskra I 12, Kačan. No. 48, Doz. No. 7, Per. Spis. II, Bončov No. 36, No. 26, Bogorov No. 22, Čolakov 1, Jastrebov 216, Balg. Kniž. 2/II 1860 und 2/VI 1858; Caregr. Vjestnik 1852, No. 96. Hiervon sind allerdings als nicht zum Lenorenthema gehörig folgende neun zu streichen: Milad. 160, 218, 251, Bončov 36 und 26, Čolak. 1, Bogor. 22, Jastrebov 216 und Balg. Kniž. 2/VI 1858. Eine kurze bibliographische Zusammenstellung der ihm bekannten bulg. Versionen giebt auch D. Matov in seinen ausgezeichneten "Griechisch-bulgarischen Studien" (Sb. des Unterr.-Min. IX. Bd., S. 34, Anm. 2). Zu den fünf Drinov bekannten Varianten fügt er folgende hinzu: Lačkoglu, Mil. 100, 229, Bončov 104, Jastrebov 69, Sbornik za nar. umotv. II 52—53 und IV wissenschaftlicher Teil 517, VI 25—35 und Kniž. za pročit I 31. — Bončov und Sbornik II können jedoch nur durch Versehen in die Zahl der Versionen des Liedes vom toten Bruder geraten sein.

nur Dozon No. 7 und Miladinov No. 200 u. 229, Politis führt
in griechischer Übersetzung an ebenfalls nur Dozon und Milad.
No. 200, 229 u. 218 (nach Rosen, letzteres gehört jedoch nicht
zum Kreise unserer Lieder), Destunis — nur Dozon, so auch
Sathas und Legrand. Psichari begnügt sich gar mit der teilweisen Inhaltsangabe der Dozonischen Version. Eine verhältnismässig grössere Anzahl von bulgarischen Varianten hat
nur Sozonovič benützt. Er kennt ausser Milad. No. 100 u. 200,
Dozon No. 7, Kačanovskij No. 48, Sof. Period. Spis. 1882, II
S. 162 und Sbornik za nar. umotv. usw. IV 517—520 und
VI 35, im ganzen sieben Varianten.

Ihrem Inhalte nach können alle uns bis jetzt bekannten
bulgarischen Versionen des Liedes vom toten Bruder in zwei
deutlich unterschiedene Gruppen geteilt werden: in eine
nordöstliche, umgreifend Bulgarien, nördlich vom Balkan,
Thrazien mit dem Becken von Sofia und den südöstlichen Teil
von Mazedonien, und in eine nordwestliche — umfassend
den nördlichen Teil von Mazedonien, mit dem Kreis von
Kjustendil, und Westbulgarien westlich vom Becken von Sofia —
bis hinein nach Serbien (Pirot), nördlich aber bis zum Balkan.

Diese Gruppen sind durch folgendes scharf charakterisiert:
In der ersten Gruppe steht — gleich wie in dem
griechischen Liede — im Mittelpunkt der Handlung
die Mutter. Sie ist es, die durch ihre Flüche, Thränen und
Klagen den Sohn, der zur Heirat der Schwester gedrängt hat,
in seiner Grabesruhe stört und ihn zwingt die Tochter aus
der Fremde zu holen.

In der zweiten Gruppe spielt die Hauptrolle die
Schwester. Ihrer Bitten und Thränen erbarmt sich Gott,
als er den Bruder aus dem Grabe erweckt, um sie zur Mutter zu
geleiten. Dagegen ist die Rolle der Mutter selbst ganz
abgeschwächt, in manchen Liedern geschieht der Mutter
selbst mit keinem Worte Erwähnung. In dieser Gruppe ist un-
schwer die Disposition des serbischen Liedes zu erkennen.

Zwischen beiden Gruppen bestehen mehr oder weniger
deutliche Übergänge, die uns, dank dem reichlich vorhandenen
Material, ein sicheres Mittel an die Hand geben, die Migration
des Liedes und seine stufenweise Metamorphose mit einem
hohen Grade von Gewissheit verfolgen zu können. Dies sowohl

als auch die vergleichende Analyse des bulgarischen und
griechischen Liedes lässt uns nicht mehr im Zweifel, dass
unser Lied vom Süden her eingewandert ist,
dass es im Grunde nichts anderes als eine mehr
oder weniger gelungene Kopie des griechischen
Originals ist[1]).

Es ist uns leider hierorts unmöglich, dies mit aller Aus-
führlichkeit zu beweisen, aber wir glauben, dass auch die
Hauptargumente, die wir hier anführen können, genügen werden, um den obigen Satz zu bestätigen. Schon der Umstand,
dass alle bis jetzt bekannten Versionen des griechischen Liedes,
mögen sie in Kleinasien, im Peloponnes, auf den Inseln, in
Thessalien oder am Pontus aufgezeichnet worden sein, nur
verhältnismässig unbedeutende Abweichungen nach Inhalt und
Form aufweisen und man sie fast für eine einzige Variante
halten könnte, dagegen das bulgarische Lied den stärksten
Schwankungen und Störungen ausgesetzt ist — schon dieser
Umstand ist sehr befremdlich. Der nähere Vergleich der
griechischen und bulgarischen Varianten überzeugt uns auch
thatsächlich, dass diese Schwankungen teils dem Mangel an
Verständnis für die Feinheiten des griechischen Originals, teils
speziellen örtlichen Verhältnissen, teils aber ganz zufälligen
Ursachen — vorzüglich aber dem Umstande zuzuschreiben sind, dass das Lied in den Kreis der

---

1) Der Einfluss der griechischen Volkspoesie auf die Poesie
der anderen Balkanvölker und zunächst der Bulgaren scheint überhaupt ein bedeutend grösserer zu sein, als man gemeinhin annimmt.
Leider ist das Interesse für die so wichtige Frage kaum erst
angeregt. Auf ihre Wichtigkeit haben auch wir in unserer Studie
"Die Aufgabe und Bedeutung unserer Ethnographie" (Sbornik za
nar. umotv. Bd. I S. 40) hingewiesen, wo wir versuchten das acht-
füssige Metrum unserer Volkslieder aus dem Metrum des byzantinischen und neugriechischen politischen Verses zu erklären, dessen
Einfluss auf die Form der sogenanten bugarštice nicht zu verkennen ist. — In der Vorrede zu Digenis Acritas, herausg. v. Sathas
und Legrand, S. 49, Note 4, lesen wir: "Plusieurs chronographes
byzantins nous apprennent que les chansons populaires grecques à
cette époque étaient très repandues dans les pays slaves et se chan-
taient jusqu'en Sicile et Calabre". Es ist nur zu bedauern, dass
die gelehrten Herausgeber des byzantinischen Epos die Namen und
die Zeugnisse dieser Chronographen nicht näher angeführt haben.

Hochzeitslieder gezogen wurde — worüber weiter
unten mehr.

Betrachten wir nun vorerst die erste Gruppe unserer
Lieder, so stossen wir gleich beim Namen des toten Bruders
auf die Spuren des griechischen Originals. Der tote Bruder
heisst auch in den meisten bulgarischen Versionen, wie in
allen griechischen (ohne Ausnahme: in den gedruckten wie in
den unedierten) [1] — *Kostadin* — Konstantin (in einem Liede
aus Žeravna, Kreis von Kotel, südbulg. geradezu *Kostandd* =
gr. Κωcτανᾶc, τὸν Κωcτανᾶ, Κωcτανᾶκι (Politis IΓ' u. a.) — ein
Name, der ausser in einigen Liedern apokryphen Inhalts sonst in
der bulgarischen Volkspoesie selten vorkommt und auch beim
Landvolke, wenigstens in seiner vollen Form, als Taufname
nicht beliebt ist. Man gebraucht dafür die Koseform *Kojčo*, die
auch wirklich in einigen Varianten statt Konstantin figuriert.
Es ist höchst charakteristisch, dass die volle Form hauptsächlich, ja fast ausschliesslich in solchen Versionen erscheint,
die auch, ihrem Aufzeichnungsorte nach, dem griechischen Gebiete näher stehen — in solchen aus Thrazien und Mazedonien.
In Bulgarien nördlich vom Balkan ist dieser Name fast durchgängig durch den Namen *Lázar* ersetzt, zweifellos deshalb,
weil der Inhalt des Liedes an die neutestamentliche Geschichte
von der Auferstehung des Lazarus erinnerte. Das Lied wird auch
thatsächlich in Nordbulgarien am Lazarustage gesungen. Ausser
Kostadin und *Lázar* finden wir in den uns vorliegenden Versionen als Namen des Bruders nur noch *Bogojčo* (in einem
Liede aus Prilep), *Milan* (L. aus. d. Kreise von Sofija), *Dimitar*
(Doz. 7) und *Stojan* (Čipororci, Nordbulg.). Von diesen ist
Dimitar sicherlich als apokryph auszuscheiden. Wie ich an
anderer Stelle zu erweisen Gelegenheit haben werde, ist das
Dozonsche Lied ein Plagiat Gologanovscher Herkunft [2]. Wir
können demnach mit Gewissheit annehmen, dass der ursprüngliche Name des toten Bruders allgemein Konstantin war
und dass derselbe erst später (möglicherweise in neuerer Zeit)

---

1) Alle hier und weiter zum Vergleich herangezogenen gedruckten griechischen Varianten sind nach Politis' Zusammenstellung und Zählung derselben im Δελτίον zitiert (siehe oben bibl.
Notiz).

2) Gologanov ist höchst wahrscheinlich auch der Fälscher der
berüchtigten Veda Slovena von Verković.

unter dem Einflusse des Volksbrauches und infolge Reminiszenzen an die Auferstehung Lazars — in den entsprechenden
neutestamentlichen Namen verwandelt wurde.

Es ist interessant, welche Mannigfaltigkeit von Formen,
ganz im Gegensatze zu der Einförmigkeit, die wir in der Benennung des Bruders antreffen — der Name der Schwester
aufweist. Wir finden meistenteils als solchen den in der bulgarischen Volkspoesie besonders beliebten Frauennamen *Petkana*, aber auch *Petrana*, *Todorka*, *Irinka*, *Dragana*, *Jo-
vana*, *Grozdanka*, *Kasatka*, *Vida*, *Nevena*, *Jana*, *Janka*,
Jangelina, *Rusana*, *Stojna*, *Projka*, *Elenka*, *Kojka*, *Dojka*,
Elin-Dojka, *Elin-Dojna*, *Denka devojka*, *Fikija*, *Džan
Sofija*. Dieser Formenreichtum giebt allenfalls zu Bedenken
Anlass, wenn man demselben vorzüglich die Einfachheit
des Brudernamens entgegenhält, der sich im Grunde, wie wir
sahen, auf eine einzige Form zurückführen lässt. Die
Schwierigkeit löst sich jedoch leicht, wenn man bedenkt, dass
die bulgarische Volksonomastik dem lieblichen griechischen
Namen Ἀρετή, der fast durchgängig in allen griechischen
Versionen als Namen der Schwester angeführt wird, keinen
auch annähernd ähnlich klingenden bulgarischen Namen ent-
gegensetzen konnte. Der volkstümliche Übersetzer und Sänger
des griechischen Liedes musste sich um irgend einen anderen
Namen umsehen, und da war ihm denn jeder Name recht.
Trotzdem glaube ich, dass sich einige von den oben erwähnten
Formen doch auf griechische, wenn auch nicht auf Ἀρετή, zu-
rückführen lassen. Von den 20 griechischen Versionen bei
Politis weisen zwei Nummern abweichende Namen für die
Schwester auf: Ἐρήν (in der Version von Trapezunt) und
Εὐδοκία in jener von Kerkyra (ebenso in 3 handschriftlichen
Varianten). Es ist wohl möglich, dass die bulgarischen Formen *Irinka* (in einer Version aus dem Kreise von G. Ore-
hovica, die auch sonst sehr interessant ist) und *Elin-Dojna*,
Elin-Dojka sich auf Ἐρήν stützen, dagegen *Fikija* auf Εὐδοκία. Beide Namen, sowohl *Elin-Dojna*, als auch *Fikija*,
sind im Bulgarischen ungewöhnlich und aus demselben nicht
zu erklären. Doppelformen wie *Elin-Dojna* sind der bulgarischen Onomastik aber überhaupt fremd. *Dojna*, *Dojka* für
sich existiert wohl, auch *Elin* könnte aus *Elina (Ela)* gedeutet werden, obzwar die verkürzte Form auffallen müsste,

aber *Elin-Dojna* als e i n Name ist sicherlich fremden Ursprungs[1]). Vielleicht albanesisch? Es wäre sehr wünschenswert zu erfahren, ob in der albanesischen Onomastik überhaupt Zwillingsnamen wie *Elin-Dojna* zulässig sind. (Im
Türkischen sind sie es wohl, vgl. *Mehemed Ali, Hassan-
Hüssein* usw.). Möglich wäre es in diesem letzteren Falle,
dass *Elin-Dojna* irgend einer albanesischen Version entstammt, wobei *Elin* aus griechisch Ἐρὴν entstanden wäre. —
Ebensowenig wie *Elin-Dojna* ist auch *Fikija* aus dem
Bulgarischen zu deuten. Die Form findet sich ausschliesslich
in einigen Varianten aus Mazedonien. *Vekija* bei Dozon
scheint dem volksetymologischen Gefühle des Fälschers entsprungen zu sein, der vielleicht sonst den Namen *Fikija* aus
irgend einer mazedonischen Version kannte, deren er sich jedoch nicht mehr genau erinnern mochte. Vielleicht schwebte
ihm *vikija* (aus d. ngriech. βυκίον, βύκος Du Cange) vor?

Eng ist der Parallelismus zwischen den griechischen und
den bulgarischen Versionen auch in der Angabe der A n z a h l
der B r ü d e r, wobei unser Lied allen Launen des griechischen
folgt. Dem griechischen Μάννα μέ τοὺς ἐννιά cou γυιοὺς και
μέ τὴ μιά cou κόρη (Α΄, Θ΄, Ι΄, ΙΒ΄ u. a.) oder Μιὰ μάννα εἶχ᾿
ἐννιὰ τσοῖ γυοὺς και μιὰ τὴ θυγατερα (ΙΑ΄) entspricht gewöhn-
lich: *Imala j máma imala dur devet sina* || *I edna šterka
Petkana.* Aber wie im Griech.: ᾿οπ᾿ ἔχει τοὺς ἐννιὰ ὑγιούς
τὴν Αρετοῦλα δέκα, heisst es in vielen bulgarischen Versionen:
Imala j mama imala dur devet sinove || *I diseta setna
Todorka.*

Die Zahl a l l e r B r ü d e r wird im bulgarischen wie
im griechischen Liede mit wenigen Ausnahmen mit n e u n an-
gegeben[2]). Wie bekannt, legt Psichari op. cit. auf dieses

1) In einer Redaktionsnotiz zu der im Periodičesko Spisanije
1882, S. 162—163 gedruckten Variante unseres Liedes wird die Vermutung ausgesprochen, Dojna sei die Tochter des Zaren Sracimir
von Widin, Dorothea, die an den bosnischen Banus, nachher König
Tvrdko verheiratet war. Kostadin aber (im Liede Zar Kostadin)
sei ihr Bruder gewesen. Die Redaktion beruft sich auf K. Jirečeks
Aufsatz "Der bulgar. Zar Sracimir" (Period. Spis. 1882, H. 1, 39).
Es ist kaum nötig zu sagen, dass die hier versuchte Erklärung
der Form Dojna aus Dorothea auf geschichtlicher Grundlage nicht
ernst genommen werden kann.

2) Nur in dem Liede aus Kappadokien (K΄) finden wir d r e i

äussere Moment den grössten Nachdruck. Dass dieses Kriterium höchst trüglich ist, ist schon von Politis op. cit. ausgeführt worden. Es liessen sich aber gewiss noch viel mehr Belege aus der griechischen Volkspoesie gegen Psicharis Behauptung anführen, wenn dies überhaupt notwendig und wenn es nicht eine bekannte Thatsache wäre, dass die Zahl neun, ausser bei den Slaven auch bei vielen anderen Völkern beliebt ist und es war (vorzüglich im Mittelalter), so bei den Ägyptern, Kelten[1]), bei den Mongolen, Chinesen u. a. "Le nombre neuf est sacré en différents lieux: les Chinois se prosternent neuf fois devant leur empereur. Il en est de même de plusieurs peuples de l'Afrique à l'égard de leurs souverains. Les mogols ont une très-grande vénération pour ce nombre, qui est aussi l'objet de diverses superstitions dans la pluspart des contrées de l'Europe". (Abbë Migne Encyclopédie théologique, tome XX, dictionnaire des superstitions, erreurs, préjugés usw. Paris 1856, s. v. nombres.) Vgl. weiter Nork Etymologisch-mythologisches Wörterbuch, s. v. neun. — J. Blochwitz Kulturgeschichtliche Studien, Lpz. 1882 S. 246—256 (neun). — Stork Niobe S. 28. — D. Šepping Simvolika čisel, Filolog. Zapiski, Voronež. 1893, Bd. XIII, H. IV S.1—9. — Wuttke Der deutsche Volksaberglaube der Gegenwart, S. 87. — Folk-medicine a chapter in the history of culture by William George Black, London 1883, chapter VIII S. 118—124: number u. a. — Stasov in seinen Untersuchungen über das russische Volksepos (Véstnik Evropy 1868) behauptet sogar, dass die türkischen und mongolischen Stämme jenseits des Kaukasus und des Irans früher nach Neunen zählten, wie wir uns jetzt des Dezimalsystems bedienen. Für den fremden Ursprung der Zahl neun in der Volkspoesie der Neugriechen wird hauptsächlich angeführt, dass dieselbe in dem Aberglauben und den religiösen Vor-

---

Brüder, in dem aus Trapezunt (H') — acht, ebenso IΓ': τά ἐστὶ ἀδέρφια δὲ θέλουνε, κι' ὁ Κωςταντῖνος θέλει. Dem entsprechend haben wir auch in einer bulgarischen Version acht Brüder (in einem Liede aus Volujak, Kreis von Sofia), in einer anderen (aus Chotovo, Macedonien) — sieben.

1) Arbois de Jubainville Cours de la littérature celtique, Paris 1892, Index s. v. "neuf". Vgl. auch Sozonović op. cit. S. 229.

stellungen der alten Griechen keine Rolle gespielt habe, wie
die Drei oder die Fünf. Nun mag es an dem sein, obwohl die
neun griechischen Musen, die neunköpfige ler-
näische Schlange, um zwei bekanntere Beispiele herauszu-
greifen, sicherlich nicht slavischen Ursprungs sind, ebensowenig wie die pythagoräische Enneas (bekanntlich hat die
Zahl neun in der pythagoräischen Zahlensymbolik eine der
Dreiheit oder Trias verwandte Bedeutung als Zahl der Ab-
rundung oder Vollendung, ähnlich bei den Neuplatonikern im
Mittelalter bei Raimundus Lullus u. a.). Allein selbst zugegeben, dass die Beliebtheit der Zahl neun in der griechischen
Volkspoesie ursprünglichem slavischem Einflusse zu verdanken
ist, selbst dann sind wir selbstverständlich noch weit vom
Beweise, dass auch das Lied vom toten Bruder aus dem
Slavischen entlehnt ist.

Übereinstimmung zwischen dem griechischen und dem
bulgarischen Liede erblicken wir auch in folgendem Detail,
das gleichfalls die Zahl der Brüder betrifft. Gewöhnlich
heisst es in den griechischen Versionen: acht Brüder seien
gegen die Heirat der Schwester gewesen, der einzige Konstantin dafür. In einem Liede (Ι´) wird jedoch erzählt: Οι
εννιὰ ἀδερφοὶ δε θέλουνε κι´ ὁ Κωσταντῖνος θέλει (so
auch ΙΔ´ und ΙΘ´), als ob es im Ganzen zehn Brüder wären.
Hiermit stimmt, dass in einigen bulgarischen Versionen (aus
Panagjurište, aus dem Kreise von Sofija, Demir-Hissar)
Konstantin (gewöhnlich *Car Kostadin*)[1], als der zehnte
Sohn ausdrücklich bezeichnet wird. Der bulgarische Sänger
scheint die Unexaktheit des griechischen Liedes zu ernst
genommen zu haben; anstatt die aus Trägheit wiederholte
Formel genau herüber zu nehmen, wie er sie vorfand. Dass
es sich im griechischen Liede nicht um zehn Brüder handeln
kann, ist für jeden klar, der mit dem Geiste der Volkspoesie
halbwegs vertraut ist.

Als ein dem bulgarischen Liede eigentümlicher Zug ist
es zu betrachten, dass die Brüder meistenteils verheiratet
erscheinen und gewöhnlich auch mit Kind und Kegel angeführt
werden. Dieser Zug scheint jedoch neueren Datums zu sein,

---

1) In einem Liede aus Mazedonien — Dźan-Kostadin, nach
türkischem Dźan-Hassan, Dźan-Fatmé usw. (t. *dźan* = Seele). Analog
Dźan-Fikija, Dźan-Sofija als Namen der Schwester.

wie dies besonders auch aus dem Umstande ersichtlich ist,
dass derselbe in den dem griechischen Liede ihrem Inhalt und
Aufzeichnungsort nach zunächstliegenden bulgarischen Versionen fehlt (*Žeravna*, *Panagjurište*, *Čirpan*, *Lerin* — durch-
wegs südbulgarische Ortschaften). Die Anhäufung von Frauen,
Kindern, ja sogar Vettern, ist sicherlich sekundären Ursprungs.
Wahrscheinlich ist sie hervorgerufen durch den Wunsch, die
grosse Verwandtschaft der Braut so recht ins Licht zu stellen.
Die Vettern aber sind unstreitig aus dem griechischen Liede
übernommen. Wir finden sie in zwei Versionen (IΘ΄: εἶχε
τοὺς ἐννιὰ ἀδερφοὺς τα δεκοχτὼ ξαδέρφια, vgl. auch IZ΄).
Sonst sind *bratančeta*, *bratovčeta* eine in unserer Volkspoesie
ungewöhnliche Erscheinung. Die Anführung von Frau und
Kindern ist auch als ein psychologischer Zug interessant.
Der patriarchalische Bulgare konnte sich neun erwachsene
Söhne schwerlich unverheiratet vorstellen und so dotierte er
sie denn auch wirklich mit Frauen, wie er auch für zahlreichen Nachwuchs sorgte, ohne zu bedenken, dass dies der
Ökonomie des Liedes irgendwie schaden könnte. Als die
Pest die neun Brüder erwürgt, fegt sie unbarmherzig auch
die neun Frauen und neun Kinder hinweg. Es bleibt die
Alte mutterseelen allein. — Dies schiene uns die einzig
richtige Lösung. Nicht so dem Volke. In vielen Versionen
heisst es ausdrücklich, die Pest habe sich ausser der Alten
auch eines Kindes (gewöhnlich jenes Konstantins oder
Lazars) erbarmt und es am Leben belassen, in anderen verschont die Pest gar alle neun Kinder. Es hat den Anschein,
als ob der Sänger den ganzen Graus der logisch sich ent-
wickelnden Situation abwenden wollte und deshalb wenigstens
die Kinder zu retten versucht, aber leider vergisst er dieselben
in der Handlung irgendwie aufgehen zu lassen; es wird uns
denn auch mit keinem Wörtchen gesagt, was mit den Armen
geschieht nach dem Tode ihrer Grossmutter und der aus der
Fremde zurückkehrenden Tante. Alles dies spricht sicherlich
sehr wenig für die Ursprünglichkeit der Frauen und Kinder
in unserem Liede. Die versuchte Erweiterung des griechischen Motivs ist misslungen und störend. Den nämlichen
Versuch finden wir nur noch im albanesischen Liede. Die
psychischen Triebfedern scheinen hier die nämlichen gewesen

zu sein.' Es ist aber auch Entlehnung dieses Zuges aus dem
Bulgarischen nicht ausgeschlossen.

Das Alter Konstantins (Lazars) ist in den meisten
bulgarischen Versionen, wie in der Mehrzahl der griechischen
nicht angedeutet. Nur in wenigen finden wir ihn als den
kleinsten (jüngsten), oder den kleineren oder den kleinen
(jungen) — *malijot, mъninko Lazarče* — bezeichnet, so wie
im griech. Liede No. Α': Κωςταντής, ὁ μικροκωςταντάκης, No.
Β': Κωςταντῆ μ' και μικροκωςταντῖνέ μ', No. Δ': μόνον ὁ Κώςτας
ὁ μικρὸς ἤθελε νάν τη δώςουν. In einer einzigen Version (aus
Gaitaninovo, Kreis von Sofia), wird der Bruder als der ältere
bezeichnet.

Nach allen griechischen Varianten, ohne Ausnahme, ist
Konstantin der einzige von allen Brüdern, der mit der Heirat
der Schwester in der Fremde einverstanden ist. Er ist es
allein, der die Mutter zu dem schweren Schritte veranlasst,
indem er ihr feierlich das Versprechen giebt, die Schwester
periodisch oder bei gewissen Anlässen aus der Fremde holen
zu wollen. Deshalb trifft auch ihn allein der Fluch der
schwergeprüften Mutter. Nicht so in allen bulgarischen Versionen. Wohl in den meisten wird, wie im griechischen Liede,
Konstantin als der einzig Schuldige hingestellt, allein wir haben
auch solche, die bei sonst gleichem Inhalte mit dem griechischen Original von ihm in dem abweichen, dass sie alle
Brüder an der Schuld teilnehmen lassen: so heisst es in
meinem Liede aus Batoševo ausdrücklich: *devet bratja davaha*
(die neun Brüder gaben, erlaubten). So auch in den Versionen aus Čirpan, Čiporovci, Mil. 200, Šapk. V—VI, 147
u. a. Auch diese Erweiterung des griechischen Liedes spricht
wenig zu Gunsten des bulgarischen, denn hätten alle Brüder
zur Heirat der Schwester geraten, wäre es unerklärlich,
warum die Mutter den einzigen Konstantin verfluchen sollte.
Mir scheint jedoch, dass dieser logische Fehler wenigstens
in einigen Versionen durch ein rein sprachliches Missverständnis bedingt wurde. Dieselben kennzeichnen sich als beträchtlich weiter von ihrem Urbilde abstehend auch dadurch,
dass in manchen selbst die Stellung der Brüder in der, die
Heirat ihrer Schwester betreffenden Frage, vollständig umgekehrt erscheint. So z. B. bei Stfausz (Bolgar népköltesi
gyűjtemény. Budapest 1892. Bd. II. S. 48—49) und in einem

über neun kalten Wässern, über neun Dörfer gelegen, oder ganz vag als sehr weit (griech. πολὺ μακρ]ὰ 'c τὰ ξένα, ΙΔ´, ΙΕ´, Ι϶´, ΙΖ´) oder sehr reich (*može zenginsko*) bezeichnet. Nur in einigen Versionen (Lerin, Chotovo und Gorna Džumaja) erscheinen Freier von drei Seiten, wie im serbischen Liede. Wie man sieht decken sich in zwei Fällen (Carigrad und Zemja Rumenlija — 'Ρωμανία) die im Bulgarischen angeführten Namen mit solchen aus dem Griechischen. Andere weisen direkt nach dem Süden.

Charakteristisch für das Abhängigkeitverhältnis unseres Liedes zu dem Griechischen sind auch die Überredungsmittel, die Konstantin in einigen unserer Versionen anwendet, um die zögernde Mutter zur Heirat der Schwester zu bewegen. In den besterhaltenen unserer Varianten kehrt fast wörtlich das nämliche egoistische Motiv wieder, das wir beispielsweise in Nr. Ε´ bei Politis antreffen: Δός τηνα μάννα μ' δός τηνα την 'Αρετὴ c' τα ξένα ... || νά 'χω κ' ἐκεῖ παρηγοριὰ, νά 'χω κ' ἐκει κονάκι. So in einer bulgarischen Version aus Żeravna, auf deren ganz besondere Ähnlichkeit mit den griechischen Versionen ich schon Gelegenheit hatte hinzuweisen: Geben wir, Mutter, Kasatka || Mag es auch weit sein || Im Lande Rumänien || Denn wir sind viele Brüder || Überall haben wir Konak (Haltestelle, Absteigequartier, türkisches Wort) || In

Rumänien haben wir keinen ‖ Auf dass wir auch dort Konak haben. Öfter als dieses finden wir in einigen bulgarischen Varianten und zwar wieder ausschliesslich in solchen aus Süd-bulgarien und Mazedonien ein von demselben etwas verschie-denes egoistisches Motiv: die Mutter möge die Schwester dem fremden Freier geben, damit die Brüder mit ihren schönen Pferden und ihren reichen Gewändern paradieren können. Es war für den friedlichen ackerbauenden Bulgaren schwer sich in die Rolle eines weitreisenden Kaufmannes, als welchen sich der griechische Konstantin, dem mehr merkantilen Cha-rakter seines Stammes gemäss, ausgiebt, zu versetzen und so modifizierte er denn das Motiv und aus dem Kaufmanne ward ein junger, reicher, aber mit Vorliebe an der Scholle klebender Landmann. In den nordbulgarischen Versionen ist das ur-sprünglich selbstsüchtige Motiv verschwunden, wie in manchen griechischen (A′, B′, Z′, H′, IB′, IΓ′). Konstantin (resp. alle Brüder) suchen die Mutter nur dadurch zu überreden, dass sie ihr das Versprechen geben, ihre Schwester oft zum Besuche der Mutter holen zu wollen, ja so oft, dass es ihr endlich zu-wider werde. Dabei wird die Zahl der Visiten minutiös an-gegeben, wie bei Politis B′, I′, IZ′, IΔ′ ('Εγώ, μάννα μ′, τὴν 'Αρετὴ θα ς′ φέρν' ἀποὺ τα ξένα, τὸ καλοκαίρ′ ἐννιὰ φοραις, καὶ τὸ χειμῶνα πέντε).

Viel Gewicht legt Psicharis auf den Umstand, dass in einigen griechischen Varianten die Krankheit, an der die Söhne sämtlich sterben, als Pest, θανατικό, bezeichnet wird. Das Wort soll in der griechischen Volkspoesie ungewöhnlich sein. Daraus wird gefolgert, dass auch das Lied vom toten Bruder fremden, slavischen und speziell serbischen Ur-sprunges sei, denn es sei bekannt, welche wichtige Rolle die Pest in der Volksdichtung der Südslaven spiele. Der Schluss scheint mir verfehlt. Erstens kommt das Wort θανατικὸ nur in drei von den zwanzig Versionen bei Politis vor (ς′, Θ′, I′), wovon eine sogar aus Varna, wo man ja leicht an bulgari-schen Einfluss denken könnte, dann aber ist überhaupt kein Grund vorhanden, die Pest für ein spezielles Attribut der südslavischen Volkspoesie zu halten. Die schwache Rolle, welche dieselbe in der griechischen Volksdichtung spielt, müsste bei der historisch beglaubigten Thatsache, dass diese ver-heerende Krankheit sehr oft auch in Morea gewütet hat,

Befremden erregen, wenn sich dieselbe nicht dadurch erklären
liesse, dass das griechische Volk im Besitze seines klassischen
Charons es nicht so nötig hatte, wie die Südslaven zur Pest
als Personifikation des Todes zu greifen. Aber auch andere
Mittel hatte die reichere griechische Volkspoesie, um grosse
Volksplagen, Unglück und Unbillen zu bezeichnen, für die den
Südslaven der gehörige Ausdruck fehlte. So auch in unserem
Liede. Wie schon bemerkt wurde, erscheint die Pest nur in
drei griechischen Varianten, sonst wird der Einbruch der
Katastrophe einfach durch die Sätze bezeichnet: μὰ 'τῆς
χρόνος δίσεχτος καὶ μῆνας μαυρισμένος (Aʹ), oder ἦλθε καιρὸς
ἀδύστευτος κι' ἀδύστευταις ἡμέραις (Bʹ), χρόνος δίσεχτος κ' ἡ ἡμέρα
πικραμένη (ϛʹ) u. dgl. Was konnte der slavische Sänger aus
seinem poetischen und sprachlichen Schatz dem griechischen
χρόνος βίσεκτος etc. entgegensetzen? Den Ausdruck wörtlich
übersetzen, er wäre wohl nicht verstanden worden. Das nächste
war zur Pest zu greifen und er that es auch. Übrigens wird
nicht in allen bulgarischen Versionen die Pest als die einzige
Ursache von dem Tode Konstantins und seiner Brüder hingestellt. In der Variante der Bəlgarski Knižici (Dozon Nr. 7)
wird erzählt, ein schwarzer Nebel habe sich gesenkt und
alle Brüder getötet (sollte hier wirklich der schüchterne Versuch einer Übersetzung des griech. καιρὸς ἀδύστευτος und μῆνας
μαυρισμένος vorliegen?). In dem einzigen Märchen unserer
Sammlung, das aus Prilep stammt, sterben die Brüder aus
Gram um ihre Schwester.

In den meisten Versionen unseres Liedes wird der Aus-
bruch der Pest ähnlich wie in dem griechischen Liede durch
die einfachen Worte eingeleitet: Und als man (Namen der
Schwester) hinausführte, führte man ein die Pest. Dies mag
manchem unserer Sänger ungenügend motiviert vorgekommen
sein und so hat man denn hinzugedichtet, dass die fürchter-
liche Seuche durch den Fluch der Mutter oder der unfreiwillig
scheidenden Schwester herbeigeführt worden sei. In einem
Falle tritt sogar der Vater fluchend auf. Da die Pest per-
sonifiziert gedacht wird — sie wird meistenteils als ein altes
hässliches Weib vorgestellt — ist es erklärlich, warum in
einigen unserer Versionen breit ausgemalt wird, wie und wo
dieselbe den Brüdern begegnete und dieselben "schlug".

Nach der ersten Gruppe unserer Varianten verlässt Konstantin das Grab, wie in dem griechischen Liede, einzig durch die Mutter gezwungen. Nur die Mittel, wodurch sie ihn zum Verlassen des Grabes veranlasst, variieren in den verschiedenen Versionen. Aber jedesmal ist es irgend eine Beleidigung oder Belästigung des Toten. Wie bekannt kommt gerade in dieser Episode des Liedes die Grundidee desselben am klarsten zum Vorschein, trotzdem sind bisher — wie wir oben gesehen — sehr verschiedene und von einander abweichende Ansichten über den Charakter dieser Grundidee ausgesprochen worden. Psicharis und neuerdings Sozonovič erblicken dieselbe in dem weitverbreiteten Volksglauben, dass Thränen die Ruhe der Toten stören. Politis und Destunis behaupten dagegen, dass die Grundlage der Erzählung ursprünglich moralischen Charakters gewesen sei und erst später einen materiellen Anstrich erhalten habe. Wiegt man sorgsam ihre Argumente, so ist es gewiss nicht einzusehen, warum dies nicht denkbar wäre. Herr Sozonovič selbst hat ja in seiner Untersuchung gezeigt, dass die Toten nach dem Glauben verschiedener Völker nicht allein Thränen und Klagen nicht vertragen können, sondern überhaupt jede materielle oder moralische Beleidigung. Eine grössere Mannigfaltigkeit der Beleidigungsformen entspricht ja auch vielmehr der nach dem Volksglauben ungewöhnlichen Empfindlichkeit der Toten. Dieselbe ist aber auch durch ethnische Verschiedenheiten bedingt. Der Begriff der Beleidigung wechselt ja nach den jeweiligen moralischen Begriffen der Völker. So mag es sich auch erklären, dass in dem griechischen Liede als höchste Beleidigung der Fluch der Mutter hingestellt wird, dagegen in den nordslavischen und germanischen Fassungen des Lenorenstoffes ein rein materielles Mittel — die Thränen — hervorgehoben werden. Dies schliesst keineswegs die Möglichkeit aus, dass in einer früheren Zeit vielleicht auch in den griechischen Versionen das materielle Moment überwog, denn die Macht der Thränen und Klagen scheint den Neugriechen, trotz der Mirologien[1]),

---

1) Die Totenklagen scheinen im Widerspruch zu dem Glauben zu stehen, dass man Thränen über dem Grabe der Toten nicht vergiessen dürfe. Dies schien auch mir befremdlich, bis ich unlängst erfuhr, dass bei uns die klagenden Frauen es sehr sorgsam verbüten, Thränen auf den Grabhügel fallen zu lassen. Zu diesem Zwecke breiten sie immer, bevor sie zu weinen anfangen, die Schürze

wohl bekannt zu sein. Sie war es jedenfalls auch den alten
Griechen. Vgl. Lukian, περὶ πένθουc, wo der Schatten eines
im Jünglingsalter verstorbenen Sohnes dem Vater vorwirft:
"ὦ κακόδαιμον ἄνθρωπε, τί κέκραγαc, τί δέ μοι παρέχειc πράγ-
ματα". So verbietet auch Herakles in Sophokles Trachinierinnen
jedes Weinen über seinen νέοc θάνατοc. (Vgl. Sozonovič Op.
cit. 71.) Übrigens auch in den uns vorliegenden Versionen
des griechischen Liedes verlässt Constantin das Grab nicht
allein durch den Fluch seiner Mutter gezwungen. Dieser
Fluch fehlt in einigen Versionen ganz (Α', ΙΒ', ΙΓ', ΙϚ'). In
einer (ΙϚ') heisst es sogar ausdrücklich: ἀπ τὰ πολλά τὰ κλάμ-
ματα, δάκρυα καὶ μοιρολόγια τὸ μνῆμ᾽ ἀναταράχθηκε, κι᾽ ὁ
Κωcταντῖνοc 'βγῆκε (Von den vielen Klagen, Thränen
und Mirologien öffnete sich das Grab und K. stieg aus). Vgl.
auch ΙΓ' u. Ε'. — In einigen Versionen finden wir wohl den
mütterlichen Fluch, aber es hat den Anschein, als ob er erst
nachträglich hinzugefügt worden wäre, denn die widrigen Hand-
lungen der Mutter auf dem Grabe Konstantins (Ausreissen der
Haare, Aufheben des Grabsteines usw.) oder das Unterlassen
gewisser frommer Gebräuche (Kerzenanzünden, Beräuchern des
Grabes) wären nach der Volksanschauung schon vollkommen
ausreichend, um dem Toten die Ruhe zu rauben. — Indem
wir hiemit die Möglichkeit zugeben, dass in einer früheren
Zeit die moralische Grundlage des griechischen Liedes vielleicht durch eine materielle vertreten war, wollen wir, wie
oben angedeutet, keineswegs leugnen, dass auch Politis' Behauptung vieles für sich hat. Ist denn auch der Fluch nicht
viel natürlicher in dem tragischen Konflikte zwischen Mutter
und Sohn, der uns in dem Liede geschildert wird, als die
passiven Thränen und Klagen? Und ist der Glaube an die
Macht des Fluches und besonders des elterlichen Fluches nicht
zum mindesten ebenso verbreitet, wie der Glaube an die Kraft
der Thränen? Wie dem aber sei, eines ist klar, dass es
verfehlt ist Fluch oder Thränen für sich als absolute Kriterien bei der Bestimmung der Genesis des Liedes vom toten
Bruder zu gebrauchen, denn es können beide sehr wohl ursprünglich sein. Die Grundidee des Liedes besteht meiner

oder ein Taschentuch auf das Grab. Ob diese verhütende Mass-
regel auch in Griechenland bei den Mirologien eingehalten wird,
ist mir unbekannt.

Meinung nach keineswegs in dem Glauben, dass man den Toten
nicht bestimmte Beleidigungen zufügen, sondern dass man
sie überhaupt nicht beleidigen und belästigen dürfe. Wodurch
man sie beleidigt — ist eine Frage sekundären Interesses. Das
griechische Volk zog in einer früheren oder späteren Zeit den
Fluch vor, andere Völker legten mehr Gewicht auf die Thränen.
Der Effekt blieb aber der nämliche und das ist die Hauptsache. Die Genesis des Liedes muss sich aber auch ohne
Hinweis auf Fluch oder Thränen finden lassen, oder sie ist
unsicher. Glücklicherweise bietet uns die vergleichende Analyse der verschiedenen Versionen genug sichere Mittel, um
auch unbeirrt von der Frage — was ursprünglicher sei, Thränen
oder Fluch, das genetische Verhältnis der Lieder vom toten
Bruder bestimmen zu können.

Auch in bezug auf den soeben besprochenen Punkt zeigen
sich die bulgarischen Versionen direkt von den griechischen
beeinflusst. Thränen als Ursache von Konstantins Erweckung
aus dem Grabe finden wir nur in dem Märchen aus Prilep
und in einem Liede aus Lerin angeführt, sonst ist es hauptsächlich der mütterliche Fluch, dem sich der Tote beugt.
Wir hören denselben in allen erdenklichen Variationen, die
fast Zug auf Zug den griechischen entsprechen. Vgl. và μὴ
cέ φάτῃ τὸ χῶμα (Κ΄) = bulg. *Zemjata teloto da ne pribere*
oder *Zemjata kosti ne prijela*; ὅλοι μου οἱ γιοὶ νὰ λειώcουνε
‖ κι᾿ ὁ Κώcτας νὰ μὴ λειώcη (ΙΖ΄ vgl. auch ΙΘ΄) = bulg. *da
se ne razsipjat kostite ti* usw. In vielen Fällen verlässt Konstantin das Grab (wie in den griech. Versionen), nur weil
seine Mutter auf allen Gräbern Kerzen und Weihrauch an-
zündet, alle mit Wein begiesst, ihn aber absichtlich vernach-
lässigt. In einer Variante lässt die Mutter allen Söhnen Messen
lesen, nur dem jüngsten nicht, in einer anderen beleidigt sie
ihn dadurch, dass sie ihn nicht wie ihre übrigen Söhne auf
dem Friedhofe begraben lässt, sondern abseits und zudem
seinen Grabhügel mit Steinen umgiebt (vgl. griech. κ΄ εἰς τῶν
ὀχτὼ τὰ μνήματα βιόλαιc καὶ ματζιοράναιc ‖ κ΄ εἰς τοῦ καιμένου
Κωcταντὴ cτράταιc καὶ μονοπάθια ΙΑ΄, so auch ΙΒ΄). In den
meisten dieser Fälle kommt der Fluch nicht vor.

Fast in allen griechischen Versionen, mit sehr kleinen
Ausnahmen, steht Konstantin ohne jegliche Vermittelung einer höheren Macht aus dem Grabe auf. Nur in

einigen Liedern ruft er die Hilfe Gottes, des heiligen Georg,
der heil. Maria oder des Hades an. Sonst genügt der Fluch
oder das Versäumnis des üblichen Branches, um den toten
Sohn aus dem Grabe zu jagen. In vielen Varianten wirkt
der Fluch direkt auf die Erde (sie öffnet sich plötzlich und
dem Grabe entsteigt Konstantin), oder auf den Grabhügel, auf
das Kreuz, den Sarg, das Totentuch usw., die sich unverweilt
in Pferd, Sattel oder Zügel verwandeln. Auch hierin behält
das griechische Lied, indem es den primitiven Anschauungen
über das Wesen der Toten und die Wirkung des Fluches
oder jeder anderen Beleidigung auf dieselben mehr entspricht,
zweifellos den Vorzug über das bulgarische, in welchem Konstantin mit zwei Ausnahmen nur durch die Hilfe Gottes
erweckt wird. Entweder wendet sich Konstantin selbst an
Gott, oder der Allmächtige erbarmt sich der Mutter (in der
zweiten Gruppe unserer Versionen — der Schwester) und bewirkt das Wunder der Auferstehung. In einigen Versionen
(aus Panagjurište und dem Kreis von Seres) schickt Gott
eigens, wie im serbischen Liede, zwei Engel, um dem Toten
wieder Seele einzuhauchen, in der Version aus Lerin (Mazed.)
erscheint der heil. Elias als Vermittler.

Mit Rücksicht darauf, dass in der von ihnen zitierten
griechischen Version der Bruder die Schwester zu Rosse holt,
nennen Sathas und Legrand das griechische Lied vom toten
Bruder *chevauchée funèbre* (Les exploits de Digénis Acritas,
introd. S. 50—52). Es ist mit Recht bemerkt worden, dass
diese Aufschrift nicht ganz passend ist[1]), denn in vielen Versionen des Liedes fehlt die Verwandlung des Grabhügels oder
Kreuzes in ein Pferd und der Bruder holt seine Schwester zu
Fusse. So auch in vielen bulgarischen Varianten. Immerhin
sind die anderen bei weitem häufiger.

---

1) In der Benennung des Liedes hat man überhaupt bis jetzt
wenig Glück gehabt. So nannte es Passow Βρουκόλακας, was Liebrecht mit *Vampyr* übersetzt (Volkskunde 195), Fauriel betitelt
es "le voyage nocturne". Bei uns ist das Lied unter der Aufschrift "Lazar i Petkana" bekannt, analog dem serb. "Jovan i
Jelica", dem alb. Konstantin und Garantin. Die dem Inhalte am
meisten entsprechende Aufschrift ist jene von Politis und Sozonović gebrauchte: Lied vom toten Bruder, zum Unterschied vom
Liede vom toten Bräutigam.

Psichari hat mit Recht auf den nächtlichen Charakter des Bittes in einigen griechischen Liedern aufmerksam gemacht [1]). Angeregt durch Reville, hat der gelehrte
Forscher die Vermutung ausgesprochen, dass es sich beim
griechischen Liede vielleicht nur um einen Mondmythos
handelt. "Il est donc possible, qu'il y ait un mythe lunaire
au fond de ces chevauchées nocturnes: l'idée morale se serait
greffée sur la fable naturaliste. La lune aux aspects fantasti-
ques poursuit son amant le long des nuits argentées et elle
meurt de sa poursuite" (Op. cit. 64). Ohne auf diese Hypothese einzugehen, können wir nicht umhin die Wichtigkeit des
von Psicharis bemerkten Zuges anzuerkennen. Ein nächt-
licher Ritt entspricht allerdings mehr den Gewohnheiten der
Geister, als ein Ritt bei hellem Tage oder gar als das Verweilen derselben durch mehrere Tage bei den Lebenden, wie
in dem serbischen Liede (so auch in einer bulgarischen Version aus Volujak).

Der nächtliche Charakter des Bittes ist nur noch in
zwei bulgarischen Versionen erkennbar, in einem Liede und
einem Märchen aus Prilep: "*Koj kluka sega noina doba*". —
Koj je toj što kluka nokje?" (Wer ist es, der nachts klopft).
Vgl. bei Politis (Α΄): Καλός τὸν Κωσταντὴ πῶς ἦλθες τετοιαν
ὥρα (und J΄): ἀλλοίμονο, ἀδελφάκι μου, καὶ τί εἶνε τουτη ἡ ὥρα;

Nach den meisten griechischen Liedern trifft der Bruder
mit der Schwester auf dem Tanzplatze zusammen, wo sie
μές΄ ΄ς το χορὸ χορεύει. Nur einige male findet er sie zu
Hause (Α΄, ς΄, Η΄, ΙΔ΄, ΙΕ΄, ΙΗ΄) oder am Brunnen (in zwei
unedierten Varianten). Gerade so auch in den bulgarischen
Versionen. Die Schwester erkennt alsogleich ihren Bruder.
nur in einem Falle fragt sie ihn aus, wer er sei, — wie in
den griechischen Versionen Ε΄ und ς΄ (ποιὸς ξένος εἶν΄ αὐτὸς
ἐδῶ || ποῦ ξέρει τ΄ ὄνομά μου; Γιὰ ΄διὲ τῆς σκύλας τον υἱϙ,
ποῦ ξέρει τὄνομά μου). In zwei anderen bulg. Versionen ist
es umgekehrt der Bruder, der seine Schwester nicht alsogleich
erkennt. Oft unmittelbar nach der Erkennungsszene folgt sowohl in dem griechischen wie im bulgarischen Liede ein
kurzatmiges, gedrängtes Zwiegespräch zwischen der Schwester

1) Dieses Zuges wegen hat Fauriel die erste von ihm heraus-
gegebene Version nächtliche Reise "voyage nocturne" betitelt.
Vgl. auch Manussos.

und dem Bruder, das hauptsächlich den Zweck hat, auf den defekten Zustand des Toten aufmerksam zu machen. Fragen und Antworten decken sich dabei in vielen Versionen beider Lieder fast wörtlich. *Zašto ti sd oči potьnali i zьbi počьrněli* (καὶ ντ' ἔπαθες, ναὶ ‖ ἀδελφέ μ', καὶ κούφαναν τ' ἐμμάτα ϲ' Η'; Κώϲτα μου, τὰ' ματάκια ϲου πολὺ κοκκινιϲμένα, Ιϛ'; Κώϲτα, ποῦ 'ναι τὰ δόντια ϲου; ΙΘ' usw.) *Zašto merišat drěhite ti na pajažina?* (in Vers. aus Čiporovci, Orhanie, Dorf Kreta, Iskra). Vgl. griech. Β' und Ι' (Κώϲτα, μοῦ γιατί μαύριϲεϲ, τί εἰϲ ἀραχνιαϲμένοϲ;). Sonst ist das Spinngewebe in der bulgarischen Volkspoesie als ein Erkennungzeichen des Todes nicht bekannt. Gewöhnlich figuriert als solches der Geruch nach Erde, Schimmel oder Hollunder. Darum fragt die Schwester meistenteils: Warum riechst du nach Erde und Schimmel, oder nach abgebrühtem Hollunder oder einfach nach Erde, wie in einigen griechischen Versionen (πέ μ', ἀδερφέ μου Κωϲταντή, τί χωματιαῖϲ μυρίζειϲ; ΙΕ'. Ähnlich Α').

Die Antwort auf die Fragen der Schwester lautet in den bulgarischen Varianten gewöhnlich: Wir haben neun Hütten, neun Häuser gebaut, neun tiefe Keller gegraben oder: Weisst du nicht, dass ich Maurer bin? Sonst erklärt er seinen schweren Geruch durch Krankheit. (Vgl. auch gr. μεγάλη ἀρρώϲτια μ' εὕρικε ‖ μ' ἔρρηξε τοῖ θανάτου. Θ'.)

Den Zweck seiner Visite erklärt der Bruder in den meisten griechischen Versionen mit dem Verlangen der Mutter, die Tochter wiederzusehen (μάννα μαϲ ϲὲ θέλει). So auch in vielen bulgarischen Varianten. Da jedoch das Lied auch bei Hochzeiten gesungen wird und ausserdem die Situation einem sehr verbreiteten Hochzeitsgebrauche entspricht, hat sich in manchen bulgarischen Versionen ein neues Motiv entwickelt: Der Bruder wolle die Schwester zu ihrer ersten offiziellen Visite, die sie den Eltern schuldet, einladen. Sonst schützt er Krankheit oder Altersschwäche der Mutter vor (wie auch in den griech. Α' u. ΙΖ'), oder Hochzeit der Brüder.

In den griechischen Liedern wendet sich die Schwester gewöhnlich gleich nach dem ersten Grusse mit der Frage an den Bruder, ob er sie zur Freude oder zum Leide nach Hause geleiten wolle. Im ersten Falle wolle sie ihre goldene Robe anlegen, im zweiten aber aufbrechen "wie sie sei": (ἀν ᾖ χαρὰ 'ϲ το ϲπίτι μαϲ, νὰ βάλω τα χρυϲά μου ‖ κι' ἂν πίκρα εἶναι, ἀδελφάκι μου, νὰ ἔρθω, ὡς μ' ηὗρε ἡ ὥρα Α'). Konstantin erwidert gewöhnlich: Komme wie du bist (ἔλα νὰ 'πᾶμε, 'Αρετή, νὰ πᾶμε καθὼς εἶσαι (ΙΓ'). Dieser Zug hat sich in den bulgarischen Versionen nur unvollkommen erhalten. Wir finden ihn vollständig nur in zwei Liedern und zwar wieder in dem Liede aus Žeravna, in Milad. No. 229 (aus Mazedonien) und Sol. Knižici.

Es ist bekannt, welche wichtige und ausgedehnte Rolle τὰ πουλάκια, die Vögel, in der Poesie des griechischen Volkes spielen. Sie mischen sich ein in alle Angelegenheiten des Menschen, indem sie ihm warnend beistehen, ihn aufmuntern, erheitern usw. Um sich von der Ausdehnung dieser Rolle zu überzeugen, braucht man nur die erstbeste Sammlung griechischer Volkslieder, vorzugsweise lyrischen Charakters aufzuschlagen. Noch frappanter wird der Beweis, wenn man die Rolle der Vögel in der Volkspoesie der anderen Balkanvölker zum Vergleiche heranzieht. Es ist mir früher schon aufgefallen, dass manche unserer Volkslieder, in denen Vögel menschlich redend auftreten, sehr oft Anzeichen fremden und speziell griechischen Ursprungs an sich tragen. Ich nehme keinen Anstand, auch in dem Liede vom toten Bruder das Erscheinen der Vögel als einen speziell griechischen Zug aufzufassen. Charakteristisch genug, dieser Zug fehlt sehr oft im bulgarischen Liede (bei Politis fehlt er nur in zwei Vers. Δ' u. ΙΖ'), in einem Falle sind die Vögel sogar durch die weniger poetischen Frösche ersetzt. Wie in den griech. Vers. Θ', Ι' und ΙΓ' treten auch in einer bulgarischen die warnenden Vögel mehreremal auf.

Auf die Frage der Schwester, ob er nicht höre, was die Vögel singen, antwortet der Bruder im griechischen Liede: Es sind Vögel, mögen sie singen. So auch in einer bulgarischen Variante aus Mazedonien: Pesna mu je, ke si peje. Gewöhnlich aber: So singen die Vögel hier, oder das sind lügenhafte Vögel.

Nach den griechischen Versionen verschwindet der tote Bruder entweder vor der Thüre des verödeten väterlichen Hauses, kurz bevor die Mutter dieselbe öffnet, oder aber vor der Kirche (des Friedhofes). Er verlöscht wie eine Kerze vor der Kirche zum heiligen Georg, oder heiligen Johannes, oder er tritt ein in die Kirche um zu beten

dem Bilde des Heiligen anzuzünden. In anderen Versionen
bittet er seine Schwester vorauszueilen, denn er sei müde von
dem langen Wachen und werde sich schlafen legen, oder er
habe etwas vergessen (das Taschentuch oder seinen Ring).
Auf ihre Bitte, sie bis zur Hausschwelle zu begleiten, antwortet er, er könne nicht, denn er röche nach Weihrauch.
Alle diese Details finden sich auch in den bulgarischen Versionen. Stärker ist nur folgendes Motiv entwickelt, das auch
in einer handschriftlichen griechischen Version erscheint: Constantin wolle sein Pferd auf dem Friedhofe grasen lassen, oder
demselben Wasser geben, oder es ausruhen lassen. Die Schwester
folgt gewöhnlich dem Geheiss des Bruders, der alsogleich allein
oder mit seinem Pferde verschwindet, wobei Pferd, Sattel und
Zaum sich wieder in Grabhügel, Sarg etc. verwandeln.

Wie bisher ist der Parallelismus zwischen dem bulgarischen
und dem griechischen Liede auch im Finale des Liedes eingehalten. Die tieftrauernde Mutter hat sich in dem von Unkraut
überwucherten, verschimmelten Hause eingeschlossen und wähnt,
als die Tochter an der Thüre anklopft, es sei die Pest, und
darum verwünscht sie dieselbe. Das Misverständnis klärt sich
jedoch bald auf. Tochter und Mutter fallen sich in die Arme und
hauchen in demselben Augenblicke ihre Seelen aus. In vielen,
sowohl griechischen als bulgarischen Versionen fehlt die Ver-
wechselung der Tochter mit der Pest. Die Mutter öffnet gleich
beim ersten Anklopfen und die Katastrophe erfolgt, als die
Mutter erfährt, es sei der tote Konstantin, der ihre Tochter
aus der Fremde geholt. In zwei griechischen Versionen (Δ΄,
Ι Θ΄) stirbt die Schwester nicht, sondern wird in κουκουβάγια
(strix noctua) verwandelt, die Mutter aber in χούρχουλος (nur
Ι Θ΄). Hiervon findet sich ein Anklang auch in einigen bulgarischen Versionen, nur ist hier die κουκουβάγια durch die
ähnlich lautende *kukuvica* ersetzt worden. Die Verwandlung
scheint jedoch nicht ganz ernst genommen worden zu sein.
Dem für die griech.: κουκουβάγια eintretenden Kukuk ist, wie
gewöhnlich in der südslavischen Volkspoesie, eine mehr alle-
gorische Bedeutung belassen. Nur in einem Falle, in einem
Liede aus Veles (Mazed.) finde ich wohl den Versuch, die Verwandlung der Mutter in Kukuk (entsprechend dem griech.
κουκουβάγια) wörtlich zu nehmen, aber dieser Versuch ist kläg-
lich gescheitert. Das Lied erzählt, die Tochter habe, in den

Haushof eintretend, Kukuksrufe gehört, als sie sich umgesehen,
habe sie ihre Mutter auf einem Baume sitzend erblickt (!):
"*So mutaf zavijena, so poprak opaśana*" (= mit einer Decke
bedeckt, mit einem Gürtel umgürtet!) In demselben Augenblicke sei die Mutter vom Baum herabgestiegen usw. Sozonović erblickt im Gegenteil in der Verwandlung der Tochter
in κουκουβάγια einen Beweis mehr für den serbischen Ursprung des griechischen Liedes. Mir scheint jedoch, wie ich dies
an dem Liede von Veles ausgeführt habe, dass die griechische
κουκουβάγια und die slavische *kukuvica* in den Liedern vom
toten Bruder im Grunde sehr wenig gemein haben. Bei der
ersten handelt es sich um eine regelrechte Verwandlung, als
Abschluss des Liedes, in der zweiten aber mehr um ein
Gleichnis.

Hiermit schliessen wir unsere kurze vergleichende Betrachtung der bulgarischen Versionen von der ersten Gruppe
ab. Sollten noch über das Verhältnis derselben zu den griechischen Zweifel obwalten, wir glauben, dass auch diese durch
die Publikation der Texte selbst zerstreut werden.

Und nun zu der zweiten Gruppe. Unsere feste
Überzeugung inbetreff dieser Gruppe ist es, dass die
gewaltige Verstellung der Personen in derselben nur
dem Umstande zuzuschreiben ist, dass das Lied in
den Kreis der Hochzeitslieder gezogen wurde. Die
bedeutende Rolle, welche der Brauch, der Ritus in der inhalt-
lichen und formalen Umgestaltung der Lieder spielt, ist bis
jetzt viel zu wenig gewürdigt worden. Man hat wohl oft die kon-
servierende Kraft des Volksgebrauches hervorgehoben, aber
es ist nicht minder wahr, dass der Ritus auch eine sehr stark
ausgeprägte destruktive Tendenz besitzt und oft Ursache
der gewaltigsten Verstümmelungen mancher Lieder wird, indem
er sie zwingt, sich seinem engen Rahmen anzupassen. Auf
diese Weise wird der Brauch, die Sitte, ein wahres Procrustes-
bett, vorzüglich für die mehr oder weniger frei wandernden
Lieder, die Volksballaden u. dgl. Dadurch, dass das griechische
Lied nach seiner Rezeption im Bulgarischen, Dank seinem sehr
geeigneten Inhalte, auch in die Reihe der Hochzeitslieder aufgenommen wurde[1] (dasselbe wird sonst bei allen möglichen

1) Als Hochzeitslied ist dasselbe auch in einer griechischen
Variante aus der Insel Kreta bezeichnet.

Gelegenheiten gesungen, als Gesellschaftslied zur Unterhaltung, als Erntelied, Weberlied usw.), musste notwendigerweise auch die Mutter zurücktreten und den ersten Platz der Hauptperson bei der Hochzeit — der Tochter abtreten. Das Lied der zweiten Gruppe wird bei Hochzeiten vorzüglich bei der Herausführung der Braut aus dem väterlichen Hause gesungen und zwar hauptsächlich, wenn die Braut jemanden aus der Fremde heiratet. Wie natürlich ist es doch, dass in diesem Falle die Versprechungen und Vertröstungen, die in der ersten Gruppe, gleichwie im griechischen (und albanischen) Liede der Mutter — in der zweiten Gruppe, wie in dem serbischen Liede der Schwester gegeben werden. Es gilt ja wirklich mehr die Schwester zu trösten als die Mutter, die ihr Haus nicht verlässt und im Kreise ihrer übrigen Kinder leichter den Schmerz der Trennung vertragen kann. Man mag sich dazu die Abneigung der Bulgaren, wie überhaupt eines jeden Volkes mit stärker entwickeltem Familiensinne, gegen solche Heiraten in die Fremde vergegenwärtigen, so wird man noch leichter begreifen, warum die Aufmerksamkeit aller Personen in den Liedern unserer zweiten Gruppe fast ausschliesslich auf die vom väterlichen Herde und aus dem engen Kreise der Lieben scheidenden Tochter und Schwester konzentriert erscheint. Erleichtert wurde aber die Heranziehung des Liedes vom toten Bruder in den Zyklus der Hochzeitslieder hauptsächlich durch folgendes Moment: Bekanntlich ist es Brauch bei den Bulgaren, wie bei den übrigen Südslaven, dass die junge Frau kurz nach ihrer Hochzeit den Eltern ihren ersten offiziellen Besuch abstatten muss. Dieser Brauch, auch sonst bei anderen Völkern benannt, heisst in Bulgarien gewöhnlich *prośka* oder *prviće*[1]) (bei Bogišić und Krausz wahrscheinlich infolge Druckfehlers *trośka*). Die junge Frau wird zu dem *prviće* ("Erstlingsvisite") von ihren Brüdern oder dem Brautführer *(dever)* eingeladen und bis zum väterlichen Hause begleitet. Eine Unterlassung dieser althergebrachten Sitte würde

---

1) Siehe darüber V. Bogišić Zbornik sadašnih pravnih običaja u južnih Slovena, U Zagrebu 1874, S. 260; Dr. Fr. S. Krauss Sitte und Brauch der Südslaven, Wien 1885. S. 464 ff.; Th. Volkov Svadbarskite obredi na slavjanskite narodi, Sbornik za narodni umotvorenija, nauka i knižnina u. a.

als eine schwere Sünde betrachtet worden sein. Nun bot ja
das griechische Lied gerade durch seinen Inhalt eine sehr gelegene Grundlage zur Besingung dieses Brauches. Es wird ja
in demselben erzählt, wie der tote Bruder seine Schwester aus
der Fremde holt, um sie der Mutter zuzuführen, und dies passte
ja recht gut zu der oben erwähnten Sitte. Der Einfluss des Hoch-
zeitsbrauches geht in manchen unserer Lieder sogar so weit,
dass in denselben das traurige Finale vollständig ausgelassen
wird. Ich hatte von unserem fleissigen Ethnographen Ephrem
Karanov in Kjüstendil eine recht interessante Variante aus
Kratovo erhalten, in welcher jedoch der Schluss fehlte. Da
ich gerne das Lied in seiner ursprünglichen Gestalt erhalten
wollte, schrieb mir Herr Karanov folgendes: "Die Variante,
die ich Ihnen schickte, ist nicht vollständig, weil sie nicht
anders von mir aufgeschrieben wurde ... Heute fragte ich zwei
Frauen aus Kratovo aus ... beide sangen mir das Lied in der
nämlichen Länge. Ich sagte ihnen, dass dies nicht das ganze Lied
sei, aber sie antworteten mir, dass das Lied immer so gesungen
werde, weil es zu lang sei und weil weiter erzählt werde, wie
die neun Brüder an der Pest gestorben und wie sie alle aus dem
Grabe zur Schwester gereist wären... das Lied habe eben
einen für Hochzeiten zu traurigen Inhalt. Diese Lieder
werden aber gewöhnlich vierstimmig bei Hochzeiten und Tänzen
gesungen. Das ganze Lied habe nur ein einziges Mädchen
in Kratovo singen können, das sei aber gestorben." Weiter
schrieb mir Herr Karanov, dass das Lied vom toten Bruder
immer im Hause der Braut und niemals in dem des Bräuti-
gams gesungen werde.

Wir erlauben uns, Herrn Karanovs Zeugnis als eine ekla-
tante Bestätigung unserer Behauptung hinzustellen, dass die
grossen Veränderungen in der zweiten Gruppe unserer Lieder
vom toten Bruder, die, wie schon erwähnt, ihrem Inhalte nach
sich mit dem serbischen Liede von Jovan und Jelica fast vollkommen decken, wirklich der Einwirkung des Hochzeitsge-
brauches zu verdanken sind. Hiermit bricht aber auch die
von Wollner und Psichari aufgestellte Hypothese, dass der
Lenorenstoff seine Verwandlung in das Lied vom toten Bruder
vorzüglich der bei den Serben stark entwickelten Geschwister-
liebe zu danken habe, zusammen. Sie war ohnehin schwankend
geworden durch die gegnerischerseits glücklich geführten Ein-

wände — sowohl gegen das Hauptargument (die Geschwister-
liebe), als auch besonders gegen die von Psichari ins Treffen
geführten äusserlichen Momente (Neunzahl usw.). Das serbische Lied ist eben nichts anderes als eine Version
des bulgarischen. Die Ähnlichkeit desselben mit manchen
unserer westlichen Varianten geht bis zur Identität. Was aber
wichtiger ist, wir können die bulgarischen Mittelstufen, welche
das griechische Lied durchlaufen musste, bis es durch den
Hochzeitsgebrauch gezwungen — zuletzt in die dem serbischen
als Vorbild dienenden Varianten überging, ganz genau verfolgen und bestimmen. Ansätze zu der Metamorphose des
Liedes findet man nämlich noch in den Liedern der ersten
Gruppe.

Hiermit würde sich das genetische Verhältnis zwischen
den verschiedenen Redaktionen des Liedes vom toten Bruder
folgendermassen stellen: Grundlage aller ist das griechische Lied[1]). Unmittelbare Abzweigungen desselben sind

1) Weitere Untersuchungen werden wahrscheinlich zeigen,
dass das griechische Lied sich nach Bulgarien in zwei Richtungen
verbreitet haben muss: einmal direkt über Thrazien, (vermittelt
über Byzanz), dann aber vielleicht auch über die Inseln des Archi-
pelagos und Morea. Dadurch lässt sich erklären, warum die thra-
zisch-bulgarischen Varianten in vielen Beziehungen den griechischen
näher stehen, als so manche mazedonische, die vielleicht durch
das Medium des Albanesischen und Mazedo-walachischen passieren
mussten. Nach obigen Richtungen, die nach einem Punkte zu kon-
vergieren scheinen, und nach gewissen anderen Anzeichen könnte
man für das griechische Lied selbst einen kleinasiatischen
Ursprung vermuten. Es wäre daher sehr erwünscht, eine grössere
Anzahl von kleinasiatischen Varianten des griechischen Liedes zu
besitzen. Man sollte auch Nachfrage halten, ob nicht Versionen
unseres Liedes (resp. Märchen) auch bei den Armeniern und den
anderen Völkern des Kaukasus und Kleinasiens gesungen
und erzählt werden. Obige Vermutung steht natürlich in keinem direkten Zusammenhange mit der viel erörterten Digenis-Acritas-Hypo-
these, allein es dürfte bei dieser Gelegenheit interessieren zu erfahren,
dass Professor Politis sich noch keineswegs für besiegt betrachtet.
In einem Privatbriefe an den Verfasser lässt er sich über die
Frage folgendermassen aus: "En ce qui concerne la parenté entre
la chanson et l'epopée byzantine de Digénis Acritas je suis
pleinement convaincu, qu'il y a une relation strictement étroite
entre eux. J'ai formé cette conviction par suite de l'étude que j'ai
faite sur toutes les chansons populaires grecques qui se rappor-
tent au cercle acritique; et les conclusions de cette étude je me.

a) das albanesische Lied, dessen Abhängigkeit vom Griechischen nicht bezweifelt werden kann, b) das bulgarische
Lied und vielleicht teilweise c) das mazedo-walachi-
sche, von dem ich leider bisher nur zwei handschriftliche
Versionen besitze, wovon die eine mir bedeutend stärker
vom griechischen Liede beeinflusst erscheint, als das mazedo-
bulgarische (die andere könnte eher für eine wörtliche Übersetzung einer bulgarischen Version der ersten Gruppe gelten). —
Das bulgarische Lied, indem es sich selbst in zwei Richtungen spaltete, gab nach Nordwesten das Vorbild zum serbischen Liede (II. Gruppe), nach Norden entwickelte es sich
wahrscheinlich zum rumänischen (I. Gruppe). Letzteres
spreche ich mit Vorsicht aus, weil ich bisher nur eine einzige
rumänische Version vergleichen konnte (*Călătoria mortuluĭ*
aus der Bucovina, in der von Hasdeu redigierten Zeitschrift
'*Revista noŭa*', II. Jahrg. Nr. 1, S. 36—39). Die Übrigen sind
mir leider bis zur Stunde nicht zugekommen. Aber schon aus
jener ersieht man, dass zwischen dem bulgarischen und dem
rumänischen Liede ein enges verwandtschaftliches Verhältnis
besteht.

Zum Schlusse muss ich einige Worte über die von Krumbacher aufgeworfene prinzipielle Frage sagen: ob die südslavische Version überhaupt eine so enge Verwandtschaft mit
der nordslavischen und der germanischen besitzt, wie gemeinhin angenommen wird, ob nicht beide Sagen etwa völlig zu trennen und als selbständige Produkte zu betrachten
sind? Diese Frage ist, wie schon erwähnt, von Herrn
Sozonovič in negativem Sinne beantwortet worden. Nach
ihm hat das Lied vom toten Bruder mit dem Liede vom
toten Bräutigam nichts als den Glauben an die Rückkehr der
Toten gemein. Mir scheint jedoch, dass Sozonovič diese Seite
des Lenorenproblems nicht genug vertieft hat, und es wird

propose de développer à l'introduction d'un corps de chansons populaires grecques que je suis en train de préparer. Sans la con-
naissance parfaite du caractère et de la nature des chansons acriti-
ques et l'établissement des points communs entre elles et l'épopée,
j'avoue qu'il est impossible que l'on tire des conclusions convain-
cantes par l'étude isolée faite sur une seule chanson".

nötig sein, noch einmal auf die Frage von der Abhängigkeit
der beiden Sagenkreise zurückzukommen. So manches spricht
mir dafür, dass diese Kreise nicht allein in engem Kontakt
gewesen sein müssen, sondern dass vielleicht doch der eine aus
dem anderen sich allmählich entwickelt hat, wobei zu einem
gegebenen Zeitpunkte ein Abbruch in der Kontinuität der Überlieferung eingetreten sein muss. Die Richtung, in der jene
Entwickelung sich vollzogen haben muss, ist meiner Meinung
nach, wie auch Wesselofsky von einem andern Standpunkte vermutet (Op. cit.), die von Süden nach Norden. Zu den
Zeichen einer solchen Entwickelung zähle ich vor allem die
Thatsache, dass in einigen Versionen der eigentlichen Lenorensage Braut und Bräutigam durch Mann und Frau vertreten sind, wie beispielsweise in dem kroatisch-sloveni-
schen Märchen "Mrtvi muž i ženo"[1]), so auch in dem deutsch-
mährischen bei Vernalecken[2]), in dem ungarisch-zigen-
nerischen[3]) und in einem russischen aus dem Gouvernement
von Smolensk[4]). — In dem bretonischen sind sie sogar
durch Schwester und Milchbruder ersetzt[5]). Es ist gewiss
kein Zufall, dass gerade diese Lieder in einigen charakteristischen Details mit dem Liede vom toten Bruder übereinstimmen.
In einigen Versionen der Lenorensage wird die fast allen gemeinsame Formel: "Es scheint der Mond so hell, die Toten
reiten schnell" nicht vom Reiter selbst gesprochen, was ja an
sich befremdlich ist, sondern von Tieren, die ihnen auf dem
Wege begegnen, so z. B. von einem Pferd in einem Märchen
aus Mecklenburg[6]), so auch bei Erben[7]) und in einer

1) Hrvatski narodne pjesme i pripoviedke u Vrbovcu,
sakupio R.F. Plohl-Herdvigov, U Varaždinu 1868, S. 127. Sozonović,
Op. cit. S. 128.

2) Vernalecken Mythen und Bräuche des Volkes in
Österreich 1859, S. 80. Sozon. S. 143.

3) Dr. H. Wlislocki Volksdichtungen der siebenbürgi-
schen und südungarischen Zigeuner, Wien 1890, S. 104, No. 3.
Sozon. Op. cit. 137.

4) Sozonović Op. cit. S. 257.

5) De la Villemarqué, Barzaz Breiz, chants populaires de la
Bretagne, Paris 1845, Sozon. Op. cit. S. 103.

6) K. Bartsch Sagen und Märchen aus Mecklenburg
1879, S. 142. Sozon. S. 122.

7) K. E. Erben Prostonárodní české písně a říkadla
1864, S. 471, Sozon. 145.

polnischen Variante [1]), (in einer anderen poln. Version
wird der Tote von Hunden erkannt, allein die Formel fehlt [2]).
In dem mährischen Liedchen [3]) sagt es eine Stimme aus
den Wolken, im litauischen [4]) Märchen eine Stimme
aus dem Grabe. Dies klingt doch zu sehr an die griechischen
πουλάκια an. Es sei erinnert, dass schon in einem bulgarischen
Liede die Vögel durch Frösche ersetzt sind (in dem albanesischen Märchen bei Dozon op. cit. finden wir neben Dohlen
und Sperlingen auch Hähne).

Nicht anders als durch eine innige Berührung und möglicherweise gemeinschaftliche Entwicklung der beiden Lieder
vom toten Bruder und toten Bräutigam können wir uns noch
folgende Einzelzüge in einigen Versionen des letzteren erklären. Wir heben nur die schlagendsten hervor: In einem
kleinrussischen Lenorenliede [5]) sagt das Mädchen:

Milyj, milyj ščo tobi je
Vlaski pobutnily
Bily lićka počornyli,

und die Antwort darauf:

Ja na vojnė za kraju stavav
Drobnyj doždyk na mja padav.

Ähnlich in dem oben erwähnten russischen Liede aus
dem Gouvernement von Smolensk, in dem Braut und
Bräutigam durch Mann und Frau ersetzt sind. "Sie
fragte, warum sei sein Kopf so schwarz geworden?" — "Vom
Rauche, antwortet er, und vom Regen, der von der rechten
Seite fiel". Vgl. damit das rumänische Lied vom toten Bruder "*Călătoria mortului*", op. cit. S. 38:

Am venit pe drum călare
Şi-am venit din depărtare

---

1) Gołębiowski Lud. polski, jego zwyczaje i zabobony,
Warszawa 1830, S. 171. Sozon. S. 164.

2) S. Chełchowski Powieści, opowiadania ludowe z
okolic Przasnysza, Warsz. 1890, II S. 40—42, No. 59, Sozon. S.163.

3) F. Sušil Moravské narodni písné, V Brně 1860,
S. 791.

4) A. Leskien und K. Brugmann Litauische Volkslieder
und Märchen, Strassburg 1882, S. 497. Sozon. S. 156.

5) I. Golovackij Narodnyja pésni Galickoj i Ugorskoj Rusi
1878, II S. 83, No. 40. Sozon. S. 171.

Multe ploi că m'aŭ plouat
Tot trupul mi l'aŭ udat
Chica nu mi s'a uscat.

(Bin gekommen auf dem Wege zu Pferd, bin von weit
hergekommen, viel Regen hat auf mich geregnet und
meinen ganzen Körper durchnässt. Mein Haar ist noch nicht
trocken.) Vgl. auch das albanes. (Revue des deux mondes):
Constantin, mon frère, je te vois un mauvais signe, tes épaules
et tes bras moisissent. — "J'ai été dans la fumée des fusils"
usw. In der magyarisch-zigeunerischen Version bei Wlislocki
op. cit. sagt die Gattin: "Wehe, wehe, schon ergraut sind
deine Haare", der Gatte aber bittet:

      Pflanz ein Kreuz mir auf den Hügel,
         Dass ich es als Pferd benütze.

     Erinnert dies nicht an die Verwandlung des Grabkreuzes
in ein Pferd in einigen griechischen und bulgarischen Varianten? Dies und anderes zwingt mich die Frage von der innigen
Abhängigkeit der beiden Sagenkreise von dem toten Bruder
und dem toten Bräutigam noch nicht als abgeschlossen zu
betrachten und sie im Gegenteil als eine der interessan-
testen der Zukunft hinzustellen. Vorerst müssten aber die
geographischen Berührungsgebiete der beiden Kreise, wo der
vermutliche Übergang des einen in den anderen stattgefunden
haben kann, besonders sorgfältig untersucht werden. Vorzüglich wären das Rumänien, Serbien, Bosnien und Kroatien
einerseits und Kleinrussland und Mähren mit dem Gebiet der
Slovaken andererseits. Es ist bisher nicht eine einzige Version des Liedes vom toten Bräutigam unter Griechen und
Bulgaren aufgezeichnet worden, aber wir haben schon eine
serbische[1]) aus Bosnien und auch eine rumänische (die
Braut des Vampyrs, Logodnica Strigorului, in der Zeitschrift
Ţara noua des J. Neniţescu 1885, Bd. II 680—686). Leider
kenne ich diese letztere bisher blos aus der bibliographischen
Notiz von Prof. Hasdeu. In einer kurzen Anmerkung zu der

---

1) Dr. F. S. Krausz Powrót umarłych na świat, Wisła
IV S. 667, in Form von Märchen. Verfasser bemerkt, diese Erzählung à la Lenore sei allen Südslaven bekannt, allein mir ist
es bisher nicht geglückt, auch eine einzige bulgarische Version
aufzufinden. Selbst die serbische Version ist möglicherweise nur
eine Importation aus dem benachbarten kroatischen Grenzgebiete.

in der Revista noua publizierten Version hatte Herr J. Bianu versprochen, baldigst eine vergleichende Studie über das Lied vom toten Bruder erscheinen zu lassen. Anderweitige Beschäftigungen haben leider diesen Gelehrten verhindert, sein Vorhaben zu erfüllen, was nur zu bedauern ist, denn die rumänischen Versionen werden gewiss vieles zur Aufklärung der von Krumbacher angeregten Prinzipienfrage beitragen.

Sofia, Bulgarien, 18. IX. 1893.

Ivan D. Schischmánov.

Nachtrag.

Zu S. 414. Auf die schwachen Seiten der Sozonovićschen Untersuchung hat unlängst auch Wollner in seiner Rezension derselben in der Byzantinischen Zeitschrift hingewiesen. Hier bricht Wollner zu unserer grossen Befriedigung gleichzeitig auch den Stab über seine eigene Hypothese von dem serbischen Ursprunge der Lieder vom toten Bruder, wodurch er sich uns in vielen Punkten nähert.

Zu S. 416. Zu den bis jetzt bekannten serbischen Varianten unseres Liedes ist noch folgende zu stellen, auf die mich erst vor kurzem Herr Stojan Novaković aufmerksam machte: Srpske narodne pjesme iz Like i Banije, koje je sakupio i za štampu priredio Nikola Begović. Kniga prva. U Zagrebu 1885. S. 25—33. Nr. 23. Das Lied ist betitelt: Devet posavaca i sestrica Dunjica. Sonst sind auch dem ausgezeichneten serbischen Litterarhistoriker und Folkloristen keine anderen serbischen Versionen bekannt.

Zu S. 423. Sozonović vergleicht (Op. cit. S. 206) den bulgarischen Zwillingsnamen Elin-Dojna mit dem albanesischen 'Dójin Garantiin oder Thóyin Garantin'. Diese Annäherung wäre jedenfalls sehr fruchtbar, wenn freilich das Thoyin im albanesischen Namen nicht einfach durch die mangelhafte Sprachkenntnis des deutschen Übersetzers Kaden (Gegenwart, 1875, VII Nr. 23, S. 364—366, Eine süditalische 'Lenore'), auf den sich Sozonović beruft, verschuldet wäre. Man kann sich leicht davon überzeugen durch die Vergleichung der italienischen Übersetzung bei Camarda

und di Rada. Die betreffenden Stellen ▓▓▓▓▓▓▓▓
text: Ἔ ἰ ἀ θόιjεν Ταρεντίνεν (Camarda S. 1▓▓▓
ja c θόjin Garantiin (G. d. Rada Rapsodie S. 29).
übersetzt richtig: E la chiamavano Garentina. di R
... chiamata Garentina. Dass Thoyin keineswegs ein
sonenname, sondern einfach eine Verbalform ist (Inf.
θem, scut. θam 'sage, spreche, denke, heisse') hat uns
Professor G. Meyer bestätigt. Vgl. desselben Etym
Wörterb. der alb. Sprache s. v. θom.
Zu S. 445 [1]) vgl. Karlowicz in Wisla 1893, Tom. VII ze
S. 606.

Einige Spuren des Einflusses der iranischen Helden auf die südslavische.

Der russische Gelehrte Rovinskij spricht in seinem V
'Die russischen volkstümlichen Bilder'[1]) gelegentlich der
trachtung des russ. Volksbuchs Eruslan Lazarevič, in
sich mehrere Episoden der Rustemsage finden, die Ansicht
dass der Name Šarac, den das Ross des südslavischen Natio
helden Kraljević Marko in den serbischen Liedern und Sa
führt, eine Umbildung des persischen Namens Raksch, de
Firdusis Schah Name das Ross Rustems trägt, sei.
Verfasser der neuesten Arbeit über Kraljević Marko, M. C
lanskij, bemerkt hierzu[2]): "Für die Wahrscheinlichkeit di
Ansicht mangeln die Nachweise von Entlehnung südslavisc
epischer Motive aus dem Schah Name. Die Annahme ei
südslavischen Ursprungs der Übersetzung des Märchens
Eruslan Lazarevič, dessen Ross Araš heisst, lässt sich
läufig auf nichts stützen".

---

1) Russkija narodnyja kartinki. Sbornik otd. russk. ja
slov. Imp. Akad. N. Bd. 28—27. IV 142.
2) M. Chalanskij Južno-slavjanskija skazanija o, Krale'
Markě v svjazi s proizvedenijami russkago bylevogo eposa. Sı
niteljnyja nabljudenija v oblasti geroičeskago eposa južnych Slav
i russkago naroda. I (Sonderabdruck aus der Zeitschrift: Ru
Filol. Věstnik), Warschau 1893. S. 79.

Die Herleitung des Namens *Šarac* aus dem persischen *Raksch* ist freilich unrichtig. Das Wort bezeichnet durchaus nicht allein Markos Ross, sondern überhaupt einen Schecken. In Vuks Wörterbuch findet sich s. v. *Šarac*: 1. '*Šaren konj, kao n. p. Šarac Kraljevića Marka*' (ein scheckiges Pferd, wie z. B. der *Šarac* des K. M.). Das Wort ist echt slavisch: vgl. Miklosich Lexikon: *šara color, šarъ color, šaréti varium esse*, ferner die lange Reihe der mit *šar-* gebildeten Wörter in denen allen der Begriff des Farbigen, Bunten, wiederkehrt, Vuk Wb. S. 833. 34, Duvernois Bulg. Wb. 2578 u. 9, slovenisch: Janežič Wb. S. 689.

Wenn nun aber auch der serbische Name nichts mit dem persischen zu thun hat, so scheint es mir doch sicher, dass ein Zusammhang zwischen dem serbischen und dem persischen Heldenross besteht.

Markos Ross ist ein Schecke. Ein buntes Ross ist auch Raksch; Görres[1]) übersetzt: 'die Farbe wie Rosenblätter rot', und etwas weiter unten: 'eine Schecke ists'; Mohl an den entsprechenden Stellen: Tout son corps était pommelé comme de taches roses sur un fond safran und weiter unten: il est pommelé; das würde mehr auf eine Zeichnung wie bei einem Apfelschimmel deuten. Auf den beiden, der von Görres benutzten Göttinger Handschrift entnommenen Bildern, die Bd. I des 'Heldenbuchs' beigegeben sind, ist Rustems Ross mit grössern Punkten übersäet. (Wenn ich nicht irre, haben die 'Tigerschimmel' derartige Zeichnung.) Beide Rosse haben jedenfalls das Gemeinsame, dass sie nicht einfarbig, sondern bunt sind.

Die Art wie Rustem in den Besitz seines Rosses gelangt, erzählt das Buch der Könige folgendermassen: Rustem verlangt von seinem Vater Zal ein seinen riesigen Dimensionen entsprechendes Ross. Zal lässt alle seine Pferdeherden vor ihm vorbeitreiben, aber keins der Pferde, die R. zu sich heranzieht, und denen er die Hand auf den Rücken legt, hält den Druck aus: alle berühren mit dem Bauch die Erde. End-

---

1) Das Heldenbuch von Iran aus dem Schah Nameh des Firdussi von J. Görres, Berlin 1820. Bd. I S. 147.

2) Le Livre des Rois par Abou'lkasim Firdousi. Traduit et commenté p. Jules Mohl. Paris 1876. I 355.

lich kommt mit einer Herde aus Kabul eine mächtiggebaute
graue Stute, mit einem Füllen, ebensogross wie sie. R. macht
die Fangschnur bereit, aber der alte Hirt, der bei der Herde
ist, sagt, er solle nicht eines Andern Ross nehmen. R. fragt,
wem es gehöre: es trage kein Zeichen am Schenkel. Der
Hirt antwortet, es gingen viele Gerüchte darüber; es werde
Raksch genannt ... sein Besitzer sei nicht bekannt, die Hirten nennten es Rustems Raksch. Schon seit 3 Jahren sei es
reif, den Sattel zu tragen und habe schon manchen Liebhaber
gefunden: sobald aber die Stute die Fangschnur eines Reiters
sehe, komme sie wie eine Löwin angestürzt, um zu kämpfen.
Er warnt R., sich an das Füllen zu machen. R. wirft dem
Füllen die Schlinge um den Kopf, und als die Stute 'wie ein
wütender Elephant' ankommt, brüllt R. wie ein Löwe, sodass
sie stutzt, und giebt ihr einen Faustschlag auf Kopf und
Nacken, dass sie hinstürzt. Sie springt auf und flieht zur
Herde zurück. R. legt nun zur Probe seine Hand mit ganzer
Kraft auf des Füllens Rücken, aber Raksch bleibt unbeweglich stehen. R. schwingt sich auf ihn, und das Ross sprengt
mit ihm vorwärts. Als er nach dem Preise und dem Werte
'dieses Drachens' fragt, sagt der Hirt: Wenn er Rustem sei,
so solle er es besteigen und die Leiden Irans wieder gut
machen. Sein Preis sei das Land Iran; auf seinem Rücken
werde R. die Welt retten[1]).

Eine vollständige südslavische Version des obigen Inhalts
ist mir nicht bekannt. Dass aber diese oder eine ähnliche
Erzählung über Rustems Erlangung seines Rosses zu den Südslaven gekommen ist, dafür scheinen mir verschiedene Züge
in Liedern und Sagen zu sprechen. So führt Vuk im Wörterbuch s. v. Marko Kraljević neben andern Sagen über die
Art wie M. zu seinem Ross kam, eine an, in der es heisst,
M. habe vor Šarac viele Rosse gewechselt, weil sie ihn alle
nicht tragen konnten. Da sah er bei einigen Pferdetreibern
ein räudiges, scheckiges Füllen, das ihm vielversprechend erschien. Er machte dieselbe Probe, wie mit den übrigen
Pferden: er packte es beim Schweif, um es wegzuschleudern;
aber es liess sich nicht vom Fleck bewegen, worauf M. es
kaufte, heilte und Wein trinken lehrte.

---

[1] Mohl I 354 ff.

Wir haben hier die Probe der Pferde, sowie als einziges Pferd, das sie besteht, ein scheckiges Füllen.

Ein bulgarisches Lied[1]) erzählt, dass Marko von seiner Mutter hört, das Ross seines verstorbenen Vaters Volkašin (eine Heldenstute, *viteza kobila*) sei nach dessen Tod an einen salzigen See gelaufen. M. geht an den See und findet die Stute mit einem scheckigen Füllen. Als er sie fangen will, springt sie in den See. Das Füllen aber wird von M. gefangen und bestiegen, versucht ihn abzuwerfen, und fragt, als ihm dies nicht gelingt, wes Geschlechts er sei. Als es hört, M. sei Volkašins, des einstigen Herrn der Stute, Sohn, giebt es sich zufrieden und wiehert seiner Mutter zu, worauf diese M. heimfolgt.

Das künftige Ross Markos erscheint hier in Begleitung seiner Mutter ebenso wie das künftige Ross Rustems. Die Stute im Schah Name wird als aussergewöhnlich stark und gefährlich beschrieben. Auch die im bulgarischen Lied, ist ein ungeheures Ross, eine Heldenstute (*viteza kobila*). Sie lebt an einem See, springt hinein als sie verfolgt wird, stammte vielleicht in einer ursprünglicheren Gestalt der Sage aus dem See, ähnlich wie das Ross eines andern serbisch-bulgarischen Helden, Momčils, der serbischen Sage nach von einem Seehengste abstammte[2]). Der Angriff der Stute auf Rustem hat keine Paralle im Südslavischen, aber auch sie flieht vor dem Helden zur Herde, zurück. — Bemerkenswert ist, dass wie im persischen, so auch im bulg. Lied das Füllen als ausgewachsen (im Bulg. dreijährig) bezeichnet wird. Raksch ist Rustems unzertrennlicher Begleiter, ebenso wie Šarac der Markos. Eine bulgarische Sage[3]) die u. a. berichtet, wie Markos Lieblingsfüllen zu einem Heldenross ward, fügt hinzu: 'Von da ab trennte sich M. nicht von seinem Ross'. Als Marko seinen Tod herannahen fühlte, haut er Šarac den Kopf ab, damit er nicht in der Türken Hände falle und von ihnen zum Wasserschleppen benutzt werde[4]). Auch die persische Sage lässt

1) Sbornik za nar. umotv., nauka i knižnina, izdava Min. na Nar. Prosv. Sofija. Bd. II (1890) S. 116.

2) Vuk Stef. Karadžić Srpske nar. pjesme II (1876) S. 106 Anm. 16.

3) Sbornik VI 133.

4) Vuk Srpske nar. pj. II 74.

Rustem und Raksch im selben Kampfe fallen[1]). Beide Rosse nehmen an den Kämpfen ihrer Herren thätigen Antheil, sie beissen und treten die Feinde nieder, kämpfen auch allein. So tötet Raksch im ersten der berühmten Sieben Abenteuer einen Löwen während Rustem schläft[2]). In einigen bulgarischen Liedern, die den Kampf Markos mit dem Räuber Musa (od. Gina Arnauče) erzählen[3]), streiten, während die beiden Helden miteinander ringen, ihre Rosse neben ihnen.

Es liessen sich zweifellos noch mehr, und vielleicht überzeugendere Berührungspunkte finden, wenn man nicht allein die Markolieder und -sagen, sondern auch andere südslavische Sagen herbeizöge. Ich glaube sicher, dass sich dann ein deutlicher Einfluss des persischen Typus des Heldenrosses auf den südslavischen überzeugend nachweisen liesse. — Ganz klar scheint mir aber der Einfluss der persischen Rustemsage auf die südslavische Heldensage in folgendem Beispiele.

Rustem hat einen Sohn, Sohrab (dessen tragisches Ende im Kampf gegen den unerkannten Vater eine der schönsten und weitverbreitetsten Episoden des Buchs der Könige bildet). Die Erzeugung dieses Sohnes wird von Firdusi folgendermassen erzählt:

Rustem jagt in der Nähe der Stadt Semengan, macht dann ein Feuer an, brät einen Waldesel und schläft nach genossenem Mahl ein. Einige Turanier fangen mit Mühe das Ross Raksch und führen es in die Stadt. Rustem geht den Spuren bis in die Stadt nach, bedroht den König und erhält von ihm die Versicherung, dass das Ross sich finden werde: unterdessen solle er bei ihm übernachten. Als, nach dem Gastmahl, R. sich berauscht in sein Gemach zurückgezogen hat und eingeschlafen ist, kommt die Tochter des Königs, Tehmimeh, zu ihm und erklärt ihm ihre Liebe: sie habe, nach dem, was sie über ihn gehört hat, sich längst gewünscht, ihn zu sehen; sie wünsche sich einen Sohn von ihm, der ihm gleich würde. R. ist einverstanden: er lässt, was, wie richtig bemerkt worden ist[4]),

---

1) Mohl IV 575 ff.
2) Mohl I 405.
3) Sbornik VIII 100. Kačanovskij Pamjatniki bolg. nar. tvorčestva. Sbornik zap.-bolg. pésen. Petersbg. 1882 No. 134 u. 149.
4) Vgl. Vsevolod Miller Ekskursy v oblastj russkago narodnago eposa I—VIII. Moskau 1892. Exkurs V S. 118 f.

eine Zuthat Firdusis sein dürfte, sofort beim Vater um sie
werben, und der Vater kommt und verheiratet sie mit ihm.
Am Morgen giebt R. der Königstochter einen weltberühmten
Onyx, den er am Arm trägt, und sagt: wenn sie eine Tochter
gebäre, solle sie ihr den Stein in den Haaren befestigen, wenn
einen Sohn — ihm den Onyx am Arm. Darauf verlässt er sie
auf dem wiedergefundenen Raksch, um sie nie wiederzusehen.
Sie gebiert einen Sohn Sohrab, der in einem Monat die Grösse
eines einjährigen Kindes erreicht, sich mit 3 Jahren schon in
ritterlichen Spielen übt und im Alter von 5 Jahren das Herz
eines Löwen hat. Als er zehn Jahr alt ist, verlangt er dringend
zu wissen, warum er die anderen Kinder so sehr an Grösse und
Stärke überrage, und wer sein Vater sei. Er bedroht seine
Mutter mit dem Tode, wenn sie es ihm nicht sagt. (Er zieht
nun aus, um gegen die Iranier zu kämpfen und um seinen Vater
zu finden und fällt im Kampfe gegen denselben [1]).)

Vuk teilt in seinem Wörterbuch s. v. Sibinjanin Janko,
folgende Sage über die Geburt des Janko (Johannes Hunyades,
Hunyadi János) mit:

Visoki Stefan (der Sohn des in der Kosovoschlacht ge-
fallenen serbischen Fürsten Lazar), der, der Sage nach, sich
nach der Katastrophe längere Zeit in Russland (Moskovska)
aufgehalten hat, kommt, als er mit einem Heer auf der Rückkehr nach Serbien begriffen ist, durch Budim (Ofen) und macht
dort Nachtquartier. Die magyarischen Grossen sehen, dass er
sehr gross und schön ist und wünschen, dass er ihnen einen
Nachkommen hinterlasse. Sie fragen ihn allegorisch, ob sich
in seinem Heer ein guter Hengst finden könne, der eine ihrer
Stuten decken könnte, so dass auch sie so schöne und gute
Rosse erlangten. Stefan sagt: Warum nicht. Sie schicken ihm
ein schönes Mädchen, das die Nacht bei ihm bleiben soll. Als
er sie mit Ausflüchten zurückschicken will, sagt sie, er habe
ja sein Wort gegeben. Er übernachtet mit ihr und giebt ihr
zum Abschied einen Ring mit der Anweisung: wenn sie einen
Sohn gebäre, solle sie ihn Janko nennen, wenn eine Tochter —
Janja, und wenn das Kind herangewachsen sei, solle sie ihm
den Ring geben. Darauf zieht er weiter nach Serbien. Sie
gebiert zwei Kinder, einen Sohn und eine Tochter, Janko und

---

1) Mohl II 54 ff.

Janja. Als Janko grösser wird, spielt er mit andern Kindern und übertrifft alle im Springen, Raufen, Steinschleudern und Rennen. Die neidischen Kinder verspotten ihn: er sei ein Bastard. Das wurmt Janko; er bestürmt seine Mutter, sie solle ihm sagen, wer sein Vater sei. Sie giebt ihm den Ring; er liest die Inschrift darauf und sagt: 'Also bin ich eines Königs Sohn.' (Später geht er nach Serbien und kämpft mit den Türken, um sein väterliches Erbe zu erlangen. Die Tochter Janja verheiratet sich und wird die Mutter des Helden Sekula.)

Die Parallele ist, glaube ich, frappant genug. Noch grösser wird die Ähnlichkeit zwischen beiden Erzählungen, wenn man die oben erwähnte Umgestaltung des ursprünglichen Stoffs durch Firdusi in Betracht zieht, auf die Vs. Miller aufmerksam macht. Sohrab bedroht seine Mutter mit dem Tode, wenn sie ihm nicht sage, wer sein Vater sei. Eigentlich hat sie keinen Grund, ihm dies zu verbergen, da Rustem mit ihr rite getraut ist. Allein diese Trauung mitten in der Nacht, die sich eigentümlich genug ausnimmt, ist offenbar eine Zuthat Firdusis, der nicht wollte, dass sein, von ihm mit Liebe behandelter Held Sohrab ein Bastard sei. Und in der That findet sich in den kaukasischen Sagen über Rustem, die Miller herbeizieht, die nicht aus Firdusis Gedicht, sondern aus Volkssagen geflossen sind, die Erzeugung so erzählt, dass die Königstochter Nachts zu Rustem kommt und nicht nachlässt, bis er ihren Willen thut. Der aus der Verbindung entsprossene Sohn zeichnet sich in den Spielen mit seinen Gefährten durch grosse Unbändigkeit aus und sie schelten ihn dafür Bastard, worauf er zu seiner Mutter geht und sie (unter Drohungen) fragt, wer sein Vater sei.

Der Zug von der Unbändigkeit des Heldenkindes findet sich auch in einem slovenischen Märchen [1]). Marko hütet als Knabe die Schweine und wird, da er klein und schwach ist, von seinen Gefährten geprügelt. Er erhält durch eine Vila, die ihn, zum Dank dafür, dass er ihr an der Sonne liegendes schlafendes Kind mit Zweigen beschattet hat, an ihrer Brust saugen lässt, grosse Kraft. Als ihn nun darnach seine Gefährten wieder schlagen wollen, packt er einen derselben und schlägt damit auf die Andern los. Die Eltern beklagen sich

1) M. K. Valjavec Narodne pripovjesti u Varaždinu i okolici. 2. Aufl. Agram 1890 No. XXIV S. 65. — Vgl. auch die bulg. Sage Sbornik VI 133, 3.

bei M.'s Mutter; sie schilt ihn und sagt, sie wolle ihn lieber nie wieder sehen. Er geht darauf von ihr weg.

Ein ferneres Beispiel einer möglichen Beeinflussung der südslavischen Heldensage durch die persische, lässt sich in dem Motiv ersehen, dass beide Helden, Rustem und Marko, zu Anfang allzugrosse Kraft haben, die ihnen von Gott vermindern. Die Ausführung dieses Motivs ist allerdings eine verschiedene. Rustem empfindet die übermässige Kraft als Last, und Gott nimmt ihm den Überschuss auf seine Bitte und giebt ihn ihm auf sein Gebet wieder zurück, als er in Gefahr ist, von Sohrab besiegt und getötet zu werden[1]). Marko dagegen ist, wie ein Lied und eine Sage (beide aus Bulgarien)[2]) erzählen, durch seine riesige Kraft übermütig geworden: er rühmt sich die Erde umdrehen zu können. Zur Strafe dafür nimmt ihm Gott seine Kraft, so dass er von da ab seine Feinde nur mit List besiegen kann. — Auch im allgemeinen Typus Markos lassen sich Züge der Ähnlichkeit mit Rustem finden. Ich will nur einige herausgreifen. — Gleich Rustem wird auch Marko als von riesigen Dimensionen geschildert. Wie Rustem ist er ein grosser Zecher und trinkt seinen Wein in Quantitäten, die über das Mass der gewöhnlichen Sterblichen hinausgehen. (Vgl. z. B. die Schilderung des Trinkgelages im 'Kampf' der sieben Helden' (Mohl II S. 43) und die bulgarischen Lieder von Markos Konflikt mit Filip Madžarin). — Das Verhältnis Markos zum Sultan ist nicht weniger unabhängig, als das Rustems zum persischen König. Wie Rustem, so ist auch Marko derjenige, auf den der Fürst hofft, wenn er in Not ist. — Endlich ist noch ein wichtiger gemeinsamer Zug das hohe Alter beider Helden. Zwar so alt wie Rustem (700 Jahre) wird Marko nicht, wohl aber giebt ihm das Lied bei Vuk, das von seinem Tod handelt (II 74), 300 Jahre.

Das sind einige Hinweise auf Analogien, die es, mir wenigstens, unzweifelhaft erscheinen lassen, dass die persische Heldensage allerdings auf die südslavische Epik gewirkt haben muss. Es wäre auch wunderbar, wenn von der persischen Heldensage, besonders von der Rustemsage, die, wie

---

1) Mohl II 131.
2) Sb. II 116 und Bratja Miliadinovci Bülgarski nar. pěsni. 2. Aufl. Sofja 1891, S. 533.

Vs. Miller in seinen obenerwähnten Exkursen gezeigt hat, die Sagen der benachbarten kaukasischen und türkischen Völker, sowie die der Russen, in bedeutendem Masse beeinflusst hat, wenigstens einzelne Teile nicht auch zu den Südslaven gedrungen sein sollten, die sie doch auf zweifachem Wege bekommen haben konnten, einesteils über Byzanz, andererseits durch die Türken.

Leipzig. **Wilhelm Wollner.**

Sur le nominatif pluriel et le génitif singulier de la déclinaison consonantique en lituanien.

Le fait de la complète disparition de la voyelle primitive dans la désinence du nom. plur. *ákmens*, *móters*, gén. sing. *akmeñs*, *moteŕs* est en désaccord ouvert avec le traitement de l'ensemble des finales lituaniennes; où aucun cas de syncope absolue n'est autrement connu. Tout ce qu'on a pu invoquer pour atténuer l'anomalie est que la voyelle perdue devait être dans les deux formes un *e* (sl. *mater-e* etc.), et que nous ne constatons nulle part en lituanien la conservation d'une finale *-ĕs*, mais seulement de *-ăs*, *-ĭs*, *-ŭs*. L'argument paraît assez faible.

Cette syncope est irrégulière si elle est simplement préhistorique (antérieure à nos monuments). 'A plus forte raison si on la recule jusqu'à une époque préhistorique ANTÉ-DIALECTALE, où décidément il ne restera plus rien à lui comparer.

C'est ce que fait, à notre étonnement, M. Brugmann, écrivant Lit. Volkslieder p. 288 n.: "Dass schon urlitauisch nicht mehr Vok. + *ns*, sondern Nasalvokal + *s* gesprochen wurde [savoir dans *żąsìs*, *atė́jęs*, *grìżaú*, *sių́siu*], beweisen die Formen wie *akmèns*, *szùns*".

On voit que l'auteur de ces deux lignes n'est pas seulement persuadé de la date anté-dialectale de la syncope dans *moters*, *akmens*; d'après lui, l'*-ens* antédialectal d'*akmens* est tellement certain que c'est ce qui doit servir de point de départ pour l'appréciation historique de toutes les syllabes nasales du lituanien.

'A quoi il est impossible de ne pas opposer immédiatement les deux vues directement contraires: 1° Bien loin qu'*akmeñs* permette de juger de *atėjęs*, c'est à la condition d'avoir préaiablement élucidé la question de *atėjęs* et de tout ce qui le concerne (*tavęs, sekąs, einąs, seką, einą, kėlęs-(s), ką, aną, mergą, mergū, būtū, tavę, gerds-ias*, etc.) qu'une opinion devient régulièrement possible sur le cas de *akmeñs*. 2° Mais si après cette revue des finales en -*es*, *as* et de leurs états dialectaux, quelque chose est hors de doute, c'est justement L'IMPOSSIBILITÉ ABSOLUE de supposer un proto-lit. *akmens finissant par -*ens*.

Le but qu'on se propose ici n'est pas toutefois d'établir, par cette voie ou par une autre, que la forme *akmenės* existait encore dans le lituanien *prédialectal*. Il nous a paru en effet ressortir plus directement de quelques textes que *akmenės*, ainsi qu'on avait toute raison de s'y attendre, est encore authentiquement devant nous au XVIe et même au XVIIe siècle.

Nous n'ignorons pas sans doute qu'un discrédit général, assez justifié par certains excès, enveloppe les formes "indo-européennes" qui sortent depuis trente ans des vieux imprimés de Königsberg et de Wilna. Tout dépend ici de l'esprit dans lequel chaque recherche est conduite, et dont le lecteur reste juge. Avant tout on ne doit pas se départir de ce principe que la valeur d'une forme est tout entière dans le texte où on la puise, c'est-à-dire dans l'ensemble des circonstances morphologiques, phonétiques, orthographiques, qui l'entourent et l'éclairent.

C'est cette règle même qui nous empêche de tenir compte, jusqu'à plus ample informé, des dix-huit exemples de nom. plur. et de gén. sing. en -*es*, comme *moteres*, apportés par M. Bezzenberger Beitr. zur Geschichte der Lit. Spr. p. 130 et 140. Sur ce nombre, treize sont empruntés à Bretkun, auteur qui nous est encore presque inconnu, et dont la langue, à en juger par les fragments publiés, ne présente pas la fixité d'un dialecte régulier. C'est sur d'autres témoignages, permettant le plus large contrôle, que nous fondons, exclusivement, la conviction que nous avons exprimée.

I. — Szyrwid; dialecte de l'Est. *Punktay Sakimu* de 1629, éd. Garbe. — Les passages bibliques cités ou intercalés dans le texte ne présentent pas en général de différence de langue ou d'orthographe appréciable; nous désignons toutefois par *bib.* les formes empruntées à ces passages.

Nom. plur. des féminins.

moter-: — *wiray ir moteres* 104, 31. *kad moteres ir mergas pra-binguſey* ... *redoſi* 105, 23. — (Pas d'autre forme.)

dukter-: — *dukteres Siona* ... *iſtieſy kaklu wayksćioio* 27, 3 bib. — (Pas d'autre forme.)

Gén. sing. des féminins.

moter-: — *wireſniu moteres ira wiras* 91, 23. *sunki butu buwus abida, kad* [Jozaſas] *butu paſiliteis io moteres* 152, 27. — (Autre forme, *moteries* 92, 2. 95, 23.)

Dans un dialecte comme celui de Szyrwid et avec une orthographe aussi sûre que la sienne, les valeurs possibles de cette forme en -*es* sont immédiatement bornées à deux: ou bien *moterés*, par adoption de la forme des féminins de la classe *żolè*, ou bien *moter-ês*, par conservation, sans syncope, de la vieille forme consonantique. Une troisième hypothèse ne se présente pas.

Que dire de la première explication? Elle est, en principe, *possible*; cela suffit pour que nous n'attachions nous-même aucune importance au témoignage de ces féminins. Dire, après cela, que cette explication soit *probable*, serait dès maintenant très exagéré. Il serait naturel, si le nom. pl. était réellement *mo-terés*, qu'on trouvât, au moins çà et là, l'acc. plur. conforme *mo-teres*, mais on ne lit jamais que *moteris, dukteris* (22, 21. 92, 13. 92, 24. 94, 27. 96, 33). L'unique trace, dans toute la déclinaison, d'une contamination par le type *żolè*, est l'acc. sg. *motery* 97, 7 (ordinairement *moteri*, 91, 16. 95, 30. 105, 13). Szyrwid en effet, sauf dans les diphtongues, réserve régulièrement, à la fin des mots, la lettre *y* aux *i durs* sortis de *ę*: acc. et instr. *żiamy* = *żemę*, contre acc. *żodi*, 3° prés. *turi* etc. De sorte que *motery* signifie en principe *moterę*. Mais on voit combien facilement ce *motery* peut reposer sur une simple faute d'impression.

Nom. plur. des masculins.

akmen-: — *iżdi rundaſi* ... *żimćiugay ir akmenes brungus* 145, 5. — (Autre forme, *akmeniey* 112, 7.)

vanden-: — *iſeys wundenes giwi iż Jeruſalem* 145, 17 bib. — (Pas d'autre forme.)

pėmen-: — *kas deſtis ſu kiełtuwomis kad miegti piemenes, kas deſtis ſu duſiomis żmoniu kad miegti kunigay?* 118, 22. — (Pas d'autre forme.)

ſun-: — *wiſi ſunes kurie negal łot* 118, 20 bib. — (Pas d'autre forme.)

Gén. sing. des masculins.

vanden-: — *kayp wundenes mariu apſemu* 145, 19 bib. — (Forme ordinaire: *wundenio* 22, 8. 34, 13 etc. *akmenio* 37, 27 etc. *piemenio* 77, 10. *piumenies* 117, 1, de *piūmū* "moisson".)

Quoi que l'on pense des féminins, tout le monde aura de la peine à se persuader que *pëmū, vandū,* aient jamais été pendre leurs formes dans la déclinaison de *žolě,* et nous considérons donc le débat comme clos en ce qui touche Szyrwid. Une ressource désespérée pourrait être aperçue peut-être dans le masculin unique *žmonės* (en effet masculin chez Sz.), qui aurait servi de modèle à un nom. plur. "*piemenės*". Il est malheureux que *žmonės* n'ait précisément pas de singulier, ce qui le rend impropre à expliquer le gén. sing. *wundenes.* On ne peut douter, à part cela, que ce masculin lui-même ne soit fort récent comme tel, étant encore, dans nombre de textes, du genre opposé [1].

Il reste à recueillir les divers débris de flexion consonantique qui peuvent compléter notre information, en permettant de mieux peser les chances générales relatives au nom. plur. et au gén. sing.

Gén. plur. *dešimtu* 123, 11. [Analogique *priežaſtu* 83, 26 (duel). 129, 27. 134, 2. 149, 5.] *wießpatu* 54, 15. 105, 11. (en outre *duntu, krutu*). *žuwu* 40, 24. 151, 13. 14. *žweru* 39, 13. 48, 32. 77, 12. *moteru* 38, 32. 90, 16. *akmenu* 114, 9. 140, 8. 140, 25. *wundenu* 60, 18. 66, 2. 95, 26 [2]). — En re-

---

1) C'est ce dernier genre, — féminin —, qu'il faut revendiquer en effet comme primaire pour *žmônės,* contrairement à l'idée naturelle d'après laquelle le mot serait le pluriel de *žmū* (Forma Chrikst. 42, 5. 42, 36). Le mot *žmônės* a dû reposer, dès le principe, SUR UN DÉRIVÉ *žmon-iā-,* vu qu'il n'y a pas d'exemple du gén. plur. "*žmonu*" même dans les textes les plus conservateurs du gén. plur. consonantique, disant par ex. *ausu, žansu, duru, ligonu.* Tout prétexte à lui reconnaître originairement le genre masculin est donc enlevé. En même temps, concluons pour ce qui concerne notre sujet en général que *žmonės* ne doit donc *pas être mis* au nombre des mots chez lesquels une finale *-ės* peut être soupçonnée. — Reste à décider ce que représente la forme *žmonis,* sur la décl. en *-i-,* répandue dans le N. E. du territoire.

2) L'idée que les exemples comme *akmenu* seraient de simples graphies négligées pour *akmeniu* est complétement exclue quand il s'agit de Szyrwid. Ainsi on n'a JAMAIS *-nu* pour un thème en *-ni-* ou en *-nė-* (*ſmagenu* 11, 12 ne vient pas de *smagenės* Kursch. mais de *smagenos,* voir 125, 12. 15.). — Notons en passant l'absence de gén. plur. consonantique pour *sirdis* (*sirdžiu* 69, 1), *debeſis* (*debeſiu*

vanche: *dukteriu* 94, 21. *akmeniu* 17, 13. 72, 8. 79, 19. 131, 30. [*prieźafeiu*
96, 25. 104, 4 etc.]

Nom. sg. *deśims* 8, 17. 138, 6. phonétiquement issu de **deśimts*[1]).
Wießpats (qui est seul employé par Sz.) devrait faire de même
"*vēßpas*".

Dat. sg. *Wießpat* 7 fois (les ex. chez Garbe p. XLI). — En même
temps *Wießpati* 66, 9. 84, 12 etc. *Wießpatip* 23, 18. *ik piumeni*, glosé
piukley, 117, 1.

OBS. — Que *Wießpati* dans Sz. doive ou non se lire simplement *vēßpaty* par ī long (comme *smerty*, *krikŝczony*[2]), il est certain
que *Wießpat*, pour sa part, suppose une autre forme: *vēßpatī*, qui,
d'où qu'elle provienne, n'appartient pas, elle, à la déclinaison en -*i*-.

Pour obtenir quelques idées plus précises à l'endroit de *Wießpat*, il est bon toutefois de reprendre les choses de plus haut:

1. Dans le gérondif cum dativo *sekanti-sēkant*, *sekusi-sēkus*;
de même dans *mani-mán*, *tavi-táv*, *savi-sáv*, l'*i* peut en lui-même,
comme tout ī final, représenter soit primitif -ī, soit prim. -*ĕ*, ī ou
-*in*, abrégés par la loi de Leskien. 2. Grammaticalement, les hypothèses sur l'origine de pareilles formes n'étant pas limitées, il n'y a
pas de raison pour déclarer même une seule des quatre alternatives
absurde ou impossible *a priori*. 3. Le réfléchi *sekantīs*, *sekusīs* prouve
seul que, pour le gérondif, l'hypothèse juste est primitif -ī, éta-
blissant ainsi l'existence en lituanien d'un cas consonantique = φέ-
ροντ-ι. 4. En ce qui touche *mani-mán*, un moyen correspondant de
décider entre *-ī, *-ĕ, *-ī, *-in n'est pas donné par *manīp(i)*, *tavīp(i)*,
parce qu'il est difficile de démontrer que les formes en -*pi* reposent
aussi absolument que le réfléchi en -*si* sur un état des finales antérieur à l'abrégement de Leskien. (A-t-on du reste une garantie
formelle de la quantité de *savīpi* etc. quoique ce soit celle que
reconnaît Kurschat N. Test. Marc. 9, 50. Rom. 8, 23. 1e Ep. Jean 5, 10?)
C'est donc principalement ou uniquement à cause du trait commun
de la syncope de l'*i* — sans vouloir affirmer que les -ī = prim. *-ī
soient seuls susceptibles de syncope — que nous regardons *mán*
táv sáv comme renfermant le même datif que *sēkant*[3]. 5. Enfin pour

151, 8), *menuo* (*meneśiu* 49, 18, malgré instr. *meneśīm* 51, 22). — Le
nom. pl. de *źuwu*, *źweru* est simplement en -*is* (135, 24. 151, 24).

1) La même forme (est-ce faute pour *deśimt?*) apparaît 138, 7
comme *accusatif*. Ordinairement *deśimti* (63, 14 etc.).

2) Nous admettons, comme le fait Brugmann Grundr. II 604,
que c'est ainsi qu'il faut lire le datif *smerti* etc. Quelques graphies
pourraient faire croire à *smertīj*. L'essentiel est que l'*i* de ce datif-là
NE SE SYNCOPE PAS.

3) Une preuve beaucoup plus décisive résultera toutefois pour
mán táv sáv de certains faits généraux d'accent que nous expo-
sons ailleurs. C'est pourquoi nous avons cru pouvoir négliger de
discuter par ex. *sawimpi* qu'on pourrait alléguer en faveur de
sáv = *savin, mais qui doit s'expliquer par un cas autre que le datif.

(*vēßpatī*) *vēßpat*, les hypothèses possibles sont dès l'abord *gram-maticalement limitées*: on ne peut songer que a) au datif originaire, scr. *marut-ē*, qui aurait donné -*ī* par abrègement de -*ē*, mais cette supposition est exclue par le fait que ce datif survit ailleurs et *ne subit pas* l'abrègement en question[1]. b) au locatif, scr. *marut-i*, qui reste seul admissible, et vient ajouter un anneau à la série précédente. Comme le gérondif dans Sz. fait tantôt *funt* et tantôt *funti*, il est probable que même *Wießpati, piumeni*, sont consonan-tiques, c'est-à-dire à lire -*tī*, *nī*. 6. Les infinitifs en -*ti* (habituelle-ment syncopés dans Sz., ainsi *kielt, turet*) ont toutes les apparences, vu le réfléchi en -*ti-s*, *sèktĭ-s* etc. d'être également des LOCATIFS CONSONANTIQUES, reposant sur un thème en -*t-* pareil à celui du grec δαι-τ-, ou du got. *spaúr-d-*, ou du lat. *mor-t-*; ainsi *mirt-(ī)* = *mort-ē*. Cela est confirmé par l'autre forme *mirt-ē*, datif régulier pour un thème *mirt-*, mais non pour *mirti-*; encore davantage par *mirt-ē*, *sekt-ē* qu'on n'a jamais pu expliquer d'une manière satisfaisante en partant de l'idée d'un thème *mirti-*.

II. — J. Dauksza; dialecte du Centre, probablement Est assez immédiat de Kowno[2]. 1. (Cat.) *Kathechismas arba moks-las etc.*, auquel fait suite: *Trumpas Budas Pasisakimo*. Wilna 1595. Réimprimés par Wolter, et paginés 1—60, dans les Zapiski de l'Acad. Imp. de St. Pétersbourg, t. LIII (1886). 2. (Post.) Ex-traits de la *Postilla Catholicka*, Wilna 1599, publiés par le même, ibid. t. LVI (1887), paginés 60—71, plus un fragment en fac-similé. 3. (Geit.) Deux autres fragments de la Postilla, chez Geit-ler Lit. Stud. p. 16.

Les courts extraits donnés par Geitler en 1875 faisaient désirer vivement de connaître davantage de cet auteur. La langue lituanienne n'a pas rencontré un écrivain qui sût se servir

---

1) Le datif consonantique en -*ē* est habituel chez Wołonczewski, sous la forme -*ij*, *moterij*, *akmenij* (le *ij* valant *ē*, ainsi *dijna*). Il est naturel que dans la même région apparaisse *man-ē*: Andrjewo *mànèi*, *sàwèi* (*èi = ē*). Le gérondif devrait être également en (*ē*, au simple et au réfléchi. Je n'en ai trouvé la trace que pour le ré-fléchi, dans un écrit intitulé *Parkratimas Saužines* par *Pabrèža*, où on a régulièrement au gérondif *meldantie-s*, *lažinantie-s*, *elgantie-s* etc. de même *tawie-p* (*ie* dans ce texte zemaïte vaut *ē*; le *ē* est écrit *i̯, e*).

2) "Dieses ... buch (Postilla de D.) ist nach prof. Baranowskis meinung in dem städtchen Worny (dem ehemaligen sitze des bi-schofs von Žemaiten) geschrieben". Geitler p. 15. Je ne pense pas que Baranowski ait jamais pu vouloir dire par là que D. écrivît un dialecte même vaguement voisin de celui de Worny, ce qui serait une erreur risible, incroyable de sa part.

avec une aussi parfaite aisance de ses ressources, mais nous ne parlons de Dauksza qu'au pur point de vue grammatical. Par son orthographe très originale et personnelle, par l'inspiration qu'il a eue en particulier de marquer, deux cent cinquante ans avant Kurschat, l'accent tonique des mots[1]), il serait hors de pair au milieu du XVIe siècle, même si le dialecte qu'il écrit n'était pas un remarquable type de lituanien normal et bien conservé.

La particularité orthographique qui a pour nous une importance spéciale est que Dauksza possède deux signes, *ė* et *ę*, — entre eux équipollents, ainsi *prietėlŭs, prietęlŭs; kumėlelo, kumęlelo; numires, numirés;* etc. — mais qui tous deux ne s'emploient que pour e ouvert, c'est-à-dire e DIFFÉRENT DE *ė* (AINSI QUE de l'*e*, semblable à *ė*, contenu dans *ė*).

Les *e* (ouverts) marqués *ė*, *ę*, peuvent être du reste *quelconques*: — longs ou brefs, — accentués ou atones, — nasalisés ou non à l'origine, — nasalisés ou non à l'époque où écrit Dauksza, — sortis de *e* ou sortis de *ia*. Il suffit qu'ils ne soient pas *ė*[2]).

Nous ne pourrons nous dispenser plus loin d'examiner avec quel degré de conséquence cette règle est observée; voici préalablement les formes intéressant la déclinaison consonantique:

Nom. plur. des féminins.

debes-: — *déźus ir dębeſes* Post. 61, ??. — (Pas d'autre nom. pl.)

Gén. sing. des féminins.

moter: — *nę trókßki mótęręs io, nėi tárno, nęi tarnáites* Cat. 24, *a. nė geizdami ſwėtimós mótėrės* 27, ??. — (Pas d'autre gén. sg.)

1) Au moyen du circonflexe et de l'aigu, d'ailleurs employés sans différence de valeur, comme aussi sans égard à la quantité des voyelles.

2) Il y a donc pour *ė* (et pour *ė*), 1 graphie: *e (ie)*. Pour tout *e* autre que ceux-là, 3 graphies: *e, ę* ou *ė*. — La fréquence relative de ces trois graphies n'est du reste pas tout à fait la même suivant qu'il s'agit de l'e ouvert *nasalisé* ou *non*. Un e nasal est écrit plus souvent *ę* que *ė*; un e non nasal plus souvent *ė* que *ę*; cela est sans conséquence pour notre question. (Une liste d'environ 850 *ę* correspondant dans Cat. à e non nasal est donnée par Wolter p. LXXIV.) — L'usage du triple signe *e ė ę* est commun au Catéchisme, au Budas et aux *premières pages de la Postilla*. La plus grande partie de ce dernier imprimé ne connaît plus que *e ę*, d'ailleurs employés d'après le même système, mais sans que le nombre des *ę* augmente pour compenser celui des *ė* absents. Ces passages moins intéressants forment au reste à peine la sixième partie de ce que nous avions à dépouiller.

ßird-: — *drin' apſaugoiimo ßirdés* Cat. 27, **29**. *ſopuli ßirdęs* 30, **29**. *iż pażinios ßirdęs ſawós* 39, **24**. 'A part cela trois fois *ßirdes*: 6, **23**. 41, **5**. 50, **2**; dix fois *ßirdés* accentué: 6, **20**. 24, **21**. 25, **24**. 44, **31**. 45, **29**. 46, **9**. 47, **1**. 47, **3**. 47, **7**. 57, **25**. — (Autre forme, *ßirdies*, fréquente aussi.)

dcßimt-: — *Ißguldimas Deßymtes Diewo Priſakimu* Cat. 24, **8**, titre[1]). — (Autre forme absente sauf oubli.)

Par analogie *ißmintés* Cat. 50, **7**? On a *ißmintiés* 32, **24**.

Nom. plur. des masculins.

vößpat-: — *o wießpatės kaip' túri ſu ßeimina łaikitis?* Cat. 26, **29**. — (Pas de seconde forme.)

Gén. sing. des masculins.

vößpat-: — *Krauiú Wießpatès múſſų* Cat. 31, **10**. *Wießpatès múſſų Jéſaus Christaus* 31, **14**. *Wießpatès Christaus* 32, **9**. *nùg Wießpatès* 39, **32**. *nùg tawęs Wießpatés* 46, **10**. — (Habituellement l'autre forme, *Wießpaties*. Faute d'impression: *Wießpatis* 50, **10**.)

Formes consonantiques à remarquer.

Gén. pl. *ßirdų* Post. 64, **7**. *wießpatų* Cat. 26, **25**. 43, **5**. *żuwú* Geit. 16, **26**. *mótérų* Cat. 19, **8**. *piemęnų* Post. fac-sim. Analogique *prieżaſtu* Post. 68, **31**.

Nom. sg. *Wießpats* Cat. 27, **5**; partout ailleurs *Wießpatis*, et de même *déſimtis* 27, **34**.

[Dat. sg. (v. p. 460) *Wießpati* Post. 64, **1**. *Wießpati* Cat. 38, **19**. 42, **15**. 58, **15**. *Wießpatip Diewiep* 27, **13** (à côté de *Wießpatiép* 32, **8**). *dúktéri* Post. 60, **11**, défiguré en *dúktériú* (??) dans la répétition du passage 62, **32**. Le dat. du thème eŋ -*i*- *krikßczonis*, faisant -*oniú* au gén. plur. (13, **13** etc.), est toujours de même en -*i*, une fois *krikßczonii*.]

Traces de passage à la flexion en -*é*-?

Il n'en existe pas la moindre. Cf. entre autres acc. *mótérį*, *ſéſſéri* Cat. 32, **7**, cf. Post. 63, **23**; acc. pl. *déßimtis* 11, **18**. *ßirdis* 51, **4**; nom. sg. *móte* — non "motere" — 32, **12. 6. 8**.

Pour avoir la conviction que nous sommes bien en face de la désinence -*ês* des thèmes consonantiques, on peut dire d'après ce qui précède que l'évidence morphologique suffirait, ici comme chez Szyrwid. Alors même que le signe *é* (ę) n'aurait jamais existé chez D., quelle peut être une désinence -*es* commune au gén. sing. des deux genres, commune de plus à leur gén. sing. et à leur nom. plur. si cette désinence? Mais la preuve plus directe qui peut résulter de cette lettre *é* est trop précieuse pour

---

1) La lettre *é* est employée, en général, dans les titres comme dans le texte.

être négligée. Nous examinerons donc ces deux questions-ci, — dont la première à vrai dire est presque superflue:

Orthographiquement, y a-t-il: 1. une chance quelconque pour que le *-ės* de Dauksza représente (partiellement) *-ẹs*? Par ex. *wießpatės* gén. pourrait-il s'entendre comme *wẹßpatẹs*?

Un *ė* tenant la place de *ẹ* se rencontre exactement *une fois*, Cat. 49, 21, dans *nėkadai*, écrit autrement *niekadai*, *niekad'*. La chance peut donc être appelée nulle absolument [1]).

Écartons, par la même occasion, la supposition par laquelle *ßirdes* etc. pourrait tenir à l'oubli de l'*i* de *ßirdies*. Il n'y a que deux exemples de cette faute, eux-mêmes douteux: gén. *tßmintes* pour *-ties* (?) v. plus haut; et nom. plur. *aklėii* Cat. 48, 21. (On ne doit pas oublier que *-lẹ-* donne tantôt *-lie-* tantôt *-le-* dans la plupart des textes qui connaissent l'opposition *l* : *l*, parce que dans ces textes *l mou* vaut en lui-même *-li-*, *kelas* etc.).

2. Y a-t-il, toujours au même point de vue purement orthographique, une possibilité d'expliquer nos finales en *-ės*, *-ęs* comme valant *-ẹs*? Ceci exige une enquête un peu plus longue.

La régularité dans l'emploi des lettres en question est assez grande chez Dauksza pour qu'on voie ce que signifie *ė* au bout de *quelques lignes*, et ce que signifie son équivalent *ę* au bout de quelques pages. Pour prendre une base plus précise, le mot *nůdėmė* 'péché', que nous choisissons simplement à cause de sa grande fréquence, apparaît, dans les cinq cas de la déclinaison ci-après, écrit comme suit:

Signe *e*.	Signes spéciaux *ė* *ę*.
(*-ė*) Nom. sg. 10 fois *nůdeme*.	(Jamais *-ė*, *-ę*.)
(*-ės*) Gén. sg. 13 fois *nůdemes*.	(Jamais *-ės*, *-ęs*.)
1 fois *nůdemės*. (1 fois *nůde-mefp*.)	
(*-ės*) Nom. pl. 7 fois *nůdemes*.	(Jamais *-ės*, *-ęs*.)
(*-ės*) Acc. pl. 16 fois *nůdemes*.	10 fois *nůdemės*. 2 fois *nůdemęs*.
	1 fois *nůdęmes*, par transposition évidente des *e*.
(*-ę*) Acc. sg. — (Jamais *-e*.)	1 fois *nůdemė*. 5 fois *nůdemę*.

---

1) Ce qu'on rencontre plus fréquemment est: *iė* ou *ię* mis irrégulièrement pour *ie* (*ė*). Nous donnons les exemples afin que la liste de la p. 466 ne paraisse pas incomplète: *wiėtoi* Cat. 16, 22. *iię* pron. 21, 27. *prißiautos* 31, 21. *kurię* 33, 4. *Wießpatiės* 34, 7 et 54, 9. *dwięių* 37, 19. *sięta* 40, 16. *patięsp* 40, 21. *kurię* 42, 5. *Wießpatiė* 43, 21. *ięßkosiu* 45, 2. *Wießpatie* 45, 14. *Dięwui* 47, 12. *linxfmiėii* 56, 24. *mięßte*

Ce tableau serait plus concluant encore si le mot se rencontrait à l'instrumental, presque invariablement écrit par *é* ou *ę*, ainsi *galibé* 12, *s*, *galibę* 43, *t*, *ſu didé galibé* 13, *s*, *ſu galibé didé* Geit. 16, *i*, contre nomin. *galibe* 31, *ss*; 32, *so*; 48, *ss* etc. La 1ᵉ plur. en *-me* est presque toujours écrite *-mé*; la forme réfléchie en *-més* ne présente pas une seule fois *é* ni *ę*. Dans toute la série des localifs en *-éjé* et en *-ésé*, on rencontre 1 seule erreur: *nùdeméié* 34, *s*, autrement sans faute *nùdemeié pirmgimeię* (30, *i*); *żemeié* (11, *rt*), *męiteié* (57, *rt*), *dideſſę piktibeſſę* (50, *is*) etc. etc. On pourrait multiplier à l'infini ce genre de preuves, qui ne laissent aucun doute sur ce qu'est la règle, mais une certitude véritable dans la question de *motérés* ne peut être obtenue que par l'appréciation exacte du nombre de fautes et d'exceptions dont cette règle est traversée en pratique.

Cette statistique indispensable des *cas négatifs* serait à son tour assez gravement faussée dans son résultat, si on ne commençait par éliminer trois séries de formes où la présence du son *é* chez Dauksza doit être *niée* à ce que nous croyons:

1. Conjonction *nęſsą* Cat. 3, *6*. 49 *17*. Post. 63, *i*. *nſſsą* Cat. 3, *st*. En faveur de l'*é* (Kursch. *nésd*) on peut alléguer que Szyrwid a *nex* (non *nys*), mais le mot, chez Willent, n'est pas écrit moins de 279 fois par *ę*, voir Bechtel p. LXIV.

2. Prét. *pri-éio* Cat. 38, *so*. 39, *i*. *in-ęiei* 51, *ss*. 51, *so*. *nu-éię* Post. 60, *is*, etc. Dans une portion considérable du territoire lituanien, il est indubitable que le prétérit *éjaũ* fait place à une forme non reconnue *éjaũ*. Les textes żemaïtes dans lesquels *é* est rendu par *ie* ont constamment *eje* (ou *eie*), *parejus*, *alejus* etc. sans *ie*. C'est ce qu'on trouve en particulier chez Dowkont, où le changement *é* : *ie* offre une régularité satisfaisante, et qui dit par ex. *praiedęs* · *pra-édęs*; de même chez Wo onczewski, où le changement *é* : *ie* est littéralement sans exception sauf après *l'*(au commencement du mot, *jerelis* = *érélis*). 'A Andrjewo, où l'*é* subsiste, le chanoine Jaunius dans sa remarquable Pasaka, chez Geitler p. 21, ne marque pas une seule fois *é* dans *éjé*, *uźéjé*, *neiszéjus*, etc. cf. au contraire, *mokéjé*, *turéjé*, *iszgélbéjé* etc. Ce prétérit s'étend à l'Ouest jusqu'à Memel comme on pourrait l'établir par mainte preuve, je ne cite que le grand spécimen de Jacoby (Mitteil. der Lit. Gesellsch. I, 61—80) offrant toujours *éjo*, *sućjom* etc., ou bien *pryéjo* (67, *6*), une

---

Post. 62, *so*. *iźtieſos* 68, *is*. *Diewó* Geit. 16, 9. Total: 18. L'extraordinaire *nékadai* n'est lui-même évidemment qu'une faute d'impression pour *niékadei*, mais il ne viendra à la pensée de personne que nos huit génitifs en *-és* (*-ęs*) soient dûs de même à cette *double* faute: *é* pour *ié* pour *ie*.

seule fois *parėjo* 76, ɒ, quoique l'*e* long soit régulièrement distingué par *ė*; ou, témoignage plus sûr, la Pasaka de Geitler p. 20 présentant sans exception *ie* pour *ė* (*iszbiere, turieje* etc.), mais nulle part *ie* dans *użejęs, ateje* etc. Au Sud, cette même forme atteint au moins Rosseiny comme on le voit par Stanewicz écrivant *yszeja, yszeje*, mais *kalbiėty, pradiėty* etc. Il est possible que Dauksza reste le seul auteur hors de la zone dite "źemaïte" à connaître ce prétérit (qui paraît s'arrêter avant Szauli du côté del' Est), mais son dialecte. si nous l'avons bien déterminé devait se trouver, par le Nord-Ouest, en contact avec cette zone. Une appréciation sur le type *ėjo* (*ėjo*), assez isolé dans le système verbal, et rappelant scr. *a-yât* avec augment, ne pourrait du reste être tentée qu'en tenant compte de l'ensemble des prétérits en -*o* et en -*jo* du lituanien.

3. *dėſtis* Cat. 25, 29. *nuſidéſt* 24, 32. *indeſt'* Post. 67, 14, ne demandent aucune justification: Kurschat *dėsti* dans "*kaïp dėstis?*" etc. De même par conséquent la rare forme 2ᵉ prés. *pridėſſi* ("tu ajoutes") Cat. 23, 1, valant *pridesi*. Il y aurait lieu plutôt de demander sur quelle preuve repose en définitive le soi-disant présent *dėmi* par *ė* toujours cité à côté de *dėmi*. (Prononcer du reste *demì*; ou au moins *dėmi*, pour n'être qu'à moitié barbare).

Nous restons, ce décompte fait, devant un total de 50 *ė ę* irréguliers, se décomposant comme suit:

Fautes d'impression certaines: 5 cas. — 1º gén. *didė̆ſies* Cat. 60, 15, lire *didė̆ſnes* comme le montre 54, 2. — 2º Deux e mis l'un pour l'autre: *nūdęmes* acc. pl. 59, 27 (v. plus haut). *padęiės* 6, 19 et *nuſſidęiėſis* 51, 8 (cf. *nuſidéiesſis* 43, 17 etc.). *nelętas* Post. 71, 4 (pour *nęletas*).

Fautes du compositeur ou de l'auteur:

SYLLABES RADICALES: 7 cas. — *tę́wą* Cat. 4, 27. *Tę́wa* 13, 20. *tėwo* 26, 11. *Tė̆wę* 43, 13. *kęlimo* 14, 11. *iſė̆muś* ("ayant excepté") 27, 21. *nenuſſidęiės* 18, 21.

INTÉRIEURES NON RADICALES: 18 cas. — Loc *nūdeméie*, 34, 5, v. plus haut. — Tous les autres cas concernent les verbes en -*ėti* (ex.: *turę́tu, turėk, paſsirgéiimo*: 24, 20. 27, 20. 27, 25. 37, 10. 38, 27. 39, 5. 40, 7. 42, 6. 43, 17. 44, 1. 48, 17. 52, 6. 52, 29. Post. 63, 25. 66, 30. 70, 15. *minętiś*, imprimé *minę iś* 70, 17 [1]).

FINALES: 20 cas, dont voici le détail:

Prépos. *apę* Cat. 34, 4.

3ᵉ prét. *plakę* Cat. 41, 27. *nùżęgę* Post. 63, 9 [2]).

---

1) P. LXXIV, à propos de la finale -*mė*, Wolter cite "*norė̆tum. bimė*" Cat. 22, 31; mais son texte porte *norė̆tumbimė*.

2) *nė̆ patwė̆rę* Cat. 59, 15, en apparence 3ᵐ plur., est indubitablement participe (sous-entendre *ira* devant *kitų*).

Nom. sg. *karalifté* Post. 62, ₁₉. *geribę* 66, ₁₉.

Voc. sg. *dúktę* Cat. 48,₁₈. *żęmę* 51,₁₉. *tárpinikė* 20,₁₆.
gimdiwé 20,₂₀. *geribé* 46,₈. *duktę* Post. 63,₄. *dúlkę* 71,₆ [1]).

Nom. pl. *żmônês* [2]) Cat. 3, ₁₉. *galibés* Geit. 16, ₈.

Gén. sg. *slaptęs* Cat. 7,₁. *garbęs* 49,₄. *mielaβirdiftês* 23,₂₄.
mielaβirdiftęs 47,₂₈. *laupfęs* 60,₁₅. *méilęs* Post. 71,₁₅.

On peut, maintenant, choisir pour la comparaison des
chiffres la base qu'on préférera, la conclusion ne variera guère.
Tous les NOM. PLUR. ET GÉN. SING. réunis n'arrivent pas à
donner plus de huit cas de *-ês*, *-ęs*, pendant que les seuls thèmes
βird-, *moter-*, et *véβpat-*, en amènent neuf. L'ENSEMBLE DES
FINALES, nominales et verbales, en *-ês* ou en *-é* — qui, dans le
texte, sont de plus de 400 [3]) —, donne 20 cas, ou 13 sans les
vocatifs; de sorte que si cette proportion ($^1/_{20}$ ou $^1/_{30}$) règnait
chez nos 25 nom. plur. et gén. sing. comme *debefes*, *βirdes*,
ceux-ci devraient à peine nous présenter *un* exemple en tout
de *é* ou de *ę*. Aime-t-on mieux toutefois une troisième base,
celle de la TOTALITÉ DES *é* DU TEXTE, le résultat sera in-
comparablement plus favorable encore, sans qu'il soit besoin de
se livrer à un dénombrement de ces *é*. Il est permis de conclure
que Dauksza livre un témoignage direct, et catégorique, pour
la désinence *-ês*.

OBS. — Nous avons éloigné du débat une circonstance qu'on
nous reprocherait peut-être de laisser sans mention. Comme le montre
la liste, et comme on devait le supposer, l'erreur *ê ę ę* pour un *é* est

---

1) Seul le voc. *dúkté* Post. 63, ₄ (même ligne que *duktę*) est écrit
par *e* ordinaire (comparer les nom. *tárpinike* 19,₁₉. *gimdiwé* 11,₃. *geribe*
38, ₁₄ etc. *żęme* Post. 61, ₂₄ etc. *môle* Cat. 32, ₂ etc. qui, eux, n'ont
nulle part *é* ou *ę*). Ceci nous met devant un singulier problème.
D'après le raisonnement même que nous appliquons à *βirdês*, il nous
est logiquement défendu d'admettre qu'une finale marquée jusqu'à
7 fois sur 8 par *é ę* puisse avoir été *-é* chez Dauksza. Comment
d'autre part se résoudre à croire, *ex abrupto*, que le lituanien
possède un vocatif jusqu'ici totalement inconnu: *żemé*, *dukté*? Nous
sommes contraint de laisser provisoirement la question en suspens.
En eux-mêmes, soit le voc. *dúktĕ* = *dúktĕr*, soit le voc. *żemé*,
s'ils se confirmaient, n'auraient rien d'incompréhensible. Ce dernier
serait le symétrique de *mergá* (= sl. *żeno*). 'A ce vocatif pourraient
se rattacher particulièrement les formes comme *mèrgel*, *môteriβk*.

2) Cf. p. 459, note 1.

3) Nous en avons compté 200 en 33 pages. L'étendue totale est
d'environ 70 pages pleines.

plus fréquente chez les *é* ACCENTUÉS, par suite d'une confusion facile avec *ė ė*[1]). 'A tel point que les 7 exemples radicaux, de même 16 exemples sur 17 chez les verbes en *-ėti* peuvent s'expliquer de cette façon. Ceci est très en faveur de l'exactitude de Dauksza. Comme il s'agit toutefois de prouver tout autre chose, à savoir que l'imprimé donne une indication décisive *malgré ses incorrections*, la circonstance peut paraître au plus haut point DÉFAVORABLE, parce que la majorité des finales comme *ßirdės* sont accentuées (sans parler du fait que D. met souvent un accent sur la finale de flexion *comme telle et sans qu'elle ait le ton*). Nous ne croyons pas devoir nous perdre ici dans de nouveaux chiffres: simplifions donc la réponse en mettant les choses au pis. Nous supposons 1. que toutes les formes comme *ßirdės* soient oxytonées (ce qui n'est pas), 2. que les 50 *ė ę* faux correspondent sans exception à des *ė* toniques (alors qu'il y a 11 ex. non toniques, 5 fautes d'impression tenant à autre chose, 7 vocatifs, à déduire); on peut affirmer que même ainsi, c'est-à-dire en admettant que l'*ė* tonique seul soit en jeu dans toute la cause, la proportion des *ė toniques mal marqués* reste infiniment trop faible pour expliquer la graphie 9 fois répétée de *ßirdės* etc. — Il faut spécialement remarquer à ce propos le nombre infime des *ę* faux, alors que rien n'était plus naturel que la confusion *é—ę*.

Un dernier argument a bien sa valeur quand on considère conjointement Szyrwid et Dauksza. Où est finalement, chez ces auteurs, la forme *moters*? — *akmens*? Comment se fait-il que cette forme, qui n'est pas seulement la plus ancienne, mais aussi la plus répandue dans les différents dialectes, ne soit pas même sporadiquement attestée par un seul exemple dans deux sources qui n'ont autrement de remarquable que leur caractère archaïque? Il y a là une bizarrerie suffisante pour éveiller à elle seule l'attention, et faire soupçonner qu'*akmens* doit se cacher chez ces auteurs sous quelque autre enseigne.

Les dialectes du Nord-Ouest (Memel — Heydekrug — Tilsit) auxquels appartient la quasi-totalité des monuments prussiens du XVIe siècle, ont devancé pour certaines syncopes les dialectes orientaux, ainsi *kurs*, *tur*; Szyrwid et Dauksza *kuris*, *turi*. Il n'y a donc rien de particulièrement frappant à trouver constamment chez Willent (1579) le génitif *moters*, *akmens*, *wandens* etc. Le nom. plur. serait semblable s'il n'avait subi

---

1) En réalité, pour *ę*, cette confusion typographique ne s'explique pas, car cette lettre, dans le fac-similé, a ordinairement la forme d'un *e* traversé d'une barre. Nous ne pouvons toutefois entrer dans ce détail.

métaplasme sur la flexion en -*i*-: *moteris*, *akmenis* etc. (à lire,
vu le dialecte *móteris*, comme *nåktis* pour -*tys*). Un nom. pl.
wiefchpates qui apparaît Ench. 3, ₃₇ (contre *wiefchpatis* 24, ₃₃)
semble toutefois conserver une trace de la vieille forme. L'expliquer comme le fait, d'ailleurs dubitativement, Bechtel p. XVII
par un changement phonétique de -*is* en -*ës* est entièrement
inadmissible pour Willent, et il serait facile de montrer que les
deux ou trois cas apparents du même fait apportés par cet auteur, comme impér. -*kit*(*e*) ou -*ket*(*e*), sont eux-mêmes sans con-
sistance. Un second exemple, que Bechtel passe sous silence,
est *piẹmenefpi* Ev. 86, ₆, reproduit par Sengstock dans l'éd. de
1612, et qui malgré *ftûmeniefp* 114, ₃₃ n'est probablement pas
une faute. Il est clair du reste que l'intérêt de *pëmenëspi* pour
le traitement de -*ës* *final* est nul.

Le plus ancien monument de la langue, le *Prasty Szadey*
de 1547, malheureusement écrit dans le triste dialecte de Memel,
n'offre à remarquer qu'un seul détail, assez imprévu. Il ne s'agit
ni du nom. plur. qui est en -*is*, comme dans Willent, ainsi *materis*, *feferis*; ni du gén. sing. en -*es*, *materes* 19, ₃₀, *deschimes*[1])
6, ₁₇, *menefes* tit. (qu'on ne peut hésiter à lire *materës* = *mo-
terës*, cf. *nactes*, *kazanes* etc.). Mais, dans quatre passages, surgit
un extraordinaire génetif *materis*, 10, ₃₉. 11, ₄. 14, ₃₄. (15, ₅ *ma-
teis*). L'idée de voir dans sa finale -*is* une modification dialec-
tale du -*ës* primitif prêt à tomber, ne serait pas tellement absurde qu'on ne doive au moins poser la question. Nous y ré-
pondrons du reste négativement: soit parce qu'il existe dans le
texte *un* génitif syncopé (*wandens* 25, ₅), soit parce qu'à la différence de *wandens* nos 4 génitifs en -*is* sont exclusivement du
féminin, ce qui confirme que la raison de l'-*is* doit être morphologique[2]). On sait que justement le *Prasty Szadey*, ainsi que
plusieurs sources de la même région, connaissent chez les thèmes
en -*i* un génitif en -*is*, d'ailleurs exceptionnel, et qui reparaît
toujours dans les mêmes mots: *smertis*, *macis*, *czestis*, *ßirdis*,

---

1) Inutilement corrigé en *deschimtes* par Bezzenberger. La forme
est analogique sur le nom. *deßims*, cf. p. 460.

2) Il est vrai que *wandens* n'appartient pas au *Prasty Szadey*
lui-même, mais à une des *Giesmes* qui y font suite. La langue paraît
du reste identique dans les deux parties, à part peut-être *dawe* contre
dewe 6, ₃₄.

ugnis, mostis (tous du féminin). Il n'est guère possible d'expliquer *materis* autrement que par la formation *smertis*, mais comme celleci est elle-même d'une parfaite obscurité, la question n'aurait chance d'être résolue que par une nouvelle étude, portant sur l'état total de la déclinaison en *-i-* dans ce groupe de dialectes.

F. de Saussure.

Baltische Miszellen[1]).

2. Lit. *ě* = slav. *i*.

Der ostlit. Übersetzer von Ledesmas Katechismus (v. J. 1605, herausg. v. Bystroń, Krakau 1890) gebraucht in einem fort die Kopula *e* oder *ė*, deren Bedeutung sich etwa mit der von lit. *õ* deckt: während als rein verbindend auch hier das allgemein lit. *ir̃* auftritt, bezeichnet *e, ė* eig. den Übergang zu etwas wesentlich Neuem (z. B. *adúnt milétu ir gárbintu wiész- pati Diéwu sawo vnt szyto swieto, e vnt anó regietu ii ir gierétus* S. 36, "auf dass er liebe und verehre seinen Herrn Gott in dieser Welt, und dann in jener [Welt] Ihn sehe und sich wohlbefinde"; andere Belege bei Bystroń S. 95 s. v.) Der Ostlitauer Baranowski gebraucht ebenso *e, ė*: z. B. Anykszczù szil. 64, 86, 94, 102, 123, 137 usw. Damit offenbar identisch ist *e* 'aber' im Dial. von Wilkomierz, bei Geitler Lit. Stud. 82. In derselben Art, wie im Katechismus *e, ė*, steht in Szyrwids, des Ostlitauers, Punkty kazań fast auf jeder Seite *a* (zuweilen *á*). Szyrwid schreibt zwar zuweilen *a* für *o*, aber ebenso, namentlich im Anlaut, für *e* (z. B. *at-aiunti* Lit. Drucke IV 6, 9; 11, 14; 16, 18; *at-ays* 11, 26; 14, 6; *at-ayt* 18, 19 u. s. o.): und bei der innigen Verwandtschaft (beinahe Identität) seiner Sprache mit der des Kat. 1605 darf man wohl vermuten, dass sein *a* mit jenem *e, ė* identisch ist, und dass er zur konsequenten Schreibung mit *a* sich etwa durch das poln. gleichbedeutende *a* verleiten liess.

---

1) Vgl. IF. II 119 ff.

Leider haben wir keinen sicheren Fingerzeig, der uns bedeuten könnte, wie dieses Wort etwa im Normallit. lauten sollte. Baranowski schreibt allerdings in der schriftsprachlichen Redaktion *e*, *ė*, wobei jedoch zu bedenken, dass im Ostlit. ausl. -*ė* von -*e* nicht verschieden ist, und die fragliche Partikel im Schriftlit. nicht existiert. Kat. v. J. 1605 schreibt neben *e* zuweilen *é*, was nach dessen Schreibart als *ė* oder *ē* zu fassen wäre: auch z. B. im Nom. Sg. der -*ė*-Deklin. steht hier nur -*e*, und es ist sehr wohl möglich, dass das Ostlit. schon damals für ausl. -*ė* wie heute nur -*e* sprach. Jedenfalls dürfen wir als urlit. den Laut der Partikel als *ė* (selbstverständlich dann mit schleifendem Ton) ansetzen.

Sicher werden wir in der Sache wohl niemals sehen können: die Partikel müsste in einem Dialekt zum Vorschein kommen, der ausl. -*ė* und -*e* genau unterscheidet. Aber wenn *ė* die richtige Form ist, dann verhält sich dasselbe zu *ō* wie die Endung von lat. *facillumēd* (Brugmann II 588) zu der üblicheren Ablativendung -*ōd*: setzt man lit. *ō* einem ursprünglichen *ōd* gleich (vgl. BB. XVIII 243), ist *ė* ein ursprüngliches *ėd*. Und dieses *ėd* würde uns zugleich slav. *i* 'und' neben *a* = lit. *ō* am annehmbarsten erklären: *ė* wäre hier nach Abfall von -*d* ebenso zu *i* geworden wie in *mati* lit. *mótė*. Zugleich hätten wir einen Beweis vor uns, dass -*i* in aslv. *mati*, *dъłti* lautgesetzlich ist (vgl. Streitberg IF. I 294 f.), nicht, wie Sobolevskij Drev. cerk.-slav. jazyk 105 meint, für lautgesetzliches -*ė* nach Analogie von Femininformen wie aslv. *pustyńi*, *darъłi*, *bol'ъłi* steht [1]).

Allerdings besteht zwischen lit. *ė* und sl. *i* ein bedeutender Bedeutungsunterschied: lit. *ō* und *ė* hat dieselbe Bedeutung ("ein Mittelding zwischen d. d. *und* und *aber*" nach Kurschat), während sl. *a* der Bedeutung nach mit lit. *ō*, *ė*, slav. *i* dagegen mit *i* zusammenfällt. Dieser Unterschied wäre indessen leicht zu begreifen: dessen Grund würde in der verschiedenen Verbreitung von beiden Formen auf den beiden

---

1) Einen andern Beleg von sl. -*i* aus ursprünglich -*ė* könnte man in sl. *ni* sehen, falls es mit dem im Lit. (z. B. in Auszra, Varpas) sehr häufigen, bei Kurschat fehlenden *nė* (offenbar *nė*) 'ne quidem, neque' (welches auch im Lett. als *ne*, neben der historisch verschiedenen einfachen Negation *ne* = lit. *nė*, vorkommt) identisch ist. Allerdings kann sl. *ni* mit demselben Rechte zu lit. *nei* gezogen werden.

Sprachgebieten zu suchen sein. Während im **Lit.** *ŏ* und *ê* dialektisch geschieden ist, geht im Slav. *a* und *i* überall nebeneinander einher, was sehr wohl eine Bedeutungsdifferenzierung veranlassen konnte.

Selbstverständlich gehört auch aind. *ád*, av. *aδ*, dessen Bedeutung im Wesentlichen dieselbe ist wie die von lit. *ŏ*, *ê*, sl. *a*, hierher: ist das Obige, namentlich das Ansetzen von lit. *ê* richtig, darf man ar. *ad* nicht mehr ohne weiteres nur mit lit. *ŏ*, sl. *a* identifizieren.

3. Lit. *tê*, *ti* 'tibi'.

Bezzenberger (Beiträge z. Gesch. d. lit. Sprache 164) führt eine Anzahl Belege des Dativs Sg. vom Pronomen d. 2. Pers. als *ti*, *t* an, womit auch die Akkusativformen *ti*, *t* identisch sind (vgl. Brugmann Grundriss II 820). Dieses *ti* ist nach dem bekannten Gesetz aus *tê* verkürzt (s. Brugmann l. l.); und dieses *tê* hat sich bei Szyrwid in Verbindung mit der enklitischen Partikel -*g* (-*gi*), die eben das Eintreten des auf den Auslaut beschränkten Gesetzes verhindert hatte, unzähligemal als *tieg* erhalten. In seinen Punkty Kazań gebraucht Szyrwid dieses *tieg* fast ausnahmslos überall, wo er ein Bibelzitat einflicht, seltener bei andern Bekräftigungen. Belege findet man auf jeder Seite (s. d. Ausg. von Garbe in Bezzenbergers Lit. u. Lett. Drucke 4); wir führen an beispielsweise nur zwei: S. 7, 16 ff.: *tay bus ir vnt Diewo sudo, kuriami aukśćiausias ir didžiausias sudžia ira wieszpats musu Jesus Christus. Anas ira tieg, kuri istate Diewas sudžiu* usw.; 8, 29 f.: *tay vnt Diewo sudo newienam nesiseks. "Kiekwienas tieg nasztu sawo nesios"* (Galat. 6, v. 5). Dieses *tieg* bedeutet etwa 'denn', 'ja' (z. B. in der zweiten Stelle: das wird vor Gottes Gericht Niemanden gelingen: denn "Jedermann wird seine Last tragen"). Im Slav. wird *ti* ganz so, zur Bekräftigung des Gesagten, Angeführten u. ä. (es ist eine Art Dativus ethicus, Miklosich Vergl. Gramm. 4², 601 f.) gebraucht, ja, im Russ. sinkt *ti* oft zu einem ganz bedeutungslosen und willkürlichen Anhängsel herab (Miklosich Etymol. Wörterb. 369): so würde der Böhme z. B. das letzt angeführte Bibelzitat ganz wohl als *každý-t'* [1]) *své břímě ponese*, also genau wie Szyrwid, in seine Rede einführen können. Vgl. auch gr. τοί usw.

---

1) *t'* aus *ti* (sprich *t'i*) verkürzt. Gerade so steht z. B. *ved'* für

4. Lit. *testo, testovi.*

Als 3. Ps. des Imperativs von *búti* 'sein' taucht im Litauischen die Form *testo, testovi (testov)* auf. Sie bildet, soviel ich sehe (ohne mir hierin selbstverständlich das entscheidende Wort anzumassen), eine Spezialität der älteren Denkmäler des preussischen Gebiets: ich erinnere mich wenigstens nicht, dieselbe in neueren Texten, oder z. B. bei Dauksza oder Szyrwid gelesen zu haben; auch Kurschat erwähnt ihrer nirgends, weder im Wörterbuch, noch in der Grammatik. Die mir zu Gebote stehenden Belege stammen (nebst Einigem, was Bezzenberger Beitr. z. Gesch. d. lit. Sprache zitiert) aus dem Katechismus v. J. 1547, dem Taufformular v. J. 1559, aus Willent (zitiert nach Bezzenbergers Lit. u. Lett. Dr. 1—3), endlich aus der Bibelübersetzung v. J. 1865 (die ja auf alten Vorgängern beruht): das letztgenannte Buch habe ich freilich nicht ad hoc exzerpiert und gebe nur daraus, auf was ich zufälliger Weise gestossen bin. Die Belege gruppieren sich folgendermassen:

I. *testo: ponas ... testo iumus milastiwas* "der Herr sei euch gnädig" Forma chr. 39, 5; *a taipo testo gan* Will. 17, 19; *tawa schwentas Angelas testo su manimi* 20, 2 u. 19; *testo padûtas* 22, 19 (Röm. 13, 1); *tampaczem testo garbe* 99, 16 (1 Pet. 5, 11); *krauias jô testo ant musu* 172, 27 (Math. 27, 25). Nachdem bei Willent für ausl. -o oft auch *a, ą* geschrieben steht (z. B. im G. Sg. der -a-St., Lok. Sg. der -a-St., wo -o -a -ą neben -oje vorkommt; s. Bechtel S. LXVI: LXXV), gehört selbstverständlich hieher auch *tada testą ... sandaringa* 60, 16 (Röm. 12, 17), *meile testą nefalschiwa* 60, 22 = 142, 30 (Röm. 12, 9; Sengstock an letzt. St. *testa*); an eine etymologische Berechtigung des Nasalzeichens (vgl. Bezzenberger l. l. 212) zu denken sind wir ebensowenig berechtigt wie z. B. im Gen. Sg. *tą* (= *tô*), im Lok. Sg. *to paczą hadino* u. dgl. Endlich kenne ich *garbe testa diewui tewui,*

---

vedi (ved'i). Wenn die Infinitivendung *-ti* in einigen Dialekten als *-t'*, in anderen als *-t* (mit hartem, nicht mouilliertem *-t*) gesprochen wird (s. z. B. Dušek Listy filolog. XIX 415), so ist, was die letzteren anbelangt, eine Vermengung des Infinitivs *-ti* mit dem Supinum *-to* im Spiel; nach *-t'*, *ved'* zu urteilen sollte z. B. aus *dáti* 'dare' auf dem gesamten böhm. Sprachgebiet *dát'* geworden sein.

liaupse testa schwentai dwasei, testa mums tawyp athilsu
Kat. 31, 25; 29; 35, 25; ähnl. 15, 5 (1 Tim. 3, 12); im Kat.
1547 erscheint lit. o bekanntlich fast immer als *a*.

2. *testovi, testov: Raszna duscha . . . testawi padote*
Kat. 15, 23 (Rom. 13, 1 = *testo* Will. 22, 19); ähnl. 16, 26
(Eph. 5, 24); *lengwibe yussut estowi paszistama* Will. 48, 14
(Phil. 4, 5); *brolischka maile testow . . . tarpu yussu* 60, 23
(Röm. 12, 10); ähnl. 67, 8 (2 Kor. 11, 31); 88, 5 (Jak. 1, 19);
91, 22 (1 Petr. 4, 12); 95, 18 (Röm. 11, 36); 130, 32 (Ephes.
1, 3); 142, 31 (Röm. 12, 10); 153, 3; 8 (Apok. 7, 10; 12);
156, 28 (Luk. 12, 35). Ferner in Bretkens Postille *testowi
iusu slepsnos apiuostos, tastow kaip tu nori* (Bezzenberger
209; 211), *tegistow taw Ischmintis ir Rasumas dūtas* 2
Chron. 1, 9 Bretk. (1, 12? Bezzenb. 212). Die Bibelübersetzung
Berlin 1865 hat an den angeführten Bibelstellen gewöhnlich
t'esé (das 'samogitische' N. Test. Berlin 1866 gew. *t'ést*) o. ä.;
vereinzelt steht noch *te stow*, z. B. Matth. 27, 25, Luk. 12, 35,
Röm. 12, 9; 10, 1 Tim. 3, 12.

Ein indikativisches *sto 'est, sunt' habe ich nicht gefunden; auch *stóvi, stór* mit dieser Bedeutung (*stóviu stovéti*
heisst sonst bekanntlich 'stehen') kenne ich nur aus Willent.
So nam. 154, 11: *neng auxas, kurs per vgni ischmeginamas
stow* (1 Pet. 1, 7 χρυcίου . . . διὰ πυρόc δοκιμαζομένου; *duksas
per ugnį méginnamas* 1865, *kuris . . . per ugni méginamas
ira* 1866) und 75, 21: *ir stow paskuczausi daiktai anų*
(= *ano*) *szmogaus piktesni neng pirmi* (Luk. 11, 26). Anderswo
kann es zweifelhaft sein, ob Willents *stowi, stow* als 'ist'
oder als "steht" zu verstehen ist, so z. B. *szole . . . kury
schę-diena stow* (Matth. 6, 30, *ésanczią* 1865, *kuri szendienų
ira* 1866), oder in der Phrase *stow(i) paraschit* "scriptum est,
es steht geschrieben" 48, 9 (Matth. 11, 10); 83, 17 (Acta 13, 33);
147, 27 (2 Kor. 9, 9): so heisst es ja z. B. auch in lett. Kat.
v. J. 1586 *kur sthawe tas raxtytz* (17, 26; 18, 10; 34), obwohl das Lettische das Verbum *stavét* nicht für 'esse' gebraucht (auch *tows sweetcz engels sthaw man klaatk* 20, 2;
28 ist "dein heiliger Engel *steh* bei mir", während Willent
mit seinem *testo* Luthers 'sei' getreuer wiedergiebt). Sonst
heisst *stow(i)* auch bei Willent 'stat, staut': so 30, 28; 31, 4;
32, 19; 49, 5. Der Kat. 1547, obwohl er, wie wir gesehen,
testa, testavi 'esto' kennt, sagt nie *stavi* für *esti* oder *yrá*

(Gelegenheit dazu wäre auf jeder Seite zu finden), ebensowenig die Taufformel usw. Z. B. *stawi* Kat. 15, 26 (Röm. 13, 2)
ist ganz regelrechtes *stóvi* 'stat'.

Fassen wir alles zusammen, so finden wir: in gewissen
Denkmälern kommt ziemlich oft *testo, testov(i)* 'esto, sunto'
vor, daneben in einem sehr bescheidenen Mass auch *stóv(i)*
'est, sunt'. Ausserhalb der 3. Ps. kommt bei *stóviu stovéti*
die Bedeutung 'esse' meines Wissens n i r g e n d s vor (wohl
bemerkt, auch bei lett. *stavét* nicht). Dies alles, zumal wenn
wir bedenken, wie selten sonst Permissivformen neben entsprechenden Indikativformen im Lit. sind, lässt, glaube ich,
nur einen einzigen Schluss übrig: nämlich den, dass *testo,
testovi* von Haus aus mit *stovéti* nichts zu thun hat.

Dies zugegeben, kann *testo* nichts anderes denn *t' esto* oder
te sto, d. h. die Permissivpartikel *tè* mit vorhalt. **estód* oder **stód*
(lat. *estód*, gr. ἔcτω vgl. ai. *vittád*) sein. Dass diese Partikel (die
ja namentlich im Russ.-Lit. ohne Imperativbedeutung an allen
möglichen Formen erscheint) nicht nur vor eig. 'Permissiv-'
(d. h. Optativ- und Indikativ-)formen, sondern auch vor anderen
Formen imperativen Sinns stehen kann, beweist z. B. *tebuk*
'esto' (Bezzenberger 211[1])), *te-prarytu* (Auszra 3, 55). Aus
testo, das man nicht länger verstand, ist durch Anlehnung
an *stovéti, te-stovi* geworden, woraus ganz vereinzelt endlich
auch ein *stóvi* 'est, sunt' abgelöst wurde. Es ist bezeichnend, dass in der älteren Sprache ebensowenig ein *stó* 'stat,
stant' als ein *sto* "est, sunt" vorzukommen scheint: unmöglich
wäre es an und für sich am Ende nicht (nach der Proportion
testovi : testo = stovi : *sto).

Der Ableitung von *stovéti* steht auch der Umstand entgegen, dass in der älteren Sprache kein einziger Beleg zu
finden ist, wo das aus *stóvi* apokopierte *stóv* weiter etwa lautlich zu *stó* geworden wäre: immer steht neben *stovi* nur *stov*,
trotzdem z. B. bei Willent apokopierte Lokative Sg. wie auf -*o*,
-*é* (für und neben -*oje*, -*éje*), sowie Formen wie *neschó* 23
saugó 35 (*nesziója, saugója*) ganz geläufig sind. In der heutigen Sprache kommt allerdings neben *stóv* auch *stó* 'stat,
stant' vor, wie Ul'janov, Značenija glog. osnov, Warschau
1891, S. 14 gesehen (z. B. Bezzenberger Lit. Forschungen 51:
àns stó kaip dëvo mùka); im Gegensatz zu Ul'janov möchte

ich dieses *stó* doch lieber direkt mit *stóv* für identisch halten, mit Schwund des ausl. *v* (eig. *u̯*)[1], als darin eine selbständige Bildung suchen.

Man könnte am Ende glauben, *testo* gehöre zu *stôju stóti* (= sl. *stanǫ stati*), stehe also für *testoja*, neben *testoti* zu *storěti*. Damit wäre jedoch nicht die Bedeutung zu vereinbaren: *stóti* (resp. *stóti-si*) hat (im Einklang mit dem Slavischen) die ingressive Bedeutung "treten, sich stellen, geschehen"; wir sehen davon ab, dass das nicht komponierte *stóti* wohl immer reflexiv gebraucht wird (was indessen wahrscheinlich unursprünglich ist)[2], und dass insbesondere das Verhältnis zwischen *testo: testovi* völlig dunkel bliebe.

Sonst wissen wir nichts, was gegen unseren Deutungsversuch anzuführen wäre, und bemerken nur noch soviel, dass derselbe wohl auch zu einer Stütze der Deutung von *-o*, sl. lett. *-a* im Gen. Sg. der *-o*-Stämme als urspr. *-ōd* gereichen kann.

5. Lit. *tesi, tedùdi*.

Brugmann meint (Grundris II 1310), der Optativ mit *-i̯e-, -i-* sei im Baltischen nicht nachweislich; doch giebt es, wie es mir scheint, zwei Spuren davon. Bezzenberger (Beiträge z. Gesch. d. lit. Spr. 209) führt aus ältern litauischen Quellen einige Belege der Permissivform, in welchen die Endung *-ě* zu *-i* verwandelt sein soll: sehen wir seine Belege genauer an, so finden wir, dass dieselben auf die zur nichtthematischen Konjugation gehörigen Präsensstämme *es-* 'esse', *dùd-* 'dare' beschränkt sind: *tesi, te esi* (neben *tesě, te esě*), *te dùdi* (neben *te dùdě*) für heutiges *te esě, te ěsti, te dùdě, te dùsti, te dùda*. Es steht wohl nichts im Wege, auch diese Formen der nichtthematischen Flexion zuzuweisen und darin vorhalt. *sit, dōdit* zu erblicken; *si* in *tesi*[3] wäre ganz mit lat. *sit* identisch, zu *dùdi*,

---

1) *Stô*, 3. Pers. Präs. von *stóju*, und beim schnellen Sprechen 3. Pers. Präs. für *stóv* Kurschat Wörterb. 406.

2) *Jay ans mussu tewu staia* Kat. 1547 32,3 "dass Er unser Vater wurde" klingt ganz unlitauisch.

3) Ursprünglich wohl *te-si*, später als *t'-esi* empfunden (daher auch *te esi* geschrieben). Ein schwundstufiger Stamm ist ja für das

*dŏdĭt wäre etwa slv. *dadimъ* usw. zu vergleichen. Auch die altlit. 2. Sg. Impt. *dŭdi, dŭd* könnte man am Ende einem ursprünglichen *dodĭs (mit unlautgesetzlichem Abfall von -*s*), nicht (mit Brugmann II 1323, Prusik KZ. XXXIII 157) einem *dŏdhi gleichsetzen; ein entschiedenes Urteil ist in Bezug auf diese Form nicht möglich. Ist diese Auffassung richtig, so wäre im Vorlitauischen (ganz wie im Italischen und Germanischen, Brugmann II 1308 ff.) die Schwundstufe des Optativsuffixes (-*i*-) auf Unkosten von -*i̯ē*- auch in den Singular act. aus dem Plural und Dual eingedrungen: urspr. *si̯ēt (aind. *syāt*, alat. *siet*) hätte ja für das Litauische nach den bekannten Lautgesetzen nur *sḕ, resp. bei gestossenem Ton *sē̃ ergeben können.

Aus *t'esē̃* kann im Lit. kein *t'esi* werden: und von einem *t'esḕ* auszugehen verbietet der Umstand, dass die Form *t'esē̃* doch wohl nur der thematischen Flexion entlehnt sein kann *(te sukḕ)* und es daher schwerlich denkbar ist, die Tonqualität wäre von Haus aus in *t'esē̃* eine andere gewesen (*t'esḕ), als in dem Muster *(te sukḕ)*, nach welchem *t'esē̃* gebildet oder umgebildet worden ist. Anderseits ist es ja durchaus unbedenklich, der grossen Reihe von Formen, die *esmì* und *dŭmì* der thematischen Flexion entlehnt haben, in *t'esē̃, te dŭdē̃* eine neue hinzuzufügen. Man könnte am Ende glauben, Bezzenbergers Belege beruhten auf einzeldialektischem Wandel von ausl. -*ḕ* (-*ē̃*) zu *i*; sie stammen (mit einer einzigen Ausnahme) aus Bretken, dessen Schriften mir nicht zugänglich sind. Aber auch z. B. Dauksza schreibt in seinem Katechismus v. J. 1595 (Wolter Litovskij katichizis N. Daukši, S. Petersburg 1886, Beil. z. 53. Bd. der Zapiski Imp. Akad.) *tȅssi, tȅssi, tessi* (38, 5. 46, 26. 50, 8. 54, 15. 16), *te dŭdis, tedŭdis* 'er gebe sich' (reflexiv, so dass die Endung nicht einmal auslautend ist 39, 31. 40, 17. 42, 1), neben dem späteren *tegul' tę dŭdies* (41, 16): und doch schreibt derselbe Dauksza z. B. den häufigen Vok. Sg. *vėšzpatė* immer mit *ie (wieszpatie)*.

Die Qualität des auslautenden -*i* ist nicht ersichtlich: es wird jedoch höchst wahrscheinlich kurz gewesen sein. Diese

---

Urlitauische durch das Partizipium Präs. *sant*- neben *esant*- (Bezzenberger 223; auch bei Szyrwid, Dauksza u. s. findet man -*sant* noch ziemlich häufig) zur Genüge gesichert.

Kürze müsste, selbst wenn dieselbe verbürgt **wäre**, **durchaus** nicht für den gestossenen Ton in **sit* **beweisend sein**: die Kürze könnte ja auch anderen Verbalformen, **die** von **Haus** aus -*i* haben, entstammen. Auch für den gedehnten Ton (*sit)* lässt sich freilich vorderhand nichts anführen [1]).

Smichov bei Prag 1893.   **J o s e f Z u b a t ý.**

---

1) Dauksza's Schreibung *tēssi, téssi* (*tési* auch im ostlit. **Katech.** v. J. 1605, herausg. v. Bystroń, Krakau 1890, S. 87) lässt auf ein *t'ēsi* schliessen, was eine unursprüngliche, auf *ēsti, ēsme, ēsant* usw. beruhende Betonung sein wird.

Berichtigungen.

Zu S. 79 Z. 15.

Streiche den Satz 'Nur die Verba ἰδεῖν δρακεῖν λακεῖν **sind** diesem Lose entgangen'.

R. Thurneysen.

Zu S. 133 Z. 6 ff.

Whitneys Angabe über die Bedeutung der sog. **Kausativa** bezieht sich nicht auf sämtliche Stämme, sondern nur **auf die mit** *i u ŗ ḷ* gebildeten.

B. Delbrück.

Universitäts-Buchdruckerei von Carl Georgi in Bonn.

Sachregister.

Ablaut. Vier Kategorien von Ablauten 57. Idg. *e/o*, wo *o* auf dem Wege der Entpalatalisierung aus *e* entstanden 53 ff. 132 f. *ŏp-/ ĕp-* 146. *ŏp-, op-, ǝp* 135 ff. *lĕd-: led-, lod-: lǝd-* 100. *i̯ē : ī* im thematischen Optativ 64. Lateinisch *hoic : heic* = οἴκοι : οἴκει 214. *ǝ* in der *o*-Reihe, *o* in der *a*-Reihe 216. *-ī-* (urkelt. *cladibos*) : *-i̯o-* (lat. *gladius*) 267. *-i̯e-* : *-ei̯-* im Germanischen 304. *i* Tiefstufe einer nicht diphthongischen Wurzel im Balt.-slav. 410. — Vgl. Deklination, Konjugation.

Adverbium. Lat. *qui* fungiert als allgemeine Relativpartikel 228 ff. *ibī, ubī* 241. — Vgl. Bedeutungsentwicklung.

Akzent. Vgl. Vokalismus, Konsonantismus. Zurückziehung des Akzents im Uritalischen 239 f. Betonung der Reduplikationssilbe 65.

Apokope. Vgl. Deklination, Konsonantismus.

Assimilation. Vgl. Konsonantismus.

Auslaut. Vgl. Konsonantismus, Vokalismus.

Bedeutungsentwicklung. Haus — Familie — Hausfrau im Ai., Agr. und Deutschen 86 f. Adverb mit oder ohne Demonstrativ vertritt ein Relativum 94 f. — Vgl. Adverb.

Chronologie, relative, der Spracherscheinungen 8 ff. Ihre Bedeutung 8 ff. Methode, sie zu ermitteln 13. Chronologie germanischer Lautgesetze 14 ff. Chronologie lateinischer Lautgesetze 233 ff. — Vgl. Konsonantismus, Vokalismus.

Dehnung in der 3. P. Sg. Med. des *s*-Aorists im Altir. 130 f. Altnordisch. Dehnung von *a, o, ǫ, u* vor *lf, lg, lk, lp* 320. Dehnung der Wurzelsilbe in slavischen Iterativa 406 f. Ersatzdehnung beim Ausfall eines *r* im Neupers. nicht erwiesen 130 [2]. — Vgl. Vokalismus.

Deklination. Heteroklisie der agr. Eigennamen auf -δάμας 187 f. Wechsel von *i*- und *o*- (bez. *ro-, ri-*; *lo-, li-*) Deklination im lat. Adjektivum 218 ff. 224 ff. Flexion von lat. *hīc* usw. 214. Neuhochdeutsch: Adjektivische *ja*-Stämme 357 f. Maskuline *n*-, *ja*-, *u*-Stämme 357 ff. Feminine *n*-, *ō*-Stämme 357. 361 ff.

Wortregister.

I. Indogermanische Sprachen.

Altindisch.

ákar 128 [4].
aktúsh 266.
ákṣa 118.
ákṣi 113 ff.
akṣí 114 [2].
aghá- 92 f.
aghakṛt 93.
aghám 93.
agháyati 93.
ajapālás 282.
ájāmi 88 [2].
ajirás 219.
ajras 221 [1].
añjanas 292.
añjánti 266. 291 f.
añjis 154.
atasá- 104.
ádadhām 378.
ádga- 119.
adbhís 134 f.
adbhyás 134 ff.
anáki 266. 292.
anaḍván 121.
anáḍváham 121.
ánas 121.
anāgas 93.
anilás 236.
anuṣṭúb bhi 134.
anūpa- 137.
antaripa- 137.
áp- 134 ff. 142.
ápavant- 136.

ápāk 121.
apratiṣṭha 84.
apya- 136.
apsú 134 f. 142.
abda- 142.
abhihutas 286.
abhyasḗthām 71.
abhrá- 139.
amṛta 126. 128.
ambu- 139 [2].
ambh- 139 [2].
ambhas 139. 145 [4].
áyāt 377.
dvidam 84.
avipālás 282.
ávōcam 100.
avda- 142 [1].
aśman- 62.
áśmā 124.
aśriṣ 219.
ásthi 113 f.
ah- 117 f.
áhiṣ 154. 270. 292.
ágas 93.
áttha 117.
ád 472.
āp- 134—137. 142.
ápitva- 146.
Áptya- 136. 143.
áplavatē 291.
áviṣ 131.
ās- 369.
áhutas 286.
icháti 68.

ichá 69.
ijyatḗ 289.
ijyá 289.
ijyát 289.
idám 93.
idhmá- 124.
iyát 377.
iṣanyati 411.
iṣṭás 289.
iṣṭiṣ 289.
iṣṇáti 136.
ím 98 f.
uyrás 280 [1].
ud 402.
udara 402.
udaradārá 85 [4].
udnás 73.
udbhyáṣá- 71.
úpa 280 [1].
upamás 280 [1].
uṣár- 306.
usrá- 219. 306 f.
úsriṣ 219.
úhati 123.
ṛjīṣás 124.
ṛṣabhá 73.
ḗṣati 411.
kakubbhaṇḍá- 184.
kakúbbhyām 184.
karṇa 116.
kiráti 181 [1].
kúha 241.
kṛṇátti 70.
kṛntáti 127 [2].

pṛcháti 68.
pṛchā 69.
pṛthiví 84 f.
pṛthú- 84.
pṛthví 84.
pratípa- 187.
pratyák 121. 123.
prathíta- 84.
prapitva- 146.
plavatḗ 291.
phála 104.
phála 104.
budhnás 290.
bhasas 77 [1].
bharatá- 127.
bhaviṣyáti 131.
bhasád 75. 77.
bhiyásāna- 71.
bhiyásē 71.
√bhī 71.
bhúriṣ 219.
bhṛtás 125.
bhṛṣṭi- 398.
bhyásat 71.
bhrátar 89.
mandhātar 89.
márīci 314.
marúti 461.
marútē 461.
markás 110 f.
mahilá 101.
mahílā 101.
mahēlā 101.
mātár 89.
mána 88 [3].
míh 108.
*míhiras 108.
mīḍha- 107 f.
mīḍhvás 107.
mṛtás 125 f. 128.
mḗ 241.
mēghás 108.
mēnakā- 125.
*mēnakā 125.
mḗḍhra- 107.
mēṇḍhras 107.
mḗṣati 112.
mēṣás 112.

mḗhati 107.
mḗhanas 107.
mēhánā 107.
mḗhas 107.
-mēhin 107.
mḗigha- 108.
ya- 229 [1].
yajatá- 127.
yájati 289.
yajñás 289.
yad 94.
yadā 95.
yātar 89.
yáti 60.
yāman- 60. 63.
yunákti 82.
rakṣa- 101 f.
rakṣaka- 101 f.
rakṣaṇa- 101 f.
rakṣati 101.
raghúṣ 270.
raśaná 103.
raśmán- 108.
raśmí- 108.
riṇakti 79.
rucáyatē 133.
rōcáyati 133.
rṓdhati 124 [1].
laghúṣ 270.
libujā 402.
vácas 74.
vadati 74.
vártatē 131 [1].
vartana 70.
varṣa- 141.
varṣantu 73.
vasu- 304.
vāc- 135.
vāñchati 68.
vāñchā 69.
vār, vāri 73.
vikṛntānām 127 [3].
vijāman 88 [2].
vijāmātar 88.
vijāmi 88 [2].
vijāvan 88 [2].
vittād 475.
viduṣī 325.

vimātar 88 [2].
vimātṛja 88 [2].
vírūpa 88 [2].
vívrata 88 [2].
vīḷás 69.
vīras 216.
vṛkas 279.
vḗda 369.
vēdáyati 133.
vēṣṭatē 70.
vāimātra 88 [2].
vāimātrēya 88 [2].
śákṛt 85.
śagmás 266.
√śudh 70.
√śubh 70.
śubhrás 219.
śubhríṣ 219.
śvētá- 78 [1].
śrēṇidant- 219.
ṣaṣṭíbhis 134. 143.
śákṛt 122.
śāta- 92.
√sad 78.
samīpa- 137.
samōham 123.
saráthas 220.
sarj- 403.
sādáyati 133.
sárathiṣ 219.
súar 76 [1].
skambhá 74.
skambhayati 74.
stanati 76.
sthálam 282.
sthali 282.
snuṣá 86 [3].
svániti 76.
svabhyasá- 71.
svasar- 86 [3].
svādúṣ 218.
svādví 218 f.
hádati 75.
hánmi 154.
hánti 268.
háras 153. 268.
háriṣ 219.
haryatá- 127 [2].

Vesulliais 259. 263.
Viriium 259.
Virriieis 259. 263.
zicolois 214.

Sabinisch.

flusare 215.

Marrucinisch.

ferenter 261.
feret 261.
pacrsi 221.

Pälignisch.

cnatois 241.
pristafalacirix 261.
sefei 241.
sestatuens 261.

Marsisch.

dunom 215.

Volskisch.

corehriu 216 [1].
se 241.
sistiatiens 261.

Pränestinisch.

nefrōnēs 270 f.

Italienisch.

andare 333.
canterò 257.
che 94.
colonna 212.
ebbene 333.
embé 333.
largo 212.
subbato 328.
scala 205.
tastare 70 [2].

Ladinisch.

sonda 328 f.

Friaulisch.

sabide 328.

Calabrisch.

ambeccè 333.
gibba 333.
jimba 333.

Spanisch.

sabado 328.
zambullir 333.

Katalonisch.

dissapte 328.

Portugiesisch.

sabado 328.

Sardisch.

sabbadu 328.

Provenzalisch.

dissapte 328.

Französisch.

chanterai 257.
goûter 70 [2].
misère 111.
neté 371.
netteté 371.
que 94.
rendre 333.
samedi 328 f. 334.
afr. *sedme* 238 [2].
afr. *semedi* 238 [2].
tâter 70 [2].

Rumänisch

sîmbătă 328.

Mazedoruman.

sâmbată 328.
sâmbăta 328.

Istrorumänisch

sómbată 328.

Irisch.

(Alt-, Mittel-,
irisch).

abann 139 ff.
abra 271.
aibēis 141.
airdirc 219.
anble 297.
anbsud 297.
anfechtnach 297.
ár 271.
arbur 298.
Argetbor 298.
áru 270 ff.
atbail 266. 287.
atomaig 289.
atrubalt 287.
bard 275.
béimm 266. 274.
ben 266. 290.
benim 154. 273 f.
bél 276.
beo 265.
do-béra 271.
bét 274.
biail 273.
bir 266.
bithe 273.
bó 265.
brdge 266.
mir. *bras* 266.
bress 266.
bró 266.
broo 266.

strichen 95.
strodelen 402.
strudel 339.
stupfel 103.
sunder 102.
trolle 339.
trulle 339.
trülle 339.
tühen 105.
tuck 105.
thwengen 156 [1].
unc 292.
nover 136 [2].
wätsac 397.
wer 361.
zal 356.
zinden 325.
zidelbast 340.
zilant 340.
zumpf(e) 93.
zumpfelin 93.

Neuhochdeutsch.

abend 145 [4].
achse 118.
achsel 118.
acht 362.
aff 360.
ahn 359.
ahne 359.
alt 321.
ander 157.
antlitz 355.
ar 359.
au 355.
auge 364.
aus 401.
ausser 411.
bär 360.
bahne 362.
bahre 361.
ban 362.
bauer 355.
beere 362.
beet 364.
begier 362.
ber 359.

besem 355.
bett 364.
bette 364.
biber 271.
biene 362.
bild 363.
bilde 363.
birne 362.
blitz 358.
blüt 363.
blume 362.
born, börne, 358.
bote 360.
braue 355.
brei 355.
brüh 356.
brühe 355.
brunne 358.
brunnen 358.
bub 360 [2].
bulle 104.
christe 361.
comete 361.
creutz 364.
creutze 364.
schweiz. daube 318.
dial. dauen 105.
daum 361.
dick 357.
dicke 358.
dirne 362.
dorn 358 [1].
drach 360.
drache 360.
dreher 323.
dreiste 358.
dröhnen 76.
dünne 357 f.
dürre 358.
ebbe 137.
ehe 356.
ehre 362.
eil 363.
elend 355.
fahne 362.
fahr 361.
falk 360.
fallen 337.

farr 359.
farre 359.
fehl 362.
feier 355.
feig 357.
feil 357.
fest 357.
figur 363.
fink 360.
fischar 359.
schweiz. fladere 320.
fledermaus 319.
flur 362.
form 362.
forme 362.
forschen 69.
frau 355.
fried 358.
friede 358.
frost 361.
früh 356.
frühe 355 f.
fuchs 360.
fürst 359.
fürste 359.
funke 358.
furcht 362.
gander 319.
gans 15 f. 319.
gau 358 [1].
gaukler 402.
gaum 361.
gebeine 364.
gebiete 364.
gebirge 363.
gebühr 362
gedürme 364.
gedanke 360.
gedichte 364.
geduld 362.
gefahr 361.
gefechte 364.
geferte 360.
gefess 364.
gehen 355.
geheule 364.
gehör 364.

Neubulgarisch.

Altslovenisch.

Neuslovenisch.

przes 401.
przez 401.
robociądz 405.
rzegotać 401 [1].
ścieżka 399.
S'lązak 405.
ślędz 405.
altpoln. *słza* 402.
Stambuł 402.
słdze 399.
szuvar 205.
trzaska 399 [3].
schles. *Ujęzd* 402.
ulga 405.
wacek 397.

wąż 270. 292.
węgorz 270. 292.
wirciadło 404.
wrodzy 404.
wygodny 403.
wysoczyzna 400.
wznieć 403.
zaciąg 405.
schles. *za globa* 400.
zdanie 403.
zdobić 403.
zdun 403.
Zdzisław 403.
zegar 402.
altpoln. *zgębę* 404.

zgłoba 400.
zwierciadło 404.
źrenica 404.

Polabisch.

mǎgla 109.
mǎgojé 110.
priz 401.
rzać 401.
rżeć 401.

Kaschubisch.

ćij 52.
ozgamba 404.
żibći 52.

II. Nichtindogermanische Sprachen.

Finnisch.

kaltio 287.
luokka 396.
luokki 396.
paasma 396.
pasma 396.
tulkki 396.

Magyarisch.

szombat 328.

Arabisch.

andar 332.
dżabbar 331.
sabbe 329.

sabt 329.
sanba 329.

Türkisch.

dżabbar 331.

Hebräisch.

Jerubbaal 330.
šabbat 328.
šabbāt 326. 328. 330. 332f.

Aramäisch.

Jabbugā 330.
sabbḗkā 330.

Syrisch.

abbūbu 330.
dbbūlā 331.

Assyrisch.

ambūbu 330.

Sabäisch.

ambūb 330.

Äthiopisch.

sanbat 329. 332.

Phönikisch.

Abba 145 [3].

München. Gustav Morgenstern.

Universitäts-Buchdruckerei von Carl Georgi in Bonn.

ANZEIGER

FÜR

INDOGERMANISCHE SPRACH- UND ALTERTUMSKUNDE.

BEIBLATT ZU DEN INDOGERMANISCHEN FORSCHUNGEN

HERAUSGEGEBEN

VON

WILHELM STREITBERG

VIERTER BAND

STRASSBURG

VERLAG VON KARL J. TRÜBNER

1894

Inhalt.

ANZEIGER

FÜR INDOGERMANISCHE SPRACH- UND ALTERTUMSKUNDE.

BEIBLATT ZU DEN INDOGERMANISCHEN FORSCHUNGEN
HERAUSGEGEBEN
VON

WILHELM STREITBERG.

BAND IV. OKTOBER 1894.

Meyer G. Essays und Studien zur Sprachgeschichte und Volkskunde. Zweiter Band. Strassburg Trübner 1893. VI u. 380 S. 8⁰. M. 6, in Leinwand geb. M. 7.

Der zweite Band von Gustav Meyers Essays darf auf eine ähnliche freundliche Aufnahme rechnen, wie sie der erste erfahren hat. Wieder spricht der Verf. zu uns als ein moderner weltmännisch gebildeter Gelehrter, welcher, vielbelesen und weitgereist, mit sicherer, ich möchte sagen grossstädtischer, Eleganz einem grösseren Publikum aus seiner Lektüre und Beobachtung Mitteilungen zu machen versteht. Er verschafft zunächst seinen Lesern mit grossem Geschick Anteil an den Tagesvorfällen der indogermanischen Sprach- und Kulturforschung. Familienereignisse der Sprachwissenschaft wie G. Curtius' Tod, Bopps hundertjähriger Geburtstag geben Anlass zu biographischen Skizzen; zu neuen Entdeckungen wie der Auffindung der etruskischen Mumienbinden im Agramer Museum nimmt er Stellung; für neue Bücher wie Gregorovius' Geschichte der Stadt Athen, Krumbachers Byzantinische Litteratur weckt er das Interesse. Manches trägt freilich einen stark passageren Charakter. Herrn Engels Reform der Aussprache des Altgriechischen, für die der kritiklose Unverstand der Tagesblätter eine kurze Weile die Teilnahme unbeschäftigter Menschen erregte, ist längst vergessen, und ich kann mich bei der Lektüre des sie betreffenden Aufsatzes der Frage nicht erwehren, ob es sich denn wirklich der Mühe verlohnte, zum Besten aufklärungsdurstiger Philister das Totgeborene noch besonders tot zu schlagen und gar den Totschlag nachträglich auf leidlich gutem Papier zu verewigen. Auch was über 'Weltsprache und Weltsprachen' gesagt ist, finde ich allzusehr

auf die Leser der Schlesischen Zeitung berechnet[1]. Der Verf.
hätte sich unser aller Dank verdient, wenn er versucht hätte,
mit seiner leichten Feder die Bestrebungen der Herren Schleyer
und Genossen im Zusammenhang mit verwandten idealistisch-
konstruierenden Bestrebungen unserer Zeit als ein psychologi-
sches Symptom zu beleuchten; denn als solches sind sie gar
nicht uninteressant. Ich bin überzeugt, dass man in der sozial-
demokratischen Utopia einst Volapük sprechen wird.

Die Aufsätze der Volkskunde, das Wort im weitesten Sinne
genommen, überwiegen diesmal die zur Sprachgeschichte gehörigen. Ich finde am gelungensten die zur Charakteristik der
indischen Litteratur geschriebenen, was vielleicht daran liegt,
dass ich hier am unbelesensten bin. Sehr anschaulich und
fesselnd sind die den letzten Teil des Buches einnehmenden
Schilderungen von Reisen des Verfassers in Griechenland und
Unteritalien. Der Verf. hat sich offenbar mit Erfolg an Gregorovius geschult, mit dem er als Persönlichkeit freilich nichts
gemein hat. Fehlt in seinen Reiseskizzen die gewaltige histo-
risch-philosophische Weite des Blickes, so tritt andrerseits die
Gelehrsamkeit weniger aufdringlich hervor als bei Gregorovius.
Den Volkscharakter weiss er mit schmiegsamem Anempfinden
fein zu schildern; auch eine leise Spur von Sentimentalität
fehlt nicht. Man lese die Partieen, in denen er uns in das
weltfremde Griechenstädtchen Kallimera führt oder das einst
gewaltige, nun friedlich stille Tarent. Ähnlich wie V. Hehn
seine Völkerpsychologieen zu geben liebte, leitet G. Meyer aus
der Zusammensetzung der Bevölkerung Italiens den Unterschied in den poetischen Erzeugnissen her; an dem kleinen
Aufsatz 'Volkslieder aus Piemont', der aus Anlass von Nigras
'Canti popolari del Piemonte' geschrieben ist, wird auch der
Forscher nicht vorbeigehn[2]. Überall wo Meyer vom Volksliede
spricht, erzielen Kenntnissreichtum und ungewollte Wärme
der Darstellung eine wohlthuende, anregende und belehrende
Wirkung.

---

1) Ich muss mich doch wohl täuschen. Seit ich diese Zeilen
niederschrieb, hat Meyers Aufsatz einen hervorragenden Sprachforscher — Hugo Schuchardt — zu einem offenen Brief über Welt
sprache und Weltsprachen veranlasst, der freilich meinen Unglauben
an Volapük nicht beseitigt hat.
2) Über die 'Donna Lombarda' und die anderweitigen Nach-
klänge der Rosamundensage hat inzwischen Erich Schmidt in der
Berliner Gesellschaft für deutsche Litteratur einen interessanten
Vortrag gehalten (s. Vossische Zeitung vom 11. Mai 1894).

Göttingen, 15. Okt. 1893.   Victor Michels.

Philologische Abhandlungen Heinrich Schweizer-Sidler zur
Feier des fünfzigjährigen Jubiläums seiner Dozententhätig-
keit an der Zürcher Hochschule gewidmet von der I. Section
der philosophischen Facultät der Hochschule Zürich. Zürich
Höhr 1891. V u. 79 S. gr. 4⁰. M. 4.

Die vorliegende Festschrift, dem verdienten, jetzt leider
gestorbenen Sprachforscher dargebracht, enthält 6 verschiedene
Abhandlungen, zwei aus der romanischen Grammatik von Tobler und Morf; dann einen Ausschnitt aus einem grösseren Werke
Mistelis, den ich, weil er Fragment ist, zu besprechen unter-
lasse. "Über die Verwertung der wissenschaftlichen Ergebnisse für die Schulsyntax des lateinischen Infinitivs" handelt
Alfred Surber. Sein Prinzip wird gewiss den Beifall des Sprach-
forschers finden, wie es scheint aber nicht den der klassischen Philologen. Zu einer Kritik der entwickelten Ansichten
fühle ich mich nicht berufen. Die beiden übrigen Aufsätze
sind für die lateinische Lautlehre und für die indogermanische
Kulturgeschichte von Bedeutung. Adolf Kægi behandelt die
Neunzahl bei den Ostariern.

Eine Inhaltsangabe von diesem ist bereits Idg. Anz. I
166 gegeben. Den Anschauungen des Verfassers kann ich
mich völlig anschliessen. Seine Arbeit wird hoffentlich weitere gute Früchte tragen, indem die Forschung sich immer-
mehr von dem Trugbilde einer indogermanischen Götterlehre
zu der wahren Kenntnis durchringen wird, dass die Indogermanen in ihren geistigen Anschauungen auf keinem andern
Grunde gestanden haben, als auf dem viele primitive Völker
heute noch stehen. Durch Rohdes Psyche und durch diesen
Aufsatz ist die reine Verneinung verlassen. Mehr als billig
hat die indogermanische Altertumskunde ihre besonderen Wege
eingeschlagen; es ist jetzt vor allem nötig, dass sie die Ethnologie in ihren Fragen heranzieht. Wollen wir die festgestellte Thatsache richtig erkennen, so müsssen wir einen Rahmen finden, von dem sie sich abheben. Und das ist der einzige Punkt, nach dem die vortreffliche Abhandlung einer Ergänzung fähig wäre. Finden sich auch bei andern Völkern
ähnliche Anschauungen? Sind sie psychologisch begründet,
oder haben wir es mit einer längeren Entwicklungsreihe zu
thun? Beides ist möglich. Die Toten werden verehrt,
weil man sie fürchtet, und man fürchtet sie, weil sie im
Traum erscheinen. Das können aber nur Geister thun, die
man selbst gekannt hat, und so finden die drei Väter ihre
einfache Begründung in den natürlichen Verhältnissen. Ich
verweise noch auf Herbert Spencer Principles of Sociology I
304 ff.

Meyer-Lübke behandelt die Schicksale des indoger-

manischen *o* im Lateinischen.   Er hat damit einem wunden
Punkt der lateinischen Grammatik berührt, die Frage aber
jedenfalls ein gut Stück gefördert.   Bei der Untersuchung
unterstützt ihn das fortwährende Heranziehen der modernen
romanischen Sprachen, das bei zweifelhaften Fällen ausserordentlich wertvoll ist.   Seine Resultate sind folgende.

u für *o* erscheint

1. durchweg in der betonten Paenultima: *angustus*.

2. in Anlautsilben a) vor *n*+labialen Konsonanten, zu
denen auch *gu* gerechnet werden muss, *umbo*, *unguen*. b)
vor *l*+Kons. *culmen* neben *columen*.

3. Vor Verschlusslauten und *r*-Verbindungen erscheint *o*
hostis, ebenso vor einfachem *r*, *n*, *m*.

4. Vor einfachem *l* findet sich *o* und *u*.   Im ganzen ist
o lautgesetzlich, doch sind die Ausnahmen schwer zu erklären.
dasselbe gilt von *ll*.   Dass *pullus* sein *u* von *puer* erhalten
hat, will mir nicht recht einleuchten.

5. *oms* ist zu *ums* geworden.   *cum* und *con* sind vor
verschiedenem Anlaut des Wortes entstanden: *cum patre*,
cum bove sind lautgesetzlich nach 2.   Danach ist *cum* ohne
geschaffen.   In der verbalen Zusammensetzung ist *con* verallgemeinert.   Die Möglichkeit dieser Hypothese muss ohne weiteres zugestanden werden, völlig befriedigend ist sie nicht.
Etwas besseres vermag ich freilich nicht an die Stelle zu
setzen.

6. Vor *r*+Kons. liegen die Verhältnisse am allerver-
wickeltsten und hier muss der Verf. auch manches unaufgeklärt lassen.   Denn mit der blossen Vermutung, dass z. B.
sturnus und *turdus* als Vogelnamen nicht echt lateinisch sind,
kann uns ja nicht gedient sein.

Im Grossen und Ganzen zeigt aber die Abhandlung,
dass die Verhältnisse des Vokalwechsels im Lateinischen doch
nicht so verzweifelt liegen, als man bei oberflächlicher Betrachtung glauben könnte.   Diese Untersuchung mahnt die
Sprachforscher, die Betrachtung des lateinischen Vokalismus
von Grund aus wieder aufzunehmen.   Es wird bei einer alles
umfassenden Untersuchung manche Ansicht des Verf. vielleicht
verändert, manche auch noch sichrer bestätigt werden, in der
Hauptsache glaube ich werden seine Ergebnisse sich als stichhaltig erweisen.

Schliesslich bespricht Meyer-Lübke noch *mamphur*, an
dessen Stelle *manfar* zu schreiben ist auf Grund der modernen Dialekte.   Das Wort ist aber in dieser Gestalt nicht echt
lateinisch, sondern aus einem der italischen Dialekte entlehnt.
In Rom muss aber auch *mandar* bestanden haben, wie die

modernen Dialekte beweisen. Etymologisch hängt das Wort
zusammen mit skr. *manth,* gr. μόθουρας, anord. *möndull.*

Leipzig. **H. Hirt.**

Müller A. Vorgeschichtliche Kulturbilder aus der Höhlen-
und älteren Pfahlbauzeit. Mit besonderer Berücksichtigung
Süddeutschlands und der Schweiz. Für Freunde der Prähistorie entworfen von Dr. G. A. M. Mit 11 Tafeln. Bühl
Konkordia 1892. IV u. 144 S. 8°. M. 2.80.

Das vorliegende Buch nimmt mit keinem Wort Bezug
auf die Forschungen der indogermanischen Altertumskunde,
und man wird deshalb vergeblich nach Auskunft suchen über
Probleme, die den Sprachforscher speziell interessieren. Das
ist natürlich kein Mangel; ich bemerke es nur, um keine
unnützen Erwartungen zu erregen. Es ist für Laien, Freunde
der Prähistorie geschrieben, und zu diesen werden die Sprachforscher gewiss gehören, soweit sie sich für die Altertumskunde, man könnte sie die angewandte Sprachwissenschaft
nennen, interessieren.

Ohne eine gründliche Kenntnis der Vorgeschichte Europas wird man auf unserm Gebiete keinen Schritt sicher thun
können.

Es fragt sich also nur, ob das Buch geeignet ist, in
dieses Wissensgebiet einzuführen. Wenn man sich auch in
der Kritik einer fremden Wissenschaft einer gewissen Zurückhaltung befleissigen muss, so glaube ich doch, dass man die
gestellte Frage mit ja beantworten kann. Das Buch ist durchaus populär, instruktiv und mit kritischem Geiste geschrieben.
Man wird wirklich eingeführt, und man erhält über das Auskunft, was man sucht. So weit meine Kenntnis der Litteratur auf diesem Gebiete reicht, die ja allerdings nicht vollständig ist, kenne ich kein Buch, dass derartig bequem über
die Vorgeschichte orientierte.

Das Buch, um über seinen Inhalt wenigstens etwas zu
berichten, enthält folgende Kapitel: 1. Zweck, Bedeutung und
Prinzipien der Prähistorie. 2. Kurzer Überblick über die einzelnen Kulturperioden. 3. Die ältere Steinzeit. 4. Das Waffen-
und Werkzeugsmaterial in der Steinzeit überhaupt. Werkzeug und Waffe in den Höhlen. 5. Schmuck und künstlerische Versuche in der älteren Steinzeit. — Thongefässe. —
Anthropologisches. 6. Das sogenannte Hornzeitalter. 7. Die
jüngere Steinzeit. Prinzipienfragen der Kulturentwicklung. —
Die Höhlen der jüngeren Steinzeit. — Flachlandsansiedelun-
gen. — Pfahlbauten. 8. Die Pfahlbauten. Die Entdeckung der

Pfahlbauten.   Ihre europäische und aussereuropäische Verbreitung.   Die Pfahlbauten als Wohnungen.   9. Die Konstruktion
der Pfahlbauten.   Pfahlbauten und Crannoges.   10. Ursache
und Zweck der Pfahlbauten.   Mitlaufende Fragen: Alter und
Dauer.   Zweckveränderungen.   Ethnographische Vergleichsmomente.   11. Ackerbau, Viehzucht, Fischfang, Jagd.   Die Fundbeweise.   Gerätschaften.   Die Fauna der Höhlen und Pfahlbauten.
12. Der Schmuck der jüngeren Steinzeit.   Zeichnungskunst und
Plastik.   Die Verzierungen auf Thongefässen.   Ethnographische
Vergleichsmomente.   13. Geräte und Werkzeuge.   Die Textilindustrie der Pfahlbauer.   14. Gräber und Totenbestattung.
15. Soziales Leben.   Gewerbe, Handel und Verkehr.   16.
Megalithe und Schalensteine. — Sehr willkommen sind ferner
die Tafeln, sie sind auf diesem Gebiete geradezu unentbehrlich, und es ist vielleicht der grösste Mangel an Schraders
Buch, dass ihm jede Abbildung fehlt.   Denn dadurch werden
die prähistorischen Entdeckungen erst recht lebendig.   Ausstattung und Druck sind sehr gut, und so wird sich dieses
Buch auch unter Sprachforschern manche Freunde erwerben.

    Leipzig.   H. Hirt.

Passy P. Étude sur les changements phonétiques et leurs caractères généraux.   Thèse pour le doctorat présentée à la
Faculté des Lettres de Paris.   Paris 1890, librairie Firmin-
Didot, 56, rue Jacob.   270 S.   8°.   Fr. 8.

Le Maitre Phonétique.   Organe de l'Association Phonétique des Professeurs de Langues vivantes.   Rédaction et
administration: 92, rue de Longchamps, Neuilly-St. James.
Monatlich 1 bis 1¹/₂ Bogen 8°.   Preis jährlich 4 Fr.; für
Mitglieder gratis (Jahresbeitrag 3 Fr.).

    Die an erster Stelle genannte Studie über den Lautwandel verdient die Aufmerksamkeit auch der Indogermanisten in viel höherem Masse, als es nach der leider durch
meine Schuld argen Verspätung dieser Anzeige scheinen
könnte.   Der Verf. hat sich als Darsteller der Phonetik des
modernen Französisch einen Namen gemacht.   Er beherrscht
sämtliche romanische und germanische Idiome, ganz vorzüglich z. B. Englisch und Deutsch, weiss auf andern linguistischen Gebieten Bescheid und entbehrt auch der philologischen Schulung nicht.   Er war also der Mann, es mit dem
bis dahin, wie er sagt, fast nur beiläufig (und zwar mehr spekulativ als induktiv!) behandelten Problem des Lautwandels
einmal ernstlich aufzunehmen.   Doch erhebt er nicht den
Anspruch, mehr zu bieten, als einen Versuch.   Zwar kann

ich mich dem Verf. nicht in allen Punkten anschliessen, sehe darum aber nicht minder klar, dass seine Arbeit nicht nur für ihn, sondern die ganze 'jungphonetische' Richtung einen vollen Erfolg bedeutet.

Die Einleitung (S. 1—24) stellt die Ziele der Untersuchung fest und betrachtet kurz die sprachlichen Veränderungen im allgemeinen, mit andern Worten die Entstehung der Dialekte. Hier tritt bereits als leitender Gedanke der zweite Satz des Schlussrésumés (S. 255) hervor: Die Hauptursache des Sprachwandels ist die unvollkommene Nachahmung der Sprache der Erwachsenen durch die Kinder.

Der erste Hauptteil, *Éléments phonétiques du langage* (S. 25—103), umfasst eine kurze allgemeine Phonetik, mit Ausnahme des Lautwandels, der dem zweiten Teil, *Aperçu des principaux changements phonétiques* (S. 104—222), vorbehalten ist. Beide Abschnitte geben das Bekannte in selbständiger Auffassung und eine Fülle eignen Materials. Bezeichnend ist, dass die französische Fachterminologie sich in manchen Punkten als ungenügend erwies. So hat Passy für die stimmlosen, geflüsterten und stimmhaften Laute statt der missverständlichen Ausdrücke *sons sourds*, *s. chuchotés* und *s. sonores* die neuen *s. soufflés*, *s. chuchés* und *s. vocaliques* eingeführt, angesichts der Unbestimmtheit der Wörter *son* (Laut und Ton), *sifflement* (Pfeifen und Zischen), *force* (Stärke und Lautheit) aber z. B. keinen Rat gewusst. Über Passys Umschrift werden hier unten bei der Besprechung der *Maitre Phonétique* ein paar Worte zu sagen sein. Auf Einzelfragen der Phonetik kann ich überhaupt nicht eingehen. Auch bei dem das Hauptinteresse bietenden dritten Teil des Buches: *Caractères généraux des changements phonétiques* (S. 223—257), kann ich nur an das vom Verf. gegebene Résumé anknüpfen. Ich wiederhole es in noch etwas gekürzter Form: 1) Die Sprache ist, vom phonetischen Standpunkt betrachtet, in fortwährender Umwandlung begriffen. 2) Die Hauptursache ist die unvollkommene Nachahmung seitens der Kinder (s. o.). 3) Die Unvollkommenheit manifestiert sich in zwei Haupt-'Tendenzen' [unter 4) heissen sie 'Prinzipien'] von allgemeiner Giltigkeit, der Tendenz der Ersparnis und der Tendenz der Hervorhebung. 4) Aus diesen beiden 'Prinzipien' ergeben sich teils allgemein giltige, teils besondere Tendenzen der Laute oder Lautgruppen. 5) Die Lautwandlungen erscheinen als Resultante dieser bald so, bald so kombinierten Tendenzen. 6) Die Resultante variiert nach Ort und Zeit, ist aber in derselben Periode desselben Dialekts unter gleichen Umständen in der Regel dieselbe. Nur insofern kann man von bestimmten Lautgesetzen

bung des Muskelgefühls' u. dgl. m. Aber Passy unterschätzt, wie mir scheint, den Lautwandel im Munde desselben Sprechers (und somit derselben Generation). Man denke nur z. B. an das stimmhafte *s* neben stimmlosem *s* in Mitteldeutschland, das Zäpfchen-*r* neben Zungen-*r* in den Städten, das *α* neben *œ (fast)* in Nordengland usw. Der Lautwandel vollzieht sich, indem der Sprecher allmählich den einen Laut (in den genannten Fällen den letzteren) auf Kosten des andern durchführt. Man versteht auch bei Passy nicht recht, in wiefern sich die Unvollkommenheit der Nachahmung in den Prinzipien der Ersparnis und der Hervorhebung 'manifestieren' soll. Diese Prinzipien 'beweisen' doch nicht, dass das Kind unvollkommen nachgeahmt hat. Eher sind sie die Ursache, dass es unvollkommen nachahmt. Aber doch meistens nicht so, dass ein Kind, das nur einen bestimmten Laut hörte, dauernd dafür einen andern bestimmten Laut, wenn auch einen sehr nahestehenden, aussprüche, weil es ihm entweder bequemer, oder gar weit deutlicher erschiene. In der Regel wird es sich vielmehr um eine nach jenen Prinzipien unter mehreren Mustern getroffene Wahl handeln, die auch (s. o.) nicht gleich bei der ersten Spracherlernung zu erfolgen braucht. Hier haben wir also keine 'unvollkommene Nachahmung', sondern ein *'survival of the fittest'*. Übrigens giebt auch Passy in der Einleitung andere Gründe für die Unvollkommenheit der Nachahmung an als die Prinzipien der Ersparnis und der Hervorhebung (z. B. S. 20: das Kind weiss das

Gehörte nicht richtig wiederzugeben; S. 22: seine Aussprache-fehler bleiben zum Teil unverbessert; usw.).

Die grosse Bedeutung dieser beiden Prinzipien für den Lautwandel (S. 229 hebt Passy die Gemeinsamkeit ihres Ursprungs mit Recht hervor) will ich nach dem Gesagten keineswegs bestreiten. In der That geht eine ganze Reihe einzelner 'Tendenzen' (Satz 4) darauf zurück. So z. B. beim freien Lautwandel: das Zusammengehen von velarer (gutturaler) Artikulation und Lippenrundung, beim gebundenen Lautwandel: die Assimilations- und Dissimilations-Erscheinungen usw., worüber Passy S. 224 f. zu vergleichen ist.

Auch mit den Sätzen 5—8, einschliesslich des Urteils über die Lautgesetze, bin ich als solchen einverstanden. Es stört mich nur die einseitige Beziehung auf die Theorie der unvollkommenen Nachahmung.

Ich glaube, wir erhalten ein richtigeres Bild, wenn wir die verschiedenen, den Lautwandel bewirkenden Einflüsse, die im einzelnen ja auch Passy würdigt, etwa in folgender Weise zusammenstellen. Ich schliesse auch die Hauptquelle der Nachahmung, die Sprache der Mutter, mit ein, obgleich die Frage des Lautwandels von der Voraussetzung ausgeht, dass das Kind von Rechts wegen gerade so sprechen müsste wie die Mutter, obgleich also Lautwandel nur das ist, was von der Sprache der Mutter abweicht.

A. Einflüsse bei der Rezeption.

I. äusserliche.

1. dialektische (umgangssprachliche): Mutter — übrige Familie — Wärterin, Dienstboten — Freunde, Mitschüler usw. — Dialektzentrum (Hauptstadt).

2. schriftsprachliche: nächste Umgebung (vgl. 1) — Schule — Kirche usw.

Dialektmischung (bei der Reproduktion: Entlehnung)

3. fremdsprachliche: Hören fremder Sprachen (Sprachmischung).

II. innerliche.

1. physische Beschaffenheit des Gehörorgans (zeitweilig: z. B. unvollkommene Entwicklung in der Kindheit; Störun-

B. Einflüsse bei der Reproduktion.

I. allgemeine: Bedürfnis der Verständigung.

1. 'Tendenz der Ersparnis' (Unterdrückung des Unwichtigen).

2. 'Tendenz der Hervorhebung' (Hervorhebung des Wichtigen).

II. äusserliche (vgl. auch A. I.).

1. zeitweilige Umstände (ob Unterhaltung, öffentliche Rede usw.).

2. dauernde Umstände (berufsmässiges Reden usw.).

3. Lebensgewohnheiten, Mode usw.

4. Gegend, Klima (?).

III. innerliche.

1. physische: Beschaffen-

gen durch Krankheit oder Alter; oder dauernd: ob 'gutes Ohr' oder nicht usw.).

2. psychische: Beschaffenheit des Auffassungsvermögens (zeitweilig: Stimmung; auch Gewöhnung an das Hören fremder Laute — vgl. I, 3; oder dauernd: Temperament, geistige Begabung).

heit der Sprachorgane (zeitweilig: z. B. unvollkommene Entwicklung in der Kindheit; oder dauernd: Eigentümlichkeiten; Missbildungen, Sprachgebrechen; auch Gewöhnung an das Sprechen fremder Laute).

2. psychische: (vgl. A. II, 2).

(Je nach der Art der Einflüsse kann Vererbung — 'ethnologischer Einfluss' — hinzukommen.)

Zur Illustration und Belebung dieser trockenen Aufzählung verweise ich auf Passys inhaltreiches und anregendes Buch.

Durch die Gründung der *Association Phonétique* und ihres Organs, *Le Maître Phonétique*, hat sich Passy grosse Verdienste um die Ausbreitung phonetischer Kenntnis und deren Bethätigung im Unterricht erworben. Verein und Zeitschrift stehen jetzt im neunten Lebensjahre. Jener zählt nach der letzten Nummer des *M. Ph.* 611 Mitglieder. Im Januar 1894 waren es 522, davon ausser den 19 Ehrenmitgliedern 43 in Frankreich, 33 in England, 160 in Deutschland, 29 in Österreich-Ungarn, 11 in der Schweiz, 5 in Belgien, 13 in Holland, 14 in Spanien, 8 in Portugal, 1 in Italien, 32 in Dänemark, 2 in Island, 6 in Norwegen, 61 in Schweden, 42 in Finnland, 9 in Russland, 1 in der Türkei, 20 in den Ver. Staaten, 5 in Kanada, 7 in Chile, 1 im Kongostaat. Wie man sieht, ein wahrhaft internationaler Verein. Ehrenpräsident ist Sweet, Präsident der Unterzeichnete, Vizepräsidenten Vianna und Fr. Wulff, Schriftführer und die Seele des Ganzen G. Passy. Den Inhalt des *M. Ph.* bilden Aufsätzchen und Korrespondenzen über phonetische und verwandte Fragen, in franz., englischer und deutscher Sprache, Übungstexte auch in andern Sprachen; alles in der Transskription des Vereins. Nicht nur um des vielseitigen und verlässlichen phonetischen Materials willen, sondern auch im Hinblick auf die Lautschriftfrage verdient die kleine Zeitschrift hier erwähnt zu werden. Ich glaube, die Transskription der *A. Ph.* — sie stimmt im Wesentlichen mit der des Oxforder *New English Dictionary* (Murray) überein — wäre sehr wohl geeignet, sich zu einer universalen Lautschrift, zunächst für die Zwecke der Linguisten und Sprachlehrer, zu entwickeln. Gewiss ist sie noch verbesserungsfähig, und diese Frage wird im Vereinsorgan lebhaft erörtert. Wir wür-

den uns freuen, auch in dem Kreise der Leser dieser Zeitschrift
Mitarbeiter und — Mitglieder zu finden.
Marburg.　　　　　　　　　　　　　　W. Vietor.

———————

Burchardi G. Die Intensiva des Sanskṛt und Avesta. Teil II.

Der zweite und Schlussteil der oben II 163 notierten
Schrift ist BB. XIX 169—227 erschienen. S. 169—182 beschäftigen sich mit den verschiedenen Arten der Reduplikation, S. 185—225 bieten eine Zusammenstellung der indischen
und avestischen Intensivbildungen und zwar fürs Indische
sowohl derer, die in der Litteratur bezeugt sind — in 5 Abteilungen: Veda, Brahm., Upan. Sutr., Gramm. Komm., Klass.
Skr. (einschl. Epen) — als auch der von den Grammatikern
vorgeschriebenen; die letztern bilden die Mehrheit.

Die Sammlung, die selbstverständlich die Grundlage der
ganzen Arbeit bildet und von deren Güte alles abhängt, ist
leider fürs Indische unvollständig, fürs Avestische schlechthin unbrauchbar. In den beiden Petersburger Wörterbüchern,
in Whitneys Wurzeln sowie in dessen Grammar [2] (§ 1000 ff.,
1143 e) standen dem Verf. fürs Indische treffliche Vorarbeiten zu Gebote. Wie aber deren Vergleich mit B.s Sammlung
lehrt, hat B. sie nicht ausgenutzt. Ich vermisse z. B. *caḳ-
mā-, tā́tṛpi-, vavatā́-, vavatdr-, sasahi-* (diese alle im RV.).
Auch sind die Angaben bezüglich des Vorkommens der einzelnen Beispiele nicht immer zuverlässig, so findet sich z. B.
vavadūka- nach dem PW. auch im MBh. Die Formen wie
cakanyāt, cakandhi usw. bei Whitney Grammar [2] § 786 a
sind, wie es scheint, absichtlich weggelassen. Das hätte meines Erachtens nicht geschehen dürfen; denn es fehlt doch
an jedem objektiven Kriterium dafür, dass jene Formen gerade zum Perfektsystem gehören; Delbrück Verbum 135 f.
war vorsichtiger; s. auch Whitney a. O. § 819.

Fürs Avestische brachte der Verf. kein weiteres Rüstzeug mit als Justis Handbuch, dem er seine 19 Beispiele
beim Durchblättern entnommen hat, einschliesslich der grammatischen und lexikalischen Bestimmung und einschliesslich
der Stellenangaben (nach Spiegel u n d Westergaard). Die
Abweichungen beruhen auf blossen Versehnissen; so die Ein-
stellung von *niždaredairyap̌* unter *dar-* 'halten' statt 'reissen'
und die Anführung eines *hanuharenąm* (S. 179) statt °*nę*.
Dass er sich die Texte selber nicht angesehen hat, dafür
bürgt ,sein *daṅhupaperetana* 'Kampf um die Gaue'; vgl.
KZ. XXV 513 und die Neuausgabe. Die beiden gegen mich
gerichteten Bemerkungen (S. 174, 188) zeigen nur, dass dem

Verf. die neuere Litteratur zur Sache unbekannt geblieben
ist; vgl. zu ai. *iradhanta* usw. meine **Studien I 125, su-ve-**
reśyeinti usw. meine AF. III 32, KZ. XXIX 34 f., Geldner
KZ. XXX 515, Th. Baunack Studien I 391 f., Jackson Grammar I § 31. Wie es mit des Verf.s Kenntnis der avestischen
Grammatik bestellt ist, lehrt die Einordnung des av. *hauu-
harena-* (S. 179) dessen *ꞅ* für den Vertreter eines alten Nasals genommen wird; in der That ist aber *hauŭ°* = ar. **°sa-
syarana-** mit *wuh* für *su* wie überall; s. unten. Man versteht schwer, wie der Verf. dazu kam, das Iranische in seine
Arbeit hereinzunehmen.

Damit des Verf.s Sammlung der Intensiva des **Avesta**
keinen Schaden anrichte, will ich in thunlichster Kürze was
Not thut berichtigen. *carekeremahi* gehört zu ai. *carkarti*;
in Y. 58. 4 ist zu übersetzen: 'der Viehbesitzer ist gerecht,
tapfer, gut; die Viehbesitzer rühmen wir'; vgl. KZ. XXVIII
404 ff. Dazu gehört das vergessene Nomen *carekerepra* Y.
29. 8. — Die Bemerkung zu *yẕareẕarentiš* S. 170 wird im
dortigen Zusammenhang Niemand richtig verstehen; s. auch
KZ. XXXI 431 ff. — *zaozizuyẹ* A. 1. 6 ist verdächtig; Geldner in der NA. vermutet *zaozizuyẹ*, das wäre ai. **°javihuve**;
es ist aber keine sichre iranische Bildung der Art nachweislich. Zu der auf Pischel GGA. 1882 1445 f. zurückgehenden
— falschen — Erklärung des Ausgangs *-uyẹ* s. BB. VIII 229
und *aꞅhvẹ, aꞅuhẹ* neben *ahuyẹ* = ai. **°āsvē**; *srvaẹca, dvaẹca*
(*baẹ*) neben *sruyẹ, duyẹ*. — *daredairyaꞅ* s. oben. — *daẹ-
dōiꞅt*; die 'Wurzel' ist *diꞅ-*, nicht *diꞅ-*. — *naẹniẕaiti* bedeutet
'er spült ab' (mit sprühendem Wasser), wie ai. *nēnēkti*. —
daiꞅhu paperetanẹ (so zu lesen) s. oben. — *yaẹśyantim* ist
keine Intensivform und nicht, wie S. 184 gelehrt wird, entstanden; aus **°ia-iꞅ°** wäre **°yaiꞅ°** hervorgegangen, vgl. *dauraya*
(BB. XIII 79 f.) gegenüber *raocim. yaẹśya-* ist ein dem griech.
νίϲο-μαι (aus νι-ϲο-ίο-; Brugmann Grundriss II 932) analog gebildeter Präsensstamm, nur mit dem Unterschied, dass die
Reduplikationssilbe *a* hat statt *i*; vgl. ai. *yēśati* und *yayastu*.
Eine entsprechende Präsensbildung setzt *frāyaẹzyantąm* voraus; s. IF. IV. 127. — *rareśyeinti* usw. s. oben. — *vara-
reśyạsca*, wie die zu Yt. (so!) 13. 131 überlieferte Form lautet, kann unmöglich auf einen *iu*-Stamm bezogen werden;
s. im Übrigen KZ. XXV 561. — Zu den unter 1 und 2 *vid*-
verzeichneten Formen s. KZ. XXIX 308, BB. XV 256; in Y.
30. 8 ist mit Pt 4 usw. *vóiridaiti* zu lesen. — *hauuharena-*
ist keine Intensivbildung, bedeutet auch nicht 'Essen', sondern 'Kinnbacken'; s. ZDMG. XXVI 457 und das Zand-Pahl.-
Gloss. — Es sind also nur 4 avestische Formen von B. richtig bestimmt worden.

Ich füge aus meiner Sammlung avestischer Intensiva
noch hinzu: *asasuta* (KZ. XXIX 309; XXX 527; meine Studien II 35); *caēcastem* (eine Bildung wie griech. ποιφύςςω;
zu ai. *caniścadat*); *cahšnaoš*; *carekerepra* (s. oben und Justi
372 § 241); *fra γrayrayeiti* (Nir.; hdschr. *°ay°*), *frayrāra-
yeiti*, die sich zu einander etwa verhalten wie got. *skai-
skaiþ* zu lat. *scicidit*; *dādarayō* (Nir.); *dadrājōiš* (Nir.); *da-
drum* (d. i. *dadruvem*) 'Holz' (vgl. dazu gr. δένδρεον); *dą-
drąhti* (Geldner Studien 97); *paipiþwąm* (Nir.); *papayanō*
(Tahmuras-Fragm.); *upavārō*; *vāurāiti, vāurayā, vāuróimaidī*
(zur Bedeutung 'überzeugen, zum Glauben bringen' vgl. ap.
varnavatam, KZ. XXIX 585 f.); *saosucyō* (Wstg. *saosuncayō*)
V. 8. 74 Gl.; *sąsaṇhąm* V. 2. 18 Gl.; *sasevišto*, Superlativ
zu **sasu-š* (Nir.); *nisrārayā* (zu *nisrinaoiti*), Bildung wie
γrārayeiti.

Das Altpersische bietet den EN. *dadaršiš*, vgl. ai. *dā-
dhṛšiš*. Der EN. bei Äschylos Perser 321 Σεισάμης (Σησάμης)
dürfte zu av. *þamnaṇhvant-* gehören; zur Reduplikation vgl.
av. *caēcastem*.

Ich verweise im Übrigen auf meine 'Vorgeschichte der
ir. Sprachen' (im Grundriss der ir. Philol.) § 102 II, § 128, 150.

Münster (Westf.), 29. Juli 1893.

Chr. Bartholomae.

Pischel R. und **Geldner** Karl F. Vedische Studien II. Band
1. Heft. Stuttgart W. Kohlhammer 1892. 192 S. 8°.

Die von den beiden ausgezeichneten Verfassern im
I. Band ihrer 'Vedischen St.' befolgten Prinzipien der Veden-
Exegese sind auch in dieser ersten Fortsetzung für sie massgebend gewesen. Die neuen Resultate, sowohl rein philologischer wie mythologischer und kulturgeschichtlicher Art sind
ausserordentlich zahlreich. Und den Wegen zu folgen, auf
denen die Forscher durch solide Stellenvergleichung, oft mit
genialem Griff, dieselben erreichten, bildet schon an sich einen
wahren Genuss. Auf eine Inhaltsangabe des neuen Heftes kann
ich hier verzichten, nachdem schon in der Bibliogr. des Idg. Anz.
eine solche erschienen ist. Und eine eingehende Würdigung
des Details muss ich kompetenteren Forschern überlassen. Im
Folgenden erlaube ich mir einige an die Lektüre dieses Heftes
sich anschliessende Bemerkungen aus meinen eigenen, augenblicklich vorwiegend der Pali-Litteratur zugewandten Studien
zu machen — vielleicht können auch diese hie und da einmal
der Veda-Exegese zu statten kommen, denn ich glaube seit lan-

gem, dass auch die Resultate einer möglichst eingehenden
Pali-Forschung dereinst noch zur Lösung mancher Rätsel
im Rgv. beitragen werden.

Zu dem von Geldner (seither übrigens auch durch v.
Bradke ZDMG. XLVI 445—65, von wieder anderen Gesichtspunkten aus) behandelten Mudgalahymnus habe ich zu bemerken, dass das Wesen des *drughaṇa* und damit die Hauptsache
in dem ganzen Hymnus klar wird aus dem Nandivisâlajâtaka,
Fausböll Nr. 28 (I S. 191). Es ist nämlich damit ein Holz-
knüppel gemeint, den Jemand bei Gelegenheit des einspänni-
gen Fahrens mit einem für Zweigespann eingerichteten Wagen
auf der freien Seite der Deichsel zwischen Joch und Wagen-
gestell festbindet, um dem Joch die durch das Fehlen des
zweiten Ochsen fraglich gewordene feste Lage zu geben. Ein-
gehend werde ich über diese einfache Erklärung der schwierigen Stellen an anderem Orte handeln.

Über *drughaṇa* sagt Geldner S. 3, dass es die Scholien
zu Pâṇ. 3, 3, 82 als eine Art von Axt erklärten, stellt dieser
Deutung die von Yâska entgegen und behauptet dann, *dr.* sei
sicher ein *ghana* aus Holz, nicht ein *ghana* für das Holz,
d. h. eine Axt. In der Sache hat er, wie sich aus meiner
Entdeckung ergiebt, durchaus Recht. Ich muss aber dazu bemerken, dass die letztere Bedeutung nicht nur von den Scholien zu Pâṇ. gegeben wird, sondern dass der Sinn von Pâ-
ninis Sûtra selbst diese Bedeutung notwendig macht, wobei
jene Regel allerdings anders zu übersetzen ist, als Böhtlingk
es gethan hat. Ich habe in der Interpretation von Pâṇinis
Regel Kielhorn auf meiner Seite. — Ein dem späteren skr. *darś*
tiṣṭhatu = 'nicht zu denken an' (S. 13) ganz entsprechender Gebrauch von *tiṣṭhatu* ist im Pali gang und gäbe. — Das
gelegentliche Fehlen von Flexions- und Femininendungen
(*siñcan* für *siñcantam*, S. 14; ebenso, nach Pischel, S. 124
añjan für das Femin., u. a.) hat der Rgv. nicht nur mit den
Jaina-Inschriften (s. Bühler Ep. Ind. Part. VII S. 371), sondern
auch mit dem alten Pâli gemein (was übrigens auch Pischel
an der angeführten Stelle S. 124 schon betont); aus den Gâthâs
lassen sich eine Menge von Belegen dafür erbringen. —

S. 29 wird von Geldner der Zorn als Mann mit roten
Augen erwähnt, nach Çat. Br. Dass rote Augen als Zeichen
der Grausamkeit galten, geht aus Jât. 240 (II S. 241) hervor:
akaṇhanetto, nach Komm. = *piṅgalanetto*. In Jât. 1 (I S. 102)
sind rote Augen das Kennzeichen eines Dämons. —

Der Instr. statt des Abl. (bei Komparativen und bei Verben der Trennung) ist häufiger, als die wenigen, mit Sorgfalt
zitierten Beispiele Geldners S. 32 ahnen lassen. Ich habe
darüber schon BB. XVI 1 u. 2, S. 91, 92, 98 gehandelt und

könnte jetzt weitere Belege in Menge erbringen. Auch Pischel giebt hier S. 71 ein weiteres Beispiel mit gleicher Deutung.

Der Vergleich der Gewässer mit den Frauen, den Pischel S. 46 einen recht indischen nennt, ist jetzt auch zu finden in der Jâtakamâlâ, S. 58, V. 39.

Das von *âp* Wasser der Plural als neuer Wortstamm manchen Weiterbildungen zu Grunde gelegt wird, wie *apasaḥ* S. 67 (Pischel, ebenso auch schon ZDMG. XXXV S. 720), lässt sich auch aus dem Pâli belegen, wo sich z. B. das Kompos. *apodhâtu* findet.

S. 88 (und auch schon früher) wird von Pischel selbst die Identität von vedischem *itthâ* mit Pâli-Prâkrit *ettha* konstatiert. Nach S. 119 wird im Rgv. das Wort *peśas*, für das Pischel die durchgehende Bedeutung 'Gestalt, Farbe' nachweist, auch pleonastisch gebraucht. Dem entspricht genau derselbe pleonastische Gebrauch von *rûpa* am Ende von Kompos. im Pâli, der sehr häufig ist: z. B. in *saṃviggarûpa* in der Gâthâ 91 von Jât. 436 (III S. 529), und in *gorûpâni* im Komm. zu Jât. 79 (I S. 35 5), als Erklärung von *gâvo*.

S. 134 bespricht Geldner die vokalisch weiter gebildete Nominalform *girâ* neben *gir* und verweist auf Ved. Stud. I 185. Es ist eine Erscheinung, die Pischel an dieser Stelle schon mit Recht als identisch mit gleichen, ganz gewöhnlich üblichen Formen im Pâli hervorgehoben hat.

S. 164 übersetzt Geldner *vaṅku* als Beiwort der Flügel- rosse des Vâta mit 'Kurvenläufer'. Da er weiter sagt, es sei mit *vakra* und *kuṭila* synonym, und da es auch Sâyaṇa dem entsprechend erklärt, so wird man auch an Pâli *vaṅka* oder *vakka* (gleichberechtigte Aequivalente von skr. *vakra*) denken dürfen, und dann ergiebt sich für das Wort vielleicht eine neue, hier sehr passende Bedeutung. *vaṅka* bedeutet nämlich im Pâli auch 'Vogel'. Z. B. erklärt der Komm. zu Jât. 394 (III S. 313) das neben *kâka* als Beiwort stehende Wort *vaṅka* in der Gâthâ 132 mit: *kâkânam eva nâmaṃ*. Auf eine Krähe bezieht sich das Wort auch in der Gâthâ 73 von Jât. 434 (III S. 522). Man könnte meinen, es bezeichnete die Krähen speziell, mit Rücksicht auf ihre Verschlagenheit, wenn nicht *vakkaṅgo* daneben vorkäme, und zwar einfach als Synonym von *sakuṇa* in der Gâthâ 35 von Jât. 36 (I S. 216, = Jât. 432: III S. 510 Komm.), und ebenso als Anrede an einen Papageien, Gâthâ 25 von Jât. 429 (III S. 493), ferner als Bezeichnung eines Geiers in einer vom Komm. zitierten Gâthâ von Jât. 427 (III S. 484). Da das vollere wie auch das gekürzte Wort sich scheinbar nur in den Gâthâs findet, wird es der alten Sprache angehören und lässt darum um so eher Raum für den Gedanken an ein Vorkommen auch im

Rgveda. Auch das Pāli Bahuvrīhi *sahassapattka* - in seiner
Anwendung auf einen Lotusteich (für das ich mir leider die
Stelle nicht notiert habe) mag dann wohl bedeuten 'mit tau-
send Vögeln bedeckt'.

Von S. 191/2 sei dann noch das Pāli-Wort *ogapa* aus
dem Rgv. angeführt, das Pischel, der überhaupt in dieser
Richtung grosse Verdienste hat, selbst schon als solches erkannt hat (S. 192). Ich kann es mir nicht versagen, einen
Satz aus P.s Erörterungen hierüber anzuführen, der meiner
eigenen Theorie über die Pāli-Heimat sehr zu statten kommt:
"Die Übereinstimmung der vedischen Sprache mit dem Pāli
ist für die Bestimmung der Heimat des Pāli nicht ohne Bedeutung". Diese Ansicht, für die ich ebenfalls schon lange
eingetreten bin, bildet auch meinen Grundgedanken für die
vorstehenden Auseinandersetzungen über die beiderseitigen
Entsprechungen. — Über *ogapa* hat neuerdings auch K. F.
Johansson in den IF. III 3/4 S. 141 gehandelt. Er leitet
es ab von *ogṛṇa*, das er zu *ugra* stellt. Sonst ist es sehr
lehrreich, den geistvollen Kombinationen J.s zu folgen. Aber
in diesem Falle muss ich davon absehen, da er eine irrtüm-
liche Annahme zu seinem Ausgangspunkt gemacht hat. Ma-
hāv. 1, 53, 4 soll nach ihm *ogapena* die Bedeutung *mahati*
haben, während es thatsächlich da gerade die umgekehrte
hat (auch nach Pischels Angabe aus Buddhaghosa).

Im Übrigen habe ich noch folgende Einzelheiten zu bemerken. S. 122 sagt Pischel: "Das Thier aber, das durch
Weibchen gefangen wird, ist in Indien der Elefant". Ich
möchte nur einer zu einseitigen Auslegung seiner Worte vor-
beugen, indem ich darauf aufmerksam mache, dass der Tier-
(besonders wohl Vogel-)fang mit Hilfe von Locktieren in Indien allgemeiner im Gebrauch war. In den Jātakas finden
sich dafür eine Anzahl Belege. Lock-(vogel) heisst da
immer *dīpaka-*, was ich zur Aufklärung der sonst vielleicht
dunklen Bedeutung dieses Wortes hier hinzufügen will. Daraus wird vielleicht auch die Bedeutung Raubvogel für *dī-
paka* bei Hem. fälschlich hergeleitet sein.

Bei der Besprechung der Etymologie von *prapitva* und
verwandten Wörtern durch Geldner S. 179 vermisse ich
einen Hinweis auf die Ableitung von Joh. Schmidt Pluralbild.
S. 399 (aus dem abstufenden Stamme *api : api : pi*). Sehr
sympathisch berührt mich — das will ich schliesslich noch
erwähnen — dass auch in diesem Hefte wieder die Bekannt-
schaft der vedischen Inder mit dem Meere als etwas Selbst-
verständliches betont wird (S. 125, Anm.). Abgesehen von
anderen Punkten, die ebenfalls dafür sprechen, bilden in den
Pāli-Gāthās, den ältesten Überresten der Pāli-Sprache, die

in ihren Formen z. T. nahe an die vedische Sprache angren-
zen, das Meer und weit ausgedehnte Seefahrten ein ganz
gewöhnliches und offenbar alltägliches Thema.

Berlin, 14. Juli 1894. Dr. O. Franke.

Regnaud P. Le Rig-Véda et les origines de la mythologie
indo-européenne. Première partie (Annales du Musée Gui-
met, Bibliothèque d'études, Tome I). Paris Leroux 1892.
VIII und 421 S. gr. 8⁰.

Ein Buch, aus dem ein eigenwilliger und eigensinniger
Geist spricht, fremd der Philologenkunst, welche sich in das
Denken der Alten zu versenken weiss um sie und nicht das
eigne Ich reden zu lassen, gänzlich arm an der Geduld und
Umsicht, die ringsum alle Zeugen sammelt und zur Aussage
zwingt, alle Möglichkeiten der Kontrole sich zu nutze macht.
Kühne Behauptungen setzen an Stelle der alten Exegese des
Ṛgveda eine neue, die wir am besten mit den eignen Worten des Verf. beschreiben (S. III): "Tout ou presque tout
dans le Rig Véda se rapporte au sacrifice consistant dans
l'élément liquide et l'élément igné qui lui donnent naissance.
Ou, plutôt, les sacrificateurs-poètes ne voient que la libation,
soit sous sa forme première, soit à l'état mixte où elle est
à la fois coulante et allumée, soit dans la métamorphose qui
la change en flamme; autrement dit, ils célèbrent sans cesse
Soma destiné à devenir Agni, Soma-Agni qui participe de
celui-ci et de celui-là, ou Agni, autre nom de Soma trans-
formé." Natürlich muss, damit der Inhalt des Ṛgveda in
das Prokrustesbett dieser Gedanken hineingezwängt werden
könne, vor Allem das Lexikon es sich gefallen lassen, dass
das Unterste zu oberst gekehrt wird. Fortan heisst *ají* 'ali-
ment, nourriture, libation nourrissante', ursprünglich vielleicht
'lait de chèvre' (das Wort ist sicher mit *ájya*, vielleicht mit
ajá verwandt); *pít* heisst 'libation'; *pṛṣṭá* und *pṛṣṭhá* heissen 'versé, coulé, arrosé' und substantivisch 'liquide'; *pár-
vata* heisst 'le courant des libations'; *giri* ist synonym damit;
barhíṣ bedeutet 'la nourriture en tant que fortifiante'; *antá-
rikṣa* ist 'le liquide des libations considéré comme placé
dans une enveloppe', oder mit andern Worten 'la libation
non-allumée'. Was die Beweise für diese Aufstellungen anlangt, so weit überhaupt von solchen die Rede ist, so liegen
sie teils in der mit despotischer Nichtachtung aller Gesetze
gehandhabten Etymologie, teils in einer gänzlich dilettanti-
schen Exegese der Belegstellen. Für Regnaud kommt *pṛṣṭhá*
zusammen mit *parjánya* und vielem Andern von der Wurzel

prac-prc resp. ihren Varianten *pṛ́*, *pṛ́* — die Theorie der Gutturalreihen steht nicht im Wege, denn sie ist falsch (S. 76 fg.); *pṛ́t* für *pṛts* ist dentalisierte Form von *pṛkṣ* (S. 103); in *grávan* ist eine Ableitung von *gṛ́ra*, dem Vorgänger von *jíra* zu vermuthen; es könnte kontrahierte Form für *giravan* oder *giravan* sein (S. 141). Der Exegese fehlen auch die bescheidensten Ansätze einer Betrachtungsweise, welche aus der für ein Wort charakteristischen Umgebung auf die Sphäre, innerhalb deren seine Bedeutung liegen muss, zu schliessen sucht. Die einzelne Stelle wird aus dem Zusammenhang gerissen und dazu die von R. dekretierte Über setzung gestellt: man sehe etwa an dem S. 85 ff. behandelten Bruchstück von VI, 75, 5, was dabei herauskommt. Ein Hauptgesetz der Exegese soll die Beobachtung der "coupes prosodiques comme éléments de ponctuation" sein (S. IV); wenn nur R. genug von der vedischen Metrik wüsste, um die betreffenden Abschnitte richtig herauszuerkennen (vgl. Rv. VIII 21, 12 S. 3; V 56, 4 S. 131).

Mit allem, was seinen Theorien entgegenzustehen scheinen könnte, findet sich R. auf das allerkürzeste ab. Die Avestasprache erkennt er nicht als Hindernis für seine Bedeutungsansätze an, denn "en général le zend a été expliqué par le sanscrit" (S. 103); ebenso wenig das klassische Sanskrit, denn dies ist eine Kunstsprache, durch und durch beeinflusst von den irrigen Ansichten der Schulen über den Sinn der vedischen Worte (S. 12 fg.); ebenso wenig das Pali oder Prakrit, "dont quantité de mots sont des transcriptions pures et simples du sanscrit classique" (Wiener Ztschr. f. d. Kunde d. Morgenl. VII 104). Am wenigsten ist R. der Mann, mit der exegetischen Tradition und dem rituellen Apparat, den die jüngere vedische Litteratur dem Erklärer des Rgveda an die Hand giebt, irgend Umstände zu machen: das sind "des documents moins anciens que ceux dont il s'agit de trouver le mot; ... des données étrangères au domaine réel et propre des idées védiques" (S. II). Von dem Wesen der Forschung, reich an Mühen wie an Erfolgen, welche das Werden und Wachsen des Neuen aus dem Alten betrachtet und das Eine auf das Andere sein Licht werfen lässt, hat R. freilich keine Vorstellung.

Drei Schlussabschnitte veranschaulichen die neue Erklärungsweise an den Liedern I 123. 124, IV, 26. 27 und an dem vor Kurzem von V. Henry so vorzüglich — freilich sehr anders als von R. — behandelten Buch XIII des Atharvaveda.

Der zweite Band soll ausser einigen spezielleren Untersuchungen einen allgemeinen Überblick über die vedischen

Ideen und eine Erklärung der griechischen Mythologie nach
der an der Aufhellung jener Ideen erprobten Methode enthalten.

Kiel.　　　　　　　　　　　　H. Oldenberg.

Andersen D.　Om Brugen og Betydningen af Verbets Genera
　　i Sanskrit oplyst især ved Undersøgelser om Sprogbrugen
　　i Chāndogya-Upanishad.　Kopenhagen Thaning & Appels
　　Buchhandlung 1892.

Es liegt in der Natur der Sache, dass eine Darstellung
der Genera verbi im Sanskrit sich hauptsächlich mit dem Gebrauch und der Bedeutung des Medium beschäftigt.　Auch
dreht sich das Hauptinteresse in Andersens Dissertation um
dieses Thema, welches ja schon oftmals den Gegenstand syntaktischer Untersuchung gebildet hat.　In der vorliegenden
Arbeit wird indessen auch ein eingehendes Studium den aktivischen Formen gewidmet, wodurch eine schärfere Ausprä-
gung der Funktionsverschiedenheiten der beiden Genera ermöglicht wird.

Was zunächst das Medium betrifft, wird der Verf. durch
seine Analyse zu einer Einteilung desselben in zwei Bedeutungs-
kategorieen geführt, die reflexivische und die neutrale.　Die
estere zerfällt in drei Unterabteilungen, die indirekt reflexive,
die direkt reflexive und die reziproke (S. 87 f.).　Hierin stimmt
nun Verf. im allgemeinen mit seinen Vorgängern wie Delbrück und Eaton überein.　Dagegen unterscheidet er sich
durch die wichtige Rolle, welche er der neutralen Bedeutung
zuteilt; Verf. geht sogar so weit, dass er die reflexivische
Bedeutung aus dem neutral-passivischen Sinn hervorgehen lässt
(S. 106).

Das Verhältnis zwischen Aktivum und Medium wird dadurch charakterisiert, dass das Aktivum "1) eine Thätigkeit
des Subjekts oder 2) eine Handlung oder ein Werden an und
für sich, ohne jeden Nebensinn", bezeichnet (S. 88), während die medialen Formen ursprünglich nur etwas dem Aktivum gegensätzliches auszudrücken vermochten (S. 108).　Das
Subjekt wurde also durch das Medium nicht als thätig und
wirkend dargestellt, sondern nur als sich passiv verhal-
tend (a. St.; vgl. auch S. 88).　Und wo das Medium, wie
aus mehreren Beispielen hervorgeht, einen aktivischen Sinn,
ohne reflexivische Nebenbedeutung, hatte, sei das Ziel und
das Resultat der Handlung stärker hervorgehoben, als das Vor-
sichgehen derselben und deren Ausführung durch das Subjekt (S. 88).

In der Auffassung des Verf.s über diese ganz allgemeine Grundbedeutung des Medium kann ich ihm indessen nicht ganz beistimmen. Meines Erachtens könnte man das ursprüngliche Verhältnis zwischen den beiden Genera so ausdrücken, dass die aktivischen Formen vorzugsweise den Verbalbegriff hervorheben, während durch das Medium auf die handelnde Person. das Subjekt, das Hauptgewicht gelegt wurde. Sind doch im Medium die Personalsuffixe, welche ja die Träger des Subjektsbegriffs sind, im allgemeinen viel energischer ausgeprägt als die entsprechenden aktivischen. Vgl. auch das Verhältnis in Bezug auf Betonung und Personalendungen im Sing. Akt. und Med., idg. *yéjd-mi *yéjt-si *yéjt²-ti und *yid-mái *yit-sdi *yit²-tdi.

Diese Betrachtung steht ja in Bezug auf die Aktivformen mit der Auffassung des Verf.s völlig im Einklang; das Medium erhält aber einen mehr positiven Inhalt, als ihm der Verf. zuschreiben will. Aus dieser scharfen Hervorhebung des Subjekts entwickelte sich einerseits das 'subjektive Medium', wovon Eaton The Atmanepada in Rigveda, S. 16 ff. handelt, und welches er als eine Phase des reflexivischen Medium darstellt, während doch Andersen, S. 99, dieses Medium ohne Zweifel mit Recht als den Ausgangspunkt für den reflexivischen Gebrauch betrachtet; — andererseits folgte eine Schwächung des Verbalbegriffs, welcher der neutral-passivische Sinn des Medium seine Entstehung verdankte. Die beiden Funktionen des Medium sind demnach m. E. durch Differenzierung aus einer gemeinsamen Wurzel verzweigt.

In seiner Auffassung vom Passivum schliesst sich Verf. an Brugmanns Auseinandersetzungen, MU. I 187 ff. an.

Die Verba, durch deren Analyse Verf. seine Ergebnisse gewinnt, sind, wie es der Titel des Buches angiebt, ausschliesslich der Chandogya-Upanishad entnommen. Jedoch werden auch Formen, die diesen Verben angehören, aus der älteren Litteratur, namentlich aus Rigveda, zum Vergleich herangezogen. Dass ein reicheres Material als die etwa 190 in Chand. Up. vorkommenden Verba der Untersuchung einen festeren Boden verliehen hätte, halte ich trotz Verf.s abweichender Meinung, S. 89, für selbstverständlich. Jedenfalls liefert Andersens Monographie durch die vielseitige und pünktliche, oft sehr feinsinnige Analyse der syntaktischen Verhältnisse. einen wichtigen Beitrag zum tieferen Verständnis der Genera verbi, speziell des Medium.

Das Material ist mit grosser Sorgfalt ausgebeutet. Doch vermisse ich die Form śraddhatsva 69. 14 neben śraddadhati; Verf. kennt aus Medium nur das Partizip śraddadhana. Zu Wz. rac wäre auch zu stellen das Part. med. anūcana-, in

anūcānamānin 61, 18 f.; zu *veda a-saṁvidānau* 89, 19. —
Das Perf. *sampēdus* ist wohl nicht mit dem Präs. *sampadyatē*
auf éine Linie zu stellen, da bekanntlich dies Verbum zu
denen gehört, welche in den verschiedenen Tempora verschiedenen
Genera verbi angehören (vgl. Delbrück, Ai. S. 235). —
Der Aorist *adhyagiṣṭhas* wird vom Verf. S. 50 zum Präsens
adhyēti gestellt, während doch die Diskrepanz des Genus
dadurch beseitigt wird, dass man die Form mit dem ebenfalls
medial vorkommenden *adhītē* zusammenstellt. — Zu den vom
Verf. S. 54 ff. besprochenen vier medialen Kausativa, *akampayatē*,
cētayatē, *nibhālayatē* und *vēdayatē* sind noch zu
fügen *jñapayatē* 18, 12 und *mapayaṁ cakrē* 36, 5.

Als ein Sekundärergebnis liefert die Monographie einen
dankenswerten Beitrag zur Beurteilnng der durch diesen Text
vertretenen Sprachperiode und zur Bestimmung des Platzes,
welcher Ch. Up. innerhalb der Litteratur zuzuschreiben ist.
Die Abhandlung wird auch durch einen Abschnitt über die
Tempora der Vergangenheit in Ch. Up. eingeleitet, welcher
zum Zweck hat, die Übereinstimmung mit dem Sprachgebrauch
der älteren Litteratur in dieser Hinsicht darzuthun.

Helsingfors. J. N. Reuter.

Jackson A. V. W. Avesta Reader. First Series. Easier Texts,
Notes, and Vocabulary. Stuttgart Kohlhammer 1893. 8°.
VIII u. 112 S. M. 4.

In vorliegendem Büchlein, das wieder die vorzügliche
Ausstattung der Kohlhammerschen Publikationen aufweist,
bietet Jackson eine hochwillkommene Ergänzung zu seiner
trefflichen 'Avesta Grammar', nämlich eine geschickt ausgewählte
Chrestomathie mit Erläuterungen und einem sorgfältig
gearbeiteten Glossar. Die Texte (ys. 11. 1—8, 26. 1—11,
57. 2—34; vsp. 15. 1—3; yt. 5. 1—9, 132, 14. 1—7; vd.
3. 23—29, 6. 44—51, 19. 5—10) sind den verschiedenen
Teilen des Avesta unternommen und, da sie speziell für den
Anfänger berechnet sind, durchweg ohne besondere Schwierigkeit
zu übersetzen. Zahlreiche Verweise auf die Grammatik
im Glossar erleichtern überdies (ausser den 'Notes')
das Studium. Ein paar Druckfehler sind mir aufgefallen:
S. 62 s. v. *kaofa* l. *kōhah* und *kūhah* (f. -*ab*); S. 71, Z. 24
l. np. *daśtan* (f. -*s*-); S. 74, Z. 7 l. *darvéś* (f. -*iś*), ebenda
Z. 1 v. u. *kéś* f. *kiś* (auch sonst sind kleine Inkonsequenzen
in der Transskription des Vokals *i* bezw. *ē* zu beobachten);
S. 101, Z. 8 ist wohl *surōdan* (st. *srūdan*) gemeint. — Einverstanden
bin ich mit dem Verf., wenn derselbe (S. 61) die
Bedeutung 'die beiden Ohren' für *uśi* vsp. 15, 1 ablehnt und

für *dūraoša* (S. 73) bei der traditionellen Übersetzung 'den Tod ferne haltend' stehen bleibt.

Erlangen, im Juni 1894.   W i l h. G e i g e r.

Horn P. Grundriss der Neupersischen **Etymologie.** Sammlung indogermanischer Wörterbücher IV. **Strassburg Karl** J. Trübner 1893. XXV u. 386 S. gr. 8⁰. **M. 15.**

Das vorliegende Buch hat bisher nicht die Anerkennung gefunden, die es denn doch nach meiner Überzeugung verdient hätte. Zunächst hat Salemann — wie ich ausdrücklich betone: in durchaus sachlicher Form — an dem Verf. Mangel an philologischer Vorbildung gerügt und ihm Flüchtigkeiten in den Zitaten aus persischen Schriftstellern nachgewiesen. Ich bin nicht in der Lage, diesem Vorwurfe entgegen treten zu können, schon aus dem Grunde, weil ich selbst mich nicht rühmen darf, diese Vorbildung in genügendem Masse zu besitzen. Allein der Vorwurf trifft, wenngleich an sich berechtigt, doch immerhin etwas mehr Nebensächliches an dem Buch Horns und würde seinen Wert als Fundgrube für Forscher auf sprachgeschichtlichem Gebiete nicht berühren.

Mehr gegen die Einzelheiten wendet sich Fr. Müller in einer Serie von Artikeln in der WZKM. Auch hier wird zuzugeben sein, dass Fr. M. in manchem Punkte im Rechte ist, und ich denke mir, unser Verf. wird selbst gerne jeden Nachtrag und jede Verbesserung zu seinem Buche entgegen nehmen; möchten ihm dieselben nur — diese kollegiale Bitte darf ich wohl an unseren Wiener Fachgenossen richten — nicht in der Form allzu herber Kritik geboten werden. Es liegt ja in unser aller Interesse, dass auch die lebhafteste Diskussion nur der Sache selbst zu gute komme und unsere Wissenschaft fördere. Dies ist der Gedanke, der immer wieder eine Einigung zu stande zu bringen vermag, und so auch in unserem Falle. Wollen wir nicht vergessen, dass es bei einem Buche von der Art des Hornschen Grundrisses überaus schwierig ist, alle Ansprüche zu befriedigen. Die Masse des Materials bringt es mit sich, dass jeder Fachmann das eine oder das andere vermissen wird. Dass aber gerade über den Wert oder Unwert einer Etymologie die Meinungen sehr leicht weit auseinander gehen, dafür liefert ein schlagendes Beispiel, wie verschieden Fr. Müller und Oskar Mann[1]) über die Andreassche Etymologie von np. *zinhâr* urteilen.

---

1) Auf O. M.s Rezension ZDMG. XXXXVII 698 ff., die mir nicht recht zugesagt hat, einzugehen, halte ich für unnötig, weil auf sie Horn selbst geantwortet hat.

Die Mängel, welche dem Buche Horns anhaften, sind jedenfalls zur Genüge hervorgehoben worden. Ich übernehme nun die angenehmere Aufgabe, dem Verf. für das Gute, das er uns bietet, zu danken. Und da möchte ich vor allem den grossen Fleiss, mit dem er ein reiches und weit zerstreutes Material — das Werk umfasst 1129 Nummern np. Etymologien und einen Abschnitt 'Verlorenes Sprachgut' von 291 Nummern! — zusammengetragen hat, rühmend anerkennen. Ich bin überzeugt, dass H.s Grundriss viel und mit Nutzen gebraucht werden wird und uns der Erreichung des Zieles, dem in letzter Zeit mehrere analoge Arbeiten — auch des Ref. — zustrebten, der Abfassung eines vgl. Wörterbuches der iran. Sprachen, um ein erhebliches Teil näher bringt. Zu den neuen Etymologien, welche das Buch enthält, hat auch Nöldeke beigesteuert; vgl. Nr. 120, 441, 442, 542 u. a. Was die auf den Verf. selbst zurückgehenden Gleichungen anlangt (vgl. z. B. Nr. 133, 146, 302, 416, 574 bis usw.), so möchte ich auf die interessante Zusammenstellung von *ang* mit lat. *apis* S. 254 im besonderen aufmerksam machen.

Zum Schluss ein paar Bemerkungen: Nr. 32: L. bal. *aδīna*. Vgl. meine Lautl. d. B. § 32 a. E. — Nr. 75: Vgl. jetzt meine Etym. und Lautl. d. Afgh. Nr. 58. — Nr. 105: Die erste Silbe von *aknūn* ist wohl identisch mit der Part. *ka-*, welche im Bal. dem Präs. vorgesetzt wird. — Nr. 114: Warum fehlt av. *hanjamana-*? — Nr. 182: Fr. Müller (WZKM. VII 276) stellt *but* zum ai. *buddha-*; vielleicht wäre Pali *bhūta-* 'Halbgott', Singh. *bhūta* (ts.) 'Dämon, Geist', Sindhi *bhūtu* noch passender heranzuziehen. — Vor Nr. 254 bis 'Acconit' = *viš-* usw. einzusetzen? Vgl. S. 300, Nr. 226. — Nr. 321: bal. *put* ist LW. aus dem Sindhi. — Nr. 368: Afgh. *taṭēdᵃl* gehört nicht zu *tač-*; vgl. jetzt meine ELA. Nr. 232. — Nr. 380: füge hinzu: bal. *-tir*. — Nr. 384 ist natürlich anders zu formulieren; ai. *tras-* wäre ir. *°ϑrah-*. Vgl. Fr. Müller WZKM. VII 278. — Nr. 456. Von *čer* ist np. *čīr* 'Teil, Bruchstück' zu trennen. = skr. *čtra-*. Vgl. ELA. Nr. 17. — Nr. 489. Vgl. ELA. Nr. 266. — Nr. 507 a. E. kann man bei *xīramīdan*, *xirad* sagen, dass die Aspiration neupersisch ist? — Nr. 695: Vgl. nunmehr auch aw. *asaya* ys. 57, 27 = ai. *ačchayā-* Rv. 10, 27, 14. Jackson, Pr. Am. Or. Soc., April 1893. — Nach Nr. 860 würde ich *kal* 'haarlos' einzufügen vorschlagen = aw. *kaurva-*, lat. *calvus*. Das np. Wort ist von Spiegel (Komm. II 535) noch nicht beigezogen worden. Ebenso darf ich wohl die Etymologie *kahr*, Bezeichnung einer Farbe von Pferden oder Maultieren = aw. *kadrva* (in *Kadrvō-aspa*), ai. *kadrū-* (die Zusammenstellung dieser letzteren Wörter schon in Justis Hdb.) hier als mein

Eigentum mitteilen. — Nr. 867: Der in Klammern stehende
Passus wäre besser weggeblieben. Würde Bartholomae das
wohl aufrecht halten? — Nr. 872: Wenn Verf. neben *xawza-*
ein *kawza-* annehmen zu müssen glaubt, so ist vielleicht von
Interesse, dass neben skr. *kubjá-* im Pali ein *khuffa-* ahi
findet. — Nr. 989: Auf *maxši-* geht auch afgh. *maš* unmittelbar zurück. — Nr. 1054: Sollte nicht *nalidan* zu skr. *upi*
nárdati gehören? Afgh. *naṛál, naṛi* 'heulen' ELA. Nr. 1XI.
Erlangen, im Juni 1894.   Wilh. **Geiger.**

Muss-Arnolt W. On Semitic Words in Greek ahd Latin.
Extracted from the Transactions of the American Philological Association.   Vol. XXIII. 1892. S. 35—156.

Dass die lebhaften Beziehungen der **Griechen zu den**
nicht griechischen Völkern des Orients in vorhistorischer wie
in historischer Zeit auch ihrem Wortschatze eine Anzahl fremder Bestandteile zuführen mussten, ist von vornherein klar
und wird beim Durchmustern des griechischen Lexikons zur
Gewissheit erhoben, wenn man auf zahlreiche Worte stösst, die
entweder ungriechischen, d. h. in diesem Zusammenhange
unindogermanischen Ursprung klar an der Stirn tragen oder
wenigstens einer Deutung aus indogermanischen Mitteln sich
nur höchst gewaltsam fügen.   Aber die Feststellung der fremden Herkunft verursacht im Griechischen zum Teil grössere
Schwierigkeiten als wohl sonst auf andern Sprachgebieten.
Manches ist nachweislich aus den kleinasiatischen Sprachen
herüber genommen worden oder wenigstens die Wanderung
östlicher Wörter nach Hellas ist vielfach durch Kleinasien gegangen, durch Vermittelung von Völkern, von deren Sprachen
wir nur unbedeutende Trümmer übrig haben.   Was von
lydischem, karischem, lykischem usw. Sprachgute in das griechische Lexikon übergegangen ist, das wird sich wahrscheinlich
niemals auch nur annähernd abschätzen lassen.   Am meisten
festen Boden hat man bei den semitischen Entlehnungen unter
den Füssen, und man hat in der That früh angefangen ihnen nach-
zuspüren. Wie man überhaupt in der Annahme semitischen Kul-
tureinflusses auf die Griechen vielfach weiter gegangen ist, als
nötig, so hat man auch in der Erklärung griechischer Wörter
aus dem Semitischen sehr häufig des Guten zu viel gethan, und
einzelne Leistungen von Semitomanen, die bis auf den heutigen Tag nicht ausgestorben sind, haben diese ganze Richtung
der Forschung unverdienter Weise in Misskredit gebracht.
Es waren das entweder klassische Philologen, die vom Semitischen nichts verstanden, oder Semitisten, denen eine genü-

gende Kenntnis der klassischen Sprachen abging, oder endlich
wilde Dilettanten, die auf beiden Gebieten gleich wenig zu
Hause waren.

Das Lateinische steht in bezug auf semitische Lehnwörter
hinter dem Griechischen offenbar zurück. Die meisten sind
erst durch griechische Vermittlung eingedrungen. Aber gewiss ist doch, dass der frühe Verkehr der Phöniker an den
italischen Küsten manches Fremdwort direkt importiert hat.
So ist mir z. B. die semitische Deutung von *tunica* sehr wahrscheinlich. Von dem freilich, was O. Keller neuerdings hieher
bezogen hat, wird nicht allzu vieles kritischer Nachprüfung
Stand halten.

Bei der grossen Wichtigkeit des Gegenstandes für Sprach-
und Kulturgeschichte war es dringend zu wünschen, dass eine
kritische Übersicht und Revision der bisher unternommenen
etymologischen Versuche, griechische und lateinische Wörter
aus dem Semitischen herzuleiten, einmal vorgelegt würde,
zumal das jüngste etymologische Wörterbuch des Griechischen in dieser Beziehung hinter den billiger Weise zu stellen-
den Anforderungen durchaus zurück geblieben war. Dieser
Arbeit hat sich Herr Muss-Arnolt an der John Hopkins-Uni-
versität in Baltimore unterzogen und sie in ganz vortrefflicher
Weise gelöst. Wir haben durch ihn das ganze hier in Betracht kommende Material in einer, soweit ich sehen kann,
annähernden Vollständigkeit zusammengestellt bekommen.
Jeder, der sich künftig mit einem semitischen oder semitischer Herkunft verdächtigen Worte des Griechischen oder
Lateinischen beschäftigt, findet hier ein sorgfältiges bibliographisches Repertorium der bisher über dasselbe ausgesprochenen Vermutungen. Die Belesenheit des Verfassers in der
sehr zerstreuten philologischen, theologischen, indogerma-
nistischen und orientalistischen Litteratur ist eine erstaun-
liche. Besonders müssen wir ihm dafür dankbar sein, dass
er die zahlreichen hier einschlagenden Bemerkungen de La-
gardes gesammelt hat, auch aus denjenigen seiner Schriften,
die ein Linguist sonst wohl nur selten in die Hand zu nehmen pflegt.

Die Einleitung orientiert über die Geschichte der ganzen
Bestrebungen. Dem Verf. ist nichts wichtiges entgangen.
Das wüste Buch von Muys ist noch in der Vorrede nachge-
tragen worden; die verrückten Programme von Krause Der
Name des Gottes Baal in historischer und sprachgeschichtlicher
Beziehung Gleiwitz 1873, und von Kaufmann Semitische Be-
standtheile und Anklänge in den indogermanischen Sprachen,
Dillingen 1875, konnten neben anderem gleichwertigen er-
wähnt werden: zu den Arbeiten über Urverwandtschaft des

Indogermanischen und Semitischen gehört Grotemeyer Über die Verwandtschaft der idg. und sem. Sprachen. Kempen 1871 und 1873. 2 Teile Programme : zu O. Weises früheren Arbeiten ist 1892 ein Vortrag "Kultureinflüsse des Orients auf Europa". Programm von Eisenberg. hinzugekommen. S. 47 ff. handelt von der Lautvertretung zwischen den semitischen Lehnwörtern im Griechischen und ihren semitischen Originalen. Hierfür wären — mit Rücksicht auf spätere Transskriptionen — etwa noch in Betracht zu ziehen gewesen die Ausführungen von Kampffmeyer in seiner Dissertation "Alte Namen im heutigen Palästina und Syrien". Leipzig 1892. Dass Muss-Arnolt auf die regelmässige Lautvertretung soviel Gewicht legt. ist nur zu billigen: sie wird freilich bei Lehnwörtern oft genug durch die Wirkungen der Volksetymologie durchkreuzt. Der Stoff selbst ist nach kulturhistorischen Gesichtspunkten geordnet: Religion. der Mensch und seine Beschäftigungen, Land und Meer, das Haus und seine Teile, Kleidung und Schmuck. Werkzeuge und Geräte. Gefässe. Nahrung. vierfüssige Tiere. Vögel, andre Thiere. Pflanzenreich. Gewürze, Handel, Masse und Gewichte, Geld. Schreibekunst, Musikinstrumente. Minerale. Edelsteine. Kriegswesen. Weinbau. Verschiedenes. Ich hätte gewünscht. dass innerhalb der einzelnen Abschnitte eine Scheidung zwischen den in älterer, vorlitterarischer Zeit und den später aufgenommenen Wörtern durchgeführt worden wäre. Wie überall sonst. sind die in späteren Perioden. als Griechenland über reiche Litteratursprachen verfügte, eingedrungenen Fremdwörter mehr an der Oberfläche haften geblieben und äusserlich leicht kenntlich mitgeführt worden, während sich die in vorlitterarischer Zeit entlehnten dem einheimischen Sprachgute weit mehr angeglichen haben und daher der Feststellung ihres Ursprungs viel grössere Schwierigkeiten bieten. Zu ihnen gehören bekanntlich einige der wichtigsten Kulturwörter wie χιτών. λέων, ἐλέφας, ἀμυϱδάλη, οἶνος, cûϰον und viele andere, über die zum Teil adhuc sub iudice lis est.

Die referierende Zusammenstellung der über die einzelnen Wörter bisher geäusserten Ansichten bildet, wie schon gesagt, den Gegenstand der Arbeit. Häufig. wenn auch nicht immer, nimmt der Verf. kritische Stellung zu den von ihm verzeichneten Annahmen. durchaus nicht immer zu Gunsten der semitischen Etymologie. Auch neue semitische Herleitungen hat er hier und da vorgeschlagen. Zur Diskussion gäbe fast jeder einzelne Artikel Anlass; ich kann sie mir hier um so eher versagen. als ich auf das meiste bei anderer Gelegenheit zurück kommen muss. Ein Punkt. der noch sorgfältiger Untersuchung bedarf. sind die griechischen (und lateinischen) Entlehnungen in den semitischen Sprachen; ihre Verkennung kann zu folgenschweren Irrtümern Veranlassung geben. So ist arabisch *qamīç* gewiss aus *camisia* entlehnt, nicht umgekehrt; ebenso *qurqūr* aus κέρκουρος, *zarnīq* aus ἀρςενικόν (S. 81. 120. 138). Ich habe an verschiedenen Stellen des ersten Heftes meiner 'Türkischen Studien' (Wien 1893) manches hierher gehörige besprochen. Über das Verhältnis von *libra* und λίτρα hat wohl jetzt W. Schulze KZ. XXXIII 223 das letzte Wort gesagt. Die Auseinandersetzung über das vielumstrittene οἶνος S. 144 ff. ist jetzt überholt durch die dem Verf. noch nicht zugänglich gewesenen Ausführungen Schraders in der Neuausgabe von Hehns Kulturpflanzen und Haustieren S. 90 ff.

Auf jeden Fall hat Herr Muss-Arnolt, dessen frühere Arbeit "Semitic and other glosses to Kluges Etymologisches Wörterbuch" (aus den Modern Language Notes V 1890) nicht die verdiente Beachtung gefunden hat, durch diese neue Schrift sich Anspruch auf den ausserordentlichen Dank der Sprachforscher erworben.

Graz.   Gustav Meyer.

Prellwitz W. Etymologisches Wörterbuch der griechischen Sprache mit besonderer Berücksichtigung des Neuhochdeutschen und einem deutschen Wörterverzeichnis. Göttingen Vandenhoeck und Ruprecht 1892. XVI u. 382 S. gr. 8⁰. M. 8.

Unter den Desiderien der griechischen Sprachwissenschaft steht seit einer Reihe von Jahren ein etymologisches Wörterbuch, als Ersatz für die veralteten Werke von G. Curtius und Vaniček, obenan[1]). Prellwitz' Buch sucht diese Lücke auszufüllen, und es bezeichnet in einigen Beziehungen einen recht erfreulichen Fortschritt über die Vorgänger hinaus. Für viele Wörter, die früher gar nicht oder falsch gedeutet waren, bietet es annehmbare Ableitungen. Auch ist die ganze Anlage des Werkes praktischer als die der älteren Bücher. namentlich insofern, als nur wirkliche Wörter der griechischen Sprache als Stichwörter erscheinen, nicht jene unter dem Namen Wurzel gehenden Wortstumpfe, deren Gestalt im Fortschreiten der Wissenschaft bisher immer gewechselt hat und voraussichtlich auch künftig wechseln wird. Freilich hat der Verf. nicht jedesmal alles wurzelhaft Zu-

---

1) Als solcher Ersatz können E. R. Whartons Etyma Graeca, an Etymological Lexicon of Classical Greek (London 1882), aus mehreren Gründen kaum gelten.

sammenhängende unter éinem Stichwort zusammengebracht,
wie z. B. μαίνομαι, μέμονα, μένος, μιμνήσκω, μοῦσα getrennt
behandelt sind. Dies hätte entweder überhaupt vermieden
werden sollen, oder es mussten wenigstens die Verweisungen
von einem Artikel auf den oder die andern konsequenter gegeben sein als sie sind (unter μένος und μέμονα z. B. erfährt
man nichts von der Zugehörigkeit des Verbums μαίνομαι zu
ihrer Wurzel).

In den einzelnen Artikeln sind Hinweise auf andre
Werke, in denen die Wörter behandelt sind, nicht gegeben;
das Verhältnis zu seinen Vorgängern thut der Verfasser mit
ein paar summarischen Bemerkungen im Vorwort ab. Nun
wird zwar dagegen wohl niemand etwas einwenden, dass der
Verf. es sich nicht zum Grundsatz gemacht hat, bei sämtlichen Wörtern den Urheber der aufgenommenen Etymologie
zu zitieren. Denn bei vielen auf der flachen Hand liegenden
Wortgleichungen, z. B. bei φέρω = lat. *fero* oder bei γένος
= lat. *genus*, hat es für den Benutzer eines solchen Hand-
buches wenig Wert zu erfahren, wo sie zuerst auftauchen.
Überdies wäre es eine Aufgabe, deren Lösung auch dem
besten Kenner der philologisch-sprachwissenschaftlichen Litteratur schwerlich einigermassen vollständig gelänge. Dagegen
hätten nach unserm Dafürhalten für solche etymologische Aufstellungen, die für den ferner Stehenden — der Verf. wendet
sich ja ausgesprochenermassen mit seinem Buch an weitere
Kreise — einer näheren Begründung bedürfen, die Arbeiten
zitiert werden müssen, in denen eine solche zu finden ist.
Selbst der Fachmann fragt sich oft, wie denn die kurz
hingestellte Behauptung des Verf.s gerechtfertigt werden
könne, und vermisst orientierende Litteraturnachweise. Auch
wäre es entschieden nützlich gewesen, wenn bei Wörtern,
die verschieden gedeutet worden sind und deren Ursprung
in der That heute noch zweifelhaft ist, für die der Verf.
aber doch nur éine Ableitung giebt, wenigstens die Stellen
namhaft gemacht wären, wo die abweichenden Ansichten vorgetragen und begründet sind. Dass diese Zitate das Buch
zu sehr angeschwellt hätten (s. Vorwort S. III), glaube ich
nicht. Denn einmal konnte gar manches von dem, was der
Verf. aus den verwandten Sprachen heranzieht, bei Seite bleiben, z. B. gleich bei ά- das ksl. *sъ*- und das lit. *su*- oder bei
λείπω das lett. *liku* neben lit. *lëkù*[1]). Sodann durften in der
Reihe der Stichwörter alle die griech. Wörter weggelassen

---

1) Die Belege aus dem Lit. und dem Lett. sind oft in einer
unverhältnismässig grossen Anzahl gegeben. Hier konnten viele
Zeilen gespart werden.

werden, die, mit einem Fragezeichen hinter sich, als bis jetzt etymologisch nicht gedeutet gekennzeichnet sind; ihre Auslassung hätte dasselbe besagt; allenfalls konnten sie im Vorwort oder in der Einleitung aufgezählt werden.

Bei etymologischen Aufstellungen ist eine Hauptfrage, ob sie lautgesetzlich zu rechtfertigen seien, und hier gehen die Ansichten vielfach noch auseinander. Unser Verf. huldigt bezüglich der Lautgesetze einer ziemlich laxen Praxis, und so fügt sich ihm vieles leicht zusammen, was andre entweder überhaupt nicht oder doch nicht in des Verf.s Weise zu vereinigen wissen. So wird z. B. ἴνιc auf ein *ἰὔνιc, *ἰϝνιc zurückgeführt (S. 130), νόcοc νοῦcοc auf *cνοϝτιοc (S. 214), αἴδομαι auf *aisdo- (S. 7), ciγαλόειc auf *tvis-galo- (S. 283), λώβη auf *lósga (S. 187), ἀυτμή auf *ἀϝετμά (S. 40), γνάθοc auf *ghanados (S. 61). "κτίννῦμι = ai. kṣanóti [sic], idg. kṣṇneú-mi" (S. 166). Auf eine W. qeqo- werden τέτμον πότμος und τέκμαρ zurückgebracht (S. 319). ζέφυροc aus *gegh̆ros (S. 110). In ῥαιβόc und got. vraiqs sollen β und q aus dem idg. palatalen ȝ (ǵ) hervorgegangen sein wegen des anlautenden Labials v (S. 270), während ȝh (ǵh) zwar in gr. ῥάμφος, aus demselben Anlass, als Φ erscheine, aber nicht als gv in got. *vriggan (vruggō) (S. 271), und während anderwärts, z. B. bei W. ṷeȝh- (ṷeǵh-) 'vehere' (S. 235), dieser Einfluss des anlautenden a in s weder im German. noch im Griech. zu spüren ist. L. 892 ai. śákṛt aus idg. *sekṛt. Auch bezüglich des Ablauts hat der Verf. recht freie Anschauungen, vgl. z. B. S. 158, wo κόναβοc mit ai. kuñjati zusammengebracht und ein idg. Ablaut konage : kunge konstruiert wird, oder S. 72, wo δέρη auf *gervá zurückgeführt und ai. grivá als im Ablaut dazu stehend bezeichnet wird. Für viele von den hierher gehörigen Aufstellungen kann sich Prellwitz freilich auf den Vorgang und die Autorität Ficks berufen. Indessen gerade das finde ich nicht in Ordnung, dass er gegenüber den Ansichten dieses Gelehrten so selten sich zu näherer Prüfung und zum Zweifel aufgelegt zeigt. Gewiss verdankt die Wissenschaft Fick ausserordentlich viele vortreffliche Kombinationen, und wer etymologisiert hat immer mit zuerst sein Urteil zu hören. Aber vieles, was Fick vorgebracht hat, ist doch kaum mehr als hingeworfene Idee und erregt bei denen, die sich der Schwierigkeiten unsrer Disizplin bewusst sind und stets die Beweisbarkeit eines Gedankens im Auge haben, die ernstesten Bedenken. Unser Verf. nimmt auch so gewagte, um nicht zu sagen abenteuerliche Vermutungen Ficks, wie dass ἐπίcταμαι aus prothetischem e + W. qit- + tā- bestehe [1]), ohne

---

1) Fick Wtb. I⁴ 21: "In ἐπίcταμαι 'verstehe' ist ἐ vorgeschla-

Fragezeichen auf (S. 98). Und selbst eine **Anzahl** offe
Irrtümer und Versehen dieses Forschers kehren bei P. v
z. B. air. *dílgud* von einer W. *delegh* : *dḷgh* (S. 71) vgl
I⁴ 456, oder ksl. *izŭ* (S. 96) vgl. Fick I⁴ 361.

Überhaupt werden zahlreiche etymologische Komb
nen P.s voraussichtlich bei den Sachkundigen keinen G
finden. Ich verweise beispielsweise noch **auf folgende.**
ἀγαπάω: ἀγα + W. *pa-* 'nehmen', πάομαι (vgl. S. 238)
solche W. *pa-* gibt es m. E. nicht (s. meinen Grund
S. 348). S. 38: "Wie ποι-μήν = lit. *pĕmŭ* Hirt aus π
μένω zusammengesetzt ist (der dabei (beim Vieh) bleib
so ἀτμήν aus ἀτ (= lit. *at-* s. ἀcβολοc, ἔτι) + μήν : ᵢ
S. 50 βόcκω zu βῆμα. S. 114 wird ἡμεῖc auf ***ŋsmé** z
geführt und dessen "zweiter Teil *-me* in ἐμέ, lit. *měs* [s
(aus ***mens**)" wiedergefunden; über den Schlussteil von
(S. 333), der mit dem von ἡμεῖc doch wohl identiscl
schweigt der Verf. S. 133 ἰχθύc zu χέ(ϝ)ω. S. 138 un
wird *cŏpia* nicht aus ***co-opia** (vgl. *in-opia*) gedeutet, so
mit griech. κώπη verbunden; es soll ursprünglich eine
voll bedeutet haben. S. 209 und 316 νέκταρ: ***neç**
+ *tar* 'überwindend'. Bei manchen Wörtern, für die
wahrscheinliche und eine oder mehrere unwahrschei
Deutungen in der sprachwissenschaftlichen Litteratur
gen, mag der Verf. nur darum fehlgegriffen haben, we
die plausible Erklärung unbekannt geblieben ist, z. B. bei
(S. 9), ἀνδράποδον (S. 23. 263), εἰ (S. 84), ἕκαcτοc (S. 8'
φυροc (S. 110), νήπιοc νηπύτιοc πινυτόc (S. 213. 252),
(S. 332), got. *maiza maists* (S. 193), lat. *inquam* (S. 2
An Nachlässigkeiten und Flüchtigkeiten aller Art i
Buch leider reicher als dass man davon schweigen d
Sorgfalt war für den Verf. um so mehr eine Hauptp
weil sein Werk weniger den Sachverständigen als den
irre zu führenden ferner Stehenden dienen will. Um
Besprechung nicht zu sehr auszudehnen, sei hier nur
Kategorie von Lässigkeiten erwähnt, die in der Schre
der fremdsprachlichen Wörter hervortretenden. Z. B. i
ŋ vielleicht öfters ohne als mit Punkt geschrieben, wie
ṛnóti ṛnd-s [sic, mit ṛ] *ṛnd-m*, 70 *gṛnámi*, 71 **dakṣino-s**
vṛnóti [sic], 126 *isanydti iṣnáti*, 139 *kṛpani*, 144 *çṛṣṇás*
kṣanóti, 178 *ri-ná-kti*, 181 *ūrna*, 191 *mṛnáti* (zweimal)
ná-s, 231 *akṣnás*, 344 *kṣinati khṣanómi* [sic] usw. En
chend nicht selten dentale statt der cerebralen Verschluss
z. B. 71 *date*, 131 *tiṣthati*, 209 *naṣtd-s*, 222 *aṣtá aṣtau aṣta-

gen und πιcτα- entspricht dem ved. *cittd*; Bildung wie- ούτα
Partizip *vṇtó* = nhd. *wund*".

den palatalen Nasal im Ai. verwendet der Verf. bald *ñ* (*áñcati* S. 2, *siñcaiti* [sic] S. 128), bald *ń* (*uńchati* S. 130, *kańc* S. 134), bald *ņ* (*gṛnjana-s* S. 57), bald *n* (*gunjati gunja-s* S. 62, *kanc* S. 134). Für den Anusvara bald *m̃* (*daṁsas* S. 74, *viṁçati* S. 84), bald *m̃* (*maṁsd-m* S. 199, *haṁsa-s haṁsi* S. 357). Allerlei seltsame avest. Formen begegnen, wie *vakṣat vakṣeñtē* S. 5, *aiw-yaçti* S. 111. Das got. *þ* erscheint bald als *þ* (*tunþus* S. 218, *brōþar* S. 349), bald als *th* (*kilthei* S. 71, *hēthjō* S. 161). Im Lit. ist bei stimmhaftem Wurzelschluss, wenn das suffixale Element mit tonlosem Konsonanten beginnt, bald die etymologische Schreibung gewählt (*veřžti* S. 271, *rógti* [sic] S. 3, *slygti* [sic] S. 172), bald die phonetische (*milszti* [sic] S. 19, *lěszti* S. 179, *skrepti* S. 140). Gradezu wüst ist die Akzentbezeichnung im Lit.; da haben wir z. B. bald Formen wie *daraũ* (S. 79), bald solche wie *raikaũ* (S. 100); S. 158 *kránkti* und S. 161 *krañkti*; S. 169 stehen *skuřsti* und *nu-skùrdėlis*, S. 170 *szü* und *szuñs* friedlich bei einander. Dazu noch eine sehr grosse Menge von 'Druckfehlern', z. B. S. 19 ai. *mṛjati*, S. 109 ai. *usósam*, S. 114 abaktr. *actē*, S. 65 arm. *kanaiǩ*, S. 109 arm. *epem*, S. 60 air. *ró génair*, S. 60 lit. *zinóti*, S. 124 lit. *dúrys*, S. 276 lit. *sriébiu*, S. 61 ksl. *glénŭ*, S. 130 ksl. *junù*, S. 162 ksl. *kruvĭ* lit. *krūv-inas* usw. usw.

Nicht um zu nörgeln, haben wir was wir an dem Buch des talentvollen Verf.s auszusetzen finden vorgebracht, sondern einesteils, um dem Fernerstehenden Vorsicht bei seiner Benutzung ans Herz zu legen, andernteils in der Hoffnung, unsere Monita werden dazu beitragen, dass einer neuen Auflage die wünschenswerte verbesserte Gestalt zuteil werde.

Leipzig.   K a r l   B r u g m a n n.

The Inscriptions of Cos by W. R. P a t o n and E. L. H i c k s. Oxford Clarendon Press. 1891. 407 u. LII S. gr. 8°.

Das inschriftliche Material wächst der griechischen Altertumskunde und Sprachwissenschaft von Tag zu Tag reicher zu und die grossen Corpora werden, um nur die Masse der Texte bewältigen zu können, in ihren Kommentaren immer einsilbiger und verschwiegener. Da begrüssen wir es mit Freude, wenn Sammlungen von mittlerem Umfang, in denen die Inschriften kleinerer Bezirke vereinigt vorliegen, in der glücklichen Lage sind, der Erklärung wieder in der älteren Weise einen breiteren Raum zu gönnen. Dies haben die beiden englischen Herausgeber der koischen Inschriften gethan und sich durch die Mitteilung ihrer ergebnisreichen Studien

über die Texte nicht minderen Dank wie dure
fältige Herausgabe der Texte selbst verdient. I
interesse nimmt in dieser Sammlung die inhaltliche
Inschriften in Anspruch, doch geht die sprachlich
tung, wenn auch die grosse Mehrzahl aus helleni
römischer, wenige aus früherer Zeit stammen, 1
ohne Gewinn neuer Erkenntnisse aus. Ich will an di
nur einer Form gedenken aus einer der vielen
Sammlung zum ersten Male publizierten Inschrifte
386, einer Sakralinschrift, heisst es: ἦμεν δὲ καὶ τῶν
θυομένων ταῖς χρηζο[ύ]caιc ἀποδόμεν τοῦ μὲν ἐτέλου ἱ
τοῦ δὲ τελείου [ὀβελόν], und zu dem Worte ἐτέλο
Paton: ἐτέλου, *which is certainly on the stone, req*
correction. I prefer ἐτείου *to* ἐτέρου, *while* ἀτελc
of the question. Es ist aber nichts zu ändern.
ἐτελον heisst nichts anders, als was an der Stell
wird, nämlich 'Jährling'; es bildet eine erwünsch
gung für die von mir in diesem Anzeiger Bd. I S
einer äolischen Inschrift angeführten Form ἔταλον '
die ich a. a. O. aus *Ϝέτ-αλο-ν erklärt und der F
mit lat. *vet-ulu-s*, der Bedeutung nach auch mit ital
ἰτ-αλό-c verglichen habe. Dass das koische ἔτελον
äolische ἔταλον Entwicklungen des einen urgriechisch
*Ϝέταλον seien, erscheint mir unzweifelhaft; das mitt
ἔτελον dürfte durch die Assimilation des tieftonigen
Vokal der vorhergehenden Silbe entstanden sein, w
von Joh. Schmidt KZ. XXXII 393 angeführten Fäl

Leipzig.   R i c h a r d   M e i s

Köppner F. Der Dialekt Megaras und der megari
   lonien. (Besonderer Abdruck aus dem 18. Suppl.-I
   Jahrbücher f. klass. Philol. 8. 529—563.) Leipzig
   1891.

   Ein Vergleich der vorliegenden Arbeit mit d
tation von E. Schneider fällt sehr zu Ungunsten Köp
Denn gegenüber der umsichtigen Darstellung bei ﬂ
finden wir hier nur eine magere Kompilation der spi
Thatsachen, welche höchstens durch die Vermehrun
schriftlichen Materials einige Berechtigung hat; Bech
beitung der Inschriften in Collitz' Sammlung machte (
leicht, da das Material nicht einmal erst zusamme
werden musste. Warum nun fünf Seiten darauf v
werden, neben Bechtels Nummern den ursprüngli
der Veröffentlichung aus Collitz' Sammlung auszus

sieht man nicht recht ein; denn es hat für die Arbeit selbst keinen Zweck. Ausser der Zusammenstellung der Thatsachen (die überdies sich nicht durch wünschenswerte Vollständigkeit [Verbum!] oder sprachwissenschaftliches Verständnis auszeichnet) findet man kaum etwas, was nicht von andern schon gesagt worden wäre: in den paar Erklärungen, die eingestreut sind, lehnt sich der Verfasser meist an andere an, ohne freilich die einschlägige Litteratur ganz zu kennen. Dabei passiert es ihm, dass er einen aus G. Meyers Gr. Gramm. zitierten Paragraphen nicht einmal genau gelesen hat (S. 544), sonst müsste er wissen, dass G. Meyer τειμᾱ- st. τιμᾱ-, νεικα- st. νικᾱ-, πολείτα- st. πολίτα- für Beispiele itacistischer Schreibung ansieht. — Noch manche Ausstellungen liessen sich machen, aber es genüge das Angeführte.

Freiburg i. B.   A. Thumb.

Danielsson O. A. De uoce ΑΙΖΗΟΣ quaestio etymologica. Skrifter utgifna af Humanistiska Vetenskapssamfundet i Upsala II 4. Upsala 1892. 40 S. 8⁰.

Nach einer Vorbemerkung über die Bedeutung von αἰζηός und sein Verhältnis zu αἰζήιος (Derivat mit Suffix -ιο-) sucht der Verf. mit einem grossen Aufwand von Gelehrsamkeit und ins einzelnste eindringender Untersuchung das Wort als ein mit Suffix -ϝo- gebildetes Derivat aus einem Stamme αἰζᾱ- "incrementi flos, laeta roboris maturitas" zu erweisen. Auf Grund der Beobachtung, dass sich vor ϲ + Muta (ϲδ, ζ) der Stimmton des ϲ öfters zum vollen ι ausgebildet hat (S. 14 ff., vgl. G. Meyer Gr.² § 112, 5) stellt er αἰζᾱ- als Entwicklung eines älteren ἀζᾱ- hin, das mit idg. *ozdos* 'Zweig, Spross' (Wz. *es* 'vigere, esse') im Ablautsverhältnis stehe, und sucht beide Formen in einer Reihe von Ableitungen nachzuweisen. Letztere sind meist Eigennamen und seltene nur in Glossarien erhaltene Worte. Dass daher die Kombinationen des Verf. vielfach auf recht schwankendem Grunde stehen, verhehlt er selbst nicht. Immerhin wird man das Schriftchen nicht ohne Interesse und Belehrung durchlesen und wenn auch den weitergehenden Schlussfolgerungen, so doch der Etymologie von αἰζηός selbst eine gewisse Probabilität nicht absprechen. Von Sicherheit kann schon darum nicht die Rede sein, weil Suffix -ϝo- hinter nominalen ᾱ-Stämmen sich sonst nicht findet. — Die Abhandlung ist S. Bugge zum 60. Geburtstag gewidmet.

Breslau.   F. Skutsch.

Wide S. Lakonische Kulte. Leipzig. B. G. Teubner u. 417 S. gr. 8°. M. 10.

Dieses grössere Werk des wackeren schwedisch lehrten schliesst sich nach Inhalt und Form unmitte seine 1888 zu Upsala erschienene Dissertation "De Troezeniorum, Hermionensium, Epidauriorum" an und demnach ein Seitenstück zu den nach dem Muster dieser gearbeiteten "Arkadischen Kulten" (Leipzig 1891) wahrs. Da ich über die in diesen beiden Schriften ver wissenschaftliche Richtung und Methode bereits bei G heit der Anzeige von Immerwahrs Buch ausführlich b habe (s. Anz. I S. 112 ff.), so kann ich mich diesmal fassen. Wie in seiner Erstlingsschrift so verfolgt Wid hier die verschiedenen Götterkulte durch die einzelner gebiete und Landschaften, indem er die litterarisch inschriftlichen Zeugnisse, sowie die Beschreibungen der denkmäler und Münzen an die Spitze der Untersuchun und alsdann durch einen knappen sachlichen Komme läutert. Den Beschluss des Werkes bilden, wie bei wahr, sehr reichhaltige Indizes, nämlich: 1) eine Über wichtigsten Kulte und Kultverbindungen, welche Lakon anderen Landschaften, insbesondere mit Arkadien, Argos gemein hat, 2) ein Verzeichnis der einzelnen komplexe, 3) ein Sachregister.

Was mir vor allem an Wides Buch lobenswert das ist erstens der grosse Fleiss, mit dem er die zahl Zeugnisse für die einzelnen Kulte Lakoniens gesamm und zweitens die grosse Vorsicht und Zurückhaltung in welche uns im Kommentar entgegentritt. So gesteht er selbst unumwunden ein, dass es ihm trotz eifrigen Be nicht gelungen sei, die dorischen und vordorischen Kulte niens mit Sicherheit von einander zu scheiden; auch es im allgemeinen vermieden, die behandelten Kulte je mit gewissen Stämmen und Völkerschichten in Verbi zu bringen (vgl. S. VII) und aus der Gleichheit oder Ä keit zweier oder mehrerer Kulte an verschiedenen Ort Wanderungen eines und desselben Stammes aus einer schaft in die andere zu schliessen, wie es so häufig b artigen Untersuchungen zu geschehen pflegt.

Um dem Vf. mein reges Interesse an seiner müh und fleissigen Arbeit zu bezeigen, sei es mir verstattet fol kritische Bemerkungen zu einzelnen Abschnitten des l beizusteuern.

Zu dem Kapitel über Zeuskult (S. 7 u. 18) gebe bedenken, ob es sich nicht empfohlen hätte, den 'u weltlichen' Zeus ganz von dem Olympier zu trenne zu den Unterweltsgöttern (S. 242 ff.) zu stellen, ein Verfahren, das auch den Herausgebern mythologischer Handbücher anzuraten wäre (vgl. Rohde, Psyche 191, 3).

Die S. 21 ausgesprochene Deutung des Zeus καππώτας als eines Zeus καταιβάτης und die Ableitung von καππώτας von Wz. πετ (vgl. πωτᾶςθαι) widerspricht nicht bloss der antiken lautlich wohl unanfechtbaren Erklärung als Z. καταπαύτας (vgl. lakon. ὠτῶ = αὐτοῦ, dor. ὦλαξ = αὖλαξ usw.; s. Ahrens De dial. Dor. S. 185 und G. Meyer Gr. Gr. § 120), sondern scheint mir auch sprachlich nicht ganz unbedenklich zu sein, da das Wort in der vom Vf. angenommenen Bedeutung nach Analogie der zahlreichen Wörter auf -πετής (vgl. Pape, Etym. Wörterb. d. gr. Spr. S. 229) doch wohl καππετής oder (nach Analogie des pindarischen ὑψιπέτας) καππέτας lauten müsste.

Die S. 26 ausgesprochene Deutung der Hera als "Regen- und Wolkengöttin" und der ihr hie und da geopferten Ziegen als der Wolken, "welche Hera verzehrt, indem sie in Regengüsse verwandelt werden, die das Land bewässern und die Flüsse überschwemmen [d. h. übertreten] lassen", dürfte wohl wenig Zustimmung finden, zumal da die wichtigsten Funktionen der Hera als Göttin der Menstruation, Entbindung und Ehe, sowie ihre überaus nahe Verwandtschaft mit der italischen Mondgöttin Iuno auf ein ganz anderes "Natursubstrat" (den Mond) hinweisen.

Zu S. 28 Anm. 1—4 gestatte ich mir darauf hinzuweisen, dass die Bedeutung gewisser Pflanzen im Kulte der Hera nicht von Murr sondern von mir gefunden worden ist (vgl. Iuno und Hera S. 38 ff. Lexikon d. Mythol. I 2290). Zu diesen Pflanzen gehört wohl auch das nach Pausanias (2, 17, 2) der argivischen Hera geweihte ἀςτέριον, das nach Dioskorides (4, 118 [120]) auch ἀςτήρ ἀττικός, ἀςτερίςκος, βουβώνιον, lat. *inguinalis* hiess und zur Heilung weiblicher Geschlechtskrankheiten benutzt wurde (vgl. Plin. h. nat. 26, 92. 27, 36). Auch die Ziege kann eine ähnliche Bedeutung haben und erscheint daher als stehendes Attribut verschiedener Mondgöttinnen (s. Roscher Selene und Verwandtes S. 43 u. 105 ff.). Vgl. jetzt auch hinsichtlich der αἶγες οὐράνιαι benannten feurigen Meteore, an die sich derselbe Aberglaube geknüpft zu haben scheint wie an die Sternschnuppen, Drexler in d. Jahrb. f. cl. Philol. 1894 S. 335 f.

Zum Verständnis des Dionysos ψίλαξ (S. 162) verweise ich einerseits auf die erhaltenen Darstellungen eines mit Kopfflügeln versehenen Dionysos (s. Thraemer im Mythol. Lex. I 1152), anderseits auf meine von Wide übersehenen Darlegungen in Curtius Stud. f. gr. u. lat. Gramm. II S. 423 f., woraus hervor-

gehen dürfte, dass ein mit Kopfflügeln (oder mit Federn?)
geschmückter Dionysos, wie ihn offenbar auch Pausanias verstand, das Wahrscheinlichste ist.

Zu S. 190, wo von den Hunden im Kult des Asklepios
die Rede ist, hätte die interessante kleine Abhandlung von
Gaidoz: "A propos des chiens d'Epidaure" Rev. archéol. 1884
Octobre p. 217 Erwähnung verdient, wo der Nachweis geliefert
wird, dass das Heilen von Wunden, Geschwüren usw. durch
Belecken von seiten der Hunde herbeizuführen bei den verschiedensten Völkern üblich war.

Hinsichtlich des S. 227 ff. behandelten 'Ino'-Kultes von
Thalamai verweise ich auf meine Darlegungen in Selene u.
Verwandtes S. 6 f.

Der deutsche Stil des Verfassers ist in anbetracht des
Umstandes, dass der Vf. ein Ausländer ist, in hohem Grade
anerkennenswert. Vor allem ist die Klarheit und Einfachheit
seiner Sprache zu loben. Dass hie und da kleine Verstösse
gegen den deutschen Sprachgebrauch vorkommen, ist gewiss ent-
schuldbar und kann den guten Gesamteindruck nur in geringem Masse beeinträchtigen. Wir scheiden von dem Buche mit
dem Wunsche, dass der Vf. recht bald die nötige Musse gewinnen möge, um auch die uns versprochenen böotischen Kulte
ebenso gewissenhaft wie die lakonischen zu behandeln.

Wurzen.   Wilhelm H. Roscher.

---

v. **Planta** R. Grammatik der oskisch-umbrischen Dialekte.
I. Band. Einleitung und Lautlehre. Strassburg Karl J. Trübner 1892. VIII u. 600 S. M. 15.

Das Erscheinen dieses Buches ist um so mehr zu begrüssen, als eine zusammenfassende Grammatik der "italischen"
Dialekte bisher fehlte, und als die Arbeiten über das Oskische
von Bruppacher und Enderis so völlig auf den jetzt veralteten
Corssenschen Theorieen aufgebaut waren, dass sie selbst als
Sammlungen sehr unbequem zu benutzen sind. P.s Buch ist
mit so vieler Vorsicht abgefasst, dass es auch, wenn manche
der einzelnen Erklärungen einst über Bord geworfen werden
sollten, seinen Wert behalten wird. Klar ist sich der Verf.
bewusst und ruft es auch dem Leser ins Bewusstsein, wie
unsicher ein übergrosser Teil der Deutungen italischen Sprachmaterials noch ist, was in sprachwissenschaftlichen Arbeiten —
namentlich seit Büchelers glänzender Übersetzung der iguvinischen Tafeln — mir oft missachtet scheint. Eher als Schatten-
seite des Werkes, die freilich mit dieser Vorsicht in engem
Zusammenhang steht, möchte ich dagegen bezeichnen, dass

Planta zu dunkeln Thatsachen oft ganze Reihen "möglicher"
Erklärungen beibringen zu müssen glaubt — als typisches
Beispiel lese man etwa die Erörterungen über umbr. Akeḟuniạ
usw. S. 366 f. —, wodurch der Umfang des Buches sehr an-
geschwollen ist. Ein häufigeres einfaches *non liquet* hätte dem
Verf. bei der Lückenhaftigkeit der Überlieferung kein Vernünf-
tiger verargt, und es würde vielleicht mehr fördern als jene blei-
chen Halb-Erklärungen, denen jede Überzeugungskraft fehlt.

Der erschienene Band enthält einen Überblick über die
Erforschung der oskisch-umbrischen Dialekte, worin P. auch
die der Mittelstämme einbegreift, eine kurze Charakteristik
dieser Sprachen mit Angabe der Quellen und deren Chronologie, und geht dann mit einer Abhandlung über die Alphabete und sonstiges Graphisches zur Lautlehre über. Jeder
Laut, jede Lautgruppe wird durch die sämtlichen Dialekte
hindurch verfolgt. Ein Kapitel über die Betonung schliesst
sich an. Der zweite Band soll namentlich enthalten: Wortbildung, Flexion, Syntax, Abdruck der Inschriften, Wortverzeichnis (Glossar). Das Werk ist solid aufgebaut auf Grund
guter sprachwissenschaftlicher Kenntnisse, das Material vollständig verarbeitet — mit Ausnahme der latinisierten Eigennamen (S. 37) — und übersichtlich disponiert. Ungern vermisst
man nur die Benutzung der etruskischen Denkmäler, die in
ihren italischen Namen für die Kenntnis des nördlichen Italischen nicht ohne Bedeutung sind [1]).

Über manche Einzelheiten wird man mit dem Verf.
streiten können, manches erst der zweite Band begründen.
Natürlich ist auch das eine Kapitel besser geraten als das
andere; z. B. befriedigt das über *v* (S. 180 ff.) uns nicht recht.
Öfters dürfte die zweifelnde Vorsicht zu weit gehen, z. B. der
Deutung von umbr. utur Abl. une als 'Wasser' gegenüber S. 403.
432. Anderseits werden die Erklärungen sehr kühn, sobald
sie übers Italische hinausführen; z. B. wird eine Grundform
eu̯i- 'Schaf' gewagt S. 116, oder der zweifache Auslaut der
italischen Wurzel *haf- hab-* in die Ursprache hinaufgerückt
S. 469 u. ähnl. Noch seien dem Ref. ein paar Einzelbemerkungen gestattet.

S. 16. Mit Freuden begrüssen wir, dass hier einmal auf
die beträchtlichen lokalen Verschiedenheiten der oskischen
Sprache kräftig hingewiesen wird. Es ist also in Zukunft nicht
mehr gestattet, nur kurzweg von 'oskisch' zu sprechen in

---

1) Der Truggestalt eines etruskischen Indogermanentums sollte
ein Kenner italischer Sprachen mit mehr Nachdruck entgegentreten,
als S. 7 geschieht. Wer soll es sonst thun?

dem Sinne wie etwa von 'umbrisch' d. h. iguvinisch, oder
von 'lateinisch' d. h. wesentlich römisch.

S. 73. Die altumbr. Schreibung ze*ef 'sedens' wird als
'altertümlich' betrachtet. Vielmehr ist sie wohl ein Anzeichen,
dass der Zusammenfall von z (ursp. *ts*) und *s* (resp. *ss*) bereits begonnen hatte. Dies ist auch für die Aussprache von
neuumbr. *s* (S. 391) bedeutsam.

S. 74 u. 518. Als Möglichkeit ist wohl auch ins Auge
zu fassen, dass das Zeichen *ʒ* auf osk. Inschriften griechischen
Alphabets ein vereinfachtes osk. 8 = f ist. Den Griechen
fehlte ein Zeichen für diesen Laut; die griech. Münzaufschriften
ersetzen es bald durch φ (ΦΙΣΤΕΛΙΑ), bald durch β (ΑΛΛΙΒΑΝΩΝ)
oder sie nehmen den osk. Buchstaben herüber (ΑΛΛΙΒΑΝΩΝ),
s. Mommsen U. D. 105.

S. 260 ff. Anaptyxe in posteriorischer Stellung. Mit Recht
hat sich P. durch die Lücken meiner früheren Aufstellungen
nicht wie andere verleiten lassen, den Zusammenhang zwischen
Silbenquantität und Anaptyxe auf dem ganzen oskischen Gebiet ausser Capua zu verkennen. Nicht gerade glücklich
scheint er mir aber in der Wahl des Weges, auf dem er die
noch bestehenden Schwierigkeiten zu heben sucht, nämlich
durch Trennung solcher Zwischenvokale, die etymologisch
einen alten kurzen Vokal vertreten (S. 247 ff.), von den völlig
neu entwickelten. Die zwei Klassen sind nicht zu scheiden.
An bantin. *zicolom zicúlud* 'Tag', frentan. iíkolos oder
[d]iíkolos braucht man gewiss nicht mit P. und andern wegen
lat. *diēcula* Anstoss zu nehmen. Geschlecht und Bedeutung
machen einen Zusammenhang beider Bildungen unwahrscheinlich. Die Kürze der ersten Silbe scheint mir auch durch
capuan. iúkleí sicher erwiesen, zu dem sich *zicolo-* (d)jíkolo-
genau so verhält, wie diíviíai (d. i. *djtvijaí*) in Aesernia zu
pompejan. iúviia [1]). Osk. Grundformen scheinen *djok(o)lo-
djov(i)jo-; die Anaptyxe ist also regelrecht. Dagegen sind
meine Regeln KZ. XXVII (nicht XXVIII) 181 namentlich dahin
zu ergänzen, dass vor *rj*, resp. *ri* im Hiatus immer, auch
nach langer Silbe ein *i* [2]) eintritt; also nicht nur Sadiriis =
Satrius, petiro- aus *petrio-* (KZ. XXXII 565 A. 3), sondern
auch pústíris, Aadiriis, wovon Aadirans, Tíntiriis,
*Vestiriis, wovon Vestirikiíúi; ebenso erklärt sich die
Form Nuvkirinum neben regelrechtem Nuvkrinum durch
Einfluss des Stadtnamens *Núvkirú = *Nuceria*.

---

1) Die bisherige Deutung von diíviíai aus *deivio-* oder *divio-*
(zuletzt Planta S. 173 f.) ist nicht zu halten.

2) Falls auf die lat. Schreibung *Adeirii* (S. 102) Verlass ist,
ein langes *i*.

S. 273. Umbr. *stiplo aserio* fasst P. mit Bücheler als
Infinitive. Form und Zusammenhang weisen aber vielmehr
auf die 2. Sg. des Imperativs. Der Augur fordert den Arfertur
auf: *stiplo aseriaia parfa dersva* usw. VI* 2 'stipuliere, dass
ich beobachte . . .'; dem entsprechend stipuliert (*anstiplatu*)
der Arfertur: *aserio parfa dersva* usw. VI* 4 'beobachte . . .'.
Die Formen sind also neue Beispiele für -*o* aus ursp. -*ā*
(S. 78 f.).

S. 316 f., vgl. 243. Osk. últiumam wird auf *oltomam*
zurückgeführt und ein italisches Suffix -*tomo*- (l) angesetzt.
Aber nichts zwingt, von der gewöhnlichen Suffixgestalt -*tmo*-
abzugehen, da die Entwicklung von *ṃ* vor Vokal zu *um*
durch lat. *humus humilis sumus* altlat. *huminem* [1]) wohl sicher-
gestellt ist. Umbr. *hondomu* wäre also unter den Beispielen
für *o* aus *u* (S. 123) aufzuführen. In umbr. *nesimei* osk. *nesi-
mum* messimais steht nicht einmal die Quantität des Suffix-
vokals fest.

S. 323. Unter den Beispielen für osk. *en* aus sekundärem
ṇ wäre wohl auch die Postposition -*en* in *eisuc-en* im ad-en
aus -*n(e)* zu nennen. Doch scheint nach S. 564 der II. Band
eine andere Erklärung zu bringen.

S. 518. Dass man einen tönenden Zischlaut *z* durch *cs*
ausgedrückt habe, bleibt doch wohl unglaublich. Warum soll
δι in Νιυμςδιηις neben sonstigem *i* nicht denselben Laut bezeichnen wie *di i z* im Anlaut: Διουϝει Diúvei Iúveis,
iúklei *zicolom* usw.? Auch dass osk. -*iuf* aus -*ions* (-*if* aus
-*ins*) entstanden und nicht -*iuf* -*if* die regelrechte Entwicklung von ausl. -*jō* -*iō* sein soll (S. 506), will mir nicht in
den Sinn. — Zum Schluss möchte ich noch meinem Zweifel
an den lat. Quantitäten *pōsco* S. 208, *Luciom* 211, sowie an
der Zugehörigkeit von osk. *slaagi*- zu lat. *locus* S. 550 Ausdruck geben und mir die Frage erlauben, was P. bewogen
hat, die unwahrscheinliche Ergänzung von]úllad zu *púllad
(C. Abell.) anzunehmen.

Das Werk wird nach seiner Vollendung eine treffliche
Grundlage für weitere Arbeiten über die italischen Sprachen
bilden [2]).

Freiburg i. B.   R. Thurneysen.

---

1) Priscian I S. 27. Vgl. *hūmānus* aus *humnānos* durch Dissimilation?

2) Im Anschluss an diese italische Sprachen betreffende Anzeige möchte ich ein arges Versehen berichtigen, das sich in meinem
Referat über Paulis Altital. Forschungen III (Wochenschr. f. klass.
Philol. 16. März 1892 S. 292) findet. Auf Grund des Übergangs von
idg. *o* in messap. *a* bezweifelte ich dort die engere Verwandtschaft

Buck C. D. Der Vokalismus der oskischen Sprache. Leipzig
Köhlers Antiquarium 1892. XVI u. 219 S. M. 7,50.

Bronisch G. Die oskischen *i*- und *e*-Vokale. Eine statistisch-
deskriptive und sprachgeschichtlich-vergleichende Untersuchung. Inaug.-Diss. Leipzig Drugulin. VI u. 195 S. M. 6.

Zwei sehr beachtenswerte Beiträge zur Grammatik der
altitalischen Dialekte. Beiden Verfassern ist Gründlichkeit,
gute sprachwissenschaftliche Schulung und Unabhängigkeit
gegenüber traditionellen Anschauungen nachzurühmen. Im
Allgemeinen erscheint die Schrift von Buck als die vorsichti-
gere, die von Bronisch als die kühner zugreifende und an
neuen Erklärungen reichere. Bucks Arbeit liest sich leichter,
da sie einfacher disponiert ist. Nach einer kurzen Einleitung
(S. 1—12) über Volk und Sprache, Alter der Denkmäler,
Schriftgattungen und Lehnwörter folgt in 7 Kapiteln die Behandlung des Vokalismus: I. Die idg. *a*-Vokale inkl. idg. *ə*.
II. Die idg. *e*- und *i*-Laute. III. Die *u*-Laute. IV. Die *o*-
Laute. V. Die idg. sonantischen Nasale u. Liquiden. VI.
Die Diphthonge. VII. Kombinatorischer Lautwandel (Assimilation von Vokalen, Kontraktion u. Elision, Kürzung, Dehnung,
Vokaleinschub, Synkope usw.). Den Schluss bilden eine Ueber-
sicht der Lautwerte der osk. Zeichen, Nachträge und ein
Sach- und Wortverzeichnis. — Die Schrift von Bronisch beschränkt sich auf die *i*- und *e*-Vokale, doch werden gelegentlich auch einige wichtigere Fragen aus dem Gebiete der *u*-
und *o*-Vokale besprochen. Der Stoff ist in zwei Teile zer-
legt, einen statistisch-deskriptiven (S. 3—64), der die *i*- und *e*-
Vokale und Diphthonge nach der graphischen Seite hin untersucht, mit denen der übrigen samnitisch-umbrischen Dialekte
vergleicht und den phonetischen Werth der verschiedenen
Schreibweisen zu bestimmen sucht — und einen sprachge-
schichtlich-vergleichenden (S. 65—Schluss), der die grammatische Erklärung der im ersten Teil festgestellten Erscheinungen
giebt. Ein Nachtrag bespricht die oskische Anaptyxis, ein
aus 5 Exkursen bestehender Anhang verschiedene andere
Punkte, deren Erörterung in der fortlaufenden Darstellung

---

von Messapisch und Albanesisch, während er sie ja gerade bestätigt. Also: Messapisch und Albanesisch gehören wahrscheinlich
eng zusammen (= Illyrisch??), sind aber vom Venetischen (und
Liburnischen?) streng geschieden. — In Bezug auf die Herenta-
Inschrift (S. 19) bemerke ich nicht nur nach Autopsie, sondern
auch nach dem Urteil des im Inschriftenlesen geschulteren Auges
meines Kollegen Fabricius, dass die Buchstabenreste am Ende der
Zeilen, die Pauli, Altit. Stud. V, auf Grund eines Abklatsches zu
erkennen glaubte, nicht vorhanden sind, dass auch im Anfang der
Zeilen die vor-Paulische Lesung die richtige ist.

den Zusammenhang zu stark unterbrochen hätte. Sehr zu bedauern ist das Fehlen eines Wortverzeichnisses. In ihren Resultaten sind die Verfasser unter sich sowohl als mit dem Ref. vielfach zusammengetroffen, was natürlich und erfreulich ist. Daneben finden sich freilich genug Punkte, in denen die Ansichten auseinander gehen. Auf Einzelheiten kann hier nicht eingegangen werden (es wird sich hierzu anderen Orts reichlich Gelegenheit bieten).

Fürstenau i. d. Schweiz.   R. v. Planta.

Dessau H. Inscriptiones Latinae selectae. Vol. 1. Berolini, apud Weidmannos 1892. V u. 580 S. lex. 8°. M. 16.

Nach vierzigjährigen Arbeiten nähert sich jetzt das gewaltige Werk des Corpus Inscriptionum Latinarum seinem Abschlusse. Zwar bereichern noch immer neue Funde die bereits gehobenen Schätze; aber für alle Gebiete der römischen Altertumswissenschaft ist schon eine solche Fülle des Wichtigen zu Tage gefördert, dass es nicht mehr verfrüht ist aus den nahezu 100 000 gesammelten Inschriften nach sachlichen Gesichtspunkten geordnet die wesentlichsten zusammenzustellen. Dem für solchen Zweck einst bestimmten Werke von Orelli, dessen beide ersten Bände im Jahre 1828 veröffentlicht wurden, hatte in den fünfziger Jahren Wilhelm Henzen durch einen dritten Band mit umfassenden Indizes und Nachträgen neuen Wert gegeben. Die Vorrede vom 1. Mai 1856 bekundet, wie dem Herausgeber während des langwierigen Druckes das eigene Werk immer wieder neuer Umformung bedürftig erschien. Wie ein nur halb gelöstes Versprechen muss ihn die Aufgabe durch sein ganzes Leben verfolgt haben: als er sein Hauptwerk, die Sammlung der stadtrömischen Inschriften, im wesentlichen geborgen hatte, widmete er noch Jahre unermüdlicher Arbeit der Umgestaltung des Werkes von Orelli. Denn an dieses und nicht an die elementareren Zwecken dienenden "Exempla Inscriptionum Latinarum" von Wilmanns (1873) sollte ein Werk anknüpfen, welches bestimmt war den Gelehrten das inschriftliche Rüstzeug zur Erforschung des römischen Altertums in reicherer Fülle und doch bequem übersichtlich an die Hand zu geben. Wilmanns selbst, dem diese Aufgabe hätte zufallen können, starb bereits 1878; aber auch Henzen sollte die Vollendung seines Werkes nicht mehr erleben († 27. Januar 1887). Der Schüler und Freund beider, H. Dessau, hat die Arbeit aufgenommen, die von Henzen gesammelten Texte gesichtet, geordnet und mit eigenen Anmerkungen versehen. Zwei Bände werden die Texte bringen, der dritte die Indices entsprechend denen des Corpus Inscr. Latinarum.

Der vorliegende erste Band enthält auf 580 Seiten 2956 Inschriften, welche sich auf folgende Kapitel verteilen: I. Monumenta historica liberae rei publicae p. 1—21, Nr. 1—69; II. Tituli imperatorum domusque imperatoriae p. 22—187, Nr. 70—839; III. Tituli regum et principum nationum externarum p. 188—193, N. 840—861; IV. Tituli uirorum et mulierum ordinis senatorii p. 194—292; Nr. 862—1312; V. Tituli uirorum dignitatis equestris p. 293—324, Nr. 1313—1472; VI. Tituli procuratorum et ministrorum domus Augustae condicionis libertinae et seruilis p. 325—371, Nr. 1473—1876; VII. Tituli apparitorum et seruorum publicorum p. 372—386, Nr. 1877—1975; VIII. Tituli nonnulli ius ciuitatis illustrantes p. 387—388; Nr. 1976—1985; IX. Tituli militares p. 389—567, Nr. 1986—2914; X. Tituli uirorum nonnullorum in litteris clarorum p. 568—580, Nr. 2915—2956.

Diese Anordnung steht selbständig sowohl der von Orelli wie der des Corpus Inscr. Lat. (auch in dessen Indices) gegenüber; der zweite Band wird sie vollends als zweckmässig und ausreichend zu erweisen haben; erst die Indizes, deren Wichtigkeit durch die Breite des ihnen gegönnten Raumes anerkannt wird, können es ermöglichen den reichen Inhalt des Werkes erschöpfend auszunutzen. In erster Linie wird diese Sammlung den Spezialforschern der Geschichte und Altertümer zu gute kommen. Zwar sind auch Inschriften berücksichtigt, "quae propter sermonem memorabiles essent". Aber für den Sprachforscher wird der Hauptwert des Buches darin liegen, dass ihm die inschriftlichen Studien um ein beträchtliches näher gerückt sind: statt der oft schwer erreichbaren 15 Bände des Corpus ist ein handliches Werk jedem zugänglich gemacht, der unseren Schriftstellertexten entsprechende Druck erleichtert das Lesen, die sachliche Anordnung giebt die Möglichkeit leichter eine Inschrift aus der anderen zu erklären, Anmerkungen zeigen den Weg zum Verständnis teils unmittelbar, teils durch Hinweis auf bekannte Handbücher. Hier freilich würden wir dem Herausgeber dankbar sein, wenn er uns noch etwas weiter entgegenkäme: die Revue de philologie z. B., aus welcher man Mommsens Ergänzung und Erklärung zu Nr. 916 entnehmen soll, wird manchen ebenso unzugänglich sein wie Borghesis Werke, auf die zum Verständnis von 1066 verwiesen wird. Aber das sind geringe Desiderata gegenüber der Menge dessen, was wirklich geboten wird. Man vergleiche nur einmal Orellis dürftige Notizen zu der berühmten Plinius-Inschrift (O. 1172) mit den ausgiebigen Anmerkungen bei Dessau 2928, um zu erkennen, wie viel mehr

die heutige Altertumswissenschaft zu leisten gewillt und imstande ist. Auch auf diesem Gebiete aber darf ihr Einfluss
sich nicht auf ihren eigenen Kreis beschränken. Zunächst
müssen die Inschriften ausgebeutet werden, um, wie das z. B.
Kübler für das afrikanische Latein unternommen hat (Arch.
f. lat. Lex. VIII 2), die Geschichte der lateinischen Sprache
in dem riesigen Gebiete, welches sie einst beherrschte, zu
verfolgen; es kann nicht fehlen, dass aus schärferer Erkenntnis des Einzelnen auch hier der allgemeinen Sprachwissenschaft Gewinn erwachsen wird. Von da aus führen dann
manche Wege zu allgemeineren Problemen, deren eines Delbrück in seinen Idg. Verwandtschaftsnamen behandelt hat
(vgl. S. 428 u. dazu meine Bemerkungen im Arch. f. lat. Lex.
VII 583). Freilich für solche weiter ausgreifenden Untersuchungen kann nur das Corpus Inscr. Lat. selbst die Grundlage bieten; aber dessen Schätze erschliessen sich leicht nur
dem, der an einführenden Werken, wie Cagnats Cours d'Epigraphie latine und dem vorliegenden, gelernt hat, in die tiefen
Schachte der Epigraphik einzudringen.

Kiel. A. Funck.

Loth J. Les mots latins dans les langues brittoniques (gallois, armoricain, cornique). Phonétique et commentaire. Avec
une introduction sur la romanisation de l'île de Bretagne.
Paris E. Bouillon 1892. 246 S. 8⁰.

Die Einleitung S. 9—59 handelt von den Wirkungen der
Besetzung Britanniens durch die Römer. Sie weist nach, dass
die Angelsachsen nirgends eine wirklich romanisierte, lateinisch redende Bevölkerung vorfanden, dass auch die sozialen
Verhältnisse verhältnismässig wenig Spuren römischen Einflusses aufweisen. Der Abschnitt enthält eine Aufzählung der lat.
Lehnwörter in den brittischen Dialekten — mit Ausschluss der
kirchlichen — nach Bedeutungskategorien geordnet S. 42 ff. —
Der erste Teil (S. 61—128) giebt einen kurzen Überblick über
den lateinisch-romanischen Lautbestand; sodann eine Darlegung
der Laute und des Lautwandels der britt. Dialekte, vornehmlich an den latein. Lehnwörtern demonstriert. Wir hoffen bald
einmal von dem Verf., der ein guter Kenner des brittischen
Keltischen ist, eine ausführlichere Lautlehre, auf weniger spärlichem Material aufgebaut, zu erhalten. Namentlich die Akzentlehre möchte man einmal vollständig und systematisch dargelegt sehen; es wird häufig auf die Betonung hingewiesen und
ihr dabei werden Wirkungen zugeschrieben, die ich einstweilen
für unwahrscheinlich, mindestens für unbewiesen halten muss.

— Der zweite Teil (S. 129—218) enthält das alphabetische Verzeichnis der brittischen Wörter, die der Herkunft aus dem Lateinischen überführt oder verdächtig sind, mit kurzen Erörterungen. Ein Appendix (S. 219—244) handelt von der Flexion der Lehnwörter, von den entlehnten Suffixen, die lebendig geblieben sind, und giebt Addenda und Korrigenda. Als Index folgt ein alphabetisches Verzeichnis der lateinischen und romanischen Wörter, die besprochen worden, sowie der fälschlich als Lehnwörter betrachteten Wörter.

Dass ein solches Werk viele diskutable Einzelheiten enthält, ist selbstverständlich; auf solche soll hier nicht eingegangen werden. In erster Linie wird man nach der Vollständigkeit fragen. Sie ist aber schwer zu kontrolieren. Die vielen Zitate aus mittelalterlichen Sprachquellen zeigen jedenfalls, dass der Verf. sämtliche Sprachperioden berücksichtigt hat. Unter den Lücken bilden eine besondere Klasse die Wörter, die im ersten Teile besprochen sind, aber — offenbar durch Zufall — im Hauptverzeichnis fehlen; als solche fielen mir auf, ohne dass ich eigens danach suchte: kymr. *angor ffrwyth meddyg pesgu trwch*. Wirklich übersehen scheinen kymr. *glwth = glutto* — das Wort wird S. 176 in der graphischen Variante *gwlwth* nicht erkannt — und *ystrawd* (und *rhawd?*) = *strata*. Bei kymr. *tyfu* 'wachsen' (Subst. *twf*) wäre der Zusammenhang mit *tumēre* wenigstens zu erörtern, und unter *cafall* (S. 146) sollten kymr. *ceffyl* ir. *capull* 'Pferd' nicht fehlen, da sie doch schwerlich ganz zu trennen sind. Anderseits ist *Gryw* 'Grieche' sicher afrz. *greu grieu*; auch die Bedeutung von *dewin* und *dewis* (S. 160) spricht eher für Entlehnung aus dem Französischen als dem Lateinischen, während ich keinen Grund sehe, an der Keltizität von kymr. *clwyd* ir. *cliath* 'Hürde' zu zweifeln (S. 150)[1].

Wer die lat. Lehnwörter im Brittischen untersucht, hat eine doppelte sprachwissenschaftliche Aufgabe zu lösen; einmal die brittische Sprachgeschichte aufzuhellen; sodann Licht zu werfen auf die römische Umgangssprache der Kaiserzeit und die Chronologie des romanischen Sprachwandels, für welche die in jener Periode entlehnten Wörter eine Hauptquelle bilden. Loth hat beide Aufgaben erkannt, war aber nur der ersten gewachsen; der lateinischen und romanischen Sprachwissenschaft steht er fern. Er hält die mehrfach nur theoretisch erschlossenen Vokalquantitäten in Marx' Hülfsbüchlein und sogar die romanischen Grundformen in Körtings

---

1) Die Zurückführung von kymr. *cysgu* auf *quiescere* stammt nicht von mir (S. 155 s. v. *cwsc*), sondern von Gaidoz; s. Rev. Celt. V 220.

lat.-roman. Wörterbuch[1]) für feststehende Daten; dadurch werden nun die Probleme arg verschoben. Wegen Marx' *disco misceo pasco* scheinen ihm z. B. kymr. *dysgu mysgu pesgu* nicht entlehnt oder doch entstellt (S. 90. 93. 162). Vielmehr erweisen sie Kürze der lat. Vokale; die Länge ist nur für das Subst. *pastor*, vielleicht für *mixtus* belegt. So werden gerade die wertvollsten Zeugnisse verkannt.

Noch fremder ist ihm das Romanische. Aus Körtings *caseus* und *scala* — jenes ein aus Georges übernommenes Versehen, dieses ein eigenes — schliesst er, das Romanische erweise Kürze des *a*; natürlich stimmt das Brittische nicht dazu (s. vv. *caws* und 2. *yscol*). Oder bret. *creiz* wird S. 91. 109 auf *creda* mit offenem *ę* zurückgeführt und dieses S. 154 als 'forme romane' bezeichnet. Wo sie aber existiert haben soll, bleibt unklar. Romanische Form des Festlandes ist das regelmässige *creta creda*, und auf der brittischen Insel wird sonst lat. *ē* nicht zu *ę*. *Creiz* ist einfach afrz. *creide*, wie das Wort an der bretonischen Grenze noch im 11. Jahrh. gelautet hat. Usw.

Man kann dem Verf. gewiss keinen Vorwurf daraus machen, dass er nicht Romanist ist; höchstens wird man bedauern, dass er sich zu der Arbeit nicht mit einem solchen verbunden hat. Dagegen den Tadel kann man ihm nicht ersparen, dass er es dem Romanisten sehr erschwert hat, seine Resultate für eigene Probleme zu verwerten. Zum brittischen Lehnwort wird nämlich immer das Stammwort beigefügt, aber abwechselnd in dreierlei Gestalt. Manchmal wird einfach die klassisch lateinische Form zitiert, z. B. zu kymr *cythrawl* bret. *control* : lat. *contrarius*, während die brittischen Wörter nicht über *contral-* hinaufweisen (vgl. afrz. *contralier?*); zu *cyssegr[u]* : lat. *consecro*, obschon das Kymrische auch die Grundform *consecro* zulässt (vgl. s. v. *cys[s]on*). Andere Male wird die Grundform aus dem Brittischen nach den Lautgesetzen erschlossen, z. B. *punt* = *pondo*, *pwn* = *pondus*. Auch dies dürfte genauer geschehen. So wird *ceiros* auf *ceriasa* zurückgeführt; aber auch *ceriasia* ist möglich; besser wäre also *cerias-* anzusetzen. Endlich wird bisweilen eine Grundform aufgestellt, die weder brittisch noch lateinisch ist, z. B. *neithawr* : *noptialia*, während das Kymrische auf *noχtiar-* oder *noχtjar-* weist und die lat. Form *nuptialia* lautet. Für einen des Keltischen unkundigen Romanisten wird es

---

1) Auf solche Art verwendet droht diese an sich praktische Sammlung geradezu zu einer Kalamität für die Wissenschaft zu werden. Sie steht in bezug auf "Gewissenhaftigkeit und Kritik" (Idg. Anzeiger II 31) auf der Höhe der Vanióekschen Wörterbücher.

schwer sein, sich unter diesen Grundformen zurechtzufinden. Für irreführend halte ich auch Grundformen wie *puctum zu kymr. *pwyth*, *agelus* zu mittelbret. *ael* (s. v. *angel*), während die Wörter doch durch *puχt-* auf *puwχt-* und durch *awel* auf *awgel-* zurückgehen. Das Brittische hat, wie das Romanische, die Fähigkeit, suffixlose Nomina aus Verben zu ziehen, z. B. kymr. *call* 'schlau' aus *callu* = *callēre*, *excymmun* 'exkommuniziert' aus *escymmuno*; Grundformen wie *callus und *excommunis müssen aber auf falsche Fährte führen. Was hat man sich ferner darunter zu denken, dass *sebon* 'Seife' ein 'mot d'origine savante' und dass *bluch* (s. v. *bloc'h*) aus dem Althochdeutschen entlehnt sei? Und wie hat man sich Grundformen zurechtzulegen, die von den lateinisch-romanischen abweichen (z. B. *cannapis* s. v. *canab*)? Die Bemerkungen über kymr. *eog* 'Salm' S. 95 und über *or* 'Rand' 191 wären wohl anders ausgefallen, wenn ir. *eo* und *ŏr* (Dat. *ur*) beigezogen worden wären[1]).

Diese paar Beispiele genügen wohl, das Urteil zu begründen, dass die lateinisch-romanische Seite des Werkes durchgehend zu wünschen übrig lässt. Dagegen die Sammlung als solche wird ohne Zweifel der Wissenschaft gute Dienste leisten; und die Einleitung beleuchtet klar und sicher eine viel ventilierte Frage.

Freiburg i. B.   R. Thurneysen.

Much R. Deutsche Stammsitze. Ein Beitrag zur ältesten Geschichte Deutschlands. (Sonderabdruck aus den "Beiträgen zur Geschichte der deutschen Sprache und Litteratur" Bd. XVII). Halle a. S. Max Niemeyer 1892. 224 S. 8°. Mit 2 Karten. M. 6.

Der zweite Band von Müllenhoffs 'Deutscher Altertumskunde' erschien in einer Zeit, die neben dem Betriebe der Grammatik die Pflege der Realien wieder ernstlich in die Hand zu nehmen begann. Ein erhöhter Aufschwung dieser Studien war nun zu erwarten, kaum aber, dass so bald nach Müllenhoff ein Werk folgen würde, in dem er mit solchem Erfolge und in so umfassender Weise ergänzt und berichtigt würde, wie es jetzt durch Muchs glänzende Abhandlungen geschieht. Eine reife Arbeit wird hier geboten, deren erste

---

1) Unpraktisch scheint mir, Wölfflins Archiv nach Jahrgängen zu zitieren, z. B. das Zitat S. 64 Anm. 4 ist kaum zu erraten; gemeint ist wohl Archiv VII 57. Mehrfach ist bei Stichwörtern zu bemerken vergessen, dass sie bretonisch sind; vgl. *alvéen semeilh seulenn*.

Gestaltung Müllenhoffs zweitem Bande noch vorauslag und das ihr eigene hohe Mass von selbständiger Auffassung auch Müllenhoff gegenüber durch alle Entwicklungsstufen bis zum endlichen Abschluss sich voll bewahrt hat. Aber nicht nur die Ergebnisse des zweiten Bandes von Müllenhoffs Werk erfahren eine von neuen Gesichtspunkten ausgehende Erörterung, die dann mit Recht oft genug zu entgegengesetzter Entscheidung führt, auch für den schweren Verlust der wichtigern zweiten Hälfte von Müllenhoffs drittem Bande, der "die Ausbreitung und Verzweigung der Germanen um den Anfang unserer Zeitrechnung darlegen" sollte, finden wir bei Much einen schönen Ersatz. Bleibt Müllenhoff auch unerreicht in der kritischen Beherrschung des antiquarischen Stoffes, so hat er doch gerade in dem Punkte, auf den er stets mit besonderer Strenge den Nachdruck legte, Grammatik als Hilfe der Altertumskunde, in Much entschieden seinen Meister gefunden. Freilich darf dabei nicht verschwiegen werden, dass Müllenhoffs Arbeiten Anfang der siebziger Jahre abgeschlossen wurden, also vor den umgestaltenden Entdeckungen der Sprachvergleichung auf konsonantischem, wie auf vokalischem Gebiete, während für Much abgesehen von diesen grossen Fortschritten der Wissenschaft vor allem in den zusammenfassenden Darstellungen von Brugmann ('Grundriss'), Kluge ('Stammbildungslehre' und 'Etymolog. Wörterbuch') und anderen unschätzbare Handhaben für eine wirksamere Aufhellung des ältesten germanischen Sprachmaterials bereit lagen.

Von den drei Abschnitten des Buches, ursprünglich 'die Südmark', 'die Germanen am Niederrhein', 'Goten und Ingvaeonen' überschrieben, hat der erste jede Benennung einbüssen müssen, da nach und nach in ihr die ganze deutsche Stammesgeschichte des ersten christlichen Jahrhunderts hineingearbeitet ist, soweit sie nicht in den beiden andern Abschnitten erledigt wird. Die letzte Erweiterung erfuhr dieser erste Teil, als es dem Referenten gelang, den Verfasser zu überzeugen, dass nicht nur die Müllenhoffsche, sondern auch alle frühern Ansichten über die Völkerschaft der Teutonen ebenso unhaltbar seien, wie die antike Überlieferung. Wohl zu weitgehend ist es aber, wenn Much meine positiven Aufstellungen in dieser Frage mit ihren unausweichlichen Folgerungen als einen Fortschritt in der Kenntniss der Vorgeschichte Deutschlands bezeichnet, "wie uns seit Zeuss keiner mehr geglückt ist". Aus der Annahme meiner Ansicht ergab sich für Much auf einleuchtende Weise die Auffassung der Teutonen als Nachbarn und Stammbrüder der Helvetier und Tigurinen.

Unter den zahlreichen Abweichungen von Müllenhoff,

denen ich fast durchweg zustimme, seien einige wichtigere
haft gemacht. In Caesars Sweben sieht Much nicht die Ch
sondern die Hermunduren, deren Stämme im ersten
christlichen Jahrhundert allmählich ganz Süddeutschlan
füllten. Caesars 'Volcae' setzt er nach älterer, zwei
richtiger Weise wieder nach Mähren und verlegt das
kommen des Keltennamens 'Walchen' in den Osten zu
Wandalen, durch deren Vermittlung die Goten ihre keltis
Lehnworte erhielten *kelikn, siponeis, peika-bagms, aleo
olivum*). Anarten und Teurisken hält er nicht für Panno
sondern für Kelten; die Sidonen im karpathischen Get
ebenso wie die Anwohner des rechten Weichselufers Sulo
Frugundionen, Ombronen, Burgionen für bastarnische Stän
die "Luna silva" nicht für den Maunhardsberg (urspüng
Meginhartesberg), sondern für die kleinen Karpathen. 'Via
kann nicht die Oder bedeuten; die Avionen sind nicht auf
Nordeilanden zu suchen, sondern als Bewohner der dänis
Inseln anzusehen, deren grösste, Seeland, die Nerthusinsel

Die einschneidendste Rückkehr zu früheren Ansic
zeigt die Auffassung der linksrheinischen Germanen und e
Teiles der Belgen als keltisierter Germanen, die dem un
lorenen Bewusstsein der rechtsrheinischen Abstammung du
ihre Bezeichnung 'echte' für sich und ihre ehemaligen St
mesgenossen Ausdruck gaben — eine Auffassung, bei der
gleich von der römischen Überlieferung über das Aufkom
des Germanennamens mehr als irgend vorher gerettet ble
Bei mir hat es jahrelange Kämpfe bedurft, bevor ich u
Muchs Einwirkung von der durch Zeuss und Müllenhoff
tretenen Ansicht des rein keltischen Ursprungs jener Stän
zurückgekommen bin. Muchs tief gegründeten, von wahi
geschichtlichem Sinne geleiteten Ausführungen wird man
indess schwer verschliessen können. Ich denke in Bälde
anderem Orte diese Frage in grösserem Zusammenhange
erörtern und weiter zu fördern.

Leider verbietet der Raum, auf die ungemein sch
sinnigen und den strengsten Forderungen der Wissensc
genügenden Deutungen einzugehen, durch die so man
Rätsel der altgermanischen Namen ebenso überraschende,
befriedigende Lösung erfahren. Auch hier vermag M
durch neue Methoden der Beleuchtung sprachlich wie
schichtlich viel mehr zu sehen und überzeugend zu zeig
als irgend jemand vor ihm. Dahin gehören Gegenüberstell
gen wie Batavi-Chamavi, Bructeri-Tencteri, Vangiones-Var
nes, Cherusci-Teurisci. Ferner der Nachweis entgegen
setzter Benennungen einer und derselben Völkerschaft
Sciri-Sulones, Manimi-Unmani, Naristi-Varisti, Euthungi-M

rungi, Reudigni-Myrgingas, Eudusii-Fundusii. Dahin gehört
auch die glückliche Verknüpfung der Namenerklärung mit
vorstechenden Eigenheiten der Völkerschaften, wie sie Tacitus und andere alte Gewährsmänner überliefern: so bei den
Bastarnen, Usipiten, Canninefaten, Cugernen, Chatten, Cherus-
ken. Dabei verhehlt sich der Verfasser nicht, dass auf diesem
dunkeln Gebiete manche seiner schönsten Kombinationen nur
dem Bereich der Wahrscheinlichkeiten, ja der Möglichkeiten
angehören. Und selbst dieses weite Gebiet dürfte über-
schritten sein, wenn Much versucht, verschiedene Lesarten
eines und desselben Namens durch etymologische Deutung zu
rechtfertigen. Im einzelnen seien nur zwei Kleinigkeiten an-
gemerkt: die 'Adrabai' können nicht gut an ein angeblich
keltisches Wort *adraba angeknüpft werden, das aus des
Lydus ἀνδραβάται = κατάφρακτοι zu erschliessen wäre, da
dieses Wort nicht auf keltisch *adrabatae zurückgeht, sondern
auf das übrigens häufiger vorkommende andabatae; ferner
hängt weder der Name der Κοβανδοί mit altisl. 'kubbr' zusammen, das nach Noreen (Altisl. Gramm.² § 207 Anm. 4)
aus 'kumbr' entstanden ist, noch 'Tubantes' mit altisl. 'tut-
tugu' (Noreen § 114, 4).

Als wichtigstes Ergebnis der vergleichenden Sprachwissenschaft darf endlich die Festlegung der ersten (germanischen) Lautverschiebung in die Zeit um 300 v. Chr. nicht
unerwähnt bleiben. Gegründet wird diese Zeitbestimmung auf
zwei geschichtliche Thatsachen, die Einführung des Hanfes in
Osteuropa im 5. Jh. und den Einbruch der Kelten in die Alpen
um 400 v. Chr. Gr. κάνναβις lautet nämlich ags. hænep aisl. ha-
napr und *uolkoi erscheint im Germ. als *Walhôs. Die schnelle
Durchführung der germ. Verschiebungen im gesamten Gebiet
der Germanen bis zu den äussersten Skandinaviern, die man
dann annehmen müsste, könnte auf den ersten Blick stutzig machen. Doch erinnere ich daran, das wir den jüngsten Akt
dieser ersten Verschiebung, den Übergang der stimmhaften Affri-
katen oder Spiranten in Verschlusslaute ja noch in historischer
Zeit beobachten können. Anderseits erinnere ich auch an die
gleichmässige Verbreitung der gemeingermanischen Auslauts-
gesetze, des Runenalphabets und der Bezeichnungen für die
Wochentage in späterer Zeit zu allen Germanen hin (vgl.
auch Müllenhof DAK. III 202).

Alles in allem: man darf jetzt nicht mehr über germanische Stammesgeschichte schreiben, bevor man sich nicht
wie mit Zeuss und Müllenhoff so mit Much aufs gründlichste
auseinandergesetzt hat.

Charlottenburg. G. Kossinna.

Anzeiger IV.

Brandstetter R. Die Luzerner Kanzleisprache 1250—1600,
ein gedrängter Abriss mit spezieller Hervorhebung des methodologischen Momentes. 1892. 94 S.

Die Entstehung unsrer neuhochdeutschen Schriftsprache
aus gewissen Ansätzen im Mittelalter, deren keimartige Existenz uns mehr und mehr durch neuere Forschungen zur Gewissheit wird, wenn auch über Wesen, Ursprung und Verbreitung dieser Keime die Anschauungen der Forscher noch
weit auseinandergehen, ist eins der schwierigsten und zugleich
bedeutsamsten Probleme der wissenschaftlichen Geschichte der
deutschen Sprache: bedeutsam, weil eingreifend in die mannig-
faltigsten Grenzgebiete der geschichtlichen Betrachtung des
Lebens unserer Nation, weil mit seiner Lösung gewissermassen der Schlüssel zum Verständnis unserer ganzen Sprach-
entwicklung gewonnen wird, weil durch sie eine bedeutungs-
volle und vielversprechende Klärung und Vertiefung der
sprachhistorischen Methode mit grösster Sicherheit erhofft werden muss; aber unendlich schwierig auch, einesteils durch die
erdrückende Fülle des zu bewältigenden Materials, andernteils
durch die Schwierigkeit der Behandlung, indem hier Vorgänge
der kompliziertesten Art durch einfache und richtige Prinzipien
erleuchtet werden sollen. Die Schwierigkeit des methodologischen Moments in unsrer Frage hat Brandstetter, dem wir
schon mehrere gediegene Arbeiten über die Luzerner Mundart verdanken, sehr wohl erkannt und einige feine methodische
Bemerkungen, die er einstreut (besonders S. 22 und 56), seien
besondrer Beachtung empfohlen; ich hätte ihrer gern noch
mehr gesehen, wozu wohl reichlich Gelegenheit war. Diese
besondere methodologische Vorsicht macht die Arbeit des Verfassers zu einem wertvollen Beitrag zur Lösung unsres Problems.
Die Darstellung der Luzerner Kanzleisprache in ihren drei
Perioden, wie Brandstetter sie giebt, hält sich streng an die
Thatsachen und geht auf historische Zusammenhänge, auf
morphologische Fragen nicht näher ein, was ich als weise
Beschränkung loben möchte. Selbst bei Fragen, wo durch
die Arbeiten der letzten Jahre in gewissen Fällen eine Stellung-
nahme für oder gegen eine Ansicht gleichsam aufgedrängt
wurde, hat der Verfasser mit seinem Urteile zurückgehalten,
wie z. B. in der Frage der Zurückführbarkeit der alem. vollen
Endungsvokale auf die entsprechenden ahd. Längen, wo die
schweizer Mundarten weniger für Kauffmanns als für die von
Behaghel und mir verteidigte Anschauung sprechen (vgl. schon
Behaghel Literaturbl. 1891, 123). Einzelarbeiten von der Art
der Brandstetterschen, vorsichtig, zuverlässig, ohne übers Ziel
hinausschiessende Hypothesen, werden unserer Erkenntnis dieser
Dinge am besten weiterhelfen können. Mit Wehmut liest man

S. 94 das Geständnis des Verfassers, dass er in seinem engeren
Vaterlande so wenig Verständnis für seine Forschungen gefunden hat, dass er sein Arbeiten auf diesem Gebiete "wahr-
lich nicht zu den Annehmlichkeiten" seines Daseins gehörig
erklärt. Wir dürfen seinen weiterhin in Aussicht gestellten
Arbeiten über die juristische Sprachsphäre innerhalb der Luzerner Kanzleisprache und über den Charakter der lebenden
Luzerner Mundart mit Spannung entgegensehen.

Zum Schluss ein paar kleine Bemerkungen. Störend ist
S. 29 und 44 die Bezeichnung "grammatikalischer Wechsel"
statt "grammatischer Wechsel". — S. 30 Z. 11 ist wohl *helfe*
zu lesen. — S. 47. Warum soll *Meschen* Schreibfehler für *Ma-
schen* sein? Näher liegt die Annahme eines Umlauts durch *sch*,
wie ihn Brandstetter § 77 und 116 für die Mundart nachweist.

Jena, 11. Januar 1893.   A l b e r t   L e i t z m a n n.

Lundell J. A. Svensk ordlista med reformstavning ock uttals-
beteckning under medvärkan av Hilda Lundell ock Elise
Zetterqvist samt flere fackmän utgiven. Stockholm Hugo
Gebers förlag 1893. XXXII u. 384 S. 8ᵛᵒ. 4,25 Kronen.

Vielleicht in keinem Lande ist über die Regelung und
Vereinfachung der Orthographie so eifrig und heftig verhandelt
worden wie in Schweden. Von mehreren Vorschlägen hat
schliesslich wohl nur einer grössere Bedeutung erhalten, da
er bereits in weitern Kreisen Anklang und Anwendung gefunden hat. Es ist der von Prof. L. F. Läffler, Frau A. Ch.
Leffler, E. Schwarz und J. A. Lundell im Jahre 1887 ausge-
arbeitete und dann auf der 10. allgemeinen schwedischen
Schriftstellerversammlung zu Göteborg im Jahre 1889 befür-
wortete. Bereits etwa 30 Schriftsteller haben danach die Rechtschreibung ihrer Bücher geregelt.

Der Zweck des vorliegenden Buchs ist zunächst, im
Sinne dieses Vorschlags ein Hilfsmittel für vereinfachte Rechtschreibung zu bieten. Die Neuerungen gegenüber der herge-
brachten Orthographie sind folgende: 1) *t* oder *tt* für *dt*, z. B.:
anförvant, ett rött hus; 2) *j* und *v* für *hj* und *hv*, z. B. *vilken,
järta*; 3) *ock* für *och*; 4) *kt* in Ableitungen für *gt*, z. B.: *vik-
tig, släkt* (aber *bragte* in der Flexion); 5) *v* für *f* und *fv*, wo
diese den Laut *v* bezeichnen, also: *brev, brevet, skriva*; 6) *kv*
für *qv*, z. B. *kvärn*; 7) in allen formell schwedischen Wörtern
wird der Laut *ä* mit *ä* (nicht *e*) wiedergegeben; ausgenommen;
den, det, denne, detta; *ej, nej, eller, eljes(t), efter, men*;
8) *mm* und *nn* werden vor *d* und *t* im Präteritum, Partizip
und Supinum vereinfacht, ebenso vor *t* in der neutralem Form
des Adjektivs.

Diese Vorschläge sind einmal nicht so gewaltsam, dass sie einen gewöhnlichen gebildeten Leser vor den Kopf stossen könnten, andrerseits beseitigen sie gerade solche mit der Aussprache nicht zusammenstimmende Schreibungen, deren Einübung nachweislich beim Schulunterricht Schwierigkeiten gemacht hat. Das sind durchaus praktische Grundsätze, und wenn man dazu bedenkt, dass die hier vorgeschlagene Schreibung bereits von einer Anzahl Schriftstellern befolgt wird, so steht zu hoffen, dass dieser schwedische "Duden" seiner Sache endlich den Sieg bringt.

Das Buch giebt aber noch bei weitem mehr. Es gründet sich auf sehr eingehende selbständige Sammlungen von Prof. L. F. Läffler, Frl. Hilda Lundell, Frau Elise Zetterqvist und Prof. J. A. Lundell. Exzerpiert sind lauter schwedische Originalarbeiten (das Neue Testament ausgenommen), die in der Hauptsache der Zeit nach 1850 angehören. Es ist hier also die Sprache der zweiten Hälfte des 19. Jahrhunderts fixiert. Gegen 12000 der mitgeteilten Wörter fehlen nach den Angaben der Vorrede in den bisher vollständigsten Wörterbüchern.

Ferner ist von den Wörtern, deren Schreibung die Aussprache nicht genügend deutlich anzeigt, die Aussprache mit dem sehr praktischen, sogenannten groben Landsmålalphabet angegeben. Für die Zuverlässigkeit dieser Angaben bürgt der Name des Herausgebers zur Genüge.

Als Anhang bringt das Buch eine Liste der gebräuchlichsten schwedischen Taufnamen und ein sehr nützliches Verzeichnis der Wörter, die nur als zweite Glieder von Komposita vorkommen.

Man wird hieraus ersehn, dass das Buch eine viel grössere Bedeutung hat, als der Titel vermuten lässt. Es ist für jeden, der sich mit dem Studium der schwedischen Sprache befasst, von grösstem Nutzen.

. München. · Gustav Morgenstern.

Leskien A. Untersuchungen über Quantität und Betonung in den slavischen Sprachen. I. Die Quantität im Serbischen. B. Das Verhältnis von Betonung und Quantität in den zweisilbigen primären Nomina. C. Das Verhältnis von Betonung und Quantität in den stammbildenden Suffixen mehrsilbiger Nomina. Abh. d. phil.-hist. Klasse der kgl. Sächs. Gesellschaft der Wissensch. Bd. XIII. S. 535—610. Leipzig 1893.

Nicht allzuschnell, aber um so stetiger erscheint eine Abhandlung Leskiens über den Akzent nach der andern. Die hier vorliegende ist für die vergleichende Sprachwissenschaft von grösster Bedeutung, jedenfalls ungleich wichtiger für die indogermanischen Akzentfragen als die erste Abteilung. Da ein Rezensent nach ziemlich allgemeinem Usus die Verpflichtung hat, möglichst viel an dem zu besprechenden Buche auszusetzen, so will ich gleich damit beginnen, und nur mein Bedauern ausdrücken, dass nicht noch mehr von diesen wunderbaren Untersuchungen vorliegt. Die jetzige weckt nur das unwiderstehliche Verlangen, L. möge sobald als möglich auch die übrigen Akzentfragen, die noch der Beantwortung harren, in gleich gründlicher und gleich vollendeter Weise behandeln. Es mag ja bedauerlich erscheinen, dass das Slowenische und Čechische in dieser Arbeit noch ausgeschlossen sind, aber Leskiens Art ist es nun einmal, alles gründlich zu geben, und es wäre nicht möglich gewesen, diesen Grad der Sicherheit und Überzeugungskraft zu bieten, wenn die Fragen in weiterm Umfange, aber nicht mit dem vollständigen Material behandelt wären.

An den Resultaten, die Leskien bietet, lässt sich meiner Überzeugung nach nicht rütteln. Ich kann daher nicht kritisieren, sondern will nur die für die vergleichende Sprachwissenschaft wichtigen und bedeutenden Punkte hervorheben.

Im Serbischen bestehen jetzt kurze und lange Vokale. Die erste Frage ist, wie verhalten sich diese zu den urslavischen und idg. Kürzen und Längen? Da der Akzent hierbei eine wichtige Rolle spielt, so bemerke ich, dass im Serbischen die ursprüngliche Betonung nur in der ersten Silbe erhalten ist, und zwar bedeutet " den ursprünglichen Akzent einer kurzen Silbe, ∧ den einer langen. Stand der Akzent nicht auf der ersten Silbe des Wortes, so ist er um eine Silbe nach dem Wortanfang zu verschoben. Die Bezeichung ist ' für die lange und ' für die kurze Silbe.

Die Resultate der Leskienschen Untersuchung sind folgende:

I. Die ursprünglichen Kürzen bleiben erhalten (Akzent " und ').

II. Die vor dem ursprünglichen Hochton stehenden alten Längen bleiben erhalten (also unter heutigem serbischem Akzent ').

III. Die in der ursprünglichen Hochtonsilbe stehenden alten Längen werden

1. verkürzt, wenn ursprünglich der Ton steigend war (serbische Akzentbezeichnung ");

2. erhalten, wenn ursprünglich der Ton fallend war (∧).

Wo die Kürzen trotzdem lang erscheinen, beruht das auf sekundärer Dehnung. Besonders wichtig sind II und III. Der steigende und fallende entspricht dem litauischen gestossenen und geschleiften Ton. Wenn wir auch schon durch Fortunatovs Abhandlung darüber unterrichtet waren, dass im Slavischen die idg. Akzentqualitäten bewahrt blieben, so kannte man doch keineswegs die näheren Bedingungen. Höchst auffallend, wenngleich unzweifelhaft richtig, ist dass nur betonte Silben den Akzentunterschied zeigen, in allen andern ist er verwischt, in der dem Ton voraufgehenden Silbe ist stets die Länge erhalten, in den unbetonten gewöhnlich die Kürze eingetreten.

Im einzelnen finden wir noch fogende wichtige Ergebnisse. Auch die kurzen Vokale, vor allem *e* und *o*, werden gedehnt, wenn sie in einsilbig gewordenen Worten stehen, aber nur wenn der Vokal ursprünglich betont war. Das ist vor allem deutlich bei den *o*-Stämmen. Nach Ausweis des Griechischen und Indischen gibt es oxytonierte und paroxytonierte *o*-Stämme, die genau im Slavischen wiederkehren. In jenem Falle heisst der Genitiv serb. *bòba* 'Bohne', čak. *bobá*, russ. *bobá*, serb. *kòša* 'Korb', čak. *košá*, russ. *košá* usw. Der Nominativ hat die Kürze *bôb*, *kôš*.

Haben die obliquen Kasus Wurzelbetonung wie serb. *bôga*, čak. *bòga*, russ. *bóga*, serb. *bôka*, čak. *bòka*, russ. *bóka*, so lautet der Nominativ *bôg*, *bôk*. Mit Recht erklärt dies Leskien aus einer Flexion *bógos*, *bógad*, jenes aus *bobós*, *bobád*. Es ist also bewiesen, dass das Slavische oxytonierte *o*-Stämme kannte, zu denen lit. *geràsis* stimmt. Es zeigt aber das Serbische nicht den Sekundärakzent *bôb*, wie man erwarten sollte. Demnach müssen die *o*-Stämme schon vor der speziell serbischen Akzentverschiebung den Ton zurückgezogen haben, ein Vorgang, der mit der lit. Akzentuation von *gèras* neben *geràsis* wohl im Zusammenhang stehen kann. Zu beachten ist, dass die *i*-Stämme stets den Akzent ^, nicht ʺ zeigen, demnach im Nom. schon im Urslavischen Anfangsbetonung gehabt haben müssen. Das sind dieselben Verhältnisse, die das Griechische bietet.

Man wird nicht verkennen, dass dieses serbische Akzentgesetz die beste Parallele zu dem idg. Dehnungsgesetz bildet, wie es von Streitberg formuliert ist. Es entspricht ihm auf das genauste, und es zeigt sich, wie sich immer wieder im Sprachleben dieselben Gesetze wiederholen.

Zugleich bietet es die phonetische Bestätigung der Möglichkeit der Dehnung in betonter Silbe.

Bei der Betrachtung der slavischen Akzentqualitäten hatte Fortunatov nur die *r*- und *l*- Verbindungen erwähnt. Durch Leskiens Untersuchung stellt es sich heraus, dass auch alle andern Silben den Unterschied kannten. Man vgl. lit. *draũgas* s. *drûg*, *drûga*, lit. *saũsas* 'trocken' s. *sûh*, lit. *pývas*

s. *pïvo*, lit. akk. *žěmą* serb. *zïmu*, aber lit. *lěpa* serb. *lïpa*,
lit. *véidas* čak. *vïd, vïda*, lit. *dúmai* serb. *dïm*, lit. *súris* s.
sïr, lit. *búti* serb. *bïti*, lit. *bóba* s. *bâba*, lit. *brólis* s. *brät*,
lit. *stóti* s. *stäti*, lit. *dúti* s. *dâti*, lit. akk. *rañką* s. *rûku*, lit.
žéntas s. *zět*.

Ich füge gleich hinzu, dass die von de Saussure Mem.
soc. ling. VIII jetzt ausgesprochenen Ansichten über den lit.
Akzent durch das Slavische, das de S. nicht berücksichtigt,
im grossen und ganzen auf das beste bestätigt werden.

In dem zweiten Teile seiner Untersuchungen behandelt
Leskien die Vokale der stammbildenden Suffixe, für die er
folgende m. E. unstreitig richtige Regeln gewinnt:

1) "Alte Länge der Suffixsilbe bleibt erhalten unmittelbar vor der (ursprünglichen) Hochtonsilbe des Wortes". Das
stimmt genau zu der unter 2) gegebenen Regel.

2) "Alte Länge der Suffixsilbe wird verkürzt, wenn diese
Silbe selbst den (ursprünglichen) Hochton trägt."

Das ist an und für sich genommen höchst auffallend,
und man muss doch den Versuch machen, diese Regel mit
den andern in Übereinstimmung zu bringen. Da Vokale
unter dem Hochtone nur verkürzt werden, wenn sie Stosston
hatten, so ist die Folgerung nicht abzuweisen, dass alle Ableitungssilben stossend betont waren und das stimmt in gewissem Grund ja auch zum Litauischen und zu dem von de
Saussure ausgesprochenen Satze, dass alle einfachen Längen
stossend betont sind. Man vergleiche lit. *-ýnas, -útas, -ětas*,
-ýtis, -ditis, -ěnas usw.

3) "Alte Länge der Suffixsilbe bleibt erhalten nach der
(ursprünglichen) Hochtonsilbe des Wortes".

Diese drei Sätze werden durch ein reiches Material völlig
erwiesen und die allerdings vorhandenen Ausnahmen genügend erklärt.

Nur eine Art von Silben hat bei Leskien noch keine
gebührende Berücksichtigung gefunden, die Endsilben. Man
gestatte mir daher noch einiges zur Ergänzung seiner Arbeit
nachzutragen. Allerdings sind hier die Verhältnisse sehr
kompliziert, aber dass die wechselnde Länge und Kürze der
Endsilben wie im Lit. durch den Einfluss der Akzentqualität
erklärt werden muss, ist unabweisbar. Im Čak. herrscht ja
noch die alte Endbetonung, und so unterscheidet sich nach
Nemanić der Gen. und Dat. der *i*-Stämme durch die Quantität
ráž 'secale cereale', Gen. *raží*, Dat. *raží* = Gen. u. Lok. Im
allgemeinen überwiegt beim Gen. die Länge, beim. Dat. die
Kürze.

Wichtigeres lässt sich noch aus dem Slowenischen ermitteln, wenngleich hier die Verhältnisse sehr kompliziert sind.

In nicht allzulanger Frist hoffe ich die Ergebnisse meiner
Forschung den Fachgenossen vorlegen zu können. Vorläufig
scheide ich nur mit dem Gefühl der Dankbarkeit und der
Freude von Leskiens Werke.

Leipzig.   H. Hirt.

––––––––

Leskien A. Die Bildung der Nomina im Litauischen (des
XII. Bandes der Abhandl. d. phil.-hist. Kl. d. kön. sächs. Ges.
d. Wiss. No. III). Leipzig bei S. Hirzel 1891. — Roy. 8°.
468 S. (= 151—618). M. 16.

Die vorliegende Schrift, zusammen mit L.s Beschreibung
des balt. Ablauts (ebd. im IX. Bd.) gehört zu jenen Büchern,
die man in der Regel für das erstemal flüchtig durchliest,
um sie späterhin gar oft um so sorgfältiger gegebenen Falls
zu Rate zu ziehen. Schon die Fülle des in diesen Schriften
verarbeiteten, in den uns zu Gebote stehenden Wörterbüchern
nicht enthaltenen lexikalischen Materials verbürgt ihnen auf
lange Jahre dauernden Wert: man muss in der That staunen
über den grossen Wörtervorrat der litauischen Sprache einer-,
sowie die Mangelhaftigkeit der vorhandenen lexikalischen Hilfsmittel (namentlich für Polnisch-Litauen) anderseits, wie dieselben gerade durch L. am deutlichsten dokumentiert worden
sind. Mit dem Lettischen hat sich L. nicht mit demselben
Eifer beschäftigt wie mit dem Litauischen, und er beschränkt
sich folglich diesbezüglich hauptsächlich auf Ulmanns Wörterbuch: es lässt sich indessen nicht leugnen, dass dieses Buch
(zu welchem die lett. Monatsschrift Austrums seit Februar 1894
recht lesenswerte, seltene und weniger bekannte Wörter be-
rührende Auskünfte und Berichtigungen bringt) viel mehr
bietet als Nesselmann und Kurschat.

L.s Darstellung der lit. Nominalflexion verfolgt vor allem
praktische Ziele: "Ihr Zweck ist, den Sprachforschern einen
möglichst reichen Vorrat zu bieten, aus dem sie bequem
schöpfen können". L. bietet diesbezügliches Material, ganz
ausserlich zusammengestellt, auf dass man so bequem wie
möglich das Gesuchte finden kann. Die Nominalsuffixe sind
nach den charakteristischen, d. h. vor allem in die Augen fal-
lenden Lauten geordnet, wo das Material reicher ist, sind die
Belege noch nach der Beschaffenheit des Wurzelvokals gesondert. Dass hie und da auch einzelne mehr ins Tiefe
gehende Exkurse auftauchen (z. B. 91 ff. über die -û- und
-ûmen. 151 über den Ursprung der sekundären -jo-Stämme,
176 über die balt. Nomina ag., 91 über *voverė*, 284 über
ašmenės usw.} wird wohl Jedermann nur mit Dank entgegen-

nehmen, wenngleich die Symmetrie des Buches dadurch einigermassen leidet. Die praktische Brauchbarkeit desselben hätte unseres Erachtens gewonnen, wenn einzelnes der Bequemlichkeit des Lesers etwas mehr Rechnung tragen würde. Wir bedauern z. B., dass L. in lettischen Wörtern die verschiedene Tonqualität nicht bezeichnet; es wäre viel übersichtlieher und belehrender, wenn durch entsprechende Zusammenstellung die in zwei oder in allen drei balt. Sprachen vorkommenden Wörter als solche gekennzeichnet wären (es wäre dies ja — von Entlehnungen abgesehen — ein Nachweis des voraussetzlich ältesten Grundstocks des baltischen Nominalreichtums); ein alphabetischer Index der Suffixe (ein Wörterverzeichnis zu verlangen wäre wohl zu viel) würde auch nicht schaden, auch z. B. nicht, wenn die Maskulina auf -a u. ä. (wie *pliópa*, *skundżiá* usw.) von den Fem. getrennt wären. Doch all das sind Dinge, wodurch wohl die Handlichkeit, nicht jedoch der grosse Wert des Buches beeinträchtigt werden.

Zuverlässigkeit und eine gewisse Vollständigkeit sind die wesentlichen Forderungen, die man an eine Schrift wie die vorliegende zu stellen hat. Was die erstere anbelangt, so wissen wir nicht, was hier zu bemängeln wäre (wir machen hier auf den bösen Druckfehler *Tag* für *Tatze* S. 233 aufmerksam). Was die letztere betrifft, so lässt der das Lit. selbst betreffende Teil schwerlich viel zu wünschen übrig (eine a b s o l u t e Vollständigkeit ist ja nicht möglich und wurde vom Vf. selbst auch nicht angestrebt). Das Lettische mit dem Preussischen — denn das Buch behandelt das ganze baltische Sprachgebiet, nicht bloss das Litauische, wie der Titel vermuten lässt — sind indessen doch etwas stiefmütterlich behandelt worden: aus Ulmann z. B. liesse sich ein viel genaueres Bild der lett. Nominalbildung zusammenstellen, als man bei L. findet. Es muss doch einmal die Zeit kommen, in welcher die Sprachwissenschaft auch dem Lettischen die ihm gebührende volle Aufmerksamkeit angedeihen lässt. Für das Litauische möchte ich z. B. das interess. Nom. Aktionis *maiszytana* A IV 67 anführen; zu S. 230 *ateisiné ateisené* 'Zukunft', *praeisené* 'Vergangenheit' A I 147, IV 97, 98, 100, 167 (vgl. *ateisinis* oder *-nýs* 'adventurus' III 359), auch allerdings eig. lett. *sédésziana* II 33; ungern vermisst man das uralte Wort *nepotis neptis*; zu S. 347 *girtúklé* 'Säufer' Lit.-lett. Drucke I 14 25, 31, III 21 29; zu S. 61 *pasaka* in *pasakos eyt* Kat. Led. 39, 53 'sequitur', wo *pasakos* nichts anderes sein kann denn Lok. Pl. (mit einem belehrenden Vokalabfall vor vokal. Anlaut in stehender Phrase: sonst hat das Buch in L. Pl. immer *-su*); u. a. m. Wir lassen hier noch ein paar Einzelbemerkungen zu L.s Material folgen. S. 15: *péda* 'Garbe' A IV 33, dag. *pédas* 'Spur' SzP. 30 32, 32 33. S. 16:

A (in Bezug auf *é* und *ë* sehr verlässlich) schreibt auch *létas.*
S. 27: in *áitvaras* 'Drache' dürfte wohl als erstes Glied *lett.*
dita 'Schaf' stecken? S. 69: *mižoti* GB 388 (DBS 24). S. 83:
souka, d. h. *súka,* also schwerlich zu *suk-*; vgl. *soukti, pri*
soukti prisuokti GSt, GM, *súka* 'Melodie' (eig. wohl etwa
'Zug', τόνος) A II 250, *nusuokimas kalbos* in Dowkonts *Lit.*
Liet. I 6. S. 89: auch im Lit. giebt es ein *liaudis* 'Leute',
aber als fem. Kollektiv (z. B. *liaudies vaikas* etwa 'gemeiner
Leute Kind', Varpas V 141). S. 109 zu L.s *skriausti* (A und
Varpas oft) lautet das Präs. *skriaudžiu,* Prät. *skriaudžiau* (z. B.
Varpas V 15. 77). S. 113: in lett. *špass* könnte doch wohl
lit. *in* stecken (vgl. S. 371); freilich erwarten wir dann eher
špaš. S. 133: wie *didis* urspr. wohl auch *daugis 'multus'?
vgl. BF, auch A II 361, SzP 40 12, 48 3, 69 2, 4. S. 190:
Dowkonts *paskoujis* kann doch nur *paskù-jis* sein? Vgl. Streitberg IF. I 263. S. 200: lett. *ligava* wird wohl schwerlich
von *ligú, ligüt* zu trennen sein. L. könnte sich allerdings auf
lit. *prilýgti bernėlį* (oft in J, z. B. 747 2, 824 19, 936 11,
auch *prė bern.* 488 2) berufen. S. 269: zu preuss. *kermens*
'Körper' auch das allerdings bei Ulmann fehlende, aber ganz
geläufige lett. *kermens, kermenis* m. ds. (sonst ist verwandt,
eig. von Haus aus identisch, aind. *cárman-* N. 'Haut, Leder';
auch asl. *črěvijь* 'Schuh', eig. 'Ledernes' gehört hieher).
S. 374: lit. *kūgis* in der Bed. grosser Hammer' steht wohl
durch Anlehnung an das andere *kūgis* 'Haufen' für *kūjis?
vgl. sl. *kyjь*; preuss. *cugis* kann man geradezu mit *j* lesen.
S. 403: *aiksztė* möchte ich z. W. *aiszk-* ziehen: eig. 'das Offenbare, Sichtbare, nicht Zugedekte'; vgl. *isztraukti ant eiksztes*
(d. h. *aiksztės*) A I 13, auch Varpas V 135*): *išeina aikštėn*
= *išeina į viršų, apsireiškia,* sonst ebd. 154, Ukininkas IV 66.
S. 413: *péstas* 'πεζός' A II 83, III 223, M III 269 (Dowk.),
J 586 11. S. 432: zu *vaikisztis* noch *vilkisztis* 'Wolfsjunges'
A IV 100.

   Zum Schluss sei uns noch vergönnt einiges aus dem
Lettischen anzuführen, was gleichzeitig als Ergänzung zu
IF. III 119 ff. dienen mag. Wie *példu példét* a. O. 126, sagt
man auch *stávu stávét* (Sprogis Pamjatniki lat. nar. tvor. 43 7,
172 6, 239 16, 286 2, Rakstu kr. V 599: freilich kann hie
und da *stávu* nicht blos verstärkend, sondern wirklich modal
sein) 'stehends stehen'. Zu S. 134 hat Herr Prof. Mühlenbach
in Mitau die Güte gehabt mich auf Bielensteins 1000 Lett. Rätsel
864 brieflich aufmerksam zu machen: *titu, vitu ẽt uz dugiu*
'sich rankend, sich windend geht [der Hopfen] aufwärts',
vgl. 41: *tinu tinu, viju viju uzẽt dugšd.* Zu L. 394, Rf. 135 ff.:
ein lett. -*šdm* (lit. -*cziomis*) in *parmišdm* = *parmišu* Austr.
IX 2 447; -*šu* (lit. -*czią*) noch in *div-eišu* 'doppelt', eig. 'zu

zwei gehend' (von Doppelhochzeiten) Lerch Pasakas I 71, IV 24, 123, *neviłśu* (= *neviłśus*) ebd. I 34, 169, II 25, 39, 43, 78, 82, III 49, *paslépśu* (= *paslépśus*) I 145. Zu L. 404, Rf. 139 vielleicht lett. *nebút* 'durchaus nicht' (im Gegensatz zu *nebút* 'nicht sein' oxytoniert, also eig. zwei Wörter), z. B. *nebút ne éśu* (urspr. 'nicht seiend, ich werde nicht gehn'?). Zu L. 255, Rf. 144: *-tin* vereinzelt auch im Lett. infinitivisch: *étin man tú celíńu, kur es biju negájusi, éstin man tú maizít, kù balińi nearuśi* Sprogis 190 46.

S. 201 verspricht L., einmal litauische Orts- und Personen-namen behandeln zu wollen: das wäre eine Arbeit, die auch ausserhalb der sprachwissenschaftlichen Kreise mit voller Sym-pathie begrüsst würde.

Smichov bei Prag.·   Josef Zubatý.

Torbiörnsson T. Likvida-metates i de slaviska språken (Sep. ur Upsala Univ. Årsskrift 1891—94). Upsala Edv. Berling 1893. II u. 22 S. 8⁰.

Irren wir nicht, ist dies der erste Schritt des Vf. vor die Öffentlichkeit; und sagen wir gleich, ein sehr glücklicher und vielversprechender. Die Arbeit behandelt vor allem die Geschichte von vorslav. *tort* im Russischen, Polabischen und Lausizischen. Die Hauptresultate (19) sind: 1. der erste Vokal der russ. Vollautsformen *torot* usw. ist sekundär; 2. polab. *tort* ist nicht unmittelbar mit vorsl. *tort* identisch; 3. laus. *trot*, polab. *tort*, russ. *torot* hat sich aus *ţrot* (vgl. Brugmann I § 281 A. 2), welches auf älteres *tort* zurückgeht, entwickelt: ähnlicherweise ist *tḷot*, *ţret*, *tḷet* (aus *tolt*, *tert* *telt*) vorauszu-setzen.

Vorsl. *or-* im Anlaut (z. B. **orvъnъ* — r. *róvnyj*) ergiebt im Russ. etwas anderes als *-or-* im Inlaut zw. Konsonanten (z. B. **borvъ* — r. *bórov*). Die Metathesis *or* zu *ro* hat also wohl überall stattgefunden, und in *borov* u. dgl. hat sich noch ein svarabhaktischer Vokal entwickelt. Nachdem vor urspr. *ro* (z. B. *prositi* — r. *prosít'*) ein solcher Vokal sich nicht ent-wickelt, muss dieses vor jenem metathesierten *ro* (dieses etwa = *ţo*) verschieden gewesen sein. — Im Polab. wird aus diesem *ţo* im Anl. *ro-* (z. B. *rüst* = **rosti*), zwischen Konso-nanten *-or-* (z. B. *gord*): analoge Umwandlungen bleiben bei *ţe* (pol. *ri*), *ḷo* *ḷe* aus, bei letzteren Gruppen wegen Ver-schiedenheit von *ḷ* und *ţ*, aus analogem Grund auch bei *ţe*, weil *r* *ţ* vor *e* sicherlich auch im Polab. wie in den übrigen westslav. Sprachen palatalisiert wurde. — Im Laus. wird *r* in *kr pr tr* u. a. vor *e* assibiliert, aber nur in vorsl. *tret*, nicht in

vorslav. *tert* (z. B. lett. *pret* — olaus. *přečivo*, ulaus. *p*
aber z. B. olaus. *prjeni*, ulaus. *prjedny* aus vorsl.
perdъn-); dieselbe Assibilation findet statt im Unterlaus
in *ro* = vorsl. *ro* (*přosyć* aus *prositi*), nicht jedoch in
vorsl. *or* (z. B. *proch* aus **porchъ*): es muss also auc
zwischen beiderlei *r* (*r* — *ř*, vgl. olaus. *prješ*, ulaus. *pr*
aslv. *pъreši*) ein Unterschied bestanden haben.

　　Den bekannten Wechsel *ra ro, la lo* = vorsl. *or*
Anlaut deutet auch T. durch Verschiedenheit der Tonqu
ich begehe vielleicht keine Indiskretion, wenn ich hier
Deutung erwähne, die vor einigen Jahren ein französ
Gelehrter im Gespräch angedeutet haben soll. Ursp. *a*
ergäbe demnach in allen slav. Sprachen anl. *ra- la-*
radlo ratajъ W. *ar-*), urspr. *or- ol-* nur im Südslavi
ra- la-, sonst *ro- lo-* (z. B. *rabъ* — *robъ* urspr. *orbhos*; *ral*
rolija 'Feld' z. B. dürfte dann nicht mehr zur W. *ar-* ge
werden).

　　Smichov bei Prag. 　　　　　　J o s e f Z u b a t ý.

Die Erscheinungen auf dem Gebiete des Vulgär
lateinischen 1891—1892.

　　Unter den in den letzten zwei Jahren veröffentlichten Te
die direkte oder indirekte Kunde von der Entwicklung der
nischen Volkssprache geben, nimmt mit Fug und Recht die
Stelle ein:
Corpus glossariorum latinorum vol. III. Hermeneumata Ps
　　dositheana ed. G. Götz. Leipzig Teubner 1892. XXXVI. 6
　　gr. 8°.

　　Der Wert der verschiedenen Glossare für die Kenntni
spätern Lateins ist natürlich ein sehr ungleicher, die einen z
im ganzen vorwiegend lateinische Formen und Wörter, a
ziehen die vulgären vor. So ist *Zeis juppiter* 167, 35, *pluton di*
ter 36 in den Hermeneumata Monacensia dem Sprachforscher
los, während ζευς *jovis tonans* 8, 29, πλουτων *ditis pater* 8,
den Herm. Leidensia durch den vom Oblicus aus gebildeten n
Nom. wichtig sind. In der Wortform am weitesten fortgesch
sind die Glossae cassinenses 536—542, die beispielsweise die o-St
fast durchweg in romanischer Gestalt zeigen: *oleastro* 536, 29,
melbino 38, *serpillo maiore* 42, *capillo veneris* 45, *salice* m
536, 32 usw., *de* mit dem Akkusativ verbinden: *sudore de*

538, 57. Auch die Hermeneumata Senensia und die beiden vatikanischen Sammlungen stehen fast auf gleicher Linie, vgl. z. B. 581, 42 *adramentus in albore* oder 583, 36 *soldago que est multum bona contra disenteriam* usw. Selbstverständlich liegt der Hauptwert auf der lexikalischen Seite, doch fällt auch für die Lautlehre manches ab. So wird man in *foedit* als Glosse zu τυπτι 6, 44 einen zunächst nur im Inf. berechtigten Wandel von *r* zu *d*, also *ferire* zu *fedire* sehen, vgl. ital. *fiedere*, 3. Sing. *fiede*; *plurigo* 76, 17, *veltragus* 431, 20 zeigen *l-r* aus *r-r* usw. Beachtenswert sind namentlich einige griechische und germanische Wörter als Erklärung griechischer oder lateinischer, und zwar sind es solche, die im Romanischen weiterleben, vgl. *apalum* 315, 11, noch heute zur Bezeichnung des Windeis in Süditalien verbreitet, *barentia* als Übersetzung von *rubia* 554, 34; 579, 30; *virgulta* : *uualda* 579, 35; *ferula* : *rausus maior vel ros* 563, 63; *mahunus* (Mohn) 589, 20 u. a. Ein ganz merkwürdiges Wort ist *sugia* in der Glosse *malanterius* : *sugia de furno vitrario* 584, 42; *fuligo* : *sugia in tecto* 590, 47; 612, 10; 624, 12; *melanteria* : *sugia de furno ueteraneo* 592, 38. Es unterliegt keinem Zweifel, dass *sugia* 'Russ' bedeutet und frz. *suie* entspricht. Nun geht aber, wie Horning überzeugend nachgewiesen hat (Zs. f. rom. Phil. XIII 323) *suie* auf *sucida* zurück, sodass also *sugia* schon eine sehr weit fortgeschrittene Form ist, die man auch kaum so wird zu lesen haben wie sie geschrieben wird, sondern etwa *suya*. Das Wort ist einer der stärksten Beweise dafür, dass die Verfasser der Glossare aus dem Volksmunde schöpfen, zugleich ist wohl nicht ohne Bedeutung, dass *sucida* 'Russ' auf Gallien beschränkt ist. Auch sonst zeigen manche dieser Glossare Formen, die nur die romanischen Idiome Frankreichs kennen.

Von zusammenhängenden Texten ist namentlich mancherlei auf dem Gebiete der christlichen Litteratur erschienen. Die Neuausgabe der apokryphen Apostelgeschichte interessiert auch den Sprachforscher, da die Ausgaben mit der Scheu vor dem "schlechten Latein" der Handschriften besorgt sind, die man in neuerer Zeit mit Recht fordert. Es liegt vor:

Acta apostolorum apocrypha, pars prior edidit A. Lipsius. Leipzig 1891. CXI u. 340 S. 8⁰.

Von besonderer Wichtigkeit ist darin der Actus Petri, dessen sprachliche Eigentümlichkeiten S. XXXVII—LII vom Herausgeber zusammengestellt sind, aber auch die andern bieten mancherlei wichtiges und auch darauf macht die Vorrede aufmerksam. Einige der bemerkenswertesten lexikalischen Eigentümlichkeiten stellt der Index latinus zusammen.

Sodann mag genannt werden das

Novum Testamentum domini nostri Jesu Christi. Latine secundum editionem Sancti Hieronymi rec. J. Wordsworth et H. White. Oxonii 1890—1891. 168 S. 4⁰.

Die bis jetzt erschienenen zwei Lieferungen enthalten ausser der Vorrede der Herausgeber die Epistula ad Damasum und

einige andere kleine patristische Stücke und das Matthäus- und
Markus-Evangelium. Sie geben einen auf allen erreichbaren Handschriften basierten Text zugleich mit vollständigem kritischen Apparate, sodass für weitere Studien auf dem Gebiete des Bibellateins
damit eine zuverlässige Grundlage gegeben ist.

Eine noch ältere Stufe des christlichen Lateins ist zu finden bei:

Hausleiter J. Die lateinische Apokalypse der alten afrikanischen
Kirche. Erlangen 1891. XVIII. 329 S. 8⁰.

Es handelt sich hier um einen Kommentar, den *Primasius* um
540 zu der vorhieronymianischen alten Übersetzung geschrieben
hat. Der Text dieses Kommentars wird zum erstenmal kritisch
festgestellt und dadurch für sprachliche Untersuchungen brauchbar
gemacht.

Weiter wären die erfreulich weiterschreitenden Wiener Ausgaben der Kirchenväter zu nennen, namentlich *Faustus Reiensis*
und die Briefe des *Ruricius* von Engelbrecht, *Cypriani Galli
poetae Heptateuchos* herausg. von Peiper.

Auf andere Gebiete führt

Pelagonii artis veterinariae quae extant ed. M. Ihm. Leipzig
Teubner 1892. 244 S.

Namentlich in seinem Wortschatze schon stark an das Romanische erinnernd.

Dann mag noch erwähnt werden:

Apuleius Amor und Psyche mit kritischen Anmerkungen von
C. Weyman. Sonderabdruck aus dem Index lectionum quae
in univers. Friburg. per menses aestivas a. MDCCCXC hab. 52 S.
gr. 8⁰. Freiburg i. d. Schweiz.

Enthaltend den kritischen Text mit mancherlei Sprachliches
berührenden Anmerkungen.

Friedländer L. Petronii Cena Trimalchionis mit deutscher Übersetzung und erklärenden Anmerkungen. Leipzig 1891. 327 S. 8⁰.

In diesen Anmerkungen ist ebenfalls manches den Grammatiker interessierende enthalten.

Von grammatikalischen Abhandlungen nenne ich hauptsächlich des Nebentitels wegen:

Skutsch F. Forschungen zur lateinischen Grammatik und Metrik.
1. Plautinisches und Romanisches. Leipzig Teubner 1892. 186 S. 8⁰.

Hauptaufgabe des Buches ist, zu beweisen, dass im plautinischen Verse *nempe, quippe, inde, unde, ille, iste* die letzte Silbe
verlieren können, dass dieser Abfall des *e* mit den Synkopierungs-
gesetzen im Wortinnern übereinstimme und dass in diesen einsilbigen Formen volkstümliche, zu allen Zeiten lebende und bis ins
Romanische hinein sich findende Umgestaltungen zu sehen seien.
Ob die Metriker dazu ihren Beifall geben, liegt zu entscheiden mir
nicht ob; wer sich mit lateinischer Grammatik beschäftigt, wird im
einzelnen sehr vieles finden, dem er zustimmen kann, namentlich ist,
was über Nasalschwund im Lateinischen gesagt wird, wenn auch nicht

gerade den Lesern des Anzeigers, so doch allen denen, die bei Beschäftigung mit lateinischer Grammatik noch allzusehr in Corssens Schuhen stecken, sehr zu empfehlen. Auch das Gesamtresultat ist vom grammatikalischen Standpunkte aus unanfechtbar, es kann sehr wohl *il* eine zu Plautus Zeiten in der Umgangssprache gebräuchliche Form von *ille* gewesen sein. Dagegen ist, was der Verf. nicht wissen konnte, da er, wie er selber nachdrücklich hervorhebt, nicht Romanist ist, dieses plautinische *il* nicht anzuknüpfen an das Romanische. Ich kenne keine einzige romanische Form, die auf *il* zurückgehen müsste, wohl aber giebt es mehrere, die nur auf *ille*, nicht auf *il* beruhen können, so vor allem neuspan. *el*, das im Altspan. *elle* lautet. Die romanischen Reflexe des Pronomens können also samt und sonders auf dem klassisch-lateinischen *ille* beruhen, einige müssen es geradezu, andere können zwar auch plautinischem *il* entsprechen, können aber ebenso gut auf *ille* beruhen, sodass wir zu dem Schlusse kommen: diejenige Phase der lateinischen Sprachentwickelung, auf die die romanischen Sprachen in letzter Instanz zurückgehen, ist nicht die plautinische, sondern eine dem Schriftlatein der klassischen Zeit näher stehende. Noch in einem zweiten Punkte muss ich als Romanist mich gegen den Verf. wenden. Die Annahme, dass *illic* bei Plautus zu *ilc, istic* zu *istc* geworden sei, wird gestützt durch Hinweis auf frz. *puce* aus *pulice, mâcher* aus *masticare*. Allein hier handelt es sich nicht um alte, sondern um relativ junge Formen, um Lautgesetze, die auf einzelnen romanischen Gebieten nicht vor dem 7. nachchristlichen Jahrhundert gewirkt haben, die also für die plautinische Zeit nichts beweisen. Dagegen wird mit *dunc* aus *dumque* S. 152, mit dem Exkurs über *viginti, triginta* und dem Nachweise der Betonung dieser Zahlen auf der ersten Silbe bei Plautus allerdings Altlatein mit Romanisch verknüpft, ohne aber in Gegensatz zum klassischen zu treten. Das sind die wesentlichsten Punkte, in denen auf das Volkslatein speziell hingewiesen wird; manches andere Lautliche und Etymologische, so die schöne Deutung von *an* aus *atne* kommen der lateinischen Grammatik überhaupt zu gute, sind also hier nicht weiter zu besprechen.

Zur Formenlehre ist in erster Linie zu nennen:
Neue Fr. Formenlehre der lateinischen Sprache. Zweiter Band, Adjektiva, Numeralia, Pronomina, Adverbia, Präpositionen, Konjunktionen, Interjektionen. 3. Aufl. von C. Wagner. Berlin 1892. XII u. 999 S. gr. 8⁰.

Das Werk bietet in der neuen Auflage in noch höherem Grade reiches Material zu einer Darstellung der lateinischen Flexionslehre, wenn auch freilich gerade die vulgären Formen fast ganz selten und selbst die Inschriften nur in geringem Masse, andere Texte volkstümlicher Färbung fast gar nicht benutzt sind, so dass in dieser Richtung noch ziemlich alles zu thun ist.

Obwohl ebenfalls mehr die Schriftsprache als die Volkssprache betreffend, mag hier doch erwähnt werden

Scheffler L. De perfecti in 'ri' exeuntis formis apud poetas latinos dactylicos occurentibus.

Die genaue Statistik, die mit Ennius und Lucilius beginnt und mit Claudian schliesst. kommt zu dem Ergebnisse, dass in den Verben der 1. Konj. den Dichtern vor Catull die r-losen Formen vorwiegend. ja bei folgendem r -arunt usw. ausschliesslich im Gebrauche gewesen sind. Ovid stellt noch 33 amarunt gegen 15 amaverunt, während allerdings Catull. Vergil. Horaz und unter den späteren Statius, Martial, Claudian u. a. die längere Form teils vorwiegend teils allein brauchen. damit also sich in einen gewissen Gegensatz zur Volkssprache stellen. die nur die kürzere kennt. Mit dem altern und zugleich vulgären Gebrauch stimmen unter andern Valerius Flaccus, Silius Italicus, Commodian. Ausonius u. a. wenn sie auch -arerunt nicht ohne weiteres verpönen. Eine Stellung für sich nimmt stravi ein. das mit ganz geringen Ausnahmen r behält. Die Perfekte auf -eri ziehen -erere aber -esti vor: crevi erscheint ausser bei Lucilius und Lucrez und Ovid Met. VII 466 stets mit r, ebenso nevi. sprevi, was nicht Willkür sein kann. da auch im Romanischen crevi (die andern fehlen) Spuren des v zeigt, während amavi stets v-los ist. Endlich bei den i-Verben herrscht die v-lose Form zu allen Zeiten so bedeutend vor. dass beispielsweise nur 21 -ivere neben 216 -iere, nur ein zweifelhaftes -irerunt neben 44 -ierunt steht. Von mori stehen 15 synkopierte neben 121 vollen Formen wieder in Übereinstimmung mit der Sprachenentwicklung, die v verlangt ital. morvi, bei novi allerdings 285 kürzere neben 106 längeren, obwohl nach Massgabe der romanischen Sprachen cognovi mit movi in der Volkssprache gleichen Schritt hielt.

Von Einzelheiten zur Formenlehre mag noch erwähnt werden, dass S. Brandt den Nom. splenis statt splen Arch. lat. Lex. VIII 130—131 belegt, wodurch die schon beträchtliche Zahl der parisyllabischen Nominative an Stelle imparisyllabischer wieder vermehrt wird; und dass M. Bonnet mane als Femininum bei Gregor von Tours nachweist Arch. lat. Lex. VII 568.

Zur Wortbildungslehre ist wenig beigetragen. W. Schulze belegt das von Ref. Rom. Gramm. I 412 und von Gröber Arch. lat. Lex. VI 392 aus dem Romanischen erschlossene manuclus statt manuplus und andere Fälle, wo das Suffix -uclus an Stelle von -iclus getreten ist. Arch. lat. Lex. VIII 134; E. Wölfflin zeigt, dass schon im zweiten Jahrhundert in Zusammensetzungen bei vokalischem Anlaut re-, nicht mehr red- gebräuchlich war, Arch. lat. Lex. VIII 278.

Zum Lexikon ist hervorzuheben: weitere Belege für malacia 'Windstille' von G. Gundermann Arch. lat. Lex. VII 587, retro als Präposition von Ludwig und Wölfflin Arch. lat. Lex. VIII 294; puxicus 'eiterig' von B. Kübler Arch. lat. Lex. VIII 136; itoria 'Reisegeld' von Linderbauer Arch. lat. Lex. VIII 139; gubernius und gubernus statt gubernator von G. Gundermann Arch. lat. Lex. VII 587. — Über mamphur handelt W. Meyer-Lübke Philol.

Abhandl. Schweizer-Sidler gewidmet S. 24—27. Er sucht nachzuweisen, dass *mamfur* ein oskisches Wort ist, neben welchem das
entsprechende lateinische *mandar* ebenfalls bestand, da das eine
wie das andere im Romanischen Spuren hinterlassen habe. —
Endlich zur Laut- und Akzentlehre ist fast nichts beizubrin-
gen. Lindsay führt aus, dass die romanische Betonung *muliére*
bei Plautus noch nicht vorkomme, Arch. lat. Lex. VII 597; Skutsch
zeigt Arch. lat. lex. VII 528, dass *jajunus, jajentare, jajentaculum* die
älteren Formen sind, zu denen sich *jejunus* usw. also verhalten wie
jentare zu *jantare, jenuarius* zu *januarius, *jenua* zu *janua* u. dgl.

Von Abhandlungen über die Sprache einzelner Texte oder
einzelner Gegenden ist von hervorragender Bedeutung
Ullmann K. Die Appendix Probi. Rom. Forsch. VII 145—226.

Während G. Paris in den Mélanges Renier S. 301 ff. und
H. Sittl in Arch. f. lat. Lex. VI 557 die Appendix Probi nach Afrika
verwiesen hatten und B. Kübler Arch. lat. Lex. VII 593—595 zur
Stütze dieser Ansicht sich noch auf *Marsyas non Marsuas* beruft,
da bis jetzt Marsyasstatuen nur in Afrika nachgewiesen sind, und
weniger glücklich auf die Form *mascel*, sucht Ullmann nachzuweisen, dass in dem Traktat "die Arbeit eines Schülers, eines
echten kampanischen Bauernsohnes, dem über der Unterweisung in
den schulgemässen Feinheiten der Aussprache, Formenlehre und
Orthographie die viel bemerkbaren Fehler seines Dialekts auf die
Seele fielen, und der deshalb an die Exzerpte aus seinen Schulbüchern
die für ihn wichtigere Kritik seiner eigenen Sprachfehler anschliesst"
zu sehen sei. In musterhafter Weise wird zunächst die Stelle der
Appendix im Kreise der national-römischen Grammatik erörtert,
dann das ihr eigene ausgesondert, weiter gezeigt, dass die äusseren
Gründe, die für Afrika zu passen scheinen, ebenso gut oder noch
besser auf Rom anwendbar sind (Küblers *Marsyas* konnte der Verfasser noch nicht kennen), die Frage nach Kopistenfehlern sorgfältig
geprüft, endlich an Hand der sprachlichen Eigentümlichkeiten die
Lokalisierung in Rom, dessen Mundart im 3. Jahrh. zu dem südlichen Gebiet gehört habe, versucht. Man wird an diesem letzten
Kapitel das eine und andere in anderer Art deuten, manches, was
dem Verfasser nur aus Süditalien bekannt ist, findet sich thatsächlich auch auf andern romanischen Gebieten, aber da er selber in
weiser Vorsicht bemerkt, aus der Sprache allein sei eine Entscheidung zwischen Afrika und Rom nicht möglich, so ist das nicht hoch
anzuschlagen. Für den Grammatiker ist die Entscheidung in doppeltem Sinne wertvoll, weil die schon als Dogma angenommene
Afrizität der Appendix zum allermindesten erschüttert ist, und weil
zum ersten mal das ganze Denkmal systematisch und mit ver-
ständiger Kritik an Inschriften und modernen Reflexen geprüft
worden ist.

Mit der Sprache der Juristen beschäftigt sich
Kalb W. Roms Juristen nach ihrer Sprache dargestellt. Leipzig
Teubner 1890. VIII u. 198 S. 8°,

vgl. dazu Kübler Wochenschrift f. klass. Philol. 1891 S. 5€
594—600 und

Leipold W. Über die Sprache des Juristen Aemilius Papi
Progr. von Passau 1891. 80 S. 8⁰.

Die erste Arbeit zeigt zunächst an einer Reihe von Bei
dass sich auch bei den Juristen, obschon sie namentlich in
ausdrücken in den zwei ersten Jahrhunderten ziemlich ko
tiv bleiben, namentlich in untergeordneten Wörtern eine z
und örtliche Verschiedenheit des Sprachgebrauches beobachte
so dass man also nicht von Juristenlatein im allgemeinen, s
vom Latein der verschiedenen Rechtsgelehrten sprechen sollte
lich sind sie für die Geschichte der Schrift- oder Kunsts
wichtiger als für die Volkssprache, da sie im allgemeinen bew
weise sich eines besseren Ausdruckes bedienen. Es werden
die Sprach- oder besser Stileigentümlichkeiten jedes einzeln
risten untersucht, kurz und treffend charakterisiert, seine Heim
sein Verhältnis zu den Vorgängern möglichst genau festgestel
dabei natürlich Vulgäres besonders hervorgehoben. Das Buch
somit Grundlage und Ausgangspunkt jeder weitern Arbeit auf d
Gebiet. Der Afrizität wird etwas zu viel eingeräumt. Wenn
fini 'bis' bei Papinian als afrikanisch angeführt wird, so mag da
hingehen, man kann sagen, es sei das Wort aus der afrikan
Schriftsprache in die italische und von da in die Volkssprach(
fino) gedrungen; aber für *exter* statt *extraneus* S. 116 geht da
kaum an. Der Verfasser führt selber ein Beispiel aus Paulinu
Bordeaux und aus CIL. V an, die also beide gegen Afrika
chen, denn dass, wie in der Note bemerkt wird, die Inschrift
Afrikaner gesetzt worden ist, der auf einer Reise nach Italie
storben ist, bedingt doch nicht, dass die Inschrift afrikanisc
und rätor. *yéster* 'fremd' zeigt, dass *exter* in Gegenden volkstü
war, die von Afrika und von der Beeinflussung durch afrika
Schriftsprache denkbar weit entfernt lagen. Vielleicht wird ma
weiterer Forschung zwischen lateinisch-romanischer Volkssp
und afrikanischer Schriftsprache zu unterscheiden haben.

Hat Kalb die Pandektenjuristen namentlich in ihrem g
seitigen Verhältnis dargestellt, so untersucht Leipold den i
Sprache konservativsten Papinian nun im einzelnen, zeigt, wie
Reminiszenzen an Cicero und Quintilian er aufweist, bespric
dann die Afrizismen, endlich die Papinian eigentümlichen W
und Redensarten. Zum Schluss wird nachgewiesen, dass au
Reskripte des Kaisers Septimius Severus von 194—202, wä
welcher Zeit Papinian magister libellorum war, deutlich die
des Juristen zeigen; dann findet bis 205 eine Unterbrechung
die vom 1. Aug. 205 bis Anfang 206 und nochmals eines vo
und 210 sind aber wieder papinianisch und auch unter Car
hat erst allmählich Ulpian das Erbe seines Lehrers angetreten

Das afrikanische Latein ist namentlich von zwei Seiten
sucht worden, von

Kübler B. Die lateinische Sprache auf afrikanischen Inschriften
  im Arch. lat. Lex. VIII 161—202
    und von

Wölfflin E. Minucius Felix, ein Beitrag zur Keuntnis des afrikanischen Lateins im Arch. lat. Lex. VII 467—484.

Die erste Arbeit hat mit glücklichem Griffe die Inschriften
zum Ausgangspunkte genommen und untersucht die Eigentümlichkeiten derselben in Wortbildung, Flexion, Syntax, Stil, Phraseologie
und Lexikon. Die zusammenfassenden Schlussbemerkungen sind
sehr vorsichtig gehalten, nur die Begünstigung der Eigennamen auf
-osus, -ica, -itta, die Adjektivbildung auf -icius und -alis, der "tumor
Africus" und eine Anzahl lexikographischer Eigentümlichkeit werden als afrikanisch festgehalten. Aber selbst Kübler scheint mir
noch etwas zu weit zu gehen. Er betont Übereinstimmungen mit
dem campanischen wie mit dem spanischen Latein ähnlich wie
Thielmann in einer gleich zu nennenden Arbeit, es ergiebt sich also
auch hier, was wir überall bei Dialektstudien beobachten, dass es,
wenn nicht Verkehrsschranken da sind, keine Dialektgrenzen giebt,
sondern dass jede sprachliche Erscheinung ihre eigenen Grenzen
hat; dass also die verschiedenen Eigentümlichkeiten, die wir in ihrer
Gruppierung als Afrikanismus bezeichnen, im einzelnen bald im
Osten, bald im Westen über Afrika hinaus reichen. Von derartigen Formen will ich nur *gremia, -orum* erwähnen, das Garbe bedeutet, von Kübler aber mit Recht als Plur. von *gremium* 'Schoss'
betrachtet wird. Unsere Wbb. schreiben z. t. *cremia*: doch wird
gremia als richtig erwiesen auch durch neap. *gregna* Garbe, das
zugleich zeigt, dass das Wort im campanischen Volkslatein gang
und gäbe war. Aber auch der Africitas in diesem weiteren Sinne
dürfte *depost*, das Kübler mitanführt, abzusprechen sein, da es sich
sogar in rumänisch *după* wiederfindet.

Ganz andere Probleme stellt sich Wölfflin. Davou ausgehend,
dass die Sprache der vielen in Afrika schreibenden Autoren mit
Plautus manche Übereinstimmung zeigt, stellt er sich zunächst, um über
dieses Verhältnis zwischen afrikanischem und archaischem Latein
klar zu werden, die äusserst schwierige Frage, welche Umwandelung
in der Zwischenzeit die Sprache (ich würde bestimmter sagen 'Schriftsprache') in Rom erfahren habe. An einer Reihe von Beispielen wird
gezeigt, wie Caesar und Cicero mit dem Wortschatze walteten, wie
jener *fluvius* mied und ganz durch *flumen* ersetzte, eine Thatsache,
an die S. 588—590 noch einige Beobachtungen geknüpft werden,
und die auch darum von Wichtigkeit ist, weil die romanischen
Sprachen als Erbwort nur *flumen* (ital. *fiume*, afranz. *flum*), nicht
fluvius kennen. Während nun die Sprachmeister in der Hauptstadt
die Entwickelung der Sprache für lange Zeit hemmten und erst die
sog. silberne Latinität den Bann brach, kannte die abgelegene Provinz weder klassische Schriften und ihre Sprache noch auch zeigte
sie die Sprachentwickelung, die den Ciceronianismus stürzte, sie
blieb auf der alten Stufe und bei den alten Schriftstellern, was

natürlich nicht ausschliesst, dass nicht auch in Afrika sich allerlei
Besonderheiten ausgebildet haben. Diese Sätze werden nun mit der
bei dem Verfasser bekannten Gelehrsamkeit und Feinfühligkeit an
den Dialogen des Minucius Felix praktisch angewandt.

Hier schliesst sich noch an

Thielmann Ph. Die lateinische Übersetzung des Buches der
Weisheit. Arch. lat. Lex. VIII 237—277.

Der Verfasser untersucht die Sprache der vorhieronymischen,
von Hieronymus unberührt gelassenen Übersetzung einzelner Bücher
des Alten Testaments, namentlich des Buches der Weisheit, zeigt,
dass die Übersetzung alle die Eigentümlichkeiten hat, die die afrikanische Schriftsprache aufweist, hebt übrigens dabei die Beziehungen zu Petronius wie nach dem Westen und zu Plinius, also
nach Oberitalien, hervor, zu welch' letzteren ich bemerken will,
dass das S. 255 als 'eigentlich afrikanisches Wort' aufgeführte *ad-
jutorium* 'Hülfe' gerade den mittelalterlichen Mundarten Oberita-
liens ganz geläufig ist, stellt dann Eigentümlichkeiten der Formenlehre, der Syntax und des Wortschatzes zusammen und charakterisiert den Übersetzer, der mit seinem Original noch sehr frei verfährt.

Italisches Latein behandelt

Geyer P. Kritische und sprachliche Erläuterungen zu Antonini
Placentini Itinerarium. Erlanger Dissert. 1892. XIV u. 76 S. 8º.

Unter Form eines kritischen Kommentars zu der von Gilde-
meister 1889 veröffentlichten Ausgabe des um 570 geschriebenen Iti-
nerars machte der Verfasser auf die verschiedenen sprachlichen
Eigentümlichkeiten, Vulgarismen u. dgl. aufmerksam, belegt ihr Vorkommen bei andern Schriftstellern und liefert so einen reichen Beitrag zur spätlateinischen Grammatik. Für die Lautlehre fällt wenig
ab, doch weisen Abfall und Falschsetzung des -*s* sicher nach Italien,
ebenso einige andere, S. XIV zusammengestellte morphologische und
lexikographische Eigentümlichkeiten, wie das griech. *melum* statt
des lat. *malum*, während manches andere, wie *ipse* als Artikel S. 9
trotz der regionalen Beschränkung im Romanischen zu einer Lokalisierung sich nicht eignet. Eine grammatikalische Übersicht und
ein 'Wortindex' erleichtern das Auffinden der speziell den Grammatiker interessirenden Bemerkungen des reichhaltigen Schriftchens.

Eine Eigentümlichkeit des gallischen Lateins behandelt

Thurneysen R. Zur Bezeichnung der Reciprozität im gallischen
Latein. Arch. lat. Lex. VII 523—527.

Anknüpfend an Thielmanns Aufsatz im Arch. lat. Lex. VII 343 ff.
zeigt er, wie lat. *inter se amare* im Französischen zu *se inter amare*
geworden ist durch Vermittelung von Ausdrücken wie *interjungere*
und, mit Reflexivum statt Passivum, *se interjungere*, und vermutet
weiter, dass diese syntaktische Eigentümlichkeit gallischen Ursprungs sei, da die anderen romanischen Sprachen sie nicht kennen,
wohl aber die beiden keltischen Sprachzweige die Reciprozität durch
Zusammensetzung des Verbums mit -*ambi*- bildeten. Die romanisierten

Gallier hätten also die alte Ausdrucksweise beibehalten, ihr aber ganz lateinisches Gewand gegeben.

Zum Schlusse mag noch hingewiesen werden auf den Aufsatz von

Geyer P. Alte und neue Philologie in ihrem gegenseitigen Verhältnis. Blätter f. baier. Gymn. 1891, S. 151—163.

Der Verfasser giebt eine ziemlich vollständige Übersicht der namentlich im letzten Jahrzehnt erschienenen Arbeiten über das Volkslateinische und zeigt an einer Reihe von Beispielen, wie in späterer Zeit (etwa seit dem 5. Jahrhundert) sich in der Sprache der Urkunden wie in manchen litterarischen Erzeugnissen die lokalen Verschiedenheiten der romanischen Sprachen wiederfinden lassen.

Wien.   W. Meyer-Lübke.

Zur deutschen Dialektkunde.

Jardon A.: Grammatik der Aachener Mundart. Aachen 1891. (I. Teil: Laut- und Formenlehre).

Lienhart H.: Laut- und Flexionslehre der Mundart des mittleren Zornthales im Elsass. Strassburg 1891 (= Alsatische Studien 1. Heft).

Sütterlin A.: Laut- und Flexionslehre der Strassburger Mundart in Arnolds Pfingstmontag. Strassburg 1892 (= Alsatische Studien 2. Heft).

Schild P.: Brienzer Mundart. I. Teil Allgemeine Lautgesetze und Vokalismus. Basel 1891.

Brandstetter R.: Prolegomena zu einer urkundlichen Geschichte der Luzerner Mundart. Einsiedeln 1890.

Derselbe: Die Rezeption der neuhochdeutschen Schriftsprache in Stadt und Landschaft Luzern 1600—1830. Einsiedeln 1891.

Derselbe: Die Luzerner Kanzleisprache 1250—1600. Ein gedrängter Abriss mit spezieller Hervorhebung des methodologischen Moments. Geschichtsfreund XLVII 257 ff. (1892).

Bohnenberger K.: Zur Geschichte der schwäbischen Mundart im XV. Jahrhundert. Allgemeines und Vokale der Stammsilben. Tübingen 1892.

Wagner Prof. Der gegenwärtige Lautbestand des Schwäbischen in der Mundart von Reutlingen. Festschrift und Programm der kgl. Realanstalt Reutlingen 1889. 1891.

Die vorstehenden Arbeiten sind sowohl der Form als dem Gehalte nach sehr ungleich, aber auch die unbedeutenden lassen doch wenigstens den guten Willen verspüren, den heutigen Anforderungen zu genügen. Leider fehlt es eben noch vielfach an jenem gesunden Sinn, der die Mannigfaltigkeit der Erscheinun-

gen harmlos aufnimmt und den einen wie den andern gleiche Gerechtigkeit widerfahren lässt.   Dieser gesunde Sinn bringt auch eine
natürliche Energie mit, die von dem Gegebenen zu dessen Ursache
vorwärts drängt, die für die Vielheit nach der Einheit, für das Unregelmässige nach dem Gesetze sucht und nicht rastet, bis auch
das Kleinste in den grösseren Zusammenhang eingeordnet und geistig verarbeitet ist.   Talente und Neigungen bedingen hiebei eine
Verschiedenheit des Interesses. Wo sich der eine bemüht das Heutige
mit dem Gewesenen in Beziehung zu setzen und sich in die geschicht-
lich wirksamen Kräfte des Dialektlebens zu vertiefen, ist der andere
von der Unvollkommenheit unserer Beobachtung so überzeugt, dass
er vor allem andern darauf dringt, über das Thatsächliche des Ver-
suchsobjekts ins Klare zu kommen und zu diesem Behuf seine linguistischen Studien mit den technischen Hilfsmitteln der Physik und
Physiologie betreibt.   Der kräftige Pulsschlag, der die moderne
Sprachwissenschaft beseelt, wird jetzt auf dem Gebiete der Dialektforschung deutlich vernehmbar und wir stehen am Anfang wichtiger
Fortschritte, welche die allgemeine Sprachwissenschaft um so weniger ausser Acht lassen darf, als es sich um die natürlichen Formen
des Sprachlebens handelt.

   Die Arbeit von Jardon zeigt, wie weit es sorgsamer Fleiss
und ernste Liebe zur Sache bringen kann und entkräftet alle jene
unverständigen Einwürfe, als lasse sich die lebende Mundart nur
von Spezialisten wissenschaftlich beherrschen.   Der Verfasser hat
was er bringt recht zweckmässig und übersichtlich dargestellt. Im
einzelnen geht es nicht ohne Fehler ab, die aber jeder sich leicht
verbessert (er lässt z. B. noch die schwachen Verba ihr Präteritum
mit Hilfe des Verbums *tun* bilden S. 30, besser S. 40, 2).   Er behandelt für die einzelnen Vokale: Qualität, Dehnung, Umlaut; gibt was
sehr nützlich ist die heutigen Ablautsreihen, achtet zwar bei den
Umlautsfällen auf die Bedeutung der Analogiebildungen, hat aber
beim Vokalwandel versäumt, dadurch grössere Ordnung zu schaffen
dass er Zusammengehöriges nicht auseinander reisst.   Daran ist nur
das eingewurzelte Vorurteil schuld, man habe nichts besseres zu
thun, als auch die Vokale der Mundart von Aachen unter die sog.
mhd. zu subsumieren und womöglich von ihnen herzuleiten.   In
diesem Fall dürfte z. B. *ie* nicht von *i*, ī und *o* nicht von *u* getrennt
werden u. a.   Eine tabellarische Übersicht fördert das eigene Verständnis und zugleich das des Lesers, z. B. bei den Konsonanten:
d-, *-t*; *-nd*, *nt* zu *ŋk*; *-nd-* zu *n*. *z-*; *-s-*, *-z-*; *-t*.   *d-*, *zw-*; *-t*.
b-; *-v-*; *-f*.   *p-*; *-pp-*, *-lp rp mp*; *-f-*; *-f*.   *f-*; *-v-*; *-f*.
j-; *-gg-* zu *-g-*; *-ch*; *-ng* zu *ŋk*. *r-*; *-kk-*, *-lk rk ŋk*; *-ch-*; *-ch*. *h-*; *-ch- -ch*.
So übersehen wir den Lautverschiebungsstand mit einem Blick und
die Mundart ist uns sofort vertrauter; ähnliches wäre für die Ablautsreihen zu empfehlen und dürfen dieselben natürlich nicht bloss
auf den Konjugationsablaut beschränkt bleiben. S. 29 ff. beginnt eine
knappe Darstellung der Formenlehre.

   Im Elsass wird unter der Leitung von Prof. Martin-Strass-

burg an einem Idiotikon gearbeitet. Der eine der Mitarbeiter, Dr.
Lienhart hat eine Laut- und Flexionslehre des mittleren Zornthals
geliefert, die weit hinter der schlichten praktischen Darstellung Jar-
dons zurückbleibt. Dasselbe gilt von der Arbeit Dr. Sütterlins,
die nach demselben Schema wie die Lienharts gearbeitet, aber dadurch noch minderwertiger geworden ist, dass sie nach Art bekannter mhd. Musterstücke aus Arnolds Pfingstmontag eine Laut- und
Flexionslehre zusammengesetzt hat! Warum ist wenigstens nicht
auch die Syntax berücksichtigt? Goethe hat den Pfingstmontag
wohl ein lebendiges idiotikon genannt, aber doch nie und nimmer
eine lebendige Laut- und Flexionslehre! Sütterlin arbeitet so mechanisch, dass er nicht einmal den Beweis für notwendig gefunden
hat, dass zu Arnolds Zeiten die Aussprache von der heutigen nicht
verschieden gewesen sei. Seine Transkription wird mit keinem
Wort gerechtfertigt. Die Klangfarbe der Vokale wird durch Vergleichung mit den entsprechenden nhd., französ. und engl. angegeben (z. B. das tonlose *e* der End- und Vorsilben = *e sourd* des
Französischen). Gelegentlich des Vokalwechsels usw. (S. 35) werden
nur die graphischen Formen bei Arnold zusammengestellt, ohne
dass ein Wort über die heutige Mundart verloren würde. Die
Statistik der Konsonanten ist ganz in der hölzernen Art, wie sie
vormals Herausgeber mhd. Texte ihren Ausgaben vorauszuschik-
ken pflegten; dasselbe gilt von der Flexionslehre (z. B. S. 86 ff. Geni-
tivreste: einige dieser Genitive sind auch nur poetisch). Für das
Elsass ist noch nichts geschehen, was solch ausgezeichneter Vorarbeiten, wie wir sie Kräuter verdanken, würdig wäre.

Dagegen hat die Schweiz die von Winteler und den Herausgebern des Idiotikon gegebenen Anregungen aufs kräftigste wei-
terentwickelt. Die Brienzer Mundart von Peter Schild ist eine
der besten Dialektarbeiten der neueren Zeit, für die wir dem Verfasser zu aufrichtigem Dank verpflichtet sind. Sie ist Prof. Heyne-
Göttingen gewidmet. Der allgemeine Teil (S. 12 ff.) behandelt Artikulationsbasis, Ein- und Absatz, eingehender den exspiratorischen
und musikalischen Akzent (ähnlich wie in neueren schwedischen
Dialektarbeiten), Quantität, Silbentrennung, Sandhi- und satzphoneti-
sche Erscheinungen. Der besondere Teil (S. 45 ff.) beginnt mit dem
Lautstand und zwar zunächst der Vokale, deren historische Entwicklung S. 51 ff. entworfen wird. Der Verf. hat ein offenes Auge für
all die Punkte, an denen er zum Nutzen der Wissenschaft in
schwebende Fragen allgemeinerer Bedeutung eingreifen darf. Aber
ich kann auch seinen Versuch das Notkersche Anlautsgesetz zu
entdecken, nicht für gelungen halten, denn die Mundart kennt es
im freien Anlaut nicht! Dagegen wird Schild recht haben, wenn
er Notkers Lenes im Auslaut der Wörter vor Kons. als Fortes erklärt
(z. B. *tes kolles* als *less* . . .). *f* und *s* sind in Brienz im freien
Anlaut nur als Lenes vorhanden, *š* und *x* nur als Fortes und dabei
ist *x* niemals palatal wie im Westen des Berner Oberlands. Alter
Wechsel von anl. *sk-* : *k-* spiegelt sich in *šertün* 'Schulterblatt' : mhd.

herte (S. 59). *härtsäl* : mhd. *herzel* (S. 62); *l* und *r*-Verbindungen ergeben sich auch im Hochalem. als nicht durchaus umlauthindernd
(S. 56 f). Die gegen meine eigenen Behauptungen gerichtete Darstellung des Endsilbenvokalismuss (S. 93 ff.) hat mich nicht überzeugt.
-a in S. 96, 2. 3 ist Endung schwacher Flexion (vgl. S. 101, a.) und
eine Form wie *six* S. 98, 3 Anm. zusammen mit *tsi = ze, treiʒi*
trenka (vgl. auch § 126) ist für mich immer noch beweiskräftig.
Ich sehe nicht, wie man aller Schwierigkeiten Herr werden kann,
ohne die Annahme auslautender *-e* als einer Mittelstufe, die den synkopierten Formen und dem modernen *-i* vorausliegt; aber man wird
festzuhalten haben, dass eine Artikulationsverschiedenheit zwischen
mhd. *-e* aus ahd. *-a* und mhd. *-e* aus ahd. *-i* bestanden hat.

Einer urkundlichen Geschichte seiner heimatlichen Mundart
sind die Schriften Brandstetters gewidmet[1]). Es ist das sehr erfreulich, denn die Dialektgeschichte wird für die gramm. Forschung ein Jungbrunnen werden. Welcher Gewinn aus solch fleissigen Leistungen der Sprachwissenschaft erwächst, ist der Verf.
zu bescheiden, selbst hervorzuheben, aber er hat sie doch nicht ohne
tieferen Sinn gerade Franz Misteli gewidmet. Seine Forschung hat
den Zweck, den Sprachschatz der Mundart zu ergänzen, indem sie
das ausgestorbene Material aufsucht, neuerscheinendes chronologisch bestimmt. Auch Brandstetter ist wie ich selbst zu dem Schluss
gekommen: seit dem 12. Jahrh. haben sich nur wenige Veränderungen
des Lautstandes vollzogen, bedeutender sind die Veränderungen auf
dem Gebiet der Flexion, der Wortbildung, der Syntax und des
Wörterbuches. Br. rügt mit Recht, das bequeme aber falsche Vergleichen mit dem sog. Mhd. unserer Ausgaben. Wir dürfen uns
freuen, dass ein in der Geschichte seiner Mundart wohlbewanderter
Forscher neue Induktionsbeweise für das umstrittene Problem der
Ausnahmslosigkeit der Lautgesetze beigesteuert hat. Gegen seinen
eigenen Willen. Denn Br. erklärt, theoretisch nach keiner Seite hin
zu einer festen Ansicht gekommen zu sein — operiert aber trotzdem mit 'lautmechanischen' Vorgängen. Er hat sich durch Formen
wie *drü* (3) statt *dröi* irre machen lassen, wenn er es zunächst
bloss für die Praxis erpriesslich hält an der Allgemeingültigkeit der
Lautgesetze festzuhalten. Es hätte ihn seine Unterscheidung von
Pada- und Samhita-Formen eines Bessern belehren sollen. Dass die
verschiedenen Umlautsqualitäten auf Unterschieden der Zeit beruhen, steht jetzt unwidersprochen fest und die ihn störenden Ausnahmen des von ihm formulierten Akzentgesetzes beruhen auf Anlehnung. All das kann seine Bedenken nicht rechtfertigen.

Als Quellenmaterial dienten Br. Luzerner Archivalien. Die
Prolegomena S. 43 ff. entwickelten Grundsätze, welche ihn bei der
Benutzung geleitet haben, sind nicht ausreichend; was Kanzlei-
sprache, was Mundart lässt sich nicht so ohne weiteres entscheiden.

---

1) Vgl. auch Anz. IV S. 50 f.

Ich kann nicht finden, dass die Orthographie den realen Lautwert ziemlich gut ausdrücke und vermisse schmerzlich eine selbständige, der Orthographie an sich gewidmete Untersuchung. Woher hat die Luzerner Kanzlei ihre Orthographie? Es war zu bestimmen, wie viel von der Kanzleiorthographie fremden Mustern entnommen ist, dann erst konnte eine systematische Behandlung des Problems ermöglicht werden, wie weit die Verschiedenheit von Urkundensprache und Dialekt sich erstrecke. Ich wenigstens verstehe nicht, was es bedeutet, wenn Br. (Rezeption S. 16) behauptet, die Kanzleisprache habe manches aus sich selbst heraus gebildet. Sehr sorgfältig werden die Schichten der Mundart nach Gesellschaftskreisen, nach auswärtigen Einflüssen und nach Entlehnungen aus der Kanzlei- und Kirchensprache behandelt, nur vermissen wir die Anwendung des Prinzips der verschiedenen Sprachschichten in einem Fall wie Prolegomena S. 72 ff. Der vorsichtige Ernst, mit dem Br. die Regeln formuliert, um untergegangenes Sprachgut ans Licht zu bringen, kann nicht genug zur Nacheiferung empfohlen werden. Die Regeln sind nicht in allen Fällen genügend. Z. B. Prolegomena § 73 d heisst es, eine grosse Anzahl von Belegen sei erforderlich, wenn die Aufzeichnungen 'auffällige' Bildungen liefern. So ist für Br. die Form *söhniswib* unerklärlich, sie komme aber so häufig vor, dass sie mundartlich gewesen sein müsse, obwohl sie heute verschwunden ist. Nun zeugen aber für den betr. Fall die verwandten Mundarten (vgl. Schild Brienzer Mundart § 107): es genügt also auch hier schon ein einziger Beleg, das Wort fällt also unter § 73 a. Das ist ein zweiter tiefgreifender Mangel, dass Br. sich gar zu partikularistisch auf den Kanton resp. die Stadt Luzern beschränkt, und nicht auch den Blick über das grössere Ganze der Schweiz und Deutschlands hat schweifen lassen. Die Geschichte einer Einzelmundart müsste universaler behandelt werden, schon um ihre Abhängigkeit und ihre Besonderheit ins Licht treten zu lassen. Kanzleisprache S. 246 erklärt Br. selbst, dass die älteste Gestaltung der Urkundensprache eigentlich etwas fremdes sei. Dieses unbestimmte 'etwas' war schärfer zu fassen, dann wäre auch die unhaltbare Hypothese unterblieben, dass die Kanzleiidiome Weiterentwicklungen der mhd. Schriftsprache darstellen. Es wäre andererseits sehr nützlich gewesen, wenn Br. aus Anlass des Renwart Cysat gezeigt hätte, wie mit der humanistischen Wissenschaft das Interesse für deutsche Sprache sich immer mächtiger entfaltet. Er hätte dann vielleicht auch gesehen, dass es weniger die Kanzleisprache als die religiöse und humanistische Litteratur ist, welche die sprachlichen Reformen veranlasst hat. Von den eigentlichen Trägern deutscher Sprachbewegung seit dem 14. Jahrh. ist nirgends die Rede. Br. bewährt aber allerorts eine solch intime Vertrautheit mit der thatsächlichen Überlieferung seiner heimatlichen Mundart, dass wir seine Schriften nur mit vollem Dank für reiche Belehrung aus der Hand legen, nicht ohne den Wunsch, dass wie für Luzern so nun auch für andere Schweizerkantone gleich nützliches geleistet werden möge.

Auch bei uns in Deutschland beginnt das Interresse für
lektgeschichte Boden zu gewinnen. Es wäre sehr erfreulich,
das beliebte Schema der Dialektgrammatiken sich ausgelebt
und die Anschauung Platz griffe, dass gerade durch die geschicht
Betrachtung moderner Sprachzustände das Einzelne wie das G
gefördert wird. Dialektgeschichte ist die Krönung mundartli
Studiums. Bohnenberger überrascht uns durch eine Gesch
der schwäbischen Mundart im 15. Jahrh. Ref., der den genau
Zeitraum auch zu kennen glaubt, hätte die Ausführung eines sol
Vorsatzes für unmöglich gehalten. Sind wir schon so weit, die
schichte einer Mundart innerhalb der kurzen Spanne von 100 Ja
verfolgen zu können? Es ist denn auch allein der sonderbare
daran Schuld. Im Text ist bloss von der Grammatik der schw
schen Mundart im 15. Jahrh. die Rede, ja sogar § 3 dementier
sich selbst mit den Worten: die schwäbische Mundart zeigt für
Lauf des 15. Jahrh. einen wesentlich sich gleich bleibenden (
rakter!! Wo bleibt da die Geschichte? Das Thema, welche
sich gestellt hat, ist nicht so abenteuerlich wie der Titel, vielmehr
eine Statistik mit eingestreuten entwicklungsgeschichtlichen Betr
tungen gerichtet, die sich nicht innerhalb der Schranken des
Jahrh. halten. Es ist wünschenswert, dass Brandstetters und des
Arbeiten Nacheiferung finden. Nun hat B. zwar meine Geschi
der schwäbischen Mundart und Prof. Fischers Anzeige dieses
ches, nicht aber Brandstetters Publikationen berücksichtigt. Info
dessen ist seine Darlegung vielfach ungenügend, es entspricht n
mehr den heutigen Anforderungen, was er § 4 über Schriftspra
und Kanzleisprache vorbringt. Was ich bei Brandstetter verm
verspricht B. S. 7, nämlich der Schreibung eine völlig selbstän
Darstellung widmen zu wollen. Im vorliegenden Buch ist dies
noch nicht geschehen, denn was er bringt, ist keineswegs eine der L
geschichte koordinierte Orthographiegeschichte (vgl. Germ. XXX
243 ff.), sondern eine ganz schematische unübersichtliche Zusamm
stellung der Schreibweisen, die vielfach nicht einmal zu einer
gründeten Scheidung des lokalen und des allgemeinen Kanzlei
gelangt. Selbständigkeit der Forschung, Freiheit des Urteils
missen wir in dem Buche durchaus. Mag dies bei dem vorlie
den Hefte der Vorarbeiten wegen noch hingehen, bei den folgen
Teilen wird sich, dies fürchten wir, der Mangel noch mehr fühl
machen. B. wird sich noch einmal ernsthaft überlegen müssen,
eigentlich mit seinem Ausschnitt schwäbischer Sprachgeschichte
leistet werden soll. Er hat die Fäden nach vorwärts und rückw
abgeschnitten und der mit dem Gegenstand nicht schon intim
traute Leser wird niemals über den geschichtlichen Verlauf
Klare kommen, weil die dem 15. Jh. vorausliegende Periode nicht
rücksichtigt, nicht einmal in einem einleitenden, zusammenfassen
Paragraphen geschildert ist. B. bespricht öfters Lautvorgänge,
er als längst vollzogen bezeichnet, die aber dem Leser vorentha
werden. Anerkennenswert ist es, dass auch B. dem Grundsatz

digt, dass zur sprachgeschichtlichen Beurteilung der Schriftdenkmäler
in erster Linie die gegenwärtige Sprachniedersetzung fruchtbar gemacht werden muss. So gelangt denn auch er zu dem Schluss, dass
die mundartliche Lautbildung seit Jahrhunderten stabil geblieben
ist; der Leser bekommt den Eindruck, dass B. seit dem 15. Jahrh.
die Entwicklung als abgeschlossen betrachtet; dass der Dialekt (Aussprache) von heute seit 400 Jahren ein und derselbe geblieben ist.
Was die von B. aufgenommenen Materialien betrifft, so benutzt er
im wesentlichen dieselben Quellen wie der Ref., schenkt jedoch den in
den Urkundensammlungen vorliegenden Drucken zu unbedingtes
Vertrauen und hätte, zur Vorsicht sich mindestens Einblick in die
Originale verschaffen sollen. Was die Beurteilung der überlieferten
Sprachformen betrifft, so kann ich keinerlei Fortschritt gegenüber
meinen eigenen Resultaten erkennen, wo B. gelegentlich von meinen
Behauptungen sich los macht, habe ich nirgends Veranlassung gefunden, sie preiszugeben. Nach allgemeinen Vorbemerkungen handelt er über die Grenzen der Mundart (S. 1), über den Lautwandel
(S. 3), über Mundart und Schreibung (S. 6), über die Quellen (S. 10),
über die Bedeutung der Reime (S. 13). Die Darstellung der Stamm-
silbenvokale giebt unter jedem einzelnen I. Belege, II. den Lautwert,
III. die Schreibung, IV. die Reime und verläuft sehr einförmig und
eintönig. Hoffentlich schliesst B. die Gesamtgrammtik nicht mit der
Flexionslehre sondern mit der Syntax ab.

Die heutige Mundart kommt bei Bohnenberger nur gelegentlich zum Wort. Er hat sich eben nicht bemüht, seine Untersuchungen auf die physiologische Struktur auszudehnen und ein möglichst
anschauliches Bild von der lebenden Sprache im 15. Jahrh. zu
entwerfen. Dieser Gesichtspunkt scheint ihm ganz fern gelegen
zu haben und doch musste er bei genügender Klarheit über seine
eigentliche Aufgabe notwendiger Weise auf ihn geführt werden.
Umgekehrt hat Wagner sich zu wenig mit der Sprachüberlieferung vertraut gemacht und sich fast nur auf die jüngsten Entwick-
lungsformen beschränkt. Der Gang der Dinge wird hoffentlich der
sein, dass in Zukunft das Heutige unter dem Bilde des Vergange-
nen gesucht wird, dass die analytische Forschung dauernde Verbindung mit der historischen eingeht, damit auf diesem Wege das
Prinzip von der wechselseitigen Erhellung zu vollen Ehren gebracht
werde. Der gegenwärtige Lautbestand muss zu dem Behuf auf
das exakteste dargestellt werden. Wagner hat das Verdienst, zu
diesem Endzweck die Hilfsmittel der physiologischen Graphik sich
zu nutze gemacht zu haben. Ich glaube nicht zu irren in der Annahme, dass es die Versuche von Lenz mit dem künstlichen Gaumen
gewesen sind (KZ. XXIX 1 ff.), welche bei uns Philologen Bahn
gebrochen und der Graphik das Feld geöffnet haben. Vermissen
wir bei Wagner, dass er den künstlichen Gaumen nicht auch zu
Hilfe genommen hat, um möglichst reichhaltige Experimente vorzu-
legen, so bietet er doch so viel, dass wir nur mit Befriedigung seinen Analysen folgen. In dem jüngeren Programm ist mehreres an

seinen früheren Aufstellungen verbessert. Er beschreibt S. 18 ff.
den Grützner-Mareyschen Apparat. Die zu untersuchende Lautgruppe wird in einen Glastrichter gesprochen, an den sich ein
Gummischlauch ansetzt, der zu einer mit dünner Gummimembran
überspannten Kapsel führt. In der Mitte der Membran befindet sich
ein dünnes Metallhäkchen; auf diesem ruht ein feiner Bügel, der
mit einem Hebelstift in Verbindung steht. Wird die Membran durch
eingeführte Luft in Bewegung gesetzt, so trägt das am Ende des
Hebelstifts befindliche Häkchen auf einem über eine Trommel ge-
spannten berussten Papier die Bewegungskurven ein. W. hat,
wofür ihm besonderer Dank gebührt, uns zahlreiche Lautkurven in
Zeichnung mitgeteilt. Seine Experimente waren vorzugsweise dienlich
zur Bestimmung der Quantitäten und der Lautintensitäten, für
die musikalische Tonbewegung hat er mit dem Phonographen
gearbeitet. W. giebt uns im Verlauf eine Analyse der Dialektlaute
(S. 17—34), einen Vergleich der mundartlichen Laute mit den mhd.
resp. ahd. (S. 34—174) in reichhaltigen Listen [mit besonderer Berücksichtigung der Idiotismen], S. 174 ff. folgt die Synthese der Dialektlaute (Artikulationsbasis, Ein- und Absatz usw.). Ausgezeichnete
Beobachtungen finden sich § 73 (wo er von Mischung spezifischer
Artikulationen handelt), sehr beherzigens- und nachahmenswert sind
seine, die Silbentrennung, den Lautwandel, Geste und Mimik be-
handelnden Paragraphen. Durchweg ist das Geschichtliche ungenügend, was bei der Begabung des Verf. für Sprachbetrachtung sehr
zu bedauern ist. Arbeitet er sich auf diesem Gebiet eben so gründlich und energisch ein wie auf dem physiologischen, so dürfen wir
neue Fortschritte von ihm erwarten. Ref. selbst hat insofern besonderes Interesse an den Resultaten des Verf., als er seinerzeit ohne
Apparate seine Beobachtungen angestellt hat. Es ist für beide Teile
eine Befriedigung, in dem beschreibenden Teile solch weitge-
hende Übereinstimmung erzielt zu haben. Wir dürfen jetzt behaupten, über die physiologischen Zustände in keiner deutschen
Mundart so sicher zu sein, wie in der schwäbischen. Es ist jetzt
z. B. durch das Experiment bestätigt, dass ich unserer Mundart das
sog. Wintelersche Silbenakzentgesetz abgesprochen habe. Ws. Kurven 45—46 reden eine deutlichere Sprache als der Text S. 178 ff.,
wenn es S. 182 heisst, die Quantität der Konsonanten sei nach kurzem Vokal nicht grösser als nach langem und ihre Intensität sei
'kaum' zu unterscheiden. Vollkommen bestätigt ist meine Darlegung über den musikalischen Akzent, dass die exspiratorisch starke
Silbe tief, die exspiratorisch schwache Silbe hoch liegt. Ich habe
6 verschiedene Stufen der Quantität ohne Apparat nachgewiesen,
W. stellt jetzt 7 auf; ich hatte Überlänge für etwa viermal so gross
als Überkürze erklärt: Wagner ist zu demselben Resultat gekommen.
Für den von Wagner angesetzten 7. Grad fehlen leider bei ihm die
Beispiele; es ist mir überhaupt fraglich, ob die Differenzen zwischen
Wagners Überkürze und Svarabhaktikürze so beträchtlichen Schwan-
kungen unterworfen sind, dass sie als verschiedene Grade unter-

schieden werden müssen. Die Kurven selbst veranlassen mich dies vorerst zu bestreiten. Sehr ungenau sind gelegentlich die Erläuterungen z. B. S. 183 wo ı in bīr auf Kürze reduziert sein soll — das wäre vermieden, wenn die Relativität der Zeitdauer je nach Sprechtempo behandelt, wenn die für das Sprechtempo erzielten Resultate mit denen für die Quantität kombiniert worden wären.

Wagner hat in den Phonetischen Studien IV 68 ff. über die Verwendung des Grützner-Mareyschen Apparats und des Phonographen in phonetischen Untersuchungen gehandelt. Er bespricht hier die Versuche mit andern Instrumenten [1]), in sprachwissenhaftlichen Kreisen verdienen die Studien des Herrn Pipping Beachtung, die teils in einer Dissertation von Helsingfors (1890), teils in der Zeitschrift für Biologie XXVII 1 ff. niedergelegt sind. Pipping ist Philologe und hat seine Arbeiten in sprachwissenschaftlichem Interesse gemacht. Ich weise hier nur auf ein Ergebnis hin wie dieses: in verschiedenen Fällen habe ich bei verschiedenen Individuen desselben Dialekts so gut wie identische Aussprache konstatieren können (a. a. O. S. 77). Kenner wissen die Tragweite zu beurteilen. Das rege Interesse, welches allerseits diesen Fortschritten entgegen gebracht wird, ersehe man aus Literaturblatt für germ. und rom. Philologie 1892, 93. 313. 240. Phonetische Studien V 348. Herrigs Archiv LXXXVIII 241. Z. f. Französische Sprache und Literatur XIV 162. Romania XXI 437. Publikations of the Mod. Lang. Assoc. of America V Suppl. Nr. 2 (Phonet. Studien V 265), in dem mir nicht zugänglichen amerikanischen Journal Forum (August 1892) hat auch Garner Phonographic Studies of Speech veröffentlicht. [Vgl. jetzt vor allem andern Auerbach in der Zeitschrift für franz. Sprache und Litt. (1894) XVI 117 ff.]

Aber alles bisherige hat der Abbé Rousselot, der Mitherausgeber der Revue des patois Gallo-Romans, überboten [2]). Er veröffentlicht im IV. Band seiner Zeitschrift (S. 65 ff.) eine Dialektuntersuchung, die an Vielseitigkeit und Gründlichkeit nichts zu wünschen übrig lässt. Unter dem Titel: *Les modifications phonétiques du langage étudiées dans le patois d'une famille de Cellefrouin (Charente)* ist ein erster Teil erschienen. Derselbe bringt die *Analyse physiologique des sons de mon patois* und zwar unter Anwendung der *méthode graphique.* Russelot benützt den künstlichen Gaumen und neue Apparate um die Bewegungen der Zunge und der Lippen festzustellen; um die Respiration zu kontrolieren, verwendet er einen Spirometer und einen von Marey konstruierten *explorateur,* einen andern für die Kehlkopf- und Nasen-Vibrationen von Rosa-

---

1) Der veraltete Scott-Königsche phonautograph, mit dem Schwan-Pringshein gearbeitet haben (Herrigs Archiv LXXXV 208 ff.) ist sicher an den ungenügenden, vielfach angefochtenen Resultaten Schwans schuld; vgl. auch Zs. f. Biologie XXIII 301.

1) Unter Anregung von G. Paris und Tourtoulon (vgl. dessen Arbeit: Des Dialectes, de leur classification et de leur délimitation géographique 1890). Vgl. die Rez. Anz. III.

polly, als inscripteur benützt er ein neues Mikrophon, da sich auch
bei seinen Experimenten Edisons Phonograph als ungenügend
erwiesen hat. Die tracés werden auch bei ihm von geschwärztem
über einen Zylinder gespanntem Papier aufgenommen. Veranschau-
licht durch zahlreiche Abbildungen führt uns R. zunächst die Arti-
kulationsstellen der mundartlichen Laute (Konsonanten und Vokale)
vor; die Interjektionen werden besonders behandelt. Kap. 3 folgt
*Fonction du larynx, variations dans la sonorité des voyelles nasales
et des consonnes* ich verweise auf die eindringenden Untersuchungen über stimmlose Liquiden und Nasale S. 105 ff. Kap. 4 beschäftigt
sich R. mit den Druckverhältnissen *(accent d'intensité)*, Kap. 5 bespricht er die Quantitäten, Kap. 6 den musikalischen Akzent. Die
Tonhöhen sind teils mit Hilfe des Apparats, teils nach dem Gehör
aufgenommen. Es ist tröstlich zu erfahren, dass die Beobachtungs-
fehler nur unbedeutend sind, dass wir uns im Grossen und Ganzen
auch auf eine sorgfältige von Apparaten nicht unterstützte Untersuchung verlassen können. Ein Bedenken ist aber auch durch diese
hervorragende Arbeit nicht überwunden worden. Die Herrn, welche
sich bisher mit den Apparaten vertraut gemacht haben, waren genötigt, nicht bloss mundartliche Lautelemente und Lautgruppen,
sondern auch willkürlich gebildete Klangspiele zu Hilfe zu nehmen.
Auch Rousselot misst die Quantitäten in Reihen wie *babababababab*
u. ähnl.; versäumt zwar nicht *durée des sons dans le discours* zu
geben, hält es aber aufrecht, dass notwendigerweise einfache Elemente die Grundlage der Untersuchung zu bilden hätten. *Le discours contient des éléments trop complexes, pour qu'il nous soit
possible d'y démêler de prime abord les lois de la quantité. Celles-ci,
nous n'avons le moyen de les saisir que dans des groupes formés
de façon à éliminer successivement toutes les causes de variabilité
sauf une, celle en vue de laquelle chaque expérience est organisée.
C'est seulement lorsque la matière a été ainsi observée sur ses prin-
cipales faces que l'on peut considérer le discours suivi où l'on con-
statera, si l'étude préliminaire a été bien conduite, l'application des
lois découvertes dans le détail. L'étude préliminaire* — darin liegt
ein ganzer Rattenkönig voll Bedenken, die ja bekanntlich aller und
jeder Beobachtung die Beweiskraft schwächen und uns mahnen,
den Wert der physiologischen Graphik nicht zu überschätzen. Aber
trotzdem sind wir Rousselot zu grossem Dank verpflichtet, dass er
uns mit den Einrichtungen seines phonetischen Laboratoriums
bekannt gemacht hat. Auf die Fortsetzung seiner Studien, die sich
zunächst den Veränderungen der Aussprache bei verschiedenen
Personen mehrerer Generationen, sodann der Geschichte der Mundart zuwenden werden, bin ich sehr gespannt und lebe der Hoffnung, dass sie unser Wissen vom Sprachleben um ein beträchtliches
erweitern werden. Gelingt es R. seinen Plan durchzuführen, dann
wird er eine Musterarbeit geliefert haben, die unsere Anforderungen an die darstellende Dialektforschung weit über das Mass der
zu Eingang besprochenen Arbeiten hinaushebt. Es liegt ein sehr

grosser Fortschritt in Rousselots Abhandlung. Ich wünschte, recht weite Kreise nähmen von ihr Kenntniss.

Halle a. S.   Friedrich Kauffmann.

Bibliographie des Jahres 1893.

Zweite Hälfte.

VII. Italisch und Romanisch.

A. Altitalische Sprachen.

Duvau Italo-celtica. Mém. Soc. ling. VIII 256—263.

1. *Ferox, atrox.* Das Suffix -ox ist hier ein altes Substantivum *ox, *ōcis = ώψ, ὠπόc ' Gesicht'.
2. *Uxellodunum*, ὑψηλόc. Die Wurzel von ὑψηλόc, *uxello*- ist nicht *uk, sondern *up. Keltisches ks = indogerm. ps.
3. Le groupe latin -cl-.
4. A propos de *quoniam. quon* ist älter als *quom*.

Prestel Fr. Das Aoristsystem der lateinisch-keltischen Sprachen. 51 S. 8°. Progr. des Gymn. zu Kaiserslautern 1892.

Jeep L. Zur Geschichte der Lehre von den Redeteilen bei den lateinischen Grammatikern. Leipzig Teubner 1893. XVII u. 316 S. 8 M.

Deecke W. Lateinische Schulgrammatik. Berlin Calvary. VIII u. 100 S. 2,40 M.

Deecke W. Erläuterungen zur lateinischen Schulgrammatik. Ebenda. 477 S. 4,80 M.

Pascal C. Studia philologica. 95 S. 8°. Rom 1893.

I. Adversaria italica. 1. *atalla* aus *atarula Sinn 'pyra' oder 'ara'. 2. osk. *sverrunei* zu lit. *sverti* 'pendere'. — II. De Apollinis cognomine Παιάν. 1. De vocis Παιάν origine ac vi (= cωτήρ zu Wz. *pā* 'schützen'). 2. De Ap. Καρνείψ. 3. De Ap. Τριοπίψ. — III. Adversaria Vergiliana et Tulliana. 1. De vi vocabuli *nascens* (pro eo qui modo natus est). 2. De Lucina dea puerorum tutelari — IV. De quibusdam Ciceronis dicendi rationibus ab usu cotidiani sermonis depromptis. 1. Vocabulorum translationes e sermone populari haustae. 2. De verbis ex populi ore depromptis. 3. De verborum constructionibus. — V. De priore supino Latinorum. 1. De pr. s. formatione. 2. De L. sup. cum indico infinitivo comparatione (z. B. ai. *draṣṭum ā gacchanti = habilatum migrare*). 3. De infinitiva sup. vi.

Stolz Fr. Beiträge zur lateinischen Etymologie und Grammatik. (Sonderabdruck aus dem ' Festgruss aus Innsbruck an die Philologenversammlung in Wien'.) 28 S. 8°. Innsbruck 1893.

1. Zwei Fälle von *ēi* im Lateinischen. Ausser *fēmina* und *rēm* gehört hierher *vēnāri*. Nach Fick zu ahd. *weida* an.

veidr usw.; Ablaut *ŏi* : *ĕi*. Grdf. für *vĕnā*, wovon das Verb abgeleitet, ist *vĕ(i)dhnā* . *uĕi-* : *ui-* in ai. *vī* 'verlangen'. Daneben *u̯ei-* : *uī-*. *lētum* zu ai. *lī* mit *pra* 'sich auflösen, sterben '), dazu auch griech λῑμός. — Zu den Wurzeldeterminativen. Dem lat. *verrūca* 'locus editus et asper' liegt ein *s*-Stamm zu Grunde, davon auch *Verrūgo*. Vgl. *aerūca* : *aerūgo*. Die Wurzel *u̯er-* findet sich in griech. ἀ-είρω 'erhebe'. Mit Determ. *-d* dazu *warze*, ahd. *werra* 'gerstenkornartiges Blutgeschwür am Augenlid'. — lat. *siat* · *ōψει* zu dem mit Det. *k* versehnen mhd. *seichen*. — *hīrtus* : *horreo*, Wurzelformen *gheir-* u. *gher-* wie πείκω : πέκτω, *tēmo* (aus *tec-smo*) : *dīhsala*. — *vōmis* ist richtig zu ὀφνίς Wz. *u̯ogh-* gestellt worden. Prähist. Flexion *u̯oghis* *u̯ogh-nes*, was *voris* *vognis* ergäbe. Daher *vōmis* als Lehnwort aus dem Umbr.-osk. zu fassen. Hier ist *vobis* *vobnes* zu erwarten. Letzteres wird lat. zu *vomnis*; daraus *vomis*; *ō* erklärt sich aus alter Stammabstufung. — *vīnnulus* aus *venscnolo-*; *-nscn-* zu *-ncn- -ngn- -nn-*, zu ahd. *wunsc* usw. — *indūtiae*, urspr. Adj. zu *feriae*, zu *induere* gehörig. — Einiges vom Satzsandhi. Über lat. *pos*; Übersicht der belegten Formen; *post* älter, *pos* daraus vor bestimmtem konson. Anlaut entstanden (vgl. Corssen Ausspr. [2] I 183, W. Meyer(-Lübke) Gröbers Grundriss I 363.). — Zur Nominal- und Pronominalflexion. I. Eine bisher nicht beachtete Kasusform. Gen. *Hedonei*, vgl. Dat. *Par(t)enopei*. Ausgangspunkt die häufigen Akkusative auf *-em* statt *-en*. 2. *mehe* . *mī* : *me = mihī* : *mihe*.

Miszellen Arch. f. lat. Lex. VIII 289—296.

Maurenbrecher B. 1. Zur faliskischen Becherinschrift. Sie ist ächt, das als *hodie* nicht erklärliche *foied* wohl zu griech. θοίνη θοινάω, von einem Adj. *foios*, Sinn also: 'schmausend' oder 'üppig' werde ich Wein zechen. 2. *Mavors, Mamers, Martses*. *Mars* ist schon uritalisch, von Wz. *mar-*, *Mā-mers* ist wohl ein Kompositum mit einem uns bisher unbekannten St. *mā-*, ebenso *Mavors* ('Abwender des Unheils' oder 'Siegwender'). *Marsus* ist *Mart-tos*, Übergangsform *Martses*. 3. *plurimus* und Verwandtes. *plus* nicht mit Brugmann aus *pleuos*, sondern aus *plo-is*, *plurimus* aus *plo-isimos*, vgl. *ploirume*; Ablaut *ple-* in *pleores plisima*. 4. *Saeturnus*. In *Saeturnus* einer Inschrift und bei Paullus Festi (hier aus dem überlieferten *Sateurnus* zu korr.) ist *ae* graphische Variante für *ē*, *Sēturnus* zu *sē-vi*, *Saturnus* volksetymologisch an *sator* angelehnt.

Wölfflin E. 1. Zur Konstruktion der Städtenamen. Die Präpos. *ad* und *apud* wurde vorerst nur gebraucht entweder um eine verschiedene Bedeutungsnüance auszudrücken (z. B. *ad Baias* nicht im Orte selbst, sondern in den Villen der Umgebung), oder bei griech. Namen, weil sie keinen Lokativ bilden konnten, später begann die Umschreibung mit dem einfachen Kasus zu konkurrieren und ist schliesslich die Norm in den roman. Sprachen geworden. 2. Zur Konstruktion von *patere*. Die Konstruktion mit dem Abl. statt mit dem Akk. ist nur sehr zweifelhaft belegt. 3. *Vel*, eine Imperativform. Vgl. *dic, duc, fac, fer* (Skutsch), zur Bedeutungsentwicklung *age, puta*, deutsch *wohl*.

Weyman C. 1. *Genibus nixis* statt *genibus nixus* ist mehrfach zu belegen. 2. *Abỹssus*. Neuer Beleg für diese Messung. 3. *Accedo* — ἀπέρχομαι. "Bei ἀπέρχεσθαι hat sich in späterer Zeit der Gedanke an das Ziel vorgedrängt (hingehen)". Usener.

Ludwig E. Präpositionales *retro*. Neuer Beleg. Die Red. weist in einem Zusatz auf die roman. Sprachen hin.

Vising Jh. Om vulgärlatinet. Forhandl. paa det 4. nord. Filologmode. Kbhn. 1893. p. 146—164.

(Kritische Würdigung der verschiedenen Auffassungen der Stellung des Vulgärlateins. Der Begriff 'Vulgärlatein' wird wie von Schuchardt u. Meyer-Lübke definiert. Terminus ad quem wird für das Vulgärlat. 8. Jahrh. angesetzt; der Verf. stützt sich hier auf die von Wilh. Franz (Latein.-roman. Elemente im Althochdeutschen) gewonnenen Resultate. Das Vulgärlatein war nicht in Dialekte scharf gesondert, ziemlich spät beginnt die Bewegung, und erst im 7.—8. Jahrh. bricht die Revolution aus. Verf. behauptet, dass das bewahrte Sprachmaterial hinreichendes Detail darbiete, um eine Vorstellung der wichtigsten Eigentümlichkeiten des Vulgärlateins zu geben, durch die es sich von dem klassischen Latein unterscheidet.) (D. Andersen.)

Gröber G. Zu den vulgärlateinischen Substraten. Arch. f. lat. Lex. VIII 451 f.

Über die Verwendung der Zeichen ˘ und ¯ in den vulgärl. Substraten (Erwiderung auf Schuchardt Litbl. f. germ. u. rom. Phil. 1893 Sp. 103).

Eckinger Th. Die Orthographie lat. Wörter in griechischen Inschriften. Leipzig Fock. 2,50 M.

Karsten H. T. De uitspraak van het latijn. Amsterdam 1893. Vgl. Arch. f. lat. Lex. VIII 456 f.

Lindsay W. M. The shortening of long syllables in Plautus. Journ. of Philol. XXIII.

Örtel H. Der angebliche Übergang von *ve-* in *vo-* im Lateinischen. BB. XIX 308—14.

4 Gruppen: 1) stets e : *veho*.
2) stets o : *vomo*.
3) e u. o in verschiednen Kategorieen : *vello volsi*.
4) e u. o nebeneinander : *vester voster*.

Es macht keinen Unterschied, ob *v = y* oder *= g* ist: 1. *venio.* 2. *vorare.* 3. *volo velle.* Es liegen verschiedne idg. Ablautstufen vor. I. *ol or = ṛ ḷ*: 1. *vorsus* usw. 2. *volo.* 3. Perfekt u. Part. von *vello.* 4. *voro.* 5. *volo.* 6. *volvo* (4. 5. 6 = ai. 6. Klasse). 7. *volnus ḷ* wegen des Mangels der Assimilation. 8. *volpēs* hat *ḷ*-Suffix. II. *o = idg. o:* 9. *volup : ϝέλπω = toga : tego.* 10. 11. *vŏc-, vocare :* ϝεπ-. 12. *voveo,* von der Verbalklasse (Brgm. XXXII) *o* gefordert. 13. *veto* alat. *voto,* Kontamination zwischen *votāre* u. **vetere (vetui vetitum),* vgl. *rogāre* u. *regere.* 14. *vomo, o* der Angleichung an **vomeo* (wie *doceo*) zu verdanken. — Zweifelhaft : *vŏmis vŏmer* u. *vŏla. vester voster* entweder idg. Doppelformen oder *voster* nach *noster.*

Wharton E. R. On Latin consonant-laws. Transact. of the phil. Society 1888/90. P. III.

Jones J. C. Some neglected evidences of the sound of *c, v* and *s* in Latin. Class. Rev. Febr. 1893.

Jones makes use of the Eugubine tables to prove that Lat. *c* is a voiceless guttural; of Gothic and Anglo-Saxon, to prove that Lat. *v* was pronounced like Eng. *w*; and of Gothic, and late Hebrew transliteration to prove that Lat. *s* was never pronounced as *z.*

Paris G. Altération romane du *c* latin. S. 7—37 des 'Annuaire de l'École pratique des hautes études' 1893. Section des sciences historiques et philologiques. 8⁰. Paris imprimerie nationale 1893.

Vgl. Académie des inscriptions et belles lettres Séance du 17 mars 1893. (RCr. 1893 Nr. 13 S. 256.)

Kluge Fr. Vulgärlateinische Auslaute auf Grund der ältesten lateinischen Lehnworte im Germanischen. Zeitschr. f. rom. Phil. XVII 3/4 S. 559—61.

Lat. *-us* war vulgärl. *-us*, lat. *-um*, dagegen vulgärl. *-o*, wie am deutlichsten das Got. zeigt: *asilus, saccus* usw., aber Neutr. *wein, akeit* usw. Got. *-areis* aus lat. *-arius* vom Akk. aus oder aus der vulgärl. Form *-aris*.

Brugmann K. Lat. Perf. *sēdī*. IF. III 302 f.

Haussleiter J. Ein Infinitiv Fut. Pass. auf *-uiri* bei Augustin. Archiv f. lat. Lex. VIII 338.

Meyer-Lübke W. Zur Geschichte der lateinischen Abstrakta. Arch. f. lat. Lex. VIII 313—338.

1. *-or -oris.* Ursprünglich zu Verbalstämmen, namentlich solchen, die einen Zustand bezeichnen (u. a. *labor*, eigentlich Ermattung, zu *labare, lābī*). An Fällen wie *claror*, das auf *clarus* statt auf *clarere* bezogen wurde, erwuchsen Bildungen, bei denen *-or* direkt an ein Adjektivum trat, wie *amaror, dulcor, lentor.* Die einzelnen roman. Sprachen haben *-or* in weitem Masse ausgedehnt. 2. *-ura.* Neben *-or* im späteren Lat. in *fervura, netura* (st. *nitor*), ferner in *planura.* Letzteres zu *planus* nach *strictura : strictus* u. dgl. *fervura* etc. nach **ardura* (ital. *ardura*, das aus *arsura* nach *ardor, ardere* umgebildet ist. 3. *-tas.* Bildet Abstrakta von Adjektiven, teils primären — nicht häufig und schon früh vor anderen Suffixen zurückweichend —, teils sekundären: *-iditas, -ositas* (erst in späterer Zeit beliebt, aber nur in der Büchersprache), *-ālitas, -ēlitas, -īlitas, -bilitas, -āritas, -uitas, -ietas* (zu *-ius*) u. a.; auch von adjektivischen Partizipien, z. B. *beatitas, falsitas*, und von zusammengesetzten Adjektiven, z. B. *affinitas, benignitas.* Ziemlich oft bei Substantiven, die einen Stand bezeichnen, z. B. *civitas, deitas.* Missbildungen sind die deverbalen *differitas, indulgitas. -tus* (nur bei *vir* u. *servus, juvenis* u. *senex*) ist ursprgl. ein selbständiges Subst. 'Kraft', vgl. Manneskraft in deutschen Mundarten. 4. *-itia* oder *-ities.* In älterer Zeit noch wenig üblich, im ganzen auf zweisilbige Adjektiva beschränkt; ebenso in der sinkenden Latinität. Um so überraschender ist die starke Ausbreitung im Romanischen. 5. *-ia.* Nicht produktiv. Doch sind noch aus dem Romanischen einige Bildungen zu erschliessen wie *fortia.* Häufig durch *-ta* = griech. *-ία* verdrängt.

Brugmann K. Zur umbrisch-samnitischen Grammatik und Wortforschung. Ber. d. sächs. Ges. d. Wiss. 1893 S. 134—146.

1. Zum 'modus impersonalis' im Umbrischen: *puře teřte* Va 7 = quae (Akk. Pl. Neutr.) datur, 'welche man giebt (gebe)', Konstruktion wie in osk. *sakrafír últiumam*, lat. *legitur Vergilium*; *puře porse* Relativpartikel. 2. Zur Bildung des umbrisch-samnitischen Futurum exaktum: es ist nicht die Form *-ŭōs* (Bronisch), sondern die Form *-us* des Partiz. Perf. Akt. zu Grunde zu legen. 3. Umbr. *muneklu*: wegen *kl* (nicht *çl*) eine Instrumental-, nicht Deminutivbildung. 4. Umbr. *spafu* und *spantim*: *spafu* aus **spansso-* eine Neubildung wie l. *mensus* (nach *tensus*). 5. Umbr. *peracri-*: zu l. *dcer, per-ācer*, nur mit anderer Entwicklung der Bedeutung ('durch und durch reif', vgl. griech. ἠκεστός, ἀκμή τῆς ἡλικίας, usw.).

Golling J. Syntax der lateinischen Dichtersprache. Progr. Wien 1892. 20 S.

Blomqvist A. W. De genitivi apud Plautum usu. Helsingfors 1892. VIII u. 166 S.

Vgl. Arch. f. lat. Lex. VIII 461 f.

Nieländer Fr. Der faktitive Dativ bei lateinischen Prosaikern und Dichtern. Teil III 1. Ein Beitrag zur histor. Syntax der lat. Sprache und zur lat. Lexikographie. 23 S. 4⁰. Progr. des Gymn. zu Schneidemühl.

Schenk R. De dativi possessivi usu Ciceroniano pars I. Progr. Bergedorf 1892. 25 S.

Vgl. Arch. f. lat. Lex. VIII 463.

Cron Die Stellung des attributiven Adjektivs im Altfrauzösischen und Spätlateinischen. Progr. Strassburg 1892.

Baug J. P. Om Forbindelsen af 'quis' og 'tantus' i det latinske Sprog. Forhandl. paa det (3—)4. nord. Filologmøde. Kbhn. 1893. p. XLVIII—XLIX.

Müller C. F. W. *ante annos*, vor Jahren. Fleckeisens Jahrb. CXLVII 201 f.

Ähnlich *ante saecula, ante dies, post dies, interiectis diebus* u. dgl., auch *tempus* für 'einige Zeit'.

Gehlhardt P. De adverbiis ad notionem augendam a Plauto usurpatis. Diss. inaug. Halis Sax. 1892. 48 S.

Vgl. Arch. f. lat. Lex. VIII 302.

Sobolevskij S. J. Konstruktionen des Bindewortes *cum* (russ.). Filol. obozrénije III 1 41—56, 2 139—149.

Gustafsson F. Varios *ut* particulae usus ex interrogativa significatione explicandos esse. Forhandl. paa det 4. nord. Filologmøde. Kbhn. 1893. p. 117—122.

(Referat des Verf., in dänischer Sprache, "De ut particula". Nord. Tidsskr. for Filologi III R. 1. Bd. S. 71—83. Idg. Anz. III S. 72.)

Wetzel M. Zur Verteidigung meiner Theorien über selbständigen und bezogenen Gebrauch der Tempora im Lateinischen. Gymnasium XI 13.

Thessing Sv. Syntaxis Plautina. Enuntiationes relativae. Enuntiationes coniunctionales. Parataxis. Venersborg 1892. 90 S. 4⁰.

Rieger H. Die konzessive Hypotaxe in den Tragödien des L. Annaeus Seneca. Progr. Tauberbischofsheim 1892. 19 S.

Vgl. Arch. f. lat. Lex. VIII 305 f.

Hauschild G. R. Die Verbindung finiter und infiniter Verbalformen desselben Stammes in einigen Bibelsprachen. Frankfurt a. M. 1893. H. 2. 34 S.

Vgl. Arch. f. lat. Lex. VIII 466.

Elias S. Vor- und Gleichzeitigkeit bei Caesar. I. Bedingungs- und Folgesätze. 18 S. 4⁰. Progr. des Leibniz-Gymn. zu Berlin. 1893.

Pervov P. Accusativus cum infinitivo (russ.). **Filolog. Ob**
    IV 1 65—82.

Manning R. C. On the omission of the subject-accusative
    infinitive in Ovid. Harward studies IV (Boston Ginn 1892

Wentzel H. De infinitivo apud Iustinum usu. 72 S. gr. 8⁰.
    Rüger. 1,20 M.

Platner S. B. Notes on the use of Gerund and Gerundive in
    and Terence. Am. Journ. Phil. XIV 483—90.

Lange J. und **Fleckeisen** A. Zu Plautus. Neue Jahrb. (
    193—199.
        Fleckeisen erinnert beistimmend an eine Äusserung v(
    man, wonach *rédux* mit *redduco* nichts zu thun habe; es
    eher zu *redeo* oder hänge mit der untrennbaren Partikel (
    mittelbar zusammen; *reddux* sei eine Unform.

Goette A. De L. Accio et M. Pacuvio veteribus Romanoru
    tragicis. Progr. Rheine.
        Berührt auch grammatische Fragen.

Heidrich G. Der Stil des Varro. Progr. des Stiftsgymn. de
    diktiner in Melk 1892. 82 S.
        Vgl. Arch. f. lat. Lex. VIII 303.

Krumbiegel R. De Varroniano scribendi genere quaestione
    inaug. Lips. 1892. 92 pgg.
        Vgl. Arch. f. lat. Lex. VIII 151 f.

Heraeus W. Vindiciae Livianae. II. Progr. Offenbach 18
        Enthält sprachliche Untersuchungen.

Wölfflin E. Zur Prosodie des Tibull. Arch. f. lat. Lex. V
        Tibull misst in *sacro-* bei kurzer Endsilbe die Sta
    lang und umgekehrt.

Streifinger J. Der Stil des Satirikers Juvenalis. Progr.]
    burg 1892. 48 S.

Constans L. Étude sur la langue de Tacite. Paris Del
    1893. 154 S.

Beck J. W. Die Plinianischen Fragmente bei Nonius un
    Anonymus de dubiis nominibus. Berl. philol. Wochensch
    Nr. 50 u. 51.

Beck J. W. Studia Gelliana et Pliniana. Neue Jahrb. Su(
    XIX 1—55. Auch separat (Leipz. Teubner 1892. 55 S. 1,60
        Rez. von Osk. Fröhde Wochenschr. f. klass. Philol. IX

Kübler B. Zur Sprache der Lex Burgundionum. Arch. f. la
    VIII 445—451.
        Zusammenstellung des für die Kenntnis des sinkenden]
    Wertvollen aus v. Salis neuer Ausgabe der L. B.

Rosenstock E. Ein Beitrag zur Probus-Frage. Philologus
    —679.
        Die grammatischen Werke, welche Keil unter dem
    des Probus herausgegeben hat, können aus sprachlichen un(
    lichen Gründen von dem M. Valerius Probus aus Berytus, (

1. Jahrh. nach Chr. gelebt hat, nicht verfasst sein, ja sie enthalten nicht einmal einen Kern irgendwelcher grammatischer Schriften desselben. Die catholica sind im Beginn des 3., die instituta artium im Beginn des 4. Jahrh. nach Chr. entstanden.

Förster W. Die Appendix Probi. Wiener Stud. XIV 278—322.

> Vgl. Arch. f. lat. Lex. VIII 464 f.

Schulze W. Zur Appendix Probi. KZ. XXXIII 138—141.

> Die Verweisung der App. Probi nach Afrika kann durch die inschriftlichen *Mascel Vernacel* neben *mascel figel* der App. nicht gestützt werden, da *Mascel* auch auf drei Inschriften nicht-afrikanischen Ursprungs vorkommt, *figel* auf einer Inschr. aus Volcei. Die Vulgärformen auf *-el* sind vergleichsweise jung, altes *-el* wäre zu *-ul* geworden (*famul* : osk. *famel*).

Thielmann Ph. Die lateinische Übersetzung des Buches der Weisheit. Arch. f. lat. Lex. VIII 235—277.

> Eingehende sprachliche Untersuchung, welche die Africitas der Übersetzung ausser Zweifel setzt. Entstehungszeit zweite Hälfte des zweiten Jahrh. n. Chr.

Brandt S. Über den Verfasser des Buches de mortibus persecutorum. Fleckeisens Jahrb. 147, 121—138, 203—223.

> Sprachliche und sachliche Gründe zeigen, dass die Schrift schon sehr früh fälschlich auf Lactantius übertragen wurde. (Gegen Beiser.)

Kübler B. Die lateinische Sprache auf afrikanischen Inschriften Arch. f. lat. Lex. VIII 161—202. (Nachträge dazu ebd. S. 297.)

> 1. Einleitendes über die Africitas latina. 2. Zur Wortbildung. Substantiva auf *-tor*, *-men*, *-tos* usw., Deminutiva, Adjektiva auf *-alis*, *-icius*, *-aneus*, Zusammensetzungen. 3. Zur Flexion. Erste Deklination Gen. Sg. auf *-es* *-aes* *-ais* *-as*, Dat. auf *-ai*, Nom. Pl. auf *-aes*, Dat. Pl. auf *-abus*; vierte Dekl. Dat. und Abl. Sg. auf *-o*; fünfte Dekl. Dat. *die*. Metaplasta und Heteroklita. Adjektiva, Numeralia, Pronomina. Falsches Genus. Konjugation. 4. Zur Syntax. 5. Zur Stilistik und Phraseologie. 6. Lexikalische Bemerkungen. 7. Schluss. Für Flexion und Syntax ist die Ausbeute gering, reicher für Wortbildung, Stilistik und Wortschatz. Beim Vergleiche mit der Litteratur finden sich am meisten Berührungspunkte mit den alten Bibelübersetzungen und Kirchenvätern, mit Petron und einigen Juristen. Aus den Analogieen Petrons folgt weiter nichts, als dass das kampanische Latein in ähnlicher Verwandtschaft mit dem afrikanischen stand, wie das spanische, und dass im afrikanischen Latein vulgäre und, was ziemlich dasselbe ist, archaische Elemente besonders stark vertreten sind.

Wölfflin E. Zum Afrikaner Florus. Arch. f. lat. Lex. VIII 452.

> *barbari barbarorum* und *urbem urbium* bei Florus sind Semitismen wie *saecula saeculorum* u. dgl.

Sorn J. Der Sprachgebrauch des Historikers Eutropius. Ein Beitrag zur historischen Grammatik der lateinischen Sprache. Laibach Fischer. V u. 39 S. 1,20 M.

Grupe E. Zur Sprache des Apollinaris Sidonius. Progr. Zabern 1892. 15 S.

> Vgl. Arch. f. lat. Lex. VIII 310.

Schepss G. Zu Candidus Arianus. Arch. f. lat. Lex. VIII 287 f.
Bemerkungen zur Sprache.

Kalb W. Zur Analyse von Justinians Institutionen. Arch. f. lat.
Lex. VIII 203—220.
Zeigt an Beispielen, wie die Methode der Sprachforschung auf
die Analyse der Institutionen angewendet werden kann.

Wölfflin E. Die neuen Scholien zu Terenz. Arch. f. lat. Lex. VIII
413—420.

Wölfflin E. Neue Bruchstücke der Freisinger Itala. Sitzgsber. der
bayer. Akad. 1893, 253—280. Anhang: H. Linke Neue Bruchstücke des Evangelium Palatinum, ebd. 281—287.

Linke H. Über den Plan einer neuen Ausgabe der 'Itala'. Arch.
f. lat. Lex. VIII 311 f.

Benoist E. et **Goelzer** H. Nouveau dictionnaire latin-français. Paris
Garnier frères. XVI u. 715 S.

Merguet H. Lexikon zu den Schriften Ciceros mit Angabe sämtlicher Stellen. II. Teil. Lexikon zu den philosoph. Schriften.
14. Heft (Band III Lief. 7—10) 4⁰. S. 237—396. Jena Fischer. 8 M.

Gerber A. et **Greef** A. Lexicon Taciteum. Fasciculum XI edidit
A. Greef. *potestas-que* (Sp. 1153—1264) gr. 8⁰. Leipzig Teubner.
3,60 M.

B(ücheler) F. Blattfüllsel. Rhein. Mus. XLVIII 320.
Führt aus CIL. V suppl. 670 *pdicavit* an, gegen die in neueren
Texten wieder wuchernde alte falsche Schreibung *paed-*.

Conway R. S. Oskisch eltuns. IF. III 85—87.

Darbishire Etymological notes. Cambridge Phil. Soc. Feb. 9. Vgl.
Academy 1086.
1. *altus* nicht zu *alere*, vielmehr zu *ultra ultro olim altus
alter*. Vielleicht ist *lätus* ebenfalls verwandt. 2. In *colo* zwei Wurzeln
zusammengefallen: *qel* 'motion' u. *qyel* 'rest'. *cultus* kommt von
qyel, nicht *qel*. 3. *iubar* = **dju-bhas* 'day-shine'. 4. *numen* nicht
bloss zu *nuo* zu stellen, sondern auch = πνεῦμα d. i. *qneu-men*.
5. *scio*, Grdf. **sgh-iō* Wz. *segh*. *scio* = ἔχω 'I grasp'.

Funck A. Zu *Malacia* Arch. VI 256. Arch. f. lat. Lex. VIII 278.

Funck A. Glossographische Studien. Arch. f. lat. Lex. VIII 369—396.
Aus den drei abgeschlossen vorliegenden Bänden des Corpus
glossariorum werden in alphabetischer Anordnung angeführt: I. Die
völlig neuen Wörter (181 Nummern). II. Die Wörter, welche der
Bildung nach bekannt, aber bislang nicht in dieser Funktion bezeugt waren (30 N.). III. Wörter, denen auffallende neue Bedeutungen beigelegt erscheinen (10 N.).

Gäbel und **Weise** O. Zur Latinisierung griechischer Wörter. Arch.
f. lat. Lex. VIII 339—368.
1. Die Lehn- und Fremdwörter Varros. 2. Bemerkungen zur
Stammbildung altlateinischer Lehnwörter. 3. Verkürzung langer
Vokale in griechischen Lehnwörtern. 4. Doppelkonsonanten in
griechischen Lehnwörtern.

Greenough J. B. Latin etymologies. Harward studies IV. Boston Ginn 1892. 18 M.

Grimm J. De adiectivis Plautinis. Progr. Altkirchen i. E. 1892. 31 S.

Hegel Lateinische Wörter, deutsche Begriffe. Preuss. Jahrbücher 1893. Februar.

Über die bei den gangbarsten lateinischen Wörtern zu beobachtende Bedeutungsverschiebung, die dadurch entstanden ist, dass im Mittelalter die lat. Sprache als die Schriftsprache auf deutsche Verhältnisse angewandt wurde.

Keller O. Volksetymologisches. Berl. phil. Wochenschr. XIII Nr. 5.

Einige Nachträge zur 'Lat. Volksetymologie' und zu den 'Lat. Etymologien'. Vgl. Abt. I.

Köhler A. Zur Etymologie und Syntax von *ecce* und *em*. Arch. f. lat. Lex. VIII 221—234.

Stowassers Erklärung von *ecce* aus griech. ἔχε ist unhaltbar, entscheidend ist namentlich eine Stelle aus der Legisaktionsformel des Vindikationsprozesses. *ecce* ist, wie die grosse Bedeutungsverwandtschaft zeigt, mit *em* (zum Pron. *i-s*) zu verbinden und entstanden aus dem Lok. *ē + ce* (vgl. *bāca bacca*), wozu alle Verwendungen stimmen. *eccere* mit Ribbeck u. A. = *ecce rem*.

Lattes E. Zu Malacia. Arch. f. lat. Lex. VIII 441.

Die Beziehung der *Malacia* zum Meere wird durch die stehende Verbindung von etr. *Mlaχ* mit *Neθunsl* (= *Neptuniculi) bestätigt; *malacia* = *nausea*, Seekrankheit.

Lattes E. Narce. Perseveranza, 5 Luglio 1893.

Narce, Name eines Hügels in der Nähe von Falerii, mit Resten einer bedeutenden, sonst verschollenen Stadt, ist das *Naharcum* der iguvinischen Tafeln.

Linderbauer P. B. De verborum mutuatorum et peregrinorum apud Ciceronem usu et compensatione. I. Progr. Metten 1892. 67 S.

Vgl. Arch. f. lat. Lex. VIII 300.

Lindsay W. M. Varia. Arch. f. lat. Lex. VIII 442 f.

anguilla älter *anguila. grabatus, crebattum. quaeritare a muscis* Gaunersprache für ἀμύξειc. *sisira, sisirium. vis* Plur. auch bei Livius Andronicus Fest. Thewr. 532.

Macke R. Die römischen Eigennamen bei Tacitus. IV. Progr. Hadersleben 1893. 18 S.

Vgl. Arch. f. lat. Lex. VIII 463 f.

Meyer-Lübke W. Pilleus. KZ. XXXIII 308—310.

Romanische Vertreter zeigen, dass *pilleus*, nicht *pileus*, die richtige Schreibweise ist.

Nehring A. Über *bidens hostia*. Neue Jahrbb. CXLVII 64—68.

Netušil J. V. Lupercus, luperci, lupercalia (russ.). Filol. obozrénije III 1 57—60.

Lupercus (: *lupus, arceo*) urspr. eine Hirtengottheit.

Netušil J. V. Atqui—atquin, alioqui-alioquin (russ.). Filol. obozr. III 2 111—113.

Atqui urspr. eine selbständige Frage, ebenso *atquin* (= *at qui non?*); *alioquin* zu *alioqui* gebildet nach *qui : quin*.

Netušil J. V. Die Wurzel *ku* und lat. *u* in *ubi, unde* usw. (ru
Filol. obozr. III 2 149.

Gegen Schmidt KZ. XXXII 394 ff. wird für *ubi* usw.
urspr. demonstrativer Stamm *u*- festgehalten. *-bĩ* in *ubi*, *ĩbĩ*
griech. -φι, z. T. gedehnt nach Dativen auf *-ĩ*. *utĩ* zu *utĩ* nach
quĩ (*ubĩ, ibĩ*). *illĩ*- (*-dem*) : ai. *ĩti*. *ũs*- (*-quam*, *-que*) — *ũd* (*ĩ*
+ *s*. *un*- (*-quam*) urspr. Akkus., wie *im* in *interim, exim,* (*exin*-

Netušil J. V. Delubrum (russ.). Filol. obozr. III 2, 113—116.

Urspr. "Ort zur religiösen Reinigung, Sühnung" *(deluere*

Netušil J. Semasiologische Bemerkungen. Filol. obozrénije I
(russ.).

1. *Consul* urspr. 'Tischgenosse' (: *consolium*). 2. *Exercitu*

Novák R. Zum Gebrauch von *atque* bei Caesar. Zeitschr. f. d. öst
Gymn. LXIV 3 S. 205—12.

Als Kopulativpartikel hauptsächlich vor Vokalen, vor Kon
nanten nur bei Verbindung zweier gleichartigen, koordinierten '
durch kein drittes Wort von einander getrennten **Ausdrücke**
lacte atque pecore. In komparativer Geltung *atque* vor Vok.,
vor Kons., mit Ausnahme der Gutturale, wo *et* und *qui eintre*
simulac erscheint nie. *atque* statt *et ille*.

Osthoff H. Lateinisch *gero*. BB. XIX 320—22.

gero und *ago* in der Bedeutung verwandt. Sie gehören a
formell zusammen, wenn man *gero* als *j-es*- auffasst, als eine Wei
bildung der Schwundstufe von *aj*-. *ges*- noch in air. *ticsath* 'toll
vielleicht auch got. *kas* usw. Griech. βαϛάζω von *gero* zu tren
u. mit J. Byrne zu *bãjulus* 'Lastträger' zu stellen; Grdf. *badjo*

Osthoff H. Lateinisch *māteriēs*. Festgruss an Both 126—28.

Mit griech. δμᾶ- 'bauen' deckt sich lat. *(d)mã*- in *mãte*
oder *mãteria* 'Bauholz, Nutzholz' übertr. 'Stoff'.

Pedersen H. Lat. *servus* und *servãre*. BB. XIX 298—302.

Zu lit. *sérgéti* 'behüten' *sárgas* 'Hüter' ahd. *sorgēn*; *serv*
für **servẽre* vgl. umbr. *seritu* aus **serhitu*. *rg(h)* wird nicht,
Bersu behauptet, zu *rb* (vgl. *furvus* : *deorc, torvus* : τάρβοϛ). *Ü*
die Form von *seritu* (vgl. auch *Sergius*) : Suffixwechsel zwischer
und *k*-Reihe, veranlasst durch uridg. Vokalverschiedenheit.

Prellwitz W. Etymologische Miszellen. BB. XIX 167 f.

I. Wz. *lã* 'liegen'. Dazu lat. *lãma* 'Lache', das nicht zu *la*
gehört. Vgl. lit. *lomà, lóma* 'Senkung auf dem Feld', lett. *i*
'Pfützen' *lãnis* 'Bruch'. Hierher ferner: 1) lit. *lóva* 'Bettstelle' *i*
lava 'Bank'. — 2) Lit. *lobas* 'Flussbett'. 3) lett. *lãbotĩs* 'schleich
lãwitĩs. 4) abg. *lajati* 'insidiari'. — Von **lã-lós* 'hingelegt' ist
geleitet **lãtejo* lat. *lateo*.

Prellwitz W. Etymologische Miszellen. BB. XIX 315—20.

II. *luxus pollũcēre*. Wz. *leuko*- 'leuchten, prangen'. *Luxe*
rukĩãs 'glänzend'. Nach *pollucere* ist *Pollux* aus Πολυδεύκης un
staltet. Zusammensetzung von *por*- 'dar' + *lucēre* 'leuchten mach
(kaus.) = ai. *rōcáyati*. *Iovi vinum *lucēre* 'dem Zeus den W
gefällig machen'. — III. *nūgae nōgae naugae* aus *ne-augae* 'u
wichtige (Sachen)'. — IV. *prīvus* nhd. *frei*; lat. Grdf. *pri-oivos*,
Bildung nach dem ai. *praty-ẽkas* vergleichbar. Dadurch erklä
sich *privilegium privignus, privare* leicht. *frei* nicht zu *pri*
sondern als *pri*- 'liebes erweisen, Gefallen haben' u. *-ijos* 'gehe

(vgl. ai. *agr-iyás* 'vorangehend') zu erklären. Ebenso ἄγριος 'wild' = 'in der Trift gehend'.

Schmalz J. A. Kleinigkeiten zur lateinischen Sprachgeschichte. Berliner phil. Wochenschrift XIII 33/84 Sp. 1090—92.

distrahere 'verkaufen' bei Apollinaris Sidonius keine Entlehnung der Kanzleisprache (Grupe), sondern seit Tacitus im Gebrauch. Ähnliches gilt von *velum = velamen quo concessus iudicum occluditur, natales — condicio generis, transfretare = mare traicere, fabrica — Gebäude, eo quod = quod inconcursus. turbidus* im silb. Latein = *turbulentus*; *turbulentus* 'roh'.

Schmidt A. Beiträge zur livianischen Lexikographie III. Progr. Waidhofen a. d. Thaya 1892. 20 S.

Vgl. Arch. f. lat. Lex. VIII 305.

Schneider E. Semasiologische Beiträge I. Progr. Mainz 1892.

Skutsch F. Restutus. Arch. VIII 368.

Restutus neben *Restitutus* durch syllabische Dissimilation, wie jetzt ein Hexameter aus Pompeji beweist.

Skutsch F. Dein. Arch. f. lat. Lex. VIII 443.

Dass *dein* aus *deinde* durch Synkopierung der Schlusssilbe entstanden ist, beweist u. A. ein Senar aus Pompeji (CIL. IV 2246).

Stowasser J. M. Gumiae oder gemiae? Arch. f. lat. Lex. VIII 444.

Beides ist möglich, da das Wort aus dem Semitischen entlehnt ist (ursprgl. Bedeutung 'Schluck' 'Mundvoll').

Thomas P. *Oratores fetiales.* Revue de l'Inst. publ. en Belgique. XXXV 191—192.

In diesem Ausdruck (Cic. *de legibus*, II 9, 21) hat *oratores* die archaïsche Bedeutung von *legati* beibehalten.

Weise O. Die Etymologie im Dienste des lateinischen Unterrichts. Ztschr. f. d. Gymnw. 1893, 385—397.

Weyman C. Gibbus. Arch. f. lat. Lex. VIII 396.

Gibbus bezeichnet auch vollständig normale Erhöhungen am Körper.

Witkowski St. De vocibus hybridis apud antiquos poetas romanos. Krakau 1892. Akad. d. Wiss. 29 S.

Wölfflin E. *Andromaca aecmalotos.* Arch. f. lat. Lex. VIII 234.

Wölfflin E. *red* und *re* in Zusammensetzungen. Arch. f. lat. Lex. VIII 278.

Das *d* in der Zusammensetzung vor Vokalen war schon in der Volkssprache um das Jahr 200 n. Chr. gefallen (*reaedifico* in der Freisinger Itala), nach Analogie des vor Konsonanten üblichen *re*.

Wölfflin E. *Accerso arcesso; accersio arcessio.* Arch. f. lat. Lex. VIII 279—287.

arcesso = arcedere (accedere) facio ist die ursprüngliche, in älterer Zeit noch bevorzugte Form, daraus durch Metathesis umgebildet *accerso*, in Handschriften findet sich nicht selten *accesso accessere*. Die Präsensformen nach der 4. Deklin. gehören der Volkssprache an, unter dem Einfluss der Itala dringen sie in die christliche Litteratur ein.

Wölfflin E. Amplare, ampliare, amplificare. Arch. f. lat. Lex. VIII 412.

ampliare vom Adv. *amplius*, der Formel, mit welcher der Richter den Spruch vertagte; die Bedeutung 'vergrössern' erst durch Verwechslung mit *amplare*.

Wölfflin E. Die Etymologieen der lateinischen Grammatiker. Arch. f. lat. Lex. VIII 421—440.

1. Geschichtlicher Überblick. 2. Die onomatopoietischen Wörter. 3. Die Etymologie e contrario. 4. Zusammensetzung und Ableitung. (Schluss folgt).

Wölfflin E. Pernix. Arch. f. lat. Lex. VIII 452 f.

Von *perna* wie *felix* von **fela*, weibliche Brust, θηλή, ahd. *tila*. Unrichtig ist die schon im Altertum vorkommende Ableitung von *pernitor*.

Zocco-Rosa Sulle etimologie dei giureconsulti romani. Rivista etnea 1893 3.

Scripta anecdota antiquissimorum glossatorum, scilicet Rainerii de Perusia, Rofredi Beneventani, Anselmi de Orto, Hugolini, Johannis Bassiani, aliorumque; praeit Hincmari Remensis collectio de ecclesiis et cappellis; accedit Boncompagni rhetorica novissima. Prodeunt curantibus A. Gaudentio, J. B. Palmerio, F. Patetta, J. Tamassia, V. Scialoia. Vol. II (297 p. fol.) Bononiae, Virano. 60 L.

Corpus glossariorum latinorum a G. Loewe incohatum, auspiciis soc. litt. regiae saxonicae composuit recensuit ed. G. Goetz. Vol. V. (Placidus liber glossarum, glossaria reliqua) XXXVI u. 664 S. 8°. Leipzig Teubner (1894). 22 M.

Corpus inscriptionum latinarum. Voluminis tertii supplementum. Inscriptionum Orientis et Illyrici latinarum supplementum ediderunt Th. Mommsen O. Hirschfeld A. Domaszewski. Fasciculus tertius. 32 M. — Voluminis primi pars prior. Editio altera. 52 M. Berlin Reimer.

Cagnat R. L'année épigraphique (1892). Paris Leroux 1893. 4 Frcs.

Cagnat R. Revue des publications épigraphiques relatives à l'antiquité romaine. Rev. archéol. XXI 253—64, 388—400.

Modestov V. Afrikanische Inschriften und der Saturnus-Kultus. Žurnal Min. nar. prosvěšč. 285 (1893 Feb.) 355—377.

Rushforth G. M. Latin inscriptions, illustrating the history of the early empire. Oxford 1893. Clarendon press. XXVII u. 144 S.

Kroll W. Zu den inscriptiones christianae urbis Romae. Philologus LI 558 f.

Notizie degli scavi di antichità 1892 H. 11 u. 12, 1893 H. 1 u. 2.

Bemerkenswert 1892, 378 *flere* (etr., Arezzo), 409 *Flaviaes Pelagiaes*, 410 *Aiscolapio* (aus Rom), 457 *Calesternai* (Marradi), 472 *Apunies mi, Staties* (Sovana bei Pitigliano); 1893, 28 *reseiste, pro merettis, coiugei* (Gallignano bei Ancona), 42 *Ptronius, Otaus* (Pompeji).

Weitere Litteratur über lat. Epigraphik in der Bibliotheca philol. class. 1893, 55 f., 120 f.

Bréal M. Le manuscrit étrusque d'Agram. Journal des savants, avril 1893 218—230.

Der neue etruskische Text bringe nichts, was die Annahme indogerm. Herkunft des Etrusk. rechtfertige: nicht ein Wort, nicht ein Suffix, nicht eine Endung, die, von nah oder fern, dem gleiche, was wir in den idg. Sprachen finden.

Im Anschluss an eine Bemerkung Bréals vermutet H. D(raheim) in der Woch. f. klass. Phil. X 699 Anm., der ganze Text sei metrisch.

Gaetano Polari in einem mir nicht zu Gesicht gekommenen Artikel (gedruckt in Lugano) findet zwischen dem Etrusk. und Baskischen die grösste Ähnlichkeit (vgl. Woch. f. klass. Phil. X 758).

Lattes E. Saggi e appunti intorno alla iscrizione etrusca della Mummia. 256 S. roy. 4⁰. Mailand Hoepli 1894.

Lattes E. La parola 'vinum' nella iscrizione etrusca della mummia. Atti della R. Accademia delle Scienze di Torino XXVIII 2 Luglio 1893.

Rechtfertigung der Identifikation mit l. *vinum*, gegen Bréal.

Brown R. The Agram Etruscan text. Numeral forms. Academy 1070 p. 414—15.

Tagliabue E. Una nuova epigrafe preromana di Mesocco. Bolletino storico della Svizzera Italiana XV (1893) 105—109.

Mit Bemerkungen von Lattes, der IOCVI VTONOIV : RIS'ADI (oder RINIADI) liest.

Lindsay W. M. The Saturnian metre. I. Am. Journ. Phil. XIV 139—171. II. ebd. 305—35.

§ 1. The Saturnian fragments. § 2. Quantity and accentuation in early Latin poetry. § 3. The two rival theories tested. § 4. A modified accentual theory proposed. § 5. The correct scansion and reading of the fragments: ("1· The accent must fall on the first syllable of each line. There must be three accents in the first hemistich; two must be reckoned in the latter hemistich. A secondary accent is taken into account, necessarily or optionally, according to its prominence in current pronunciation. — 2. The normal number of syllables is 7 in the first hem., 6 in the second. An extra short syllable in positions where in current pronunciation it would be completely or partially suppressed, is occasionally allowed to count with a preceding short syllable as a single syllable. — 3. After the first two 'feet' an alternation of rhythm, between 'rising' and 'falling' accentuation is aimed at throughout the line.") — § 6. Development of Saturnian from Indo-European metre. A Suggestion (Vergleichung von Gâyatri).

Skutsch F. De Lucilii prosodia. Rhein. Mus. XLVIII 303—307.

Fürstenau (Graubünden).   Robert von Planta.

B. Romanische Sprachen.

Tobler Ad. Romanische Philologie. Lexis Die deutschen Universitäten. Berlin Asher. I S. 496—506.

Grundriss der romanischen Philologie, herausgeg. v. G. Gröber.

II. Band I. Abteilung 2. Lief. 2,50 M. II. Band 2. Abt. 1. 2. Lief.
je 2 M. Strassburg Trübner.

Wurzner A. Die Verhandlungen der romanischen Sektion der 42.
Versammlung deutscher Philologen und Schulmänner in Wien.
Die Neuern Sprachen I 6.

Meyer-Lübke W. Grammatik der romanischen Sprachen. II. Band
Formenlehre. 1. Abt. gr. 8⁰. Leipzig Reisland. 11 M.

Bastin J. Questions grammaticales. Revue de l'instruction publique
en Belgique XXXV.

Méska Nékteré myślénky o přízvuka v romanských jazycích (Einige
Gedanken über die Betonung in den roman. Sprachen). Referat.
Zeitschr. f. d. österr. Gymn. XLIII 11.

Storm Joh. Nogle Bemärkninger om Diftongdannelsen i de ro-
manske Sprog. Forhandl. paa det (3—)4. nord. Filologmøde. Kbhn.
1893. pag. XXXIV—XLVII.

(Über die Entstehung der Diphthonge in den romanischen
Sprachen. Enthält auch Bemerkungen über die Lautverhältnisse
der englischen Sprache und die Mundart des Sæterdals in Norwegen.)

Rydberg G. Le développement de *facere* dans les langues romanes.
Upsalaer Diss. IV u. 255 S. mit 2 Tafeln. Paris Noblet. 10 Frcs.

Horning A. Über Dialektgrenzen im Romanischen. Gröbers Zeitschrift XVII 160c—188.

I Allgemeine Erwägungen für und gegen die Annahme von
Dialektgrenzen u. Dialekten: Ascoli (Schizzi francoprovenzali 1875),
P. Meyer (Romania IV 294 ff.), Ascoli (Archivio glott. II 385), G.
Paris (Revue des Patois gallo-romans II 161), G. Gröber (Grundriss
I 416). II. Für Dialektgrenzen: J. Simon über die wallonisch-
pikardische Sprachgrenze, Horning über ostfranz. Grenzdialekte,
Tourtoulon u. Bringuier über die Grenze der langue d'oc und
langue d'oui. III. Giebt es Dialekte? Die Frage ist noch nicht
spruchreif, weil es an den nötigen Vorarbeiten fehlt. Ein Dialekt
wäre ein von allen Seiten durch Dialektgrenzen umschlossner und
gleichsam isolierter Sprachkomplex; die Einteilung in sog. natürliche
Gruppen ist zu verwerfen. Auch die Lehre von der Verteilung und
Entwicklung der Sprache nach natürlichen Gesetzen (Paris, Meyer)
ist abzulehnen. Gegen Paris' Einwand, dass die Merkmale, die bei
der Schilderung einer Dialektgrenze massgebend sind, willkürlich
ausgewählt seien: unrichtig, weil die Masse der traits linguistiques
nicht gleichwertig ist u. weil übersehn wird, dass die Sprachgrenze
etwas zeitlich bedingtes ist. Beziehungen u. Wechselwirkungen
zwischen allgemeiner Geschichte und Dialektologie.

Schuchardt H. Neueste Litteratur über die lateinischen und romanischen Bestandteile der südosteuropäischen Sprachen. Literaturblatt f. germ. u. rom. Phil. XIV 5. S. 175—78.

Meyer G. Türkische Studien. I. Die griech. u. roman. Bestandteile
im Wortschatze d. Osmanisch-Türkischen. Leipzig Freytag. 2 M.

Menger L. E. The histor. development o
in Italian. Public. of the Mod. Lang.
S. 141—209.

Menger L. E. *e* in *tutti e tre, tutte e tre.*

Köröai A. Gli elementi italiani nella lin\
Fiume 1892.

Petròcchi P. Novò dizionario scolastico d
1892. 8. 1213 p. 7 M.

Vocabolario degli accademici della C\
(grema-gutturalmente) S. 481—748. 4⁰.

Forsyth Major Italienische Vulgärnamen
Zeitschrift XVII 148—160 b.

    Ces noms sont, en partie, des alté
(Nachttier) et du latin *vespertilio* (Abendti\
très générale. Les chauve-souris sont au
fondues avec des espéces d'oiseaux dét\
rapprochées des mammifères, en leur ac
médiaire entre les souris (rats) et les oise

Salvioni C. Lampyris italica. Saggio int\
in Italia; 15 Sept. 1892 (Nozze Salvioni-\

Cavalli Reliquie latine, raccolte in Mugg
sul dialetto tergistino. Archivio glottol\

Ive A. Die istrianischen Mundarten.
Geroids Sohn 1893). I. Band. 3. Abt. S.

Marcialis Ef. Piccolo vocabolario sard
comuni animali della Sardegna. Caglia

Maranesi Ern. Vocabolario modenese-i\

P. M., coadjuvato per il riscontro della lingua fiorentina dal prof.
O. Papani. Disp. 1—11. Modena. 4. 1—88.

Parodi E. G. Il dialetto d'Arpino. Archivio glottologico XIII 1.

Pieri S. Il dialetto gallo-romano di Sillano. Archivio glottologico
XIII 1.

Pieri S. Il dialetto gallo-romano di Gombitelli, nella provincia di
Lucca. Archivio glottologico XIII 1.

Pozzo G. Glossario etim. piemontese. 2. Aufl. XXIV u. 899 S.
Torino Casanova. 5 L.

Unterforcher A. Rätoromanisches aus Tirol. 85 S. 4⁰. Progr. des
Staatsgymn. zu Eger.

Decurtins C. Rätoromanische Chrestomathie. I. Band. 2. Lieferung.
244 S. (Romanische Forschungen VIII B. 1. Heft).

Dizionario dels idioms romauntschs d'Engiadin' ota e bassa, della
Val Müstair, da Bravuogn e Filisur con particulera consideraziun
del idiom d'Engiadin' ota da Zaccaria Pallioppi, bap et Emil Pallioppi, figl. 1. Fasc. 1—92 *(A- contrasigner)*. Samedan Stamperia
de S. Tanner.

Varnhagen H. Über einen Sammelband franz. Grammatiken des
16. Jahrh. auf der Erlanger Bibliothek. Neuphil. Centralbl. VII 5.

Körting G. Formenlehre der französischen Sprache. I. Band: Der
Formenbau des französ. Verbums in seiner geschichtlichen Entwickelung. LVI u. 378 S. Lex. 8⁰. Paderborn Schöningh. 8 M.

Suchier H. Altfranzösische Grammatik. I. Teil: Die Schriftsprache.
1. Lief.: Die betonten Vokale. 88 S. gr. 8⁰. Halle Niemeyer. 2 M.

Wagner Ph. Französische Quantität. Phon. Stud. VI 1.
Unter Vorführung des Albrechtschen Apparats.

Nyrop K. Kortfattet fransk Lydlære til Brug for Lærere og Stu-
derende. Med Afbildninger. Kbhn. 1893. 8⁰. 120 pag.

Clédat Phonétique raisonnée du français moderne. Revue de
phil. française et prov. VI 4.

Andersson H. Zum Schwund nachtoniger Vokale im Französischen.
10 S. 8⁰. Sonderabdruck aus Språkvetenskapliga Sällskapets
Förhandlingar. Upsala 1891/94.

Geijer P. A. Om accessoriska ljud i franska ord. Forhandl. paa
det (3—)4. nord. Filologmøde. Kbhn. 1893. p. LVI. (Vollständig
gedruckt: Upsala Univ. Årsskrift. 1887.)

Marchot P. Solution de quelques difficultés de la phonétique française.
Chapitre du vocalisme. Lausanner Diss. 91 S. 8⁰. Lausanne
Bridel 1893. Paris Bouillon. 3,50 Frcs.
Inh. Le suff. -ier. Évolution de *ai*. Nasalisation de *in*. La
diphthongue *ie*. Sur *u* long latin.

Marchot P. Solution de la question du suffixe *-arius.* Gröbers
Zeitschrift XVII 288—92.

"C'est la considération de la déclinaison des mots en *-ariu* en
vieux roumain et en vieil italien et l'étude attentive de cette même
déclinaison dans les gloses de Cassel et de Reichenau, avec, dans
une certaine mesure, l'examen du traitement de *-ariu* en lorrain et
en bourguignon, qui donne la clef du problème".

Thomas A. Le latin *-itor* et le provençal *-eire.* Romania XXII
261—64.

Gegen **Cornu,** Gröbers Zeitschrift 1892 S. 518 f. Vgl. Romania 1892 S. 17. Hält an seiner früheren Erklärung fest, wonach
die prov. Form auf analogisch gebildetes *-ētor*, nicht *-itor* zurückgeht.

Andersson H. Ofversigt af ordens på *-icus* fonetiska utveckling i
franskan. Upsala Universitets Årsskrift 1891 S. 80—92.

Thomas A. Les noms de rivières et la déclinaison féminine d'origine germanique. Romania XXII 489—503.

Über die Flussnamen, deren lateinische Form der 1. Dekl. angehört, die aber im Franz. die mask. Endung *-ain -in -ing* aufweisen. "A notre avis, les noms *Loing, Mesvrin,* etc. sont incon-
testablement des restes de l'ancienne déclinaison française et doivent
être mis sur la même ligne que les deux débris conservés par la
langue actuelle et souvent cités: *nonnain* et *putain.*" "La substitution du masculin au fém., à une époque relativement récente,
s'explique pas la confusion qui s'est produite entre la terminaison
fém. *-ain*, relativement rare, et les term. masc. *-ain, -ein, -in,* très
nombreuses".

Thomas A. D'un comparatif gallo-roman et d'une prétendue peu-
plade barbare. Romania XXII 527—29.

"Dans *Courtisols* [département de la Marne, 847 als *Curtis
acutior* belegt] le second élément représente . . . le comparatif
acutiórem, qui, d'après les lois phonétiques du français, a dû devenir *auisor.*

Uschakoff lw. Zur Erklärung einiger französischen Verbalformen.
Mémoires de la Société néo-philologique à Helsingfors. I 131—66.
(Leipzig Harrassowitz in Komm. 6 M.)

Banner Die Syntax des Französischen als ein Produkt seiner
Formenlehre betrachtet an dem Aufbau des einfachen Satzes.
Berichte des Freien Deutschen Hochstiftes N. F. IX 2.

Cron Die Stellung des attributiven Adjektivs im Altfranzösischen
und Spätlateinischen. Strassburger Progr.

Bastin J. Le passé antérieur en français. Revue de phil. française
et provençale VI 3.

Björklund G. L'emploi en français moderne de l'infinitif que précède un à. Linköping. 1892. 4°. (Gymnasial-Programm.)

Kalepky Theodor Zum sog. historischen Infinitiv im Französischen.
Gröbers Zeitschrift XVII 285, 8.

Quelques objections faites à la tentative d'explication de M.

A. Schulze dans son "Beitrag zur Lehre vom französischen Infin
Zts. XV 504.

Doleschal A. Das 'participe passé' in aktiver Verbalkonstru
von den ältesten Zeiten der Sprache bis auf die Gegenwart.
8⁰. Pr. Steyr.

Bréal M. Une règle inédite de grammaire française.
Behandelt gewisse Fälle wo *pas, point* eine negative B
deutung haben, ohne von *ne* begleitet zu werden.

Stefan A. Laut- und Formenbestand in Guillaume's le cler's R
'Fergus'. 39 S. 4⁰. Klagenfurt Kleinmayr.

Albert A. C. Die Sprache Philipps von Beaumanoir in seinen
Werken. Eine Lautuntersuchung (- Münchener Beiträge
rom. u. engl. Phil. V.) Erlangen Deichert. 60 S. 8⁰. 1,50)

Franzen M. Über den Sprachgebrauch Jean Rotrou's. 41
Progr. Rheinbach.

Lexique de la langue de J. de la Fontaine. Tomes X et XI.)
librairie Hachette & Cie. 1893.

Behrens D. Bibliographie des patois gallo-romans. 2. éd.)
et augmentée par l'auteur, traduite en français par E. Ra
VIII u. 255 S. 8⁰. Berlin Gronau (= Franz. Studien N. F. 1.)

Beauredon Grammaire des idiomes landais ou gascon. Socié
Borda. 1893 I S. 19—33.

Zéliqzon L. Die französische Mundart in der preussischen Wall
Gröbers Zeitschrift XVII 419—40.
Laut- und Formenlehre.

Vérel Ch. Petite grammaire du patois de l'arrondissement d'Ale
Bull. d. l. Société hist. et arch. de l'Orne 1893.

Philipon E. Les parlers du Forez cis-ligérien aux XIII. et
siècles. Romania XXII 1—44.
On ne peut pas assigner une limite précise au domain
franco-provençal : l'un des traits de ce groupement linguis
imaginé par M. Ascoli empiète sur le domaine des parlers d'(
réciproquement quelques-uns des traits caractéristiques du
vençal vont se fondre insensiblement dans la masse des pa
franco-provençaux. C'est ce qu'établit l'analyse (phonétique et fle
de quatre textes publiés par l'auteur: I. Testament de Jea
Bourbon, 1289. II. Censier de la Commanderie de Chazelle
Lyon, 1290 (Extraits). III. Livre de raison des seigneurs de F
1322—1323 (Extraits). IV. Censier de Ponce de Rochefort,
1225 (Extraits).

Moisy H. Glossaire comparatif anglo-normand. 4. fasc. S. 417-
8⁰. Paris Picard.

Marchot P. Phonologie détaillée d'un Patois Wallon, contrib
à l'étude du Wallon moderne. XVI u. 139 S. 8⁰. Paris Bouillon.

de Lépinay G. Le vieux patois limousin. Bull. de la Soc. scientif. hist. et arch. de Brive. 1893 Nr. 1.

Lanusse B. De l'influence du dialecte gascon sur la langue française de la fin du XV. siècle à la seconde moitié du XVII. Thèse. XV und 470 S. 8°. Paris Maisonneuve. 7,50 Frcs.

Guillaume Le langage d'Embrun au quinzième siècle. 20 S. 8°. Montpellier Hamelin.

Grammont M. Le patois de la Franche-Montagne, et en particulier de Damprichard (Franche-Comté). Mém. Soc. ling. VIII 52—90. 316—47.

Suite: IV. La loi des trois consonnes. In dieser Mundart, wie im Französischen: "L'e muet, étymologique ou non, n'apparaît que lorsqu'il est nécessaire pour éviter la rencontre de trois consonnes comprises entre deux voyelles fermes". Dies wichtigste Gesetz wird besonders an dem Pariser Dialekt studiert.

Behandlung von *i* und *u*, *ò* und *ó*, *è* und *é*.

Gottschalk A. Über die Sprache von Provins im 13. Jahrh. nebst einigen Urkunden. Hallische Diss. 62 S. 8°. Cassel Hühn. 1,50 M.

Dumas Le provençal et le haut-alpin; des consonnes intervocaliques. Bull. d. l. Société d'études 1892 Nr. 4 S. 325—42.

Defrecheux Vocabulaire des noms wallons d'animaux (Liège, Luxembourg, Namur, Brabant, Hainaut) avec leurs équivalents latins, français et flamands. 3. édition 174 p. 3 Frcs.

Castets Études grammaticales sur le dialecte gascon en Couserans. Bull. d. l. Société ariégeoise des sciences, lettres et arts 1892 Nr. 6—8.

Bulletin de la Société des parlers de France I 1. Paris Welter. [Alle 2 Monate erscheint ein Heft. Jahresbeitrag 6 Frcs. Beitritterklärungen sind an Hrn. Deseilligny 53 rue de Varenne Paris zu richten.]

Inh. G. Paris Les Parlers de France. P. Rousselot Récits du Moulin-Neuf. Ders. Enquêtes. Compte rendu des séances. Statuts usw.

Godefroy Dictionnaire de l'ancienne langue française. Heft 71: *traire-troche*. Heft 72: *troché-veintre*. Heft 73: *veinture-vilener*. Paris Bouillon.

Hatzfeld-Darmesteter-Thomas Dictionnaire général de la langue française. 10. Heft: *désassembler-doublage*. 11. Heft: *double-émergence*. 12. Heft: *émergent-éprendre*. Paris Delagrave.

Littré E, Dictionnaire de langue française. Supplément renfermant un grand nombre de termes d'art, de science, d'agriculture, etc., et de néologismes de tous genres appuyés d'exemples, et contenant la rectification de quelques définitions du dictionnaire, etc. Ce Supplément est suivi d'un dictionnaire étymologique de tous les mots d'origine orientale, par Marcel Devic. (XI 468 p. à 3 col. Gr. in 4.) Paris Hachette et Cie. 12 Frcs.

Anzeiger IV.

Piat L. Dictionnaire français-occitanien, donnant l'équivalent des
mots français dans tous les dialectes de la langue d'oc moderne.
I. *A—H.* 491 S. 8⁰. Montpellier. 19,20 M.

Sachs K. Französisch-deutsches Supplement-Lexikon. Eine Ergänzung zu Sachs-Villatte Enzyklop. Wörterbuch sowie zu allen
bis jetzt erschienenen franz.-deutschen Wörterbüchern. Unter
Mitwirkung von C. Villatte. XVI u. 329 S. Lex.-8⁰. Berlin Langenscheidt 1894. 10 M.

Levy E. Provenzalisches Supplement-Wörterbuch. Berichtigungen
u. Ergänzungen zu Raynouards Lexique roman. 2. Heft. S. 129
—256 u. II S. gr. 8⁰. Leipzig Reisland. 4 M.

Babad J. Französische Etymologien. Gröbers Zeitschrift XVII
562—66.
    1. *baragouin* aus *bârûch habbâ.* 2. *samedi.* Über die ver-
schiednen Benennungen des Sonnabends. Behandelt *mb* in ahd.
sambaz-tac, vgl. jüd. nachbibl. *Sambation Sabbation* 'Sabbatfluss'.
Auch vulgärgriech. ist nach W. Schulze der Übergang ββ zu μβ
öfters belegt.

Bos A. *marmot, marmeau.* Romania XXII 550—52.
    marmot = murem montis vgl. ladin. *murmont, davon ahd.
muremunto, murmenti.* Sinn 1) *marmotte.* 2) *singe.* 3) *petit enfant.*
— Vermischung von *marmeau* 'petit enfant' mit *marmot* 'singe'.

Bourlier Glossaire étymologique des noms de lieux du départe-
ment de la Côte-d'or. Bull. d'hist. et d'archéol. relig. du dioc. de
Dijon. IX. S. 245—257.

Chance F. et Mayhew A. L. The French Word 'Morgue'. The
Academy 1084 p. 131—2; 1085 p. 154; 1087 p. 199.
    Chance: *Morgue* (1⁰. air grave et orgueilleux. 2⁰. endroit
où l'on examina les morts) f. subst. de *moryuer*, regarder fixement,
examiner, se rattache à l'anc.-prov. *morga* (*monga*), *morgue, mongue*
< lat. *monachum* (*n = r* comme dans *coffre < cophinum. Mourre,
museau*, groin, visage, naseau, se rapproche de *morgue. Morgeline*
pimprenelle, est on double diminutif de *morge = morgue.*
    Mayhew: Combat les opinions de M. C., repousse *rg > rr*
pour *mourre* et explique *morgeline = Morsus Gallinae, Mosgelin,
Morgeline.*

Delboulle A. *Buissé boissié, bouyssé boissé.* Romania XXII 264 f.
    Bedeutung: 'orné de buis'.

Edelfeldt A. Liste des mots français employés dans la langue
Suédoise avec une signification détournée. Mém. Soc. néo-philo-
log. à Helsingfors. I 360—371.

Geijer P. A. Om franska växtnamn. Forhandl. paa det (3—)4. nord.
Filologmøde. Kbhn. 1893. p. 132—145.
    (Untersuchungen über den Ursprung der französischen Pflanzen-
namen.) — Nur verhältnismässig wenige Pflanzennamen haben wäh-
rend der ganzen Entwickelung der Sprache im Volksmunde fortgelebt.
Sehr wenige von diesen sind keltischen Ursprungs, z. B. *Osier,
Bouleau*; andere, wie *Verne, Baguenaudier, Berce, Cassis, Canne-*

berge, sind unsicher. Von Wörtern, welche seit der römischen Periode in der Sprache gelebt haben, hat man wohl c. 100. Bemerkenswert ist *Chapre* u. lat. *Cappdra*, welche als Namen zweier verschiedener Pflanzen auftreten. Dasselbe gilt *Ronce* u. lat. *Rumex*. Unsicher ist *Canche-Canica*. Zu der Zeit der Völkerwanderung sind einige Lehnwörter in die Sprache eingedrungen, z. B. *Hêtre*, *Houx*, *If*, *Saule*, *Framboise*, *Groseille*, *Cresson*, *Latche*. In den folgenden Perioden der Sprache wurden zahlreiche Namen in verschiedener Weise neu gebildet; der Name wird entweder aus irgend einer Eigenschaft der Pflanze hergenommen, oder er bezeichnet ihren Wert in der Medizin oder der Wirtschaft, bald finden wir durch den Namen eine religiöse Vorstellung, bald Metaphern etc. ausgedrückt. Schliesslich ist eine Menge lateinischer und griechischer Pflanzennamen benutzt worden.

Hatzfeld A. und **Thomas** A. Coquilles lexicographiques. Romania XXII 553—64.

> *c—d: canette, charnie, chasse-partie, chevêtrier, corman, courtbaton, court-bouton, courtière, couston, crave, croiler, déchaussière défendure, demi-ceint, désœuvrer désœuvrement, douville, dryin.*

Jenkins Th. A. Etymology of french *coussin*, *couche*, *coucher*. Mod. Lang. Notes VIII 5.

Kaindl R. F. Die französischen Wörter bei Gottfried von Strassburg. Gröbers Zeitschrift XVII 355—67.

> Vollständiges Wort- und Stellenverzeichnis.

Keup W. Das franz. *en* (*inde*). Eine Untersuchung über seinen Laut- und Bedeutungswandel. 14 S. 4⁰. Progr. des Progymn. zu Berent.

Mayhew A. L. The Word *Artemage* in Gower. Academy 1089 p. 242.

> Cet *artemage* = afr. *artimage* < *artematica* de *arte mathematica*, *arte maf matica* > *artematica* (*Artimaire*, *artumaire*, *artimai*, *artimal*).
> Vgl. Chance F. ibid. 1092 p. 307. *Artimage* : *mage* = l. *magus*; *artimaire* : *maire* = *principal*, *majeur* = l. *majorem*; *artimal* : adj. *mal*; *artimai* : *artimaire*, *artimaie artimai*, *art* étant masculin; *artiment* : *artillement* comme gentillement = *gentiment*. *i* remplace *e* de *arte(m)* ou est une voyelle de liaison (Bindevokal); cf. *artifice*.

Morgenroth K. Zum Bedeutungswandel im Französischen. Zeitschrift f. frz. Sprache XV 1.

Paris G. *mastin . antenois*. Romania XXI 597 f.

> *Mastin* = *mansuêtinum*; *antenois* = *annôtinus*, d'où *antinum* et *antinêsem*.

Paris G. *bédane*. Romania XXII 549.

> Es handelt sich um *ane* 'canard' archaiisch *bec d'ane*.

Salmon A. *entrecor—puin (helt)*. Romania XXII 547—49.

> *entrecor* 'fusée': *helt* 'quillon' nicht 'poignée'.

Thomas A. *aise*, essay étymologique. Romania XXI 506—27.

> Suivant l'idée d'A. Darmesteter, M. Th. prouve que le prov. *aise*, fr. *aise* dérive du lat. *adiacens*, auquel il répond pour le sens et la forme. Il examine en même temps la destinée de *a postton*.

dans les proparoxytons, lequel s'est affaibli en *e* dès la péri
primitive.

Thomas A. Notes de lexicographie provençale. Annales du r
1892 (V) Nr. 17, 20.

Thomas A. Le nom de lieu *Igoranda* ou *Ewiranda.* Annales
Midi 18. L'aut. ajoute un 27ème n. de l. à ceux qui ont
déjà publiés par MM. Havet et Longnon.

Tobler A. Etymologisches. Sitzungsberichte der Kgl. Preuss. A
demie der Wissenschaften 1893. III u. 12 S. 8⁰.

    Inh. it. *attrazzo attrezzo*; frz. *rets*, afr. *menaison -oison -i*
fr. *haleter, aloyau, ébouler, banneret.*

Toynbee P. *estaler.* Romania XXI 617.

    estaler 'uriner' et 's'arrêter' vom germ. *stal* ags. *steal* u

Ulrich J. Lat. *follis,* frz. *échec.* Gröbers Zeitschrift XVII 570.

    1. *follis* 'Blasebalg' aus *folnis = ff-nt-,* zu *fel- flā-* 'blas
— 2. *échec* 'Misserfolg' ist das Verbalsubstantiv zu *échouer,* hat
dem Worte für 'Schach', von dem es sein *c* bezogen hat, ni
zu thun.

Magnabel J. G. Du latin à l'espagnol (Forts.). Rev. de Ling. X
S. 193—217, XXVI Nr. 2.

Araujo F. Recherches sur la phonétique espagnole. (Suite.) Pl
Stud. VI 1. 2. 3.

Cuervo R. J. Las segundas personas de plural en la conjugac
castellana. Romania XXII 71—86.

    L'auteur expose les transformations subies par les deuxiè
pers. plur. du verbe castillan qui, au XIII. S., se terminaient tor
en *des,* à l'exception de l'impératif et du prétérit, pour arrive
leur état actuel. I. Inflexiones originariamente graves. II. Inflexic
originariamente esdrujulas. III. Inflexion en *les.* IV. Otras for
analógicas. V. Conjectures sur diverses formes.

Gessner E. Das spanische Personalpronomen. Gröbers Zeitscl
XVII 1—54.

    M. Gessner passe en revue les cas qui n'ont pas été s
samment discutés jusqu'ici, en s'appuyant surtout sur l'ancie
langue. I. Die Formen des Personalpronomens. II. Syntaktise
A. Rückdeutendes Pronomen. B. Vorwärts deutendes Pronom
III. Stellung des Personale beim Verb. A. Subjekt. B. Obj
I. Einfache Zeit. II. Zusammengesetzte Zeit. III. Gerundium.
Infinitiv.

Gessner E. Das spanische Possessiv- und Demonstrativpronom
Gröbers Zeitschrift XVII 329—55.

    Possessivpronomen. I. Die Formen des Possessiv]
nomens. II. Syntaktisches. — Demonstrativpronomen. I.
Formen des Demonstrativpronomens. II. Syntaktisches.

Koerbs F. Untersuchung der sprachlichen Eigentümlichkeiten
altspanischen 'Poema del Cid'. 61 S. 8⁰. Bonner Diss. Leipzig Fl

Lenz R. Beiträge zur Kenntnis des Amerikanospanischen. Gröl
Zeitschrift XVII 188—214.

I. Die Grundlagen der Entwicklung des Amerikanospanischen.
Colonisation. L'auteur étudie surtout le Chili, le Pérou, l'Equateur
et l'Argentine. II. Der Einfluss des Araukanischen auf die Entwicklung des chilenischen Spanisch. III. Lautlehre des Araukanischen. IV. Die spanischen Lehnwörter im Araukanischen. V. Die
chilenische Lautlehre verglichen mit der araukanischen. (Vocalisme
et Consonnantisme). Addition au chapitre 1: notes complémentaires
sur la situation ethnologique du Chili.

Lenz R. Chilenische Studien 2—5. Phon. Stud. VI 1. 2. 3.

Lentzner K. Observations on the Spanish language in Guatemala.
Mod. Lang. Notes VIII 2.

Mórel-Fatio A. Notes de lexicologie espagnole. Romania XXII
482—88.
cada. estantigua. judino. lindo. plegar. siero.

Fischer L. Germ. Sprachelemente im Spanischen. Progr. Sarnen
31 S. 4⁰.

Meyer-Lübke W. Spanisch *jeja*. Gröbers Zeitschrift XVII 566—70.
Gegen seine frühere Herleitung von span. *jeja* aus taurinisch
s/asia; Rechtfertigung der Verknüpfung mit *saxea*.

Rayment H. *Infanta* and *Infante*. Academy 1086 p. 176.
Définitions de lexicographes divers. *Infanta* est aussi le
titre de la veuve d'un *Infante*.

de Unamuno M. Del elemento alienigena en el idioma vasco.
Gröbers Zeitschrift XVII 137—47.
L'auteur prétend rechercher, en dehors de préoccupations
patriotiques, l'élément étranger dans l'idiome basque et passe en
revue différentes classes de mots; I 1⁰. Ideas religiosas y supra-
sensibles. 2⁰. De los conceptos universales. 3⁰. Utensilios domésti-
cos. 4⁰. Industria, agricultura, etc. 5⁰. Fauna y flora. 6⁰. Re-
laciones sociales. Conclusion: Sont d'origine étrangère en basque
tous les mots désignant des objets d'une vie sédentaire et quelque
peu cultivée, idées religieuses ou conceptions d'une portée relevée
ou bien générale.

Gonçalves Vianna A. R. Deux faits de phonologie historique
portugaise. Lisbonne 8.

Gonçalves Vianna A. R. Esposição da pronuncia normal portu-
guesa para uso de naciones e estrangeiros. Lisboa.

Leite de Vasconcellos J. Sur le dialecte portugais de Macao.
Lisbonne.

Constancio Novo diccionario critico e etymologico da lingua por-
tugueza. 12. Aufl. 4⁰. Paris Thomas. 25 Frcs.

Michaelis H. New Dictionary of the Portuguese and English Languages. 2 vol. Leipzig (F. A. Brockhaus) 1893. 8⁰. pp. 1460.
27 M.

Fribourg (Suisse).   Georges Doutrepont.

VIII. Keltisch.

Atkins F. The Kelt or Gael: his ethnography, geography and philology. 90 S. 8⁰. London Unwin. 5 Sh.

Nutt A. Celtic Myth and Saga. Folk-Lore III Nr. 3.

Paul L. Das Druidentum. Neue Jahrb. f. Phil. CXLV 11.

Stokes Wh. The assimilation of pretonic *n* in Celtic suffixes. Philol. Society 1893 Febr. 3.

Loth J. Mélanges. I. Le dialecte de l'Ile-aux-Moines. II. *yw, ow* en gallois. III. Emprunt bretons à l'anglo-saxon. IV, *Ladr* à Quiberon. V. Les mots *druic, nader* dans le Vocabulaire Cornique. Rev. Celt. XIV 298—304.

1. Ist Haut-Vannetais. 2. Im Kymrischen wird unbetontes *y* vor *w* zu *ŏ* oder *o*, betont lautet es zwischen *u* und *i*: *byw-bowiawg*. 3. Kymr. *rhidyll*, korn. *ridar*, bret. *ridell* 'grobes Sieb' aus ags. *hridder*. kymr. *fflach* = engl. *flash* 'aufflammendes Licht'. Vielleicht auch bret. *flac'h* 'hohle Hand' aus ags. *flasc, flax* 'Flasche'. 4. Die auffällige Form *compadre* 'Gevatter' des Dialekts von Quiberon (vannetais) findet ein Gegenstück in *ladr* 'Dieb' derselben Mundart. 5. Betrifft die Behandlung des urspr. auslautenden -*ŏ* in den 3 brittannischen Dialekten und die Frage nach dem Vorhandensein kymrischer Wörter im Vocabul. Corn.

Loth J. Mélanges . . . II. -*ych* à la 2. personne du sg. en gallois. III. *hoiam* = *hwyaf*. IV. *gweled*. V. Restes de neutre en brittonique. VI. *hyd, fed*; *fenos, fetez*. VII. *Rotguidou*. VIII. *Sequana, Sequani*. IX. *esox*. X. *gour*. XI. A propos de *Calamay* . . . XIII. L'article *sento-*, irl. *ind-*, dans les langues brittoniques. XIV. *Kassiteros*. Rev. Celt. XV 93—107.

2. kymr. *by-ch*, bret. dial. *be-c'h* (Injunktiv) 'sei': ind. *bhara-sva*. 3. Der kymr. Superlativ *hwyaf* zu *hir* 'lang' scheint in altbret. Eigennamen auf -*hoiam* wiederzukehren. 4. kymr. bret. *gweled* 'sehen' zu lat. *velle*, got. *wiljan* usw. 5. kymr. *deigr* 'Thräne' (*dagr* ist Neubildung nach dem Plur. *dagrau*) aus *dácrū* (vgl. lat. *pecū*, ved. *pṛrū*). Auch korn. bret. *tra* 'Sache' erweist sich als altes Neutrum. 8. Man kann von urspr. *seco-vana* oder *secu-vana* ausgehen. 9. kymr. *eawg*, bret. *eeuc* 'Lachs' ist alter Akkusativ (= idg. *esŏkm*); Nominativ liegt vor in ir. *eu* (Grdf. *esŏks*). Lat. *esox* entstammt dem Keltischen. In bret. *keur-euc* 'saumon coureur' scheint *keur* identisch mit kymr. *cawr* 'Riese', ir. *cur* 'Held'. 10. Es giebt neben dem verstärkenden *gour* im bret. (= gall. *ver-* etc.) ein diminutives = ir. *gor*, z. B. bret. *gour-niz* 'petit-neveu', ir. *gormac* 'Stief-', Adoptivsohn'. 13. Zur Adverbialbildung wird im gällischen wie brittannischen Zweige dieselbe Kasusform des Artikels verwandt: ir. *inmenicc* 'häufig' = kymr. *yn fynych*; ir. *ind oa* 'weniger' — bret. *end éeun* 'grade'.

Holder A. Altceltischer Sprachschatz. Heft 3. 4. Leipzig 1892 93. Sp. 513—768; 769—1024.

Branoscus—Carantius; Caranto(n)—Cintusmus.

Strachan J. Twenty-two etymologies. Philological Soc. 1893. May 5. vgl. Academy 1098.

I. Ir. *tallaim* 'I fit in„ find room' aus urk. *talpnāmi* zu lit. *tilpti*. — 2. ir. *gemel* 'fetter" zu γέντο aus *γεμτο u. ὕγ-γεμος· cυλλαβή. — 3. ir. *roi* 'planities' aus *rovesiā zu lat. *rūs*. — 4. lat. *harēna* sab. *fasena* aus *ghasesna zu ir. *ganem* 'Sand' aus *ghaχnimā. — 5. ir. *dalta* 'fosterling' zu lat. *fēlare*. — 6. ir. *truit* 'starling' aus *trozdis zu lit. *strazdas* 'thrush' u. lat. *turdus* aus *torsdos. — 7. kymr. *troeth* 'wash, lye, urine' aus *troetā zu τάργανον 'vinegar' u. an. *þrekkr* ahd. *drech*. — 8. kymr. *gwyw* 'withered' aus *vivos zu lat. *vietus* u. lit. *výstu* 'wither'. — 9. lat. *ligula* zu ir. *liag* 'ladle', kymr. *llwg*, korn. *lo*, bret. *loa*. — 10. ir. *fuar* 'I found" aus *vovora und *frith* 'was found' aus *vrētos (Wz. *vere-* : *vrē-*) vielleicht zu εὑρίcκω. — 11. ir. usw. *bras* 'great' aus *mrattos *mradhtos zu βλωθρός aus *μρωθρος ai. *mūrdhan* 'head' abg. *brъdo* 'height'; air. *bres* 'great' aus *mr̥dhtos. — 12. ir. *medar* 'mirth', *medraim* 'I disturb' zu ai. *mad-*. — 13. ir. *tailm* bret. *talm* 'sling' aus *talksmi zu abg. *tlъkǫ* 'I strike'; kymr. *talch* 'grist' zu russ. *tolokno* 'dried oat meal'. — 14. ir. *toisc* 'wish' aus *to-venski zu *Wunsch*; dazu kymr. *gwenu* 'to smile' ai. *vánati* got. *wunan*. — 15. ir. *dássaim* with the prep. *imm* 'I rage' *dásacht* 'madness' zu ags. *dwæs* 'hebes fatuus'. — 16. ir. *fuinim* 'I set' (of the sun) aus *vo-nesō νέομαι. — 17. ir. *ness* 'blow' aus *necsō oder *necsā zu abg. *nъsǫ* 'infigo' *pronositi* griech. νύccω. Andre Wurzelform in ἔγχος u. air. *ata-com-ainy* 'who smote them'. — 18. kymr. *breuan* 'carrion-crow' aus *brāvon- u. kymr. *breuad* 'a grave-worm' aus *brāvot- zu βιβρώcκω. — 19. ir. *dabach* 'cask' aus *dhabhakā zu τάφος. — 20. ir. *derg* 'red' aus *dhergos = ags. *deorc* engl. *dark*. Zur Bedeutung vgl. ai. *raj* 'colour, be red' u. griech. ἔρεβος got. *riqis*. — 21. ir. *do-nessim* 'I despaise' zu ὀνόccομαι u. avest. *nad* 'schmähn'. — 22. ir. *t-airg* 'offer thou' *con-airr* 'who shall offer' zu ὀρέγω.

(W. Str.)

Strachan J. Etymologien. KZ. XXXIII 304—7.

Air. *arneithim* 'sustineo, expecto' : got. *niþan* 'unterstützen'. — ir. *moth* 'membrum virile' : lat. *mūto*. — ir. *maith* 'gut', gall. *-matos* aus idg. *matós von Wz. *mē-* (*mērs* usw.). — ir. *garb* 'rauh' aus *garrvos aus *yars-yo-s : ai. *hr̥ṣyati*, lat. *horreo*, vielleicht nhd. *garstig*. — ir. *faill* 'negligence' : ir. *fell* 'treachery', lit. *apvìlti* 'betrügen', vielleicht auch οὖλος 'trügerisch'. — ir. *móidim* 'lobe' zu *miad* 'Ehre', *méde* 'Nacken' ai. *médhi-* 'Pfosten'. — ir. *congan* 'Horn', vielleicht zu *śiras* usw., wenn das Urparadigma *kŏrg kǝnós* war. — *melgg* 'death' : ἀμολγός lett. *milst* 'es wird dunkel', *milhma*. — *rian* 'way, manner' ; *ritus*. — kymr. *cwthr* 'anus' : κύcθος, vgl. germ. *futha* ai. *pūtāu*. — ir. *lassaim* 'flamme' kymr. *llachar* Grdf. *laks-* : ai. *lakṣati*. — ir. *gual* 'Kohle', Grdf. *goulo- *geulo : germ. *kola-*. — ir. *mathim* 'lasse nach, verzeihe', kymr. *maddeu* : got. *gamōtan* 'Platz haben'. — ir. *meraim* 'prodo' : ai. *mr̥ṣyati* 'vergesse', lit. *mirszti*. — ir. *dedaim* 'tabesco, fatisco' : lat. *fatisco*, Grdf. *didāmi *dhidhāmi. (W. Str.)

---

d'Arbois de Jubainville H. *Teutatès.* Rev. Celt. XIV 249—53.

Teutatès bei Lucan Phars. 1 445 ist ein Barbarismus, zu dem griech. Wörter wie πειρατής das Vorbild lieferten; die gallische Form musste *Teutatis* lauten.

Herr L. *Betriacum—Bebriacum.* Revue de philologie XVII 208.

Der Verf. liest Wh. I.: Nocati maqi
Uddami. Wh. II.: Alatto Celibattigni. Bal
Mon.: Dalagni. Dasselbe Wort scheint dan
lichen Ogamminuskel wiederholt zu sein.

Nicholson E. W. B. The north-pictish ins
explained. I—III. Academy Nr. 1123 p
1134 p. 81 f.

1. The Newton Stone. 2. The North
auch ebenda die Artikel von Goudie 1133 p. |
Mac Clure 1135 p. 104, Maxwell 1132 p. 86,
1135 p. 103, Southesk 1135 p. 103.

Rhys J. The oldest Ogam. Academy Nr.
Ein bei Silchester aufgefundener St
melte, sehr altertümliche Ogaminschrift, von
[Eb]icatos [Maqu]i Muco[i].

Zimmer H. Keltische Studien. 15. Altiris
latinus Monacensis 14429. KZ. XXXIII 2
Der genannte Codex (aus dem 9. od
irische Glossen zu einem lateinischen Wörte
ist gl. 1: colostrum. *nis.* id est lac nouum
('neu') + *ass* ('Milch') und gl. 5: uespa. *fo*
lat. *vesper,* air. *fescor,* kymr. korn. *ucher* (au
dem lat. *vespa* entsprechen ir. **fesc,* altbri
bret. **guoh.* Hierzu stimmt altbret. *guohi*
guthien (Gl. zu vespa). Jenes ist ein plur
lektiv zum alten Singular **guoh,* dieses ein

Singulativ. Air. *foich* muss Lehnwort aus einem brittannischen Dialekt, aus einer Form **uuohi* sein, die herübergenommen wurde, als der Ire noch **echi* usw. = lat. *equi* sagte. Ebenso verhält es sich mit ir. *seib* 'Bohne'. Es weist auf ein altbrittannisches Kollektiv **fabi* bez. **febi* zurück. Ir. *foich* u. *feib* haben Singularbedeutung, müssen demnach zu einer Zeit entlehnt worden sein, als das brittann. Kollektivsuffix -*i* noch nicht zur Bezeichnung des Plurals verwandt wurde, also — da diese Vertretung in allen 3 brittann. Dialekten gleichmässig herrscht, somit in die gemeinsame Urzeit zurückreicht — vor der räumlichen Trennung der brittann. Dialekte, d. h. vor der Besiedelung der Aremorica durch Britten (von ca. 460 an). Als terminus ex quo für den Übergang lateinischer Lehnwörter ins Irische durch brittannische Vermittelung ergiebt sich aus historischen Gründen ungef. 300 n. Chr.

Stokes W. Old-irish glosses on the bucolics from a ms. in the Bibliothèque Nationale. Rev. Celt. XIV 226—237.

118 altirische Glossen zu den Eklogen-Scholien des Philargyrius aus einem Pariser Codex des 11. Jahrh. nebst Kommentar und Index. Vgl. Anzeiger III 84, wo Zeile 1 v. o. anstatt 'Pariser' zu lesen ist 'Florentiner'.

Stokes Wh. Old-irish glosses on the bucolics. KZ. XXXIII 313—315.

Verbesserungen zu seiner Veröffentlichung ibid. p. 62 ff., schon zum grössten Teile vorher abgedruckt in Academy Nr. 1093 S. 327. Vgl. Anz. III 84.

Stokes Wh. On the metrical glossaries on the mediaeval Irish. Bezz. Btr. XIX 1—120.

Verbesserter Abdruck aus den Transactions of the Philolog. Soc. 1891. Mit zahlreichen Etymologieen.

Dottin G. Études sur la prononciation actuelle d'un dialecte irlandais. Rev. Celt. XIV 97—136.

Behandelt den neuir. Dialekt von Galway in Connaught, besonders in phonetischer Hinsicht. Beigefügt ist ein längerer Text in phonetischer Transskription und gewöhnlicher Orthographie nebst Übersetzung und grammatischen Bemerkungen.

Staples J. H. Scotch Gaelic phonetics. Phil. Soc. 1893. March. 3. Vgl. Academy 1090.

Lautbeschreibung eines Argyll Dialekts.

Evans S. Geiriadur Cymraeg. A dictionary of the welsh language. Vol. I. A—C. Carmarthen und London 1893. 1250 S. roy. 8⁰. 34 Sh. 6 d.

Loth J. Les gloses de l'Oxoniensis posterior sont-elles corniques? Rev. Celt. XIV 70.

Aus paläographischen Gründen hat man diese Glossen (sog. vocabula in pensum discipuli) bisher für altkornisch angesehen. Aus lautlichen Kriterien ergiebt sich aber, dass sie altkymrisch sind.

Loth J. Les mots latins dans les langues brittoniques (gallois, armoricain, cornique); phonétique et commentaire, avec une* introduction sur la romanisation de l'île de Bretagne. Paris 1892. 246 p.

Loth J. S + voyelle initial et intervocalique et les effets
composition syntactique. Rev. Celt. XIV 291—296.

Gegen Zimmer, Deutsche Litteraturzeit. 1893 S. 6—11 ge⸗
Anlautendes *s* + Vokal wird im Brittann. in echtkeltischen W
zu h (ca. vom 8. Jahrh. an), ebenso intervokalisches *s* im
(ca. vom 5. Jahrh. an). In Lehnwörtern aus dem Lateinischen
in beiden Fällen *s* erhalten. Das brittann. *s* muss vom latein
phonetisch verschieden gewesen sein.

Loth J. Scant. Rev. Celt. XIV p. 194.

bret. *scant* 'Fischschuppe' nicht mit Bugge von lat. *squa⸗*
herzuleiten, sondern zu germ. *skinþa-* 'schinden' (Grdf. *sk⸗*

Ernault E. Études bretonnes. IX. Sur l'argot de La Roche
Celt. XIV 267—290.

Mit einer Übersetzung des Gleichnisses vom verlorenen
und einem Verzeichnis des diesem Dialekte eigentümlichen
schatzes.

Leipzig.   Richard Schmidt.

IX. Germanische Sprachen.

A. Allgemeines.

Weinhold K. Germanische Philologie. In 'Lexis Die deu⸗
Universitäten' I 457—75.

Grundriss der germanischen Philologie, herausgeg. von H.
II. Band 2. Abteilung 3. (Schluss-)Lieferung. VII u. 228 S.
Strassburg Trübner. (II. Band 2. Abteilung komplett VII u.
Lex.-8°. 8 M.)

Scherer W. Kleine Schriften zur altdeutschen Philologie.
von K. Burdach. XXIV u. 782 S. gr. 8°. Berlin Weid⸗
15 M.

Germanistische Abhandlungen zum 70. Geburtstag Konra⸗
Maurers. Göttingen Dietrich.

Uppsala Studier Tillegnade Sophus Bugge på hans 60-åra f⸗
dag den 5. Januari 1893. Uppsala Lundström 1892. V u.
roy.-8°. 7,50 M. (Sieh Abt. I.)

Bugge S. Studier over germansk Lydforskydning. Forhand
det (3—)4. nord. Filologmøde. Kbhn. 1893. p. XXXII—X⸗
(Später bearb. in Verfassers "Etymologische Studien übe⸗
manische Lautverschiebung", Paul-Braunes Beitr. XII
S. 399—430, XIII (1888) S. 167—187, 311—339.)

Regnaud P. Quelques remarques critiques sur la Loi de V
8°. Paris Leroux. 1 Frc.

Uhlenbeck C. C. Indogermanisches *b* und germanisches *p* i⸗
laut. PBrB. XVIII 236—42.

Hierher gehören: 1. βάζω 'reden' abg. *bają* usw. —
bala- 'Kraft'. abg. *bolij* 'maior'. — 3. ai. *bála-* 'jung': russ. *b⸗*
'mutwillig sein'. — 4. ai. *balbalā-karōti* 'stammelnd sprechen'

bara- : βάρβαρος russ. *balabolit'*. — 5. βαλλίζω 'tanzen' : ai. *balbalīti* 'wirbelt'. — 6 βομβέω 'dumpf tönen' : lit. *bambéti* abg. *bǫbnǫti*. — 7. βομβυλιός 'enghalsiges Gefäss' : βέμβιξ 'Kreisel' lit. *bambalas* 'kleiner dicker Mensch' poln. *bǫbel* 'Wasserblase'. — 8. *buk-kára* 'Gebrüll' : βύκτης 'heulend', *bucina* abg. *bučati*. — 9. ai. *buli-* 'weibliche Scham' : lit. *bulis* 'Hinterbacken'. — 10. βδέω lit. *bezdéti*.

Auf germ. Sprachgebiet gehört hierher: 1. βαίτη — *paida* (gemeingerm.). 2. *pfuol* : abg. *blato* lit. *bala*. — 3. anl. *pruysten* nd. *prüsten* : *bryzgat' bryznut'* 'spritzen' (zg aus zd., vgl. *drozgь* : *drozdъ*). — 4. ahd. *pfüchôn* : abg. *bučati* ai. *bukkára*. — 5. mengl. *pegge*, nd. *pegel* : βάκτρον *baculum*. — 6. ahd. *phlegan* : *-bulcus*. — 7. *pfad* zu lat. *battuere* (vgl. russ. *bitaja doroga*). — 8. nl. *pal* 'unbeweglich fest' : ai. *bala-* 'Kraft'.

Sievers E. Grammatische Miszellen. PBrB. XVIII 407—16.

5. Das Pronomen *jener*. 1) Die von Holthausen aufgestellte Stammform **jeina-* (zu **jīna-*) zu streichen. ags. *béjen* geht nicht auf **bōjīnu* zurück, sondern hat *j*-Umlaut. 2) *jenèr* vielleicht wegen *j* mit geschloss. *e* statt *ě*. Die Differenz gegen *jěhan, jěsan, jělan* erklärt sich vielleicht durch die verschiedene Natur des *j* : in *jěhan* usw. = idg. *j*, in *jenèr* = idg. *i̯*, das obd. abfiel : *enèr* vgl. *jámar, âmar*; aber weshalb nicht **âr* neben *jár*? — 6. Nochmals das geschlossene *ē*. S. ist "der Meinung, dass wir für unser geschloss. *ē* die Entwicklungsreihe *ēi̯- ēi̯- ē* aufzustellen haben", *Krēks, Chreah* gebe zurück auf urgerm. **grēikos*, daraus **krēikaz *krēikaz *krēkaz*. Vor einem *i̯* der Folgesilbe bleibt das *e* offen[1]). — 7. Zur Geschichte der ags. Diphthonge. Wgm. *eu* = ags. *eu*—*éo*. wgm. *iu* = ags. *iu*—*ío*—*éo*. Der Wechsel zwischen *éo* u. *ío* noch regelmässig in den ältesten englischen Denkmälern.

van Helten W. Grammatisches. PBrB. XVII 272—302, 550—73.

XVIII. Zur Geschichte der den got. *-ôs, -ôm, -ôn* u. *-ô* entsprechenden Endsilbenvokale in den andern altgerm. Dialekten und Verwandtes. (Im Ag., mit Ausschluss des An., 2 Stufen der Schwächung des *ô* zu scheiden: 1) eine gewissermassen konservative, mit primärer Schwächung des in den Auslaut getretenen Vokals, neben Erhaltung des durch Kons. oder Nas. gedeckten: got. ahd. as. 2) eine gewisserm. radikale mit sekundärer Schwächung des aus auslaut. *-ô* hervorgegangnen *-a* und primärer Schwächung des zur Zeit der Genesis des letztern *-a* erhalten gebliebnen, durch Kons. oder Nas. gedeckten Vokals: ags. afr. 3) Das An. nimmt mit seinem *-a* aus ungedecktem und gedecktem *-ô* eine Sonderstellung ein.) — XIX. Zur Geschichte des *-au(-)* im Altgerm. (Westgerm. *-ō(-)* aus *au* erfährt die nämliche Behandlung wie das zeitweise durch Nas. *-s -r* geschützte alte *-ō-* d. h. ergab ahd. *-o* (u. *ō*?) as. *-o* ags. afr. *-a* . .). — XX. Über die Erhaltung des *-u* in drei- u. viersilbigen Formen im Ahd. As. Aonfr. [Mit Ausnahme von Fällen, wo die Annahme von analog. Einwirkung auf der Hand liegt, blieb *-u* im Ahd. As. u. Aonfr. in 3silbigen Wörtern nach langer Wurzel- und kurzer tonloser Mittelsilbe, in 4silbigen nach kurzer (tonloser) Paenultima erhalten[2])]. — XXI. Über die westgerm. Entsprechungen von altem

---

1) Sievers befürwortet die Schreibung *ė* für geschlossenes *e*, entsprechend *ḗ* für offnes. Der Vorschlag verdient Befolgung.

2) Sievers' jetzige Fassung der Regel über ags. *-u* : " *u* bleibt unmittelbar nach kurzer betonter (haupt- oder nebentoniger) Silbe, schwindet nach langer (haupt- oder nebentoniger) und nach unbetonter Silbe."

-*nassuz* -*χaíduz* -*skapi*. — XXII. Zu den Komparativsuffixen der
Adjektiva und Adverbia im Germanischen. (*A.* Assoziierung von
-*iöz*- : -*io*-, -*jöz*- : -*jo*-, sodass *i j* zur 'Wurzel' gezogen und ein
Komparativsuffix -*öz*- abstrahiert wird[1]). *B.* Über westgerm. -*ōr*- der
Komparativadv.: das Suff. ist selbständig auf rein lautl. Weg entstanden, das -*z* (-*r*) kann daher zur Zeit der Auslautgesetze nicht
in absol. Auslaut gestanden haben. Grundform. -*êru* aus -*ôru*,
also Instrum.). — XXIII. Die westgerm. Endungen der 2. Sg. Prät.
Indik. starker Flexion und der 2. Sg. Präs. und Prät. Opt. (*A.* Befürwortet die Auffassung als Anlehnung an den Opt. *B.* Das alte
-*s* in der 2. Sg. Opt. Prät. muss durch den Einfluss der 2. Sg. Opt.
Präs. durch -*s* verdrängt worden sein.) — XXIV. Über die Synkope
des Themavokals in den ags. u. afr. Endungen für die 2. u. 3. Sg.
Präs. Ind. (Lautgesetzlich bei den langstämmigen starken Verba,
sonst Analogiebildung). — XXV. Zur Flexion der Verba *gehen* und
stehen. — XXVI. Noch einmal zur Geschichte von -*ōwj*- und -*jwi*-
in den germ. Dialekten. (*A.* Für got. *taujan* sei urspr. *tōjjan* hin-
zusetzen, dazu habe das Prät. *tawida* gelautet. Nach *tawida* sei
taujan neugebildet, nach *taujan* dann *tawida* neu geschaffen worden.
Sein *aw* beweise den diphthongischen Charakter des *au* in dem neu-
gebildeten *taujan*, folglich auch den des *au* in dem konstruierten
tauida, folglich werde *ōw* + Vok. zu *au(w)*. *B.* Zu PBrB. XV 488 f.
über *ōwj* im Westgerm.). — XXVII. Got. *bauan* usw. (Im Nfr. usw.
î û nur vor Vokal diphthongiert: vielleicht auch *au* in *bauan* so zu
erklären?). — XXVIII. Die Behandlung von ungedecktem -*e* im Urgerm. (In der Zeit, wo das -*e* der Pänultima durch Einwirkung
eines folg. *i*-Lautes zu -*i* ward, ist das gedeckte -*e*- der Ultima noch
-*e*- gewesen, folglich auch ungedecktes -*e*). — XXIX. Die got. Endung -*ē* des Gen. Plur. (-*ē*- muss Neubildung sein. Nach dem -*ê*
des Gen. Sing. ward *ē* statt *ō* in den Gen. Plur. der *o*-Stämme eingeführt; ähnl. bei den kons. Stämmen.)

Hirt H. Grammatische Miszellen. PBrB. XVIII 274—300.

A. Die germanischen Kürzungsgesetze. Die Verkürzung auslautender Langdiphthongo im Germ. ist älter als die
des gestossnen, einfachen -*ō* im Auslaut. 1) -*ōi* wird -*oi* Dat.-Lok. Sg.
Fem.: ags. *ʒiefe*. 2) -*ōi* wird -*oi* im Dativ-Sg. des Mask.: *tage*.
Lokative auf -*oi* sind im Germ. unbelegt. 3) -*ōu* wird -*ou* in *ahtau*.
4) -*ōr* wird -*or*: urn. *swestar* (Opedal). — *ě*-Diphth.: 1) -*ēi* wird -*ai* :
-*ei*, got. *anstai* : *ensti*. 2) -*ēu* wird -*au* : -*eu*, got. *sunau* : ahd. *suniu*.
3) -*ēr* wird -*ar* : -*er*, *fadar* : *fater*. Jünger die Verkürzungen durch
den Stosston: 1) -*ō* wird *ō* (got. -*a* an. *wg.* -*u*), *nima* : *nimu*. 2) -*ōs*
wird -*ōs* (wg. *u*), *sigu*?. 3) -*ē* wird -*ē* [got. *a* ahd. *e(i)*.] 4) -*ēs* wird
-*ēs* (got. -*ais*) *habais* : *hebis*. 5) -*ūs* wird -*ūs*. 6) -*tt* -*ts* wird -*î* -*ts*.
— *ōi* wird got. -*a*, -*oi* dagegen -*ai* (d. i. *æ*): Belege: 1) *gibai* = *ʒiefd*.
2) *tage*. 3) *blindai* = *blinte*. 4) *bairai* = *bere*. (A. -*ai* weder *wg.*
noch got. mit -*ē* zusammengefallen; dieses hier -*ē*, dort -*a*. B. nord.
-*ai* und -*ái* identisch, jedoch von -*ē* und -*ēn* geschieden). — *au*.
1) -*ou* : *sunaus*, *fridō*. 2) -*ōu* : *ahtau ahto*. — *n*-Diphthonge. -*ai*

<hr/>

[1] Bemerkung. van Helten hat übersehn, dass ganz genau
dieselbe Anschauung der von mir in der Schrift zur germ. Sprachgeschichte S. 28 aufgestellten Proportion *niu-jō* (vgl. *þridjō*
þiubjō) : *niuj-öz* = *sniumundō* : *sniumundōs* zu Grunde liegt. Der
einzige Unterschied ist der, dass ich mit Kauffmann Literaturbl. f.
germ. u. rom. Phil. XII 6 an die Adverbien anknüpfe, van Helten
an die Adjektiva. W. Streitberg.

ōm werden -*ē* -*ō*, -*ém* -*ôm* werden got. -*a*, -*au* (*bandja* : *bairau*).
Der Übergang der Nasale nach langem Vokal zum Nasalvokal ist
älter als die Kürzung der Langdiphthonge. — *wiljau* = abg. *velja*;
dvigna aus **dvignām dvignqtъ* aus **dvignānti*, wie *haba* aus **habēm*,
haband aus **habēndi*, *fullna* aus **fullnōm*, *fullnand* aus **fullnōndi*.
   B. Die Verba auf -*ē*-. -*ēs* wird got. zu -*ēs*, geschrieben -*ais*.
ē wird *ai* d. h. *æ* in unbetonter Silbe. Der germ. Opt. *bairau bairais*
läsßt sich dann als Konj. = *feram feres* erklären. Wahrscheinlich
ist dies *ē* zu *i* geworden und hat Umlaut hervorgerufen : an. *hefr*
ahd. *hebis*.
   C. Zur Geschichte der *n*-Stämme im Germ. Idg. No-
minativformen : -*ón* -*ō* u. *én*; -*ē* ist nicht nachgewiesen. Latein.
-*ōn* erhalten in *aevom* = αἰών *alluvium* neben *alluvio*, *contagium*
: *contagio*, *obsidium* : *obsidio*, *exercitium* : *exercitio* (-*n* wird im
Auslaut zu -*m*, vgl. *novem*, *quam* = ai. *cand*-, *feram* = *bharān-i*).
Germ. steht im Mask. dem Lat. nahe. -*ēn* (g. *hana* an. *hani*) u. -*ō*
(ahd. *hano* ags. *juma*). Im Urgerm. müssen auch Nom. auf -*ō* bestanden haben (wegen *māno nefo*). -*én* scheint aus Idg. Urzeit zu
stammen. Im Nom. Fem. **-ō* (*tuggō*) und -*ōn* (*zunga*); wahrscheinl.
tuggō Analogiebildung. Bei den Neutr. fiel -*ṇ* mit den neutr. *u*-
Stämmen zusammen, dann mit den *o*-Stämmen, sie haben e-Vokal
in der Wurzel (*helmu*- : *śarman*-, *botm* : πυθμήν, *felm* : πέλμα, *melm*
: *melmu*, viell. *straumr* : ῥεῦμα, *ædm* : *ātman*-). Bei den übrigen
ward Nom. Pl. zum Sg.; ursprünglicher Ausgang -*ōn*, also = Fem.
Got. müsste dies -*au* geben; ersetzt durch -*ō*.
   D. Zum Pronomen. *izai ija* = **izēi *ijēn*; *ina*, *ita*; -*a* =
-*ēm*, Ablaut zu -*em* in ai. *id-am*, lat. *id-em em-em*; wegen der Dehnung
vgl. ἐγών = ahd. *ihha*. *patu-h* = **tod-ṃ-qe*; -*u*- wahrscheinl. lang.
Daher *sah* = *säh* aus **somqe*. In *þai-h* usw. -*h* blosse Übertragung.

Sweet M. The third class of weak verbs in Primitive Teutonic,
   with special reference to its development in Anglo-Saxon. Proceedings Am. Phil. Assoc. July 1892. Vol. XXIII 52—57.

Sweet M. The third class of weak verbs in Primitive Teutonic,
   with special reference to its development in Anglo-Saxon. Am.
   Journ. Phil. XIV 409—56.
   Kritik der Theorien von Bopp bis Collitz (BB. XVII 1 ff.).
I. A. The Primitive Teutonic *ai*-verbs. 38 *ai*-Verba können
mit Sicherheit dem Urgerm. zugeschrieben werden, wozu mit Wahrscheinlichkeit noch 7 andre kommen. Von den 38 sind 20 unabge-
leitet, 8 denominativ u. 10 deverbativ. In 6 Fällen stehn lat. *ē*-Verba
gegenüber. Vergleichung der *ai*-Flexion mit den *nan*- und *jan*-
Verben. — B. Treatment of the original *ai*-class in the
Teutonic dialects. a) The relative extent and importance of
the conjugation in the various dialects. b) The manner in which
each dialect preserves and modifies the original characteristics
and tendencies of the class. c) The condition of the dialects with
regard to inflection. d) The common *ō*-tendency. — II. Concer-
ning the Prim. Teut. inflection of verbs of the third weak
class. Die *j*-Formen des Nordischen, die neben den *ai*-Formen
stehn, und die des As. und Ags., die mit ihnen zu einem Paradigma verbunden sind, sind jüngere einzeldialektische Neuerungen.
Die Form des Prät. hatte ursprünglich keinen stammauslautenden
Vokal (*gahugda* usw.), Neubildungen auf -*ai*-. Appendix: List of
verbs in the various dialects from which the collection of original
ai-verbs was made.

Kögel R. Die Stellung des Burguudischen innerhalb der germanischen Sprachen. HZ. XXXVII 223—31.

Gegen W. Wackernagel werden die Burgunder als reine Ost-
germanen erwiesen. Abriss der burgundischen Laut- u. Formenlehre.

Uhlenbeck C. C. Die germanischen Wörter im Baskischen. PBrB.
XVIII 397—400.

1. Durch Vermittelung des Roman. aus dem German. über-
nommen: *arratoi* (*rato*), *azkon* 'Wurfspiess' (*ask*), *eskarniatu* 'spotten'
(*scěrn*), *franko* 'reichlich' (*Francus*), *gerla* 'Krieg', *gisa* 'Weise'
(*wísa*), *anka* 'Pfote' (**anka*-), *laido* 'Schande' (*laiþa*-). — 2. Direkt
aus dem German.: *altza* 'Erle' (*elira*), *arrano* 'Adler' (got. *arans*),
bargo 'junges verschnittnes Schwein' (an. *borgr*), *burni* 'Eisen' (g.
brunjō?), *eun* '100' (*ain hund*), *eske* 'fragend' (*eiscōn*), *eskela* 'scheel'
(*scělah*), *espar* 'Stange' (*sparro*), *ezten* 'Ahle' (g. *stains*), *gerezi*
'Kirsche' (*chirsa*), *gernua* 'Barn' (*harn*), *gudu* 'Streit' (*gundea*?),
gurruntzi 'Diarrhoe' (g. *urruns* 'Abtritt', *karazko* 'geschickt' (abg.
gorazdь got. **garazds*), *landa* 'Ackerland' (*land*), *lufa* 'Fräulein'
(g. *liuba*), *maiz* 'oft' (g. *mais*), *urki* 'Birke' aus **burki* (*birke*), *zillar*
'Silber' (*silubr*?); *edo* 'oder' erinnert auffallend an got. *aiþþau*,
ohne dass Entlehnung wahrscheinlich wäre.

Fischer L. Germanische Sprachelemente im Spanischen. 31 S. 4°.
Progr. Sarnen.

Grimm H. Thesaurus linguae germanicae. DLZ. 1893. Nr. 45.
Sp. 1430.

Bremer O. Der Name *Semnones*. HZ. XXXVII 9—12.

Zu an. *sem* got. *simlě* ags. *simle* *simlon* as. *sim*(*b*)*la* *sim*(*b*)*lum*
usw. Vgl. ferner as. *simnon* *sinnon* 'immer', ahd. *gisimōn*. Demnach
**Simnaniz* = 'alle zusammen', vgl. *Alamanni*, vielleicht **Semnanis*
scil. **Syǣbōz*.

Dazu Σίβινοι; Stammabstufung *semin- semn- sebn-*.

Bremer O. *Sugambri* = *Gambrivii*. HZ. XXXVII 12 f.

**Gambriuiz* Nom. Pl. eines *u*-Stammes. In *Sugambri* Zusam-
mensetzung mit *su-*. Nom. Plur. der *i*-Stämme durch röm. Über-
lieferung noch als -*iįiz* erwiesen: *Anglii* (Tac.), *Frisii* (Plin. Tac.),
Rugii (Tac.). Erst als -*iįiz* zu -*īz* geworden, schreiben die lat.
Schriftsteller -*i*: *Angli* (Beda), *Rugi* (Eugippus, Sidonius, Cassiodor,
Jordanes).

Vielleicht *Suarines* = *Su-Varines* zu *Varini*.

Bruckner W. *Aldius*. PBrB. XVII 573—75.

Die langob. altbair. Benennung des Unfreien eigtl. nur 'Mensch'
vgl. burg. *leudis* (Bezeichnung des untersten der drei freien Stände)
zu ahd. *liut*, got. *þius* ahd. *deo* 'Knecht' zu *thegan* vgl. *Adalteus*,
Sigideo, ahd. *manahoubit* neben *man*, anord. *man*, N. 'Knecht, Magd';
ferner Kerl, Knecht, Magd, Dirne.

Cosijn P. J. *fara*. Tijdschrift voor ndl. taal- en letterkunde XII I.

Henning R. Die germanische *fara* und die *faramanni*. HZ. XXXVI
316—26.

Als Grundbedeutung gilt seit J. Grimm 'Geschlecht, Sipp-
schaft'. Unhaltbar. — Ältester Beleg *faramanni* im 54. Titel der
Lex Gundobaldi, wo der Name als altüberkommen erscheint. Vgl.
auch westgerm. Eigennamen u. anord. *forumadr*. Ein *forumadr*,
ahd. *faramann* ist jeder, der sich auf einer Fahrt befindet und der

halb zur Zeit oder überhaupt keinen festen Wohnsitz hat. Solche Fahrt kann eine gewöhnliche Reise, sie kann Wanderung u. Heereszug sein. *faramanni* = Reisige, eine Bezeichnung der von der alten Heimat losgelösten Burgunder. Vgl. *Burgundefarones* (Fredegar), gleichgestellt mit den *leudes Burgundiae*; *faro* Kurzform für *faramannus*. Simplex *fara* gemeingerm., vgl. an. *fǫr* 'Fahrt' ags. *faru* 1mal = '*itio*'; sonst '*comitatus*, Fahrtgenossenschaft, Wandergemeinschaft'; langobard. *fara*, wie ags. Anordnung in Schlacht und Marsch geschlechterweise, folgl. bekommt *farae* den Sinn '*generationes*'. ahd. *fara* ἅπ. λεγ. *fara* oppido; castro *kisez*. (K): Niederlassung ist eine *fara* im Ruhezustand. [*gawi* zu *gangan* ohne Nasalinfix 'das zur Wanderschaft gehörige (Terrain)'].

Kögel R. Die Altgermanische *fara*. HZ. XXXVII 217—23.

Gegen Henning HZ. XXXVI 316 ff. Langob. *fara* und das Verbalabstraktum *fara* 'Fahrt' sind auseinander zu halten, denn die Quantität ist verschieden. Vgl. Var. *feras ferax vel faras*. *fēra* bei Ducange im Sinn von 'Dorf'. Zu lat. *parere* lit. *pĕras periù* Sinn: 'Nachkommenschaft', 'Familie', 'Dorf'. *cum fara sua migrare* = mit sr. Familie wandern. Vgl. *fairagaidus* zu got. *gaidw* 'Mangel': 'der Nachkommenschaft ermangelnd'. Eigennamen *Fĕramundus Fáramundus*. — -*faro* in *Burgundefarones* hat d; Nebenform -*fora*; zur Präp. *pára fora* zu stellen.

Kögel R. Langobardisch *fara* (HZ. XXXVII 217). AfdA. XIX 274.

Weiteres Zeugnis im Chronikon des Marius von Aventicum.

Henning R. Zur Überlieferung von *fara* und -*faro*. HZ. XXXVII 304—317.

Antwort auf Kögels Aufsatz HZ. XXXVII 217—23. — Prüfung der Überliefrung. Zusammengehörige Eigennamen beweisen die Identität von *faro*- und *fere*-: ein *fere*-, dem nicht auch *faro*- zur Seite stünde, ist auf roman. Gebiete nicht nachweisbar. Vgl. die germ. Komposita mit -*faro* wie *Wi-fari* usw. Ferner widerspricht, dass *e* und *a* wechseln, während langes germ. *ĕ* auf rom. Sprachgebiet häufig *ī* neben sich hat. Warum *fero- fera*- für *faro- fara-*? 1) In zweiten Kompositionsgliedern *e* vorwiegend. 2) Im ersten Glied sind bei der Umwandlung palatalisierende oder mouillierende Einflüsse fast durchweg im Spiel. Schreibung meist *ai ay ae*; *e* vor *j* u. *r* erst seit 824 belegt. Ferner ist zu beachten, dass etwa im 8. Jh. vulgärlat. freies *a* zu *ä e* zu werden beginnt, vgl. z. B. *Faronis uilla* d. i. *Féronville*.

Ehrismann G. Die Vorsilben *miss*- und *voll*- im Germanischen. Germania XXXVII 435—39.

Ehrismann G. Die Wurzelvariationen *s-teud- s-teub- s-teug*- im Germanischen. PBrB. XVIII 215—17.

Reiche Beispielsammlung, die beweise, dass die 3 Gruppen zusammen eine lautliche und begriffliche Einheit bilden. Undeterminiertes *teu*- kaum nachzuweisen. Dagegen lässt sich Verwandtschaft mit ai. *tij*-, got. *us-stiggan* usw. nachweisen. Auch finden Berührungen in Form u. Inhalt mit andern, etymologisch verschiednen Wurzeln, nämlich mit Wz. *stā*- und deren Variationen statt.

Ehrismann G. Etymologien I. PBrB. XVIII 227—35.

1. Zu got. *ubizwa*. Formal *s*-Stamm: **upos* (Johansson PBrB. XV 239), Urbedeutung 'etwas hinüberragendes', woraus 'Vorsprung des Daches, First'. Fortleben in mod. Dialekten. Daneben Formen

mit *k*-Lauten: an. *ux* fries. *oeksan* nd. *ōker* usw.; ursprüngliche Identität beider Gruppen, wie sie Noreen (Utkast 92) annimmt, unwahrscheinlich. — d. *käfter* ahd. *chaftaere* 'alvearia' Lehnw. aus lat. *capisterium*. — 3. an. *lopt* 'Oberstock' ahd. *louppa* *loube* zu ahd. *louft* 'Bast, Rinde', vgl. lit. *lúbas* 'Baumrinde', *lúbos* 'hrettern Zimmerdecke'. Urbedeutung 'Rindendach'. — 4. aschwed. *gyus* usw. zu *gjósa* . *gjóta* : *gjósa* = *hrjóta* : *hréosan*. Grundbed. 'Spritzfluss, Speier', weil er die eingesogne Luft aussprudelt. Dazu mit Johansson *fiska-giusen* 'falco haliaetus' usw., vgl. griech. *xioE xE* *usw.* — 5. d. *harn* an. *skarn*. *s-* in d. Mundarten : schweiz. *schorgraben*, *schorr* = *skrnó-*, Ablaut zu *skarn*. — 6. ahd. *scorn*; *kert* *herda* Wz. *s-qers-*, Ableitung von *s-qer-* 'schneiden hauen'; *scorn* 'Erdscholle d. i. zerschnittne Erde'. Mit *t*-Weiterbildung ahd. *herda* 'Erde', vgl. ai. *kar-* 'das Feld bearbeiten', vgl. *erde* von Wz. *er* 'pflügen'. — 7. d. *scheuen*; von st. *skiohan* zeugen mundartl. Überreste, dafür spricht auch der gramm. Wechsel *schühen* : *schüwen*. Weiterbildung von Wz. *s-qeu-* 'bedecken' griech. κεύθω. — 8. an. *hossa* 'to toss in one's arms' = obd. *hossen* 'schütteln' zu lat. *quatio*. — 9. got. *authuma* dazu ags. Superlativ *ymest* aus *uhumist*. — 10. mhd. *pfis* 'gegessen', noch bair.-österr. = *g-āz*. *āz* = (ēð-)nōuc. — 11. d. *trichter* aus *trectorius* : *tráctorius* = *treiectae* : *traiectae*. — 12. *lang* *-ling* : lit. *-liñk* 'Richtung, wohin'. Vgl. auch Flurnamen *wie wag-* *lany* usw.

Jaekel H. Der Name Germanen. ZZ. XXVI 3.

Karsten G. E. *blond* und *flavus*. Beitr. XVII 576.

    blond aus *blunda-* idg. *bhl-nt-ó* (*o-* Ableitung aus einem Partizipialstamm der Wz. *bhol-*) 'blühend'. lat. *flā-vos*, germ. *bhlē-ya* zur selben Wz.

Karsten G. Germ. *slihta*. Mod. Lang. Notes VIII 2 S. 124.
    Verweist auf Johansson PBrB. XIV 321.

Kögel R. *Nahanarvali* (Zu AfdA. XIX S. 7). AfdA. XIX S. 346.
    Naha-nar-vali gesprochen *Naha-ner-vali*. Zusammensetzung aus den Stämmen got. *naus* (*nawa-*), *ner-* 'Mann' und *waljan* 'wählen' : 'tote Männer wählend'.

Mikkola J. Etymologisches. Mém. Soc. néo-phil. À Helsingfors I 388 (Hels. Waseniuska B. Paris Welter).
    Finn. *paatsa* *paatsas* 'Sattelkissen', aschwed. *baza* 'Satteldecke', anord. *kögurr* 'Teppich', schwed. *sil* 'Sieb', got. *skuggwa* 'Spiegel', schwed. *spets* 'Speise'.

Osthoff H. Präfix *pi-* im Griechischen, *pi- bhi* im Germanischen. PBrB. XVIII 243—59.

    Schwundstufe von idg. *épi ópi* ist *pi pi* (ai. *pi* griech. πι-; ai. *py-* in *py-ükśna*, griech. πτύσσω πτυχή aus *pi-úχ-iω* : ai. *ūhati* 'schiebt rückt'). — Im German. fällt *i* nach *p* weg: ags. *füht* 'feucht' aus *pi-üq-tu-s* : ὑγρός; vgl. griech. ἐπι-, das in der Kompos. die Annäherung an den Eigenschaftsbegriff ausdrückt, z. B. ἐπί-γλυκυς 'süsslich'. — ahd. *faso* 'Faser', isl. *fis* 'Faser, Flocke, Spreu' usw. gehören zusammen. Die *i- ё*-Formen zu Wz. *pis-* 'stampfen'. Vollstufe *pies-*, vgl. avest. *fyanhvant-*, u. *pejs-* in ai. *pēṣṭum* usw., letztre wahrscheinlich Entgleisung. Die Vollstufe *pios-* kann in *faso* vorliegen.

    Wenn *i* nach labialem Verschlusslaut überhaupt geschwunden ist, so hat man für *bhi-* germ. *b—b* zu erwarten. Dafür vielleicht ein Beispiel zu finden in *barmen*. Dazu nd. ndl. Formen mit *-v- -f-*:

ervarmen usw. Hier liegt germ. *f-* vor, dasselbe wie in *f-eucht.* Ferner *b-unnan* : *unnan* 'gönnen'. — **b-al-pa-z* 'kühn' : *al-jan* 'Eifer', *al-acer.* — **b-al-wa-n* N. 'Verderben' : ὀλοός 'verderblich', ὄλλυμι (wegen des temporalen Augments nicht auf *ɼɔλ-* zurückzuführen). — mhd. *bauchen* 'in Lauge einweichen' aus **bhi̯-ūg-* : isl. *vǫkr,* lat. *ūvēns,* griech. ὑγρός.

Sütterlin L. Weiteres zum Präfix germ. *f* aus *pi̯-.* PBrB. XVIII 260 f.

Ahd. *f-éhōn* = *pi̯* + ai. *ашnáti* 'isst', *fendo* 'Fussgänger' vielleicht zu ai. *átati* 'wandert'.

Schröder E. Über das *spell.* HZ. XXXVII 241—68.

Die Entwicklung von *spell — spellen* ist der von *rūna — rūnen* parallel; es besteht ein Zusammenhang des *spell* mit dem Runenzauber. Neben got. *spill* got. *spilda* 'πιναχίδιον' = **speltô* F. : *spelnóm* N., Bedeutung beider dieselbe 'Holzstück' dann 'Runentäfelchen'. Hieraus entwickelte sich über 'Runenzauber' der Sinn 'Zauberlied'. Direkt aus den Sprachquellen ergiebt sich als Grundbedeutung 'Zauberspruch mit epischer Einleitung', woraus die überlieferten Werte 'Parabel, Fabel, Märchen' abgeleitet sind.

Uhlenbeck C. C. Etymologica. Tijdschrift voor ndl. taal- en letterk. XI 4.

1. *gat.* 2. *ontberen.* 3. *stekan.*

Uhlenbeck C. C. Etymologisches. PBrB. XVII 435—40.

1. nld. *boschkaren* von span. *buscar* 'suchen'. — 2. ahd. *heiz* zu idg. Wz. *keid- keit-* 'heiss, heil' : lit. *kaitrùs,* ai. *kḗtuṣ* (got. *haidus*). Vgl. auch lit. *gaidrùs, skaidrùs.* — 3. *linde* zu ἐλάτη, lit. *lentd* 'Brett'. — 4. nl. *lood* 'Blei' zu ai. *lōha-,* abulg. *ruda.* Beispiele für den Wechsel *r : l* in idg. Sprachen. — 5. nl. *poel* nhd. *pfuol,* nl. *peel* zu lit. *bald,* Beispiel für idg. *b* zu germ. *p.*

v. **Zingerle** J. Worterklärungen. ZZ. XXVI 1 ff.

1. got. *aibr* : zu ahd. *ebur* (Schweineopfer). — 2. got. *asneis* = 'Sommerer', Sommerarbeiter. — 3. mhd. *stirp* = unfruchtbar.

Penka K. Die Heimat der Germanen. (Aus den Mitteilungen der anthropologischen Gesellschaft in Wien). 32 S. gr. 4°. Leipzig Hirsemann. 2 M.

Focke R. Aus der germanischen Urgeschichte. Preussische Jahrbücher LXXIII 3.

Schweder Über den Ursprung und die ältere Form der Peutingerschen Tafel. Neue Jahrb. f. Phil. CLXVII/VIII 7.

Dorr R. Übersicht über die prähistorischen Funde im Stadt- und Landkreis Elbing (Reg.-Bez. Danzig, Provinz Westpreussen). Mit einer Fundkarte und einer Kartenskizze der mutmasslichen Völkerschiebungen im Mündungsgebiet der Weichsel (400 v. Chr. bis 900 n. Chr.). 42 S. 4°. Progr. des Realgymn. zu Elbing.

Müller J. H. Die vor- und frühgeschichtlichen Altertümer der Provinz Hannover. Herausgeg. von J. Reimers. 386 S. Lex.-8°. Mit 25 Lichtdrucktafeln. Hannover Schulze. 18 M.

Hansen Die Bauernhäuser in Schleswig. (Mit Abb.). Globus LXIII 22.

Meringer R. Studien zur germanischen Volkskunde. I. Das Bauernhaus und dessen Einrichtung. Mit 83 Textfiguren. (Sonderabdruck aus Band XXI der Mitteilungen der anthropologischen Gesellschaft zu Wien. S. 101—152.) Wien 1891.

     A. Das Bauernhaus von Alt-Aussee. B. Über das 'durch-
gangige' Haus. C. Der offne Herd und seine Geräte. D. Die Lampe
des Bauernhauses. E. Der indogermanische Herd. (Gab es nur
Feuerstelle oder einen Herd? Jedenfalls giebt es keine idg. Bezeichnung für Herd; sicher aber hatte das Feuer seine bestimmte
Stätte im Haus und auf diese ging etwas von seiner Verehrung
über. Vgl. die Verehrung des Feuers im RV. Bei den idg. Völkern
finden sich 2 prinzipiell verschiedne Arten der Feuerung 1) das
Feuer wird auf der ebnen Herdsohle oder dem Boden angestackt;
alsdann muss das Gefäss erhöht werden. Bei dieser Art der Feuerung wird zuerst ein Holzscheit quer gelegt und die andern rit-
lings darüber gelehnt. Das quer liegende Scheit kann durch einen
Stein, eine gemauerte Leiste des Herdes, einen beweglichen Teu-
untersatz vertreten werden. Das letzte Stadium der Entwicklung
ist der Feuerbock, den auch der Kamin übernommen hat. 2) Das
Feuer wird in einer Grube gemacht; dann finden die Töpfe am
Rande der Grube oder auf Metallstäben, die darüber gelegt werden,
Platz. Dieselbe Art ist es auch, wenn der Herd 3 rechtwinklig zu-
sammenstossende Mauern hat, zwischen denen das Feuer brennt,
und worüber die Gefässe stehn. Dies ist die Vorstufe unsers ge-
schlossnen Herdes.)

Meringer R. Studien zur germanischen Volkskunde. Nachtrag zu
Band XXI S. 101 ff. mit 7 Textillustrationen. Ebd. XXII 101—6.
Wien 1892.

     Das Alt-Ausseer Bauernhaus. Die Onewaig (Gespenst, vgl.
die erste Abhandlung S. 120 f. Etymologisch verwandt mit got.
and-weihan ahd. weigjan 'vexare', dazu an. gullveig 'Goldhexe'.
Vgl. vincere lit. veikiú 'zwingen' vaikýti 'scheuchen'; ursprüngliche
Bedeutung von veig wohl 'Kraft', griech. díccw. one- oni- kann dem
got. ana- entsprechen. an. Synonym für veig ist heidr zu got. haidus
ai. kḗtúṣ 'Lichterscheinung'. Stammabstufung *waig : *wĭg. Frage:
Ist es nicht sehr auffallend, dass uns im Norden eine 'Erscheinung',
ein 'Gespenst' begegnet mit dem Namen 'Goldkraft' 'Goldzauber',
im Süden, in Deutschland, wenigstens der Name (Choldwaih), und
dass in einem grossen germ. Sagenstoff, der Nibelungensage, dieser
Goldzauber, verwandelt in einen Fluch, der am Golde haftet, uns
in poetischer Gestalt entgegentritt?). Der Feuerbock.

Meringer R. Studien zur germanischen Volkskunde. II. Mit 127
Text-Illustrationen. Ebd. XXIII S. 136—181. Wien 1893.

     Über das volkstümliche Haus Nordsteiermarks und seine Ge-
räte. Darin S. 165 ff. Exkurs über das oberdeutsche Haus. S. 176
Zu den Prinzipien. Nachtrag zum Herd. S. 178 Das Bauernhaus
bei Fottendorf in Niederösterreich. S. 179 Anhang: Über moderne
Votivtiere.

Symons B. De Ontwikkelingsgang der Germaansche Mythologie.
Redevoering uitgesproken bij de overdracht van het Rectoraat
der Rijks-Universiteit te Groningen. 28 S. 8⁰. 1892.

Kauffmann Fr. Mythologische Zeugnisse aus römischen Inschriften. PBrB. XVIII 134—94.

4. Dea Hiudana. Ags. *Hludenae* : an. *Hlódyn = Hlóþa-wini*. Die *n*-Bildung setzt als Kurzname den Vollnamen voraus. **hlōþa-* Vollstufenform zu **holþa-* 'hold'; *hlōþa-* : *holþa-* = got. *knōþs* : *kunds* = anord. **Vlōþurr* : *Vŗtra-*. *hlōþa-* : *clēmens* = *knōþs* : -γνητός. **hlōþa-wini* Fem. zu *hollvinr* Mask. Beziehungen zu *Nerthus*. Frau Holle; *unhulþō* (Mask. Genus, fem. Form: altes Kollektiv) und *sköhsl*. *-zussa* in ahd. *hagazussa* = ai. *dasya-* 'feindl. Dämon'. — 5. Deus Requalivahanus. *Vidarr Váli Búi* identisch; daraus folgt die Identität von *Gridr Hlódyn Rindr*. *Vidar* aus **wīþaʒaisaz* 'der einen Stab von Weidenholz führt'. *Rindr* für *Vrindr* zu *wringan* ῥέμβειν ῥάββος, daher Vr. die Göttin mit dem Zauberstab. *Humblus* : *Hymir* zu *hýma*. *Vidarr* überdauert den Weltuntergang : *Requaliva-h-anus* 'Gott der in der Finsternis lebt'. *h* dient nur der Silbentrennung. *requa-* ist das Waldesdunkel.

Bremer O. Der germanische Himmelsgott. IF. III 301 f.

Meyer E. H. Hercules Saxanus. PBrB. XVIII 106—33.

Die Hercules-Saxanusdenkmäler des Brohl- u. des Moselthals zerfallen in 3 Hauptgruppen: 1) vorflavische, 2) vespasianische, 3) traianische Gr. Römische Soldaten der 15. u. 16. niedergermanischen Legion haben in der claudisch-neronischen Epoche dem H. S. im Brohlthal die ersten uns bekannten DM. gesetzt. Der römische Charakter des H. S. tritt klar aus den DM. hervor.

Meyer R. M. Ymi und die Weltschöpfung. HZ. XXXVII 1—8.

Die Grundlage des Mythos ist die Personifikation der Erde, die auch sonst wiederkehrt. Schädel und Himmel sind ein Wort: an. *heili* afries. *heli = coelum*; ebenso nahe liegt der Vergleich zwischen Blut u. See usw. Die Mythe ist eine zwar 'gelehrte', doch heidnische Fortbildung eines volkstümlichen Kerns.

Detter F. Zur Ynglingasage. PBrB. XVIII 72—105.

1. Njọrdr und Skadi; die Nibelungen. — 2. Der Baldrmythus König Hygelác. — 3. Freyr und Beli. Fjọlnir. — 4. Ingeld und die Svertinge. — 5. Die Helgisage.

Detter F. Der Siegfriedmythus. PBrB. XVIII 194—202.

Im Mythos von Sturlaugr u. Mjọll ist *Frosti = Sigurdr, Sturlaugr = Gunnar, Mjọll = Brynhildr*. Vgl. den Mythos von *Freyr Gerdr Skirnir*, sowie das Verhältnis von *Skadi Baldr Njọrdr*. Naturmythos: Wenn *Njọrdr* die *Skadi* heiratet, verlässt und dem Prosti ausliefert, so ist der Gegensatz zwischen sommerlicher und winterlicher Natur ganz deutlich. *Sigrdrífa* und *Brynhildr* sind *Skadi*. Der Nibelungenmythos nordisch. Ebenso Verbindung mit der Burgundersage im Norden.

Hildebrand R. Zur Urgeschichte unsrer Metrik. Zeitschr. für den deutschen Unterricht VII 1/6.

Heusler A. Über germanischen Versbau. VIII u. 139 S. 8⁰. (= Schriften zur german. Philologie, herausgeg. von M. Roediger. 7. Heft.) Berlin Weidmann 1894. 6 M.

Kalusa M. Studien zum germanischen Allitterationsvers. I. Der altenglische Vers. Eine metrische Untersuchung. 1. Teil. Kritik der bisherigen Theorien. XI u. 96 S. 8⁰. Berlin Felber. 2,40 M.

Lawrence J. Chapters on alliterative verse. A dissertation. 8°.
London Frowde. 3,50 M.   W. Str.

B. Ostgermanisch.

Jellinek M. H. Gotica minima. HZ. XXXVII 319 f.
1. got. *stiur* Neh. 5, 18. Ist Neutrum, nicht Mask. — 2. Luk.
15, 16 χορτασθῆναι ἐκ τῶν κερατίων ὦν ἤσθιον οἱ χοῖροι · *sad itan
haurně þōei matidědun sweina.* Wahrscheinlich hat die Frucht
des Johannisbrotbaums *haurn* geheissen, vgl. ihren nhd. Namen
'Bockshorn'. (Gab. u. Löbe Gloss. S. 60). — 3. Zur Skeireins.

van Helten W. Zur Aussprache des gotischen *w*. HZ. XXXVII
121—24.
Nachtrag zu Jellineks Hypothese, dass das got. *w* das erste
Stadium vom Übergang des Halbvokals zur Spirans repräsentiere.
(HZ. XXXVI 266 ff.) Über ahd. -*o* im Nom. Sing. der *wa*-Stämme.

Mourek V. E. Über den Einfluss des Hauptsatzes auf, den Modus
des Nebensatzes im Gotischen. (Sitzungsberichte der kgl. böhm.
Gesellschaft der Wissensch. Jahrgang 1892 S. 268—96.)
Gegen Erdmann-Bernhardt, dass nach einem **negativen**
Hauptsatz (sofern die Negation den Inhalt des Nebensatzes trifft),
ferner nach einem **fragenden** u. **hypothetischen**, nach einem
imperativischen oder **adhortativen**, endlich überhaupt nach
einem **optativischen** regierenden Satze auch im Nebensatz der
Opt. gefordert werde. Dieser Regel sollen alle Relativ-, Konsekutiv-,
abhängige Aussagesätze, Temporal- und Konditionalsätze unterworfen sein. Der Optativ der Nebensätze ist vielmehr ohne Rücksicht auf den regierenden Satz zu beurteilen. Nur eine einzige, sehr
bedingte und beschränkte Einwirkung des übergeordneten Satzes
ist anzuerkennen: die assimilierende Kraft eines regierenden
Optativs. Aber sie wirkt nur dann, wenn im Nebensatz der Optativ
ebensowohl möglich war wie der Indik. Der Einfluss des Hauptsatzes auf den Nebensatz ist also im Gotischen minimal. Durch-
prüfung der 5. angeführten Satzarten.

Mourek V. E. Syntaxis složenýeh vět v gotitině (Syntax der mehr-
fachen Sätze im Gotischen). Rozpravy Ceské Akademie II No. 1
(Prag 1893 in Komm. Bursik). X und 334 S. Lex.-8°; S. 285—334
Auszug in deutsch. Spr.).

Naue J. Westgotischer Goldfund aus einem Felsengrabe bei My-
kenae. Jahrbb. des Vereins von Altertumsfreunden im Rheinlande.
Heft 93.
Mit einer Runeninschrift.   W. Str.

C. Nordgermanisch.

Bugge S. Norges Indskrifter med de ældre Runer. Udgivne for
det Norske Historiske Kildeskriftfond. 2det Hefte. S. 49—152.
Christiania.
Inhalt. Hedemarkens Amt. 4. Fonnaas (S. 50—71). Lesung:
wlsklR wkshu iwRsAwsrbse a ihspidultl d. i. *AngilaskalkR Wakrs
husingR så ingisarhiske aih spindul* tel. (Mit Tafel). — **Kristians**

Amt. 5. Einang (S. 72—87): *dugaʀ þaʀ runo* (d. i. *runoʀ*) *faihido.*
(Mit Tafel). — Buskeruds Amt. 6. By. (S. 89—Ende): *eirilaʀ
hroʀaʀ hroʀeʀ orte þat aʀiṇa u'p)ṭ ɑlai[b]u ɑʀ* (d. i. *dohtuʀ*) *rmþ√*
(d. i. *runoʀ markide þar ʀhaʀ*). 2 Exkurse (Mit 4 Abbildungen).

Läffler L. Fr. Bidrag till tolkningen av Tunestenens runinskrift.
Uppsalastudier tillegn. S. Bugge S. 1—5.

sijosteʀ ist Superlativ zu urgerm. *sijaz* 'eigen' und bedeutet
'die am nächsten Verwandten'.

Wimmer L. F. A. Om gamle svenske sprogmindesmærker i Danmark. Forhandl. paa det (3—)4. nord. Filologmøde. Kbhn. 1893.
p. XXIV—XXVIII. (Ausführlicher behandelt in Verfassers "Døbe-
fonten i Åkirkeby kirke. Kbhn. 1887. 4to".)

Wimmer L. F. A. Bemærkninger om Vedelspang-Stenenes Tid. Oversigt over d. kgl. danske Vid. Selsk. Forhandl. 1893. S. 112—133.

(Entgegnung zu der von Prof. Herm. Møller im Anzeiger für
deutsches Altertum XIX 11—32 gegebenen Rezension des Verfassers
"Sønderjyllands historiske Runemindesmærker".)

Møller H. Bemærkninger om Vedelspang-Stenenes Tid og de to
Gnupaer. Oversigt over d. kgl. danske Vid. Selsk. Forhandl.
1893 S. 205—273.

(Antwort an Prof. L. Wimmer.)

Brate Erik. Själ. Uppsalastudier tillegn. S. Bugge S. 6—14.

Behandelt die verschiednen Formen des Wortes *själ* auf den
schwedischen Runeninschriften.

Kock A. Behandling av fornsvenskt kort *y*-lyd och supradentalers
invärkan på vokalisationen. Arkiv IX 235—254. (Fortsetzung
von Arkiv IX 50—85).

Im Schwed. bleibt kurzer *y*-Laut vor den Explosiven, dem
gutturalen Nasal, dentalem *l* und vor *f* erhalten, wird sonst zu *ö*.
Im Dän. gilt dieselbe Regel, nur wird *y* auch vor *f* zu *ö*. Vor *mp*,
nt und, wenigstens wenn auf die Konsonantengruppe ein Sonant
folgte, auch vor *rk*, *st*, *nd*, *mb* trat im Altschw. Verlängrung von
y und wahrscheinlich auch von andern Vokalen ein. Bei Wahlfreiheit
zwischen den Wurzelvokalen *u* und *o* macht sich im Schwed. die
Tendenz geltend, *u* vor dentalem *l*, *o* vor supradentalem *l* und *n*
zu brauchen. Wahrscheinlich haben die Supradentalen die Vokali-
sation auch in folgenden Punkten beeinflusst: 1) Im Altschw. wurde
i dialektisch zu *e* vor Supradentalen. 2) In der Reichssprache ist *i*
zwischen *v*- und folgendem tautosyllabischen Supradental (*l*, *n* u. *r*?)
in *ü* übergegangen. 3) Im Altschw. ging *u* in *o* über vor *r*, wenn
auf dieses ein Konsonant folgte, der in der neuschw. Reichssprache
mit *r* zu einem supradentalen Laute (*rd*, *rt*, *rn*, *rs*, *rl*) verschmolzen
ist; sonst bleibt *u* vor *r* + Konsonant bestehn. In der ersten
Stellung war wahrscheinlich schon im Altschw. der *r*-Laut höher
supradental als in der letzten. — Ein kurzer Auszug dieser Abhandl.
ist vom Verf. in den "Forhandl. paa det 4. nord. Filologmöde. Kbhn.
1893 S. 235—238" gegeben.

Kock Axel. Till frågan om supradentalt *l* och *n* i det nordiska
fornspråket. Arkiv IX 254—268.

Lange *l* und *n* waren im altnord. dental, kurze 1) im Anlaut,
2) in unmittelbarer Verbindung mit Dental, ausser wenn darauf erst

infolge gemeinnordischer Synkope ein Dental folgte, 3) wahrscheinlich nach Vokal mit Infortis. Dentales *ld* assimiliert sich im Schw.
zu *ll*, supradentales bleibt bestehn.

Kristensen M. Danske og svenske afledninger på *-else*. Forhandl.
paa det 4. nord. Filologmöde. Kbhn. 1893 p. 253—260.

(Die in dän. u. schwed. Subst. häufig vorkommende Endung
-else kann aus *-sl*, *-sla*, *-sli* sicher nicht hervorgegangen sein. Die
wenigen isl. Wörter auf *-isli* sind Lehnwörter. Einzelne Wörter auf
-else haben die nord. Sprachen mit mnd. gemein, z. B. *bakkelse* (mnd.
backels, N.), *hakkelse* (mnd. *hackelse*, N.); diese sind aber urspr.
Neutra mit konkreter Bedeutung. Die überwiegende Anzahl der
nordischen Wörter auf *-else* sind dagegen femin. Verbalabstrakta,
und unter diesen findet man ca. 35, denen mnd. Wörter auf *-nisse*
entsprechen, z. B. *åbenbarelse* (*openbarnisse*), *bedrövelse* (*bedrove-
nisse*). In gewissen von diesen Wörtern musste lautgesetzlich *-nisse*
zu *-lese*, *-else* übergehen, d. h. wo *m* mit *n* zusammentraf, da im
dän. *mn* überall zu *ml* wurde. So entstand: *fordömmelse*, *forsöm-
melse*, *grœmmelse*. Die weitere Ausbreitung der Endung *-else* wurde
durch die einzelnen Wörter auf *-else*, die schon vorhanden waren,
erleichtert. Aus dem Dän. hat sich die Bewegung in das Schwed.
verbreitet.)

Lidén E. Smärre språkhistoriska bidrag. Uppsalastudier tillegn.
S. Bugge S. 79—96.

1) Aisl. *mél*. 2) Urnord. I vor verstumntem Nasal. 3) Aisl.
sár, *sáld* + lit. *salkas*. 4) Aisl. *þró* + ahd. *drûh* + lett. *trauks*.
5) Aisl. *strokkr* + d. *strunk*. 6) Nnorw. *strump* + mhd. *strumpf*.
7) Aisl. *bytta* + nnorw. *butt*. 8) Aisl. *beit* + arm. *pait*. 9) *Segel*.
10) Mnd. *lik* + lat. *ligo*. 11) Aisl. *hár*, *hœll* + ai. *çaṅkúṣ*. 12) Aisl.
hár + ai. *çaṅkúṣ*. 13. Aisl. *hualr* + lat. *squalus*. 14. Ahd. *forhana*
+ air. *orc*. 15) Engl. *cock*, aisl. *kiúklingr* + griech. τύης, lit. *gu-
žatys*. 16) Lit. *sžěnas* + griech. cχοῖνος. 17) Wnord. *há*, got. *hawi*
+ lit. *sžěkas*. 18) Aisl. *huǫnn* + lit. *szreṅdrai*.

Wadstein E. Om behandlingen av *a* framför *rt* i nordiska språk.
Svenska Landsmålen XIII 4.

1) In mehreren jütländischen Dialekten wird *a* unter allen
Umständen zu *å*. 2) im dänischen [Ausnahme unter 1)] und einigen
südschwedischen Dialekten nur, wenn ein Vokal folgt. 3) *a* bleibt
immer erhalten im Schwedischen [Ausnahmen unter 2)] und im Norwegischen, ausserdem in vielen jütländischen Dialekten, wenn ihm
ein *j* vorausgeht.

Wadstein E. Till läran om *u*-omljudet. Svenska landsmålen XIII 5.

W. verteidigt seine in Fornnorska homiliebokens ljudlära aus-
gesprochne Ansicht gegen Kocks Angriff (Svenska Landsm. XII 7).

Wadstein E. Till läran om i-omjudet i nordiska språk. Forhandl.
paa det 4. nord. Filologmöde. Kbhn. 1893 p. 245—253.

(Mit einigen Bemerkungen von A. Kock u. einer späteren
Entgegnung vom Verf. — Der Vortrag ist in ausführlicherer Darstellung in Paul & Braune: Beitr. XVII 412—434 gedruckt worden.)

Delbrück B. Altnordisch *fedyar* 'Vater u. Sohn'. Festgruss 15—17.

fedgar 'Vater und Sohn' erinnert an die ved. eliptischen Duale
wie *mitrā* 'Mitra und Varuṇa', wie schon Justi gesehn hat. Dem
Germanischen ist also der Dvandva-Typus zuzuerkennen.

Storm G. Om nordiske Stedsnavne i Normandie. Forhandl. paa det (3—)4. nord. Filologmöde. Kbhn. 1893. p. L—LIII. (Ausführlicher gedruckt: Norsk hist. Tidsskr. 2. R. 6. Bd. S. 236—251.)

Hellquist E. Bidrag till läran om den nordiska nominalbildningen. Akad. Afhandling. 93 S. 8⁰. Lund.

Nygaard M. Udeladelse af subjekt; 'subjektlöse' sætninger i den klassiske sagastil. Forhandl. p. d. 4. nord. Filologmöde. Kbhn. 1893. p. 231—33.
(Nur Auszug der Abhandlung, die später in Ark. f. nord. fil. gedruckt wird.)

Fritzner J. Ordbog over det gamle norske Sprog. Omarbejdet, foröget og forbedret Udgave. 22.—23. H. Kristiania 1893. 8.

Thorkelsson J. Supplement til islandske Ordböger. 3. Samling. 4—5. hepti (fleygia-heild). pag. 241—400. Reykjavik 1892. 8.

Arpi R. Till 'Grágás'. Uppsalastudier tillegn. S. Bugge S. 21—23.
fé óborit bedeutet "Vieh, das nicht auf gewöhnliche Weise geboren, d. h. aus dem Mutterleib geschnitten ist".

Detter F. *Hárr*. PBrB. XVIII 202 f.
Hárr, der Beiname Oðins ist gleich got. *haihs* 'μονόφθαλμος', wie *hárr* dem got. *faihs* entspricht. Die Bedeutung 'der hohe' hat das Wort erst später erhalten.

Tamm Fr. Anmärkningar till Östgötalagen (textkodex). Uppsalastudier tillegn. S. Bugge. S. 24—36.
I. Einige allgemeine grammatische Notizen. 1) Wechsel von *u* und *o* in kurzer Stammsilbe. 2) Wechsel von *iu* und *io*, beruhend auf *w*-Epenthese vor *ng*. 3) Wechsel von *ia* und *iœ* in Stammsilben. 4) Wechsel von Endungsvokalen (*i* und *e*). 5) *Svarabhakti*. 6) Auslautendes *r* in Endungen. II. Einige weniger gewöhnliche Doppelformen. 1) Feminina auf -*ing* neben -*ning*. 2) Dat. Sg. Fem. *sini* mit einem *n*. 3) Formen mit ungewöhnlichem *i*-Umlaut. 4) Formen mit ungewöhnlichem Mangel von *i*-Umlaut. 5) Formen mit Ablaut. 6) Andre Doppelformen. III. Worterklärungen und Anmerkungen zu Textstellen.

Pipping H. Om det bildade uttalet av svenska sproket i Finland. Nystavaren 4. bd. 119—141.

Linder N. Om -*er* och -*r* såsom pluraländelser i substantiviska neutrer. — Forhandl. paa det (3—)4. nord. Filologmöde. Kbhn. 1893. p. LXVI—LXVII. (Vollständig gedruckt in "Årsredogörelse för Högre lärarinneseminarium i Stockholm" 1889—90.)

Sundén D. A. Ordbok öfver svenska språket. 6. H. (Schluss.) Stockholm 1893. 8.

Cederschiöld G. Döda ord. Några anteckningar och reflexioner. 2. uppl. Lund. 8ᵛᵒ. 34 pagg.

Hjelmqvist T. En ny källa för vår fosterländska odling. Några anteckningar om Svenska akademiens ordbok. Lund. 60 pagg. 8ᵛᵒ.

Lundell J. A. Svensk ordlista med reformstavning ock uttalsbeteckning, under medvärkan av Hilda Lundell oz Elise Zetterqvist samt fiere fackmän utgifven. Stockholm 1893. XXXII + 384 pagg. 8ᵛᵒ.

Kastman E. W. och **Lyttkens** J. A. Ordlista öfver svenska språket. XXI u. 138 S. 8⁰. Stockholm, Norstedt.

Lundgren M. Bidrag till svensk namnforskning. Uppsalastudier tillegn. S. Bugge S. 15—20.

1) Namen auf -faster, -fæster. 2) Andre Namen mit ähnlichem Vokalwechsel.

Schagerström A. Läksikaliska ock stilistiska notiser ur Gustav II Adolfs skrifter. Uppsalastudier tillegn. S. Bugge. S. 37—47.

Behandelt hauptsächlich Wörter, die ihre Form bewahrt, aber ihre Bedeutung geändert haben.

Tamm F. Om fonetiska kännetecken på främmande ord i nysvenska riksspråket. Forhandl. paa det (3—)4. nord. Filologmöde. Kbhn. 1893. p. LXV—LXVI. (Vollständig gedruckt: Upsala Univ. Arsskrift. 1887.)

Tamm Fr. Nysvenska sammansettningar med två lika starkt betonade stavelser. Upsala Universitets Aarsskrift 1891.

Edelfeld A. Liste des mots français employés dans la langue suédoise avec une signification détournée. Mém. Soc. néo-phil. à Helsingfors I S. 360. (Hels. Waseninska B., Paris Welter.)

Karsten A. Kökarsmålet ljud- ock formlära. Dissertation von Helsingfors. 151 S. 8⁰. [= Svenska landsmålen XII 3. Stockholm 1892.]

Zetterberg Fr. Bjärköarättens ljud- och böjningslära. Diss. v. Upsala. 108 S. 8⁰.

Wadstein E. Alfer ock älvor. En språkligt-mytologisk undersökning. Uppsalastudier tillegn. S. Bugge S. 152—179.

Es existierten mehrere Worte von mit 'Alf' übereinstimmender Form, aber ganz verschiedner Bedeutung, die oft unrichtig diesem Worte beigelegt wurde.

Vodskov H. S. En smörgås. Arkiv IX 368 f.

Mit einer Nachschrift von A. Kock. Behandelt die Bedeutungsentwicklung von schw. smörgås.

Ross H. Norsk Ordbog. Tillæg til 'Norsk Ordbog' af Ivar Aasen. 11.—12. H. Kristiania. 8ᵛᵒ.

Larsen A. B. Oversigtskart over visse dialektfænomeners udbredelse i Kristianssands stift. (Christiania Videnskabs-Selskabs Forhandlinger 1892. Nr. 9.) 8ᵛᵒ. med 1 kart.

Andersen Vilh. Danske Studier. Kobenhavn 1893. 171 S. 8⁰.

S. 1—53: Gentagelsen, en sproglig Studie. Abdruck aus Dania I. S. 54—95: Den ziirlige Stil, sproglige Iagttagelser fra det 17. og 18. Aarhundredes danske Digtning.

Mikkelsen K. Dansk Sproglære med sproghistoriske Tillæg. Haandbog for Lærere og Viderekomne. 1. Hæfte. 96 pagg. — 2. H. 96 pagg. Kbhn. 1893. 8.

Thomsen Vilh. Om oprindelsen til nogle ejendommeligheder i den danske retskrivning (ld og nd). Forhandl. paa det 4. nord. Filologmöde. Kbhn. 1893. p. 205—224.

Verf. erklärt die merkwürdige Weise, in welcher die dänische
Schriftsprache *ld* u. *nd* anwendet, obgleich das *d* in der Aussprache
nicht gehört wird. — Zuerst giebt er eine Übersicht der Fälle, wo
d in der Verbindung *ld*, *nd* wirklich ausgesprochen wird: 1) *l(n)*
+ *d* gehört zu 2 verschiedenen Silben, besonders in Adj. auf *-ig*,
z. B. *mandig*, *vældig*. Diese Wörter sind grösstenteils Lehnwörter,
in welchen die Endung als *-dig* statt *-ig* aufgefasst worden ist. 2)
Vor *r* nach *n* (selten *l*), z. B. *andre*, *mindre*, *ældre*. 3) Im Auslaut
oder vor *ə*, besonders in gewissen Fremdwörtern und Namen, z. B.
blond, *bande*, *Inder*. — In allen anderen Fällen wird *d* nicht ausgesprochen: *vender*, ausgespr. wie *venner*. Aus Vergleichung mit
dem Altnord. ergiebt sich, dass im Dänischen *nd* überall geschrieben
wird, wo an. *nd* und *nn* hat, und dän. *ld* = an. *ld* u. *ll*. Dasselbe
gilt von an. *tn* u. *tl*, welche im dän. als *nd* und *ld* auftreten. Dagegen wird im dän. regelmässig *n*, *nn*, *l*, *ll* geschrieben, wo das
an. *n*, *l* aufweist. Es giebt nur wenige Ausnahmen, bes. einsilbige
Wörter, in welchen *d* nach und nach weggefallen ist, und Wörter,
die selten vorkommen. — In dem ältesten dän. werden *n*, *nn*, *nd*,
l, *ll*, *ld* scharf auseinander gehalten, *n* und *nn*, *l* und *ll* doch nur
zwischen zwei Vokalen. Seit Ende des 14. Jahrh. beginnt die Verwechslung von urspr. *nd*, *nn* u. *tn*, *ld*, *ll* u. *tl*. Diese Verbindungen
sind in der Aussprache zusammengefallen, *nd* u. *ld* stehen aber nie
für urspr. *n* und *l*. Aus der Reformationszeit treten uns dieselben
Prinzipien entgegen, die heute befolgt werden. Verf. beweist demnächst, dass *ld* u. *nd* präpalatales *l'*, *n̄* bezeichnet haben (aus *ll*, *ld*
u. *nn*, *nd* entstanden). 1) Der Unterschied zwischen Mask. u. Fem.
Sing. des bestimmten Artikels (an. *-inn*, *-in*) ist in den meisten dän.
Dialekten erhalten (*-in̄*, *in* u. desgl.), in einigen Quellen des älteren
dän. findet man den Artikel mit *nd* im Mask. häufig geschrieben,
niemals aber im Fem., und dasselbe gilt von anderen Wörtern, z. B.
min, *din*, *sin*. — 2) In dem alten Schauspiele 'Paris' Dom' sieht
man Formen wie *tyin* (an. *þinn*), *veynne* (= *vende*), welches auf die
Aussprache *din̄*, *væn̄ə* deutet; ebenso *faille* (*falde*), *gaille* (*galde*). —
3) In 13 dän. Briefen der Königin Elisabeth an Chr. II. aus dem
Jahre 1523—24 findet sich selten *nd*, *ld*, am häufigsten aber *yn*, *yl*
(bisweilen *ynd*, *yld*, *yly*), welche Laute ihr aus ihrer französ. Muttersprache bekannt waren. — Man darf hieraus schliessen, dass die
Aussprache *l'*, *n̄* von *ld*, *nd* in dem ersten Teile des 16. Jahrh. allgemein gewesen ist, und noch im Schlusse d. 17. Jahrh. ist keine
Veränderung eingetreten: Carlo Rodriguez sagt in seinem 'Lin-
guæ Hispanicæ comp.' 1762, dass dän. *ld* u. *nd* wie span. *ll* und *n̄*
ausgesprochen wurde. Mit diesem stimmen auch einige unklare
Bemerkungen verschiedener gleichzeitiger dän. Grammatiker, P.
Syv, E Pontoppidan, H. Gerner.

Man beachte die verschiedene Entwickelung der Vokale vor
den beiden Lautreihen der Schriftsprache *n* u. *l*, *nd* u. *ld*: zum B.
vind (an. *vindr*), dagegen: *ven* (an. *vinr*); ferner *ild* (an. *eldr*), *kilde*
(*kelda*), *tynd* (*þunnr*) u. s. w. Nach der Ansicht des Verf. beruht
dieses Verhältnis auf Einwirkung der präpalatalen Laute *l'* und *n̄*.

Jessen E. Dansk Etymologisk Ordbog. 2. Part. O—Ö (Schluss).
Udgiven paa Carlsbergfondets Bekostning. Kbhn. 1893. 8vo.

Feilberg H. F. Bidrag til en Ordbog over jyske Almuesmål. 9.
Hefte. Kbhn. 1893. 8.

Kalkar O. Ordbog til det ældre danske Sprog (1300—1700). 20.
Hæfte. Kbhn. 1893. 8.

Bugge S. Nyere Forskninger om Irlands gamle Aandskultur og Digtning i dens Forhold til Norden. (Oversigt over Videnskabs-Selskabets Møder. 1891. p. 21—38. Christiania.)

Falk Hj. Om Svipdagsmål. Arkiv IX 311—362.

Svipdagsmål ist aus der irischen Erzählung von Kulhwch und Olwen und der Sage vom Gralsucher kontaminiert. **Eingehende** Erläuterung des Gedichtes.

Noreen A. Fornnordisk religion, mytologi och teologi. Svensk tidskrift. 2. Årg. 1892. S. 172—182.

(Eine populäre Vorlesung, geh. Upsala 9. März 1892.)

Jónsson Finnur. Vikingetiden og den nordiske mytologi. Forhand-linger paa det 4. nord. Filologmøde. Kbhn. 1893. p. 239—245.

(Der Verf. nimmt im Gegensatz zu S. Bugge an, dass die nordische Mythologie aus selbständigem, spez. nordischem Denken während Jahrhunderten vor 900 hervorgegangen ist. — Es folgen einige Bemerkungen von G. Storm u. A. Noreen.)

Noreen A. Mytiska beståndsdelar i Ynglingatal. Upsalastudier tillegn. S. Bugge 8 194—225.

1) Fiolner. 2) Sueigder. 3) Vanlande, Visburr, Agne. 4) Dó-marr-Yngue. Bruchstücke einer grössern Arbeit. Ein kurzes Refe-rat derselben Abhandl. in "Forhandl. paa det 4. nord. Filologmøde. Kbhn. 1893. p. 233—34".

Storm G. Vore Forfædres Tro paa Sjælevandring og deres Op-kaldelsesystem. Arkiv IX 200—222.

Der Glaube an eine Seelenwandrung innerhalb eines Ge-schlechts macht sich in der Namengebung mehrerer germanischen Völker geltend; nach dem Norden wandert er spätestens im 7. oder 8. Jahrhundert. Er liegt den beiden mythischen Gedichten Vǫluspǫ́ und Vafþrúdnismǫ́l zugrunde.

Jónsson Finnur. Den oldnorske og oldislandske litteraturs historie. 1. Binds 1. Hæfte. Kobenhavn 1893. S. 1—240.

Behandelt ausführlich die mythischen Eddalieder und nimmt Stellung zu den verschiednen Fragen auf mythologischem Gebiete.

Meddelelser fra Nationalmuseets danske Samling. Stenalderen af Kr. Bahnson. Aarböger for nord. Oldkyndighed og Historie. 1892. II. R. 7. Bd. pag. 161—206. — Jernalderen of Carl Neer-gaard. Ebend. pag. 207—341.

Enthält in Anschluss an früher in derselben Zeitschrift ver-öffentliche Mitteilungen eine Übersicht über die wichtigsten Funde aus der Stein- bezw. Eisenzeit, die seit 1868 in Dänemark ge-macht sind.

Nordiske Fortidsminder udgivne af det Kgl. nordiske Oldskrift-selskab. Avec des résumés en français. 2. Hefte. Kbhn. 1892. 4to.

(Enthält: Sophus Müller, Det store Sölvkar fra Gundestrup i Jylland, pag. 35—61. 13 Textabbildungen und 14 phototypische Tafeln. Le grand vase d. Gundestrup en Jutland, par Sophus Müller, traduit par E. Beauvois, d'après un résumé du texte Danois.

Der Verf. veröffentlicht hier zum ersten Male das grosse silber-ne Gefäss, das 1891 in einem Torf-Moore in Jütland gefunden wurde, und dessen zahlreiche Figuren viele Anknüpfungen an bekannte keltische Göttergestalten und an die griechisch-römische Kunst verraten. Nach der Ansicht des Verf. ist das Gefäss in den ersten Jahrhunderten unserer Zeitrechnung in dem skandinavischen Norden gemacht.)

Zinck L. Nordisk Archæologi. Stenalderstudier II. Kbhn. 1893. 8vo. 184 S.

Steenstrup Jap. Det store Sølvfund ved Gundestrup (i Aarsherred) 1891. Orienterende Betragtninger over de tretten Sölvpladers talrige Relief-Fremstillinger. — Oversigt over d. Kgl. danske Vid. Selsk. Forhandl. 1893. S. 134—150.

(Enthält Auszüge einer grösseren noch nicht erschienenen Abhandlung. Verf. nimmt an (im Gegensatz zu S. Müller, Nordiske Fortidsminder, 2. Bd.), dass das silberne Gefäss aus den Gegenden Mittelasiens stammt. Die 13 silbernen Platten sind nicht derselben grossen Gefässform zugehörig gewesen, vielmehr muss man annehmen, dass sie Teile der gewöhnlichen Frisen auf Tempelsäulen o. desgl. sind. Die künstlerische Ausschmückung derselben enthält Darstellungen aus buddhistischem Kultus.)

Hansen Sør. Om Bronzealdersfolket i Danmark. Aarb. f. nord. Oldk. 2. R. VIII, 121—140.

Montelius O. Finnas i Sverige minnen från en Kopparålder? (Svenska Fornminnesföreningens Tidskrift 18. bd. p. 203—238. Stockholm 1893.)

Die in Schweden gefundenen Kupfergeräte berechtigen uns zu der Annahme, dass nach der Stein-Zeit in Skandinavien eine Periode eingetreten ist, in welcher man noch nicht die Bronze gekannt hat (die sogen. Kupfer-Zeit). Die Abhandlung enthält eine beschreibende Übersicht dergleichen Geräte und ist von mehreren Abbildungen begleitet.

Steenstrup Jap. Yak-Lungta-Brakteaterne, Archæologernes "nordiske Gruppe af Guldbrakteater" fra den ældre Jernalder, betragtede som særegne Minder om en Kulturforbindelse imellem Höjasiens og det Skandinaviske Nordens Folkefærd i tidlige Aarhundreder af vor Tidsregning, nærmest i Folkevandringstiden. Kbhn. 1893. 4to. 158 pagg. (= Vidensk. Selsk. Skrifter, 6. Række, hist.-philos. Afd. I, 2).

(Die Yak-Lungta-Bracteate, die von den Archäologen sogenannte "nordische Gruppe von Gold-Bracteaten" aus der älteren Eisenzeit, als Denkmäler einer alten Kulturverbindung zwischen den Völkerschaften Hoch-Asiens und des skandinavischen Nordens in den ersten Jahrhunderten unserer Zeitrechnung, besonders in der Zeit der Völkerwanderung, dargestellt.)

Fenger L. Om Tidsbestemmelsen for det ungarske Guldfund fra Store St. Micklos, den saakaldte 'Attilas Skat'. Aarböger for nordisk Oldkyndighed og Historie. 1892. II. Række. 7. Bd. pag. 134—160.

Über Bestimmung des Alters des ungarischen Goldfundes von Nagy Szent Micklos. Der Verf. hat nur die Ornamente der Gefässe untersucht und nimmt an, dass sie byzantinischer Herkunft sind und vom 7.—8. Jahrh. herrühren.

Kopenhagen. D. Andersen.

D. Westgermanisch.

Henry V. Précis de grammaire comparée de l'anglais et de l'allemand, rapportés à leur commune origine et rapprochés des langues classiques. XXIV u. 418 S. 8⁰. Paris Hachette. 7,50 Frcs.

Grandgent C. H. German and English Sounds. Boston Linn & Co. 1893. VI + 42 S. 12⁰. 50 cents.

Bülbring K. D. Wege und Ziele der englischen Philologie. 8. Groningen Wolters. 0,65 fl.

Schröer A. Über historische und deskriptive englische Grammatik. Die neuern Sprachen I 7.

Sweet H. A. Primer of Historical English Grammar. London Sampson Low & Co. 2 Sh.

Low W. H. The English language. Its history and structure. Univ. Corr. Coll. Tutorial Series. 196 S. 3 Sh. 6 d.

Champneys A. C. History of English: A sketch of the origin and development of the English language. With examples down to the present day. 400 S. gr. 8⁰. London. 7 Sh. 6 d.

A history of the English language, its origin and development down to the present day. In the historical part extensive specimens of English at different periods and intervals are cited as illustrations; the English dialects are treated at length, and maps are inserted.

Jackson R. English Grammar.

Cosijn P. J. Kurzgefasste altwestsächsische Grammatik. 2. Auflage. 1. u. 2. Teil. gr. 8⁰. Leiden Brill. 1,50 M.

1. Die Lautlehre (IV u. 38 S.). — 2. Die Flexionslehre (S. 39—76).

Hempl G. Old-English phonology. 44 S. 8⁰. Boston Heath.

Sheldon E. S. The Origin of the English names of the Letters in the Alphabet (Studies and Notes in Philology and Litterature published under the Direction of the Mod. Lang. Departments of Harward University Boston 1892 S. 66—87).

Brosch E. The English tonic accent. Progr. Kremsier. 22 S. 8⁰.

Bowen E. W. An historical study of the ē-vowel in accented syllables in English. Johns Hopkins Univ. Dissertation.

Hempl G. O. E. ĕa = germ. ǣ and O. E. shortening before h + cons. Mod. Lang. Not. VII 7.

Martineau R. Note on the pronunciation of the English vowels in the XVII century. Transactions of the Phil. Soc. 1891/93.

Brugger E. Zur lautlichen Entwicklung der englischen Schriftsprache im Anfang d. 16. Jahrh. I. Teil Quantitätsverhältnisse. Anglia XV (N. F. III) 261 ff.

I. Die Dehnung von aengl. a, e, o im Silbenauslaut "beruht auf der Tendenz, die Dauer eines Sprechtaktes mehr oder weniger gleich zu erhalten". "Indem ... die Endsilbe an Klang und Stärke abnahm, kam die hier gewonnene Kraft der vorausgehenden Silbe zu gute ..." *cicene* zu mengl. *cicęne* (mit reduziertem Schluss-*e*). Es entstanden zunächst 'schwebende Laute'. — II. Die Abschwächung der Endsilbe hatte überhaupt die Wirkung, dass die vorausgehende Tonsilbe gelängt wurde: durch Dehnung des Konsonanten, wo ein solcher vorhanden war; durch Dehnung des Vokals, wo dieser im Silbenauslaut stand: *grētan* zu *grēten* (mit überlangem *e* zu *grēten*; *helpan* zu *hellpen*. Lange Vokale werden dann gekürzt vor langer oder mehrfacher Konsonanz *krēpte* zu *krēppte* zu *kreppte*. — III. Das Gesetz, dass kurzer wortauslautender Konsonant nach kurzem Vokal gedehnt wird, "ist wohl hervorgegangen aus der Tendenz, die Silben auf die normale Quantität zu bringen" (Abneigung gegen überkurze Silben). *sune* zu *sunn*. — IV. Wohl im 15. Jahrh. wurden die überlangen Silben *hellp*, *kreppt* gekürzt zu *help*, *krept*, durch Kürzung des dem Vokal unmittelbar folgenden Konsonanten (Abneigung gegen überlange Silben). — V. "In Früh-Tudor-englischer (oder spät mengl.) Zeit wird lange Konsonanz zwischen Vokalen gekürzt durch Verschiebung der Druckgrenze". — Besonderheiten: VI. "Silbenauslautendes *i*, *u* ... ist im Mengl., Tudor-Engl., schwebend." Die schwebende Quantität neigte sich hier wohl viel mehr der Kürze als der Länge zu. — VII. "Von mengl. Zeit bis mindestens in spät Tudor-englische Zeit" herrschte die Tendenz, "bei schwerer Endsilbe die Tonsilbe kurz zu erhalten resp. zu kürzen" ("schwebende Quantität mit Neigung zur Kürze"). — VIII. Wenn die Endsilbe früh-mengl. auf reduzierten Vokal ausging, so hatte die schwebende Quantität von Ausgang der mengl. Zeit an besondere Erscheinungen zur Folge, die sich nicht in eine Regel fassen lassen. (Beispiele.) — IX. "Vor gewissen silbenschliessenden Konsonantengruppen wird vorhergehender (kurzer oder langer) Vokal schwebend." "Je mehr sich die Konsonantengruppe an Quantität der einfachen Konsonanz nähert, um so eher dürfen wir langen Vokal erwarten und vice versa." — X u. XI. "Im Früh-Tudor-Englischen bleibt die Quantität aller Vokale vor einfacher wortauslautender Konsonanz bestehen; im Spät-Tudor-Engl. werden die langen Vokale mit kleinster Lippenöffnung und höchster Zungenhebung, d. h. *ē̜*, *ǭ*, *ī*, *ū*, vor einfacher wortauslautender Konsonanz schwebend, wobei diese zuweilen diejenige Quantität annimmt, welche zur Erhaltung der Normalquantität der Silbe nötig ist."

Scott C. P. G. English words which hav gaind or lost an initial consonant by attraction. Transactions Am. Phil. Assoc. Vol. XXIII pp. 179—305.

This monograph presents a detailed investigation of English examples which show "a transfer of a final consonant, most commonly the article *an* or some definitiv, to the beginning of the following word, or of an initial consonant to the end of the preceding word, usually the letter *a*. A typical example of the first kind is *an awl*, taken as *a nawl*; of the second kind is *a nauger*, taken us *an auger*". The examples are enumerated and duly classified.

Sattler W. Zur englischen Grammatik VII. Engl. Stud. XVI 39—57.

'Plural' (Schluss), vgl. Engl. Stud. XII 366 f. Abfall des Pluralzeichens in Zahlen-, Gewicht- und Wertbestimmungen. Ausnahmen von der allgemeinen "Regel, dass abweichend vom Deutschen Gewicht-, Mass- und Wertbestimmungen im Plural stehen" u. a.

Napier A. S. The *s*-plurals in English. Academy 1123.

Die *s*-Plurale des Englischen beruhn nicht auf dem Einfluss des Normannisch-Französischen; denn der Dialekt, auf dem die

Schriftsprache beruht, hat schon die Ausdehnung der *s*-Plurale gekannt, bevor er vom Normannischen beeinflusst worden ist.

Vgl. O. Jespersen Academy 1127.

Harrison T. O. The separable prefixes in Anglo-Saxon. Johns Hopkins University Diss. Baltimore.

Scott C. P. G. The Recent Emergence of a Preterit-Present in English. Proceedings Am. Phil. Assoc. July 1892. Vol. XXIII pp. XL—XLIV.

"The preterit-present which has recently emerged in English is *have got*, or in certain connections simply *got*, a perfect or preterit form with the present sense *have*." A historical investigation of the occurrences of this form in English Literature is presented.

Kellner Historical outlines of English syntax. XXII u. 336 S. London Macmillan 1892. 8⁰.

Western Aug. De engelske Bisætninger. En historisk-syntaktisk Studie. Kristiania 1893. 8⁰. XV u. 145 S. 3 kr.

Todt A. Die Wortstellung im Beowulf. Anglia XVI 226—259.

Hauptsächlich Stellung des Verbs im Satze. A. Selbständiger Aussagesatz. I. Stellung des Verbs zu den übrigen Satzteilen: 1. 'Vollverb' a) an der Spitze des Satzes 98 Fälle; b) nach dem ersten Satzteil 204; c) nach mehreren Satzteilen 213; d) am Ende 355. — 2. 'Verb. aux.' a) 17; b) 45; c) 15; d) 4. — 3. 'Kopula' a) 81; b) 166; c) 29; d) 7. — 4. 'Verb. mod.' a) 31; b) 36; c) 54; d) 19. — 5. Übrige Verba mit Inf. als Ergänzung a) 29; b) 30; c) 43; d) 8. II. "Stellung der mit den Verbarten 2—5 verbundenen notwendigen Ergänzungen." 1. Partizip beim Verb. aux. a) 0; b) 0; c) 4; d) 4. — 2. Infinitiv nach dem Verb. aux. 103, vor 37. Auch bei den übrigen Verba "pflegt der Inf. hinter dem Verb an d. Satzende zu treten". — B. Nebensatz.

Smith C. A. The order of words in Anglo-Saxon prose. Public. of the Mod. Lang. Association. N. S. I 2 S. 210—44.

Mather jr. Fr. J. The conditional sentence in Anglo-Saxon. Diss. XIV u. 88 S. 8⁰. Baltimore Johns Hopkins Univ.

Stein Üb. d. bildliche Verneinung in der mengl. Poesie II. Angl. XV (NF. III) 396—472.

Rez. Glöde LBl. f. germ. u. rom. Phil. 1893 (12) Sp. 425/7.

Blackburn F. A. The English future, its origin and development. 53 S. 8⁰. Leipziger Diss.

Ross Ch. H. The absolute participle in middle and modern English. Public. of the Mod. Lang. Assoc. of America. N. S. I 3.

Franz W. Zur Syntax des ältern Neuenglisch. Das Adverb. Konjunktionen. Engl. Stud. XVIII 191—219, 422—51.

Platzmann J. Weshalb ich Neudrucke der alten amerikanischen Grammatiker voranstaltet habe. III u. 136 S. 8⁰. Leipzig Teubner. 5 M.

Lindelöf U. Beiträge zur Kenntnis des Altnorthumbrischen. Mémoires de la Société néo-philologique à Helsingfors I. S. 219 (Helsingfors Waseniuska B., Paris Welter).

Lea E. M. The language of the Northumbrian gloss to the gospel of St. Mark. I. Phonology. Anglia XVI 62—134, 135—206.

Brown E. M. Die Sprache der Rushworth-Glossen zum Evangelium Matthäus und der mercische Dialekt. I. Vokale. 83 S. 8⁰. Göttinger Inauguraldiss. II. (englisch geschrieben) The vowels of other syllables than stemsyllables; Consonants; Inflection. 93 S. 8⁰. Göttingen Deuerlich in Komm. 1,80 M.

Brühl C. Die Flexion des Verbums in Ælfrics Heptateuch und Buch Hiob. 95 S. 8⁰. Marb. Diss. 1892.

Hale E. E. Open and close *é* in the 'Ormulum'. Mod. Lang. Notes VIII 37—46.

Merguet V. Der Sprachgebrauch des anglo-normannischen religlösen Dramas (mystère) Adam. 24 S. 4⁰. Leipzig Fock.

Kramer M. Sprache und Heimat der sog. Ludus Coventriae. Eine Untersuchung zur me. Sprachgeschichte. Hallische Dissertation. 69 S. 8⁰. Leipzig Fock.

Ellinger J. Syntaktische Untersuchungen zu der Sprache der me. Romanze von Sir Perceval of Galles. Xenia Austriaca (Wien Gerolds Sohn 1893). I. Band 3. Abteilung S. 105—147. 3. Abt. (= Progr. Troppau. 39 S. 8⁰.)

Römsted H. Die engl. Schriftsprache bei Caxton. Gekrönte Preisschrift. 54 S. 4⁰. Göttingen.

Fahrenberg K. Zur Sprache der Confessio Amantis. Herrigs Archiv LXXXIX 389—412.

Auf Grund der Reime: "Gower ist als Zeuge für die englische Schriftsprache nicht hinter, sondern neben Chaucer anzuführen, ja er kann in manchen Punkten sogar als ein älterer Zeuge gelten".

Skeat Chaucers use of the Kentish dialect. Academy 1129 S. 572.

Graef A. Das Futurum und die Entwicklung von *shal* und *wil* zu futurischen Tempusbildnern bei Chaucer. 52 S. 8⁰. Progr. der städt. Handelsschule zu Flensburg.

Hagedorn W. Über die Sprache einiger nördlicher Chaucerschüler. Göttinger Diss. 1892. 38 S. 8⁰.

Ljunggren C. A. The poetical gender of the substantives in the works of Ben Jonson. Lund 1892. (Gymnasial-Programm der Almänna läroverken i Lund och Landskrona 1891—92.) 4⁰.

Kluge Fr. Über die Sprache Shakespeares. Shakespeare-Jahrbuch XXVIII.

American Dialects Society's Notes: Part V pp. 229—262. Boston 1892.

This Part contains 1) J. P. Fruit 'Kentucky words'; 2) R. L. Weeks 'Notes from Missouri'; 3) H. Tallichet 'Addenda to the Vocabulary of Spanish and Mexican words used in Texas'; 4) Bibliography; 5) List of Members; 6) Announcements.

Chope R. P. The dialect of Hartland Devonshire. London Kegan Paul.

F. H. The American dialect. Academy 1090. 1130.

Grandgent C. H. American pronunciation again. Mod. Lang. Notes VIII 5.

Hewett S. The peasant speech of Devon, and other matters connected therewith. 2nd. ed. 182 S. gr. 8⁰. E. Stock. 5 Sh.

Krook A. The English language in Finland. Mémoires de la Société néo-philologique à Helsingfors I. S. 110 (Helsingfors Waseniuska B., Paris Welter).

Schröder G. Über den Einfluss der Volksetymologie auf den Londoner Slang-Dialekt. 50 S. 8⁰. Rostocker Diss.

Wasserzieher E. Kameruner Englisch. Gegenwart Bd. XLIV. Nr. 26.

Wright J. A grammar of the dialect of Windhill in the west riding of Yorkshire. (English Dialect Society.)

De Baye Baron J. The Industrial Arts of the Anglo-Saxons. Translated by T. B. Harbottle. With 17 Steel Plates and 31 Text Cuts. London and New-York (Macmillan & Co.) 1893. 4⁰. pp. 1—135. 7 L.
This volume is devoted to the archaeology of England during the Anglo-Saxon period. It contains critical chapters on the early invaders of Great Britain and their weapons; also on the Anglo-Saxon fibulae, girdle-hangers, necklaces, beads, ear-rings, hair-pins, and buckles. The concluding chapters are on the A. S. buckets, glass vases, pottery, and on the contents of the early English graves. The work is richly illustrated by steel plates and wood cuts.

Bosworth-Toller Anglo-Saxon dictionary. Part IV Sect. 2. Oxford Clarendon Press.

Murray J. A. H. A new English dictionary. Part VI *clo—consigner*, Part VII *consignificant—crouching*, Part VIII Sect. 1 *crouchmas—csech*. (Band II X S. u. S. 1205—1308 imp. 4⁰.) Oxford Clarendon Press. Je 12 Sh. 6 d.

Muret E. Enzyklopädisches englisch-deutsches und deutsch-englisches Wörterbuch.
Teil I. Lief. 6 S. 521—624. 7 S. 625—728. 8 S. 729—832. 9 S. 833—936. Berlin Langenscheidt. Je 1,50 M.

Hoppe A. Englisch-deutsches Supplement-Lexikon als Ergänzung zu allen bis jetzt erschienenen englisch-deutschen Wörterbüchern. Mit teilweiser Angabe der Aussprache nach phonet. System der Methode Toussaint-Langenscheidt. Durchweg nach engl. Quellen bearb. 2. Abtlg. 1. Hälfte. Lex.-8. Berlin Langenscheidt. S. 241 bis 368. 4 M.

Crabb G. English Synonyms Explained. New Ed. pp. 640. London Routledge. 2 Sh.

Heesch G. Beispiele zur Etymologie des Englischen. 22 S. 4⁰. Progr. der Hansaschule zu Bergedorf bei Hamburg.

Henning R. **ags.** *birel.* HZ. XXXVII 317—19.

birele heisst die oberste der Dienerinnen eines Keorl. Auch bei den Eorlen wird die *birele* erwähnt. Dazu *Birlin* der Nordendorfer Spange. Nachtrag gegen Bugge Norges indskrifter S. 141.

Hogan E. The meaning of *budechaiti* in the Battle of Rosnaree. Academy 1119.

Weder 'fully satisfied' noch 'contented with eating' oder 'thankful-pleasant' auch nicht mit Stokes 'thankful-glad', sondern mit Mac Neill als 2. Komparativ von *budech buidech* gl. contentus zu fassen.

Kögel R. *Béowulf.* HZ. XXXVII 268—76.

Zu Anz. XVIII 52 gegen Cosijn Aanteekeningen op den Beowulf (Leiden 1892). Nicht zu *beó* 'Biene'. Vgl. north. *Biuwulf -iuw-* aus -*ew*-; Grdf. **Béuw-(w)ulf.* Vgl. den Kurznamen *Bedw Beów Beáwa Beówa.* 'Biene' hat kein *w.* *Beówulf* davon erst abgeleitet. Der Name gehört zu ags. *beów* 'Getreide'. Die Nebenform *Bedw Beá* ist durch Ausgleichung entstanden: wo *bawja-* in der Flexion erscheint, tritt lautgesetzlich *ed*, wo *bawi-* erscheint, dagegen *eó* auf. Urverwandt mit *beów,* das im Ablaut dazu steht. Vater *Scéaf* 'Garbe'.

Logeman H. The Etymology of Gospel. Mod. Lang. Notes VIII 89—93 (No. 2).

= *gód spell* εὐαγγέλιον (bonum nuntium).

Mayhew A. L. The etymology of *demijohn.* Academy 1117.

Ältester Beleg 1694 (*deme-jane*), 1776 in Falconers Univ. Dict. of the Marine (*Dame-jeanne*). Vgl. prov. *damojano damajano, dabajano debajano;* cat. *damajana;* span. *damajúna;* it. *damigiána;* arab. *dámjána-t.* Wahrscheinlich urspr. romanisch, vlglat. **dimidiana.* Vgl. Ac. 1119 (E. Gardner).

Murray Etymologies of some words. Transactions of the Philol. Soc. S. 279—87.

Ott J. H. *beacon beekenes.* Mod. Lang. Notes VII 8.

Pearce J. W. Anglo-Saxon. *scūr-heard.* Mod. Lang. Not. VII 7.

Vgl. A. S. Cook u. J. W. Pearce ebd. VII 8; Hart u. Palmer ebd. VIII 2.

Hart J. M. *Scūr-heard.* Mod. Lang. Notes VIII 121.

= sharp, cutting like a storm.

Palmer A. H. *Scūrheard,* ebd. 121 f.

Verweist auf Müllenhoff-Scherer Denkmäler [3]II, 16 f. ([2]263).

Sheldon E. S. Etymological Notes.

3) English Cruise. 4) English Jewel. Studies and Notes ... published under the Direction of the Mod. Lang. Departments of Harward University Boston 1892 S. 122/4.

Skeat Notes on English Etymology. Transactions of the Phil. Society 1891/93.

Bremer O. Zu v. Richthofens altfriesischem Wörterbuch. PBrB. XVII 303—46.

Anzeiger IV.

Buitenrust Hettema F. Fresiska. Tijdschrift voor ndl
letterk. XI 4.
effen = iuxta, *gabbat gabbia, holla, tynje.*

Muller J. W. Nfri. *boesdoer.* Tijdschr. voor ndl. taal- ı
XII 2.

Friesch Woordenboek met eene Lijst van Friesche Ei
uit te geven van wege de Provincie Friesland onder to
J. van Loon Iz, Tj. Halbertsma, Ph. van Blom, beı
Waling Dijkstra en F. Buitenrust Hettema, eı
Lijst der Friesch Eigennamen betreft, door Johan Wi
     Vollständig in 20 Lieferungen zu je 5 Bogen royal
warden Meijer & Schaafsma.

────────

van Helten W. Over een en ander uit het ndl. consı
Tijdschr. voor ndl. taal- en letterk. XII 2–3.
   Inh. I. De apocope der -*n* in de hedend. natuurlijl
taal. II. Over den invloed door een heterosyllabische
voorafgaande dentaal of *l* uitgeoefend. III. De behandel
den ' auslaut' staande χ in 't Westnederfrankisch. 'Wat
in het Westgerm. zien plaats hebben, is ook voor het \
frank. waarschijnlijk te achten': 'de consonant blijfs iu
periode in den regel overal bewaard, achter een lange ı
diphthong, een consonant zoowel als achter een korten kl
't slot van een niet beklemtoonde zoowel als van een bekle
lettergroep, alleen bij uitzondering vertoont zich een joı
pocepeerde vorm, die kennelijk bij verbuig- of vervoegbaı
uit de vormon, zonder *h* < *x* is ingedrongen' . . . . . 'in eı
periode neemt het gebruik der onorspronkelijke vormen ı
of mindere mate too'.

Vercoullie J. Schets eener historische grammatica d
landsche taal. Phonologie en Flexie. Gent Vuylsteke
8⁰ m. 2 Karten. 2,50 Frcs.

Kern H. Bijdrage tot de klankleer van 't Oostgeldersch
Rekking van Korte klinkers in lettergrepen met hoof
Tijdschr. voor ndl. taal- en letterkunde XII 1.

de Backer L. La langue flamande en France depuis les
plus reculés jusqu'à nos jours. 200 S. 8⁰. Gand Siffeı

Walter C. Zu den Königsberger Pflanzenglossen im N
17, 81 ff. Niederd. Jb. XVIII (1892), 130—40.
     Sie sind "ein Denkmal südniederländischer Sprach
Zeit des Überganges derselben vom altfränkischen Stanc
den der mittelniederländischen Schriftsprache".

Buitenrust Hettema Uit de 'beteekenisleer'. Taal en
III 3.

Claerhout J. Water. Philologische Bijdragen. Bijblad ·
fort. il 1 (Januar 1893 S. 3– 6).
     Über ostfries. - saterl. *eje* 'Wasser' aus idg. *akų̑
-*aye* in *zouten-aye*, u. -*ede* in *Breedenede, Breedene.* — afı
u. *to drlande.*

Eymael H. J. Woordverklaring. Taal en Letteren III ı

Franck J. Notgedrungene Beiträge zur Etymologie. Eine Abrechnung mit Prof. J. te Winkel. Bonn Cohen. 48 S. 8⁰.

Kollewijn R. A. Woordverklaring. Taal en Letteren III 1. *horendrager. koekoek.*

Prinsen J. Woorden veranderen van beteekenis. Noord en Zuid XVI 2.

Spanaghe E. Synonyma latino-teutonica (ex etymologico C. Kiliani deprompta), latijnisch-nederlandsch Wordenboek der XVII. eeuw. 1, I u. II. A—P.

Verdam J. Verklaring van Nederlandsche woorden. Tijdschr. voor ndl. taal- en letterk. XII 2.

    Inh. VIII *karwei.* IX *krot.* X *krooi.* XI *wouteren.*

Verdam J. Dietsche Verscheidenheden. Tijdschr. voor ndl. taal-en letterk. XII 2.

    Inh. CIV *Non fortse; forche.* CV *Een lot heden on bekend* ww. cuwen. CVI *Baeshndlich.*

De Bo L. L. Westvlaamsch Idioticon. 1335 S. Lex.-8⁰. Leipzig Harrassowitz in Komm. 22 Frcs. = 17,80 M.

- - -

Kögel R. Zur altsächsischen Grammatik. IF. III 276—97.

Eckart R. Niedersächsische Sprachdenkmäler in übersichtlicher Darstellung mit genauen Quellenangaben. Ein bibliographisches Repertorium. Osterwieck a/H. VI 68 S. 8⁰. 3 M.

    Vgl. St[einmeyer], Warnung AfdA. XIX 288.

Walther C. *löven* 'sich belauben'. Niedd. Jb. XVIII (1892) 67—70.

- - -

Bremer O. Deutsche Phonetik. XXIII u. 208 S. mit 2 Tafeln gr. 8⁰. (= Sammlung kurzer Grammatiken deutscher Mundarten, hrsg. von O. Bremer I.) Leipzig Breitkopf u. Härtel. 5 M.

Vietor W. Deutsche Lauttafel. Nebst Erklärungen und Beispielen. Marburg Elwert. 1,50 M.

- - -

Wilmanns W. Deutsche Grammatik (Gotisch, Alt-, Mittel- und Neuhochdeutsch). 1. Abteilung: Lautlehre. 4. (Schluss-)Lieferung. gr. 8. XIX u. S. 241—332. Strassburg Trübner. 2 M. Komplet 6,50 M.

Renatus J. Spaziergänge durch die Sprache. Freie Studien. 96 S. 8⁰. Bautzen Hübner. 1,20 M.

Oehquist J. Über einige Schwankungen im deutschen Sprachgebrauch. Mémoires de la Société néo-philologique à Helsingfors. I. (Leipzig Harrassowitz in Komm. 6 M.)

Nagl W. Zur Aussprache des ahd. *ě* in den obd. Mundarten PBrB. XVIII 262—269.

    'ahd. *ě* ist in den obd. [bair.-österr.] Dialekten als offenes *ę* (oder stellvertretendes mittleres *ę*) in vielen Fällen geblieben: wo es zu geschloss. ẹ wurde, liegt die Einwirkung eines echten oder unechten *i* der Nachsilbe vor.' 1) bair. u. alem. *zẹ̈ni, sẹ̈ksi* aus *zë̆hniu, sëhsiu*, aber *sĕchzk* (mhd. *sĕchzec*), *zĕchad* (mhd. *zĕhende*). (Sievers vergleicht *fünfe, fünf* : *funfzehn, funfzig*; mhd. *ähte : ahte*). *pẹlz* aus mhd. *bĕlliz.* 2) ahd. *pĕtalōn* zu *bẹdln, trẹtōn* zu *trẹtn, trĕten*; aber *ga-bĕtan* über *gebĕtin* (12. Jh.) zu *bẹdn, trẹtan* über *trĕtin* zu *trẹdn.* — *brechɔ, stechɔ, mẹssn, ẹssn, lẹschn.* Alemann. abweichend. *ht, r + cons., l + cons.* hindert diesen Übergang (Umlaut) von ĕ zu ẹ : *fehtn, flehtn, hẹlfe, gẹldn, mẹlchɔ, stẹrbm.* Hinter *r, l* früher Ausfall des Vokals der Nachsilbe, daher kein Umlaut: *bẹlln, begẹrn, geschwẹrn.*) 3) *spẹg, drẹg, brẹd, flẹg* eigentlich nur die Dative (spätahd. *spĕcki*), als Nominative gebraucht vgl. *bäm*, lautgesetzlicher Dativ, für *bā̆-.

Aron O. Zur Geschichte der Verbindungen eines *s* bezw. *sch* mit einem Konsonanten im Nhd. PBrB. XVII 225—71.

Reiche Belegsammlung. Beginn der Schreibung *sch* um 1300, Zunahme gegen das 15. Jh. hin. Im Md. und Elsäss. ist die alte Schreibung *s* beliebter als in den andern Dialekten. *š* entstand wortinlautend nach *r* und durch Mouillierung in *sl* vor *i* (*gast-geĭste, gerüĭste*). Im Wortanlaut entstand *š* nach *r*, 'wenn ihm unmittelbar ein den Hauptakzent (des Satzes) nicht tragender Laut folgte'; spätestens im 14. Jahrh.

Hildebrand R. Zur Geschichte der Aussprache in neuester Zeit. Zeitschr. f. d. deutschen Unterr. VII 153—165, 449—451. Preuss. Jahrbb. LXXII 3.

Goethes 'sehr *aisée* sächsische Sprache' (Rahel, Buch d. Andenkens II 331). Dialektische Aussprache der Umlautvokale *ö, ü, eu*, namentlich in Mitteldeutschland. Nach Hildebrands Erinnerungen vollzog sich der langvorbereitete Umschwung der dialektfreien Sprache der Gebildeten in Leipzig etwa in den vierziger Jahren. Zur Aussprache in Sachsen und anderwärts im 18. Jahrh. aus **Lessing**: *dreuste, schleinig, schleiden, zeigen* (= zeugen); aus **Herder**: *schleinig*; Mendelssohn: *schleidern*; Gottsched, Schönaich: *schmäucheln.* Umlaute im Reim bei Gellert; Haller, Bodmer — **Schiller**, **Goethe**. — Verwechslung der Konsonanten in der Sprache der Gebildeten des vorigen Jahrhunderts (Goethe : Koethe u. a.). Vgl. auch ZfdU. VII, 757 f. und 'Nachträglich zu S. 450' ebd. 786.

Heine Gerb. Zur Geschichte der Aussprache. Zeitschr. f. d. deutschen Unterr. VII 451—5.

Vgl. Hildebrand Zeitschr. f. d. deutschen Unterr. VII 153 ff. Zeugnisse aus den Briefen von Mitgliedern der fruchtbringenden Gesellschaft dafür, 'dass es im 17. Jahrh. Gebildete in Mitteldeutschland gegeben hat, bei denen *ö, ü, eu* in der Aussprache nicht mit *e, i ei* zusammenfielen".

Jeitteles A. Das nhd. Pronomen II. Zeitschr. f. deutsche Philol. XXVI 180—201.

4. Demonstrativpronomen. a) *der* (Belege für *diu, das, deme, dere dero, dessen, deren, derer, denen*); b) *dieser* (*dirre, dirr, diß*); c) *jener* (*ener, gener*); d) *der jenige* (*der jener, der jene*); e) *derselbe, derselbige; selber, selbiger.* — 5. Relativum. — 6. Interrogativum. — 7. Unbestimmtes Pronomen. a) *jemand — niemand*; b) *jeder — jedweder*; c) *jedermann.*

Pietsch P. *welcher* und *der* in Relativsätzen. PBrB. XVIII 270—73.

Die Anfänge der stärkeren Bevorzugung von *welcher* werden 'jedenfalls nicht vor die 50er Jahre fallen'. Verweist auf Schopenhauer 'Über die seit einigen Jahren methodisch betriebene Verhunzung der deutschen Sprache' ed. Griesebach (Reclam 2919/20) S. 118 f.: *welcher* usw. 'seiner ungebührlichen Länge wegen bei unsern meisten Schreibern ganz verfehmt'.

Eckstein E. Der unbestimmte Artikel. Westermanns Monatshefte Jhg. XXXVII August.

Eckstein E. Die Zukunftsreform unserer Zeitwörter. Sprachwissenschaftliche Skizze. Westermanns Monatshefte Jhg. XXXVII Juni.

Sprenger R. Hoffmann-Krayer E., Nerger E., Speck E., Richter A., Franke C., Schur F., Mentz F.: Die Imperativform 'bis'. Zeitschr. f. d. deutschen Unterr. VI 437, 575 f. 719—22.

Fränkel L. Nochmals zu mitteld. *'bis'*. Zeitschr. f. d. deutschen Unterr. VII 566/7.

Hauschild Die Verbindung finiter und infiniter Verbalformen desselben Stammes. Berichte des Freien Deutschen Hochstiftes N. F. IX 2.

Fränkel L. Zum Kapitel der sogenannten 'gehäuften Negation. Zeitschr. f. d. deutschen Unterr. VII 139 f.

Schwab Otto Die pleonastische Negation im Nhd. Zeitschr. f. d. deutschen Unterr. VII 807—23.

Belege.

Fey E. Die Temporalkonjunktionen der deutschen Sprache in der Übergangszeit vom Mhd. zum Nhd., besprochen im Anschluss an Peter Suchenwirt und Hugo von Montfort. 104 S. 8°. (= Berliner Beiträge zur germ. u. rom. Phil., german. Abteilung Nr. 4). Berlin Vogt. 2 M.

Maydorn B. Über die Konjunktiv-Umschreibung mit *würde*. Zeitschr. f. d. deutschen Unterr. VI 44/8.

Reichel R. Der Missbrauch des Konditionals. Zeitschrift für den deutschen Unterr. VI 57/9.

Tomanetz K. Zum Konjunktiv zur Bezeichnung der Wirklichkeit. Zeitschr. f. d. deutschen Unterr. VII 788—807.

T. schlägt den Namen 'realer Konjunktiv' vor, für das was Hildebrand 'vorsichtiger' Konjunktiv nannte. 1) Ausdruck der Unsicherheit: Parz. 188, 30 *din erste rede wære mîn*; 2) 'Vom eigentlich Unsicheren oder Zweifelhaften springt der Modus infolge einer psychologisch ganz erklärlichen Assoziation auf jenen Gedanken über, der gewissermassen nur die Folie für den ersteren abgiebt': *'Ich dächte doch* [= ich denke, Realität], *dass er im Recht ist'* [oder 'sei', Unsicherheit]; 3) Die Thatsache darum konjunktivisch ausgedrückt, 'weil der Gedanke an das Eintreten derselben früher in der Seele den Charakter des Unsicheren, ja Unmöglichen an sich hatte': Less. Nathan V, Anf. '*So wär' ich ja der erste, den Saladin mit Worten abzulohnen endlich lernte*'. 4) 'Formale Übertragung': 'Die Form, in der ein Gedanke früher gedacht wurde, hat auf seinen späteren Ausdruck Einfluss': '*Da wären wir*' [etwa vorausgehender Wunsch: 'wären wir da']. Lessing Minna III 10 '*Doch Franziska wir wären allein. Aber da das Fräulein den Brief noch*

nicht gelesen hat' usw. (= Wenn das Fräulein usw.). — Die Formen
gehen in einander über.

Behaghel O. Zur deutschen Wortstellung. Zeitschr. f. d. deutschen
Unterr. VI 265/7.

    Gegen Wasserzieher Zeitschr. f. d. deutschen Unterr. V 813
(freiere Wortstellung in alter Sprache üblich).

Franke Fr. Über die Stellung des finiten Verbums vor dem Objekt. Zeitschr. f. d. deutschen Unterr. VI 350.

    Nachtrag zu Wasserzieher Zeitschr. f. d. deutschen Unterr. V
813 (freiere Wortstellung bei Fichte).

Langer O. Über die Umstellung der Wortfolge nach 'und'. Zeitschr.
f. d. deutschen Unterr. VI 722/3.

Isidor Der ahd., Faksimile-Ausgabe des Pariser Kodex nebst kritischem Texte der Pariser und Monseer Bruchstücke. Mit Einleitung, grammatischer Darstellung und einem ausführlichen Glossar
von G. A. Hench. XIX und 195 S. 8⁰. Strassburg Trübner
(= QF. 72). 20 M.

Junghans F. Die Mischprosa Willirams. Diss. 41 S. gr. 8⁰. Berlin
Mayer u. Müller. 1 M.

Mourek V. E. Krumauer altdeutsche Perikopen vom J. 1388. —
Zum Dialekt der Krumauer altdeutschen Perikopen vom J. 1388.
Sitzungsber. d. Königl. böhm. Gesellsch. d. Wiss. Philos.-hist.-philol.
Kl. 1892 S. 176—190, 191—202.

    Die Perikopen machen den bedeutendsten Teil eines Krumauer
Papierkodex aus, über welchen M. ebd. 1891, nachzusehen. Der
Text derselben scheint auf die 'alemannische' Evangelienübersetzung
a. d. Ende d. XII. Jh. zurückzugehen, der Schreiber hat jedoch die
Perikopen in seinem (bairischen) Dialekt niedergeschrieben, so dass
dieselben wohl eine urkundliche Grundlage für die Kenntnis des
südböhm. deutschen Dialekts in seinem Zustande am Schlusse des
XIV. Jahrh. bieten. Im 2. Aufsatz werden die Vokale u. Konsonanten des Denkmals besprochen: der Dialekt erweist sich als
bairisch, abgesehen von Spuren des Einflusses der mitteldeutschen
Kanzleisprache (Kontraktion von *uo, ie* zu *u, i, k* statt *ch*).

Fischer H. Zur Frage nach der Existenz einer mhd. Schriftsprache
im ausgehnden 13. Jahrh. 18 S. 8⁰. Progr. der Oberrealschule
zu Teschen. 1892.

Scheel W. Beiträge zur Geschichte der nhd. Gemeinsprache in
Köln. Marburger Diss. 1892. 40 S. 8⁰.

Uhle Th. Grundzüge der Entstehung unserer Schriftsprache. Wissenschaftliche Beilage zur Leipziger Zeitung. 1893. Nr. 113.

Kluge Fr. Über deutsche Studentensprache. Bericht über die Jahres-
versammlung des Deutschen Sprachvereins zu Weimar. Weimar
1892. S. 5—18. Abdruck in der Beilage zur Allgem. Zeitung 1892
Nr. 297.

    Einfluss Jenas auf die Studentensprache. Dürftigkeit der

Quellen bis Ende des 18. Jahrh. Geschichte von Wörtern der 'Burschensprache'.

Wrede F. Berichte über G. Wenkers Sprachatlas des deutschen Reiches. IV. AfdA. XIX 1 S. 97—112. V. ebd. XIX 2 S. 200—208. VI. ebd. XIX 3 S. 277—288. VII. ebd. XIX 4 S. 346—360.
5. *was*. 6. *salz*. 7. *pfund*. 8. *hund*. 9. *winter*. 10. *kind*. 11. *mann*. 12. *drei*. 13. *nichts*. 14. *luft*. 15. *wein*. 16. *wasser*. 17. *bald*. 18. *felde*. 19. *gross*. 20. *tot*. 21. *brot*. 22. *milde*. 23. *bett*. 24. *sitzen*.

Mentz F. Bibliographie der deutschen Mundartenforschung für die Zeit vom Beginn des 18. Jahrh. bis zum Ende des J. 1889 zusammengestellt. XX u. 181 S. gr. 8⁰. (= Sammlung kurzer Grammatiken deutscher Mundarten, hrsg. von O. Bremer II.) Leipzig Breitkopf u. Härtel. 5 M.

Bangert F. Die Sachsengrenze im Gebiet der Trave. 35 S. 4⁰ mit Karte. Leipzig Fock. 1,20 M.

Bernhard J. Lautstand der Glückstädter Mundart. Niederd. Jb. XVIII (1892) 81—104.

Brandis E. Zur Lautlehre der Erfurter Mundart. II. 16 S. 4⁰. Programm des Gymn. zu Erfurt 1893.

Brendicke H. Der Berliner Volksdialekt. Schriften des Vereins f. d. Gesch. Berlins XXIX 1.

Brenner O. Ein Fall von Ausgleichung des Silbengewichts in hairischen Mundarten. IF. III 297—301.

Brenner O. Von der rotenburger Mundart. Bayerns Mundarten II 1.

Damköhler E. Probe eines nordostharzischen Idiotikons. 30 S. 4⁰. Progr. des Gymn. Blankenburg a. H.

David Ed. Die Wortbildung der Mundart von Krofdorf. Germania XXXVII 377—410. (Giessener Diss.)
A. Wortbildung durch Suffigierung. B. Wortbildung durch Präfigierung. C. Wortbildung durch Zusammensetzung. D. Satzkomposita.

Flex R. Beiträge zur Erforschung der Eisenacher Mundart. 16 S. 4⁰. Progr. des Karl-Friedr.-Gymn. zu Eisenach. 1893.

Florax L. Französische Elemente in der Volkssprache des nördlichen Roergebietes. 28 S. 4⁰. Progr. des Realprogymn. zu Viersen.

Franke C. Ostfränkisch u. Obersächsisch. (Forts.) Bayerns Mundarten II 1.

Glöde O. Dialektische Verstümmelungen. Zeitschr. f. d. deutschen Unterr. VI 442.

Glöde O. Mecklenburgisches. Korrespondenzbl. des Vereins f. nd. Sprachforschung XVI 3.
Frag. Fürwörter; Eigentümlichkeiten im Gebrauche der Zeitwörter; Bildung der zusammengesetzten Zeiten; Gebrauch der Konjunktionen.

Gradl H. Die Mundarten Westböhmens (Forts.). Bayerns Mundarten II 1.

von Gutzeit W. Wörterschatz der deutschen Sprache Livlands. 1. Tl. 5. Lfg. 3. Tl. 3. Lfg. 4. Tl. 2. Lfg. u. Nachträge zu *A—R*. S. 339—345; 23—83; 28 S. S. 13—21 und Nachträge 38 S. Riga Kymmel. 3 M.

Halbfass Zwei verschollene deutsche Sprachinseln in Piemont. Wiss. Beilage der Leipz. Zeitg. 1893 Nr. 21.

Hertel L. Salzunger Wörterbuch. (Aus den Mitteilungen der geogr. Gesellschaft [für Thüringen]). 53 S. gr. 8⁰. Jena Fischer. 1,20 M.

Herwig Idiotismen aus Westthüringen. 32 S. 4⁰. Progr. des Realprogymnasiums zu Eisleben. 1,50 M.

Kahl W. Mundart und Schriftsprache im Elsass. VIII u. 62 S. 8⁰. Zabern Fuchs. 1,60 M.

Kisch G. Die Bistritzer Mundart verglichen mit der moselfränkischen. PBrB. XVII 347—411.

Bistritz deutsche Kolonie im NO. Siebenbürgens. 1. 'Die Lautverhältnisse, besonders aber eine Menge den verglichenen Mundarten zum Teile ausschliesslich gemeinsamer Idiotismen beweisen unbedingt den mfr. Charakter'. 2. 'Die Bistr. Ma. steht innerhalb des Mfr. dem spezifisch mslfr. Gebiete, besonders dessen linksrheinischen Teile . . . so nahe; dass sich . . . ursprüngliche Identität . . . ergiebt'.

Kisch G. Die Bistritzer Mundart verglichen mit der moselfränkischen. Progr. Tübingen. 67 S. 8⁰. Leipzig Fock.

Meier J. Die deutsche Sprachgrenze in Lothringen im 15. Jahrh. PBrB. XVIII 401 f.

Zeugnis aus einem Itinerar von 1473.

Meyer H. Die alte Sprachgrenze der Harzlande. 46 u. 1 S. 8⁰. Göttinger Dissertation 1892. Göttingen Dietrich.

Meyer-Markau W. Unsere hochdeutsche Sprache in ihrem Duisburger Alltagsgewande. Vortrag. 36 S. 8⁰. Duisburg Ewich (= Niederrheinische Sprachbilder hrsg. v. Meyer-Markau Heft 1). 0,60 M.

Mielck W. H. Die Namen der Vögel im Nd. Korrespondenzbl. d. Vereins f. nd. Sprachforschung XVI 6.

Reis H. Mischungen von Schriftsprache und Mundart in Rheinhessen. Germania XXXVII 423—425.

Aufnahme von Vokalen in den Dialekt, soweit nicht physische Schwierigkeiten entgegenstehen (Beibehaltung des 'Gepräges' der Mundart). Anders bei Konsonanten ausser bei *g*. Mhd. *g* im Inlaut zu *h* (Fortfall), *-rg-* zu *-rj-*; Mischsprache *ch* (d. i. Spirans), *-rj-* zu *rch-*; daraus weiter entwickelt *sch* (= *š*); dessen Bekämpfung durch die Schule hat auch *chreien* (für *schreien*), *fleich* (für *fleisch*) usw. erzeugt.

Ritschel A. Das Prager Deutsch. Phon. Stud. VI 2.

Schild P. Die Brienzer Mundart. II. Teil. Konsonantismus. PBrB. XVIII 301—93.

Schneller Beiträge zur Ortsnamenkunde Tirols. I. Innsbruck Vereinsbuchhandlung.

Schöppe K. Naumburgs Mundart. Im Umrisse dargestellt. III u. 58 S. gr. 8⁰. Naumburg Sieling. 1 M.

Schweizerisches Idiotikon 24. Heft (III. Band Sp. 449—608). 25. Heft. Frauenfeld Huber. je 2 M.

Seelmann W. Rollenhagen über mundartliche Aussprache. Niederd. Jb. XVIII (1892) 120/3.

Aus der 'Paedia' 1619 und aus 'Abecedarium Magdæburgense' 1603. "Die Nachrichten Rollenhagens bezeugen, dass in gewissen Gebieten Deutschlands bereits vor 300 Jahren dieselben mundartlichen Besonderheiten der Aussprache zu beobachten waren, die noch heute daselbst begegnen"; z. B. die Meissner beten nach R. "*Ne nos intucas in dendatzionem.* Item: *Dua est Bodentzia*" usw.

Seiling M. Svetizismen in der deutschen Umgangssprache in Finland. Mém. Soc. néo-phil. à Helsingfors. I 372. Hels. Waseni-uska B., Paris Welter.)

Sprenger R. Vermeintliche Reste des Wendischen in der Berliner Volkssprache. Zeitschr. f. d. deutschen Unterr. VI 211/3.

Stehle Br. Zur neuesten elsässischen Dialektforschung. Zeitschr. f. d. deutschen Unterricht VII 9.

Treichel A. Provinzielle Sprache von und zu Tieren und ihre Namen. Altpreussische Monatsschrift XXX 314.

Wasserzieher R. Flensburger Deutsch. Zeitschr. f. d. deutschen Unterr. VI 563.

Sprenger R. Zu Wasserziehers Aufsatz 'Flensburger Deutsch' Zeitschr. f. d. deutschen Unterr. VI Nr. 12 S. 842.

Haase K. Ed. Zu Wasserziehers Aufsatz 'Flensburger Deutsch'. Zeitschr. f. d. deutschen Unterr. VII Nr. 2.

Kohrs H. Zum Flensburger Deutsch. Zeitschr. für den deutschen Unterricht VII Nr. 5/6.

Wiener L. On the Judaeo-German spoken by the Russian Jews. I. Am. Journ. Phil. XIV 41—68. II. ebd. 456—83.

I. History. II. Phonology. III. Accidence. IV. Interrelation of component elements. V. Syntax. VI. Extracts.

Wrede F. Hochfränkisch und Oberdeutsch. HZ. XXXVII 288—303.

Das hfr. hat mehr obd. als md. Charakter; alem. bair. hfr. stehn als Einheit dem md. gegenüber, das aus rheinfr. u. mfr. besteht. Beschreibung der Grenze zwischen Obd. und Md.: "als obd. haben diejenigen hd. Mundarten zu gelten, die statt germ. nd. md. *p* im Anlaut und in der Gemination die Affrikata *pf* aufweisen und ausserdem die *l*-Diminutiva haben". Die Einteilung u. Abgrenzung der heutigen obd. Hauptmundarten ist auf Grund folgender Formel vorgenommen: "Von den obd. Mundarten ist für das Bair. pronominales *enk*, für das Hfr. dentale Forlis *t*, für das Alem. das Fehlen dieser beiden Kriterien charakteristisch."

Bonk H. Ortsnamen in Ostpreussen. I. II. Altpreuss. Monatsschr. XXX 3/4.

Streitberg W. Zur Geschichte des Deutschtums in der Westschweiz. Beilage zur allgem. Zeitung 1893. Nr. 71 u. 72.

Bartels P. Zur Volksetymologie. Zeitschr. f. d. deutschen Unterr. VII 1.

Begemann H. *lebéndig*. Zeitschr. f. d. deutschen Unterr. VI 12.

Hildebrand R. Noch einmal *lebendig* und sein Ton. Zeitschr. f. d. deutschen Unterr. VII 158—65.

> Vgl. Behaghel ebd. VII 7.

Birlinger A. Lexikalisches. ZZ. XXVI 235—55.

> Sammlung bemerkenswerter Wörter u. Wortverbindungen aus Schriften v. Joh. Sigesm. Hahn, D. Stoppe, B. L. Tralles und anderen Schlesiern der Zeit 1580—1760. Vgl. ZZ. XX 288. 349. 487.

Branky F. Vulgärnamen der Eule. ZZ. XXVI 540/7.

v. Domaszewski A. Das deutsche Wort *braut* in lateinischen Inschriften. Neue Heidelberger Jahrbücher III 2.

Dove A. Bemerkungen zur Geschichte des deutschen Volksnamens. Sitzungsber. d. phil.-hist. Klasse der kgl. bayer. Akademie der Wissensch. 1893 Heft 2.

Fischer H. Theotiscus. Deutsch. PBrB. XVIII 203—05.

> *Th.* ist in gelehrten Kreisen aufgekommen, eine künstliche Neubildung, wahrscheinlich der Form, sicher dem Sinn (= Germanicus) nach.

Glöde O. Volksetymologische Bildungen. Zeitschr. f. d. deutschen Unterr. VII 10.

Gombert A. Weitere Beiträge zur Altersbestimmung nhd. Wortformen, mit besond. Berücksichtigung des Heynischen deutschen Wörterbuches. Progr. gr. 4⁰ (20 S.). Gross-Streblitz Wilpert. M. 1.

Hildebrand R. 'Charakter' in der Sprache des vorigen Jahrhunderts. Auch ein Beitrag zur innern Geschichte unserer Litteratur. Zeitschr. f. d. deutschen Unterr. VI 457— 69.

Hildebrand R. Der kleine Horn, der Februar. Zeitschr. f. d. deutschen Unterr. VII 289 f.

Hildebrand R. Aus unserer französischen Zeit. Zeitschr. f. d. deutschen Unterr. VII 513—21.

> 4. 'Französisches Latein u. Griechisch': *Mecänas* (Gottsched), *Mecän* (Herder), *Mecoenas* (Haller). — 5. 'Weiteres der Art in der Wissenschaft': *Phänomenon* (Herder); *Genese*; *authentik* (Herder), *specifique* (Lessing), *Epoque* (j. Goethe). — 6. *Sophókles* (Gottsched). *Semele* (Herder), *Euripiden* Dat. (Spreng.) — 7. 'Behandlung der Endungen unter frz. Einfluss'. — 8. 'Nachwirkungen für jetzt und immer'.

Hildebrand R. Nachträgliches zu Grimms Wörterbuch, dazu ein Beitrag zur innern Geschichte unserer Litteratur Zeitschr. f. d. deutschen Unterr. VI 224—39.

> 1. Zu der Redensart 'einen Korb geben'. 2. 'Zu bis' in der

Bedeutung 'so lange als'. 3. Kritik für Ästhetik. (4. Ablehnung ewigen Nachruhms bei unsern Dichtern).

Hoffmann-Krayer E. Zu 'lurjan'. Zeitschr. f. d. deutschen Unterr. VII 565.

　lür- : 'trägsein' vgl. *lauern, lauen, lausern, lilu* usw. *schlauren, slören, slüren, slüren* usw.

Kaindl R. F. Die französischen Wörter bei Gottfried von Strassburg. Zeitschr. f. rom. Phil. XVII 3/4 (vgl. Abt. VII).

Krumbacher K. Woher stammt das Wort *Ziffer?* Études de philologie néo-grecque publ. par J. Psichari S. 346—56.

Lammer E. Bedeutungswandel einiger Worte seit dem vorigen Jahrhundert, insbesondere des Worts *Schrecken.* Zeitschr. f. d. deutschen Unterr. VII 9.

Faulmann K. Etymologisches Wörterbuch der deutschen Sprache, nach eignen neuen Forschungen. VIII u. 421 S. Lex.-8⁰. Halle Karras. 12 M.

May M. Beiträge zur Stammkunde der deutschen Sprache nebst einer Einleitung über die keltgermanischen Sprachen. Erklärung der perusinischen (tuskischen) Inschriften und Erläuterung der engubinischen (umbrischen) Tafeln. CXXX u. 299 S. Lex.-8⁰. Leipzig v. Biedermann. 8 M.

Kluge Fr. Etymologisches Wörterbuch der deutschen Sprache. 5. verbesserte u. stark vermehrte Auflage. 8.—10. Lieferung (Schluss des Werkes). 3 M. Komplett 10 M. Strassburg Trübner.

Duden K. Etymologie der neuhochdeutschen Sprache m. e. ausführlichen etymologischen Wörterverzeichnis, zugleich 3. Auflage von Bauer-Frommanns Etymologie. Ein Hilfsbuch für Lehrer und für Freunde einer gründlichen Einsicht in die deutsche Sprache. IX u. 272 gr. 8⁰. München Beck. 3,60 M.

Grimm J. und W. Deutsches Wörterbuch. IV. Band 1. Abteilung 2. Hälfte 10. Lieferung (*Geschickt — Gesetz*), bearbeitet von R. Hildebrand u. K. Kant. — VIII. Band 11. Lief. (*Saumspinne— Schämen*). 12. Lief. (*Schämen—Schaudergemälde*). 13. 14. Lief. (*Schaudergrauen—Schellen, Schellen—Schiefe*), bearb. unter Leitung von M. Heyne. Preis des VIII. Bandes 28 M. — XII. Band 5. Lief. (*Verleihen — Verpetschieren*), bearb. von E. Wülcker. Leipzig Hirzel. Jede Lieferung 2 M.

Heyne M. Deutsches Wörterbuch. 5. Halbband *R—Setzen.* Lex.-8. Leipzig Hirzel. 592 Spalten. 5 M.

Roethe G. Zu mhd. *töre.* Germania XXXVII 439.

　　Zu Jeitteles Germ. XXXVII 204 (s. IF. Anz. III 102) Verweis auf Roethe Reinmar v. Zweter Anmerk. zu III 6. Pliegende Blätter LXXXVII 5, 96: er hörts net, er ist *doret.*

Schröder E. *Pfennig.* HZ. XXXVII 124—27.

　　Der Nasalschwund in der nachtonigen Silbe stellt sich am frühsten ein, wenn im Silbenanlaut *n* steht. Vgl. *honac cunig phennig.* Auch *senede* gehört hierher, auch *brinnede.* Dieselbe Erschei-

nung in Kompositis: *ochsenkropf* usw. aber *hanebalke hanekrät* usw.
Das *n* fehlt auch in den jüngsten Schichten: vgl. *swinebräte tenne-ris*
u. *Schönebeck Grüneberg* usw. gegenüber *Bernburg Ochsenberg* usw.

Sprenger R. Lurlenberg. Germania XXXVII 416.

Lorely (Marner MSH. II 251); zu erklären durch *lürle* = 'Lerche'
(bei Stalder)?

Wasserzieher E. Tautologieen. Zeitschr. f. d. deutschen Unterr.
VII 606 f.

Bibelbuch, Chinarinde, Dachziegel, Damhirsch, Diebstahl, Elen-
tier, Goldgulden, Grenzmarke, Kneifzange, Beisszange, Lebkuchen.
Lintwurm, Maulbeere, Maultier, Nietnagel, Oberarzt, Pachtkontrakt,
Pachtvertrag, Salweide, Tragbahre, Windhund u. a.

Wasserzieher E. Doppelgänger in der Sprache. Gegenwart 1893
Nr. 17.

Wasserzieher E. Erbgut und Lehngut in unserer Muttersprache.
Gegenwart 1893 Nr. 24.

Wassmannsdorff K. Das Turnwort Notkers und der Turnierzeit
bedeutet nicht 'Leibesübungen treiben'. Leipzig Hesse u. Recker
1893. 16 S. 8⁰.

turnen bei Notker = 'lenken', aus dem Lat., mhd. *turner* =
turnier, in sachlicher, wie persönlicher Bedeutung. *turner* bei Mo-
scherosch.

Minor J. Über die allgemeinen Grundlagen der nhd. Verskunst
Zeitschr. f. österr. Gymn. XLIV 1.

Minor J. Neuhochdeutsche Metrik. Ein Handbuch. XVI u. 490 S.
gr. 8⁰. Strassburg Trübner. 10 M.

Göttingen. Victor Michels.

X. Baltisch-Slavisch.

B. Slavisch.

Maretić T. Zivot i kńiževni rad F. Miklošića (F. Miklosichs Leben
und litterarische Thätigkeit) Rad Ingosl. akad. CXII 41—153.

Mit kritischen Bemerkungen und eigenen Deutungen. U. A.:
kchslv. *togo* aus **ta+go* nach *tomu*, *tomь*. Analogiebildungen in der
zusammenges. Deklin.: *dobrъimi dobryimi* u. Ä. auf Grund von
Gen. Pl. *dobrъichъ* nach *simi* : *simъ*; kroat. *dobroga* nach *toga*; russ.
bogatojem nach *mojem*; böhm. *dobrého* nach *mého* (= *mojego*). Kroat.
veľača 'Februar' hypokorist. aus *veľanoć*. Verf. hält mit Miklosich
das Kchslv. für pannonisch (die Mähren und Slovaken gehörten
aber auch im IX. Jahrh. zum böhm. Stamm, nachdem lat. *Venceslaus*
für das Böhm. noch im X. Jahrh. Nasalvokale verbürgt): für *tj dj*
hat nur das Nordbulg. *št žd* wie das Kchsl., das Salonikische, die
Muttersprache Cyrills und Methods dagegen *ć d* (dies ist jedoch
nicht konsequent, daher wohl nicht alt, und mit andern Erscheinungen des mazedonischen Bulg. zu verbinden, die wie Serbismen
ausschauen: *Polivkas* Anzeige, Athenaeum X 208).

Baudouin de Courtenay J. J. Dva voprosa iz učenija o smjagče-

niji ili palatalizaciji v slovjanskich jazykach (Zwei Fragen a. d.
Lehre von der Erweichung od. Palatalisierung i. d. slav. Sprachen,
russ.). Dorpat 1893. 0,60 M.

Zubatý J. Zur Deklination der sog. -$i\bar{a}$- und -io-Stämme im Slavischen. A. f. sl. Ph. XV 4 493—518, mit einem Zusatz von Jagić ebd.
518—524.

Unterschied in der Bildung des Gen. Sg. und Nom. Akk. Pl.
der $i\bar{a}$- und des Akk. Pl. der io-Stämme. Russ. Poln. Obersorb. Čech.
haben Bildungen, deren Endungen im Abg. als -é erscheinen müssten,
z. B. aruss. Gen. nedělé, Akk. Nom. Pl. kaplé, Akk. Pl. M. vъsé. Sie
stimmen nicht zu abg. dušę usw. Sonstige Fälle des Wechsels von ę,
mit é vor Nasal, vgl. pomęnati u. pomęnati; hier ursp. -enn- verschieden in den Dialekten behandelt: russ. ę, sonst é. Ebenso: pěsъkъ : ai.
pąsúṣ, měsąeъ : mēnsis, lit. mėsà : ai. mąsám. Daneben męso lett.
měsa : Satzsandhiformen. So aber nicht der Wechsel -é (aus -ēs)
u. -ę (aus -ens) in den Endungen zu erklären. Der alte Gen. Sg.
der ā-Ste. endet auf -ās, der von $i\bar{a}$-Sten. auf -$i\bar{a}s$, das slav. zu -é-
wird (Archiv XIII 622). Schwieriger sind die ę-Formen zu erklären:
Exkurs über ausl. Nasale -ōn zu -y, -ŏ zu -a (-ōn auch im Part. Präs.
Akt. nesy = φέρων, vgl. auch -y : -a in čech. kdy tdy usw.: čech.
kda tda usw.; d. i. idg. -ōn : -ō wie in ai. tadān-ĭm : tadā. Lit. gehören hierher: die älteste Form des Part. ist das Neutr. suka; ai. tadān-
= tadā (vgl. tadan-gi); Nom. der n-Stämme -ŭ = ŏ; idg. -ōns =
ar. -āns = slav. -y (-iōns = -ię), balt. 1) -ans in preuss. deiwans.
2) -ŭs, doch kann auch idg. -ōs vorliegen, die Form des Nom. Idg.
-ōm : slav. zu -ъ (-ōn zu -y!) lit. zu -ų (-ōn zu -ą!).

Die Fem. Akk. Plur. auf -y und -ę sind von den Mask. entlehnt. Im Gen. Sg. kehrt -ę in lit. manęs usw. wieder.

Im Akk. Pl. der io-Stämme ist russ. usw. -jé -é ebenso unursprünglich wie -ję im Pl. der iē- u. $i\bar{a}$-Stämme. — -jé- für -ja- im
čech. Dual ist durch das é der Nom. Du. entstanden. — Die südslav. Sprachen haben *dušé *zemľé verloren, weil daraus *duša
*zemlja d. h. Formen = Nom. Sg. geworden wären. — $i\bar{a}$ wird Slav.
lautgesetzlich zu é (vgl. źiòju : zéją), woher russ. zemljé usw. Genau
so wie *beratji für *berati zu erklären.

Jagić V. Ein Zusatz. Ebd. S. 518—24.
1. Bedenken gegen é aus ia, das durch keine sichern Beispiele
belegt ist. Zudem ist durch nichts bewiesen, dass in den südslav.
Sprachen *dušé zu *duša hätte werden müssen. Wendet sich dann
gegen die Trennung der Genitive ryby u. dušę. Die letzte Form
wird nicht durch den Hinweis auf russ. menja = lit. menęs er-
läutert, da die russ. Form jungen Datums ist. Der russ. Gen.
dušé müsse Neubildung sein, denn es ist schwer zu glauben,
dass urslav. -šé nie entweder zu -ša oder zu -ši geworden wäre.
Ferner ist beachtenswert, dass in den Sprachen -ę durch -é ersetzt
ist, wo die lautgesetzliche Entwicklung des -ę zum Zusammenfall
von Nom. u. Gen. geführt hätte. Fürs Čech. steht der behauptete
Gen. auf -é nicht fest; -ie geht auf -ę zurück; auch fürs Poln. bleibt
die Möglichkeit, -e aus -ę herzuleiten offen. (W. Str.)

Matzenauer A. Příspěvky ke slovanskému jazykozpytu (s. Anz. I
194 u. II 139. Listy filol. 20 1 2 1—24.
Deutungen von nsl. silje — poln. skrodlić.

Meillet Etymologies. Mém. soc. ling. VIII 236—238. Über die Behandlung der Nasalis sonans im Slavischen.

Slav. *sъlъ* 'Bote' von asl. *sъlo-* erscheiut im Armeh. *yowl-arkel* 'senden'.

Prusík F. Etymologica. Krok VI 10 436—438, VII 2 53—55 (s. Anz. II —).

12. Altböhm. *poluzený* 'verzinnt'; russ. *luda* 'Oberkleid, Über-zug' (aus ahd. *ludo lodo*). 13. Altböhm. *krla* 'Euter', asl. *krъnica*, sl. **korva* 'Kuh', russ.-pol. *ćara* 'Becher', griech. κόρη, κόρος, ai. *cari* 'junge Frau', *káraka-* u. A.: W. *ker-* 'giessen'; sl. *děva* 'Mädchen': W. *dhē-* 'säugen'. 14. Altböhm. *rúditi* 'zum Zorn reizen' u. A.: W. *reụd-*, ai. *rudrá-*, *róditi*. 15. Asl. *srъna* 'Reh': av. *srvā-*, ai. *ṣṛṅga-*, griech. κέρας, l. cornu. — 1. sl. *kalъ* 'Schmutz' : ai. *kála-*, lat. *cāligo*, griech. κηλάς, κηλίς; sl. *kaliti* 'refrigerare' : griech. κηλέω; r. *kalit'* 'glühend machen' : griech. κήλεος, κηλόω. 2. sl. **kolsъ* 'spica' : W. *kel-*, lat. *excellere* usw.; böhm. *klas* 'iocus, sanna', *klam* 'Falsche, Betrug' : W. *kol-* 'stechen', lit. *kálti* usw. 3. Sl. *sъsati* 'saugen' : ai. W. *su-*, griech. ὖω. 4. Die Vogelnamen asl. *vranъ*, *gavranъ*; *sko-vranъ*, böhm. *skřivan*, asl. *gъsь*; böhm. *ćečetka*; *ieźhulka*, krkavec; asl. *żeravъ*; *tetrěvъ*; böhm. *sýc*, *sýkora*.

Prusík F. Slavische Miszellen. KZ. XXXIII 1 157—162.

1. asl. *chlakъ*, *chlastъ*, griech. ὁλκός, lat. *sulcus*, ags. *sulh*. 2. Das Imperativsuffix *-dhi* im Balto-Slavischen: neben lit. *veizd(i)*, *dùd(i)* auch in *vèski* (**vezd(i)-ki*); slav. *idq*, *jadq*, *bqdq* (**bъn-d-*), *dad-* setzt Imperative **i-dъ*, **ja-dъ* usw. voraus. 3. sl. *nēstěja*, *istěja*, *vid-* (zu W. *aịdh-*). 4. sl. *nevěsta*; heterosyllabisch *e-ụ-* = lit.-slav. *ev*.

Zubatý J. Etymologien. Arch. f. sl. Phil. XV 3 478—480.

1. sl. *cěna* 'Preis' : lit. *pus-kainiu* 'zum halben Preis'. 2. sl. *kuditi* 'tadeln' : lit. *skaud-*. 3. russ. *mazgat misgit* 'Spinne' u. A.: Wurz. *mezg-* 'verknoten'. 4. russ. *moglivyj* 'heikelig im Essen' : lit. *magaus -otis*. 5. sl. *sluga* 'Diener' ein kelt. Lehnwort (ir. *sluagh*). 6. sl. *srěžъ* 'Treibeis' : lett. *strēģele*, griech. ῥῖγος. 7. sl. *u-*, lat. preuss. *au-* auch in lit. *aulinkui* 'fernerhin', lett. *au-manis* 'ohne Sinnen'.

Uhlenbeck C. C. Die germanischen Wörter im Altslavischen. Afsl. Phil. XV 4 481—492.

Leonid O rodinē i proischożdeniji glagolicy i ob jeja otnošeniji k kirillicē (Über die Heimat und den Ursprung der glagolischen Schrift und deren Verhältniss zur kyrillischen). Sbornik 2. otd. Imp. Akademiji nauk LIII 3, 48 S.

Das glagolitische Schrifttum hat im J. 879—880 in Dalmatien der Kroate Diak. Theodosius, später Bischof von Nona, aus kirchen-politischen Rücksichten gegründet; und zwar wurde da mit An-lehnung ans Kroatische u. an die Vulgata die kyrillische, an griech. Originale zurückgehende Übersetzung der Evangelien u. A. in einer Schrift umgeschrieben, die z. T. aus im wesentl. kyrillischen, z. T. aus in Kroatien-Dalmatien zu Handels- und Wirtschaftszwecken üblichen Zeichen (die z. T. orient. Ursprungs sind) bestand. Das echte (kyrill.) Kchslv. ist die damalige Sprache der mazedonischen, spezieller der thessalonischen Slaven.

Niedźwiedzki W. O pochodzeniu głosek ъ ь (Über den Ursprung der Buchstaben ъ ь). Prace filol. IV 1 323—326.

Zu Grunde liegt die in griech. Handschriften gebräuchliche Abbreviatur für ερ (daher auch die Namen *jerъ jerъ*).

Oblak V. Zur Würdigung des Altslovenischen. Arch. f. sl. Phil. XV 3 338—370.

Mit Rücksicht auf Vondrák (Altslov. Studien, Über einige orth. u. lexik. Eigentümlichkeiten des Cod. Supr., Sitzungsber. der Wiener Ak. CXXII u. CXXIV) wird die Provenienz 1. 2. des Cod. Sup. und Glag. Cloz., 3. der Savina Kniga, 4. 5. der Prager und Kijewer Fragm. erörtert, 6. einige vermeintliche Latinismen der aslv. Denkmäler als auf nicht richtiger Auffassung beruhend dargelegt. 7. Über die Heimat des Altslovenischen. Diese kann nicht in Pannonien oder Südgrossmähren gelegen sein, indem dort das eig. Slovenische (Slovenismen im Magyar.!), hier das Slovakische (Bohemismen in pannon. Denkmälern des Kirchenslav.!) zu Hause waren. Es bleibt also nur die Heimat der beiden Slavenapostel, resp. deren Umgebung übrig (Saloniki, südwestl. Mazedonien). Auch hier stösst man auf Schwierigkeiten, aber gerade im mazed. Bulg. findet man z. B. zahlreiche Reste der Deklination und der Nasalvokale. Die Gruppen *št žd* in slav. Lehnwörtern des Magyar. stammen aus bulgarischen Dial.; die Verschiedenheiten des Mittelbulg. vom Kirchensl. finden in zeitlichen und auch dialektischen Differenzen ihre Erklärung.

Vondrák W. Zur Würdigung der altslovenischen Wenzelslegende und der Legende vom heil. Prokop. Wien 1892, 68 S. 8°. (Sitzungsber. d. Kais. Akad. d. Wiss. CXXVII); in Komm. bei F. Tempsky Wien. 1,40 M. — Angez. v. Polivka, Athenaeum X 216—218.

Vondrák V. Glagolita Clozův (Glagolita Clozianus). Prag, Böhm. Akademie 1893. 128 S. 4°, 3 Phototyp. — 3 fl. ö. W. •

Neue Ausgabe des wichtigen Denkmals (Einleitung, Text in kyr. Umschrift, griech. Originaltext, Glossar). Aus d. Einl.: Glag. Cloz. ist eine Abschrift, die (aus sprachl., paläogr. u. a. Gründen) auf kroat. Boden etwa Ende des 10., oder Anf. d. 11. Jahrh. entstanden ist. Die verlorene Vorlage war, nach einigen Bulgarismen zu schliessen, im Süden (in Mazedonien oder Bulgarien) zu Stande gekommen, etwa Ende des 9., od. Anf. d. 10. Jahrb., in einer Zeit, die unmittelbar auf die Thätigkeit S. Methodius und seiner Schüler in Grossmähren gefolgt war: darauf führt nam. der Moravismus *rozъstvo* (für *roždъstvo*), sowie die Spur lateinischer Kenntnisse in *strašny* (für *mǫky*, griech. τιμωρίας, nach lat. *timor* gefasst). Die Frage nach der Heimat des Kirchensl. ist noch nicht gelöst: dieselbe in Pannonien, resp. Grossmähren zu suchen, verbieten die Pannonismen und Bohemismen der alten Denkmäler; ähnliche Schwierigkeiten gelten auch in Bezug auf Bulgarien. An Saloniki oder irgend einen anderen ausserhalb Bulgariens Zentrum liegenden Punkt darf man nicht mit Bestimmtheit denken, solange die betr. Dialekte nicht genügend bekannt sind.

Zivier E. Studien über den Codex Suprasliensis. Diss. Breslau 1892. 26 S. u. Anh. 8°. Angez. von Vondrák Arch. f. sl. Phil. XV 3 407—411.

Lego J. V. Mluvnice slovinského jazyka (Slovenische Gramm. [mit Chrestomathie]). 2. Aufl. Prag J. Otto 1893. 120 S. 8°.

Loschi J. Grammatica della lingua slovena. Udine (Patronato) 1893. 8°. 490 S. 4 Lire.

Pleteršnik M. Slovensko - nemški slovar (Slovenisch - deutsches

Wörterbuch). Laibach 1893 Heft 1—4. 320 S. 8⁰. *a-izmodrováti*.
Anz. v. V. Oblak A. f. sl. Ph. XV 4 594 ff., v. V. Jagić ebd. 605 f.
Nachträge v. M. Valjavec Zvon XIII Heft 3—11.

Murko M. Enklitike v slovenščini II. Letopis Mat. slov. 1892 51—86
(s. Anz. I, 195).

Syntaktischer Gebrauch und Stellung im Satze der enklit.
Wörter im Nslv.

Oblak V. Bibliographische Seltenheiten und ältere Texte bei den
slavischen Protestanten Kärntens. Arch. f. sl. Phil. XV 3 459—468.

Oblak V. Dat. u. Lok. Sgl. *njej—nji*. Arch. f. sl. Phil. XV 3 468—470.

Die Form *nji* ist nicht lautlich aus *njej*, sondern durch Nach-
bildung der zusammengesetzten Deklin. entstanden.

Scheinigg J. Slovenska osebna imena v starih listinah (Slovenische
Personennamen in alten Dokumenten). Izvestja Muz. društva za
Kranjsko III 1 8—13, 2 47—53.

Štrekelj K. Iz besednega zaklada narodovega (Aus dem Volks-
Wortschatz). Letopis Matice slov. 1892 1—50.

Materialien zum sloven. Wörterbuch (gesammelt vorzugsw. im
Küstenland) mit bündigen etymologischen (auch volksetym.) und
semasiologischen Deutungen. — Angez. v. Jagić Arch. f. sl. Phil.
XV 3 429—430.

Štrekelj K. O beneškem rokopisu (Über die venetian. Handschrift).
Sep.-Abdr. aus Ljublj. Zvon 1892 (XXII S.).

Über Oblaks Aufsatz (Anz. II 195), das Denkmal selbst und
über dessen Sprache.

Val'avec M. Prinos k naglasu u (novoj) slovenštini. Naglas u par-
ticipima (Ein Beitrag zum Akzent im (Neu)slovenischen. Der
Akzent in den Partizipien). Rad jugoslav. akademije CX 1—109.
S. Anz. II 140.

Leskien A. Untersuchungen über Quantität und Betonung in den
slav. Sprachen. Des XIII. Bandes der Abhandl. d. phil. hist. Klasse
d. K. Sächs. Ges. d. Wiss. No. VI. Leipzig (bei S. Hirzel) 1893.
Roy. 8⁰. S. 529—610.

I. Die Quantität im Serbischen: B. Das Verhältnis von
Betonung und Quantität in den zweisilb. primären Nomina. C. Das
Verhältnis von Betonung und Quantität in den stammbildenden
Suffixen mehrsilb. Nomina (Fortsetzung zu I A.: das Nomen in der
Stammbildung, ebd. 1885). 1. Die ursprünglichen Kürzen bleiben
ohne Rücksicht auf die Hochtonstelle erhalten. 2. Die vor dem
urspr. Hochton stehenden alten Längen bleiben erhalten. Ang. v.
Jagić A. f. sl. Ph. XV 4 603 f.

Broz J. Hrvatski pravopis (Kroat. Ortographie). Agram 1892. Angez.
v. Rešetar. Arch. f. sl. Phil. XV 3 395—407.

Daničić Gj Oblici Grvatskoga ili srpskoga jezika (Formenlehre der
kroat. oder serb. Sprache). 8. Aufl. Agram (Kugli u. Deutsch) 1892.

Novaković S. Grad, trg, varoš; k istoriji reči i predmeta koji se
ujima kazuju (*Grad, trg, varoš*; zur Gesch. der Wörter sowie der
damit bezeichneten Begriffe). Nastavnik (Belgrad) III 1 1—17.

Zore L. Paletkovańe (Nachlese). Rad - jugoslav. akademije CVIII 209—236, CX 205—236.

Lexikal. und phraseol. Material zum Serb.-Kroat., mit puristischer Tendenz.

Gerov N. Probe a. d. im Druck befindlichen bulg.-russ. Wörterbuch. Period. spisanije na bulg. kniź. druź. v Srědee VIII 39 491—499.

Sbornik za narodni umotvorenija, nauka i kniźina, izdava Ministerstvo na narodnoto prosvěśćenije (Ein Sammelbuch für Volkskultur, Wissenschaft und Litteratur, hsg. vom Ministerium für Unterricht). Bd VII. Sofia Staatsdruckerei 1892. VI 512 86 u. 238 S. Gr. 8º.

Enthält u. A. Nachrichten über bulg. Handschriften (v. Gudev, 159—223), viele bulg. Volkslieder, Mährchen usw., Lexikalisches (Matov, 448—483 aus Köprili in Mazedonien, Jonćev, 224—230 Ackerbauliches und Technologisches, Christov 230—236 aus der Gegend von Pirot). Im Bd. VI (1891) insbes.: Vom bulgar. Akzent, im Vergleich zu den übrigen süd-östlichen slav. Sprachen (2—12, B. Conev). Band VIII (1892) 438+184+202 S. Inhalt u. a.: Ivanov M. Zur neubulg. Konjugation 82—136. Volkov Th. Slavische Hochzeitsgebräuche 216—257 (II. Th., bulg. Gebräuche enthaltend; I. Th. im Bd. V, Ukrainische Gebr.). Lexikalisches von Gjaurov A. (278—284).

Tichov N. Oćerk grammatiki zapadno - bolgarskago narěćija po sborniku bolg. pěsen V. V. Kaćanovskago (Skizze der Grammatik des west-bulg. Dialekts nach Raćanovskis Volksliedersammlung). Kazan Univers.-Buchdr. 1891. VIII u. 278 S. 8º. 1 Rbl. 25 Kop.

Tośev A. Kům terminologijata na bulgarskata fauna (Zur Terminologie der bulg. Fauna). Period. spisanije na bulg. kniź. druź. VIII 39 386—404.

Volkstüml. Tiernamen (dazu Pflanzennamen ebd. VII 35).

Bachtin N. Osnovy russkago pravopisanija. Čast' tcoretićeskaja ((Grundzüge der russ. Orthographie. Der theoret. Teil). Warschau 1892. 2 Rbl. (Abgedr. a. d. letzten Bdd. des Russ. filol. věst.)

Šachmatov A. Studien a. d. Gebiete der russ. Phonetik (russ.). Russk. filol. věst. XXIX (1893 1 und 2) 1 ff. 229 ff.

Über urspr. o e im Urslav. u. Russ.; Näheres nach Schluss der Abh.

Brandt R. Th. Lekciji po istorićeskoj grammatikě russkago jazyka. 1. Fonetika (Vorlesungen über die histor. Gramm. der russ. Spr. 1. Phonetik). Moskau 1892. 146 S. 8º. 1 Rbl. Angez. v. Jagić. Arch. f. sl. Phil. XV 3 423—426.

Andrejev V. Zur Frage über die syntaktische Rolle des Infinitivs im Russischen (russ.). Źurnal minist. narod. prosv. 287 (1893 Mai) 68—88.

Budde K. Dialektologiji velikorusskich narěćij. Russ. fil. věstník XXVIII (1892 3) 22—113 (S. Anz. II 141).

Schluss der Abh., die auch separat erschienen ist (Warschau 1892). Zur Morphologie des räsan. Dialekts. Bes.: suffigierter Artikel bei Subst. Fem., bei Adjekt., auch bei dem Verb., z. B. ńěna-ta, ěchali-ty; fast gänzlicher Verlust des Neutrums, zuerst aus lautlichen Ursachen, indem unbetontes -o als -a, unbet. -e als -ja gesprochen wird, so dass der Nom. Sg. Neut. mit dem Fem. gleich lautet: in andern Kasus kommen alte Fórmen zum Vorschein, werden aber mit einem weibl. Adjektiv oder Pron. verbunden *(takúju vinó)*; fem. -*i*-Stämme werden zu Mask., in Folge des Gleichlautes im Nom. *(myš* m.). Lexikalisches. Ergebnisse über die Kolonisation der Gubernie. 58 Volkslieder.

Dovnar V. Über die weissruss. Dialekte (russ.) Živaja starina III 1.

Karskij E. K ist. zvukov i form bélorusskoj réči. Russk. fil. vést. XXVIII (1892 4) 173—235 (s. Anz. II 141).

5. Die Sprache von zwei Denkm. des XVI. Jahrh. 6. Neue Materialien zum weissruss. Dialekt, auf Grund von Publikationen seit 1885: Wirkungen des Akzents im Vokalismus.

Körner W. Ausführliches Lehrbuch der russischen Sprache. Sondershausen F. A. Eupel 1892. X u. 620 S. **gr. 8⁰**. 7,80 M.

Grammatik, Texte, Übungsstücke usw.

Karskij E. Glavnějšija tečenija v russk. literaturnom jazikě (Hauptströmungen in der russ. Schriftsprache, russ., Antrittsvorlesung). Warschau 1893.

Gorjajev N. V. Opyt sravniteľnago etimolog. slovarja literaturnago russkago jazyka (Versuch eines vergl. etymol. Wörterbuchs der russ. Schriftsprache). Tiflis 1892. 1 Rbl. 60 Kop.

Nach der Rez. von G. U. in R. fil. vést. XXIX 181 ff. und Jagić Afsl. Ph. XV 4 603 f. eine unkritische Kompilation.

Slovar russk. jazyka (Anz. II 141) 2. Heft. St. Petersburg 1892 (*Vlas—da*, S. 577—948).

Sobolevskij A. Očerk russkoj. dialektologiji (Eine Skizze der russ. Dialektologie). Živaja starina. Heft 1, 2 (I. Jhg.), 3, 4 (II. Jhg.)

Eine Charakteristik des Süd-Grossruss. (Heft 1), Nord-Grossrussischen (2), Weissruss. (3) und Kleinrussischen (4).

Šarlovskij Někotoryja razjasnenija po russkomu udareniju. (Einige Erläuterungen zum russ. Akzent.) Charkow (1892). 20 Kop.

Tichinskij A. Jaroslavskij spisok Pandekt Nikona Černogorca XII—XIII v. (Die Jaroslavler Abschrift von Nikon-Černogorec' Pandekten a. d. XII.—XIII. Jahrh.) Russ. fil. vest. XXVIII (1892 3) 114—132.

Einleitung über die Schrift und Sprache des Denkmals.

Karskij E. K voprosu o razrabotkě starago zapadno-russk. narečija (Zur Frage nach einer Bearbeitung des Alt-Westruss.; russ.). Bibliographische Skizzen. Wilna 1893.

Léskov N. O vlijaniji koreľskago jazyka na russkij v predělach Oloneckoj guberniji (Über den Einfluss der korelischen Spr. auf das Russ. an den Grenzen des Gouv. Oloneck). Živaja starina Heft 4 (Jhg. II).

Ljapunov O jazykě pervoj Novgorodskoj létopisi (Über die Sprache der ersten Nowgoroder Chronik). Sbornik Chaŕkovskago istor.-filol. obščestva Bd. 4.

Krek S. Zur Geschichte der russ. Hochzeitsgebräuche. Graz 1893.

Polanský P. Klruss. u. böhm. *u* für *y* (böhm.). Listy fil. XX 4 824 ff. In klr. *buty* usw., böhm. dial. *bul* (= *byti*, *byľ*) beruht *u* vor Allem auf dem Bestreben, urspr. *byti* 'sein' von *biti* 'schlagen' zu differenzieren: *u* ist erst nach dem Wandel *i* zu *y* entstanden.

Bartocha J. Z kmenosloví dolnobečevského (Aus der Stammbildungs-lehre des Dial. von Unter-Bečva in Mähren). Listy fil. 20 1/2 115—122.
  1. Motion. 2. Deminutiva und Augmentativa. 8. Komparativ u. Superlativ. 4: Einzelne Nom.-Stammbildungen. 5. Komposita. 6. 7. 8. Verba iterativa, intensiva (suff. *-iñiať*, *-ócet'*, *-ískať*) deminutiva (nam. i. d. Kindorspr.). Vgl. zur Laut- und Formenlehre desselben Dial. ibd. 14 263 ff., 335 ff., 18 413 ff.

Český lid (Das böhm. Volk). Bd. I (1892) II (1898) und Heft 1—2 des III. Bds. (1893). Die Zeitschr. ist dem Folklore, der Prähistorie und Archäologie Böhmens gewidmet; ersch. in Prag bei F. Šimáček in 6 H. zu 6—7 Bog.; jährl. 4 Fl. ö. W. — Darin u. A. viele Volkstexte; Lexikalisches (I 4 370—375; 5 454—458; 6 540—551, Jakuhec); die böhm. Volkskunde bis z. J. 1890 (I 8 301—308; 4 415—417; 5 493—497; 6 591—597), im J. 1891 (II 2 182—190, Pátek).

Flajšhans V. Přehled práce na poli české jazykovědy za poslednich sto let (Übersicht der Leistungen auf dem Gebiete der böhmischen Sprachwissenschaft in den letzten 100 Jahren). Athenaeum X 3 65—71, 4 97—103.

Zubatý J. Ku přechodu *ś* v *š* v češtině (Zum Übergang von *ś* in *š* im Čechischen). Listy filol. XX 405 ff.
  1. lit. *sleñkstis* : poln. *prześlągły* čech. *šlahoun* usw. 2. lit. *sliñkti* : abg. *slъkъ* : poln. *ślęczeć* : čech. *šlak*. 3. lett. *šlípt* lit. *nu-šlimpt* : čech. *šlapati*. Σίλιγγαι : apoln. *ślązko* u. *sslązko*.

Král J. O prosodii české (Über die böhm. Prosodie). Listy fil. XX 1/2 52—114 (nicht beendet).
  Král beabsichtigt 1. eine Geschichte des Kampfes der beiden Prinzipien der böhm. Prosodie (des quantit. sowie des akzentuieren-den), 2. den Beweis zu erbringen, dass in der böhm. Sprache vom lautphysiol. Standpunkt aus nur die (heute so gut wie allgemein übliche) akzentuierende Prosodie zulässig ist. —

Král J. und **Mareš** F. Die Dauer von Lauten und Silben nach objektiver Messung (čech.). Listy fil. XX 4 257 ff.
  Die Verf. haben die Dauer von böhmischen Vokalen, Silben und Takten (beim Skandieren) an einem von M. konstruierten Apparat gemessen. 1. Die Dauer desselben Vokals ist selbst bei demselben Individuum nicht immer gleich; ein langer Vokal ist in der Regel nur um ein Wenig länger (nie etwa zweimal so lang) als ein kurzer: der Unterschied zwischen beiden ist weniger quantitativ als qualitativ (staccato und legato). 2. Der Kern der Silbe ist immer der Vokal, und die Dauer derselben muss nicht mit Konsonantenhäufung wachsen: Positionslänge giebt es im Böhm. nicht. 3. Selbst beim sorgfältigsten Skandieren hat man keine gleich lang dauernden Takte zu Stande bringen können.

Flajšhans V. Bohemář (Bohemarius). Listy filol. XIX 6 476—490 (Schluss; s. A. IП S. 105).

Flajšhans V. Neosvitli, Nůsle. Listy fil. XX 1/2 114--115.

Der Ortsname gehört zum *-lъ*-Partizip des Verbums *svъ(l)nqti.*

Gebauer J. Ukázka České mluvnice historické (Eine Probe aus der böhmischen historischen Grammatik). Listy filol. XIX 6 417—475.
Über den Vokal *a á* im Böhm., nebst einem Quellenverzeichnis. Der Druck von Gebauers grosser hist. Gramm. hat bereits begonnen.

Jireček H. Antiquae Boemiae usque ad exitium saeculi XII. topographia historica. Vindobonae-Pragae F. Tempsky 1893. — XXVIII u. 196 S. 8⁰.
Verzeichnisse und Nachweise über vor d. E. d. 12 Jahrh. urkundlich beglaubigte böhm. topographische Namen: 1. bis zum 10. Jahrh. inkl., 2. d. 11. und 12. Jahrh. Im Anbang böhm. Ortsnamen, die dem Verf. an das Keltische, bezw. Litauische anklingen (1, 2), ferner Ortsnamen, die urspr. Patronymika (3), Bezeichnungen versch. Eigenschaften der Bewohner bezw. der Ortslage (4, 5) oder der gewerblichen Beschäftigung der Bewohner (6) gewesen, sowie endlich (7) solche, die Flüssen und Bächen entnommen sind.

Novák K. Der Dualis in Hussens Schriften (böhm.). Listy fil. XX 3 161 ff.

Nekola F. Topica v Boleslavště (Topica in der Bunzlau-Gegend). Progr. d. Gymn. in Jung-Bunzlau für 1891—1892.

Polívka G. Ein Beitrag zur mähr. Volkskunde. Arch. f. sl. Phil. XV 3 452—456.
Dialektologisches Material aus einer in Prag ersch. Erzählung aus dem valachischen Leben.

Pastrnek F. Slovakische Studien (böhm.). Slov. pohľady XIII 4 237 ff., 5 301 ff., 6 368 ff., 7 425 ff., 9 549 ff.
Bearbeitung von dialektologischen Auskünften, die auf P.s diesbezüglichen Fragebogen eingehen. Erscheint in einer stehenden, dialektologisches, lexikalisches u. ä. Material bringenden Rubrik der Zeitschrift.

Křižko P. Erinnerungen an frühere Völker im Slovakischen (slovak.). Slov. pohľady XIII 1 25 ff.
Ursprüngliche Völkernamen (z. B. *chumaj* 'Kumane', *cigáň* 'Zigeuner', *nemec* 'Deutscher' u. A.) als Schimpfwörter, Appellativa u. dgl.

Brückner A. Polonica A. f. sl. Ph. XV 4 557—588 (Bibliographisches).

Brückner A. Worterklärungen. Arch. f. sl. Ph. XV 2 319—320.
1. obs. poln. *obszar* (Prioritätserkl.). 2. nsl. böhm. poln. *žebrati* 'betteln' aus d. *Seffer* 'Bettler'.

Bystroń J. Przyczynek do dyjalektologii polskiej (Ein Beitrag zur poln. Dialektologie). Prase filol. IV 1 280—292.
Lexikalisches a. d. Teschener Dialekt.

Malinowski L. Grupy spólgłosek *trz, strz, drz* v niektórych gwarach Galicji Zachodniej (Die Konsonantengruppen *trz, strz, drz* in einigen Dial. West-Galiziens). Prace fil. IV 1 304—305.

P. B. Wyrazy gwarowe z. okolic Tarnowa (Provincialismen a. d. Umgebung von Tarnow). Prace filol. IV 1 306—310.

Rafal L. Przyczynki do nowego słownika języka polskiego (Bei-

träge zu einem neuen Wörterbuch der poln. Spr.). Prace filol.
IV 1 173—279.

Korbut G. Deutsche Wörter im Polnischen in sprachlicher und
kulturhistorischer Hinsicht (poln.). Prace filol. IV 2.
Einleitung. 1. Der Einfluss d. Deutschen in kulturhist. Hinsicht.
2. Allgemeine Bemerkungen über die sprachlichen Wandlungen der
d. Wörter im Poln. 3. Phonetische und morphologische Veränderungen. Wörterverzeichniss (c. 2000 Nummern).

Koppens R. O sposóbach oznaczania spólgłosek miękkich v psałterzu floryańskim (Über die Arten der Bezeichnung von weichen
Konsonanten im Florianer Psalter). Krakau 1893. 8⁰. 35 S. Anz.
v. Jagić Afsl. Phil. XV 4 607.

Rowiński M. Uwagi o wersyfikacyi polskiej jako przyczynek do
metryki porównawczéj (Betrachtungen über die polnische Verrifi-
kation als ein Beitrag zur vergl. Metrik). Prace filol. IV 1 1—152.

Zbiór wiadomości do antropologii krajowej (Sammlung von Materialien zur Landesanthropologie). Bd. XVI. Krakau 1893 (Akademie d. Wiss.). VIII u. 110 u. 267 S. 8⁰.
Darin u. A. poln., weissrussisch-polnische, weissruss. Märchen,
Lieder usw.

Ramult St. Słownik języka pomorskiego czyli kaszubskiego (Wörterbuch der pomoranischen oder kaschubischen Sprache). Krakau
1893 (Akad. d. Wiss.) XLVIII u. 298 S. 4⁰.
Eine Sammlung ca. 14000 kaschub. Wörter, im Volk selbst
gesammelt. In d. Einl. eine kurze Skizze der Lautlehre und Dialektologie. Die westslav. Sprachen teilt d. Verf. in 4 Gruppen ein:
1. Böhmisch-Slovakisch, 2. Lausiz.-serbisch, 3. Polnisch, 4. Pomora-
nisch: zur letzten Gruppe (nicht zum Polnischen), die eine ver-
mittelnde Stelle zw. dem Polnischen und Lausitzischen einnimmt, gehört neben dem Polabischen auch das Kaschubische (Slovinische,
Kabatkische). Im Anhang einige Volkstexte.

Černý Ad. Mythiske bytosće łužiskich Serbow (Mythische Wesen
der lausitz. Sorben). I. Bautzen (Ed. Rühls) 1893. 4 M. (S.-A. aus
Čas. Maćicy Srbskeje).

Kühnel P. Slovischische Orts- und Flurnamen der Oberlausitz.
(Forts.) Neues Lausitzisches Magazin LXIX 1. 2.

Niederlausitzer Mitteilungen. Zeitschrift der Niederlausitzer Ge-
sellschaft für Anthropologie und Altertumskunde. Herausgeg. im
Auftrage des Vorstandes. Bd. II. VIII u. 497 S. 8⁰ mit 9 Tafeln.
Guben König. 8 M.

Hey G. Die slavischen Siedelungen im Königreich Sachsen mit Erklärung ihrer Namen. gr. 8⁰. Dresden Baensch. 6 M.

C. Baltisch.

Streitberg W. Vokaldehnung vor tautosyllabischem -ns im Baltischen. IF. III 1/2 148—156.

Zubatý J. Baltische Miszellen. 1. Über einige lit. und lett. ad-
verbiell gebrauchte Instrumentalbildungen. IF. III 1/2 119—145.

Zubatý J. Z baltské daemonologie (Aus der balt. Dämonologie).
Listy fil. XX 1/2 34—37.

In Erinnerung an die gewaltsame Christianisierung der balt.
Provinzen tauchen in lit. und lett. Volkstraditionen die Deutschen
zuw. als böse Geister auf. Dies beruht (ebenso wie Analoges in
der aind. Dämonologie) auf einer Kontamination der Vorstellungen
von überirdischen und irdischen feindlichen Mächten.

Bystroń J. Ein Beitrag zur lit. Bibliographie (poln.). Prace filol. IV 2.

Naaké J. T. The London Lithuanian bible of 1660. Academy 1105.

Das British Museum hat ein Bruchstück von 176 S. der Chy-
linski-Bibel erworben. Es reicht bis Josua XV 63.

Naaké Abnahme der litauischen Sprache in Ostpreussen. Globus
LXIII 147.

Bielenstein A. Die Grenzen des lettischen Volksstammes und der
lettischen Sprache in der Gegenwart und im 13. Jahrhundert. Ein
Beitrag zur ethnologischen Geographie und Geschichte Russlands.
St. Petersburg 1892, Kais. Akad. d. Wiss. (Voss in Leipzig). XVI
und 584 S. 4⁰. 17,50 M. — Dazu als Beilage: Bielenstein A.
Atlas des ethnologischen und prähistorischen Lettenlandes. Ebd.
1892. IV S. u. 7 Karten Fol. 5 M.

I. Die heutigen Sitze der Letten (Gouv. Kurland 479978, Liv-
land 490345, Witebsk ca. 217000, Pleskau ca. 11000, Kowno ca. 26000,
Preussen ca. 1500 = ca. 1225823). — II. Im 18. Jahrh.: 1. Wohn-
sitze der Liven nördlich von Düna, 2. der Lettgallen nördlich von
Düna, 3. der Semgallen, 4. der Selen, 5. der Kuren. Die Lettgallen,
Semgallen (: *zems* lit. *žėmas* und *gàls* lit. *gàlas* 'Niederländer') und
Selen sind Letten; ausserdem sassen die Letten im grössten Teil
von Kurland mit Kuren (Liven) vermischt, z. T. ebenso in Livland.
Die Kuren und Liven sind im Wesentl. éin Volk (des finn. Stammes).
Das Material bieten neben hist. Quellen vorzüglich die Orts- und
Personennamen (neben vereinzelten sonst. sprachl. Angaben). —
Exkurse: 1. Die *Wenden* (lett. *Ventiñi*) sind Letten, nach dem Fluss
Windau (Venta) so benannt. 2. Die Letten waren in Liv- u. Kur-
land früher ansässig als die von der See eingedrungenen und später
(bis auf einen Rest von 'Liven' in N.-Kurl.) lettisierten Liven-Kuren.
Grenzen zw. Letten und Litauern im 13. Jahrh. — Im Anhang nam.:
Wichtigste Abweichungen des N.-W.-Kurischen des hochlett.
Dialekts im Gegensatz zum Nieder-(Schrift-)Lettischen(Semgallischen);
Topographie einzelner sprachlicher Eigentümlichkeiten (dazu eine
Karte mit 'Isoglossen' im Atlas); Übereinstimmungen der westl. und
östl. Dialekte im Gegensatz zum mittleren Niederlett.; Spuren des
Einflusses der jetzt lettisierten finnischen Einwanderer in den betreff.
lett. Dialekten (Entlehnungen a. d. Finn. nach Thomsen — Kürzung,
Abschleifung, Schwund d. Endsilben überhpt.; Schwund d. Feminins;
Schwund der Personalendungen am Verb.). — Indizes von E. Wolter.
Einz.: russ. *pogost* 'Bezirk'. sl. *śzlъ* *śelo* (lett. *sizlis*) : ahd. *geisala*
(wohl als Entlehnung). lett. *pastala* 'Sandalenart' : klruss.-pol. *postoł*,
türk. *pastál*. lett. *Vid-zeme* 'Livland' aus liv. ehst. *ida* 'Nordost'.
-slavъ in sl. Personennamen eine Umdeutung des älteren *-mirъ* (got.
-mērs), *Vladislavъ* = *Vladimirъ* (Kunik). *Vъse-* in altruss. *Vъse-*
slavъ Vъsevolodъ viell. zu ai. *Vasu-śravas-*, griech. Εὐκλεής, wandal.
Visumar (Kunik). Ausserdem viele Deutungen von topogr. Namen
usw. — Angez. v. Schirren Gött. Gel. Anz. 1893 S. 185—200.

Wissendorff H. Matériaux pour l'ethnologie lithuanienne (Extrait de la Revue des Traditions popul. Vannes 1893).

Bezzenberger A. Bemerkungen zu Virchows Aufsatz 'Die alt-preussische Bevölkerung'. Sitzungsberichte der Altertumsgesellschaft Prussia. XLVIII. Vereinsjahr 18. Heft. Königsberg 1893. S. 1—7.

"Die Funde des sogen. Begräbnisplatzes bei Stangenwalde können für das Vorhandensein von Letten auf der kurischen Nehrung im 12. Jahrh. nicht geltend gemacht werden, da ihnen lit. Parallelen zur Seite stehn. Gewiss lassen sich aber die ältesten lett. Niederlassungen daselbst für sogar noch älter halten . . ." Messungen an Litauern. — Ergänzungen zu seinen und Virchows Angaben über den lit. Hausbau.

Latwju tauta (Das lettische Volk). Mitau H. J. Drawin-Drawneek 1892 1893. (Für 5 Hefte 2 Rbl.)

Bis jetzt ersch.: I 1 (Lettische Geschichte b. E. d. 12. Jahrh., von W. Olaw, 66 S.). VI 1 (Phys. Geographie, v. A. Needre, 72 S.). XI 1 (Litteraturgeschichte, bis zur Aufhebung der Leibeigenschaft, v. J. Pavasara).

Ulanowska S. Lotysze Inflant polskich a w szczególności z gminy Wielońskiej powiatu Rzeżyckiego (Die Letten von Poln.-Livland und insbes. die a. d. Gemeinde Wieloń im Rzeżycer Bezirk). Zbiór wiadomości do antr. lad. (s. o.) XV 181—282, XVI 104—218.

XV: Sitze, Anzahl (nach versch. Nachr.: 291390; 225000; 176149), Anthropologisches, Haus- und Jahresfeste usw. mit Texten (lett., mit poln. Übersetzung). XVI: Volkslieder (mit Melodien), Sprüchwörter Rätsel.

Mühlenbach K. Par preposiziju *ar* (Über die Präposition *ar*). Austrums IX 1 76—78.

Die lett. Präp. ar 'mit' ist urspr. mit der kopulativen Konjunktion ari ar 'auch' (verw. mit ir 'und', lit. iř, ař-gi, preuss. er, lat. ar-, griech. ἄρα ῥά ἄρα) identisch; der dabei stehende Instr. ist urspr. ein von der Präpos. ar nicht abhängiger Soziativ gewesen. Gebrauch des Instr. im Lett.

Sander J. Par tautas dſeesmu pantmehru (Üb. das Versmass der [lett.] Volkslieder). Austrums IX 1 21—27, 218—226, 2 119—127.

I. Lettische Betonung (die Bet. der ersten Silbe wird auf finnischen Einfluss zurückgeführt, häufiger Mangel an Übereinstimmung des Worttons mit dem Iktus als Spur älterer Betonungsweise aufgefasst). Das häufigste Mass des lett. Liedes ist in seiner vollen Gestalt _∪_∪|_∪_∪ (natürlich akzentuierend): viermalige Wiederholung bildet die Strophe. Nach jedem zweiten Trochäus eine volle Zäsur: die 2. und 4. Senkung wird in alten Liedern immer durch prosodisch kurze, unbetonte Silben gebildet. II. Alle Senkungen können fehlen: am häufigsten fehlt die 2. und 4. (_∪_|_∪_), die 1. und 3. Senkung fehlt oft insbesondere in den die grammat. Endungen abschleifenden Dialekten (auch _ _|_ _ usw. ist möglich). III. Das daktylische (wiederum akzentuierende) Versmass ist analog (_∪∪ _∪∪_∪∪_∪∪): die Senkung kann auch durch eine einzige Silbe, die Hebung auch durch zwei Silben gebildet werden, wodurch ein trochäischer (spondäischer), bezw. prokeleusmatischer Rhythmus zu

Stande kommt; auch fehlt nam. die letzte Senkung oft. Die letzte
Silbe des Daktylus pflegt am meisten prosodisch kurz zu sein.

Wissendorff H. Notes sur la mythologie des Lataviens (Extr. de
la Revue des Tradit. Popul. VII. Vannes 1892).

**Jelgawas Latweeschu Beedr. Rakstneezibas Nodal'as Rakstu
Krahjums** (Archiv der litter. Sektion des Mitauer lett. Vereins).
I (Mitau 1890, 72 S., 20 Kop.), II (1893, 162 S., 50 Kop.).
I. Umfangreichere lett. Volkslieder. II. Sagen und Mährchen;
Gebräuche und Aberglauben; Redensarten, Sprüchwörter und
Rätsel; Volkstexte in 33 versch. Dialekten.

Rakstu krajums, izdots no Rigas Latveešu Beedr. Zinibu Komm.
(Archiv, hsg. v. d. Wissensch. Kommission des Rigaer Lett. Vereins). VII (Mitau 1892, 134 S.), VIII (Riga, 106 S.).
U. A.: K l a v i ń, Über einige lettische Komposita (wie *rakst-
vedis*, *-veds*, *-vedĕjs* 'Schriftführer'). — A r o n, Üb. ehemalige Frauen-
kleidungen (*madarát*, wor. Afsl. Ph. XIII 427, nicht 'färben' sondern
'ausnähen'). 1472 Mährchen (VII). — L a u t e n b a c h, Vom *Jupis* (eine
myth. Gestalt). — K a ż o k, Unsere Schrift- und Volkssprache: das
Volkslied bevorzugt beim Passiv zur Bez. des aktiven Subjekts den
blossen Gen. ohne *nu*, dasselbe gebraucht selten die Endung *-šana*
(Verb. abstr.); Gebrauch von Präpositionen im Volkslied. — K a u l i ń,
Der Bedeutungswandel im Lettischen. *Dirik'*, Lett. Namen von
Wirbeltieren (VIII).

Magazin, hsg. v. d. Lettisch-Litter. Gesellschaft. XIX. Bds. 2. Stück.
Mitau 1893.
U. A.: B e n n i n g e n, Das lett. Haus. — B i e l e n s t e i n, Beitrag
zur Kunde des lett. Drachenmythus (Deutungen von zwei entstell-
ten lett. Zaubersprüchen aus einem Protokoll v. J. 1631).

Prag. Josef Zubatý.

Rezensionen aus dem Jahr 1893.

A h r e n s L. Kleine Schriften I. Neue phil. Rundschau 1893 Nr. 14.
(Eberhard). Württemb. Korr. 1893 Nr. 11/12 (W. Schmid). Zeitschr.
f. d. österr. Gymn. XLIV Nr. 4 (H.).

A d l e r Die Volkssprache in dem Herzogtum Schleswig seit 1864.
Zeitschr. f. d. deutschen Unterr. VI Nr. 12 (Wasserzieher).

B a r t h o l o m a e Chr. Studien zur indogermanischen Sprachgeschichte.
II. Heft. Literaturbl. f. germ. u. rom. Phil. XIV Nr. 10 (Sütterlin).

B a r t h o l o m a e Chr. Arisches und Linguistisches. Berl. phil. Wochenschr. XIII Nr. 48 (Johansson).

B a u n a c k J. Die delphischen Inschriften. II. LCB. 1893 Nr. 23
(A. H.). Berliner phil. Wochenschr. XIII Nr. 33/34 (Larfeld).
Neue phil. Rundschau 1893 Nr. 8 (F. Stolz). Wochenschr. f. klass.
Phil. X Nr. 29 (P. Cauer).

Bechtel Fr. Die Hauptprobleme der idg. Lautlehre. Österr. Literaturbl. II 1 (Dahlmann). BB. XIX Nr. 1/2 (Kretschmer). Museum I Nr. 3 (Uhlenbeck).

Benoist E. und Goelzer H. Nouveau dictionnaire latin-français XVI u. 1713 S. Paris Garnier. RCr. 1893 Nr. 42 (Plessis).

Benfey Th. Kleinere Schriften II 3. 4. Am. Journ. Phil. XIII S. 454 (H. Collitz).

Bielenstein R. Die Grenzen des lett. Volksstammes u. der lett. Sprache. GGA. 1893 Nr. 5 (Schirren).

Blass-Kühner Griech. Grammatik. 3. Aufl. I 2. Wochenschr. f. klass. Phil. X Nr. 27. (Häberlin). Neue philol. Rundschau 1893 Nr. 19 (Eberhard). LCB. 1893 Nr. 41. Berliner phil. Wochenschr. XIII Nr. 30. (F. Stolz).

De Bo-Samyn Westvlaamsch Idioticon. Literaturbl. f. germ. u. rom. Phil. XIV Nr. 3 (Vercoullie).

Bohnenberger K. Zur Geschichte der schwäbischen Mundart im XV. Jh. LCB. 1893 Nr. 1 (H. Fischer).

Boisacq E. Les dialectes doriens, phonétique et morphologie. Class. Rev. VII Nr. 1/2 S. 58—62 (E. W. Fay).

Bonnet M. Le latin de Gr. de Tours. Class. Rev. VI Nr. 9 (Nettleship).

Bonnet M. La philologie classique. DLZ. 1893 Nr. 43 (O. Froehde). Neue phil. Rundschau. 1893 Nr. 1 (Sittl). Berl. phil. Wochenschr. XIII Nr. 23 (K. Hartfelder). Am. Journ. Phil. XIII 103 (Warren).

Borinski K. Grundzüge des Systems der artikulierten Phonetik. Phonet. Stud. VI Nr. 2 (Lenz). Literaturbl. f. germ. u. rom. Phil. XIV Nr. 2 (Schuchardt). Blätter f. d. Gymn.-Schulwesen. XXVIII Nr. 8 (Jent).

Bosworth-Toller An Anglo-Saxon dictionary Part. IV Section 1. Am. Journ. Phil. XIII 495 f. (J. M. Garnett).

Bourciez É. La langue gasconne à Bordeaux. Literaturbl. f. germ. u. rom. Phil. XIV Nr. 1 (Koschwitz).

Bourdon B. L'expression des émotions et des tendences dans le langage. LCB. 1892 Nr. 49 (v. d. Gabelentz). DLZ. 1893 Nr. 19 (K. Bruchmann).

Brandstetter R. Rezeption der nhd. Schriftsprache in Luzern. ZZ. XXVI Nr. 1 (L. Tobler).

Bremer O. Deutsche Phonetik. Anglia Beiblatt IV Nr. 6 (H. Hirt).

Bronisch G. Die oskischen i- und e-Vokale. LCB. 1893 Nr. 17. DLZ. 1893 Nr. 17 (Deecke). Wochenschr. f. klass. Phil. X Nr. 12 (W. Deecke).

Brugmann K. Grundriss II 2. Zeitschrift f. das Gymnasialw. N. F. XXVII Febr./März. (Ziemer). RCr. 1893 Nr. 7 (V. Henry). Neue phil. Rundschau 1893 Nr. 1 (Stolz). Indizes. LCB. 1893 Nr. 45 (G. Meyer). RCr. 1893 Nr. 29/30 (V. Henry). Wochenschr. f. klass. Philol. X Nr. 34. Neue phil. Rundschau 1893 Nr. 23 (Stolz).

Buck C. D. Der Vokalismus der oskischen Sprache. Zeitschr. f. d. österr. Gymn. XLIII S. 996—99 (Fr. Stolz). Berliner phil. Wochenschr. XIII Nr. 21 (W. Deecke). Am. Journ. Phil. XIV S. 234 (M. Warren).

Bugge S. Norges indskrifter med de ældre runer. I. Literaturbl. f. germ. u. rom. Phil. XIV Nr. 6 (Brenner).

Burghauser Die nhd. Dehnung des mhd. kurzen Stammvokals in offner Silbe. Zeitschr. f. d. österr. Gymn. XLIII Nr. 11 (Tomanetz).

Clark J. A manuel of Linguistics. Academy 1121 (H. A. Strong).

Collitz H. Die Behandlung des urspr. auslautenden ai im Got., Ahd. und As. AfdA. XIX 33 ff. (Jellinek).

Comparetti Der Kalevala. RCr. 1893. Nr. 17 (Beauvais). AfdA. XIX 132 ff. (R. M. Meyer).

Corpus inscriptionum etruscarum ed. C. Pauli. I. LCB. 1893. Nr. 50 (H. Schr.).

Corpus inscriptionum graecarum Graeciae septentrionalis I. Inscr. Graecae Megaridis Oropiae Boeotiae. LCB. 1893 Nr. 32 (R. Meister).

Cosijn Kurzgefasste awests. Grammatik. Anglia Beiblatt IV Nr. 4 (Luick).

Cron J. Die Stellung des attributiven Adjektivs im Altfranzösischen Literaturbl. f. germ. u. rom. Phil. XIV Nr. 4 (Buck).

Danielsson De voce αἰζηός questio etymologica. Wochenschr. f. klass. Phil. X Nr. 26 (Kretschmer). Neue phil. Rundschau 1893 Nr. 14 (F. Stolz). Berliner phil. Wochenschr. XIII Nr. 40 (Bartholomae).

Darmesteter J. Le Zend Avesta III. Academy 1102 (A. Strong). Wiener Zeitschr. f. d. Kunde des Morgenlandes 1893 (VII) (J. Kirste).

Darmesteter Cours de grammaire hist. de la langue française. I. Museum I Nr. 3 (Salverda de Grave).

Deecke W. 1) Lateinische Schulgrammatik, 2) Erläuterungen. LCB. 1893 Nr. 18 (W.) RCr. 1893. Nr. 33/34 (V. Henry). Berliner phil. Wochenschr. XIII 28 (Fr. Müller). Arch. f. lat. Lex. VIII Nr. 3. Wochenschr. f. klass. Phil. X Nr. 43 (H. Ziemer). Bayer. Gymn. 1893 Nr. 7. S. 429—32 (Gebhard).

Delaite J. Essai de grammaire wallonne. Le verbe wallon. Literaturbl. f. germ. u. rom Phil. XIV Nr. 1 (Wilmotte).

Delbrück B. Die indogermanischen Verwandtschaftsnamen. Hist. Zeitschr. LXXI Nr. 3 (N.).

Delbrück B. Vergleichende Syntax der indogermanischen Sprachen I. LCB. 1893 Nr. 50. (G. Meyer) Literaturbl. f. germ. u. rom. Phil. XIV Nr. 12 (Schuchardt). Neue phil. Rundschau 1894 Nr. 1 (Fr. Stolz).

Dessau Inscriptiones Latinae selectae. RCr. 1893 Nr. 15 (Cagnat). Wochenschr. f. klass. Phil. X Nr. 11 (Ihm). LCB. 1893 Nr. 42 (Reitzenstein). Berliner phil. Wochenschr. XIII Nr. 21 (Joh. Schmidt). Riv. di fil. XXII Nr. 1/3 S. 120—22 (E. Ferrero).

Dingeldein Der Reim bei den Griechen und Römern. Wochenschr. f. klass. Phil. X Nr. 10 (Weissenfels).

Doutrepont G. Tableau et théorie de la conjugaison dans le wallon liégeois. Literaturblatt f. germ. u. rom. Phil. XIV Nr. 1 (Wilmotte). Zeitschr. f. rom. Phil. XVII Nr. 1/2 (A. Horning).

Duden K. Etymologie d. nhd. Sprache LCB. 1893 Nr. 46 (Sievers).

Dyroff A. Geschichte des Pronomen reflexivum. I. II. LCB. 1893. Nr. 8 (G. Meyer). Nr. 46 (G. Meyer). DLZ. 1893 Nr. 26 (Kretschmer). Berliner phil. Wochenschr. XIII Nr. 33/34 (Fr. Stolz). Wochenschr. f. klass. Phil. X Nr. 47 (Frenzel).

Eckinger Orthographie lateinischer Wörter in griechischen Inschriften. Berliner phil. Wochenschrift XIII Nr. 16.

Flensburg N. Über Ursprung und Bildung des Pronomens αὐτός. LCB. 1893 Nr. 24 (Brugmann).

Franck. J. Etymologisch woordenboek der Nederlandsche taal. LCB. 1893 Nr. 2 (te Winkel). DLZ. 1893 Nr. 45 (E. Martin). Museum I 1 (Kluyver).

Froehde O. Die Anfangsgründe der röm. Grammatik. LCB. 1893. Nr. 17 (Gn.) DLZ. 1893 Nr. 30 (W. Deecke). RCr. 1893 Nr. 9 (Lejay). Berliner phil. Wochenschr. XIII Nr. 4 (G. Goetz). Nordisk tidskrift for filologi 1893 S. 195. Museum 1893 Nr. 7.

Fuhr K. Die Metrik des westgerm. Allitterationsverses. LCB. 1893. Nr. 19. (Sievers). AfdA. XIX 122 ff. (Heusler).

von der Gabelentz G. Die Sprachwissenschaft. Zeitschr. f. d. deutschen Unterr. VI Nr. 11 (Wasserzieher).

Gaster M. Chrestomatia Română. Revista critică-literară. 1893 Nr. 2 (A. Densuşianu).

Gauchat Le Patois de Dompierre (Broyard). Literaturbl. f. germ. u. rom. Phil. XIV Nr. 8 (Horning).

Gehring Index Homericus. Zeitschr. f. Gymnasialwesen. (Jahresberichte) 2/3 Heft.

Gerland G. Atlas der Völkerkunde. GGA. 1892 Nr. 25 (E. Grosse).

Giesswein A. Die Hauptprobleme der Sprachwissenschaft. Beilage zur Allgem. Zeitung 1893 Nr. 107 (Streitberg). LCB. 1893 Nr. 18. (v. d. Gabelentz). Theol. Literaturzeitg. XIV Nr. 6. Stimmen aus Maria Laach LXV Nr. 1 (Dahlmann). DLZ. 1893 Nr. 28 (Kretschmer). Wochenschr. f. klass. Phil. X Nr. 18 (H. Ziemer). Neue phil. Rundschau 1893 Nr. 8 (F. Stolz). Ungarische Revue 1893 VIII/IX S. 513 ff. (Misteli).

Gislason K. Udvalg af oldnordiske skjaldekvad. Nordisk Tidskr. for Filologi 1893 S. 131—35 (H. Falk).

Godefroy F. Dictionnaire de l'ancienne langue française. La lettre I. RCr. 1893 Nr. 25 (Delboulle).

Goetz G. Corpus glossariorum III. RCr. 1893 Nr. 3 (P. Lejay).

Gombert A. Weitere Beiträge zur Altersbestimmung nhd. Wortformen. AfdA. XIX 189 ff. (M. Heyne).

Gorra E. Il dialetto di Parma. Literaturbl. f. germ. u. rom. Phil. XIV Nr. 6 (A. Bestori).

Gröber G. Grundriss der roman. Philologie II 1, 1. LCB. 1893 Nr. 22 (Kn.) II 1, 2 u. II 2, 1. LCB. 1893 Nr. 52 (Kn.).

Hale G. Die *cum*-Konstruktionen (u. Hoffmann Das Modusgesetz im lat. Zeitsatz, Wetzel Das Recht im Streit zwischen Hale und E. Hoffmann). Zeitschr. f. d. österr. Gymn. XLIV 2 (J. Golling). Centralorgan f. d. Interessen des Realschulwesens 1893 Nr. 5.

Haruthjunean J. Die Schrift der Armenier. Wiener Zeitschr. f. d. Kunde des Morgenlandes VII 98 (Fr. Müller).

Hatzidakis G. Einleitung in die neugriechische Grammatik. Neue phil. Rundschau 1893 Nr. 2 (Zimmerer). Am. Journ. Phil. XIV S. 107 ff. (F. G. Allinson).

Heikel J. A Über die Entstehung der Konstruktionen bei πρίν. Berl. phil. Wochenschr. 1893. Nr. 3. (Stolz).

Ἑλλάς Band IV. RCr. 1893. Nr. 28 (My).

Hellwig H. Untersuchungen über die Namen des nordhumbrischen Liber vitae I. Literaturbl. f. germ. u. rom. Philologie XIV Nr. 5 (Bing).

Hench G. A. The Monsee fragments. AfdA. XIX 219 ff. (R. Kögel).

Hertel Über den Wert mundartlicher Untersuchungen. Zeitschr. f. franz. Spr. und Litt. XV Nr. 2 (Leitzmann).

Hey O. Semasiologische Studien. Wochenschr. f. klass. Phil. X Nr. 29 (Thomas).

Heyne M. Deutsches Wörterbuch II. ZZ. XXVI Nr. 1 (O. Erdmann). Literaturbl. f. germ. u. rom. Phil. XIV Nr. 9. (Behaghel).

Hillebrandt A. Vedische Mythologie I. LCB. 1893 Nr. 5. (Windisch). Am. Journ. Phil. XIV 491 ff. (M. Bloomfield).

Hoffmann E. Der mundartliche Vokalismus von Basel-Stadt. ZZ XXVI Nr. 1 (P. Schild).

Hoffmann E. Stärke, Höhe, Länge. LCB. 1893 Nr. 7 (Bremer).

Hogan The battle of Rossnaree. Academy 1107 (W. Stokes).

Holder A. Altceltischer Sprachschatz 2. u. 3. Lief. LCB. 1893 Nr. 1 (Windisch). Wochenschr. f. klass. Phil. X Nr. 15 (Meusel). RCr. 1893 Nr. 17 (G. Dottin). 3. DLZ. 1893 Nr. 14 (E. Hübner). 4. DLZ. 1893 Nr. 45. (E. Hühner). Polybiblion März 1893 (H. Gaidoz). Bayer. Gymn. 1893 Nr. 2/3 S. 134 (Σχ.).

Horn P. Grundriss der neupersischen Etymologie. LCB. 1893 Nr. 48 (S.l.m.n.). Wiener Zeitschr. f. die Kunde des Morgenlandes VII 274 ff. (Fr. Müller).

Hultsch Fr. Die erzählenden Zeitformen bei Polybios. II. LCB.

1893 Nr. 16. Berl. phil. Wochenschr. XIII Nr. 17 (Büttner-Wobst).
Wochenschr. f. klass. Phil. X Nr. 51 (H. Kallenberg).

Immerwahr Die Kulte u. Mythen Arkadiens. Jahresbericht f. Geschichtswissenschaft. 1891 I 104.

Jackson A. V. W. Avesta Grammar I. GGA. 1893 Nr. 10 (Caland).
RCr. 1893 Nr. 27 (Meillet). DLZ. 1893 Nr. 29. (W. Geiger). Journ.
Roy. As. Soc. Nov. 1892 (E. W. West). Scholastic Globe (London)
13. Aug. 1892 (Anon.), Literary World (London) 27. Jan. 1893 (Th.
W.). Museum (Groningen) 1. März 1893 (Caland).

Jeep L. Zur Geschichte der Lehre von den Redeteilen bei den
lateinischen Grammatikern. DLZ. 1893 Nr. 28 (O. Froehde). Hamburger Nachrichten 1893 Nr. 120.

Jellinek Beiträge zur Erklärung der germanischen Flexion. ZZ.
XXVI Nr. 2 (Fr. Kauffmann).

Jellinghaus H. Die niederländischen Volksmundarten. LCB. 1893.
Nr. 35 (te Winkel). Phil. Bijdrager II Nr. 1 (De Flou). Taal en Letteren III Nr. 1 (H. Kern). AfdA. XIX 292 ff. (J. Franck).

Jespersen O. Studier over Engl. Kasus. Mod. Lang. Notes VII
Nr. 7. (D. K. Dodge).

Jessen Dansk. etym. ordbog. Academy 1085.

Johansson K. F. Beiträge zur griechischen Sprachkunde. DLZ.
1893 Nr. 23 (Bezzenberger).

Jörss P. Über den Genuswechsel lateinischer Maskulina und Feminina im Französischen. Archiv f. d. Stud. d. neuern Sprachen
LXXXIX Nr. 4 (Cloëtta). Zeitschr. f. franz. Sprache XV Nr. 6/8
(Armbruster). Bull. critique 1893 Nr. 16 (P. Lejay).

Kahl W. Mundart und Schriftsprache im Elsass. DLZ. 1893 Nr. 38.
(Soltau).

Kahle B. Die Sprache der Skalden. LCB. 1893 Nr. 10 (Mogk).
Literaturblatt f. germ. und rom. Phil. XIV Nr. 8 (Mogk). AfdA.
XIX 124 ff. (Falk). Archiv f. nordisk filologi IX Nr. 4 (F. Jónsson).

Kanga K. E. Kordeh Avesta. Muséon XII 91 ff. (E. Wilhelm).

Karsten H. T. De uitspraak het latijn. Arch. f. lat. Lex. VIII Nr. 3
(E. Blümlein). Berliner phil. Wochenschr. XII Nr. 41 (Deecke).

Kassewitz J. Die französischen Wörter im Mhd. AfdA. XIX
44 ff. (Maxeiner).

Kauffmann Fr. Deutsche Mythologie 2. Aufl. AfdA. XIX 289.
(E. H. Meyer).

Keller O. Lateinische Volksetymologie. Class. Rev. VI Nr. 9. (Nettleship). Museum I Nr. 3 (Speyer). Gymnasium 1893 Nr. 1 (Ziemer).
Württ. Korr. 1893 Nr. 11/12 (Meltzer). Centralorgan f. d. Interessen
des Realschulwesens 1893 Nr. 2. Bulletin Critique 1893 Nr. 18.

Keller O. Zur lateinischen Sprachgeschichte. I. LCB 1893 Nr. 15.
(G. Meyer). Museum I Nr. 2 (Speyer). Berliner phil. Wochenschr.
XIII Nr. 29 (Skutsch). Archiv f. lat. Lex. VIII Nr. 3. Listy filol.

XX 410 ff. (Zubatý). Mélusine 1893 Nr. 8. Zeitschr. f. Realschulwesen 1893 S. 606.

Kirste J. Indogermanische Gebräuche beim Haarschneiden. RCr. 1893 Nr. 47 (S. Lévi).

Köppner Fr. Der Dialekt Megaras und der megarischen Kolonien. DLZ. 1893 Nr. 30 (P. Cauer). RCr. 1892 Nr. 5 (My.). Class. Rev. 1893 Februar (E. W. Fay).

Laistner L. Germanische Völkernamen. AfdA. XIX Nr. 1 (Kögel).

Larsson Ordförrådet i de älsta isländska handskrifterna. Mod. Lang. Notes VII Nr. 7 (D. K. Dodge). Nord. Tidskrift f. Filol. X Nr. 3 (Jónsson). AfdA. XIX 269 (F. Detter).

Leeuwen J. P. Enchiridium dictionis epicae. I. LCB. 1893 Nr. 10 (J. Wackernagel). Berliner phil. Wochenschr. XIII Nr. 3 (Cauer). Academy Nr. 1087. Neue phil. Rundschau 1893 Nr. 7 (Sittl). Παρνασσός 1893 (Febr.) S. 467—69. Gymnasium 1893. Nr. 16 (Vogrinz). Class. Rev. VII Nr. 8 (A. Platt).

Lefèvre Les races et les langues. Rev. de linguistique XXVI Nr. 1 (Hovelacque).

Leist B. W. Altarisches ius civile. 1. Abt. LCB. 1893 Nr. 24 (Th. N.). DLZ. 1893 Nr. 19 (O. Schrader).

Lentzner K. 1) Tesoro de voces y provincialismos hispano-americanos. 2) Bemerkungen über die spanische Sprache in Guatemala. Literaturbl. f. germ. u. rom. Phil. XIV Nr. 2 (Lenz).

Leviticus F. De klank en vormleer van het mittelnederlandsch dialect der St. Servatuslegende van H. v. Veldeken. Literaturbl. für germ. u. rom. Phil. XIII Nr. 12 (Kern).

Levy E. Provenzalisches Supplementwörterbuch. 1. Heft. LCB. 1893 Nr. 12. Romania 1893 Nr. 1/2. Literaturbl. f. germ. u. rom. Phil. XIV Nr. 9 (O. Schulz).

Liebich Br. Zwei Kapitel der Kāçikā. DLZ. 1893 Nr. 33 (R. O. Franke).

Lienhart Laut- und Flexionslehre der Mundart des mittlern Zornthales. ZZ. XXVI Nr. 1 (A. Socin).

Lindström P. E. Anmerkningar till de obetonade vokalernas hortfall i några nordfranska ortnam. Literaturbl. f. germ. u. rom. Phil. XIV Nr. 8 (Vising).

Losch Fr. Balder und der weisse Hirsch. AfdA. XIX 209—74 (R. M. Meyer).

Loth J. Les mots latins dans les langues brittoniques. DLZ. 1893 Nr. 1 (Zimmer). Literaturbl. f. germ. u. rom. Phil. XIV Nr. 3 (Schuchardt).

Lyttkens u. Wulff Metodiske ljudöfningar. LCB. 1893 Nr. 3 (Mogk). Literaturbl. f. germ. u. rom. Phil. XIV Nr. 12 (R. Lenz).

Mac Carthy B. The Codex Palatino-Vaticanus Nr. 830. Academy 1106 (W. Stokes).

Marchot P. Phonologie détaillée d'un patois wallon. 2) Solut; de quelques difficultés de la phonétique française. RCr. 1893 Nr. (E. Bourciez).

Mayhew Synopsis of Old Engl. phonology. Anglia Beiblatt Nr. 2.

Meister R. Die Mimiamben des Herodas. LCB. 1893 Nr. 33. (Cr...us)

Menge R. und Reuss S. Lexicon Caesarianum. DLZ. 1893 Nr. W. Soltau.

Men...s Bibliographie der deutschen Mundarten. LCB. 1893 Nr. ...

Müllenhoff K. Deutsche Altertumskunde III. ZZ. XXV Nr. 4 (Bremer). AfdA. XIX 266 ff. (B. Niese).

Müller F. M. Physische Religion. LCB. 1893 Nr. 11. DLZ 1893 Nr. 16 (Haberland). Theol. Literaturbl. XIII Nr. 10.

Müller F. M. Die Wissenschaft der Sprache. Neue Bearbeitung Übers. von R. Fick u. W. Wischmann. LCB. 1893 Nr. 25 (K. Brugmann). Gymnasium 1893 Nr. 5 (H. Ziemer). Neue phil. Rundschau 1893 Nr. 23 (F. Pabst). Wiener Zeitschr. f. d. Kunde des Morgenlandes VII Nr. 1 (J. Kirste).

Müller F. M. Theosophy or psychological religion. DLZ. 1893 Nr. 44 (W. Bender). Academy Nr. 1118 (Joh. Owen).

Müller F. M. Vedic hymns translated. Part I. New World (Boston). Vol. I Nr. 2 Juni 1892 (Whitney).

Müller H. D. Historisch-Mythologische Untersuchungen. DLZ. 1893 Nr. 12 (Bethe). Rev. de Phil. XVII Nr. 3 (H. Francotte).

Müller W. M. Asien u. Europa nach altägyptischen Quellen. LCB. 1893 Nr. 16 (G. Ebers). Theol. Lithl. XIV Nr. 19 (Zöckler).

Muller H. C. Historische Grammatik der hellenischen Sprache. I. II. DLZ. 1893 Nr. 44 (Wilh. Schulze). II. Bd. Berliner phil. Wochenschr. XIII Nr. 1 (G. Meyer). Österr. Literaturbl. 1893 Nr. 3 (Bohatta). Neue. phil. Rundschau. 1893 Nr. 8. Class. Rev. VII Nr. 4 (H. F. Tozer).

Muret E. Enzyklop. Wörterbuch der engl. und deutschen Sprache. 1—3. Phon. Stud. VI Nr. 2 (Jespersen).

Murray J. A. H. A new English dictionary. Part VI. Vol. III Part 1. Am. Journ. Phil. XIII S. 492 (J. A. Garnett).

Neue Fr. Formenlehre der latein. Sprache. II³. Berliner phil. Wochenschr. XIII Nr. 9. 10 (Seiffert). Archiv. f. lat. Lex. VIII 300 f. (Wölfflin).

Noreen A. Altnordische Grammatik I². LCB. 1893 Nr. 8 (Mogk). DLZ. 1893 Nr. 8 (Hoffory). Arkiv för nordisk filologi IX Nr. 4 (F. Jónsson).

Noreen A. Utkast till förläsningar i urgermansk judlära. Literaturhl. f. germ. u. roman. Phil. XIV Nr. 6 (Ehrismann).

Osthoff und Brugmann Morphologische Untersuchungen V. Literaturbl. f. germ. u. roman. Phil. XIV Nr. 4 (Kauffmann).

Paris G. L'altération romane du c latin. Literaturbl. f. germ u. rom. Phil. XIV Nr. 10 (Schuchardt).

Pascal C. Saggi linguistici. Wochenschr. f. klass. Phil. X Nr. 48 (G. Vogrinz).

Passy P. Étude sur les changements phonétiques. RCr. 1892 Nr. 51 (E. Bourciez).

Paton W. R. u. Hicks E. L. The inscriptions of Cos. Wochenschr. f. klass. Phil. X Nr. 19 (Bürchner).

Paul H. Grundriss der germanischen Philologie. II. Band 1. Abt.

Marchot P. Phonologie détaillée d'un patois wallon. 2) Solution de quelques difficultés de la phonétique française. RCr. 1893 Nr. 43 (E. Bourciez).

Mayhew Synopsis of Old Engl. phonology. Anglia Beiblatt III Nr 2.

Meister R. Die Mimiamben des Herodas. LCB. 1893 Nr. 33. (Crusius).

Menge R. und Reuss S. Lexicon Caesarianum. DLZ. 1893 Nr. 31 (W. Soltau).

Mentz Bibliographie der deutschen Mundarten. LCB. 1893 Nr. 37 (-mc.).

Merguet H. Lexikon zu den philos. Schriften Ciceros. Lief. 9—20. Wochenschr. f. klass. Phil. IX Nr. 51 (Andresen). Zeitschr. f. österr. Gymn. XLIV (A. Kornitzer).

Meringer R. Zur Geschichte der indogermanischen Deklination. Listy filologické 1893 Nr. 4 (J. Jedlička).

Meusel H. Lexicon Caesarianum II. Berl. phil. Wochenschr. XIII Nr. 3 (R. Schneider). Zeitschr. f. d. österr. Gymn. XLIII Nr. 11 (J. Prammer).

Meyer E. H. Die eddische Kosmogonie. AfdA. XIX 119 ff. (L. Laistner).

Meyer E. H. Germanische Mythologie. AfdA. XIX 113 ff. (Detter). GGA. 1893 Nr. 13 (Heusler).

Meyer G. Türkische Studien I. LCB. 1893 Nr. 41 (P. Horn). Literaturbl. f. germ. u. rom. Phil. XIV Nr. 5 (Schuchardt).

Meyer G. Essays und Studien zur Sprachgeschichte II. LCB. 1893 Nr. 44 (Streitberg). Beilage zur Allgem. Zeitung 1893 Nr. 248.

Middleton G. An essay on analogy of syntax. LCB. 1893 Nr. 23 (G. Meyer). Berliner phil. Wochenschr. XIII Nr. 21 (Fr. Stolz). Academy 1087.

Miller und Knauer Leitfaden zum Studium des Sanskrit. DLZ. 1883 Nr. 8 (W. Geiger).

Mills L. H. The five Zoroastrian Gâthâs. GGA. 1893 Nr. 10 (Justi). RCr. 1893 Nr. 37/38 (Darmesteter). Academy 1111 (E. W. West). Am. Journ. Phil. XIV 238 ff. (E. Wilhelm).

Misteli Fr. Charakteristik der hauptsächlichsten Typen des Sprachbaues. LCB. 1863 Nr. 47 (v. d. Gabelentz). Berliner phil. Wochenschrift. XIII Nr. 47.

Mitsotakis J. K. Neugriech. Grammatik. Allgem. deutsche Univ.-Zeitg. 1893 Nr. 4 (Mitzschke). LCB. 1893 Nr. 23 (K. B.). DLZ. 1893 Nr. 8 (Thumb). Neue phil. Rundschau 1893 Nr. 8 (H. Zimmerer).

Modi J. J. A dictionary of Avestic proper names. (Bombay 1892). Muséon XII Nr. 1 (E. Wilhelm).

Mucke E. De consonarum in Graeca lingua geminatione II. Berliner phil. Wochenschr. XIII Nr. 46 (Bartholomae).

Müllenhoff K. Deutsche Altertumskunde III. ZZ. XXV Nr. 4 (Bremer). AfdA. XIX 266 ff. (B. Niese).

Müller F. M. Physische Religion. LCB. 1893 Nr. 11. DLZ 1893 Nr. 16 (Haberland). Theol. Literaturbl. XIII Nr. 10.

Müller F. M. Die Wissenschaft der Sprache. Neue Bearbeitung Übers. von R. Fick u. W. Wischmann. LCB. 1893 Nr. 25 (K. Brugmann). Gymnasium 1893 Nr. 5 (H. Ziemer). Neue phil. Rundschau 1893 Nr. 23 (F. Pabst). Wiener Zeitschr. f. d. Kunde des Morgenlandes VII Nr. 1 (J. Kirste).

Müller F. M. Theosophy or psychological religion. DLZ. 1893 Nr. 44 (W. Bender). Academy Nr. 1118 (Joh. Owen).

Müller F. M. Vedic hymns translated. Part I. New World (Boston). Vol. I Nr. 2 Juni 1892 (Whitney).

Müller H. D. Historisch-Mythologische Untersuchungen. DLZ. 1893 Nr. 12 (Bethe). Rev. de Phil. XVII Nr. 3 (H. Francotte).

Müller W. M. Asien u. Europa nach altägyptischen Quellen. LCB. 1893 Nr. 16 (G. Ebers). Theol. Lithi. XIV Nr. 19 (Zöckler).

Muller H. C. Historische Grammatik der hellenischen Sprache. I. II. DLZ. 1893 Nr. 44 (Wilh. Schulze). II. Bd. Berliner phil. Wochenschr. XIII Nr. 1 (G. Meyer). Österr. Literaturbl. 1893 Nr. 3 (Bohatta). Neue. phil. Rundschau. 1893 Nr. 8. Class. Rev. VII Nr. 4 (H. F. Tozer).

Muret E. Enzyklop. Wörterbuch der engl. und deutschen Sprache. 1—3. Phon. Stud. VI Nr. 2 (Jespersen).

Murray J. A. H. A new English dictionary. Part VI. Vol. III Part 1. Am. Journ. Phil. XIII S. 492 (J. A. Garnett).

Neue Fr. Formenlehre der latein. Sprache. II³. Berliner phil. Wochenschr. XIII Nr. 9. 10 (Seiffert). Archiv. f. lat. Lex. VIII 300 f. (Wölfflin).

Noreen A. Altnordische Grammatik I². LCB. 1893 Nr. 8 (Mogk). DLZ. 1893 Nr. 8 (Hoffory). Arkiv for nordisk filologi IX Nr. 4 (F. Jónsson).

Noreen A. Utkast till förläsningar i urgermansk judlära. Literaturbl. f. germ. u. roman. Phil. XIV Nr. 6 (Ehrismann).

Osthoff und Brugmann Morphologische Untersuchungen V. Literaturbl. f. germ. u. roman. Phil. XIV Nr. 4 (Kauffmann).

Paris G. L'altération romane du c latin. Literaturbl. f. germ u. rom. Phil. XIV Nr. 10 (Schuchardt).

Pascal C. Saggi linguistici. Wochenschr. f. klass. Phil. X Nr. 48 (G. Vogrinz).

Passy P. Étude sur les changements phonétiques. RCr. 1892 Nr. 51 (E. Bourciez).

Paton W. R. u. Hicks E. L. The inscriptions of Cos. Wochenschr. f. klass. Phil. X Nr. 19 (Bürchner).

Paul H. Grundriss der germanischen Philologie. II. Band 1. Abt.

Lief. 5. 2. Abt. Lief. 3. Literaturbl. f. germ. u. rom. Phil. XIV 10 (Tobler). RCr. 1893 Nr. 11 Chuquet). Mod. Lang. Notes VIII Nr. 2 (Collitz).

Penka K. 1) Origines ariacae 2) Die Herkunft der Arier 3) Die alten Völker Osteuropas. ·L'Anthropologie 1892. T. III Nov.-Dez. (de Laponge).

Penka K. Die Heimat der Germanen. Berliner phil. Wochenschr. XIII Nr. 25 (Justi). DLZ. 1893 Nr. 42 (Bethge).

Persson P. Studien zur Lehre von der Wurzelerweiterung und Wurzelvariation. BB. XIX Nr. 1/2 (O. Hoffmann).

Philipon E. Patois de la Commune de Injurieux. Literaturbl. f. germ. u. rom. Phil. XIV Nr. 8 (Horning).

Pischel u. Geldner Vedische Studien II 1. RCr. 1892 Nr. 50 (V. Henry).

v. Planta R. Grammatik der oskisch-umbr. Dialekte. I. LCB. 1893 Nr. 10. DLZ. 1893 Nr. 8 (Deecke). Wochenschr. f. klass. Phil. X Nr. 11 (Deecke). Berliner phil. Wochenschr. XIII Nr. 15 (Deecke).

Prellwitz W. Etymol. Wörterbuch der griech. Sprache. LCB. 1893 Nr. 2 (G. Meyer). Berliner. phil. Wochenschr. XIII Nr. 5 (Fr. Stolz). Wochenschr. f. klass. Phil. X Nr. 30/31 (Cauer). DLZ. 1893 Nr. 6 (Kretschmer).

Prellwitz W. Die deutschen Bestandteile in den lettischen Sprachen. AfdA. XIX S. 35 (Bechtel).

Preuss S. Index Demosthenicus. LCB. 1893 Nr. 5 (B.). DLZ. 1893 Nr. 11 (K. Fuhr). Wochenschr. f. klass. Phil. X Nr. 1. Österr. Literaturbl. 1892 Nr. 17. S. 539 (Gitlbauer). RCr. 1892 II S. 433 (C. E. R.). Rev. des études grecques V (1892) S. 471 f. (G. Donat). Bayer. Gymn. 1893 Nr. 4 (Burger). Nord. Tidskr. f. filologi I 111 (K. Hude). Riv. di fil. XXII S. 128 (Cinquini). Bayer. Gymn. 1893 Nr. 4.

Psichari J. Études de philologie néo-grecque. LCB. 1893 Nr. 27 (K. Buresch). Berliner. phil. Wochenschr. XIII Nr. 7 (G. Meyer).

Ramsey S. The English language. Am. Journ. Phil. XIV 368 ff. (J. M. Garnett).

Regnaud P. L'Atharva-Véda. LCB. 1893 Nr. 49 (Windisch).

Regnaud P. Le Rig-Véda. LCB. 1893 Nr. 13 (Windisch). DLZ. 1893 Nr. 24 (A. Hillebrandt). GGA. 1893 Nr. 9. (R. Pischel).

Reinach S. L'origine des Aryens. Berliner phil. Wochenschr. XIII Nr. 13 (Rühl).

Reis H. Beiträge zur Syntax der Mainzer Mundart. Germania XXXVII Nr. 4 (Wunderlich).

Reisig K. Chr. Vorlesungen über latein. Sprachwissenschaft. DLZ. 1893 Nr. 21 (E. Hübner).

Ridgeway W. The origin of metallic currency. LCB. 1893 Nr. 4 (F. H.).

La Roche J. Homerische Untersuchungen. Wochenschr. f. klass. Phil. X Nr. 52 (P. Cauer).

Rousselot Les modifications phonétiques du langage. Literaturbl. f. germ. u. rom. Phil. XIV Nr. 6. (Koschwitz).

Scerbo Fr. Radice sanscrite. Journ. As.- 1893 9. Serie Tome I Nr. 2 S. 358.

Scerbo Fr. Caratteristiche del Greco e del Latino. RCr. 1893 Nr. 46. (V. Henry).

Schermann L. Materialien zur Geschichte der indischen Visions-litteratur. DLZ. 1893 Nr. 25 (Oldenberg). RCr. 1893 Nr. 27 (L. Feer).

Schlüter W. Untersuchungen zur Geschichte der altsächsischen Sprache I. Die schwache Deklination. LCB. 1893 Nr. 52. DLZ. 1893 Nr. 46 (Fr. Kauffmann).

Schmidt H. De duali Graecorum. LCB. 1893. Nr. 46 (G. Meyer). Wochenschr. f. klass. Phil. X Nr. 45 (E. Hasse).

Schmitt P. Über den Ursprung des Substantivsatzes mit Relativ-partikeln im Griechischen. Am. Journ. Phil. XIV 272 ff. (L. B. Gildersleeve).

Schulze W. Questiones epicae. Neue phil. Rundschau 1893 Nr. 15. (Eberhard). BB. XIX S. 253 f. (W. Prellwitz).

Schwab O. Historische Syntax der griech. Komparation I. LCB. 1893 Nr. 22 (G. Meyer). Berliner phil. Wochenschr. XIII' Nr. 45 (Zimmer). Wochenschr. f. klass. Phil. X Nr. 45 (H. Ziemer).

Schwan E. Grammatik des Altfranzösischen². LCB. 1893 Nr. 17 (Suchier). RCr. 1893 Nr. 43 (E. Bourciez). Zeitschr. f. franz. Sprache XV Nr. 4 (Meyer-Lübke).

Siecke E. Die Liebesgeschichte des Himmels. RCr. 1893 Nr. 47 (S. Lévi). AfdA. XIX 338 (Fr. Kauffmann).

Sievers E. Tatian. 2. Aufl. Österr. Literaturbl. 1893 Nr. 10 (R. Müller). ZZ. XXVI Nr. 2 (Wunderlich). AfdA. XIX 235 ff. (R. Kögel).

Sievers E. Grundzüge der Phonetik. LC. 1993 Nr. 40.

Skeat Principles of English etymology. Mod. Lang. Not. VII Nr. 7 (E. S. Sheldon).

Σκιὰς Περὶ τῆς Κρητικῆς διαλέκτου. Wochenschr. f. klass. Phil. X Nr. 26.

Skutsch F. Plautinisches u. Romanisches. Berl. phil. Wochenschr. XIII Nr. 6 (Bersu). Österr. Literaturbl. 1873 Nr. 10 (H. Bohatta). Arch. f. lat. Lex. VIII Nr. 3 (J. Stürzinger). Bair. Gymn. 1893 Nr. 2/8.

Specht Fr. Das Verbum reflexivum und die Superlative im West-nordischen. DLZ. 1893 Nr. 26 (Ranisch).

Storm J. Englische Philologie I 1². LCB. 1893 Nr. 16 (Sievers).

Sobolewski S. Syntaxis Aristophaneae capita selecta. Am. Journ. Phil. XIII S. 501 ff. (B. L. Gildersleeve).

Stolz Fr. Die Urbevölkerung von Tirol. Neue phil. Rundschau 1893 Nr. 3 (C. Pauli). Berliner phil. Wochenschr. XIII Nr. 12.

Stowasser Das Verbum *lare.* RCr. 1893 Nr. 3 (Lejay). Wochenschr. f. klass. Phil. X Nr. 19 (Ziemer). Archiv f. lat. Lex. VIII Nr. 2 S. 299 f. (Wölfflin). Nyelvtudományi Közlemények (Sprachw. Mitteilungen) 1893 Nr. 2 (Zolnai).

Streitberg W. Zur germanischen Sprachgeschichte. LCB. 1893 Nr. 5 (W. Braune). RCr. 1893 Nr. 13 (V. Henry). DLZ. 1893 Nr. 39 (Ranisch). Literaturbl. f. germ. u. rom. Phil. XIV Nr. 7 (Ehrismann).

Sütterlin A. Laut- u. Flexionslehre der Strassburger Mundart in Arnolds Pfingstmontag. Literaturbl. f. germ. u. rom. Phil. XIV Nr. 8 (Socin). LCB. 1893 Nr. 7 (W. Braune). AfdA. XIX 269 f. (A. Heusler).

Sweet H. 1) A new English grammar, logical and historical 2) A short historical English grammar. Anglia Beiblat IV Nr. 1 (Schröer).

Symons B. De Ontwikkelingsgang der Germaansche Mythologie. Literaturbl. f. germ. u. rom. Phil. XIV Nr. 8 (E. F. Kossmann).

Techmer F. Beiträge zur Geschichte der französischen und engl. Phonetik und Phonographie. Phonet. Studien VI Nr. 1 (Gartner).

Thomsen V. Berührungen zwischen den finnisch-lappischen u. baltischen Sprachen. Nyelvtudományi Közlemények. (Sprachw. Mitteilungen) 1893 Nr. II (Setälä).

Thumb A. Die neugriechische Sprache. Neue phil. Rundschau 1893 Nr. 2 (H. Zimmerer). Berliner phil. Wochenschr. XIII Nr. 10.

Thumb A. 1) Μελέτη περι τῆς cημερινῆc ἐν Αἰγίνῃ λαλουμένης διαλέκτου 2) Beiträge zur neugriechischen Dialektkunde I. RCr. 1893 Nr. 50 (H. Pernot).

Tobler L. u. Schoch R. Schweizerisches Idiotikon. Zeitschr. des Vereins f. Volkskunde III Nr. 1 (Staub).

Torp A. Den græske nominalflexion. DLZ. 1893 Nr. 20 (Bezzenberger). Nr. 2 (Erdmann). Archiv f. d. Stud. d. neuern Sprachen XC Nr. 4 (Glöde). Am. Journ. Phil. XIV 501 ff. (Ferren).

True u. Jespersen Spoken English. Phon. Stud. VI Nr. 1 (Lord).

Wehmann M. De ὥcτε particulae usu Herodoteo, Thucydideo, Xenophonteo. Am. Journ. Phil. XIV 240 f. (B. L. Gildersleeve).

Weigand Vlacho-Meglen. Academy Nr. 1104 (Morfill).

Weise O. Charakteristik der lateinischen Sprache. Neue phil. Rundschau 1893 Nr. 17 (E. Grupe).

Weisker G. Slavische Sprachreste. AfdA. XIX 268 f. (A. Brückner).

Weisweiler J. Das lateinische Partizipium Fut. Pass. Rev. de l'instr. publ. en Belgique XXXVI 65—68 (Parmentier). Am. Journ. Phil. XIII 98 ff. (Plattner).

Westermeyer A. B. Der sprachliche Schlüssel oder die semitisch-ursprachliche Grundlage der griechischen Deklination. DLZ. 1893 Nr. 5 (Bezzenberger).

Westphal R. Allgemeine Metrik der idg. und sem. Völker. Wochenschr. f. klass. Phil. X Nr. 3 (Draheim). Berliner phil. Wochenschr. XIII Nr. 23 ff. (v. Jan) LCB. 1893 Nr. 47 (Crusius). DLZ. 1893 Nr. 9 (R. M. Meyer). Neue phil. Rundschau 1893 Nr. 9 (E. Graf).

Whitney W. D. Max Müller and the science of language. LCB. 1893 Nr. 25 (K. Brugmann). Anglia Beiblatt IV Nr. 1 (H. Hirt).

Wide S. Lakonische Kulte. RCr. 1893 Nr. 21 (V. Bérard). Berliner phil. Wochenschr. 1893 Nr. 31/32 (-e-). Rev. des ét. gr. 1893 S. 316 (Th. Reinach). RCr. 1893 Nr. 21.

Wiedemann O. Das litauische Präteritum. DLZ. 1883 Nr. 13 (Bezzenberger).

Wilkens Fr. Zum hochalem. Konsonantismus der ahd. Zeit. AfdA. XIX 38 ff (Heusler). Literaturbl. f. germ. u. rom. Phil. XIV Nr. 2 (Fr. Kauffmann).

Wilmanns W. Deutsche Grammatik I. RCr. 1893 Nr. 31/32 (V. Henry). LCB. 1893 Nr. 40 (W. Braune). DLZ. 1893 Nr. 33 (Seemüller). Zeitschrift f. d. deutschen Unterricht VII Nr. 3 (Lyon). Zeitschr. f. d. österr. Gymn. XLIV Nr. 12 S. 1098 ff. (M. H. Jellinek).

Wimmer F. A. Sønderjyllands historiske runemindesmærker. AfdA. XIX Nr. 1 (H. Möller).

Winteler J. Naturlaute und Sprache. Literaturbl. f. germ. u. rom. Phil. XIV Nr. 8 (Ehrismann).

Winternitz M. On a comparative study of Ind-European customs. RCr. 1893 Nr. 47 (S. Lévi).

Witkowski St. De vocibus hybridis apud antiquos poetas Romanos. DLZ. 1893 Nr. 46 (H. Magnus). Berliner phil. Wochenschr. XIII Nr. 50.

Wright J. A primer of the Gothic language. Literaturbl. f. germ. u. rom. Phil. XIV Nr. 9 (Holthausen). Educational Rev. Okt. 1892. (W. H. Carpenter).

Wright J. A grammar of the dialect of Windhill. RCr. 1893 Nr. 24 (V. Henry). Anglia Beiblatt IV Nr. 6 ff. (Luick).

Wunderlich H. Der deutsche Satzbau. LCB. 1893 Nr. 31. Literaturbl. f. germ. u. rom. Phil. XIV Nr. 6 (Behaghel).

Sievers E. Altgermanische Metrik. DLZ. 1893 Nr. 10 (Heusler). Literaturbl. f. germ. u. rom. Phil. XIV Nr. 9 (H. Hirt). LCB. 1893 Nr. 24 (Streitberg).

Siljestrand K. Ordböjningen i Västmannalagen I. Literaturbl. f. germ. u. rom. Phil. XIV Nr. 1 (Heusler). Nord. Tidskrift for Fil. X Nr. 3 (Wadstein).

Sjöstrand N. De futuri infinitivi usu Latinorum questiones duae. Zeitschr. f. d. österr. Gymn. XLIV Nr. 1 S. 87 (J. Golling).

Zachariae Th. The Anēkārthasagraha of Hēmacandra. RCr. 1893
Nr. 51 (A. Barth). Academy 1115 (H. Jacobi).

Zander E. Recherches sur l'emploi de l'article. DLZ. 1893 Nr. 5
(W. Förster).

Zehme A. Über Bedeutung u. Gebrauch der Hilfsverba I. *soln*
und *müssen* bei Wolfram. AfdA. XIX 85 ff. (Tomanetz).

Zimmermann A. Etymologische Versuche. Archiv f. lat. Lex.
VIII Nr. 3.

W. Str.

Mitteilungen.

Annual Meeting of the American Oriental Society.

The annual meeting of the American Oriental Society
was this year held at Columbia College, New-York City, during
Easter week, March 29, 30 and 31. The meeting was charac-
terized by a maximum of work and a minimum of routine
business. There were 56 members in regular attendance at
the sessions, besides the guests invited to be present. The
presiding officer of the society, Dr. Daniel Coit Gilman, President of Johns Hopkins University was in the chair.

Some 40 papers were read. Of these, 14 were on Semitic or non-Indo-Germanic subjects. Professor D. G. Lyon
(Harvard University, Cambridge), described a recently discovered tablet of Raman-nirari; Prof. Paul Haupt (Johns Hopkins University, Baltimore) advanced new views in regard to
the origin of the Pentateuch, and in another paper he argued
for the identification of the rivers of Paradise with the Per-
sian Gulf and the Red Sea. Dr. W. Hayes Ward (New-York)
presented a useful and practical classification of Oriental cylin-
ders, and added some new information on Hittite seals. Prof.
C. H. Toy (Harvard University) offered a critical study of 'Foreign words in the Koran'. A number of other papers on kindred or related subjects were brought forward by the following
scholars: Professors R. J. H. Gottheil, I. H. Hall, D. B. Macdo-
nald, G. Frothingham, Drs. G. A. Barton, J. M. Casanowicz,
F. D. Chester; the Rev. A. Kohut, W. S. Watson, S. D. Peet,
J. T. Gracey.

A treatise on 'The Physiological correlations of certain
linguistic radicals' was then laid before the society by Prof.
D. G. Brinton (University of Pennsylvania); the material for

this monograph was drawn chiefly from the Mexican and Indian languages of America.

The first paper directly in the Indo-Germanic department was by Prof. W. D. Whitney (Yale University, New Haven). It was a critique arguing against the recent attempt by Jacobi and Tilak, to date the Rig-Veda back to B. C. 4000. There followed a paper by Prof. M. Bloomfield (Johns Hopkins University) on 'Trita, the scape-goat of the gods'; his second communication was in regard to Vedic words ending in -gva and -gvin, in which he connected this suffix with gô- 'cow', and campared Gk. -βη (βοῦς) in ἑκατόμβη as parallel. Prof. E. W. Hopkins (Bryn Mawr, Penn) presented some of the results of his study of 'Numerical data as a means of Veda critique'. The outcome of his researches tend to support the connection of the eighth Maṇḍala of the Rig-Veda with Books i, ix, x, rather than with the family books, if the usage of numbers is to be taken as a criterion. This study is to be supplemented by a similar investigation of the vocabulary and word-usage of the eighth book, which it is expected will support the same view. Rev. R. Webb (Lincoln University, Nebraska) dealt with the question of Hindu music, a subject with which his residence in India had rendered him familiar. Dr. H. Oertel (Yale University) then presented the society with a catalogue he had prepared of the Sanskrit works in its library.

The communications brought forward by Prof. C. R Lanman (Harvard University) were in the field of Buddhism, or of Pali and Sanskrit lexicography. One of these papers contained a long list of once-used words in Sanskrit which occur, however, in Pali, and whose meanings can thus be cleared up. His paper on the 'milk-drinking swans of India' which are said to separate the milk from the water, was an inquiry as to whether the allusion might perhaps be to some esculent or lacteous lily-stalk which the swans fed on in the ponds. From the department of Buddhism also, Mr. H. C. Warren reported the progress made in his Visuddhimagga edition which is in preparation.

Dr. C. Adler (U. S. National Museum) next described some interesting casts which the United States government has of the sculptures and inscriptions at Persepolis. Prof. H. C. Tolman (University of North Carolina) added some notes on 'Die altpersischen Keilinschriften of Weissbach and Bang'. Prof. A. V. W. Jackson (Columbia College) found an allusion to Zoroaster in the Younger Edda, and treated historically the subject of Parsi proper names.

In conclusion, Prof. E. W. Fay (Lexington, Va.) presented

some new suggestions regarding the verbal interpretation of
the Arval song, and by comparison with an Atharva-Veda
passage sought to prove that the Arval song was an Aryan
document.

In the business part of the meeting, delegates were
appointed to represent the society at the International Con-
gress of Orientalists to be held in Geneva. The annual elec-
tion of officers was held and the following were chosen: as
President of the Society, Pres. D. C. Gilman; as Vice-Presi-
dents, Dr. W. H. Ward, Prof. C. H. Toy and Prof. I. H.
Hall; Recording Secretary Prof. D. G. Lyon; Treasurer, Mr.
H. C. Warren, and as Corresponding Secretary, Prof. E. D.
Perry of Columbia College, to succeed Prof. C. R. Lanman,
who after eleven years service asked to be relieved of the
duties of this office.

Columbia College, New-York City. April 1894.

A. V. Williams Jackson.

Personalien.

H. D. Whitney, der berühmte amerikanische Sprachforscher und Sanskritist, Professor an der Yale University
(New Haven), ist am 7. Juni d. J. gestorben.

Eine verunglückte Konjektur Hugo Schuchardts.

H. Schuchardt hat zu Leskiens Jubiläum am 4. Juli d. J.
einen Festgruss erscheinen lassen, dessen Eingang eine historische Thatsache zu deuten unternimmt und zwar der kombinatorischen Phantasie, über die der treffliche Grazer Gelehrte
in so reichem Maasse verfügt, alle Ehre macht, leider aber
nicht zugleich die sonst von ihm so oft bewährte Umsicht in
der Abwägung der für die Ermittlung der Wahrheit in Betracht zu ziehenden Möglichkeiten ans Licht treten lässt.

Freund und in gewissem Sinne, wie er sagt, auch Schüler
von Leskien, hat Sch. von den Herausgebern der Indogermanischen Forschungen keine Aufforderung zur Mitwirkung an
dem Leskien gewidmeten vierten Bande dieser Forschungen erhalten. Dass man ihn vergessen habe, glaubt er nicht. Er
meint, dass man ihn für die Auflehnung gegen jenen Satz,
als dessen Vater Leskien gilt, den von der Ausnahmslosigkeit

der Lautgesetze habe strafen und zwar mit Dantescher Sinn-
bildlichkeit habe strafen wollen, indem man mit ihm eine
'Ausnahme' gemacht habe. Hierdurch schienen die Herausgeber die Ansicht Zöllners zu bestätigen, dass man zwischen
wissenschaftlicher Unabhängigkeit und dem freundschaftlichen
Verkehr mit Fachgenossen wählen müsse.

Sch. auszunehmen ist uns nie in den Sinn gekommen,
wie wir auch bekennen dürfen uns durch seine sachlich und
maassvoll gehaltene Polemik gegen jenes Axiom nie unange-
nehm berührt oder gar verletzt gefühlt zu haben. Die gedruckte Aufforderung zur Mitwirkung an dem Festband ist
ihm denn auch seinerzeit zugesandt worden, sie ist aber Gott
weiss durch wessen Schuld nicht in des Adressaten Hände
gelangt. Den urkundlichen Beleg für Ablieferung an die Post
haben wir noch in den Händen, wir haben ihn auch Sch. zu-
gehen lassen. Lag nun die Erklärungsmöglichkeit, dass diesmal die Post nicht ganz auf der Höhe des Jahrhunderts gestanden oder eine andere Transportinstanz schlecht funktio-
niert habe, gar so fern, um sie gänzlich beiseite lassen und
sofort zu einem für uns so wenig schmeichelhaften Vorwurf
schreiten zu dürfen?

Diese übel geratene Konjektur Schuchardts mag 'den
Humor' erhöhen, 'mit dem die Nachwelt auf unsere Zwistig-
keiten blicken wird', und von dem Sch. etwas vorausnehmen
möchte. Auch uns soll sie den Humor nicht weiter kürzen,
und so falle über dieser Tragikomödie für immer der Vor-
hang!

August 1894.

K. Brugmann. W. Streitberg.

Erklärung.

Herr Thumb urteilt von meiner Schrift Über den kret. Dialekt
(Anz. III 130) sie biete 'deutschen Lesern' nur wenig neues; aber
von dem wenigen neuen oder beachtenswerten, das er mir zuge-
steht, wäre doch wichtigeres anzuführen gewesen, als die Darstellung des ϝ und eine Korrektur zu einer hesychischen Glosse; denn
beachtenswerter sind diese Dinge doch nicht als die Auffindung
eines neuen Pronominalgenitivs (ὅπω —ὅτου S. 48 und 147), die Erläuterung von κρίος (S. 93), ἐπηγκενίδες (S. 115, wozu Joh. Schmidt
KZ. XXXII 337), λέοι, κρεος-κρειος (S. 113 f. und 120), die Erklärung
der rätselhaften Wörter ἀκριάι (S. 56; vgl. Ἐφημ. Ἀρχ. 1890. S. 186),
περιαμπέτιε (S. 63), ἀρχιδίων (S. 139), die Herleitung des hypothetischen Satzes aus dem Fragesatz, bezw. die Ermittelung des Verhältnisses der Partikeln αἰ, ἦ, ἦ (ὥςτε ἦ, ἀλλ᾿ ἦ). εἴτε (ἐπεί, ἐπή), ἦ zu
einander (S. 163—165) und ähnliches, abgesehen von den gegen 30
vorgeschlagenen neuen Lesungen altkretischer Inschriften. Auch

die Theorie, dass das H-Zeichen in den archaischen kretischen Inschriften nicht jedes lange *e* darstelle, sondern dass es ähnlich wie
das H von Naxos und Keos zu erklären sei, dass somit alle archaische
kret. Inschr. die H aufweisen älter sein müssen als die gortynische
Inschr., welche nur E anwendet, hätte Berücksichtigung verdient,
wenn sie auch 'nicht genügend begründet' scheinen sollte; denn
sie ist immerhin ein Versuch eines der schwierigsten Probleme
in der ganzen griechischen Dialektologie zu lösen.

Das Kapitel über die Betonung hätte nach Hrn. Th. bedeutend eingeschränkt werden können, da es für das Kretische 'keine
greifbaren Resultate' bringe, sondern 'nur Bekanntes' wiederhole.
Aber das Kapitel durfte nicht ausfallen, da ich meine Akzentuierung
der kret. Wörter zu begründen hatte. Meine Darstellung des dorischen Akzents aber weicht nicht nur im Einzelnen von der gewöhnlichen Annahme wesentlich ab (so z. B. in betreff von ὅπως—ὅπῶς
und des Gen. Plur. S. 33), sondern auch im allgemeinen, da ich zu
beweisen suche, dass der dorische Dialekt denselben Betonungs-
gesetzen folgt, wie das Gemeingriechische, die überlieferten Differenzen aber nur in einem sehr beschränkten Kreis von Erscheinungen auftreten, welche durch die Wirksamkeit verschiedener
Faktoren (hauptsächlich der Analogie) entstanden sind. Dass dies
alles schon früher bekannt war, wusste ich noch nicht, und ich werde
Hrn. Th. sehr dankbar sein, wenn er mir die Schrift nachweist,
worin es zum erstenmal vorkommt.

In Betreff des Spiritus asper tadelt Hr. Th. die Nichtberück-
sichtigung seiner Schrift. Aber sie war mir damals unzugänglich.
Um sie benutzen zu können, hätte ich den Druck meines Werkes
um zwei Monate verzögern müssen, während viele persönliche
Gründe auf möglichst raschen Abschluss drängten. Infolgedessen
ist mir unter anderem auch das Unglück passiert, die Erwähnung
von Lyttos bei Brugmann unter denjenigen kretischen Städten, wo
Psilose vorkommt, einem Versehen zuzuschreiben, während Hr. Th.
es 'belegt' zu haben versichert. Zu meiner Entschuldigung bemer-
merke ich, dass in den echt dialektischen Inschr. von Lyttos kein
einziges Beispiel der Psilose vorkommt, und dass ich nicht vermuten
konnte, dass man sich auf späte in verderbtem Dialekt abgefasste
Inschriften berufen würde, um lokale Differenzen in den Dialekten
der einzelnen kret. Städte zu konstatieren. Welche 'neuen Momente'
der Ref. für die Darstellung des Spiritus asper von mir verlangt,
weiss ich nicht; mein bescheidenes Verdienst besteht darin, dass ich
zwei zwar längst bekannte aber für das Kret. noch nicht benutzte
(auch von Hrn. Th. selbst nicht) antike Grammatikerzeugnisse her-
anzog, von denen das eine die Existenz des Spir. asper in Hierapytna (in dessen Inschr. Beispiele von der vermeintlichen Psilose
nicht fehlen) auf das bestimmteste beweist, das andere die vermeintliche Psilose als eine allgemein dorische orthographische Ungenauig-
keit darstellt (S. 42), und dass ich auf Grund dieser Zeugnisse die
von Hrn. Th. vertretene Theorie der kret. Psilose als unhaltbar erwiesen habe.

In Bezug auf die dor. Kontraktion von αε meint H. Th., ich
suche vergebens die bekannte Regel umzustossen, denn ein Blick
in J. Schmidt Plur. d. Neutra S. 326 könne mir zeigen, dass die
Sache nicht so einfach sich erledigen lasse. Und doch steht eine
durchaus genügende Widerlegung der Schmidtschen Ansicht auf
S. 134 meiner Schrift gedruckt.

Meiner Ansicht, dass im Kret. bei dem Wechsel von κτ und
πτ in ττ, von μπ in ππ und von cθ in θθ keine wirkliche Assimi-

lation, sondern eine Verstummung des schwächeren Lautes infolge mangelhafter Artikulation vorliege, setzt der Ref. ein Fragezeichen in Klammern bei. Indessen beruht meine Annahme auf der Thatsache, dass in den kret. Sprachdenkmälern zu allen Zeiten neben der assimilierten Form auch die nicht assimilierte vorkommt. Doch selbst wenn man mir nicht beistimmt, ist das Fragezeichen nicht berechtigt, denn dieselbe Spracherscheinung ist auch in lebenden Mundarten festgestellt. Vgl. Hatzidakis IF. III 325, Kretschmer KZ. XXIX 492—466.

Ebenso vergisst der Ref. das Fragezeichen nicht, wenn er berichtet, dass ich ð für einen Spiranten, ðð für einen Verschlusslaut halte. Ich bemerke, dass Hr. Th. nicht ganz genau das wiedergibt, was in meiner Schrift steht; denn ich habe für das ð die spirantische Aussprache nur für die spätere Zeit angenommen, da es damals lautgesetzlich anders behandelt wird, als zu der Zeit der gortynischen Gesetzinschrift; das aus ζ entstandene ðð aber zu derselben Zeit kann nicht für einen Spiranten gelten, weil es häufig mit τ oder ττ bezeichnet wird.

Ich bin Hrn. Th. noch eine Erklärung schuldig; er findet nämlich die von mir vermutungsweise ausgesprochene Etymologie von αὐτός unverständlich; wenn er aber die betreffende Stelle noch einmal liest, so wird er finden, dass ich αὐτός in ähnlicher Weise zusammengesetzt halte, wie οὗτος (ὁ-υ-τός), nämlich aus einem demonstrativen und einem adjektivischen Pronominalstamm mit der Partikel υ. Nach dieser Etymologie soll es bedeuten 'er selbst'. Anders Wackernagel KZ. XXXIII 23.

Athen.   Ἀνδρέας Ν. Σκιᾶς.

Erwiderung.

1. Mein Urteil "Neues wird für deutsche Leser nur in geringem Umfang vorgetragen" erleidet durch des Verf.s Zusätze keine Einschränkung, selbst wenn ich dieselben alle für positiv erwiesen halten würde. Oder meint der Verf. auf Grund der angeführten Belege "Neues werde in seinem Buche in grossen Umfange vorgetragen"? — Die Theorie über E und H habe ich berücksichtigt, wie meine Andeutung zeigt.

2. Dass das Kapitel über Betonung für das Kretische keine greifbaren Resultate bringe, wird durch des Verf.s Gegenbemerkungen nicht widerlegt. In der 'Entdeckung' des Verf.s über die dorische Akzentuation vermag ich nichts überraschendes zu sehen; z. B. bei Pezzi La lingua greca antica S. 341 (Anm.) wird das Walten der Analogie in der dorischen Akzentuation ohne viel Aufhebens genannt.

3. Herr Sk. giebt zu, dass ihm ein Versehen passiert ist. Wenn jemand eine Theorie widerlegen will, so muss er auf die Ausführungen des Autors eingehen. War dem Verf. mein Buch unzugänglich — es befindet sich übrigens, wie ich nebenbei bemerke, seit dem Jahre 1889 in Athen — so that er gut, wenigstens einen Vorbehalt zu machen in dem Sinn, dass er meine Gründe nicht kenne. Wie Verf. meine These aus den beiden angezogenen Grammatikerstellen widerlegen zu können meint, ist mir unbegreiflich; über die Apolloniusstelle vgl. Spir. asp. S. 7 f. Für die andere Stelle bin ich dem Verf. dankbar; da ich für Hierapytna die Ent-

scheidung offen gelassen habe, so werden durch jene Stelle meine
Ausführungen ergänzt — aber nicht widerlegt.

4. Eine "durchaus genügende Widerlegung." der Schmidtschen Ansicht vermag ich in den Behauptungen von S. 134 nicht
zu sehen.

5. Die vom Verf. beanstandeten Fragezeichen gegenüber der
Erklärung von κτ und ττ, μπ und ππ sowie bei der Annahme betreffs δ und δδ besagen, dass ich die Aufstellungen des Verf. vorläufig für blosse Vermutungen halte; der Hinweis auf lebende
Mundarten[1]) zeigt doch nur, dass die angenommene Artikulation
von κτ, μπ möglich (was ich ja gar nicht bestreite), nicht aber,
dass sie für das Kretische wahrscheinlich ist. Die Vermutung über δ
und δδ ist vielleicht richtig.

6. Die Erklärung von αὐτός ist nach meiner Meinung nichts
als eine unbewiesene Behauptung.

Freiburg i. B.   A. Thumb.

Zu IF. III 285.

Kögel hat an der genannten Stelle dargethan, dass das Alt-
sächsische schon den Umlaut von *a* besessen habe. Das war jedoch
schon vor Kögel bekannt und steht zu lesen in einem Buche, an
dem er selbst mitgearbeitet hat, in Pauls Grundriss I 563.

Giessen.   O. Behaghel.

Berichtigungen.

IF. IV S. 463 Z. 2 von unten: nach den Worten: "si cette désience"
      ergänze: "n'est pas le primitif -*ès* consonantique?"
—   „ 465 „ 9 von oben: lies: *meiteiē*, anstatt *meiteiē*.
—   „ 465 Note, Z. 3: lies: *niēkadai*, anstatt *niēkadai*.
—   „ 469 Z. 6 von unten: vor dem Worte: *wandens* füge hinzu:
      ce masculin.

---

1) Das Zitat von Hatzidakis ist falsch; Verf. meint offenbar
IF. II 383 ff.

9 780331 260397